Collection **marabout service**

D0766696

Afin de vous informer de toutes ses publications, **marabout** édite des catalogues et prospectus où sont annoncés, régulièrement, les nombreux ouvrages qui vous intéressent. Pour les obtenir gracieusement, il suffit de nous envoyer votre carte de visite ou simple carte postale mentionnant vos nom et adresse, aux Nouvelles Editions Marabout, 65, rue de Limbourg, B-4800 Verviers (Belgique).

Déjà paru dans la collection marabout service :

Le guide Marabout du Scrabble, de Michel Charlemagne
(MS 313).

PAUL LEVART

Dictionnaire marabout du Scrabble®

volume 1
de AAAACCP à AENOPUX

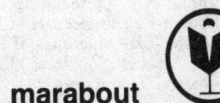

marabout

Les collections **marabout** sont éditées par la S.A. Les Nouvelles Éditions Marabout, 65, rue de Limbourg, B-4800 Verviers (Belgique). — Le label **marabout**, les titres des collections et la présentation des volumes sont déposés conformément à la loi. — Distributeurs en **France** : HACHETTE s.a., Avenue Gutenberg. Z.A. de Coignières-Maurepas, 78310 Maurepas, B.P. 154 — pour le **Canada** et les **États-Unis** ; A.D.P. Inc. 955, rue Amherst, Montréal 132, P.Q. Canada — en **Suisse** : Office du Livre, 101, route de Villars, 1701 Fribourg.

Avant-propos

Le Dictionnaire Marabout du Scrabble s'adresse aux millions d'adeptes du Scrabble, pratiquant ce jeu au cours de leurs loisirs ou en championnat. Il sera également un aide précieux pour tous les fervents de jeux de lettres dont une des étapes consiste à former des mots de 7 ou 8 lettres ou encore à transformer un mot de 7 lettres en un autre de 8 lettres, par adjonction d'une lettre supplémentaire. C'est le cas, entre autres, du « Mot le plus long » dans l'émission « Des chiffres et des lettres » diffusée sur Antenne 2, du « Qui dit mieux » des « Jeux de 20 heures » sur FR3, du « Dernier mot » sur RTL,...

Qu'est-ce que le Dictionnaire Marabout du Scrabble ?

Au Scrabble, le coup rapportant le plus de points — et le plus joli — consiste généralement à placer en une fois les 7 lettres de son chevalet sur la grille pour former soit un mot de 7 lettres, soit un mot de 8 lettres, en utilisant alors une des lettres déjà posées sur la grille. Le Dictionnaire Marabout du Scrabble (nous l'appellerons désormais par ses initiales *DMS*) est le recueil de tous les tirages de 7 lettres que l'on peut, seules ou à l'aide d'une lettre supplémentaire, placer en une seule fois, accompagnés des solutions correspondantes.

Le *DMS* est entièrement mis à jour par rapport au dictionnaire de référence utilisé pour le Scrabble, le Petit Larousse Illustré, dans ses éditions 1981 à 1983, et conforme au règlement en vigueur à la Fédération Internationale de Scrabble Francophone.

Avec le *DMS*, vous pourrez donc instantanément vérifier si vos 7 lettres vous permettent de « scrabbler » (c'est-à-dire de toutes les placer), et ce quelle que soit la complexité de la grille. Par exemple, vous y découvrirez que si vous avez tiré INTEROS, vous avez toutes chances de scrabbler, car le tirage EINORST permet de former 4 mots de 7 lettres, et 77 mots de 8 lettres, à l'aide de 22 des 26 lettres de l'alphabet ! Si, en revanche, vous avez tiré ECOTIAE, le *DMS*

vous apprendra que, contre toute attente, ce tirage ne permet aucun scrabble en 7 ou 8 lettres.

Avec le *DMS*, les joueurs chevronnés disposeront d'un outil de travail irremplaçable, qui les aidera à mémoriser les tirages. Ils découvriront par exemple que le tirage ABSURDE donne des scrabbles en s'appuyant sur chacune des lettres du mot MOLA-RITES.

Pour le joueur du « Mot Le Plus Long », le *DMS* sera également d'un grand secours. Si, par exemple, les 7 premières lettres tirées ont été LURINES, il conviendra de demander une voyelle. Le *DMS* nous apprend en effet que si EILNRSU ne permet pas de former de mot de 7 lettres, seule la consonne T fournit des mots de 8 lettres (*insulter* ou *lustrine*), alors que 5 des 6 voyelles (A, E, I, O, U) donnent des solutions : *lunaires, lésineur, silurien, ourliens, ursuline.*

● **Quelques chiffres**
Le *DMS* contient les 78.637 tirages du Scrabble donnant, en 7 ou 8 lettres, au moins une solution, et au plus 122 (AEINRST : 15 solutions en 7 lettres, et 107 solutions en 8 lettres). Ces tirages admettent 24077 solutions différentes en 7 lettres, et 35445 en 8 lettres. Le total des solutions réparties sur les différents tirages est de 257.296.

● **Que contient le DMS ?**
Le *DMS* est constitué des mots simples figurant dans la partie langue des éditions 1981 à 1983 du petit Larousse Illustré, et en conformité avec le règlement de la Fédération Internationale de Scrabble Francophone, dont un extrait figure ci-après. Tout mot figurant dans le P.L.I. et pas dans le *DMS* (ou inversement) fait l'objet d'un point de ce règlement. Le lecteur le consultera avec profit ; il peut également se reporter à l'excellent « Guidé Marabout du Scrabble » (MS 313), de M. Charlemagne pour toute question sur le Scrabble à laquelle ce bref avant-propos n'aura pas répondu.

Comment utiliser le DMS

Tous les tirages permettant de scrabbler figurent dans le *DMS*, en caractères gras soulignés, classés par ordre alphabétique. Pour repérer un tirage, les lettres le composant doivent être rangées par ordre alphabétique.

Par exemple, le tirage CEAIVAR se trouvera à AACEIVR. Cherchons alors AACEIRV dans le *DMS*, et commentons son article :

— Il y a 2 solutions en 7 lettres, classées par ordre alphabétique.
— Il y a 1 solution en 8 lettres, en ajoutant le D.
— Il y a 4 solutions, rangées par ordre alphabétique, en ajoutant un L (la lettre d'appui n'est pas répétée).
Les lettres d'appui donnant des solutions en 8 lettres apparaissent par ordre alphabétique.

AACEIRV	
	avarice
	caverai
+D	caviarde
+L	calvaire
	cavalier
	clavaire
	claverai
+N	variance
+S	avarices
	caverais
+T	activera
	caverait
	reactiva

● **Les jokers**

Le jeu de Scrabble comporte deux jokers qui peuvent, une fois pour toutes, remplacer n'importe quelle lettre. La présence d'un joker augmente considérablement le nombre de combinaisons, et il serait fastidieux de remplacer successivement ce joker par chacune des 26 lettres de l'alphabet, pour trouver les solutions dans le *DMS*. Un procédé plus rapide consiste à repérer sur la grille la ou les lettres permettant de scrabbler en 8 lettres. On forme ensuite le tirage constitué des 6 lettres en main et de la lettre déjà sur la grille. On trouvera alors la ou les valeurs à donner au joker, ainsi que les solutions correspondantes, pour scrabbler à l'aide de cette lettre.

Exemple : Soit le tirage LIRSUN ? (? est le joker). Si seul un E placé sur la grille laisse entrevoir une possibilité de scrabbler, on forme le tirage EILNRSU et le *DMS* donne alors comme solutions :
— joker **A** : *laineurs, lunaires* ou *ulnaires*
— joker **E** : *lésineur*
— joker **I** : *silurien*
— joker **O** : *ourliens*
— joker **T** : *lustrine* ou *insulter*
— joker **U** : *ursuline*

Remarques : le Scrabble, comme tous les jeux de lettres, ne tient pas compte des divers signes orthographiques tels que accents, cédille, tréma, tilde... Dépourvus de ces signes, certains mots peuvent sembler insolites. Ainsi :
— CHERTES doit se lire *chertés*,
— DEFERENT signifie aussi bien *ils défèrent* que *déférent*,
— DECURENT ne provient pas d'un imaginaire verbe « décurer », mais de décevoir : ils *déçurent*,
— AMBIGUE doit se lire *ambiguë*.

D'autre part, les conjugaisons engendrent parfois des formes verbales inhabituelles, qu'il faudra identifier : PUSSIONS est le subjonctif imparfait de la première personne du pluriel du verbe pouvoir...

Règlement

Les pages qui suivent sont extraites du règlement de la Fédération Internationale de Scrabble® Francophone.

2. Mots autorisés

2.1. Règles générales

2.1.1. Sont admis :

a) les mots simples et les mots composés s'écrivant comme des mots simples (comme ENTRESOL, ENTRAIDER, LEQUEL...), même s'ils sont suivis d'un ou de mots entre parenthèses (comme CATIMINI, GIORNO, JAVEL, LATERE, et les verbes pronominaux...), pour autant que ces mots sont repris en tête d'article et en lettres majuscules, dans la première partie du Petit Larousse Illustré (*P.L.I.*) portant en première page les millésimes 1981 et suivants, étant entendu que toute édition portant un nouveau millésime n'a d'effets qu'à partir du 1er janvier ;

b) les mots étrangers, qui, malgré la présence d'un signe diacritique ressemblant à une apostrophe, peuvent être considérés du point de vue du Scrabble comme des mots simples (comme CHĀFI'ISME, CHARĪ'A, CHĪ'ISME, CHĪ'ITE, DJAMĀ'A, MU'TAZILITE, TCH'AN) ;

c) les mots AFIN, ENCONTRE, INDÉPENDAMMENT, INSTAR, QUANT et TANDIS, bien qu'ils soient repris dans des locutions ;

d) les mots repris à l'additif (chapitre **5**, du règlement) ;

e) les mots CH'TIMI, REVOICI et REVOILÀ.

2.1.2. Sont exclus ;

a) les mots composés ne s'écrivant pas comme des mots simples, c'est-à-dire ceux dont les éléments constitutifs ne sont pas reliés ou le sont par un tiret, une apostrophe ou une virgule (comme DON JUAN ; À-CÔTÉ ; ENTR'AIMER ; PATATI, PATATA) ;

b) les mots dont les lettres sont séparées par un blanc ou par un point (comme A B C, D.D.T., L.S.D., O.K., S.O.S., W.-C.) ;

c) les préfixes (comme EX-, DÉCI-) et les suffixes ;

d) les symboles, même s'ils sont écrits entièrement en majuscules ;

e) les abréviations et sigles en grandes capitales : GMT, ICBM, IRBM, MIRV, MOS, MRBM, ORSEC, SLBM, ainsi que l'abréviation ETC. ;

f) les graphies KENYANNE, OURDU et IKABANA.

2.2. Genre et nombre des mots
(voir également **3.1.** et **3.2.**)

2.2.1. Tous les féminins de mots admis sont valables, pour autant qu'ils sont mentionnés dans la première partie du *P.L.I.* (même ceux indiqués dans le commentaire d'un mot comme CHOUTE, DEMANDERESSE, MALINE, RECORD-WOMAN, SAGOUINE, VENDERESSE, YACHT-(S)WOMAN...).

2.2.2. Outre les pluriels français réguliers, tous les pluriels indiqués par le *P.L.I.* sont valables, même ceux mentionnés dans le commentaire d'un mot comme CHOUX. En outre, les mots admis pour lesquels seul un pluriel non français est mentionné au *P.L.I.*, que ce soit avec l'entrée ou dans le commentaire, acceptent également le pluriel français en -S (ainsi GOYS est admis outre GOÏM et GOYIM, LEVS outre LEVA, LEUS outre LEI, PENNYS outre PENNIES et PENCE, ZANIS et ZANNIS outre ZANNI).

Les mots en -S, -X, -Z, qu'ils soient français ou étrangers, ne prennent pas d'S au pluriel ; cependant, MISS fait MISSES, BOX fait BOXES et KIBBOUTZ fait KIBBOUTZIM.

Il va de soi que si un mot étranger est donné comme invariable (par exemple SEXY) ou pluriel (par exemple SPAGHETTI) il ne peut prendre le pluriel français en -S.

2.2.3. Est également admis le singulier des noms collectifs désignant les membres d'un groupe humain, comme BAGAUDE, ÉBIONITE, ISMAÉLIEN et ISMAÏLIEN, LOLLARD, MARRANE, PATARIN, PENTECÔTISTE, TABORITE et UTRAQUISTE.

2.3. Formes verbales

2.3.1. Les verbes admis par le *P.L.I.* se conjuguent selon l'ouvrage de Bescherelle : *l'Art de conjuguer* (éditions 1981 et ultérieures ; voir la dernière page du livre).

2.3.2. Celui-ci détermine les formes de conjugaison admises par référence à des *verbes types*, étant entendu que sont seules admises les formes nommément désignées, y compris celles qui sont incluses implicitement par la mention *etc.* ou « ... », mais à l'exclusion des formes en caractères italiques reprises dans les conjugaisons des verbes types.

2.3.3. Il y a toutefois lieu de tenir compte des remarques d'usage indiquées à quelque endroit que ce soit dans le *Bescherelle*. Sont seules admises les formes verbales autorisées par ces remarques, étant entendu que si l'usage en est restreint par des adverbes tels que : *guère, peu, pratiquement (qu'à), rarement,* etc., il n'y a pas lieu de tenir compte des possibilités de conjugaison ouvertes par ces adverbes, l'interprétation devant se faire dans le sens le plus restrictif (c'est ainsi que ESTER n'est admis qu'à l'infinitif, que BRAIRE ne se conjugue qu'aux troisièmes personnes de certains temps, que FRIRE ne se conjugue pas au futur et au conditionnel, etc.), sous réserve cependant des dérogations reprises au **3.4.**

2.3.4. Si le verbe n'est pas repris dans le *Bescherelle*, il est valable aux formes de conjugaison indiquées par le *P.L.I.* et, à défaut, par le *Bescherelle* pour des verbes de même conjugaison : ainsi ATTREMPER se conjugue comme TREMPER, REMODELER comme MODELER, REPOURVOIR comme POURVOIR.

2.3.5. Le type du verbe : transitif, transitif indirect, intransitif, pronominal ou impersonnel est déterminé par le *P.L.I.*, sauf exceptions mentionnées au **3.3.2.** et **3.3.3.** En revanche, le *Bescherelle* détermine si un verbe est défectif, ou avec quel auxiliaire, *être* ou *avoir*, il forme ses temps composés*.

2.4. Modification des emplois grammaticaux

2.4.1. Si une édition du *P.L.I.* postérieure à 1981 précise ou modifie l'emploi grammatical (invariabilité, féminin, pluriel, singulier, type du verbe, etc.) d'un mot, l'emploi grammatical ancien n'est plus admis.

---

* Dans le *Bescherelle*, un losange rouge signale les verbes intransitifs pouvant se conjuguer avec l'auxiliaire *être* ou avec l'auxiliaire *avoir*.

2.4.2. En revanche, si une édition du *Bescherelle* postérieure à 1981 modifie la conjugaison d'un verbe (verbe type de référence, forme de conjugaison, défectivité, auxiliaire), les emplois anciens restent admis, à côté des nouveaux, tant que le règlement n'en décide pas autrement.

3. Précisions grammaticales

3.1. Pluriel des mots

3.1.1. Les mots en -AL forment leur pluriel en -AUX, sauf (pluriel en -ALS) :
— les noms ACÉTAL, AMMONAL, AVAL, BAL, BANCAL, CAL, CANTAL, CAPTAL, CARACAL, CARNAVAL, CÉRÉMONIAL, CHACAL, CHLORAL, CHRYSO-CAL, COPAL, CORRAL, EMMENT(H)AL, FESTIVAL, FOIRAL, FURFURAL, GAL, GALGAL, GAVIAL, GAYAL, GOAL, KRAAL, MATORRAL, MISTRAL, NARVAL, NOPAL, PAL, PHÉNOBARBITAL, PIPÉRONAL, QUETZAL, RAVAL, RÉCITAL, RÉGAL, RITAL, RIYAL, RORQUAL, SÃL, SAROUAL, SERIAL, SERVAL, SIAL, SISAL, SPIRITUAL, TAGAL, TERGAL, TICAL, TINCAL, TRIAL ainsi que CHORAL, MURAL et VIRGINAL, ces trois derniers acceptant toutefois comme adjectifs le pluriel en -AUX ;
— les adjectifs AÉRONAVAL, BANCAL, CAUSAL, FATAL, FOUTRAL, FRACTAL, NATAL, NAVAL, NÉONATAL et TONAL.

Acceptent les deux pluriels (-AUX et -ALS) :
— les noms ÉTAL, IDÉAL, MINERVAL, SANTAL et VAL :
— les adjectifs AUSTRAL, BANAL, BORÉAL, FINAL, GLACIAL, IDÉAL, JOVIAL, MARIAL, NYMPHAL, PASCAL, PÉRINATAL, POSTNATAL, PRÉNATAL, et TRIBAL.

3.1.2. Les mots en -AIL forment leur pluriel en -AILS, sauf (pluriel en -AUX) : BAIL, CORAIL, FERMAIL, GEMMAIL, SOUPIRAIL, SURTRAVAIL, VANTAIL, VENTAIL, VITRAIL.
Acceptent les deux pluriels (-AILS et -AUX) : ÉMAIL et TRAVAIL. N'ont pas de pluriel : BERCAIL et BÉTAIL.

3.1.3. Les mots en -AU forment leur pluriel en -AUX, sauf LANDAU et UNAU.
Accepte les deux pluriels : SARRAU.

3.1.4. Les mots en -EU forment leur pluriel en -EUX, sauf (pluriel en -EUS) : BLEU, ÉMEU, PNEU et LEU.
Acceptent les deux pluriels : CAMAÏEU, ENFEU, FEU et LIEU.

3.1.5. Le pluriel de GENT est GENS ; celui de ŒIL : YEUX ou ŒILS ; celui de RECORDWOMAN : RECORDWOMEN ou RECORDWOMANS.

3.2. Mots invariables

3.2.1. Sont invariables :

a) les mots réputés tels par le *P.L.I.* ou l'usage grammatical (comme les adverbes, les interjections, etc.) ;

b) les adjectifs numéraux cardinaux, même employés substantivement, à l'exception de UN, VINGT et CENT ;

c) les quatre points cardinaux ;

d) les lettres d'un alphabet quelconque (le phonème YOD n'étant pas à considérer comme une lettre), les notes de musique et les mois d'un calendrier quelconque (comme RAMADAN...), étant entendu que certains de ces mots ont des acceptions ou des homographes variables (comme DELTA, GERMINAL...) ;

e) les mots suivis d'une parenthèse : cf. **2.1.1.** (comme JAVEL, PRIORI...) ;

f) les mots suivants sans définition en dehors d'une expression toute faite où ils sont employés au singulier, comme ACABIT, ACHOPPEMENT, ALPHA, API, ARCHAL, ARONDE, BAMBOULA, BANCO, BARIGOULE, BERLUE, BIENFAISANCE, BOMBANCE, BOUGEOTTE, BOURRICHON, BROUT, CAJOU, CAPILOTADE, CAUSETTE, CENTRATION, CHABROL ou CHABROT, CHARLE-MAGNE, CHATTEMITE, COCAGNE, COMMAND, COMPLANT, CONVENANT, CORBIN, CUISSAGE, DAM, DANDINETTE, DÉBOTTER (n. m.), DÈCHE, DÉRÉALISATION, DULIE, ÉCHIFFRE, EMPORT, ENTENDEUR, ESCAMPETTE, ESCIENT, EUTEXIE, ÉVITEMENT, FRONTALITÉ, FUR, GÉSINE, GOGUETTE, GORDIEN, GROIE, GUILLEDOU, GUISE, HARO, HAST, HEUR, JETER (n. m.), JOUVENCE, JUGER (n. m.), LATRIE, LIESSE, LOISIBLE, LURETTE, MARTEL, MIRBANE, MONTOIR, NANAN, NIQUE, NOISE, OFFRANT, PÂMOISON, PAROLI, PARTANCE, PATACHON, PERLIMPINPIN, PIFOMÈTRE, PLAISANCE, POUR, PRÉTANTAINE ou PRÉTENTAINE, PUNCTUM, RACCROC, RÉCRÉANCE, RES-COUSSE, RETARDEMENT, REVIENT, REVOIR (n. m.), REVOYURE, RIBOUL-DINGUE, SORTIR (n. m.), SOUVENANCE, SUBSTANTIFIQUE, SURNOMBRE, TAC, TALION, TANTINET, TAPIN, TARD, TONNELAGE, TOURNEMAIN, TRAFALGAR, TREMPETTE, TRIPETTE, TRUCHEMENT, VENANT, VERGOGNE, VINDICTE, VOULOIR (n. m.), WINTERGREEN.

A contrario, tous les autres mots repris au singulier dans une locution, qui seule est définie par le *P.L.I.*, peuvent se mettre au pluriel (comme AZYME, BROWNIEN, JOJO, KIL, METTEUR, SEMBLANT, VOYER...) de même que le masculin ou le féminin de ces mots pour autant que celui-ci soit mentionné avec l'entrée (comme APPRO-CHANTE, BORDIER, CESSANT, COUCHANTE, COÛTANTE, MUSSIVE, TE-NANT...) ;

g) les mots CAF, DEMAIN, FOL, KITSCH, MAHĀRĀNI, MANGETOUT, MOL, NON, NOUVEL, SURMOI, UNTEL, UNETELLE, VALGA, VARA, VIEIL, YIDDISH ;

h) les mots qui ne sont pas indiqués comme nom, adjectif, pronom

ou verbe (comme CONFER, DA, EXIT, RICHTER...).

3.2.2. Sont en revanche variables certains mots indiqués comme *n. et adj. inv.* : ANTIFRICTION, ANTIROUILLE, CARMIN, CÉLADON, GNANGNAN, LIBERTY, OFFSET, PARME, ROCOCO, STÉRÉO.

3.3. Accord du participe passé

3.3.1. Les participes passés des verbes pronominaux peuvent varier, sauf APPARTENU, PLU, COMPLU, DÉPLU, SUCCÉDÉ, SUFFI.

3.3.2. Bien que le *P.L.I.* les signale seulement comme intransitifs, les verbes suivants sont à considérer comme transitifs directs : COGITER, FESTOYER, GLOSER, GRIMACER, RABONNIR.

3.3.3. Sont considérés comme variables, outre les participes passés des verbes signalés au *Bescherelle* par un losange noir ou rouge, les participes suivants : ÉMERGÉ, JAILLI et REJAILLI, OBÉI et DÉSOBÉI, SURGI et RESURGI ; en revanche DAIGNÉ et SURSIS sont invariables.

3.4. Conjugaisons

— AGONIR, BISQUER, DÉFAILLIR, DOUER, PROMOUVOIR, PUER, RIRE, SOURIRE, malgré les restrictions faites au *P.L.I.* ou au *Bescherelle*, se conjuguent à tous les temps et toutes les personnes. Il en est de même pour VÊTIR, mais les formes refaites sur FINIR ne sont pas admises.
— BARGUIGNER, COURRE, DÉSEMPARER, DINGUER, DISCONTINUER, ENDÊVER et ENQUERRE ne sont admis qu'à l'infinitif.
— BOUMER ne se conjugue qu'à la 3e personne du singulier (ça BOUMAIT, etc.), et *BOUMANT* n'est pas admis.
— CHOIR se conjugue comme indiqué au tableau 52 du *Bescherelle*.
— JUMELER se conjugue comme APPELER et RECACHETER comme JETER.
— LUIRE et RELUIRE ont deux passés simples : je (RE)LUIS, nous (RE)LUÎMES, etc. et je (RE)LUISIS, nous (RE)LUISÎMES, etc.
— OUÏR n'est admis qu'à l'infinitif et au participe passé.
— SAILLIR, au sens de « être en saillie » fait au futur SAILLERA, SAILLERONT et au conditionnel SAILLERAIT et SAILLERAIENT.
— VOULOIR admet les formes du subjonctif VEUILLIONS et VEUILLIEZ.
— Les verbes pronominaux réciproques comme ENTRAIDER ne s'emploient qu'au pluriel.
— Les verbes impersonnels « météorologiques » suivants, ne s'employant qu'au sens propre, n'ont pas de participe présent : BROUILLASSER, BRUINER, BRUMASSER, BRUMER, CRACHINER, NEIGER, PLEUVASSER, PLEUVINER, PLEUVOTER, RENEIGER, REPLEUVOIR, VENTER et VERGLACER. A contrario, GRÊLANT, PLEUVANT, etc., restent admis.

5. Additif

AGASSE n. f. Autre nom de la pie (dialectal).

AJOUR n. m. Motif d'ornementation percé à jour.

BÉMOLISER v. t. Affecter une note d'un ou plusieurs bémols.

BERNICLE n. f. (= BERNIQUE) Autre nom de la patelle.

BOBONNE n. f. Terme d'amitié peu distingué qu'un mari adresse à sa femme (familier et vieux) ; femme d'intérieur (péjoratif).

BRIBE n. f. Petit morceau, petite quantité.

CHABLER v. t. Gauler des noix (dialectal).

CHAUMAGE n. m. Action de chaumer.

CRYOGÈNE adj. Se dit d'un mélange réfrigérant.

DAMEUR adj. et n. m. Se dit de certains rouleaux compresseurs utilisés pour le damage.

DAMEUSE n. f. Machine à damer.

DÉBÂCHER v. t. Enlever la bâche.

DRÔLET, ETTE adj. Assez drôle.

ÉNOUER v. t. Débarrasser les étoffes, après dégraissage, des nœuds et des corps étrangers.

ENRÊNER v. t. Mettre les rênes à (un cheval).

FOFOLLE adj. (au fém.) Un peu folle, légère et folâtre.

IKÉBANA (= IKABANA) n. m. Art floral japonais.

GADIN n. m. Chute (d'une personne) : *ramasser un gadin* (populaire).

GOMÉNOL n. m. (marque déposée) Liquide huileux employé comme désinfectant, en gouttes nasales.

GOMÉNOLÉ, E adj. Qui renferme du Goménol : *huile goménolée.*

GOMINA n. f. (nom déposé) Pommade pour les cheveux.

GOMINÉ, E adj. Pommadé à la Gomina : *cheveux gominés.*

GRAPHITÉ, E adj. Enduit de graphite ; mélangé à du graphite.

HOTTÉE n. f. Contenu d'une hotte.

HOUER v. t. Labourer avec la houe.

HURDLER n. m. Coureur spécialisé dans les courses de haies.

IKÉBANA (= IKABANA) n. m. Art floral japonais.

INOX adj. et n. m. Abréviation de (acier) inoxydable.

JACQUES n. m. Pitre, niais : *faire le Jacques.*

MARENNES n. f. Huître élevée à Marennes.

MINOU n. m. Petit chat, dans le langage enfantin.

REDEVOIR v. t. Devoir comme reliquat de compte ou de dette. [Se conjugue comme DEVOIR.]

RÉÉTUDIER v. t. Étudier de nouveau.

REVERNIR v. t. Revêtir d'une nouvelle couche de vernis.

SEMONCER v. t. Réprimander (vieux).

AAAAACCP
+R accapara
AAAAACCR
+P accapara
AAAAACPR
+C accapara
+T carapata
AAAAACPT
+R carapata
AAAAACRT
+P carapata
AAAAADNP
 apadana
+S apadanas
AAAAADNS
+P apadanas
+N apadanas
AAAAAGLM
+M amalgama
AAAAAGMM
+L amalgama
AAAAAHJM
+R maharaja
AAAAAHJR
+M maharaja
AAAAAHMR
+J maharaja
AAAAAJMR
+H maharaja
AAAAALMM
+G amalgama
AAAAANPS
+D apadanas
AAAAAPRT
+C carapata
AAAAARTT
+T taratata
AAAAATTT
+R taratata
AAAABBIL
+T abbatial
AAAABBIT
+L abbatial
AAAABBLT
+I abbatial
AAAABBMR
 bambara
+S bambaras
AAAABBMS
+R bambaras
AAAABBRS
+M bambaras
AAAABCCE
+R cacabera
AAAABCCI
 cacabai
+L accablai
+S accablas
+T cacabait
AAAABCCL
 accabla
+I accablai
+M calambac
+S accablas
+T accablat

AAAABCCM
+L calambac
AAAABCCN
+T cacabant
AAAABCCR
 baccara
+E cacabera
+S baccaras
+T baccarat
AAAABCCS
 cacabas
+I cacabais
+L accablas
+R baccaras
AAAABCCT
 cacabat
+I cacabait
+L accablat
+N cacabant
+R baccarat
AAAABCDL
+U clabauda
AAAABCDU
+L clabauda
AAAABCEN
+N encabana
AAAABCER
+C cacabera
AAAABCHI
+R charabia
 rabachai
AAAABCHR
 rabacha
+I charabia
 rabachai
+S rabachas
+T rabachat
AAAABCHS
+R rabachas
AAAABCHT
+R rabachat
AAAABCIL
+C accablai
+N balancai
AAAABCIN
+L balancai
AAAABCIR
+H charabia
 rabachai
AAAABCIS
+C cacabais
AAAABCIT
+C cacabait
AAAABCLM
+C calambac
AAAABCLN
 balanca
+I balancai
+S balancas
+T balancat
 bataclan
AAAABCLS
+C accablas
+N balancas
AAAABCLT
+C accablat
+N balancat

 bataclan
AAAABCLU
+D clabauda
AAAABCNN
+E encabana
AAAABCNS
+L balancas
AAAABCNT
+C cacabant
+L balancat
 bataclan
AAAABCRS
+C baccaras
+H rabachas
AAAABCRT
+C baccarat
+H rabachat
AAAABDEL
+R baladera
AAAABDER
+L baladera
AAAABDGI
+M gambadai
AAAABDGM
 gambada
+I gambadai
+S gambadas
+T gambadat
AAAABDGS
+M gambadas
AAAABDGT
+M gambadat
AAAABDIL
 baladai
+S baladais
+T baladait
AAAABDIM
+G gambadai
AAAABDIR
+T abatardi
+V bavardai
+Z bazardai
AAAABDIS
+L baladais
AAAABDIT
+L baladait
+R abatardi
AAAABDIV
+R bavardai
AAAABDIZ
+R bazardai
AAAABDLN
+T baladant
AAAABDLR
+E baladera
AAAABDLS
 baladas
+I baladais
AAAABDLT
 baladat
+I baladait
+N baladant
AAAABDLU
+C clabauda
AAAABDMS
+G gambadas
AAAABDMT

 bataclan
AAAABDNT
+L baladant
AAAABDRS
+V bavardas
+Z bazardas
AAAABDRT
+I abatardi
+V bavardat
+Z bazardat
AAAABDRV
 bavarda
+I bavardai
+S bavardas
+T bavardat
AAAABDRZ
 bazarda
+I bazardai
+S bazardas
+T bazardat
AAAABDSV
+R bavardas
AAAABDSZ
+R bazardas
AAAABDTV
+R bavardat
AAAABDTZ
+R bazardat
AAAABEGL
+Y balayage
AAAABEGT
+T abattage
AAAABEGY
+L balayage
AAAABEHN
+R habanera
AAAABEHR
+N habanera
AAAABEIL
+R balaiera
AAAABEIR
+L balaiera
AAAABELR
+D baladera
+I balaiera
AAAABELY
+G balayage
+R balayera
AAAABENN
+C encabana
AAAABENR
+H habanera
+S basanera
AAAABENS
+R basanera
AAAABEPR
+S parabase
AAAABEPS
+R parabase
AAAABERR
+S abrasera
AAAABERS
+N basanera
+P parabase
+R abrasera
AAAABERY

+L balayera
AAAABETT
+G abattage
AAAABFFL
+U affabula
AAAABFFU
+L affabula
AAAABFIL
+R balafrai
AAAABFIR
+L balafrai
AAAABFLL
 falbala
+S falbalas
AAAABFLR
 balafra
+I balafrai
+S balafras
+T balafrat
AAAABFLS
+L falbalas
+R balafras
AAAABFLT
+R balafrat
AAAABFLU
+F affabula
AAAABFRS
+L balafras
AAAABFRT
+L balafrat
AAAABGIM
+D gambadai
AAAABGIR
+R bagarrai
AAAABGLY
+E balayage
AAAABGMS
+D gambadas
AAAABGMT
+D gambadat
 bagarra
AAAABGRR
+I bagarrai
+S bagarras
+T bagarrat
AAAABGRS
+R bagarras
AAAABGRT
+R bagarrat
+U rutabaga
AAAABGRU
+T rutabaga
AAAABGTT
+E abattage
AAAABGTU
+R rutabaga
AAAABHIN
+U haubanai
AAAABHIR
+C charabia
 rabachai
AAAABHIU
+N haubanai
AAAABHNR
+E habanera
AAAABHNS
+U haubanas

```
AAABHNT            +G bagarrai      AAABLLS           +T basanant      AAABRTT
+U haubanat       AAABIRS          +F falbalas       AAABNNT              abattra
AAABHNU              abrasai       +T ballasta       +S basanant          baratta
   haubana           arabisa       AAABLLT           AAABNRS          +I abattrai
+I haubanai       +I arabisai      +I batailla       +E basanera          barattai
+S haubanas       +S abrasais      +S ballasta       +T basarant       +R rabattra
+T haubanat          arabisas      AAABLMR           AAABNRT           +S abattras
AAABHRS              rabaissa         malabar        +I baratina       +T barattat
+C rabachas       +T abrasait      +S malabars       +S abrasant       AAABRTU
AAABHRT              arabisat      AAABLMS           AAABNSS           +G rutabaga
+C rabachat       AAABIRT          +R malabars          basanas        +Q baraquat
AAABHSU           +D abatardi      AAABLNS           +I basanais       AAABRTV
+N baratina       +N baratina      +C balancas       AAABNST           +D bavardat
AAABHTU           +S abrasait      +I albanais          basanat        AAABRTZ
+N haubanat          arabisat         banalisa       +I basanait       +D bazardat
AAABIIR           +T abattrai      AAABLNT           +N basanant       AAABSSS
+S arabisai          barattai      +C balancat       +R abrasant       +I abaissas
AAABIIS           AAABIRU             bataclan       AAABNSU           +T tabassas
+R arabisai       +Q baraquai      +D baladant       +H haubanas       +V bavassas
+S abaissai       AAABIRV          +Y balayant       AAABNTT           AAABSST
AAABILL           +D bavardai      AAABLNY           +T abattant          tabassa
+T batailla       AAABIRZ          +T balayant       AAABNTU           +I abaissat
AAABILN           +D bazardai      AAABLPR           +H haubanat       +M mastabas
+C balancai       AAABISS             palabra        AAABNTY           +S tabassas
+S albanais          abaissa       +I palabrai       +L balayant       +T tabassat
   banalisa       +I abaissai      +S palabras       AAABPRS           +V bavassat
AAABILP           +N basanais      +T palabrat       +E parabase       AAABSSV
+R palabrai       +R abrasais      AAABLPS           +L palabras          bavassa
AAABILR              arabisas      +R palabras       AAABPRT           +I bavassai
+E balaiera          rabaissa      AAABLPT           +L palabrat       +S bavassas
+F balafrai       +S abaissais     +R palabrat       AAABQRS           +T bavassat
+P palabrai       +T abaissat      AAABLRS           +U baraquas       AAABSTT
AAABILS              tabassai      +F balafras       AAABQRT           +I abattais
+D baladais       AAABIST          +M malabars       +U baraquat       +L attablas
+N albanais       +N basanait      +P palabras       AAABQRU           +R abattras
   banalisa       +R abrasait      AAABLRT              baraqua           barattas
+Y balayais          arabisat      +F balafrat       +I baraquai       +S tabassat
AAABILT           +S abaissat      +P palabrat       +S baraquas       AAABSTV
+B abbatial          tabassai      AAABLRY           +T baraquat       +I batavias
+D baladait       +T abattais      +E balayera       AAABQSU           +S bavassat
+L baladait       +V batavias      AAABLST           +R baraquas       AAABTTT
+T attablai       AAABISV             balatas        AAABQTU           +I abattait
+Y balayait       +S bavassai      +L ballasta       +R baraquat       +L attablat
AAABILY           +T batavias      +T attablas       AAABRRS           +N abattant
   balayai        AAABISY          AAABLSV           +E abrasera       +R barattat
+S balayais       +L balayais      +K baklavas       +G bagarras       AAACCDI
+T balayait       AAABITT          AAABLSY           AAABRRT           +R cacardai
AAABINR           +L attablai         balayas        +G bagarrat       +S cascadai
+T baratina       +R abattrai      AAABLTT           +I rabattra       AAACCDR
AAABINS              barattai         attabla        AAABRSS              cacarda
   basanai        +S abattais      +I attablai          abrasas        +I cacardai
+L albanais       +T abattait      +S attablas       +I abrasais       +S cascadas
   banalisa       AAABITV          +T attablat          arabisas       +T cacardat
+S basanais          batavia       AAABLTY              rabaissa       AAACCDS
+T basanait       +S batavias         balayat        AAABRST              cascada
AAABINT           AAABITY          +I balayait          abrasat        +I cascadai
+R baratina       +L balayait      +N balayant       +I abrasait       +R cacardas
+S basanait       AAABKLS          AAABMRS              arabisat       +S cascadas
AAABINU           +V baklavas      +B bambaras       +N abrasant       +T cascadat
+H haubanai       AAABKLV          +L malabars       +T abattras       AAACCDT
AAABIPR              baklava       AAABMSS              barattas       +R cacardat
+L palabrai       +S baklavas      +T mastabas       AAABRSU           +S cascadat
AAABIQR           AAABKRS          AAABMST           +Q baraquas       AAACCEG
+U baraquai          barakas          mastaba        AAABRSV           +S saccagea
AAABIQU           AAABKSV          +S mastabas       +D bavardas
+R baraquai       +L baklavas      AAABNNS           AAABRSZ
AAABIRR                                               +D bazardas
```

AAACCEP	+E accapare	+B clabauda	+S agaceras	+D cafardai
+R accapare	carapace	**AAACDMM**	**AAACEGS**	**AAACFIT**
carapace	**AAACCRS**	macadam	+C saccagea	+L calfatai
AAACCER	+B baccaras	+S macadams	+M agacames	**AAACFLS**
+B cacabera	+D cacardas	**AAACDMR**	+P pacageas	+T calfatas
+P accapare	+L caracals	+E camarade	+R agaceras	**AAACFLT**
carapace	**AAACCRT**	**AAACDMS**	+S agacasse	calfata
AAACCES	+B baccarat	+M macadams	+T agacates	+I calfatai
+G saccagea	+D cacardat	**AAACDNN**	**AAACEGT**	+S calfatas
AAACCGS	**AAACCRV**	+O anaconda	+N agacante	+T calfatat
+E saccagea	+H cravacha	**AAACDNO**	+P pacageat	**AAACFRS**
AAACCHR	**AAACCSS**	+N anaconda	+S agacates	+D cafardas
+V cravacha	+D cascadas	**AAACDNR**	**AAACEIP**	+S fracassa
AAACCHV	**AAACCST**	canarda	+G pacageai	**AAACFRT**
+R cravacha	+D cascadat	+E anacarde	**AAACEIR**	+D cafardat
AAACCIL	**AAACDEL**	+I canadair	+G agacerai	**AAACFRU**
+B accablai	+S escalada	canardai	**AAACELN**	+D faucarda
+M acclamai	**AAACDEM**	+L calandra	+T catalane	**AAACFSS**
AAACCIM	+R camarade	+R rancarda	**AAACELR**	+R fracassa
+L acclamai	**AAACDEN**	+S canardas	+V cavalera	**AAACFST**
AAACCIN	+R anacarde	+T canardat	**AAACELS**	+L calfatas
+N cancanai	**AAACDER**	**AAACDNS**	+D escalada	**AAACFTT**
AAACCIR	+M camarade	canadas	**AAACELT**	+L calfatat
+D cacardai	+N anacarde	+R canardas	+N catalane	**AAACGIN**
AAACCIS	**AAACDES**	**AAACDNT**	**AAACELV**	+T caatinga
acacias	+L escalada	+R canardat	+R cavalera	**AAACGIP**
+B cacabais	**AAACDFI**	**AAACDPR**	**AAACEMR**	+E pacageai
+D cascadai	+R cafardai	+H chaparda	+D camarade	**AAACGIR**
AAACCIT	**AAACDFR**	+L placarda	**AAACEMS**	+E agacerai
+B cacabait	cafarda	**AAACDRR**	+G agacames	**AAACGIS**
AAACCLM	+I cafardai	+N rancarda	**AAACENN**	agacais
acclama	+S cafardas	**AAACDRS**	+B encabana	**AAACGIT**
+B calambac	+T cafardat	+C cacardas	**AAACENR**	agacait
+I acclamai	+U faucarda	+F cafardas	+D anacarde	+N caatinga
+S acclamas	**AAACDFS**	+N canardas	+V avancera	**AAACGMN**
+T acclamat	+R cafardas	+T cadastra	caravane	+R armagnac
AAACCLO	**AAACDFT**	**AAACDRT**	**AAACENT**	**AAACGMR**
+R caracola	+R cafardat	+C cacardat	+G agacante	+N armagnac
AAACCLR	**AAACDFU**	+F cafardat	+L catalane	**AAACGMS**
caracal	+R faucarda	+N canardat	**AAACENV**	+E agacames
+O caracola	**AAACDHP**	+S cadastra	+R avancera	**AAACGNR**
+S caracals	+R chaparda	**AAACDRU**	caravane	+M armagnac
AAACCLS	**AAACDHR**	+F faucarda	**AAACEPR**	**AAACGNS**
+B accablas	+P chaparda	**AAACDRV**	+C accapare	+T agacants
+M acclamas	**AAACDIN**	+I caviarda	carapace	**AAACGNT**
+R caracals	+R canadair	**AAACDSS**	+G pacagera	agacant
AAACCLT	canardai	+C cascadas	+T carapate	+E agacant
+B accablat	**AAACDIR**	**AAACDST**	**AAACEPS**	+I caatinga
+M acclamat	+C cacardai	+C cascadat	+G pacageas	+S agacants
AAACCMS	+F cafardai	+R cadastra	**AAACEPT**	**AAACGPR**
+L acclamas	+N canadair	**AAACEGI**	+G pacageat	+E pacagera
AAACCMT	canardai	+P pacagea	+R carapate	**AAACGPS**
+L acclamat	+V caviarda	+R agacerai	**AAACERS**	+E pacageas
AAACCNN	**AAACDIS**	**AAACEGM**	+G agaceras	**AAACGPT**
cancana	+C cascadai	+S agacames	**AAACERT**	+E pacageat
+I cancanai	**AAACDIV**	**AAACEGN**	+P carapate	**AAACGRS**
+S cancanas	+R caviarda	+T agacante	**AAACERV**	+E agaceras
+T cancanat	**AAACDLN**	**AAACEGP**	+L cavalera	**AAACGSS**
AAACCNS	+R calandra	pacagea	+N avancera	+E agacasse
+N cancanas	**AAACDLP**	+I pacageai	caravane	**AAACGST**
AAACCNT	+R placarda	+R pacagera	**AAACESS**	+E agacates
+B cacabant	**AAACDLR**	+S pacageas	+G agacasse	+N agacants
+N cancanat	+N calandra	+T pacageat	**AAACEST**	**AAACHHN**
AAACCOR	+P placarda	**AAACEGR**	+G agacates	+R harnacha
+L caracola	**AAACDLS**	agacera	**AAACFIL**	**AAACHHR**
AAACCPR	+E escalada	+I agacerai	+T calfatai	+N harnacha
+A accapara	**AAACDLU**	+P pacagera	**AAACFIR**	

AAACHIN
+P panachai
+R acharnai
AAACHIP
+N panachai
AAACHIR
+B charabia
  rabachai
+N acharnai
+R arrachai
+V avachira
AAACHIT
+T attachai
AAACHIV
+R avachira
AAACHLM
+N almanach
AAACHLN
+M almanach
AAACHMN
+L almanach
AAACHMR
+R chamarra
AAACHNP
  panacha
+I panachai
+S panachas
+T panachat
AAACHNR
  acharna
+H harnacha
+I acharnai
+S acharnas
+T acharnat
AAACHNS
+P panachas
+R acharnas
AAACHNT
+P panachat
+R acharnat
AAACHPR
+D chaparda
AAACHPS
+N panachas
AAACHPT
+N panachat
AAACHRR
  arracha
+I arrachai
+M chamarra
+S arrachas
+T arrachat
AAACHRS
+B rabachas
+N acharnas
+R arrachas
AAACHRT
+B rabachat
+N acharnat
+R arrachat
+T rattacha
AAACHRV
+C cravacha
+I avachira
AAACHST
+T attachas
AAACHTT

  attacha
+I attachai
+R rattacha
+S attachas
+T attachat
AAACIJS
+S jacassai
AAACILM
  calamar
+C acclamai
+N calamina
AAACILN
+B balancai
+M calamina
+S canalisa
AAACILS
+N canalisa
+V cavalais
AAACILT
+F calfatai
+V cavalait
AAACILV
  cavalai
+S cavalais
+T cavalait
AAACIMN
+L calamina
AAACINN
+C cancanai
AAACINP
+H panachai
AAACINR
+D canadair
  canardai
+H acharnai
AAACINS
+L canalisa
+V avancais
AAACINT
+G caatinga
+V avancait
AAACINV
  avancai
+S avancais
+T avancait
AAACIRR
+H arrachai
AAACIRT
+V cravatai
AAACIRV
+D caviarda
+H avachira
+T cravatai
AAACISS
+J jacassai
AAACISV
+L cavalais
+N avancais
AAACITT
+H attachai
AAACITV
+L cavalait
+N avancait
+R cravatai
AAACJSS
  jacassa
+I jacassai
+S jacassas

+T jacassat
AAACJST
+S jacassat
AAACLMN
+H almanach
+I calamina
AAACLMR
  calamar
+S calamars
AAACLMS
+C acclamas
+R calamars
AAACLMT
+C acclamat
AAACLNR
+D calandra
+V carnaval
AAACLNS
+B balancas
+I canalisa
+T catalans
AAACLNT
  catalan
+B balancat
  bataclan
+E catalane
+S catalane
+V cavalant
AAACLNV
+R carnaval
+T cavalant
AAACLOR
+C caracola
AAACLPR
+D placarda
AAACLPS
+T catalpas
AAACLPT
  catalpa
+S catalpas
AAACLRS
+C caracals
+M calamars
+Z alcazars
AAACLRV
+E cavalera
+N carnaval
AAACLRZ
  alcazar
+S alcazars
AAACLST
+F calfatas
+N catalans
+P catalpas
+Y catalysa
AAACLSY
  cavalas
+I cavalais
AAACLSY
+T catalysa
AAACLSZ
+R alcazars
AAACLTT
+F calfatat
AAACLTV
  cavalat
+I cavalait

+N cavalant
AAACLTY
+S catalysa
AAACMMS
+D macadams
AAACMNR
+G armagnac
AAACMRR
+H chamarra
AAACMRS
  maracas
+L calamars
+S massacra
AAACMSS
+R massacra
AAACNNO
+D anaconda
AAACNNS
+C cancanas
AAACNNT
+C cancanat
+V avancant
AAACNNV
+T avancant
AAACNPS
+H panachas
AAACNPT
+H panachat
AAACNRD
+D rancarda
AAACNRS
  canaras
+D canardas
+H acharnas
AAACNRT
+D canardat
+H acharnat
AAACNRV
+E avancera
  caravane
+L carnaval
AAACNSS
+T canastas
AAACNST
  canasta
+G agacants
+L catalans
+S canastas
AAACNSV
  avancas
+I avancais
  avancat
+I avancait
+L cavalant
+N avancant
AAACPRT
+A carapata
+E carapate
AAACPST
+L catalpas
AAACRRS
+H arrachas
AAACRRT
+H arrachat
AAACRSS
+F fracassa

+M massacra
+T tracassa
AAACRST
+D cadastra
+S tracassa
+V cravatas
AAACRSV
+T cravatas
AAACRSZ
+L alcazars
AAACRTT
+H rattacha
+V cravatat
AAACRTV
  cravata
+I cravatai
+S cravatas
+T cravatat
AAACSSS
+J jacassas
AAACSST
+J jacassat
+N canastas
+R tracassa
AAACSTT
+H attachas
AAACSTV
+R cravatas
AAACSTY
+L catalysa
AAACTTT
+H attachat
AAACTTV
+R cravatat
AAADEGL
+R algarade
AAADEGR
+L algarade
AAADEIM
+N amandaie
AAADEIN
+M amandaie
AAADELR
+B baladera
+G algarade
AAADELS
+C escalada
AAADEMN
+I amandaie
AAADEMR
+C camarade
AAADENR
+C anacarde
AAADEPR
+R paradera
+T adaptera
  petarada
  readapta
AAADEPT
+R adaptera
  petarada
  readapta
AAADERR
+P paradera
AAADERT
+P adaptera
  petarada

readapta
AAADFFI
+R affadira
AAADFFR
+I affadira
AAADFGL
flagada
AAADFIN
+S faisanda
AAADFIR
+C cafardai
+F affadira
AAADFIS
+N faisanda
AAADFNS
+I faisanda
AAADFRS
+C cafardas
+Y faradays
AAADFRT
+C cafardat
AAADFRU
+C faucarda
AAADFRY
faraday
+S faradays
AAADFSY
+R faradays
AAADGIM
+B gambadai
AAADGJN
jangada
+S jangadas
AAADGJS
+N jangadas
AAADGLR
+E algarade
AAADGLU
+V galvauda
AAADGLV
+U galvauda
AAADGMR
+U margauda
AAADGMS
+B gambadas
AAADGMT
+B gambadat
AAADGMU
+R margauda
AAADGNS
+J jangadas
AAADGRU
+M margauda
AAADGUV
+L galvauda
AAADHIR
+S hasardai
AAADHIS
+R hasardai
AAADHMS
hamadas
AAADHPR
+C chaparda
AAADHRS
hasarda
+I hasardai
+S hasardas

+T hasardat
AAADHRT
+S hasardat
AAADHSS
+R hasardas
AAADHST
+R hasardat
AAADILL
+T taillada
AAADILS
+B baladais
AAADILT
+B baladait
+L taillada
AAADIMN
+E amandaie
+T mandatai
AAADIMO
+U amadouai
AAADIMR
+U maraudai
AAADIMS
+S damassai
AAADIMT
+N mandatai
AAADIMU
+O amadouai
+R maraudai
AAADINR
+C canadair
canardai
AAADINS
+F faisanda
AAADINT
+M mandatai
+T antidata
AAADIOU
+M amadouai
AAADIPR
paradai
+S paradais
+T paradait
AAADIPS
+R paradais
AAADIPT
adaptai
+R paradait
+S adaptais
+T adaptait
AAADIRS
+H hasardai
+P paradais
AAADIRT
+B abatardi
+P paradait
+T attardai
+U taraudai
AAADIRU
+M maraudai
+T tsaradai
+V ravaudai
AAADIRV
+B bavardai
+C caviarda
+U ravaudai
AAADIRZ

+B bazardai
AAADISS
+M damassai
AAADIST
+P adaptais
AAADITT
+N antidata
+P adaptait
+R attardai
AAADITU
+R taraudai
AAADIUV
+R ravaudai
AAADJNS
+G jangadas
AAADLLT
+I taillada
AAADLMN
mandala
+S mandalas
AAADLMS
+N mandalas
AAADLNR
+C calandra
AAADLNS
+M mandalas
AAADLNT
+B baladant
AAADLPR
+C placarda
AAADLUV
+G galvauda
AAADMMS
+C macadams
AAADMNR
ramadan
AAADMNS
+L mandalas
+T mandatas
AAADMNT
mandata
+I mandatai
+S mandatas
+T mandatat
+U tamandua
AAADMNU
+T tamandua
AAADMOS
+U amadouas
AAADMOT
+U amadouat
AAADMOU
amadoua
+I amadouai
+S amadouas
+T amadouat
AAADMRS
armadas
madrasa
+S madrasas
+U maraudas
AAADMRT
+U maraudat
AAADMRU
maraude
+G margauda
+I maraudai

+S maraudas
+T maraudat
AAADMSS
damassa
+I damassai
+R madrasas
+S damasses
+T damassat
AAADMST
+N mandatas
+S damassat
AAADMSU
+O amadouas
+R maraudas
AAADMTT
+N mandatat
AAADMTU
+N tamandua
+O amadouat
+R maraudat
AAADNNO
+C anaconda
AAADNPR
+T paradant
AAADNPS
+A apadanas
AAADNPT
+R paradant
+T adaptant
AAADNRR
+C rancarda
AAADNRS
+C canardas
AAADNRT
+C canardat
+P paradant
AAADNST
+M mandatas
AAADNTT
+I antidata
+M mandatat
+P adaptant
AAADNTU
+I antidata
AAADOSU
+M amadouas
AAADOTU
+M amadouat
AAADPRR
+E paradera
AAADPRS
parados
+I paradais
AAADPRT
paradat
+E adaptera
petarada
readapta
+N paradant
AAADPST
adaptas
+I adaptais
AAADPTT
adaptat
+I adaptait
+N adaptant

AAADRSS
+H hasardas
+M madrasas
AAADRST
+C cadastra
+H hasardat
+T attardas
+U taraudas
AAADRSU
+M maraudas
AAADRSV
+B bavardas
+U ravaudas
AAADRSY
+F faradays
AAADRSZ
+B bazardas
AAADRTT
attarda
+I attardai
+S attardas
+T attardat
+U taraudat
AAADRTU
tarauda
+I taraudai
+M maraudat
+S taraudas
+T taraudat
+V ravaudat
AAADRTV
+B bavardat
+U ravaudat
AAADRTZ
+B bazardat
AAADRUV
ravauda
+I ravaudai
+S ravaudas
+T ravaudat
AAADSSS
+M damassas
AAADSST
+M damassat
AAADSTT
+R attardas
AAADSTU
+R taraudas
AAADSUV
+R ravaudas
AAADTTT
+R attardat
AAADTTU
+R taraudat
AAADTUV
+R ravaudat
AAAEEFF
+G affeagea
AAAEEFG
+F affeagea
AAAEEGL
+T etalagea
AAAEEGM
+N amenagea

AAAEEGN
+M amenagea
AAAEEGT
+L etalagea
AAAEELT
+G etalagea
AAAEEMN
+G amenagea
AAAEFFG
+E affeagea
AAAEFFL
+R affalera
AAAEFFM
+R affamera
AAAEFFR
+L affalera
+M affamera
AAAEFGG
+R agrafage
AAAEFGR
+G agrafage
+R agrafera
AAAEFLR
+F affalera
AAAEFMR
+F affamera
AAAEFPR
+R parafera
AAAEFRR
+G agrafera
+P parafera
AAAEGGR
+F agrafage
AAAEGIL
+X agalaxie
AAAEGIM
+N manageai
+R ramageai
AAAEGIN
+M manageai
AAAEGIP
+C pacageai
+R pagaiera
AAAEGIR
+C agacerai
+M ramageai
+P pagaiera
+V ravageai
AAAEGIV
+R ravageai
AAAEGIX
+L agalaxie
AAAEGLM
+M amalgame
+N lamanage
+X malaxage
AAAEGLN
+M lamanage
AAAEGLR
+D algarade
AAAEGLT
+E etalagea
AAAEGLX
+I agalaxie
+M malaxage
AAAEGLY
+B balayage

AAAEGMM
+L amalgame
AAAEGMN
  managea
+E amenagea
+I manageai
+L lamanage
+R managera
+S manageas
+T manageat
AAAEGMR
  ramagea
+I ramageai
+N managera
+R amarrage
+S ramageas
+T ramageat
AAAEGMS
+C agacames
+N manageas
+R ramageas
AAAEGMT
+N manageat
+R ramageat
AAAEGMX
+L malaxage
AAAEGNP
  apanage
+S apanages
AAAEGNR
+M managera
+R arrangea
AAAEGNS
+M manageas
+P apanages
AAAEGNT
+C agacante
+M manageat
+V avantage
AAAEGNV
+T avantage
AAAEGPR
+C pacagera
+I pagaiera
+T partagea
+Y pagayera
AAAEGPS
+C pacageas
+N apanages
AAAEGPT
+C pacageat
+R partagea
+U pataugea
AAAEGPU
+T pataugea
AAAEGPY
+R pagayera
AAAEGRR
+F agrafera
+M amarrage
  ramagera
+N arrangea
+V ravagera
AAAEGRS
+C agaceras
+M ramageas

+V ravageas
AAAEGRT
+M ramageat
+P partagea
+V ravageat
AAAEGRV
  ravagea
+I ravagera
+R ravagera
+S ravageas
+T ravageat
AAAEGRY
+P pagayera
AAAEGSS
+C agacasse
AAAEGST
+C agacates
AAAEGSV
+R ravageas
AAAEGTT
+B abattage
AAAEGTU
+P pataugea
AAAEGTV
+N avantage
AAAEHIN
+R ahanerai
AAAEHIR
+N ahanerai
AAAEHLS
+T althaeas
AAAEHLT
  althaea
+S althaeas
AAAEHMN
+S ahanames
AAAEHMS
+N ahanames
AAAEHNP
+S anaphase
AAAEHNR
  ahanera
+B habanera
+I ahanerai
+S ahaneras
AAAEHNS
+M ahanames
+P anaphase
+R ahaneras
AAAEHNT
+S ahanates
AAAEHPS
+N anaphase
AAAEHRS
+N ahaneras
AAAEHSS
+N ahanasse
AAAEHST
+L althaeas
+N ahanates
AAAEILR
+B balaiera
+V avalerai
AAAEILV

+R avalerai
AAAEILX
+G agalaxie
AAAEIMN
+D amandaie
+G manageai
AAAEIMR
+G ramageai
AAAEINR
+H ahanerai
AAAEIPR
+G pagaiera
+S apaisera
AAAEIPS
+R apaisera
AAAEIRR
+S araserai
AAAEIRS
+V avariera
AAAEIRT
+P apaisera
+R araserai
AAAEIRV
+G ravageai
+L avariera
+R avariera
AAAEIRX
+T ataraxie
AAAEITX
+R ataraxie
AAAEKKR
+T karateka
AAAEKKT
+R karateka
AAAEKRT
+K karateka
AAAELLP
+T palatale
AAAELLT
+P palatale
AAAELMM
+G amalgame
AAAELMN
+G lamanage
AAAELMR
+X malaxera
AAAELMS
+V avalames
AAAELMV
+L avalames
AAAELMX
+G malaxage
+R malaxera
AAAELNP
+T panatela
AAAELNR
+V ravenala
AAAELNT
+C catalane
+P panatela
AAAELNV
+R ravenala
AAAELPT
+L palatale
+N panatela

AAAELRR
+M alarmera
+V ravalera
AAAELRS
+V avaleras
AAAELRV
  avalera
+C cavalera
+I avalerai
+N ravenala
+R ravalera
+S avaleras
AAAELRX
+M malaxera
AAAELRY
+B balayera
AAAELSS
+V avalasse
AAAELST
+H althaeas
+V avalates
AAAELSV
+M avalames
+R avaleras
+S avalasse
+T avalates
AAAELTV
+S avalates
AAAEMNR
+G managera
+T amarante
AAAEMNS
+G ramageas
+H ahanames
AAAEMNT
+G manageat
+R amarante
AAAEMRR
+G amarrage
  ramagera
+L alarmera
+R amarrera
AAAEMRS
+G ramageas
+S amassera
  arasames
AAAEMRT
+G ramageat
+N amarante
AAAEMRX
+L malaxera
AAAEMSS
+R amassera
  arasames
AAAEMSV
+L avalames
AAAENPR
+V pavanera
AAAENPS
+G apanages
+H anaphase
AAAENPT
+L panatela
AAAENPV
+R pavanera
AAAENRR
+G arrangea

AAAENRS
+B basanera
+H ahaneras
AAAENRT
+M amarante
AAAENRV
+C avancera
  caravane
+L ravenala
+P pavanera
AAAENSS
+H ahanasse
AAAENST
+H ahanates
AAAENTV
+G avantage
AAAEPPR
+T appatera
AAAEPPT
+R appatera
AAAEPRR
+D paradera
+F parafera
AAAEPRS
+B parabase
+I apaisera
AAAEPRT
+C carapate
+D adaptera
  petarada
  readapta
+G partagea
+P appatera
+X parataxe
AAAEPRV
+N pavanera
AAAEPRX
+T parataxe
AAAEPRY
+G pagayera
AAAEPTU
+G pataugea
AAAEPTX
+R parataxe
AAAERRR
+M amarrera
AAAERRS
  arasera
+B abrasera
+I araserai
+S araseras
AAAERRV
+G ravagera
+I avariera
+L ravalera
AAAERSS
+M amassera
  arasames
+R araseras
+S arasasse
+T arasates
AAAERST
+S arasates
AAAERSV
+G ravageas
+L avaleras
AAAERTV

+G ravageat
AAAERTX
+I ataraxie
+P parataxe
AAAESSS
+R arasasse
AAAESST
+R arasates
AAAESSV
+L avalasse
AAAESTV
+L avalates
AAAFFII
+R affairai
AAAFFIL
  affalai
+S affalais
+T affalait
AAAFFIM
  affamai
+S affamais
+T affamait
AAAFFIR
  affaira
+D affadira
+I affairai
+S affairas
+T affairat
AAAFFIS
+L affalais
+M affamais
+R affairas
+S affaissa
AAAFFIT
+L affalait
+M affamait
+R affairat
AAAFFLN
+T affalant
AAAFFLR
+E affalera
AAAFFLS
  affalas
+I affalais
AAAFFLT
+I affalait
+N affalant
AAAFFLU
+B affabula
AAAFFMN
+T affamant
AAAFFMR
+E affamera
AAAFFMS
  affamas
+I affamais
AAAFFMT
  affamat
+I affamait
+N affamant
AAAFFNT
+L affalant
+M affamant
AAAFFRS
+I affairas
AAAFFRT

+I affairat
AAAFFSS
+I affaissa
AAAFGGR
+E agrafage
AAAFGIR
  agrafai
+S agrafais
+T agrafait
AAAFGIS
+R agrafais
AAAFGIT
+R agrafait
AAAFGNR
+T agrafant
AAAFGNT
+R agrafant
AAAFGRR
+E agrafera
AAAFGRS
  agrafas
+I agrafais
AAAFGRT
  agrafat
+I agrafait
+N agrafant
AAAFILR
+B balafrai
AAAFILS
+F affalais
AAAFILT
+C calfatai
+F affalait
AAAFIMS
+F affamais
AAAFIMT
+F affamait
AAAFINS
+D faisanda
+T fanatisa
  fantasia
AAAFINT
+S fanatisa
  fantasia
AAAFIPR
  parafai
+S parafais
+T parafait
AAAFIPS
+R parafais
AAAFIPT
+R parafait
AAAFIRS
+F affairas
+G agrafais
+P parafais
+T ratafias
AAAFIRT
  ratafia
+F affairat
+G agrafait
+P parafait
+S ratafias
AAAFISS
+F affaissa

+N fanatisa
  fantasia
+R ratafias
AAAFLLS
+B falbalas
AAAFLNT
+F affalant
AAAFLRS
+B balafras
AAAFLRT
+B balafrat
AAAFLST
+C calfatas
AAAFLTT
+C calfatat
AAAFMNS
+T fantasma
AAAFMNT
+F affamant
AAAFMST
+N fantasma
AAAFNPR
+T parafant
AAAFNPT
+R parafant
AAAFNRT
+G agrafant
+P parafant
AAAFNST
+I fanatisa
  fantasia
+M fantasma
AAAFPRR
+E parafera
AAAFPRS
  parafas
+I parafais
+N parafait
AAAFPRT
+I parafait
+N parafant
AAAFRSS
+C fracassa
AAAFRST
+I ratafias
AAAFRSY
+D faradays
AAAGGIR
+V aggravai
+R aggravai
AAAGGRS
+V aggravas
AAAGGRT
+V aggravat
AAAGGRV
  aggrava
+I aggravai
+S aggravas
+T aggravat
AAAGGSV
+R aggravas
AAAGGTV
+R aggravat
AAAGHNR

+U harangua
AAAGHNU
+R harangua
AAAGHRU
+N harangua
AAAGIIN
+R agrainai
AAAGIIR
+N agrainai
AAAGILN
+S anglaisa
AAAGILP
+T galapiat
+U alpaguai
AAAGILS
+N anglaisa
AAAGILT
+P galapiat
AAAGILU
+P alpaguai
AAAGILX
+E agalaxie
AAAGIMN
+E manageai
+S magasina
AAAGIMR
+E ramageai
AAAGIMS
+N magasina
AAAGINP
+S paganisa
AAAGINR
  agraina
+I agrainai
+S agrainas
+T agrainat
AAAGINS
+L anglaisa
+M magasina
+P paganisa
+R agrainas
AAAGINT
+C caatinga
+R agrainat
AAAGIPR
+E pagaiera
AAAGIPS
+N paganisa
+Y pagayais
AAAGIPT
+L galapiat
+Y pagayait
AAAGIPU
+L alpaguai
AAAGIPY
  pagayai
+S pagayais
+T pagayait
AAAGIRR
+B bagarrai
AAAGIRS
+F agrafais
+N agrainas
+S assagira
AAAGIRT
+F agrafait
+N agrainat

AAAGIRV	+T pagayant	+N yatagans	+E ahaneras	**AAAIIMR**
+E ravageai	**AAAGNRR**	**AAAHHNR**	**AAAHNRT**	+N amarinai
+G aggravai	+E arrangea	+C harnacha	+C acharnat	+T amatirai
AAAGISS	**AAAGNRS**	**AAAHIMN**	**AAAHNRU**	**AAAIIMT**
+R assagira	+I agrainas	+R maharani	+G harangua	+N aimantai
AAAGISY	+T tanagras	**AAAHIMR**	**AAAHNSS**	+R amatirai
+P pagayais	tangaras	+N maharani	+E ahanasse	**AAAIINR**
AAAGITY	**AAAGNRT**	**AAAHINP**	**AAAHNST**	+G agrainai
+P pagayait	tanagra	+C panachai	+E ahanates	+M amarinai
AAAGJNS	tangara	**AAAHINR**	**AAAHNSU**	**AAAIINT**
+D jangadas	+F agrafant	+C acharnai	+B haubanas	+M aimantai
AAAGLMM	+I agrainat	+E ahanerai	**AAAHNSV**	**AAAIIPP**
+A amalgama	+S tanagras	+M maharani	+I havanais	+R appairai
+E amalgame	tangaras	**AAAHINS**	**AAAHNTU**	appariai
AAAGLMN	**AAAGNRU**	ahanais	+B haubanat	**AAAIIPR**
+E lamanage	+H harangua	+V havanais	**AAAHPPR**	+P appairai
AAAGLMS	**AAAGNRZ**	**AAAHINT**	parapha	appariai
malagas	+M mazagran	ahanait	+I paraphai	**AAAIIPS**
AAAGLMX	**AAAGNST**	**AAAHINU**	+S paraphas	+S apaisais
+E malaxage	+C agacants	+B haubanai	+T paraphat	+T apaisait
AAAGLNS	+R tanagras	**AAAHINV**	**AAAHPPS**	**AAAIIPT**
+I anglaisa	tangaras	+S havanais	+R paraphas	+S apaisait
alpagas	+Y yatagans	**AAAHIPP**	**AAAHPPT**	**AAAIIRS**
AAAGLPS	**AAAGNSY**	+R paraphai	+R paraphat	+B arabisai
+U alpaguas	+T yatagans	**AAAHIPR**	**AAAHPRS**	+L salariai
AAAGLPT	**AAAGNTV**	+P paraphai	+P paraphas	+V avariais
+I galapiat	+E avantage	**AAAHIRR**	**AAAHPRT**	**AAAIIRT**
+U alpaguat	**AAAGNTY**	+C arrachai	+P paraphat	+M amatirai
AAAGLPU	yatagan	**AAAHIRS**	**AAAHPST**	+V avariait
alpagua	+P pagayant	+D hasardai	+L asphalta	**AAAIIRV**
+I alpaguai	+S yatagans	+S harassai	**AAAHRRS**	avariai
+S alpaguas	**AAAGPRT**	**AAAHIRV**	+C arrachas	+S avariais
+T alpaguat	+E partagea	+C avachira	**AAAHRRT**	+T avariait
AAAGLSU	**AAAGPRY**	**AAAHISS**	+C arrachat	**AAAIISS**
+P alpaguas	+E pagayera	+R harassai	**AAAHRSS**	+B abaissai
AAAGLTU	**AAAGPSU**	**AAAHISV**	harassa	+P apaisais
+P alpaguat	+L alpaguas	+N havanais	+D hasardas	**AAAIIST**
AAAGLUV	**AAAGPSY**	**AAAHITT**	+I harassai	+P apaisait
+D galvauda	pagayas	+C attachai	+S harassas	**AAAIISV**
AAAGMNR	+I pagayais	**AAAHJMR**	+T harassat	+L avalisai
+C armagnac	**AAAGPTU**	+A maharaja	**AAAHRST**	+R avariais
+E managera	+E pataugea	**AAAHLMN**	+D hasardat	**AAAIITV**
+Z mazagran	+L alpaguat	+C almanach	+S harassat	+R avariait
AAAGMNS	**AAAGPTY**	**AAAHLPS**	**AAAHRTT**	**AAAIJNS**
+E manageas	pagayat	+T asphalta	+C rattacha	+V javanais
+I magasina	+I pagayait	**AAAHLPT**	**AAAHSSS**	**AAAIJNV**
AAAGMNT	+N pagayant	+S asphalta	+R harassas	+S javanais
+E manageat	**AAAGRRS**	**AAAHLST**	**AAAHSST**	**AAAIJSS**
AAAGMNZ	+B bagarras	+E althaeas	+R harassat	+C jacassai
+R mazagran	**AAAGRRT**	+P asphalta	**AAAHSTT**	**AAAIJSV**
AAAGMRR	+B bagarrat	**AAAHMMT**	+C attachas	+N javanais
+E amarrage	**AAAGRRV**	mahatma	**AAAHTTT**	**AAAILLP**
ramagera	+E ravagera	**AAAHMNR**	+C attachat	+T palatial
AAAGMRS	**AAAGRSS**	+I maharani	**AAAIILL**	**AAAILLR**
+E ramageas	+I assagira	**AAAHMNS**	+T allaitai	+S salarial
AAAGMRT	**AAAGRST**	+E ahanames	**AAAIILR**	**AAAILLS**
+E ramageat	+N tanagras	**AAAHMRR**	+S salariai	+R salarial
AAAGMRU	tangaras	+C chamarra	**AAAIILS**	+T allaitas
+D margauda	**AAAGRSV**	**AAAHNNT**	+R salariai	**AAAILLT**
AAAGMRZ	+E ravageas	ahanant	+V avalisai	allaita
+N mazagran	+G aggravas	**AAAHNPS**	**AAAIILT**	+B bataille
AAAGNPS	**AAAGRTU**	+C panachas	+L allaitai	+D taillada
+E apanages	+B rutabaga	+E anaphase	**AAAIILV**	+I allaitai
+I paganisa	**AAAGRTV**	**AAAHNPT**	+S avalisai	+P palatial
AAAGNPT	+E ravageat	+C panachat	**AAAIIMN**	+S allaitas
+Y pagayant	+G aggravat	**AAAHNRS**	+R amarinai	+T allaitat
AAAGNPY	**AAAGSTY**	+C acharnas	+T aimantai	

AAAILMN
+C calamina
AAAILMR
   alarmai
   malaria
+S alarmais
   malarias
+T alarmait
AAAILMS
+R alarmais
   malarias
+X malaxais
AAAILMT
+R alarmait
+X malaxait
AAAILMX
   malaxai
+S malaxais
+T malaxait
AAAILNP
+R aplanira
AAAILNR
+P aplanira
AAAILNS
+B albanais
   banalisa
+C canalisa
+G anglaisa
+S nasalisa
+V valaisan
+Y analysai
AAAILNV
+S valaisan
AAAILNY
+S analysai
AAAILPR
+B palabrai
+N aplanira
+T aplatira
AAAILPT
+G galapiat
+L palatial
+R aplatira
AAAILPU
+G alpaguai
AAAILRS
   salaria
+I salariai
+L salarial
+M alarmais
   malarias
+S salarias
+T salariat
+V ravalais
AAAILRT
+M alarmait
+P aplatira
+S salariat
+V ravalait
AAAILRV
   ravalai
+E avalerai
+S ravalais
+T ravalait
AAAILSS
+N nasalisa
+R salarias

+V avalisas
AAAILST
+L allaitas
+R salariat
+V avalisat
AAAILSV
   avalais
+C cavalais
+I avalisai
+N avalisan
+R ravalais
+S avalisas
AAAILSX
+M malaxais
AAAILSY
+B balayais
+N analysai
AAAILTT
+B attablai
+L allaitat
AAAILTV
   avalait
+C cavalait
+R ravalait
+S avalisat
AAAILTX
+M malaxait
AAAILTY
+B balayait
AAAIMNR
   amarina
+H maharani
+I amarinai
+S amarinas
+T amarinat
AAAIMNS
+G magasina
+R amarinas
+T aimantas
AAAIMNT
   aimanta
+D mandatai
+I aimantai
+R amarinat
+S aimantas
+T aimantat
AAAIMOU
+D amadouai
AAAIMRR
   amarrai
+S amarrais
+T amarrait
AAAIMRS
+L alarmais
   malarias
+N amarinas
+R amarrais
+S ramassai
+T amatiras
AAAIMRT
   amatira
+I amatirai
+L alarmait
+N amarinat
+R amarrait

+S amatiras
AAAIMRU
+D maraudai
AAAIMSS
   amassai
+D damassai
+R ramassai
+S amassais
   assamais
+T amassait
AAAIMST
+N aimantas
+R amatiras
+S amassait
AAAIMSX
+L malaxais
AAAIMTT
+N aimantat
AAAIMTX
+L malaxait
AAAINOP
+R paranoia
AAAINOR
+P paranoia
AAAINPR
+L aplanira
+O paranoia
+R parraine
AAAINPS
+G paganisa
+T apaisant
+V pavanais
AAAINPT
+S apaisant
+V pavanait
AAAINPV
   pavanai
+S pavanais
+T pavanait
AAAINQR
+U arnaquai
AAAINQU
+R arnaquai
AAAINRR
+P parraina
AAAINRS
+G agrainas
+M amarinas
+T ratatina
+V avariant
AAAINRU
+Q arnaquai
AAAINRV
+T avariant
AAAINSS
+B basanais
+L nasalisa
AAAINST
+B basanait
+F fanatisa
   fantasia
+M aimantas
+P apaisant

AAAINSV
+C avancais
+H havanais
+J javanais
+L valaisan
+P pavanais
AAAINSY
+L analysai
AAAINTT
+D antidata
+M aimantat
+R ratatina
AAAINTV
+C avancait
+P pavanait
+R avariant
AAAIOPR
+N paranoia
AAAIPPR
   appaira
+H paraphai
+I appairai
   appariai
+R rapparia
+S appairas
   apparais
   apparias
+T appairat
   appariat
+V varappai
AAAIPPS
+R appairas
   apparais
   apparias
+T appatais
AAAIPPT
   appatai
+R appairat
   apparait
   appariat
+S appatais
+T apparait
AAAIPPV
+R varappai
AAAIPRR
+N parraina
+P rapparia
+T paraitra
   rapatria
AAAIPRS
+D paradais
+E apaisera
+F parafais
+P appairas
   apparais
   apparias
+T parasita
AAAIPRT
+D paradait
+F parafait
+L aplatira
+P appairat
   apparait
   appariat
+R paraitra

   rapatria
+S parasita
+T attrapai
AAAIPRV
+P varappai
AAAIPSS
   apaisas
+I apaisais
+V piassava
AAAIPST
   apaisat
+D adaptais
+I apaisait
+N apaisant
+P appatais
+R parasita
AAAIPSV
+N pavanais
+S piassava
AAAIPSY
+G pagayais
AAAIPTT
+D adaptait
+P appatait
+R attrapai
AAAIPTV
+N pavanait
AAAIPTY
+G pagayait
AAAIQRU
+B baraquai
+N arnaquai
AAAIQTT
+U attaquai
AAAIQTU
+T attaquai
AAAIRRS
+E araserai
+M amarrais
AAAIRRT
+M amarrait
+P paraitra
   rapatria
AAAIRRV
+E avariera
AAAIRSS
   arasais
+B abrasais
   arabisas
   rabaissa
+G assagira
+H harassai
+L salarias
+M ramassai
+S rassasia
AAAIRST
   arasait
+B abrasait
   arabisat
+F ratafias
+L salariat
+M amatiras
+P parasita
AAAIRSV
   avarias
+I avariais
+L ravalais

AAAIRTT
+B abattrai
  barattai
+D attardai
+N ratatina
+P attrapai
AAAIRTU
+D taraudai
AAAIRTV
  avariat
+C cravatai
+I avariait
+L ravalait
+N avariant
AAAIRTX
+E ataraxie
AAAIRUV
+D ravaudai
AAAISSS
+B abaissas
+M amassais
  assamais
+R rassasia
AAAISST
+B abaissat
  tabassai
+M amassait
AAAISSV
+B bavassai
+L avalisas
+P piassava
AAAISTT
+B abattais
AAAISTV
+B batavias
+L avalisat
AAAITTT
+B abattait
AAAITTU
+Q attaquai
AAAJNSV
  navajas
+I javanais
AAAJSSS
+C jacassas
AAAJSST
+C jacassat
AAAKKRT
+E karateka
AAAKLSV
+B baklavas
AAAKNNR
  kannara
+S kannaras
AAAKNNS
+R kannaras
AAAKNRS
+N kannaras
+T astrakan
AAAKNRT
+S astrakan
AAAKNST
+R astrakan
AAAKRST
+N astrakan
AAALLPP
+R raplapla

AAALLPR
+P raplapla
AAALLPT
  palatal
+E palatale
+I palatial
AAALLRS
+I salarial
+T tralalas
AAALLRT
  tralala
+S tralalas
AAALLST
+B ballasta
+I allaitas
+R tralalas
AAALLTT
+I allaitat
AAALMNO
  anomala
+S anomalas
AAALMNR
+T alarmant
AAALMNS
+D mandalas
+O anomalas
AAALMNT
+R alarmant
+X malaxant
AAALMNX
+T malaxant
AAALMOS
+N anomalas
AAALMRR
+E alarmera
AAALMRS
  alarmas
  marsala
+B malabars
+C calamars
+I alarmais
  malarias
+S marsalas
AAALMRT
  alarmat
+I alarmait
+N alarmant
AAALMRX
+E malaxera
AAALMSS
+R marsalas
AAALMSV
+E avalames
AAALMSX
  malaxas
+I malaxais
AAALMTX
  malaxat
+I malaxait
+N malaxant
AAALNNS
+T lantanas
AAALNNT
  lantana
+S lantanas
AAALNOS
+M anomalas

AAALNPR
+I aplanira
+T rataplan
AAALNPS
+T aplanats
AAALNPT
  aplanat
+E panatela
+R rataplan
+S aplanats
AAALNRT
+M alarmant
+P rataplan
+V ravalant
AAALNRV
+C carnaval
+E ravenala
+T ravalant
AAALNSS
+I nasalisa
+Y analysas
AAALNST
+C catalans
+N lantanas
+P aplanats
+Y analysat
AAALNSV
+I valaisan
AAALNSY
  analysa
+I analysai
+S analysas
+T analysat
AAALNTV
  avalant
+C cavalant
+R ravalant
AAALNTX
+M malaxant
AAALNTY
+B balayant
+S analysat
AAALPPR
+L raplapla
AAALPRS
+B palabras
+Y paralysa
AAALPRT
+B palabrat
+I aplatira
+N rataplan
AAALPRY
+S paralysa
AAALPST
+C catalpas
+H asphalta
+N aplanats
AAALPSU
+G alpaguas
AAALPSY
+R paralysa
AAALPTU
+G alpaguat
+X palataux
AAALPTX
+U palataux
AAALPUX

+T palataux
AAALRRV
+E ravalera
AAALRSS
+I salarias
+M marsalas
AAALRST
+I salariat
+L tralalas
AAALRSV
  ravalas
+E avaleras
+I ravalais
AAALRSY
+P paralysa
AAALRSZ
+C alcazars
AAALRTV
  ravalat
+I ravalait
+N ravalant
AAALSSV
+E avalasse
+I avalisas
AAALSSY
+N analysas
AAALSTT
+B attablas
AAALSTV
+E avalates
+I avalisat
AAALSTY
+C catalysa
+N analysat
AAALTTT
+B attablat
AAALTUX
+P palataux
AAAMNOP
+R panorama
AAAMNOR
+P panorama
AAAMNOS
+L anomalas
AAAMNPR
+O panorama
AAAMNPS
  panamas
AAAMNRR
+T amarrant
AAAMNRS
+I amarinas
+T marantas
AAAMNRT
  maranta
+E amarante
+I amarinat
+L alarmant
+R amarrant
+S marantas
AAAMNRZ
+G mazagran
AAAMNSS
+T amassant
AAAMNST
+D mandatas
+F fantasma

+I aimantas
+R marantas
+S amassant
AAAMNTT
+D mandatat
+I aimantat
AAAMNTU
+D tamandua
AAAMNTX
+L malaxant
AAAMOPR
+N panorama
AAAMOSU
+D amadouas
AAAMOTU
+D amadouat
AAAMQRT
+U matraqua
AAAMQRU
+T matraqua
AAAMQTU
+R matraqua
AAAMRRR
+E amarrer
AAAMRRS
  amarras
+I amarrais
AAAMRRT
  amarrat
+I amarrait
+N amarrant
AAAMRSS
  ramassa
+C massacra
+D madrasas
+E amassera
  arasames
+I ramassai
+L ramassas
+S ramassas
+T ramassat
AAAMRST
  taramas
+I amatiras
+N marantas
+S ramassat
AAAMRSU
+D maraudas
AAAMRSY
  aymaras
AAAMRTU
+D maraudat
+Q matraqua
AAAMSSS
  amassas
+D damassas
+I amassais
  assamais
+R ramassas
AAAMSST
  amassat
+B mastabas
+D damassat
+I amassait
+N amassant
+R ramassat

AAANNPT
+V pavanant
AAANNPV
+T pavanant
AAANNRS
+K kannaras
AAANNST
+B basanant
+L lantanas
AAANNTV
+C avancant
+P pavanant
AAANOPR
+I paranoia
+M panorama
AAANPPT
+T appatant
AAANPRR
+I parraina
AAANPRT
+D paradant
+F parafant
+L rataplan
AAANPRV
+E pavanera
AAANPST
+I apaisant
+L aplanats
AAANPSV
pavanas
+I pavanais
AAANPTT
+D adaptant
+P appatant
AAANPTV
pavanat
+I pavanait
+N pavanant
AAANPTY
+G pagayant
AAANQRS
+U arnaquas
AAANQRT
+U arnaquat
AAANQRU
arnaqua
+I arnaquai
+S arnaquas
+T arnaquat
AAANQSU
+R arnaquas
AAANQTU
+R arnaquat
AAANRRT
+M amarrant
+W warranta
AAANRRW
+T warranta
AAANRST
arasant
+B abrasant
+G tanagras
tangaras
+K astrakan
+M marantas
AAANRSU
+Q arnaquas

AAANRTT
+I ratatina
AAANRTU
+Q arnaquat
AAANRTV
+I avariant
+L ravalant
AAANRTW
+R warranta
AAANSST
+C canastas
+M amassant
AAANSSY
+L analysas
AAANSTY
+G yatagans
+L analysat
AAANTTT
+B abattant
AAAPPRR
+I rapparia
AAAPPRS
+H paraphas
+I appairas
apparais
apparias
+T apparats
+V varappas
AAAPPRT
apparat
+E appatera
+H paraphat
+I appairat
apparait
appariat
+S apparats
+V varappat
+X apparaux
AAAPPRV
varappa
+I varappai
+S varappas
+T varappat
AAAPPRX
+U apparaux
AAAPPST
appatas
+I appatais
+R apparats
AAAPPSV
+R varappas
AAAPPTT
appatat
+I appatait
+N appatant
AAAPPTV
+R varappat
AAAPPUX
+R apparaux
AAAPRRT
+I paraitra
rapatria
+T rattrapa
AAAPRSS
aparsas
AAAPRST
pataras
+I parasita
+P apparats
+T attrapas
patatras
AAAPRSV
+P varappas
AAAPRSY
+L paralysa
AAAPRTT
attrapa
+I attrapai
+R rattrapa
+S patatras
+T attrapat
AAAPRTV
+P varappat
AAAPRTX
+E parataxe
AAAPRUX
+P apparaux
AAAPSSV
+I piassava
AAAPSTT
+R attrapas
patatras
AAAPTTT
+R attrapat
AAAPTUX
+L palataux
AAAQRSU
+B baraquas
+N arnaquas
AAAQRTU
+B baraquat
+M matraqua
+N arnaquat
AAAQSTT
+U attaquas
AAAQSTU
+T attaquas
AAAQTTT
+U attaquat
AAAQTTU
attaqua
+I attaquai
+S attaquas
+T attaquat
AAARRSS
+E araseras
AAARRTT
+B rabattra
+P rattrapa
AAARRTW
+N warranta
AAARSSS
+E arasasse
+H harassas
+I rassasia
+M ramassas
AAARSST
+C tracassa
+E arasates
+H harassat
+M ramassat
AAARSTT
+B abattras
barattas
+D attardas
+P attrapas
patatras
AAARSTU
+D taraudas
AAARSTV
avatars
AAARSUV
+D ravaudas
AAARTTT
+A taratata
+B barattat
+D attardat
+P attrapat
AAARTTU
+D taraudat
AAARTTV
+C cravatat
AAARTUV
+D ravaudat
AAASSST
+B tabassas
AAASSSV
+B bavassas
AAASSTT
+B tabassat
AAASSTV
+B bavassat
AAASTTU
+Q attaquas
AAATTTU
+Q attaquat
AABBBOS
baobabs
AABBCEL
+N bancable
AABBCEN
+L bancable
AABBCHM
+O bambocha
AABBCHO
+M bambocha
AABBCLN
+E bancable
AABBCMO
+H bambocha
AABBDMO
+R bombarda
AABBDMR
+O bombarda
AABBDOR
+M bombarda
AABBEEG
+R ebarbage
AABBEER
+G ebarbage
AABBEGR
+E ebarbage
AABBEIR
ebarbai
+R barbarie
barberai
+S ebarbais
+T ebarbait
AABBEIS
+R ebarbais
AABBEIT
+R ebarbait
AABBEKL
kabbale
+S kabbales
AABBEKS
+L kabbales
AABBELL
+M blamable
AABBELM
+L blamable
AABBELN
+C bancable
AABBELS
+K kabbales
AABBEMR
+S barbames
AABBEMS
+R barbames
AABBENR
+T barbante
ebarbant
AABBENT
+R barbante
ebarbant
AABBEQR
+U barbaque
AABBEQU
+R barbaque
AABBERR
barbare
barbera
+E ebarbera
+I barbarie
barberai
+S barbares
barberas
AABBERS
ebarbas
+I ebarbais
+M barbames
+R barbares
barberas
+S barbasse
+T barbates
AABBERT
ebarbat
+I ebarbait
+N barbante
ebarbant
+S barbates
AABBERU
barbeau
+Q barbaque
+X barbeaux
AABBERX
+U barbeaux
AABBESS
+R barbasse
AABBEST
+R barbates
AABBESY
abbayes

AABBEUX
+R barbeaux
AABBHMO
+C bambocha
AABBIIL
+L babillai
AABBILL
  babilla
+I babillai
+S babillas
+T babillat
AABBILM
+R brimbala
AABBILR
+M brimbala
AABBILS
+L babillas
AABBILT
+A abbatial
+L babillat
+U balbutia
AABBILU
+T balbutia
AABBIMR
+L brimbala
AABBINR
+T rabbinat
AABBINT
+R rabbinat
AABBIOR
+S absorbai
+T barbotai
AABBIOS
+R absorbai
AABBIOT
+R barbotai
AABBIRR
+E barbarie
  barberai
AABBIRS
  barbais
+E ebarbais
+O absorbai
AABBITT
  barbait
+E ebarbait
+N rabbinat
+O barbotai
AABBITU
+L balbutia
AABBKLS
+E kabbales
AABBLLM
+E blamable
AABBLLS
+I babillas
AABBLLT
+I babillat
AABBLMO
+U bamboula
AABBLMR
+I brimbala
AABBLMU
+O bamboula
AABBLOS
  balboas
AABBLOU

+M bamboula
AABBLTU
+I balbutia
AABBMOR
+D bombarda
AABBMOU
+L bamboula
AABBMRS
+A bambaras
+E barbames
AABBNRS
+T barbants
AABBNRT
  barbant
  brabant
+E barbante
  ebarbant
+I rabbinat
+S barbants
  brabants
AABBNST
+R barbants
  brabants
AABBORS
  absorba
+I absorbai
+S absorbas
+T absorbat
  barbotas
AABBORT
  barbota
+I barbotai
+S absorbat
  barbotas
+T barbotat
AABBOSS
+R absorbas
AABBOST
+R absorbat
AABBOTT
+R barbotat
AABBQRU
+E barbaque
AABBRRS
+E barbares
  barberas
AABBRSS
+E barbasse
+O absorbas
AABBRST
+E barbates
+N barbants
  brabants
+O absorbat
  barbotas
AABBRTT
+O barbotat
AABBRUX
+E barbeaux
AABBSST
  sabbats
AABCCEE
+L accablee
AABCCEI
+Z cacabiez

AABCCEL
  accable
+E accablee
+R accabler
+S accables
+Z accablez
AABCCEN
+T cacabent
AABCCER
  cacaber
+A cacabera
+L accabler
AABCCES
  cacabes
+L accables
AABCCET
+N cacabent
AABCCEZ
  cacabez
+I cacabiez
+L accablez
AABCCIL
+A accablai
AABCCIS
+A cacabais
AABCCIT
+A cacabait
AABCCIZ
+E cacabiez
AABCCLM
+A calambac
AABCCLR
+E accabler
AABCCLS
+A accablas
+E accables
AABCCLT
+A accablat
AABCCLZ
+E accablez
AABCCNO
+S cacabons
AABCCNS
+O cacabons
AABCCNT
+A cacabant
+E cacabent
AABCCOS
+N cacabons
AABCCRS
+A baccaras
AABCCRT
+A baccarat
AABCDEH
  debacha
+I debachai
+S debachas
+T debachat
+U debaucha
AABCDEI
+H debachai
AABCDEL
+U clabaude
AABCDES
+H debachas
AABCDET
+H debachat

AABCDEU
+H debaucha
+L clabaude
AABCDHI
+E debachai
AABCDHM
+R chambard
AABCDHR
+M chambard
AABCDHS
+E debachas
AABCDHT
+E debachat
AABCDHU
+E debaucha
AABCDKR
+W drawback
AABCDKW
+R drawback
AABCDLS
+U clabauds
  clabaud
AABCDLU
+A clabauda
+E clabaude
+S clabauds
AABCDMR
+H chambard
AABCDNR
+R brancard
AABCDOR
+R brocarda
AABCDRR
+N brancard
+O brocarda
AABCDRW
+K drawback
AABCDSU
+L clabauds
AABCEEH
+R rabachee
AABCEEI
+L labiacee
AABCEEL
+C accablee
+I labiacee
+N balancee
AABCEEN
+L balancee
+N encabane
AABCEER
+H rabachee
+S scarabee
+X exacerba
AABCEES
+R scarabee
+U escabeau
AABCEEU
+S escabeau
AABCEEX
+R exacerba
AABCEGH
  bachage
+N banchage
+S bachages
AABCEGL
  baclage

  cablage
+S baclages
AABCEGM
+R cambrage
AABCEGN
+H banchage
AABCEGO
+T cabotage
AABCEGR
+M cambrage
AABCEGS
+H bachages
+L baclages
  cablages
AABCEGT
+O cabotage
AABCEHI
+D debachai
+R bacherai
+U ebauchai
AABCEHL
+R chablera
AABCEHM
+S bachames
+U embaucha
AABCEHN
+G banchage
+R banchera
  ebrancha
AABCEHR
  bachera
  rabache
+E rabachee
+I bacherai
+L chablera
+N banchera
  ebrancha
+R rabacher
+S bacheras
  rabaches
+V bravache
+Z rabachez
AABCEHS
+D debachas
+G bachages
+M bachames
+R bacheras
  rabaches
+S bachasse
+T bachates
+U ebauchas
AABCEHT
+D debachat
+S bachates
+U ebauchat
AABCEHU
  ebaucha
+D debaucha
+I ebauchai
+M embaucha
+S ebauchas
+T ebauchat
AABCEHV
+R bravache
AABCEHZ
+R rabachez

AABCEIL
+E labiacee
+M cambiale
+R baclerai
   cablerai
AABCEIM
+L cambiale
+N ambiance
AABCEIN
+M ambiance
+R bancarai
   carabine
AABCEIR
   caraibe
+H bacherai
+L baclerai
   cablerai
+N bancaire
   carabine
+R cabrerai
+S caraibes
AABCEIS
+R caraibes
AABCEIU
+H ebauchai
AABCEIZ
+C cacabiez
AABCELM
+I cambiale
+S baclames
   cablames
AABCELN
   balance
   bancale
+B bancable
+E balancee
+R balancer
+S balances
   bancales
+Z balancez
AABCELP
   capable
+S capables
AABCELR
   baclera
   cablera
+C accabler
+H chablera
+I baclerai
   cablerai
+N balancer
+S bacleras
   cableras
+T cartable
AABCELS
   cabales
+C accables
+G baclages
   cablages
+M baclames
   cablames
+N balances
   bancales
+P capables
+R bacleras
   cableras
+S baclasse

   cablasse
   cassable
+T baclates
   cablates
AABCELT
+R cartable
+S baclates
   cablates
AABCELU
   cableau
+D clabaude
+X cableaux
AABCELX
+U cableaux
AABCELZ
+C accablez
+N balancez
AABCEMN
+I ambiance
AABCEMR
   macabre
+G cambrage
+R cambrera
+S cabrames
   macabres
AABCEMS
+H bachames
+L baclames
   cablames
+R cabrames
   macabres
AABCEMU
+H embaucha
AABCENN
+A encabana
+E encabane
AABCENR
+H banchera
   ebrancha
+I bancaire
   carabine
+L balancer
AABCENS
   cabanes
+L balances
   bancales
+T bacantes
   cabestan
AABCENT
+C cacabent
+S bacantes
   cabestan
AABCENZ
+L balancez
AABCEOR
+T acrobate
   cabotera
AABCEOT
+G cabotage
+R acrobate
   cabotera
AABCEPS
+L capables
AABCERR
+H rabacher
+I cabrerai

+M cambrera
+S cabreras
AABCERS
+E scarabee
+H rabaches
   rabaches
+I caraibes
+L bacleras
   cableras
+M cabrames
   macabres
+R cabreras
+S barcasse
   cabrasse
+T cabarets
   cabrates
AABCERT
   cabaret
+L cartable
+O acrobate
   cabotera
+S cabarets
AABCERV
+H bravache
AABCERX
+E exacerba
AABCERZ
+H rabachez
AABCESS
+H bachasse
+L baclasse
   cablasse
   cassable
+R barcasse
   cabrasse
+T cabasset
AABCEST
+H bachates
+L baclates
   cablates
+N bacantes
   cabestan
+R cabarets
   cabrates
+S cabasset
AABCESU
+E escabeau
+H ebauchas
AABCETU
+H ebauchat
AABCEUX
+L cableaux
AABCGHN
+E banchage
AABCGHS
+E bachages
AABCGLS
+E baclages
   cablages
AABCGMR
+E cambrage
AABCGOT
+E cabotage
AABCHIL
   chablai

+R brachial
+S chablais
+T chablait
AABCHIM
+R chambrai
AABCHIN
   banchai
+R branchai
+S banchais
+T banchait
AABCHIO
+T bachotai
   cohabita
+U abouchai
AABCHIR
+A charabia
   rabachai
+E bacherai
+L brachial
+M chambrai
+N branchai
AABCHIS
   bachais
+L chablais
+N banchais
AABCHIT
   bachait
+L chablait
+N banchait
+O bachotai
   cohabita
AABCHIU
+E ebauchai
+O abouchai
AABCHLN
+T chablant
AABCHLR
+E chablera
+I brachial
AABCHLS
   chablas
+I chablais
AABCHLT
   chablat
+I chablait
+N chablant
AABCHMO
+B bambocha
AABCHMR
   chambra
+D chambard
+I chambrai
+S chambras
+T chambrat
AABCHMS
+E bachames
+R chambras
AABCHMT
+R chambrat
AABCHMU
+E embaucha
AABCHNN
+T banchant
AABCHNR
   brancha
+E banchera
   ebrancha

+I branchai
+S branchas
+T branchat
AABCHNS
   banchas
+I banchais
+R branchas
AABCHNT
   bachant
   banchat
+I banchait
+L chablant
+N banchant
+R branchat
AABCHOS
+T bachotas
+U abouchas
AABCHOT
   bachota
+I bachotai
   cohabita
+S bachotas
+T bachotat
+U abouchat
AABCHOU
   aboucha
+I abouchai
+S abouchas
+T abouchat
AABCHRR
+E rabacher
AABCHRS
+A rabachat
+E bacheras
   rabaches
+M chambras
+N branchas
AABCHRT
+A rabachat
+M chambrat
+N branchat
AABCHRV
+E bravache
AABCHRZ
+E rabachez
AABCHSS
   casbahs
+E bachasse
AABCHST
+E bachates
+O bachotas
AABCHSU
+E ebauchas
+O abouchas
AABCHTT
+O bachotat
AABCHTU
+E ebauchat
+O abouchat
AABCIIL
+R calibrai
AABCIIR
+L calibrai
AABCIIS
   cabiais
AABCILL
+U cabillau

AABCILM
  alambic
  cambial
+E cambiale
+S alambics
AABCILN
+A balancai
AABCILO
+R cabriola
+T clabotai
AABCILR
  calibra
  cablerai
+E baclerai
  cablerai
+H brachial
+I calibrai
+O cabriola
+S calibras
+T calibrat
AABCILS
  baclais
  cablais
+H chablais
+M alambics
+R calibras
+U basculai
AABCILT
  baclait
  cablait
+H chablait
+O clabotai
+R calibrat
AABCILU
+L cabillau
+S basculai
AABCIMN
+E ambiance
AABCIMR
  cambrai
+H chambrai
+S cambrais
+T cambrait
AABCIMS
+L alambics
+R cambrais
AABCIMT
+R cambrait
AABCIMU
+X cambiaux
AABCIMX
+U cambiaux
AABCINN
+S cannabis
AABCINO
+T cabotina
+U boucanai
AABCINR
  carabin
+E bancaire
  carabine
+H branchai
+S carabins
AABCINS
+H banchais
+N cannabis
+R carabins
AABCINT

+H banchait
+O cabotina
AABCINU
+O boucanai
AABCIOR
+L cabriola
+T crabotai
AABCIOS
+S cabossai
+T cabotais
AABCIOT
  cabotai
+H bachotai
+L clabotai
+N cabotina
+R crabotai
+S cabotais
+T cabotait
AABCIOU
+H abouchai
+N boucanai
AABCIRR
+E cabrerai
+U carburai
AABCIRS
  cabrais
+E caraibes
+L calibras
+M cambrais
+N carabins
AABCIRT
  cabrait
+L calibrat
+M cambrait
+O crabotai
AABCIRU
+R carburai
AABCISS
+O cabossai
AABCIST
+O cabotais
AABCISU
+L basculai
AABCITT
+O cabotait
AABCIUX
+M cambiaux
AABCKRW
+D drawback
AABCLLU
+I cabillau
AABCLMS
+E baclames
  cablames
+I alambics
AABCLNR
+E balancer
AABCLNS
  bancals
+A balancas
+E balances
  bancales
AABCLNT
  baclant
  cablant
+A balancat

  bataclan
+H chablant
AABCLNZ
+E balancez
AABCLOR
+I cabriola
AABCLOS
+T clabotas
AABCLOT
  clabota
+I clabotai
+S clabotas
+T clabotat
AABCLPS
+E capables
AABCLRS
+E bacleras
  cableras
+I calibras
AABCLRT
+E cartable
+I calibrat
AABCLSS
+E baclasse
  cablasse
  cassable
+U basculas
AABCLST
+E baclates
  cablates
+O clabotas
+U basculat
AABCLSU
  bascula
+D clabauds
+I basculai
+S basculas
+T basculat
AABCLTT
+O clabotat
AABCLTU
+S basculat
AABCLUX
+E cableaux
AABCMMS
+U macumbas
AABCMMU
  macumba
+S macumbas
AABCMNR
+T cambrant
AABCMNT
+R cambrant
AABCMRR
+E cambrera
AABCMRS
  cambras
+E cabrames
  macabres
+H chambras
+I cambrais
AABCMRT
  cambrat
+H chambrat
+I cambrait
+N cambrant
AABCMSU

+M macumbas
AABCMUX
+I cambiaux
AABCNNO
  cabanon
+R braconna
AABCNNR
+O braconna
AABCNNS
+I cannabis
+O cabanons
AABCNNT
+H banchant
AABCNOR
+N braconna
+R barranco
+T brocanta
AABCNOS
+C cacabons
+N cabanons
AABCNOT
+I cabotina
+R brocanta
+T cabotant
+U boucanat
AABCNOU
  boucana
+I boucanai
+S boucanas
+T boucanat
AABCNRR
+D brancard
+O barranco
AABCNRS
+H branchas
+I carabins
AABCNRT
  cabrant
+H branchat
+M cambrant
+O brocanta
AABCNST
+E bacantes
  cabestan
AABCNSU
+O boucanas
AABCNTT
+O cabotant
AABCNTU
+O boucanat
AABCORR
+D brocarda
+N barranco
AABCORS
+T crabotas
AABCORT
  crabota
+E acrobate
  cabotera
+I crabotai
+N brocanta
+S crabotas
+T crabotat
AABCOSS
  cabossa

+I cabossai
+S cabossas
+T cabossat
AABCOST
  cabotas
+H bachotas
+I cabotais
+L clabotas
+R crabotas
+S cabossat
AABCOSU
+H abouchas
+N boucanas
AABCOTT
  cabotat
+H bachotat
+I cabotait
+L clabotat
+N cabotant
+R crabotat
AABCOTU
+H abouchat
+N boucanat
AABCRRS
+E cabreras
+U carburas
AABCRRT
+U carburat
AABCRRU
  carbura
+I carburai
+S carburas
+T carburat
AABCRSS
+E barcasse
  cabrasse
AABCRST
+E cabarets
  cabrates
+O crabotas
AABCRSU
+R carburas
AABCRTT
+O crabotat
AABCRTU
+R carburat
AABCSSS
+O cabossas
AABCSST
+E cabasset
+O cabossat
AABCSSU
+L basculas
AABCSTU
+L basculat
AABCSUU
  aucubas
AABDDEI
+N debandai
+R debardai
AABDDEN
  debanda
+I debandai
+R brandade
+S debandas
+T debandat

AABDDER	bradage	**AABDELL**	**AABDEMS**	+D debardas
debarda	+I bigarade	ballade	+G gambades	+G bardages
+I debardai	+M gambader	deballa	+N bandames	bradages
+N brandade	+O abordage	+I deballai	+R bardames	+L delabras
+S debardas	+S bardages	+J djellaba	bradames	+M bardames
+T debardat	bradages	+S ballades	+U daubames	bradames
AABDDES	**AABDEGS**	deballas	**AABDEMU**	+N banderas
+N debandas	+M gambades	+T deballat	+L deambula	bardanes
+R debardas	+N bandages	**AABDELM**	+S daubames	+R barderas
+U badaudes	+R bardages	+N damnable	**AABDEMZ**	braderas
AABDDET	bradages	+U deambula	+G gambadez	debarras
+N debandat	+U bagaudes	**AABDELN**	**AABDENO**	+S bardasse
+R debardat	**AABDEGU**	+M damnable	+R abondera	bradasse
AABDDEU	bagaude	+S dansable	**AABDENR**	+T bardates
badaude	+S bagaudes	salbande	bandera	batardes
+S badaudes	**AABDEGZ**	**AABDELO**	+D brandade	bradates
AABDDIN	+M gambadez	+R adorable	+I badinera	+U dauberas
+E debandai	**AABDEHH**	**AABDELR**	banderai	+V bavardes
AABDDIR	+I dahabieh	balader	+O abondera	bravades
+E debardai	**AABDEHI**	delabra	+S banderas	+Y debrayas
AABDDNR	+C debachai	+A baladera	bardanes	+Z bazardes
+E brandade	+H dahabieh	+F blafarde	**AABDENS**	**AABDERT**
AABDDNS	**AABDEHS**	+I delabrai	+D debandas	batarde
+E debandas	+C debachas	+O adorable	+G bandages	+D debardat
AABDDNT	**AABDEHT**	+S delabras	+I badianes	+I debatira
+E debandat	+C debachat	+T delabrat	+L dansable	+L delabrat
AABDDRS	**AABDEHU**	+U baladeur	salbande	+S bardates
+E debardas	+C debaucha	**AABDELS**	+M bandames	batardes
AABDDRT	**AABDEIL**	balades	+R banderas	bradates
+E debardat	+L deballai	+E baladees	bardanes	+T debattra
AABDDSU	+R delabrai	+I absidale	+S bandasse	+Y debrayat
badauds	+S absidale	+L ballades	+T bandates	**AABDERU**
+E badaudes	+Y deblayai	deballas	**AABDENT**	bardeau
AABDEEL	+Z baladiez	+N dansable	+D debandat	daubera
baladee	**AABDEIN**	salbande	+L baladent	+I dauberai
+S baladees	badiane	+R delabras	+S bandates	+L baladeur
AABDEER	+D debandai	+S dessabla	**AABDENU**	+O adoubera
+Y bayadere	+G badinage	+T datables	+X bandeaux	+Q debarqua
+Z bazardee	baignade	+Y deblayas	**AABDENX**	+S dauberas
AABDEES	+R badinera	**AABDELT**	+U bandeaux	+X bardeaux
+L baladees	banderai	+L deballat	**AABDEOR**	**AABDERV**
AABDEEY	+S badianes	+N baladent	+G abordage	bavarde
+R bayadere	**AABDEIR**	+R delabrat	+L adorable	bravade
AABDEEZ	+D debardai	+S datables	+N abondera	+R bavarder
+R bazardee	+G bigarade	+Y deblayat	+U adoubera	+S bavardes
AABDEFL	+L delabrai	**AABDELU**	**AABDEOU**	bravades
+R blafarde	+N badinera	+C clabaude	+R adoubera	+Z bavardez
AABDEFR	banderai	+M deambula	**AABDEQR**	**AABDERX**
+L blafarde	+R barderai	+R baladeur	+U debarqua	+U bardeaux
AABDEGI	braderai	**AABDELY**	**AABDEQU**	**AABDERY**
+N badinage	+T debatira	deblaya	+R debarqua	debraya
baignade	+U dauberai	+I deblayai	**AABDERR**	+E bayadere
+R bigarade	+Y debrayai	+S deblayas	bardera	+I debrayai
AABDEGM	**AABDEIS**	+T deblayat	bradera	+S debrayas
gambade	+L absidale	**AABDELZ**	+I barderai	+T debrayat
+R gambader	+N badianes	baladez	braderai	**AABDERZ**
+S gambades	**AABDEIT**	+I baladiez	+M rambarde	bazarde
+Z gambadez	+R debatira	**AABDEMN**	+O abordera	+E bazardee
AABDEGN	**AABDEIU**	+L damnable	+S barderas	+R bazarder
bandage	+R dauberai	+S bandames	braderas	+S bazardes
+I badinage	**AABDEIY**	**AABDEMR**	debarras	+V bavardez
baignade	+L deblayai	+G gambader	+V bavarder	+Z bazarder
+S bandages	+R debrayai	+R rambarde	+Z bazarder	**AABDESS**
AABDEGO	**AABDEIZ**	+S bardames	**AABDERS**	+L dessabla
+R abordage	+L baladiez	bradames		+N bandasse
AABDEGR	**AABDEJL**			+R bardasse
bardage	+L djellaba			bradasse

+U daubasse
desabusa
AABDEST
+L datables
+N bandates
+R bardates
batardes
bradates
+U daubates
AABDESU
aubades
+D badaudes
+G bagaudes
+M daubames
+R dauberas
+S daubasse
desabusa
+T daubates
AABDESV
+R bavardes
bravades
AABDESY
+L deblayas
+R debrayas
AABDESZ
+R bazardes
AABDETT
+R debattra
AABDETU
+S daubates
AABDETY
+L deblayat
+R debrayat
AABDEUX
+N bandeaux
+R bardeaux
AABDEVZ
+R bavardez
AABDEZZ
+R bazardez
AABDFIL
+R faiblard
AABDFIR
+L faiblard
AABDFLM
+R flambard
AABDFLR
blafard
+E blafarde
+I faiblard
+M flambard
+S blafards
AABDFLS
+R blafards
AABDFMR
+L flambard
AABDFRS
+L blafards
AABDGIM
+A gambadai
AABDGIN
+E badinage
baignade
AABDGIR
+E bigarade
AABDGMR
+E gambader

AABDGMS
+A gambadas
+E gambades
AABDGMT
+A gambadat
AABDGMZ
+E gambadez
AABDGNO
+V vagabond
AABDGNR
+S bagnards
AABDGNS
+E bandages
+R bagnards
AABDGNV
+O vagabond
AABDGOR
+E abordage
AABDGOV
+N vagabond
AABDGRS
+E bardages
bradages
+N bagnards
AABDGSU
+E bagaudes
AABDHHI
+E dahabieh
AABDHLL
+N handball
AABDHLN
+L handball
AABDHMR
+C chambard
AABDIIL
+S absidial
AABDIIN
badinai
+S badinais
+T badinait
AABDIIQ
+U abdiquai
AABDIIS
+L absidial
+N badinais
AABDIIT
+N badinait
AABDIIU
+Q abdiquai
AABDILL
+E deballai
AABDILN
baladin
+S baladins
AABDILR
+E delabrai
+F faiblard
AABDILS
absidal
+A baladais
+E absidale
+I absidial
+N baladins
AABDILT
+A baladait
AABDILY

+E deblayai
AABDILZ
+E baladiez
AABDIMR
barmaid
+S barmaids
AABDIMS
+R barmaids
AABDINN
+T badinant
AABDINO
abondai
+S abondais
+T abondait
AABDINR
+E badinera
banderai
+R brandira
AABDINS
badinas
bandais
+E badianes
+I badinais
+L baladins
+O abondais
AABDINT
badinat
bandait
+I badinait
+N badinant
+O abondait
AABDIOR
abordai
+S abordais
adsorbai
sabordai
+T abordait
+U radoubai
AABDIOS
+N abondais
+R abordais
adsorbai
sabordai
+U adoubais
+Z dazibaos
AABDIOT
+N abondait
+R abordait
+U adoubait
AABDIOU
adoubai
+R radoubai
+S adoubais
+T adoubait
AABDIOZ
dazibao
+S dazibaos
AABDIQS
+U abdiquas
AABDIQT
+U abdiquat
AABDIQU
abdiqua
+I abdiquai
+S abdiquas
+T abdiquat
AABDIRR

+E barderai
braderai
+N brandira
AABDIRS
bardais
+M barmaids
+O abordais
adsorbai
sabordai
AABDIRT
bardait
bradait
+A abatardi
+E debatira
+O abordait
AABDIRU
+E dauberai
+O radoubai
AABDIRV
+A bavardai
AABDIRY
+E debrayai
AABDIRZ
+A bazardai
AABDISU
daubais
+O adoubais
+Q abdiquas
+X absidaux
AABDISX
+U absidaux
AABDISZ
+O dazibaos
AABDITU
daubait
+O adoubait
+Q abdiquat
AABDIUX
+S absidaux
AABDJLL
+E djellaba
AABDKRW
+C drawback
AABDLLN
+H handball
AABDLLS
+E ballades
deballas
AABDLLT
+E deballat
AABDLMN
+E damnable
+U labdanum
AABDLMR
+F flambard
AABDLMU
+E deambula
+N labdanum
AABDLNO
+S baladons
AABDLNS
+E dansable
salbande
+I baladins
+O baladons
AABDLNT

+A baladant
+E baladent
AABDLNU
+M labdanum
AABDLOR
+E adorable
+R labrador
AABDLOS
+N baladons
AABDLRR
+O labrador
AABDLRS
+E delabras
+F blafards
AABDLRT
+E delabrat
AABDLRU
+E baladeur
AABDLSS
+E dessabla
AABDLST
+E datables
AABDLSU
+C clabauds
AABDLSY
+E deblayas
AABDLTY
+E deblayat
AABDMNS
+E bandames
AABDMNU
+L labdanum
AABDMOR
+B bombarda
AABDMRR
+E rambarde
AABDMRS
+E bardames
bradames
+I barmaids
AABDMSU
+E daubames
AABDNNO
abandon
+S abandons
+T abondant
AABDNNS
+O abandons
AABDNNT
bandant
+I badinant
+O abondant
AABDNOR
+E abondera
+T abordant
AABDNOS
abondas
+I abondais
+L baladons
+N abandons
AABDNOT
abondat
+I abondait
+N abondant
+R abordant
+U adoubant

AABDNOU
+T adoubant
AABDNOV
+G vagabond
AABDNRR
+C brancard
+I brandira
AABDNRS
+E banderas
    bardanes
+G bagnards
AABDNRT
    bardant
    bradant
+O abordant
AABDNSS
+E bandasse
AABDNST
+E bandates
AABDNTU
    daubant
+O adoubant
AABDNUX
+E bandeaux
AABDORR
+C brocarda
+E abordera
+L labrador
AABDORS
    abordas
    adsorba
    saborda
+I abordais
    adsorbai
    sabordai
+S adsorbas
    sabordas
+T adsorbat
    sabordat
+U absoudra
    radoubas
AABDORT
    abordat
+I abordait
+N abordant
+S adsorbant
    sabordat
+U radoubat
AABDORU
    radouba
+E adoubera
+I radoubai
+S absoudra
    radoubas
+T radoubat
AABDOSS
+R adsorbas
    sabordas
AABDOST
+R adsorbat
    sabordat
AABDOSU
    adoubas
+I adoubais
+R absoudra
    radoubas
AABDOSZ

+I dazibaos
AABDOTU
    adoubat
+I adoubait
+N adoubant
+R radoubat
AABDQRU
+E debarqua
AABDQSU
+I abdiquas
AABDQTU
+I abdiquat
AABDRRS
+E barderas
    braderas
    debarras
+S brassard
AABDRRV
+E bavarder
AABDRRZ
+E bazarder
AABDRSS
+E bardasse
    bradasse
+O adsorbas
    sabordas
+R brassard
AABDRST
    batards
    tabards
+E bardates
    batardes
    bradates
+O adsorbat
    sabordat
AABDRSU
+E dauberas
+O absoudra
    radoubas
AABDRSV
    bavards
+A bavardas
+E bavardes
    bravades
AABDRSY
+E debrayas
AABDRSZ
+A bazardas
+E bazardes
AABDRTT
+E debattra
AABDRTU
+O radoubat
AABDRTV
+A bavardat
AABDRTY
+E debrayat
AABDRTZ
+A bazardat
AABDRUX
+E bardeaux
AABDRVZ
+E bavardez
AABDRZZ
+E bazardez
AABDSSU
+E daubasse

    desabusa
AABDSTU
+E daubates
AABDSUX
+I absidaux
AABEEFL
+R balafree
AABEEFR
+L balafree
AABEEGH
+R herbagea
AABEEGI
+R abregeai
AABEEGL
+L egalable
+R agreable
+T batelage
AABEEGR
    abregea
+B ebarbage
+H herbagea
+I abregeai
    begaiera
+L agreable
+R abregera
    bagarree
+S abregeas
+T abregeat
+Y abregeas
AABEEGS ?
+R abregeas
AABEEGT
+L batelage
+R abregeat
AABEEGY
+R begayera
AABEEHN
+U haubanee
AABEEHR
+C rabachee
+G herbagea
AABEEHU
+N haubanee
AABEEIL
+C labiacee
AABEEIR
+G abregeai
    begaiera
+S arabisee
AABEEIS
+R arabisee
+S abaissee
AABEELL
+G egalable
AABEELN
+C balancee
AABEELR
+F balafree
+G agreable
+T arbalete
AABEELS
+D baladees
+Y balayees
AABEELT
+G batelage
+R arbalete

+T attablee
AABEELY
    balayee
+C encabane
+T nabateen
AABEENS
    basanee
+S basanees
AABEENT
+N nabateen
AABEENU
+H haubanee
AABEEQR
+U baraquee
AABEEQU
+R baraquee
AABEERR
+B ebarbera
+G abregera
+S ebrasera
AABEERS
    abrasee
+C scarabee
+G abregeas
+I arabisee
+R ebrasera
+S abrasees
AABEERT
+G abregeat
+L arbalete
+T barattee
AABEERU
+Q baraquee
AABEERX
+C exacerba
AABEERY
+D bayadere
+G begayera
AABEERZ
+D bazardee
AABEESS
+I abaissee
+N basanees
+R abrasees
+T tabassee
AABEEST
+S tabassee
+T abattees
AABEESU
+C escabeau
AABEESY
+L balayees
AABEETT
    abattee
+L attablee
+R barattee
+S abattees
AABEFFL
    affable
+S affables
+U affabule
AABEFFS
+L affables
AABEFFU

+L affable
AABEFGL
+M flambage
AABEFGM
+L flambage
AABEFII
+T beatifia
AABEFIL
+S faisable
AABEFIR
+R bafrerai
AABEFIS
+L faisable
AABEFIT
+I beatifia
AABEFLM
+G flambage
+R flambera
+U flambeau
AABEFLR
    balafre
+D blafarde
+E balafree
+M flambera
+R balafrer
+S balafres
+U fabulera
+Z balafrez
AABEFLS
+F affables
+I faisable
+R balafres
AABEFLU
+F affabule
+M flambeau
+R fabulera
AABEFLZ
+R balafrez
AABEFMR
+L flambera
+S baframes
AABEFMS
+R baframes
AABEFMU
+L flambeau
AABEFOR
+U bafouera
AABEFOU
+R bafouera
AABEFRR
    bafrera
+I bafrerai
+L balafrer
+S bafreras
AABEFRS
+L balafres
+M baframes
+R bafreras
+S bafrasse
+T bafrates
AABEFRT
+S bafrates
AABEFRU
+L fabulera
+O bafouera
AABEFRZ
+L balafrez

AABEFSS
+R bafrasse
AABEFST
+R bafrates
AABEGGS
  bagages
+U baguages
AABEGGU
  baguage
+S baguages
AABEGHN
+C banchage
AABEGHR
+E herbage
AABEGHS
+C bachages
AABEGIL
+R galberai
+S balisage
+V balivage
AABEGIN
+D badinage
  baignade
+R baignera
AABEGIO
+R abrogeai
AABEGIR
  abreagi
+D bigarade
+E abregeai
  begaiera
+L galberai
+N baignera
+O abrogeai
+R abreagir
  gabarier
+S abreagis
+T abreagit
+U baguerai
AABEGIS
+L balisage
+R abreagis
+T tabagies
+Y begayais
AABEGIT
  tabagie
+R abreagit
+S tabagies
+Y begayait
AABEGIU
+R baguerai
AABEGIV
+L balivage
AABEGIY
  begayai
+S begayais
+T begayait
AABEGJM
  jambage
+S jambages
AABEGJS
+M jambages
AABEGLL
+E egalable
+R largable
AABEGLM
+F flambage

+S galbames
AABEGLR
  galbera
+E agreable
+I galberai
+L largable
+S galberas
+U blaguera
AABEGLS
  sablage
+C baclages
  cablages
+I balisage
+M galbames
+R galberas
+S galbasse
  sablages
+T galbates
AABEGLT
+E batelage
+S galbates
AABEGLU
+R blaguera
AABEGLV
+I balivage
AABEGLY
+A balayage
AABEGMO
+R ombragea
AABEGMR
+C cambrage
+D gambader
+O ombragea
AABEGMS
  ambages
+D gambades
+J jambages
+L galbames
+U baguames
AABEGMU
+S baguames
AABEGMZ
+D gambadez
AABEGNR
+I baignera
AABEGNS
+D bandages
AABEGNT
+Y begayant
AABEGNY
+T begayant
AABEGOR
  abrogea
+D abordage
+I abrogeai
+M ombragea
+R abrogera
+T abrogeat
  rabotage
AABEGOS
+R abrogeas
+T sabotage
AABEGOT
+C cabotage
+R abrogeat
  rabotage

+S sabotage
AABEGQR
+U braquage
AABEGQU
+R braquage
AABEGRR
  bagarre
  barrage
+E abregera
  bagarree
+I abreagir
  gabarier
+O abrogera
+R bagarrer
+S bagarres
+Z bagarrez
AABEGRS
  brasage
  gabares
+D bardages
  bradages
+E abregeas
+I abreagis
+L galberas
+O abrogeas
+R bagarres
  barrages
+S brasages
  brassage
+U baguasse
AABEGRT
+E abregeat
+I abreagit
+O abrogeat
  rabotage
AABEGRU
  baguera
+I baguerai
+L blaguera
+Q braquage
+S bagueras
AABEGRY
+E begayera
AABEGRZ
+R bagarrez
AABEGSS
  bagasse
+L galbasse
  sablages
+R brasages
  brassage
+S bagasses
+U baguasse
AABEGST
+I tabagies
+L galbates
+O sabotage
+T battages
+U baguates
  bastague
AABEGSU
+D bagaudes
+G bagauges
+M baguames
+R bagueras
+S baguasse

+T baguates
  bastague
AABEGSY
  begayas
+I begayais
AABEGTT
  battage
+A abattage
+S battages
AABEGTU
+S baguates
  bastague
AABEGTY
  begayat
+I begayait
+N begayant
AABEHHI
+D dahabieh
AABEHII
+R ebahirai
AABEHIR
  ebahira
+C bacherai
+I ebahirai
+S ebahiras
+T habitera
AABEHIS
+R ebahiras
AABEHIT
+R habitera
AABEHIU
+C ebauchai
AABEHKN
+R barkhane
AABEHKR
+N barkhane
AABEHLM
  mahaleb
+S mahalebs
AABEHLP
+T alphabet
AABEHLR
+C chablera
AABEHLS
+M mahalebs
AABEHLT
+P alphabet
+Y bathyale
AABEHLY
+T bathyale
AABEHMN
+R brahmane
AABEHMR
+N brahmane
AABEHMS
+C bachames
+L mahalebs
AABEHMU
+C embaucha
AABEHNR
+A habanera
+C banchera
  ebrancha
+K barkhane
+M brahmane
+U haubaner
AABEHNS

+U haubanes
AABEHNU
  haubane
+E haubanee
+R haubaner
+S haubanes
+Z haubanez
AABEHNZ
+U haubanez
AABEHPT
+L alphabet
AABEHRR
+C rabacher
AABEHRS
+C bacheras
  rabaches
+I ebahiras
AABEHRT
+I habitera
AABEHRU
+N haubaner
AABEHRV
+C bravache
AABEHRZ
+C rabachez
AABEHSS
+C bachasse
AABEHST
+C bachates
AABEHSU
+C ebauchas
+N haubanes
AABEHTU
+C ebauchat
AABEHTY
+L bathyale
AABEHUZ
+N haubanez
AABEIIM
+R abimerai
+S amibiase
AABEIIO
+R aboierai
AABEIIR
  baierai
+H ebahirai
+M abimerai
+O aboierai
+S baierais
  baiserai
+T abetirai
  baierait
AABEIIS
+M amibiase
+R baierais
  baiserai
  biaisera
AABEIIT
+F beatifia
+R abetirai
  baierait
AABEIJM
+N enjambai
AABEIJN
+M enjambai

AABEIKN
ikebana
+S ikebanas
AABEIKS
+N ikebanas
AABEILL
labiale
+D deballai
+M emballai
+R baillera
ballerai
+S labiales
+T bataille
AABEILM
aimable
amiable
+C cambiale
+L emballai
+N maniable
+R amblerai
blamerai
mariable
+S aimables
amiables
+T malbatie
+V emblavai
AABEILN
+M maniable
+R ebranlai
+S banalise
ensablai
+T balaient
balanite
banalite
AABEILO
+R elaborai
AABEILR
+A balaiera
+C baclerai
cablerai
+D delabrai
+G galberai
+L baillera
ballerai
+M amblerai
blamerai
mariable
+N ebranlai
+O elaborai
+R blairera
rablerai
+S balisera
blaserai
sablerai
+T atrabile
blaterai
etablira
tablerai
+U biaurale
blaireau
+V variable
AABEILS
balaies
balaise
+D absidale
+F faisable
+G balisage

+L labiales
+M aimables
amiables
+N banalise
ensablai
+R balisera
blaserai
sablerai
+S balaises
AABEILT
+L bataille
+M malbatie
+N balaient
balanite
banalite
+R atrabile
blaterai
etablira
tablerai
+V ablative
AABEILU
+R biaurale
blaireau
+V baliveau
AABEILV
+G balivage
+M emblavai
+R variable
+T ablative
+U baliveau
AABEILY
+D deblayai
+Z balayiez
AABEILZ
+D baladiez
+Y balayiez
AABEIMM
+S abimames
+U embaumai
AABEIMN
+C ambiance
+J enjambai
+L maniable
+T ambiante
AABEIMR
abimera
+I abimerai
+L amblerai
blamerai
mariable
+R ambrerai
bramerai
embarrai
+S abimeras
arabisme
embrasai
+T etambrai
+Y embrayai
AABEIMS
+I amibiase
+L aimables
amiables
+M abimames
+R arabisme
embrasai
+S abimasse

baisames
+T abimates
AABEIMT
+L malbatie
+N ambiante
+R etambrai
+S abimates
AABEIMU
+M embaumai
AABEIMV
+L emblavai
AABEIMY
+R embrayai
AABEINN
+R bananier
AABEINO
+U ouabaine
AABEINR
+C bancaire
carabine
+D badinera
banderai
+G baignera
+L ebranlai
+N bananier
+S bearnais
+T baratine
AABEINS
+D badianes
+K ikebanas
+L ensablai
+R bearnais
+S sesbania
+T absentai
basaient
+U aubaines
+Z basaniez
AABEINT
+L balaient
balanite
banalite
+M ambiante
+R baratine
+S absentai
basaient
+T bataient
+V bavaient
+Y bayaient
AABEINU
aubaine
+O ouabaine
+S aubaines
AABEINV
+T bavaient
AABEINY
+T bayaient
AABEINZ
+S basaniez
AABEIOR
aboiera
+G abrogeai
+I aboierai
+L elaborai
+S aboieras
AABEIOS
+R aboieras

AABEIOU
+N ouabaine
AABEIQR
+U arabique
AABEIQU
+R arabique
AABEIRR
+B barbarie
barberai
+C cabrerai
+D barderai
braderai
+F bafrerai
+G abreagir
gabarier
+L blairera
rablerai
+M ambrerai
bramerai
embarrai
+R barrerai
+S arabiser
braisera
braserai
sabrerai
+T abritera
rebatira
+V braverai
AABEIRS
arabise
baieras
baisera
baserai
+B ebarbais
+C caraibes
+E arabisee
+G abreagis
+H ebahiras
+I baierais
+L balisera
blaserai
sablerai
+M abimeras
arabisme
embrasai
+N bearnais
+O aboieras
+R arabiser
braisera
braserai
sabrerai
+S abaisser
arabises
baiseras
baissera
baseras
ebrasais
rabaisse
+T abetiras
abstraie
baserait
baterais
ebrasait
+U abuserai

+V abrasive
baverais
+Y bayerais
+Z abrasiez
arabisez
AABEIRT
abetira
+B ebarbait
+D debatira
+G abreagit
+H habitera
+I abetirai
baierait
+L atrabile
blaterai
etablira
tablerai
+M etambrai
+N baratine
+R abritera
rebatira
+S abetiras
abstraie
baserait
baterais
ebrasait
+T baterait
ebattrai
+V baverait
+Y bayerait
AABEIRU
+D dauberai
+G baguerai
+L biaurale
blaireau
+Q arabique
+S abuserai
+V abreuvai
ebavurai
AABEIRV
baverai
+L variable
+R braverai
+S abrasive
baverais
+T baverait
+U abreuvai
ebavurai
AABEIRY
bayerai
+D debrayai
+M embrayai
+S bayerais
+T bayerait
AABEIRZ
+S abrasiez
arabisez
AABEISS
abaisse
abasies
+E abaissee
+L balaises
+M abimasse
baisames
+N sesbania
+R abaisser

arabises	+I enjambai	+D deballat	+S emblavas	+S papables
baiseras	+S enjambas	+I bataille	+T emblavat	**AABELPR**
baissera	+T enjambat	+M emballat	**AABELMX**	palabre
baserais	**AABEJMS**	+N ballante	+U lambeaux	+O parabole
ebrasais	+G jambages	+S ballaste	**AABELMY**	+R palabrer
rabaisse	+N enjambas	ballates	+R remblaya	+S palabres
+S abaisses	**AABEJMT**	**AABELLV**	**AABELNP**	+Z palabrez
baisasse	+N enjambat	lavable	+S anableps	**AABELPS**
+T baisates	**AABEJNS**	valable	**AABELNR**	+C capables
+Z abaissez	+M enjambas	+S lavables	ebranla	+N anableps
AABEIST	**AABEJNT**	valables	+C balancer	+P palabres
+G tabagies	+M enjambat	**AABELMM**	+I ebranlai	+R palabres
+M abimates	**AABEJOR**	+S amblames	+R branlera	+S passable
+N absentai	+T jabotera	blamames	+S ebranlas	+Y payables
basaient	**AABEJOS**	**AABELMN**	+T ebranlat	**AABELPT**
+R abetiras	+U abajoues	+D damnable	**AABELNS**	+H alphabet
abstraie	**AABEJOT**	+I maniable	balanes	**AABELPY**
baserait	+R jabotera	**AABELMR**	banales	payable
baterais	**AABEJOU**	amblera	+C balances	+S payables
ebrasait	abajoue	blamera	+D dansable	**AABELPZ**
+S baisates	+S abajoues	+F flambera	salbande	+R palabrez
+T ebattais	**AABEJRR**	+I amblerai	+I banalise	**AABELQR**
+U biseauta	+U abjurera	blamerai	ensablai	+U albraque
AABEISU	**AABEJRT**	mariable	+P anableps	**AABELQU**
+N aubaines	+O jabotera	+L remballa	+R ebranlas	+R albraque
+R abuserai	**AABEJRU**	+S ambleras	+S ensablas	**AABELRR**
+T biseauta	+R abjurera	blameras	+T ebranlat	rablera
AABEISV	**AABEJSU**	rablames	+Z balzanes	+F balafrer
+R abrasive	+O abajoues	+Y remblaya	**AABELNT**	+I blairera
baverais	**AABEKLS**	**AABELMS**	+D baladent	rablerai
AABEISY	+B kabbales	+C baclames	+I balaient	+N branlera
+G begayais	**AABEKNR**	cablames	banalite	+P palabrer
+R bayerais	+H barkhane	+G galbames	+L ballante	+S rableras
AABEISZ	**AABEKNS**	+H mahalebs	+R ebranlat	**AABELRS**
+N basaniez	+I ikebanas	+I aimables	+S ensablat	arables
+R abrasiez	**AABELLM**	amiables	+Y balayent	blasera
arabisez	emballa	+L ballames	**AABELNY**	sablera
+S abaissez	+B blamable	emballas	+T balayent	+C bacleras
AABEITT	+I emballai	+M amblames	**AABELNZ**	cableras
+N bataient	+R remballa	blamames	balzane	+D delabras
+R baterait	+S ballames	+R ambleras	+C balancez	+F balafres
ebattrai	emballas	blameras	+S balzanes	+G galberas
+S ebattais	+T emballat	rablames	**AABELOP**	+I balisera
+T ebattait	**AABELLN**	+S amblasse	+R parabole	blaserai
+Z abattiez	+T ballante	assembla	**AABELOR**	sablerai
AABEITU	**AABELLP**	blamasse	elabora	+L balleras
+S biseauta	+P palpable	blasames	+D adorable	+M ambleras
AABEITV	**AABELLR**	sablames	+I elaborai	blameras
+L ablative	ballera	+T amblates	+P parabole	rablames
+N bavaient	+G largable	blamates	+S elaboras	+N ebranlas
+R baverait	+I baillera	tablames	+T elaborat	+O elaboras
AABEITY	ballerai	+V emblavas	+U aboulera	+P palabres
+G begayait	+M remballa	**AABELMT**	**AABELOS**	+R rableras
+N bayaient	+S balleras	+I malbatie	+R elaboras	+S blaseras
+R bayerait	**AABELLS**	+L emballat	**AABELOT**	rablasse
AABEITZ	+D ballades	+S amblates	+R elaborat	sableras
+T abattiez	deballas	blamates	**AABELOU**	+T albatres
AABEIUV	+I labiales	tablames	+R aboulera	blateras
+L baliveau	+M emballas	+V emblavat	+V avouable	rablates
+R abreuvai	emballas	**AABELMU**	**AABELOV**	tableras
ebavurai	+R balleras	lambeau	+U avouable	**AABELRT**
AABEIYZ	+S ballasse	+D deambula	**AABELPP**	albatre
+L balayiez	+T ballaste	+F flambeau	papable	blatera
AABEJLL	ballates	+X lambeaux	+L palpable	tablera
+D djellaba	+V lavables	**AABELMV**		+C cartable
AABEJMN	valables	emblava		+D delabrat
enjamba	**AABELLT**	+I emblavai		+E arbalete

+I atrabile
blaterai
etablira
tablerai
+N ebranlat
+O elaborat
+S albatres
blateras
rablates
tableras
+T attabler
blaterat
AABELRU
+D baladeur
+F fabulera
+G blaguera
+I biaurale
blaireau
+O aboulera
+Q albraque
+Y balayeur
AABELRV
+I variable
AABELRY
balayer
+A balayera
+M remblaya
+U balayeur
AABELRZ
+F balafrez
+P palabrez
AABELSS
basales
+C baclasse
cablasse
cassable
+D dessabla
+G galbasse
sablages
+I balaises
+L ballasse
+M amblasse
assembla
blamasse
blasames
sablames
+N ensablas
+P passable
+R blaseras
rablasse
sableras
+S blasasse
sablasse
+T basaltes
blasates
sablates
tablasse
+Y abyssale
AABELST
basalte
+C baclates
cablates
+D datables
+G galbasse
+L ballaste
ballates
+M amblates

blamates
tablames
+N ensablat
+R albatres
blateras
rablates
tableras
+S basaltes
blasates
sablates
+T attables
tablasse
+X taxables
AABELSV
+L lavables
valables
+M emblavas
AABELSX
+T taxables
AABELSY
balayes
+D deblayas
+E balayees
+P payables
+S abyssale
AABELSZ
+N balzanes
AABELTT
attable
+E attablee
+R attabler
blaterat
+S attables
tablates
+Z attablez
AABELTU
tableau
+X tableaux
AABELTV
+I ablative
+M emblavat
AABELTX
taxable
+S taxables
+U tableaux
AABELTY
+D deblayat
+H bathyale
+N balayent
AABELTZ
+T attablez
AABELUV
+I baliveau
+O avouable
AABELUX
+C cableaux
+M lambeaux
+T tableaux
AABELUY
+R balayeur
AABELYZ
balayez
+I balayez
AABEMMR
+S ambrames
bramames

AABEMMS
+I abimames
+L amblames
blamames
+R ambrames
bramames
+U embaumas
AABEMMT
+U embaumat
AABEMMU
embauma
+I embaumai
+S embaumas
+T embaumat
AABEMNR
+H brahmane
AABEMNS
+D bandames
+J enjambas
AABEMNT
+I ambiante
+J enjambat
AABEMOR
+G ombragea
+Z mozarabe
AABEMOS
+Y aboyames
AABEMOY
+S aboyames
AABEMOZ
+R mozarabe
AABEMQR
+U embarqua
embraqua
AABEMQU
+R embarqua
embraqua
AABEMRR
ambrera
bramera
+C cambrera
+D rambarde
+I ambrerai
bramerai
embarrai
+R marbrera
rembarra
+S ambreras
barrames
brameras
embarras
+T embarrat
AABEMRS
embrasa
+B barbames
+C cabrames
macabres
+D bardames
bradames
+F baframes
+I abimeras
arabisme
embrasai
+L ambleras
blameras
rablames

+M ambrames
bramames
+R ambreras
barrames
brameras
embarras
+S ambrasse
bramasse
brasames
embrassa
sabrames
+T ambrates
bramates
embrasat
+V bravames
+Y embrayas
AABEMRT
+I etambrai
+R embarrat
+S ambrates
bramates
+T embattra
+Y embrayat
AABEMRU
+Q embarqua
embraqua
AABEMRV
+S bravames
AABEMRY
embraya
+I embrayai
+L remblaya
+S embrayas
+T embrayat
AABEMRZ
+O mozarabe
AABEMSS
basames
+I abimasse
baisames
+L amblasse
assembla
blamasse
blasames
sablames
+R ambrasse
bramasse
brasames
embrassa
sabrames
+U abusames
AABEMST
batames
+I abimates
+L amblates
blamates
tablames
+R ambrates
bramates
embrasat
AABEMSU
+D daubames
+G baguames
+M embaumas

+S abusames
AABEMSV
+L emblavas
+R bravames
AABEMSY
bayames
+O aboyames
+R embrayas
AABEMTT
+R embattra
AABEMTU
+M embaumat
AABEMTV
+L emblavat
AABEMTY
+R embrayat
AABEMUX
+L lambeaux
AABENNO
+R abonnera
reabonna
AABENNR
+I bananier
+O abonnera
reabonna
AABENNS
bananes
+T basanent
AABENNT
+E nabateen
+S basanent
AABENOR
+D abondera
+N abonnera
reabonna
AABENOU
+I ouabaine
AABENPS
+L anableps
AABENQR
+U banquera
AABENQT
+U banqueta
AABENQU
+R banquera
+T banqueta
AABENRR
+L branlera
+T aberrant
AABENRS
basaner
rabanes
+A basanera
+D banderas
bardanes
+I bearnais
+L ebranlas
+T abrasent
ebrasant
AABENRT
+B barbante
ebarbant
+I baratine
+L ebranlat
+R aberrant
+S abrasent

ebrasant
AABENRU
+H haubaner
+Q banquera
AABENSS
   basanes
+D bandasse
+E basanees
+I sesbania
+L ensablas
+T absentas
AABENST
   absenta
+C bacantes
   cabestan
+D bandates
+I absentai
   basaient
+L ensablat
+N basanent
+R abrasent
   ebrasant
+S absentas
+T absentat
AABENSU
+H haubanes
+I aubaines
AABENSZ
   basanez
+I basaniez
+L balzanes
AABENTT
+I bataient
+S absentat
+T abattent
   battante
   ebattant
AABENTU
+Q banqueta
AABENTV
+I bavaient
AABENTY
+G begayant
+I bayaient
+L balayent
AABENUX
+D bandeaux
AABENUZ
+H haubanez
AABEOPR
+L parabole
AABEORR
+D abordera
+G abrogera
+R arborera
+T rabotera
AABEORS
+G abrogeas
+I aboiseras
+L elaboras
+T sabotera
AABEORT
+C acrobate
   cabotera
+G abrogeat
   rabotage
+J jabotera

+L elaborat
+R rabotera
+S sabotera
+U aboutera
AABEORU
+D adoubera
+F bafouera
+L aboulera
+T aboutera
AABEORZ
+M mozarabe
AABEOSS
+Y aboyasse
AABEOST
+G sabotage
+R sabotera
+Y aboyates
AABEOSU
+J abajoues
AABEOSY
+M aboyames
+S aboyasse
+T aboyates
AABEOTU
+R aboutera
AABEOTY
+S aboyates
AABEOUV
+L avouable
AABEPPS
+L papables
AABEPRR
+L palabrer
AABEPRS
+A parabase
+L palabres
AABEPRZ
+L palabrez
AABEPSS
+L passable
AABEPSY
+L payables
AABEQRR
+U baraquer
   braquera
AABEQRS
+U baraques
AABEQRU
   baraque
+B barbaque
+D debarque
+E baraquee
+G braquage
+I arabique
+L albraque
+M embarqua
   embraqua
+N banquera
+R baraquer
   braquera
+S baraques
+Z baraquez
AABEQRZ
+U baraquez
AABEQSU
   abaques
+R baraques

AABEQTU
+N banqueta
AABEQUZ
+R baraquez
AABERRR
+G bagarrer
+I barrerai
+M marbrera
   rembarra
+O arborera
+S barreras
AABERRS
   abraser
   brasera
   sabrera
+A abrasera
+B barbares
   barberas
+C cabreras
+D barderas
   braderas
   debarras
+E ebrasera
+F bafreras
+G bagarres
   barrages
+I arabiser
   braisera
   braserai
   sabrerai
+L rableras
+M ambreras
   barrames
   brameras
   embarras
+R barreras
+S barrasse
+T barrates
+V braveras
AABERRT
+I abritera
   rebatira
+M embarrat
+N aberrant
+O rabotera
+S barrates
+T baratter
   rabattre
   rebattra
AABERRU
   barreau
+J abjurera
+Q baraquer
   braquera
+X barreaux
AABERRV
   bravera
+D bavarder
+I braverai
+S braveras
AABERRX
+U barreaux
AABERRZ

+D bazarder
+N banqueta
AABERSS
   abrases
   baseras
   ebrasas
+B barbasse
+C barcasse
   cabrasse
+D bardasse
   bradasse
+E abrasees
+F bafrasse
+G brasages
   brassage
+I abaisser
   arabises
   baiseras
   baissera
   baserais
   ebrasais
   rabaisse
+L blaseras
   rablasse
   sableras
+M ambrasse
   bramasse
   brasames
   embrasas
   embrassa
   sabrames
+R barrasse
   braseras
   brassera
   sabreras
+S brasates
   sabrasse
+U abuseras
   tabasser
+V bavasser
   bravasse
AABERST
   bateras
   ebrasat
+B barbates
+C cabarets
   cabrates
+D bardates
   batardes
   bradates
+F bafrates
+I abetiras
   abstraie
   baserait
   baterais
   ebrasait
+L albatres
   blateras
   rablates
   tableras
+M ambrates
   bramates
   embrasat
+N abrasent
   ebrasant

+O sabotera
+R barrates
+S brasates
   sabrates
   tabasser
+T barattes
   ebattras
   rabattes
+V bravates
AABERSU
   abusera
+D dauberas
+I abuserai
+Q baraques
+S abuseras
+V abreuvas
   ebavuras
AABERSV
   baveras
+D bavardes
+I abrasive
   baverais
+M bravames
+R braveras
+S bavasser
   bravasse
+T abravates
+U abreuvas
   ebavuras
AABERSY
   bayeras
+D debrayas
+I bayerais
+M embrayas
AABERSZ
   abrasez
+D bazardes
+I abrasiez
   arabisez
AABERTT
   abattre
   baratte
   ebattra
   rabatte
+D debattra
+E barattee
+I baterait
+L attabler
   blaterat
+M embattra
+R baratter
   rabattre
   rebattra
+S barattes
   ebattras
   rabattes
+U abatteur
   rabattue
+Z abattrez
   barattez
   battez
AABERTU
+O aboutera
+T abatteur

rabattue
+V abreuvat
 ebavurat
AABERTV
+I baverait
+S bravates
+U abreuvat
 ebavrat
AABERTY
+D debrayat
+I bayerait
+M embrayat
AABERTZ
+T abattrez
 barattez
 rabattez
AABERUV
 abreuva
 ebavura
+I abreuvai
 ebavurai
+S abreuvas
 ebavuras
+T abreuvat
 ebavurat
AABERUX
+B barbeaux
+D bardeaux
+R barreaux
AABERUY
+L balayeur
AABERUZ
+Q baraquez
AABERVZ
+D bavardez
AABERZZ
+D bazardez
AABESSS
 basasse
+G bagasses
+I abaisses
 baisasse
+L blasasse
 sablasse
+R brasasse
 sabrasse
+S basasses
+T batasses
 tabasses
+U abusasse
+V bavasses
+Y bayasses
AABESST
 basates
 batasse
 tabasse
+C cabasset
+E tabassee
+I baisates
+L basaltes
 blasates
 tablasse
+N absentas
+R brasates
 sabrates
 tabasser

+S batasses
 tabasses
+U abusates
+Z tabassez
AABESSU
+D daubasse
 desabusa
+G baguasse
+M abusames
+R abuseras
+S abusasse
+T abusates
AABESSV
 bavasse
+R bavasser
 bravasse
+S bavasses
+Z bavassez
AABESSY
 bayasse
+L abyssale
+O aboyasse
+S bayasses
AABESSZ
+I abaissez
+T tabassez
+V bavassez
AABESTT
 abattes
 batates
+E abattees
+G battages
+I abattais
+L attables
 tablates
+N absentat
+R barattes
 ebattras
 rabattes
+U abattues
AABESTU
+D daubates
+G baguates
 bastague
+I biseauta
+S abusates
+T abattues
AABESTV
 bataves
 bavates
+R bravates
AABESTX
+L taxables
AABESTY
 bayates
+O aboyates
AABESTZ
+S tabassez
AABESUV
+R abreuvas
 ebavuras
AABESVZ
+S bavassez
AABETTT
+I ebattait
+N abattent
 battante

 ebattant
AABETTU
 abattue
+R abatteur
 rabattue
+S abattues
AABETTZ
 abattez
+I abattiez
+L attablez
+R abattrez
 barattez
 rabattez
AABETUV
+R abreuvat
 ebavurat
AABETUX
 bateaux
+L tableaux
AABFFII
+L affaibli
AABFFIL
+I affaibli
+U affublai
AABFFIU
+L affublai
AABFFLS
+E affables
+U affublas
AABFFLT
+U affublat
AABFFLU
 affubla
+A affabula
+E affabule
+I affublai
+S affublas
+T affublat
AABFFSU
+L affublas
AABFFTU
+L affublat
AABFGLM
+E flambage
AABFIIL
+F affaibli
+R faiblira
AABFIIR
+L faiblira
AABFIIT
+E beatifia
AABFILM
 flambai
+S flambais
+T flambait
AABFILO
+T batifola
AABFILR
+A balafrai
+D faiblard
+I faiblira
AABFILS
+E faisable
+M flambais
+T ablatifs
+U fabulais
AABFILT

 ablatif
+M flambait
+O batifola
+S ablatifs
+U fabulait
AABFILU
 fabliau
 fabulai
+F affublai
+S fabulais
+T fabulait
+X fabliaux
AABFILX
+U fabliaux
AABFIMS
+L flambais
AABFIMT
+L flambait
AABFIOS
+U bafouais
AABFIOT
+L batifola
+U bafouait
AABFIOU
 bafouai
+S bafouais
+T bafouait
AABFIQR
+U fabriqua
AABFIQU
+R fabriqua
AABFIRR
+E bafrerai
AABFIRS
 abrasif
 bafrais
+S abrasifs
AABFIRT
 bafrait
AABFIRU
+Q fabriqua
AABFISS
+R abrasifs
AABFIST
+L ablatifs
AABFISU
+L fabulais
+O bafouais
AABFITU
+L fabulait
+O bafouait
AABFIUX
+L fabliaux
AABFLLS
+A balbalas
AABFLMN
+T flambant
AABFLMO
+Y flamboya
AABFLMR
+D flambard
+E flambera
AABFLMS
 flambas
+I flambais
AABFLMT
 flambat

+I flambait
+N flambant
AABFLMU
+E flambeau
AABFLMY
+O flamboya
AABFLNO
 balafon
+S balafons
AABFLNS
+O balafons
AABFLNT
+M flambant
+U fabulant
AABFLNU
+T fabulant
AABFLOS
+N balafons
AABFLOT
+I batifola
AABFLOY
+M flamboya
AABFLRR
+E balafrer
AABFLRS
+A balafras
+D blafards
+E balafres
AABFLRT
+A balafrat
AABFLRU
+E fabulera
AABFLRZ
+E balafrez
AABFLST
+I ablatifs
AABFLSU
 fabulas
+F affublas
+I fabulais
AABFLTU
 fabulat
+F affublat
+I fabulait
+N fabulant
AABFLUX
+I fabliaux
AABFMNT
+L flambant
AABFMOY
+L flamboya
AABFMRS
+E baframes
AABFNOS
+L balafons
AABFNOT
+U bafouant
AABFNOU
+T bafouant
AABFNRT
 bafrant
AABFNTU
+L fabulant
+O bafouant
AABFORU
+E bafouera

AABFOSU
  bafouas
+I bafouais
AABFOTU
  bafouat
+I bafouait
+N bafouait
AABFQRU
+I fabriqua
AABFRRS
+E bafreras
AABFRSS
+E bafrasse
+I abrasifs
AABFRST
+E bafrates
AABGGSU
+E baguages
AABGIIN
  baignai
+S baignais
+T baignait
AABGIIR
+R bigarrai
AABGIIS
+N baignais
AABGIIT
+N baignait
AABGILL
+M gambilla
AABGILM
+L gambilla
AABGILR
+E galberai
AABGILS
  galbais
+E balisage
+U blaguais
AABGILT
  galbait
+U blaguait
AABGILU
  blaguai
+S blaguais
+T blaguait
AABGILV
+E balisage
AABGINN
+T baignant
AABGINO
+S gabonais
AABGINR
+E baignera
AABGINS
  baignas
+I baignais
+O gabonais
+T bastaing
AABGINT
  baignat
+I baignait
+N baignant
+S bastaing
AABGIOR
+E abrogeai
AABGIOS
+N gabonais

AABGIRR
  bigarra
+A bagarrai
+E abreagir
  gabarier
+I bigarrai
+S bigarras
+T bigarrat
AABGIRS
+E abreagis
+R bigarras
+T gabarits
AABGIRT
  gabarit
+E abreagit
+R bigarrat
+S gabarits
AABGIRU
+E baguerai
AABGIST
+E tabagies
+N bastaing
+R gabarits
AABGISU
  baguis
+L blaguais
AABGISY
+E begayais
AABGITU
  baguait
+L blaguait
AABGITY
+E begayait
AABGJMS
+E jambages
AABGLLM
+I gambilla
AABGLLR
+E largable
AABGLMN
+U galbanum
AABGLMS
+E galbames
AABGLMU
+N galbanum
AABGLNT
  galbant
+U blaguant
AABGLNU
+M galbanum
+T blaguant
AABGLRS
+E galberas
AABGLRU
+E blaguera
AABGLSS
+E galbasse
  sablages
AABGLST
+E galbates
AABGLSU
  blaguas
+I blaguais
AABGLTU
  blaguat
+I blaguait
+N blaguant

AABGMNU
+L galbanum
AABGMOR
+E ombragea
AABGMSU
+E baguames
AABGNNT
+I baignant
AABGNOS
+I gabonais
AABGNOV
+D vagabond
AABGNRS
+D bagnards
AABGNST
+I bastaing
AABGNTU
  baguant
+L blaguant
AABGNTY
+E begayant
AABGORR
+E abrogera
AABGORS
+E abrogeas
AABGORT
+E aborgeat
  rabotage
AABGOST
+E sabotage
AABGQRU
+E braquage
AABGRRR
+E bagarrer
AABGRRS
+A bagarras
  barrages
+I bigarras
AABGRRT
+A bagarrat
+I bigarrat
AABGRRZ
+E bagarrez
AABGRSS
+E brasages
  brassage
AABGRST
  grabats
+I gabarits
AABGRSU
+E bagueras
AABGRTU
+A rutabaga
AABGSSS
+E bagasses
AABGSSU
+E baguasse
AABGSTT
+E battages
AABGSTU
+E baguasse
  bastague
AABHHOR
+U brouhaha
AABHHOU
+R brouhaha

AABHHRU
+O brouhaha
AABHIIL
+L habillai
+T habilita
AABHIIN
+U bauhinia
AABHIIR
+E ebahirai
AABHIIS
+T habitais
AABHIIT
  habitai
+L habilita
+S habitais
+T habitait
+U habituai
AABHIIU
+N bauhinia
+T habituai
AABHILL
  habilla
+I habillai
+R rhabilla
+S habillas
+T habillat
AABHILR
+C brachial
+L rhabilla
AABHILS
+C chablais
+L habillas
AABHILT
+C chablait
+I habilita
+L habillat
AABHIMR
+C chambrai
AABHINR
+C branchai
AABHINS
+C banchais
AABHINT
+C banchait
+T habitant
AABHINU
+A haubanai
+I bauhinia
AABHIOR
+R abhorrai
AABHIOT
+C bachotai
  cohabita
AABHIOU
+C abouchai
AABHIRR
+O abhorrai
AABHIRS
+E ebahiras
AABHIRT
+E habitera
AABHIST
  habitas
+I habitais
+T habitats
+U habituas
AABHISU

+T habituas
AABHITT
  habitat
+I habitait
+N habitant
+S habitats
+U habituat
AABHITU
  habitua
+I habituai
+S habituas
+T habituat
AABHKNR
+E barkhane
AABHLLN
+D handball
AABHLLR
+I rhabilla
AABHLLS
+I habillas
AABHLLT
+I habillat
AABHLMS
+E mahalebs
AABHLNR
  halbran
+S halbrans
AABHLNS
+R halbrans
AABHLNT
+C chablant
AABHLPT
+E alphabet
AABHLRS
+N halbrans
AABHLTY
  bathyal
+E bathyale
AABHMNR
+E brahmane
AABHMRS
+C chambras
AABHMRT
+C chambrat
AABHNNT
+C banchant
AABHNRS
+C branchas
+L halbrans
AABHNRT
+C branchat
AABHNRU
+E haubaner
AABHNSU
  haubans
+A haubanas
+E haubanes
AABHNTT
+I habitant
AABHNTU
+A haubanat
AABHNUZ
+E haubanez
AABHORR
  abhorra
+I abhorrai
+S abhorras

+T abhorrat
AABHORS
+R abhorras
AABHORT
+R abhorrat
AABHORU
+H brouhaha
AABHOST
+C bachotas
AABHOSU
+C abouchas
AABHOTT
+C bachotat
AABHOTU
+C abouchat
AABHRRS
+O abhorras
AABHRRT
+O abhorrat
AABHSTT
+I habitats
AABHSTU
+I habituas
AABHTTU
+I habituat
AABHTUX
+Y bathyaux
AABHTUY
+X bathyaux
AABHTXY
+U bathyaux
AABHUXY
+T bathyaux
AABIIIS
 biaisai
+S biaisais
+T biaisait
AABIIIT
+S biaisait
AABIILL
 baillai
+B babillai
+H habillai
+R braillai
+S baillais
+T. baillait
AABIILM
+N lambinai
AABIILN
+M lambinai
+S libanais
AABIILO
+R abolirai
 bariolai
AABIILR
 blairai
+C calibrai
+F faiblira
+L braillai
+O abolirai
 bariolai
+S blairais
+T blairait
AABIILS
 balisai
+D absidial
+L baillais

+N libanais
+R blairais
+S balisais
+T balisait
AABIILT
+H habilita
+L baillait
+R blairait
+S balisait
AABIIMN
+L lambinai
+O abominai
AABIIMO
+N abominai
AABIIMR
+E abimerai
AABIIMS
 abimais
+E amibiase
AABIIMT
 abimait
AABIINN
+R bannirai
AABIINO
+M abominai
AABIINR
+N bannirai
AABIINS
+D badinais
+G baignais
+L libanais
+S bassinai
+T biaisant
AABIINT
+D badinait
+G baignait
+S biaisant
AABIINU
+H bauhinia
AABIIOR
+E aboierai
+L abolirai
 bariolai
+T rabiotai
AABIIOS
+T baisotai
AABIIOT
+R rabiotai
+S baisotai
AABIIPS
+S bipassai
+T baptisai
AABIIPT
+S baptisai
AABIIQU
+D abdiquai
AABIIRR
+G bigarrai
+R barrirai
+T arbitrai
 brairait
AABIIRS
 braisai
+A arabisai
+E baiserai
 biaisera

+L blairais
+S braisais
+T abritais
 batirais
AABIIRT
 abritai
 batirai
+E abetirai
 baierait
+L blairait
+O rabiotai
+R arbitrai
 brairait
+S abritais
 batirais
 braisais
+T abritait
 batirait
AABIISS
 baisais
 baissai
 biaisas
+I biaisais
+L balisais
+N bassina
+P bipassai
+R braisais
+S baissais
+T baissait
AABIIST
 baisait
 biaisat
+H habitais
+I biaisait
+L balisait
+N biaisant
+O baisotai
+P baptisai
+R abritais
 batirais
 braisait
+S baissait
AABIITT
+H habitait
+R abritait
 batirait
AABIITU
+H habitua
AABIJMN
+E enjambai
AABIJNP
 panjabi
+S panjabis
AABIJNS
+P panjabis
AABIJOS
+T jabotais
AABIJOT
 jabotai
+S jabotais
+T jabotait
AABIJPS
+N panjabis
AABIJRS
+U abjurais

AABIJRT
+U abjurait
AABIJRU
 abjurai
+S abjurais
+T abjurait
AABIJST
+O jabotais
AABIJSU
+R abjurais
AABIJTT
+O jabotait
AABIJTU
+R abjurait
AABIKNS
+E ikebanas
AABILLM
+E emballai
+G gambilla
AABILLN
+T baillant
AABILLR
 brailla
+E baillera
 ballerai
+H rhabilla
+I braillai
+S braillas
+T braillat
AABILLS
 baillas
 ballais
+B babillas
+E labiales
+H habillas
+I baillais
+R braillas
AABILLT
 baillat
 ballait
+A batailla
+B babillat
+E bataille
+H habillat
+I baillait
+N baillant
+R braillat
AABILLU
+C cabillau
AABILMN
 lambina
+E maniable
+I lambinai
+S lambinas
+T lambinat
AABILMR
+B brimbala
+E amblerai
 blamerai
 mariable
+T trimbala
AABILMS
 amblais
 blamais
+C alambics
+E aimables
 amiables

+F flambais
+N lambinas
+T malbatis
AABILMT
 amblait
 blamait
 malbati
+E malbatie
+F flambait
+N lambinat
+R trimbala
+S malbatis
AABILMV
+E emblavai
AABILNO
+R anoblira
+T ablation
AABILNR
 branlai
+E ebranlai
+O anoblira
+S branlais
+T blairant
 branlait
+U binaural
AABILNS
+A albanais
 banalisa
+D baladins
+E banalise
 ensablai
+I libanais
+M lambinas
+R branlais
+T balisant
AABILNT
+E balaient
 balanite
 banalite
+L baillant
+M lambinat
+O ablation
+R blairant
 branlait
+S balisant
AABILNU
+R binaural
AABILOR
 abolira
 bariola
+C cabriola
+E elaborai
+I abolirai
 bariolai
+N anoblira
+S aboliras
 bariolas
+T bariolat
+U labourai
AABILOS
+R aboliras
 bariolas
+U aboulais
AABILOT
+C clabotai
+F batifola
+N ablation

+R bariolat
+U aboulait
AABILOU
   aboulai
+R labourai
+S aboulais
+T aboulait
AABILPR
+A palabrai
AABILRR
+E blairera
   rablerai
+T arbitral
AABILRS
   blairas
   rablais
+C calibras
+E balisera
   blaserai
   sablerai
+I blairais
+L braillas
+N branlais
+O aboliras
   bariolas
AABILRT
   blairat
   rablait
+C calibrat
+E atrabile
   blaterai
   etablira
   tablerai
+I blairait
+L braillat
+M trimbala
+N blairant
   branlait
+O bariolat
+R arbitral
AABILRU
   biaural
+E biaurale
   blaireau
+N binaural
+O labourai
AABILRV
+E variable
AABILSS
   balisas
   blasais
   sablais
+E balaises
+I balaisis
AABILST
   balisat
   blasait
   sablait
   tablais
+F ablatifs
+I balisait
+M malbatis
+N balisant
AABILSU
+C basculai
+F fabulais
+G blaguais

+O aboulais
AABILSY
+A balayais
AABILTT
   tablait
+A attablai
AABILTU
+B balbutia
+F fabulait
+G blaguait
+O aboulait
AABILTV
+E ablative
AABILTY
+A balayait
AABILUV
+E baliveau
AABILUX
   labiaux
+F fabliaux
AABILYZ
+E balayiez
AABIMMS
+E abimames
AABIMMU
+E embaumai
AABIMNO
   abomina
+I abominai
+S abominas
+T abominat
AABIMNS
+L lambinas
+O abominas
+T ambiants
AABIMNT
   abimant
   ambiant
+E ambiante
+L lambinat
+O abominat
+S ambiants
AABIMOS
+N abominas
AABIMOT
+N abominat
AABIMRR
   marbrai
+E ambrerai
   bramerai
   embarrai
+S marbrais
+T marbrait
AABIMRS
   ambrais
   bairams
   bramais
+C cambrais
+D barmaids
+E abimeras
   arabisme
   embrasai
+R marbrais
+U simaruba
AABIMRT
   ambrait
   bramait

+C cambrait
+E etambrai
+L trimbala
+R marbrait
AABIMRU
+S simaruba
AABIMRY
+E embrayai
AABIMSS
+E abimasse
   baisames
AABIMST
+E abimates
+N ambiants
AABIMSU
+R simaruba
AABIMUX
+C cambiaux
AABINNO
   abonnai
+R abonnira
+S abonnais
+T abonnait
AABINNR
   bannira
+E bananier
+I bannirai
+O abonnira
+S banniras
AABINNS
   banians
+C cannabis
+O abonnais
+R banniras
AABINNT
+D badinant
+G baignant
+O abonnant
AABINOR
+L anoblira
+N abonnira
+S abrasion
AABINOS
+D abondais
+G gabonais
+M abominas
+N abonnais
+R abrasion
AABINOT
+C cabotina
+D abondait
+L ablation
+M abominat
+N abonnait
AABINOU
+C boucanai
+E ouabaine
AABINPS
+J panjabis
AABINQS
+U banquais
AABINQT
+U banquait
AABINQU
   banquai
+S banquais

+T banquait
AABINRR
+D brandira
AABINRS
+C carabins
+E bearnais
+L branlais
+N banniras
+O abrasion
+T baratins
+U urbanisa
AABINRT
   baratin
+A baratina
+B rabbinat
+E baratine
+L blairant
   branlait
+S baratins
   braisant
+T abritant
AABINRU
+L binaural
+S urbanisa
AABINRZ
+Z zanzibar
AABINSS
   bassina
+A basanais
+E sesbania
+I bassinai
+S bassinas
+T bassinat
AABINST
   baisant
+A basanait
+E absentai
   basaient
+G bastaing
+I biaisant
+L balisant
+M ambiants
+R baratins
   braisant
+S baissant
   bassinat
AABINSU
   aubains
+E aubaines
+Q banquais
+R urbanisa
AABINSZ
+E basaniez
AABINTT
+E bataient
+H habitant
+R abritant
AABINTU
+Q banquait
AABINTV
+E bavaient
AABINTY
+E bayaient
AABINZZ
+R zanzibar

AABIORR
   arborai
+H abhorrai
+S arborais
+T arborait
+U rabrouai
AABIORS
+B absorbai
+D abordais
   adsorbai
   sabordai
+E aboieras
+L aboliras
   bariolas
+N abrasion
+R arborais
+T rabiotas
   rabotais
+V bavarois
AABIORT
   rabiota
   rabotai
+B barbotai
+C crabotai
+D abordait
+I rabiotai
+L bariolat
+R arborait
+S rabiotas
   rabotais
+T abattoir
   rabiotat
   rabotait
+U aboutira
   raboutai
AABIORU
+D radoubai
+L labourai
+R rabrouai
+T aboutira
   raboutai
AABIORV
+S bavarois
AABIOSS
+C cabossai
+T baisotas
   sabotais
AABIOST
   baisota
   sabotai
+C cabotais
+I rabiotas
+R rabiotas
   rabotais
+S baisotas
   sabotais
+T baisotat
   sabotait
+U aboutias
AABIOSU
+D adoubais
+F bafouais
+L aboulais
+T aboutias
AABIOSV
+R bavarois

AABIOSY
aboyais
AABIOSZ
+D dazibaos
AABIOTT
+C cabotait
+J jabotait
+R abattoir
rabiotat
rabotait
+S baisotat
sabotait
+U aboutait
AABIOTU
aboutai
+D adoubait
+F bafouait
+L aboulait
+R aboutira
raboutai
+S aboutais
+T aboutait
AABIOTY
aboyait
AABIPSS
bipassa
+I bipassai
+S bipassas
+T baptisas
bipassat
AABIPST
baptisa
+I baptisai
+S baptisas
bipassat
+T baptisat
AABIPTT
+S baptisat
AABIQRS
+U braquais
AABIQRT
+U braquait
AABIQRU
braquai
+A baraquai
+E arabique
+F fabriqua
+S braquais
+T braquait
AABIQSS
+U basquais
AABIQSU
+D abdiquas
+N banquais
+R braquais
+S basquais
AABIQTU
+D abdiquat
+N banquait
+R braquait
AABIRRR
barrira
+E barrerai
+I barrirai
+S barriras
AABIRRS
barrais
+E arabiser
braisera
braserai
sabrerai
+G bigarras
+M marbrais
+O arborais
+R barriras
+T arbitras
AABIRRT
arbitra
barrait
+E abritera
rebatira
+G bigarrat
+I brairait
+L arbitral
+M marbrait
+O arborait
+S arbitras
+T arbitrat
+U abrutira
AABIRRU
+C carburai
+O rabrouai
+T abrutira
AABIRRV
+E braverai
AABIRSS
braisas
brasais
brassai
sabrais
+A abrasais
arabisas
rabaissa
+E abaisser
arabises
baiseras
baissera
baserais
ebrasais
rabaisse
+F abrasifs
+I braisais
+S brassais
+T abstrais
brassait
AABIRST
abritas
batiras
braisat
brasait
sabrait
+A abrasait
arabisat
+E abetiras
abstraie
baserait
baterais
ebrasait
+G gabarits
+I abritais
batirais
braisait
+N baratins
braisant
+O rabiotas
rabotais
+R arbitras
+S abstrais
brassait
+T abstrait
battrais
rabattis
AABIRSU
+E abuserai
+J abjurais
+M simaruba
+N urbanisa
+Q braquais
AABIRSV
bravais
+E abrasive
baverais
+O bavarois
AABIRSY
+E bayerais
AABIRSZ
+E abrasiez
arabisez
AABIRTT
abritat
battrai
+A abattrai
barattai
+E baterait
ebattrai
+I abritait
batirait
+N abritant
+O abattoir
rabiotat
rabotait
+R arbitrat
+S abstrait
battrais
rabattis
+T battrait
rabattit
+U attribua
AABIRTU
+J abjurait
+O aboutira
+Q braquait
+R abrutira
+T attribua
AABIRTV
bravait
+E baverait
AABIRTY
+E bayerait
AABIRUU
+X biauraux
AABIRUV
+E abreuvai
ebavurai
AABIRUX
+U biauraux
AABIRZZ
+N zanzibar
AABISSS
baissas
+A abaissas
+E abaisses
baisasse
+I baissais
+N bassinas
+P bipassas
+R brassais
AABISST
baissat
+A abaissat
tabassai
+I baissait
+N baissant
bassinat
+O baisotas
sabotais
+P baptisas
bipassat
+R abstrais
brassait
AABISSU
abusais
+Q basquais
AABISSV
+A bavassai
AABISSZ
+E abaissez
AABISTT
abattis
battais
+A abattais
+E abattais
+H habitats
+O baisotat
sabotait
+P baptisat
+R abstrait
battrais
rabattis
AABISTU
abusait
+E biseauta
+H habituas
+O aboutais
AABISTV
+A batavias
AABISUX
+D absidaux
AABITTT
abattit
battait
+A abattait
+E abattait
+R battrait
rabattit
AABITTU
+H habituat
+O aboutait
+R attribua
AABITTZ
+E abattiez
AABIUUX
+R biauraux
AABJMNS
+E enjambas
AABJMNT
+E enjambat
AABJNOT
+T jabotant
AABJNPS
+I panjabis
AABJNRT
+U abjurant
AABJNRU
+T abjurant
AABJNTT
+O jabotant
AABJNTU
+R abjurant
AABJORT
+E jabotera
AABJOST
jabotas
+I jabotais
AABJOSU
+E abajoues
AABJOTT
jabotat
+I jabotait
+N jabotant
AABJRRU
+E abjurera
AABJRSU
abjuras
+I abjurais
AABJRTU
abjurat
+I abjurait
+N abjurant
AABKLSV
+A baklavas
AABKOOS
+Z bazookas
AABKOOZ
bazooka
+S bazookas
AABKOSZ
+O bazookas
AABLLMR
+E remballa
AABLLMS
+E ballames
emballas
AABLLMT
+E emballat
AABLLNN
+O ballonna
AABLLNO
+N ballonna
AABLLNS
+T ballants
AABLLNT
ballant
+E ballante
+I baillant
+S ballants
AABLLOT
+T ballotta
AABLLPP
+E palpable
AABLLRS
+E balleras

+I braillas
AABLLRT
+I braillat
AABLLSS
+E ballasse
+T ballasts
AABLLST
ballast
+A ballasta
+E ballaste
ballates
+N ballants
+S ballasts
+U blastula
AABLLSU
+T blastula
AABLLSV
+E lavables
valables
AABLLSW
+Y wallabys
AABLLSY
+W wallabys
AABLLTT
+O ballotta
AABLLTU
+S blastula
AABLLWY
wallaby
+S wallabys
AABLMMS
+E amblames
blamames
AABLMNS
+I lambinas
AABLMNT
amblant
blamant
+F flambant
+I lambinat
+U ambulant
AABLMNU
+D labdanum
+G galbanum
+T ambulant
AABLMOU
+B bamboula
AABLMOY
+F flamboya
AABLMRS
+A malabars
+E ambleras
blameras
rablames
+U labarums
AABLMRT
+I trimbala
labarum
+S labarums
AABLMRY
+E remblaya
AABLMSS
+E amblasse
assembla
blamasse
blasames

sablames
AABLMST
+E amblates
blamates
tablames
+I malbatis
AABLMSU
+R labarums
AABLMSV
+E emblavas
AABLMTU
+N ambulant
AABLMTV
+E emblavat
AABLMUX
+E lambeaux
AABLNNO
+L ballonna
+S blasonna
AABLNNR
+T branlant
AABLNNS
+O blasonna
AABLNNT
+R branlant
AABLNOR
+I anoblira
AABLNOS
+D baladons
+F balafons
+N blasonna
+Y balayons
AABLNOT
+I ablation
+U aboulant
AABLNOU
+T aboulant
AABLNOY
+S balayons
AABLNPS
+E anableps
AABLNRR
+E branlera
AABLNRS
branlas
+E ebranlas
+H halbrans
+I branlais
AABLNRT
branlat
rablant
+E ebranlat
+I blairant
branlait
+N branlant
AABLNRU
+I binaural
AABLNSS
+E ensablas
AABLNST
blasant
sablant
+E ensablat
+I balisant
+L ballants
AABLNSY
+O balayons

AABLNSZ
balzans
AABLNTT
tablant
AABLNTU
+F fabulant
+G blaguant
+M ambulant
+O aboulant
AABLNTY
+A balayant
+E balayent
AABLOPR
+E parabole
AABLORR
+D labrador
AABLORS
+E elaboras
+I aboliras
bariolas
+T albatros
+U labouras
AABLORT
+E elaborat
+I bariolat
+S albatros
+U labourat
AABLORU
laboura
+E aboulera
+I labourai
+S labouras
+T labourat
AABLOST
+C clabotas
+R albatros
AABLOSU
aboulas
+I aboulais
+R labouras
AABLOSV
lavabos
AABLOSY
+N balayons
AABLOTT
+C clabotat
+L ballotta
AABLOTU
aboulat
+I aboulait
+N aboulant
+R labourat
AABLOUV
+E avouable
AABLPPS
+E papables
AABLPRR
+E palabrer
AABLPRS
+A palabras
+E palabres
AABLPRT
+A palabrat
AABLPRZ
+E palabrez
AABLPSS

+E passable
AABLPSY
+E payables
AABLQRU
+E albraque
AABLRRS
+E rableras
+U saburral
AABLRRT
+I arbitral
AABLRRU
+S saburral
AABLRSS
+E blaseras
rablasse
sableras
AABLRST
tablars
+E albatres
blateras
rablates
tableras
+O albatros
AABLRSU
+M labarums
+O labouras
+R saburral
AABLRTT
+E attabler
blaterat
AABLRTU
+O labourat
AABLRUY
+E balayeur
AABLSSS
+E blasasse
sablasse
AABLSST
+E basaltes
blasates
sablates
tablasse
+L ballasts
AABLSSU
+C basculas
AABLSSY
abyssal
+E abyssale
AABLSTT
+A attablas
+E attables
tablates
AABLSTU
+C basculat
+L blastula
AABLSTX
+E taxables
AABLSWY
+L wallabys
AABLTTT
+A attablat
AABLTTZ
+E attablez
AABLTUX
+E tableaux
AABMMRS
+E ambrames

bramames
AABMMSU
+C macumbas
+E embaumas
AABMMTU
+E embaumat
AABMNOS
+I abominas
AABMNOT
+I abominat
AABMNRR
+T marbrant
AABMNRS
barmans
AABMNRT
ambrant
bramant
+C cambrant
+R marbrant
AABMNST
+I ambiants
AABMNTU
+L ambulant
AABMORT
+U marabout
AABMORU
+T marabout
AABMORZ
+E mozarabe
AABMOSY
+E aboyames
AABMOTU
+R marabout
AABMQRU
+E embarqua
embraqua
AABMRRR
+E marbrera
rembarra
AABMRRS
marbras
+E ambreras
barrames
bramames
embarras
+I marbrais
AABMRRT
marbrat
+E embarrat
+I marbrait
+N marbrant
AABMRSS
+E ambrasse
bramasse
brasames
embrassa
sabrames
+U brumassa
AABMRST
+E ambrates
bramates
embrasat
+U masturba
AABMRSU
+I simaruba
+L labarums

+S brumassa
+T masturba
AABMRSV
+E bravames
AABMRSY
bayrams
+E embrayas
AABMRTT
+E embattra
AABMRTU
+O marabout
+S masturba
AABMRTY
+E embrayat
AABMSST
+A mastabas
AABMSSU
+E abusames
+R brumassa
AABMSTU
+R masturba
AABNNNO
+T abonnant
AABNNNT
+O abonnant
AABNNOR
+C braconna
+E abonnera
reabonna
+I abonnira
AABNNOS
abonnas
+C cabanons
+D abandons
+I abonnais
+L blasonna
+S basonnas
AABNNOT
abonnat
+D abondant
+I abonnait
+N abonnant
+T batonnat
AABNNQT
+U banquant
AABNNQU
+T banquant
AABNNRS
+I banniras
AABNNRT
+L branlant
AABNNSS
+O basanons
AABNNST
+A basanant
+E basanent
AABNNTT
+O batonnat
AABNNTU
+Q banquant
AABNORR
+C barranco
+T arborant
AABNORS
+I abrasion
+S abrasons
AABNORT

+C brocanta
+D abordant
+R arborant
+T rabotant
AABNOSS
+N basanons
+R abrasons
+Y sabayons
AABNOST
+T abattons
sabotant
AABNOSU
+C boucanas
AABNOSY
sabayon
+L balayons
+S sabayons
AABNOTT
+C cabotant
+J jabotant
+N batonnat
+R rabotant
+S abattons
+U aboutant
AABNOTY
aboyant
AABNQRT
+U braquant
AABNQRU
+E banquera
+T braquant
AABNQSU
banquas
+I banquais
AABNQTU
+E banqueta
+I banquait
+N banquant
+R braquant
AABNRRT
barrant
+E aberrant
+M marbrant
+O arborant
AABNRSS
+O abrasons
+T brassant
AABNRST
brasant
sabrant
+A abrasant
+B barbants
brabants
+E abrasent
ebrasant
+I baratins
braisant
+S brassant
AABNRSU

+I urbanisa
AABNRTT
+I abritant
+O rabotant
AABNRTU
+J abjurant
+Q braquant
AABNRTV
bravant
AABNRZZ
+I zanzibar
AABNSSS
+I bassinas
AABNSST
+E absentas
+I baissant
bassinat
+R brassant
AABNSSY
+O sabayons
AABNSTT
+E absentat
+O abattons
sabotant
+T battants
AABNSTU
abusant
AABNTTT
battant
+A abattant
+E abattent
battante
ebattant
+S battants
AABNTTU
+O aboutant
AABOOSZ
+K bazookas
AABORRR
+E arborera
AABORRS
arboras
+H abhorras
+I arborais
+U rabrouas
AABORRT
arborat
+E rabotera
+H abhorrat
+I arborait
+N arborant
+U rabrouat
AABORRU
rabroua
+I abrouai
+S rabrouas
+T rabrouat
AABORSS
+B absorbas
+D adsorbas
sabordas
+N abrasons
AABORST
rabotas
+B barbotas
+C crabotas

+D adsorbat
sabordat
+E sabotera
+I rabiotas
rabotais
+L albatros
+U raboutas
AABORSU
+D absoudra
radoubas
+L labouras
+R rabrouas
+T raboutas
AABORSV
+I bavarois
AABORTT
rabotat
+B barbotat
+C crabotat
+I abattoir
rabiotat
rabotait
+N rabotant
+U raboutat
AABORTU
rabouta
+D radoubat
+E aboutera
+I aboutira
raboutai
+L labourat
+M marabout
+R rabrouat
+S raboutas
+T raboutat
AABOSSS
+C cabossas
AABOSST
sabotas
+C cabossat
+I baisotas
sabotais
AABOSSY
+E aboyasse
+N sabayons
AABOSTT
sabotat
+I baisotat
sabotait
+N abattons
sabotant
AABOSTU
aboutas
+I aboutais
+R raboutas
AABOSTY
+E aboyates
AABOTTU
aboutat
+I aboutait
+N aboutant
+R raboutat
AABPSSS
+I bipassas
AABPSST
+I baptisas
bipassat

AABPSTT
+I baptisat
AABQRRU
+E baraquer
braquera
AABQRSU
braquas
+A baraquas
+E baraques
+I braquais
AABQRTU
braquat
+A baraquat
+I braquait
+N braquant
AABQRUZ
+E baraquez
AABQSSU
+I basquais
AABRRRS
+E barreras
+I barriras
AABRRSS
+D brassard
+E barrasse
braseras
brassera
sabreras
AABRRST
+E barrates
+I arbitras
AABRRSU
+C carburas
+L saburral
+O rabrouas
AABRRSV
+E braveras
AABRRTT
+A rabattra
+E baratter
rabattre
rebattra
AABRRTU
+C carburat
+I abrutira
+O rabrouat
AABRRUX
+E barreaux
AABRSSS
brassas
+E brasasse
sabrasse
+I brassais
AABRSST
brassat
+E brasates
sabrates
tabasser
+I abstrais
brassait
+N brassant
AABRSSU
+E abuseras
+M brumassa
AABRSSV
+E bavasser

bravasse
AABRSTT
battras
+A abattras
barattas
+E barattes
ebattras
rabattes
+I abstrait
battrais
rabattis
+U rabattus
AABRSTU
+M masturba
+O raboutas
+T rabattus
AABRSTV
+E bravates
AABRSUV
+E abreuvas
ebavuras
AABRTTT
+A barattat
+I battrait
rabattit
AABRTTU
rabattu
+E abatteur
rabattue
+I attribua
+O raboutat
+S rabattus
AABRTTZ
+E abattrez
barattez
rabattez
AABRTUV
+E abreuvat
ebavurat
AABRUUX
+I biauraux
AABSSSS
+E basasses
AABSSST
+A tabassas
+E batasses
tabasses
AABSSSU
+E abusasse
AABSSSV
+A bavassas
+E bavasses
AABSSSY
+E bavasses
AABSSTT
+A tabassat
AABSSTU
+E abusates
AABSSTV
+A bavassat
AABSSTZ
+E tabassez
AABSSUX
+Y abyssaux
AABSSUY
+X abyssaux
AABSSVZ

AABSSXY
+U abyssaux
AABSTTT
+N battants
AABSTTU
abattus
+E abattues
+R rabattus
AABSUXY
+S abyssaux
AABTUXY
+H bathyaux
AACCCEE
+T cactacee
AACCCET
+E cactacee
AACCCHH
+U cachucha
AACCCHO
+R accrocha
+U accoucha
AACCCHR
+O accrocha
AACCCHU
+H cachucha
+O accoucha
AACCCOR
+H accrocha
AACCCOU
+H accoucha
AACCDDE
+I dedicaca
AACCDDI
+E dedicaca
AACCDEE
+R accedera
+S saccadee
AACCDEI
accedai
+D dedicaca
+N cadencai
+S accedais
+T accedait
AACCDEL
+O accolade
+Y cycadale
AACCDEN
cadenca
+I cadencai
+S cadencas
+T accedant
cadencat
AACCDEO
AACCDER
cacarde
+E accedera
+R cacarder
+S cacardes
cascader
+Z cacardez
AACCDES
accedas
cascade
saccade
+E saccadee
+I accedais
+N cadencas
+R cacardes

AACCDET
accedat
+I accedait
+N accedant
cadencat
AACCDEY
+L cycadale
AACCDEZ
+R cacardez
+S cascadez
AACCDIN
+E cadencai
AACCDIO
+R accordai
+U accoudai
AACCDIR
+A cacardai
+O accordai
AACCDIS
+A cascadai
+E accedais
AACCDIT
+E accedait
AACCDIU
+O accoudai
AACCDLO
+E accolade
AACCDLY
+E cycadale
AACCDNS
+E cadencas
AACCDNT
+E accedant
cadencat
AACCDOR
accorda
+I accordai
+R raccorda
+S accordas
+T accordat
AACCDOS
+R accordas
+U accoudas
AACCDOT
+R accordat
+U accoudat
AACCDOU
accouda
+I accoudai
+S accoudas
+T accoudat
AACCDRR
raccard
+E cacarder
+O raccorda
+S raccards
AACCDRS
+A cacardas
+E cacardes
cascader
+O accordas
+R raccards

AACCDRT
+A cacardat
+O accordat
AACCDRZ
+E cacardez
AACCDSS
+A cascadas
+E cascades
saccades
AACCDST
+A cascadat
AACCDSU
+O accoudas
AACCDSZ
+E cascadez
AACCDTU
+O accoudat
AACCEEE
+R aceracee
AACCEEG
+S saccagee
AACCEEL
caecale
+M acclamee
+R accelera
AACCEEM
+L acclamee
AACCEEO
+T cacaotee
AACCEER
+D accedera
+E aceracee
+L accelera
AACCEES
+D saccadee
+G saccagee
+L caecales
AACCEET
+C cactacee
+O cacaotee
AACCEGL
+O accolage
AACCEGN
+O acconage
AACCEGO
+L accolage
+N acconage
AACCEGR
+S saccager
AACCEGS
saccage
+A saccagea
+E saccagee
+R saccager
+S saccages
+Z saccagez
AACCEGZ
+S saccagez
AACCEHI
+R cacherai
+T cachetai
AACCEHL
+N chancela

AACCEHM
macache
+S cachames
AACCEHN
+L chancela
+R echancra
AACCEHR
cachera
+I cacherai
+N echancra
+R crachera
recracha
+S cacheras
+V cravache
AACCEHS
+M cachames
+R cacheras
+S cachasse
+T cachates
cachetas
AACCEHT
cacheta
+I cachetai
+S cachates
cachetas
+T cachetat
AACCEHV
+R cravache
AACCEIL
+M accalmie
+R calcaire
AACCEIM
+L accalmie
AACCEIN
+D cadencai
+R carencai
AACCEIP
+T acceptai
capacite
AACCEIR
+H cacherai
+L calcaire
+N carencai
AACCEIS
+D accedais
AACCEIT
+D accedait
+H cachetai
+P acceptai
capacite
AACCEIZ
+B cacabiez
AACCEJN
+T jactance
AACCEJT
+N jactance
AACCELL
+O cloacale
AACCELM
acclame
+E acclamee
+I accalmie
+R acclamer
+S acclames
+Z acclamez
AACCELN
cancale

+H chancela	+J jactance	+G saccages	**AACCHLT**	+A acclamai
+S cancales	+R carencat	+H cachasse	+O cachalot	+E accalmie
AACCELO	+U accentua	+L laccases	**AACCHMS**	**AACCILN**
+D accolade	**AACCENU**	+R carcasse	+E cachames	calcina
+G accolage	+T accentua	**AACCEST**	**AACCHNR**	+I calcinai
+L cloacale	**AACCENV**	+H cachates	+E echancra	+S accolais
+R accolera	vacance	cachetas	+I chancira	+T calcinat
caracole	+S vacances	+O cacaotes	crachina	+V vaccinal
+S coalesca	**AACCENZ**	cacatoes	+T crachant	**AACCILO**
AACCELR	+N cancanez	+P acceptas	**AACCHNS**	accolai
+B accabler	**AACCEOR**	**AACCESU**	+I chicanas	+S accolais
+E accelera	+L accolera	+R accusera	**AACCHNT**	+T accolait
+I calcaire	caracole	**AACCESV**	cachant	**AACCILR**
+M acclamer	+T accotera	+N vacances	+I chicanat	+E calcaire
+O accolera	+Y cacaoyer	**AACCESZ**	+R crachant	**AACCILS**
caracole	**AACCEOS**	+D cascadez	**AACCHOR**	+N calcinas
+R carceral	+L coalesca	+G saccagez	+C accrocha	+O accolais
+U acculera	+T cacaotes	**AACCETT**	+T crachota	+U acculais
AACCELS	cacatoes	+H cachetat	**AACCHOT**	**AACCILT**
laccase	**AACCEOT**	+P acceptat	+L cachalot	+N calcinat
+B accables	cacaote	**AACCETU**	+R crachota	+O accolait
+E caecales	+E cacaotee	+N accentua	**AACCHOU**	+U acculait
+M acclames	+R accotera	**AACCEUX**	+C accoucha	**AACCILU**
+N cancales	+S cacaotes	caecaux	**AACCHRR**	acculai
+O coalesca	cacatoes	**AACCGLO**	+E crachera	+L calculai
+S laccasses	**AACCEOY**	+E accolage	recracha	+S acculais
AACCELU	+R cacaoyer	**AACCGNO**	**AACCHRS**	+T acculait
+R acculera	**AACCEPR**	+E acconage	crachas	**AACCILV**
AACCELY	+A accapare	**AACCGRS**	+E cacheras	+N vaccinal
+D cycadale	carapace	+E saccager	+I crachais	**AACCINN**
AACCELZ	+N pancrace	**AACCGSS**	+T crachats	+A cancanai
+B accablez	**AACCEPS**	+E saccages	scratcha	**AACCINO**
+M acclamez	+T acceptas	**AACCGSZ**	**AACCHRT**	+T accointa
AACCEMR	**AACCEPT**	+E saccagez	crachat	**AACCINR**
+L acclamer	accepta	**AACCHHU**	+I crachait	+E carencai
AACCEMS	+I acceptai	+C cachucha	+N crachant	+H chancira
+H cachames	capacite	**AACCHII**	+O crachota	crachina
+L acclames	+S acceptas	+N chicanai	+S crachats	**AACCINS**
AACCEMZ	+T acceptat	**AACCHIN**	scratcha	+H chicanas
+L acclamez	**AACCERR**	chicana	+U charcuta	+L calcinas
AACCENN	+D cacarder	+I chicanai	**AACCHRU**	+V vaccinas
cancane	+H crachera	+R chancira	+T charcuta	**AACCINT**
+R cancaner	recracha	crachina	**AACCHRV**	+H chicanat
+S cancanes	+L carceral	+S chicanas	+A cravache	+L calcinat
+Z cancanez	**AACCERS**	+T chicanat	+E cravache	+O accointa
AACCENO	+D cacardes	**AACCHIR**	**AACCHSS**	+V vaccinat
+G acconage	cascader	crachai	+E cachasse	**AACCINV**
AACCENP	+G saccager	+E cacherai	**AACCHST**	vaccina
+R pancrace	+H cacheras	+N chancira	+E cachates	+I vaccinai
AACCENR	+N carencas	crachina	cachetas	+L vaccinal
carenca	+S carcasse	+S crachais	+R crachats	+S vaccinas
+H echancra	+U accusera	+T crachait	scratcha	+T vaccinat
+I carencai	**AACCERT**	**AACCHIS**	**AACCHTT**	**AACCIOR**
+N carencan	+N carencat	cachais	+E cachetat	carioca
+P pancrace	+O accotera	+N chicanas	**AACCHTU**	+D accordai
+S carencas	**AACCERU**	+R crachais	+R charcuta	+S cariocas
+T carencat	+L acculera	**AACCHIT**	**AACCIIL**	**AACCIOS**
AACCENS	+S accusera	cachait	+N calcinai	+L accolais
+D cadences	**AACCERV**	+E cachetai	**AACCIIN**	+R cariocas
+L cancales	+H cravache	+N chicanat	+H chicanai	+T accostai
+N cancanes	**AACCERY**	+R crachait	+L calcinai	accotais
+R carencas	+O cacaoyer	**AACCHLN**	+V vaccinai	cacatois
+V vacances	**AACCERZ**	+E chancela	**AACCIIV**	**AACCIOT**
AACCENT	+D cacardez	**AACCHLO**	+N vaccinai	accotai
+B cacabent	**AACCESS**	+T cachalot	**AACCILL**	+L accolait
+D accedant	+D cascades	**AACCHLS**	+U calculai	+N accointa
cadencat	saccades	chacals	**AACCILM**	+S accostai

accotais
cacatois
+T accotait
AACCIOU
+D accoudai
AACCIPT
+E acceptai
capacite
AACCIRS
+H crachais
+O cariocas
AACCIRT
+H crachait
AACCISS
+U accusais
AACCIST
+O accostai
accotais
cacatois
+U accusait
AACCISU
accusai
+L acculais
+S accusais
+T accusait
AACCISV
+N vaccinas
AACCITT
+O accotait
AACCITU
+L acculait
+S accusait
AACCITV
+N vaccinat
AACCJNT
+E jactance
AACCJOR
+U carcajou
AACCJOU
+R carcajou
AACCJRU
+O carcajou
AACCLLO
cloacal
+E cloacale
AACCLLS
+U calculas
AACCLLT
+U calculat
AACCLLU
calcula
+I calculai
+S calculas
+T calculat
AACCLMR
+E acclamer
AACCLMS
+A acclamas
+E acclames
AACCLMT
+A acclamat
AACCLMU
+U accumula
AACCLMZ
+E acclamez
AACCLNO
+T accolant

AACCLNS
+E cancales
+I calcinas
AACCLNT
+I calcinat
+O accolant
+U acculant
AACCLNU
+T acculant
AACCLNV
+I vaccinal
AACCLOP
+U accoupla
AACCLOR
+A caracola
+E accolera
caracole
AACCLOS
accolas
+E coalesca
+I accolais
AACCLOT
accolat
+H cachalot
+I accolait
+N accolant
AACCLOU
+P accoupla
+X cloacaux
AACCLOX
+U cloacaux
AACCLPU
+O accoupla
AACCLRR
+E carceral
AACCLRS
+A caracals
+U caraculs
AACCLRU
caracul
+E acculera
+S caraculs
AACCLSS
+E laccasses
AACCLSU
acculas
+I acculais
+L calculas
+R caraculs
AACCLTU
acculat
+I acculait
+L calculat
+N acculant
AACCLUU
+M accumula
AACCLUX
+O cloacaux
AACCMUU
+L accumula
AACCNNR
+E cancaner
AACCNNS
cancans
+A cancanas
+E cancanes
AACCNNT

+A cancanat
AACCNNZ
+E cancanez
AACCNOR
+S consacra
AACCNOS
+B cacabons
+R consacra
+S concassa
AACCNOT
+I accointa
+L accolant
+T accotant
contacta
AACCNPR
+E pancrace
AACCNRS
carcans
+E carencas
+O consacra
AACCNRT
+E carencat
+H crachant
AACCNSS
+O concassa
AACCNST
+U accusant
AACCNSU
+T accusant
AACCNSV
+E vacances
+I vaccinas
AACCNTT
+O accotant
contacta
AACCNTU
+E accentua
+L acculant
+S accusant
AACCNTV
+I vaccinat
AACCOPU
+L accoupla
AACCORR
+D raccorda
+U accourra
AACCORS
caracos
+D accordas
+I cariocas
+N consacra
+U curacaos
AACCORT
+D accordat
+E accotera
+H crachota
+U accoutra
AACCORU
curacao
+J carcajou
+R accourra
+S consacra
+T accoutra
AACCORY
+E cacaoyer
AACCOSS
+N concassa

+T accostas
AACCOST
accosta
accotas
+E cacaotes
cacatoes
+I accostai
accotais
cacatois
+S accostas
+T accostat
staccato
toccatas
AACCOSU
+D accoudas
+R curacaos
AACCOTT
accotat
toccata
+I accotait
+N accotant
contacta
+S accostat
staccato
toccatas
AACCOTU
+D accoudat
+R accoutra
AACCOUX
+L cloacaux
AACCPST
+E acceptas
AACCPTT
+E accaptat
AACCRRS
+D raccards
AACCRRU
+O accourra
AACCRSS
+E carcasse
AACCRST
+H crachats
scratcha
AACCRSU
+E accusera
+L caraculs
+O curacaos
AACCRTU
+H charcuta
+O accoutra
AACCSST
+O accostas
AACCSSU
accusas
+I accusais
AACCSTT
+O accostat
staccato
toccatas
AACCSTU
accusat
+I accusais
+N accusant
AACDDEI
+C dedicaca
+R decadrai
AACDDER

decadra
+I decadrai
+S decadras
+T decadrat
AACDDES
+R decadras
AACDDET
+R decadrat
AACDDIN
candida
+S candidas
+T candidat
AACDDIR
+E decadrai
AACDDIS
+N candidas
AACDDIT
+N candidat
AACDDNS
+I candidas
AACDDNT
+I candidat
AACDDRS
+E decadras
AACDDRT
+E decadrat
AACDEEF
+R cafardee
AACDEEG
+L decalage
+P decapage
AACDEEI
+M academie
AACDEEL
+G decalage
+N decanale
+P decapela
+R decalera
delacera
+S escalade
AACDEEM
+I academie
AACDEEN
+L decanale
+R canardee
AACDEEP
+G decapage
+L decapela
+R decapera
+S escapade
AACDEER
+C accedera
+F cafardee
+L decalera
delacera
+N canardee
+P decapera
AACDEES
+C saccadee
+L escalade
+P escapade
+T estacade
AACDEET
+S estacade
AACDEFH
+U echafaud

AACDEFR
  cafarde
+E cafardee
+R cafarder
+S cafardes
+U faucarde
+Z cafardez
AACDEFS
  facades
+R cafardes
AACDEFU
+H echafaud
+R faucarde
AACDEFZ
+R cafardez
AACDEGI
+L deglacai
+M cadmiage
AACDEGL
  deglaca
+E decalage
+I deglacai
+S deglacas
+T deglacat
AACDEGM
+I cadmiage
AACDEGP
+E decapage
AACDEGR
  cadrage
  cardage
+S cadrages
  cardages
AACDEGS
+L deglacas
+R cadrages
  cardages
AACDEGT
+L deglacat
AACDEHH
+N dehancha
AACDEHI
+B debachai
+N dechaina
  hacienda
+R arachide
  chiadera
+T detachai
+U echaudai
AACDEHL
+N chalande
AACDEHM
  chamade
+N demancha
+S chamades
+U dechauma
AACDEHN
+H dehancha
+I dechaina
  hacienda
+L chalande
+M demancha
+T dechanta
AACDEHP
+R chaparde
AACDEHR
  charade

+I arachide
  chiadera
+P chaparde
+S charades
+V vacharde
AACDEHS
+B debachas
+M chamades
+R charades
+T detachas
+U echaudas
AACDEHT
  detacha
+B debachat
+I detachai
+N dechanta
+S detachas
+T detachat
+U echaudat
AACDEHU
  echauda
+B debaucha
+F echafaud
+I echaudai
+M dechauma
+S echaudas
+T echaudat
AACDEHV
+R vacharde
AACDEII
+L acidalie
AACDEIL
  decalai
  delacai
+G deglacai
+I acidalie
+M declamai
+P deplacai
+R caldeira
  declarai
  dilacera
  radicale
+S decalais
  delacais
  diaclase
+T decalait
  delacait
AACDEIM
+E academie
+G cadmiage
+L declamai
+P decampai
+R cadmiera
AACDEIN
  acadien
+C cadencai
+H hacienda
+N canadien
+R deracina
  encadrai
+S acadiens
+T decantai
+V devancai
AACDEIP
  decapai
+L deplacai

+M decampai
+S decapais
+T decapait
  decapita
AACDEIR
  arcadie
+D decadrai
+H arachide
  chiadera
+L caldeira
  declarai
  dilacera
  radicale
+M cadmiera
+N deracina
  encadrai
+R cadrerai
  carderai
  recardai
+S arcadies
  ascaride
+T decatira
+V caviarde
AACDEIS
+C accedais
+L decalais
  delacais
  diaclase
+N acadiens
+P decapais
+R arcadies
  ascaride
+S decaissa
AACDEIT
+C accedait
+H detachai
+L decalait
+N decantai
+P decapait
  decapita
+R decatira
AACDEIU
+H echaudai
AACDEIV
+N devancai
+R caviarde
AACDEJN
+T adjacent
AACDEJT
+N adjacent
AACDELM
  declama
+I declamai
+S declamas
  demascla
+T declamat
AACDELN
  candela
  decanal
+E decanale
+H chalande
+R calandre
+S candelas
  scandale
+T decalant
  delacant

AACDELO
+C accolade
AACDELP
  deplaca
+E decapela
+I deplacai
+R placarde
+S deplacas
+T deplacat
AACDELQ
+U decalqua
AACDELR
  declara
+E decalera
+I caldeira
  declarai
  dilacera
  radicale
+N calandre
+P placarde
+S declaras
+T declarat
AACDELS
  alcades
  decalas
  delacas
+A escalada
+E escalade
+G deglacas
+I decalais
  delacais
  diaclase
+M declamas
  demascla
+N candelas
  scandale
+P deplacas
+R declaras
+S declassa
+U caudales
AACDELT
  decalat
  delacat
+G deglacat
+I decalait
  delacait
+M declamat
+N decalant
  delacant
+P deplacat
+R declarat
AACDELU
  caudale
+B clabaude
+Q decalqua
+S caudales
AACDELV
+C cycadale
AACDEMN
+H demancha
AACDEMP
  decampa
+I decampai
+S decampas
+T decampat
AACDEMR

  camarde
+A camarade
+I cadmiera
+S cadrames
  camardes
  cardames
AACDEMS
+H chamades
+L declamas
  demascla
+P decampas
+R cadrames
  camardes
  cardames
AACDEMT
+L declamat
+P decampat
AACDEMU
+H dechauma
AACDENN
+I canadien
AACDENO
+R caronade
AACDENP
+T decapant
AACDENR
  canarde
  dracena
+A anacarde
+E canardee
+I deracina
  encadrai
+L calandre
+O caronade
+R canarder
  rancarde
+S canardes
  dracenas
  encadras
  scandera
+T encadrat
+Z canardez
AACDENS
  cadenas
+C cadencas
+I acadiens
+L candelas
  scandale
+R canardes
  dracenas
  encadras
  scandera
+T decanats
  decantas
+V devancas
AACDENT
  decanat
  decanta
+C accedant
  cadencat
+H dechanta
+I decantai
+J adjacent
+L decalant
  delacant

+P decapant
+R encadrat
+S decanats
    decantas
+T decantat
+V devancat
AACDENU
+X decanaux
AACDENV
    devanca
+I devancai
+S devancas
+T devancas
AACDENX
+U decanaux
AACDENZ
+R canardez
AACDEOP
+T decapota
AACDEOR
+N caronade
AACDEOT
+P decapota
AACDEPR
+E decapera
+H chaparde
+L placarde
AACDEPS
    decapas
+E escapade
+I decapais
+L deplacas
+M decampas
AACDEPT
    decapat
+I decapait
    decapita
+L deplacat
+M decampat
+N decapant
+O decapota
AACDEQU
+L decalqua
AACDERR
    cadrera
    carrada
    recarda
+C cacarder
+F cafarder
+I cadrerai
    carderai
    recardai
+N canarder
    rancarde
    rencarda
+S cadreras
    carreras
    recardas
+T recardat
AACDERS
    arcades
+C cacardes
    cascader
+D decadras
+F cafardes
+G cadrages
    cardages

+H charades
+I arcadies
    ascaride
+L declaras
+M cadrames
    camardes
    cardames
+N canardes
    dracenas
    encadras
    scandera
+R cadreras
    carderas
    recardas
+S cadrasse
    cardasse
    decrassa
+T cadastre
    cadrates
    cardates
+V cadavres
AACDERT
+D decadrat
+I decatira
+L declarat
+N encadrat
+R recardat
+S cadastre
    cadrates
    cardates
AACDERU
+F faucarde
AACDERV
+H vacharde
+I caviarde
+S cadavres
AACDERZ
+C cacardez
+F cafardez
+N canardez
AACDESS
+C cascades
    saccades
+I decaissa
+L declassa
+R cadrasse
    cardasse
    decrassa
AACDEST
+E estacade
+H detachas
+N decanats
    decantas
+R cadastre
    cadrates
    cardates
AACDESU
    audaces
+H echaudas
+L caudales
AACDESV
+N devancas
+R cascadres
AACDESZ
+C cascadez
AACDETT

+H detachat
+N decantat
AACDETU
+H echaudat
AACDETV
+N devancat
AACDEUX
    cadeaux
+N decanaux
AACDFHR
+U fauchard
AACDFHU
+E echafaud
+R fauchard
AACDFII
+I acidifia
AACDFIR
+A cafardai
AACDFRR
+E cafarder
AACDFRS
    cafards
+A cafardas
+E cafardes
+U faucards
AACDFRT
+A cafardat
AACDFRU
    faucard
+A faucarda
+E faucarde
+H fauchard
+S faucards
AACDFRZ
+E cafardez
AACDFSU
+R faucards
AACDGIL
+E deglacai
AACDGIM
+E cadmiage
AACDGIN
+R cardigan
AACDGIR
+N cardigan
AACDGLS
+E deglacas
AACDGLT
+E deglacat
AACDGNO
    cadogan
+S cadogans
AACDGNR
+I cardigan
AACDGNS
+O cadogans
AACDGOS
+N cadogans
AACDGRS
+E cadrages
    cardages
AACDHHN
+E dehancha
AACDHII
    chiadai
+S chiadais
+T chiadait

AACDHIL
+N chandail
AACDHIN
+E dechaina
    hacienda
+L chandail
+P handicap
+T chiadant
AACDHIP
+N handicap
AACDHIR
+E arachide
    chiadera
AACDHIS
    chiadas
+I chiadais
AACDHIT
    chiadat
+E detachai
+I chiadait
+N chiadant
AACDHIU
+E echaudai
AACDHLN
    chaland
+E chalande
+I chandal
+S chalands
AACDHLS
+N chalands
AACDHMN
+E demancha
+R marchand
AACDHMR
+B chambard
+N marchand
+U chaumard
AACDHMS
+E chamades
AACDHMU
+E dechauma
+R chaumard
AACDHNP
+I handicap
AACDHNR
+M marchand
AACDHNS
+L chalands
AACDHNT
+E dechanta
+I chiadant
AACDHPR
+A chaparda
+E chaparde
AACDHRS
+E charades
+V vachards
AACDHRU
+F fauchard
+M chaumard
AACDHRV
    vachard
+E vacharde
+S vachards
AACDHST
    datchas
+E detachas

AACDHSU
+E echaudas
AACDHSV
+R vachards
AACDHTT
+E detachat
AACDHTU
+E echaudat
AACDIII
+F acidifia
AACDIIL
+E acidalie
AACDIIM
    cadmiai
+S cadmiais
+T cadmiait
AACDIIN
+R candirai
AACDIIR
+N candirai
AACDIIS
+H chiadais
+M cadmiais
AACDIIT
+H chiadait
+M cadmiait
AACDILM
+E declamai
+U caladium
AACDILN
+H chandail
+O diaconal
+R cardinal
AACDILO
+N diaconal
+Z zodiacal
AACDILP
+E deplacai
AACDILR
    radical
+E caldeira
    declarai
    dilacera
    radicale
+N cardinal
AACDILS
+E decalais
    delacais
    diaclase
AACDILT
+E decalait
    delacait
AACDILU
+M caladium
AACDILZ
+O zodiacal
AACDIMN
+T cadmiant
AACDIMP
+E decampai
AACDIMR
+E cadmiera
+S camisard
AACDIMS
    cadmias
+I cadmiais
+R camisard

AACDIMT	carderai	**AACDLOZ**	**AACDNOS**	+C accoudas
cadmiat	recardai	+I zodiacal	+G cadogans	**AACDOSV**
+I cadmiait	+N craindra	**AACDLPR**	**AACDNOT**	+L calvados
+N cadmiant	**AACDIRS**	placard	+I diaconat	**AACDOTU**
AACDIMU	cadrais	+A placarda	**AACDNPR**	+C accoudat
+L caladium	cardais	+E placarde	+I picardan	**AACDPRS**
AACDINN	cardias	+S placards	**AACDNPT**	+L placards
+E canadien	+E arcadies	**AACDLPS**	+E decapant	+U crapauds
AACDINO	ascaride	+E deplacas	**AACDNRR**	**AACDPRU**
+L diaconal	+M camisard	+R placards	rancard	crapaud
+T diaconat	+N candiras	**AACDLPT**	+A rancarda	+S crapauds
AACDINP	**AACDIRT**	+E deplacat	+B brancard	**AACDPSU**
+H handicap	cadrait	**AACDLQU**	+E canarder	+R crapauds
+R picardan	cardait	+E decalqua	rancarda	**AACDQRU**
AACDINR	+E decatira	**AACDLRS**	rencarda	+J jacquard
candira	+N cadratin	+E declaras	+S rancards	**AACDRRS**
+A canadair	radicant	+P placards	**AACDNRS**	+C raccards
canardai	**AACDIRU**	**AACDLRT**	cadrans	+E cadreras
+E deracina	+O adoucira	+E declarat	canards	carderas
encadrai	+X radicaux	**AACDLSS**	cardans	recardas
+G cardigan	**AACDIRV**	+E declassa	+A canardas	+N rancards
+I candirai	+A caviarda	**AACDLSU**	+E canardes	**AACDRRT**
+L cardinal	+E caviarde	+B clabauds	dracenas	+E recardat
+P picardan	**AACDIRX**	+E caudales	encadras	**AACDRSS**
+R craindra	+U radicaux	**AACDLSV**	scandera	csardas
+S candiras	**AACDISS**	+O calvados	+I candiras	+E cadrasse
+T cadratin	+E decaissa	**AACDMMN**	+R rancards	cardasse
radicant	+N scandais	+O commanda	**AACDNRT**	decrassa
AACDINS	**AACDIST**	**AACDMMO**	cadrant	**AACDRST**
scandai	+N distanca	+N commanda	cardant	cadrats
+D candidas	scandait	**AACDMMS**	+A canardat	+A cadastra
+E acadiens	**AACDIUX**	+A macadams	+E encadrat	+E cadastre
+R candiras	+R radicaux	**AACDMNN**	+I cadratin	cadrates
+S scandais	**AACDJNT**	+O condamna	radicant	cadastes
+T distanca	+E adjacent	**AACDMNO**	**AACDNRZ**	**AACDRSU**
scandait	**AACDJQR**	+M commanda	+E canardez	+F faucards
AACDINT	+U jacquard	+N condamna	**AACDNSS**	+P crapauds
+D candidat	**AACDJQU**	+R mordanca	scandas	**AACDRSV**
+E decantai	+R jacquard	**AACDMNR**	+I scandais	+E cadavres
+H chiadant	**AACDJRU**	+H marchand	**AACDNST**	+H vachards
+M cadmiant	+Q jacquard	+O mordanca	scandat	**AACDRUX**
+O diaconat	**AACDKRW**	**AACDMNT**	+E decanats	+I radicaux
+R cadratin	+B drawback	+I cadmiant	decantas	**AACDSTU**
radicant	**AACDLMS**	**AACDMOR**	+I distanca	tacauds
+S distanca	+E declamas	+N mordanca	scandant	**AACDUUX**
scandait	demascla	**AACDMPS**	**AACDNSV**	caudaux
AACDINV	**AACDLMT**	+E decampas	+E decanvas	**AACEEEN**
+E devancai	+E declamat	**AACDMPT**	**AACDNTT**	+R arenacee
AACDIOR	**AACDLMU**	+E decampat	+E decantat	**AACEEER**
+C accordai	+I caladium	**AACDMRS**	**AACDNTV**	+C aceracee
+U adoucira	**AACDLNO**	camards	+E devancat	+N arenacee
AACDIOT	+I diaconal	+E cadrames	**AACDNUX**	**AACEEFF**
+N diaconat	**AACDLNR**	camardes	+E decanaux	+R effacera
AACDIOU	+A calandra	+I camisard	**AACDOPT**	**AACEEFL**
+C accoudai	+E calandre	**AACDMRU**	+E decapota	+T calfatee
+R adoucira	+I cardinal	+H chaumard	**AACDORR**	**AACEEFR**
AACDIOZ	**AACDLNS**	**AACDNNO**	+B brocarda	+D cafardee
+L zodiacal	+E candelas	+A anaconda	+C raccorda	+F effacera
AACDIPR	scandale	+M condamna	**AACDORS**	**AACEEFT**
+N picardan	+H chalands	**AACDNNS**	+C accordas	+L calfatee
AACDIPS	**AACDLNT**	+T scandant	**AACDORT**	**AACEEGH**
+E decapais	+E decalant	**AACDNNT**	+C accordat	+N echangea
AACDIPT	delacant	+S scandant	**AACDORU**	**AACEEGI**
+E decapait	**AACDLOS**	**AACDNOR**	+I adoucira	+N encageai
decapita	+V calvados	+E caronade	**AACDOSU**	+R acierage
AACDIRR	**AACDLOV**	+M mordanca		agacerie
+E cadrerai	+S calvados			

AACEEGL	+L alliacee	**AACEELU**	**AACEEPR**	**AACEEST**
galeace	+R ecalerai	+R lauracee	capeera	+D estacade
+D decalage	**AACEEIM**	+T aculeate	+D decapera	+L ecalates
+P capelage	+D academie	**AACEELV**	+I capeerai	+M casemate
+R recalage	+R emaciera	cavalee	+S capeeras	+P capeates
+S galeaces	**AACEEIN**	+M malvacee	espacera	+T acetates
AACEEGM	+R capeerai	+S cavalees	+Y capeyera	+X taxacees
+R marecage	**AACEEIP**	**AACEELY**	**AACEEPS**	**AACEESU**
AACEEGN	+R capeerai	+M amylacee	+D escapade	+B escabeau
encagea	**AACEEIR**	**AACEEMM**	+G pacagees	**AACEESV**
+H echangea	+G acierage	+R menacera	+M capeames	+L cavalees
+I encageai	agacerie	**AACEEMP**	+R capeeras	+N avancees
+R agencera	+L ecalerai	+L palmacee	espacera	**AACEESX**
carenage	+M emaciera	+S capeames	+S capeasse	+T taxacees
encagera	+P capeerai	**AACEEMR**	+T capeates	**AACEETT**
+S encageas	+R acierera	+G marecage	**AACEEPT**	acetate
+T canetage	**AACEELL**	+I emaciera	+S capeates	+H attachee
encageat	+I alliacee	+N menacera	**AACEEPY**	+S acetates
AACEEGP	**AACEELM**	+R macerera	+R capeyera	**AACEETU**
pacagee	+C acclamee	**AACEEMS**	**AACEERR**	+L aculeate
+D decapage	+P palmacee	+L ecalames	+H arrachee	**AACEETV**
+L capelage	+S ecalames	+P capeames	+I acierera	+R cravatee
+S pacagees	+V malvacee	+T casemate	+L lacerera	**AACEETX**
AACEEGR	+Y amylacee	**AACEEMT**	recalera	taxacee
+I acierage	**AACEELN**	+S casemate	+M macerera	+S taxacees
agacerie	+B balancee	**AACEEMV**	+N carenera	**AACEEUV**
+L recalage	+D decanale	+L malvacee	+S ecrasera	+R evacuera
+M marecage	+R elancera	**AACEEMY**	recasera	**AACEEUX**
+N agencera	enlacera	+L amylacee	+T ecartera	+R exaucera
carenage	**AACEELP**	**AACEENN**	**AACEERS**	**AACEEVX**
encagera	+D decapela	+B encabane	aracees	+R excavera
+Z agacerez	+G capelage	+N cananeen	+B scarabee	**AACEFFH**
AACEEGS	+H acalephe	+O anonacee	+L ecaleras	+U echauffa
agacees	acephale	**AACEENO**	+N arenaces	**AACEFFI**
+C saccagee	+M palmacee	+N anonacee	+P capeeras	effacai
+L galeaces	**AACEELR**	**AACEENP**	espacera	+S effacais
+N encageas	+C accelera	panacee	+R ecrasera	+T affectai
+P pacagees	+D decalera	+H panachee	recasera	effacait
AACEEGT	delacera	+S panacees	**AACEERT**	**AACEFFL**
+N canetage	+G recalage	**AACEENR**	+H achetera	+S esclaffa
encageat	+I ecalerai	arenace	+L ecarlate	**AACEFFN**
AACEEGZ	+N elancera	+D canardee	ecartela	+T effacant
+R agacerez	enlacera	+E arenacee	eclatera	**AACEFFR**
AACEEHL	+R lacerera	+G agencera	+R ecartera	+E effacera
+P acalephe	recalera	carenage	+V cravatee	**AACEFFS**
acephale	+S ecaleras	encagera	**AACEERU**	effacas
AACEEHN	+T ecarlate	+H acharnee	+L lauracee	+I effacais
+G echangea	ecartela	+L elancera	+V evacuera	+L esclaffa
+P panachee	eclatera	enlacera	+X exaucera	+T affectas
+R acharnee	+U lauracee	+M menacera	**AACEERV**	**AACEFFT**
AACEEHP	**AACEELS**	+R carenera	+H achevera	affecta
+L acalephe	+C caecales	+S arenaces	+N encavera	effacat
acephale	+D escalade	+V encavera	+T cravatee	+I affectai
+N panachee	+G galeaces	**AACEENS**	+U evacuera	effacait
AACEEHR	+M ecalames	+G encageas	+X exaucera	+N effacant
+B rabachee	+R ecaleras	+P panacees	**AACEERX**	+S affectas
+N acharnee	+S ecalasse	+R arenaces	+B exacerba	+T affectat
+R arrachee	+T ecalates	+V avancees	+U exaucera	**AACEFFU**
+T achetera	+V cavalees	**AACEENT**	+V excavera	+H echauffa
+V achevera	**AACEELT**	+G canetage	**AACEERY**	**AACEFGH**
AACEEHT	+F calfatee	encageat	+P capeyera	+U fauchage
+R achetera	+R ecarlate	**AACEENV**	**AACEERZ**	**AACEFGS**
+T attachee	ecartela	avancee	+G agacerez	+T factages
AACEEHV	eclatera	+R encavera	**AACEESS**	**AACEFGT**
+R achevera	+S ecalates	+S avancees	+L ecalasse	factage
AACEEIL	+U aculeate	**AACEEOT**	+P capeasse	+S factages
+B labiacee		+C cacaotee		

AACEFGU
+H fauchage
AACEFHI
+R facherai
AACEFHM
+S fachames
AACEFHR
fachera
+I facherai
+S facheras
+U fauchera
AACEFHS
+M fachames
+R facheras
+S fachasse
+T fachates
AACEFHT
+S fachates
AACEFHU
+D echafaud
+F echauffa
+G fauchage
+R fauchera
AACEFII
+T acetifia
AACEFIL
faciale
+S faciales
AACEFIN
+R farinace
fiancera
AACEFIP
+R prefacai
AACEFIR
+H facherai
+N farinace
fiancera
+P prefacai
+T cafterai
AACEFIS
+F effacais
+L faciales
+U faisceau
AACEFIT
+F affectai
effacait
+I acetifia
+R cafterai
+T facettai
AACEFIU
+S faisceau
AACEFLM
+N flamenca
AACEFLN
+M flamenca
AACEFLO
afocale
+S afocales
AACEFLR
+T calfater
fractale
AACEFLS
+F esclaffa
+I faciales
+O afocales
+T calfates
AACEFLT

calfate
+E calfatee
+R calfater
fractale
+S calfates
+Z calfatez
AACEFLZ
+T calfatez
AACEFMN
+L flamenca
AACEFMS
+H fachames
+T caftames
AACEFMT
+S caftames
AACEFNR
+I farinace
fiancera
AACEFNS
+T cafetans
AACEFNT
+F effacant
+S cafetans
AACEFOS
+L afocales
AACEFPR
prefaca
+I prefacai
+S prefacas
+T prefacat
AACEFPS
+R prefacas
AACEFPT
+R prefacat
AACEFRR
+D cafarder
+T refracta
AACEFRS
carafes
+D cafardes
+H facheras
+P prefacas
+S fracasse
+T cafteras
AACEFRT
caftera
+I cafterai
+L calfater
fractale
+P prefacat
+R refracta
+S cafteras
+T artefact
AACEFRU
+D faucarde
+H fauchera
AACEFRZ
+D cafardez
AACEFSS
+H fachasse
+R fracasse
+T caftasse
AACEFST
+F affectas
+G factages
+H fachates

+L calfates
+M caftames
+N cafetans
+R cafteras
+S caftasse
+T caftames
facettas
AACEFSU
+I faisceau
AACEFTT
facetta
+F affectat
+I facettai
+R artefact
+S caftates
facettas
+T facettat
AACEFTZ
+L calfatez
AACEGGH
gachage
+S gachages
AACEGGL
glacage
+S glacages
AACEGGS
+H gachages
+L glacages
AACEGHH
hachage
+S hachages
AACEGHI
+N chainage
changeai
+R chargeai
gacherai
AACEGHL
lachage
+M malgache
+S lachages
+U chaulage
AACEGHM
+L malgache
+S gachames
+U chaumage
AACEGHN
changea
ganache
+B banchage
+E echangea
+I chainage
changeai
+R archange
changera
+S changeas
ganaches
+T changeat
chantage
AACEGHR
chargea
gachera
+I chargeai
gacherai
+N archange
changera
+R chargera
+S chargeas

gacheras
+T chargeat
+U rauchage
AACEGHS
+B bachages
+G gachages
+H hachages
+L lachages
+M gachames
+N changeas
ganaches
+R chargeas
+S chassage
+T gachates
AACEGHT
+N changeat
chantage
+R chargeat
+S gachates
AACEGHU
+F fauchage
+L chaulage
+M chaumage
+R rauchage
AACEGIL
+D deglacai
+L caillage
glaciale
+R argilace
glacerai
AACEGIM
+D cadmiage
AACEGIN
agencai
+E encageai
+H chainage
changeai
+S agencais
+T agencait
+U ecanguai
AACEGIP
+A pacageai
+Z pacagiez
AACEGIR
+A agacerai
+E acierage
agacerie
+H chargeai
gacherai
+L argilace
glacerai
+R graciera
AACEGIS
+N agencais
+T sagacite
AACEGIT
+N agencait
+S sagacite
AACEGIU
+N ecanguai
AACEGIZ
agaciez
+P pacagiez
AACEGLL
+I caillage

glaciale
AACEGLM
calmage
maclage
+H malgache
+S calmages
glacames
maclages
+U maculage
AACEGLN
lancage
+S lancages
+T glacante
AACEGLO
+C accolage
+R racolage
AACEGLP
placage
+E capelage
+S placages
AACEGLQ
+U calquage
claquage
AACEGLR
glacera
raclage
+E recalage
+I argilace
glacerai
+O racolage
+S glaceras
raclages
sarclage
+V verglaca
AACEGLS
calages
lacages
+B baclages
cablages
+D deglacas
+E galeaces
+G glacages
+H lachages
+M calmages
glacames
maclages
+N lancages
+P placages
+R glaceras
raclages
sarclage
+S glacasse
+T glacates
AACEGLT
+D deglacat
+N glacante
+S glacates
AACEGLU
+H chaulage
+M maculage
+Q calquage
claquage
AACEGLV
+R verglaca
AACEGMN
+P campagne

AACEGMO
+R amorcage
AACEGMP
+N campagne
AACEGMR
+B cambrage
+E marecage
+O amorcage
AACEGMS
+A agacames
+H gachames
+L calmages
glacames
maclages
AACEGMU
+H chaumage
+L maculage
AACEGNN
cannage
+S cannages
+T agencant
AACEGNO
aconage
+C acconage
+S aconages
+T canotage
AACEGNP
+M campagne
+T pacagent
AACEGNR
ancrage
carnage
garance
+E agencera
carenage
encagera
+H archange
changera
+S ancrages
carnages
garances
AACEGNS
agencas
+E encageas
+H changeas
ganaches
+I agencais
+L lancages
+N cannages
+O aconages
+R ancrages
carnages
garances
+U ecanguas
AACEGNT
agacent
agencat
+A agacante
+E canetage
encageat
+H changeat
chantage
+I agencait
+L glacante
+N agencant
+O canotage
+P pacagent

+U ecanguat
AACEGNU
ecangua
+I ecanguai
+S ecanguas
+T ecanguat
AACEGOP
+T capotage
AACEGOR
+L racolage
+M amorcage
AACEGOS
+N aconages
AACEGOT
+B cabotage
+N canotage
+P capotage
AACEGPQ
+U pacquage
AACEGPR
pacager
parcage
+A pacagera
+S parcages
AACEGPS
capsage
pacages
+A pacageas
+E pacagees
+L placages
+R parcages
+S capsages
+T captages
AACEGPT
captage
+A pacageat
+N pacagent
+O capotage
+S captages
AACEGPU
+Q pacquage
AACEGPZ
pacagez
+I pacagiez
AACEGQR
+U craquage
AACEGQU
+L calquage
claquage
+P pacquage
+R craquage
AACEGRR
+H chargera
+I graciera
+U carguera
AACEGRS
racages
+A agaceras
+C saccager
+D cadrages
cardages
+H chargeas
gacheras
+L glaceras
raclages
sarclage
+N ancrages

carnages
garances
+P parcages
+T tracages
AACEGRT
tracage
+H chargeat
+S tracages
AACEGRU
+H rauchage
+Q craquage
+R carguera
AACEGRV
+L verglaca
AACEGRZ
+E agacerez
AACEGSS
cassage
sagaces
+A agacasse
+C saccages
+H chassage
gachasse
+L glacasse
+P capsages
+S cassages
AACEGST
+A agacates
+F factages
+H gachates
+I sagacite
+L glacates
+P captages
+R tracages
AACEGSU
+N ecangus
AACEGSV
cavages
AACEGSZ
+C saccagez
AACEGTU
+N ecanguat
AACEHHI
+R hacherai
AACEHHM
+S hachames
AACEHHN
+D dehancha
+R hanchera
harnache
AACEHHR
hachera
+I hacherai
+N hanchera
harnache
+S hacheras
AACEHHS
+G hachages
+M hachames
+R hacheras
+S hachasse
+T hachates
AACEHHT
+S hachates
AACEHIL
+L allechai
+R chialera

harcelai
lacherai
relachai
+V chevalai
AACEHIM
+N achemina
+R macherai
remachai
AACEHIN
achaine
+D dechaina
hacienda
+G chainage
changeai
+M achemina
+N enchaina
+P epanchai
+R anarchie
chainera
echarnai
+S achaines
ensachai
+T entachai
etanchai
AACEHIP
+N epanchai
+P echappai
+R echarpai
rechapai
AACEHIR
+B bacherai
+C cacherai
+D arachide
chiadera
+F facherai
+G chargeai
gacherai
+H hacherai
+L chialera
harcelai
lacherai
relachai
+M macherai
remachai
+N anarchie
chainera
echarnai
AACEHIS
+N achaines
+S assechai
+T achetais
+V achevais
avachies
AACEHIT
achetai
+C cachetai
+D detachai
+N entachai
etanchai
+R chataire

chatiera
rachetai
+S achetais
+T achetait
tachetai
+V achevait
AACEHIU
+B ebauchai
+D echaudai
AACEHIV
achevai
avachie
+L chevalai
+S achevais
avachies
+T achevait
AACEHLL
allache
allecha
+I allecha
+S allaches
+T allechat
AACEHLM
+G malgache
+R marechal
+S lachames
AACEHLN
+C chancela
+D chalande
+P palanche
+T chanlate
AACEHLP
+E acalephe
acephale
+N palanche
AACEHLR
charale
harcela
lachera
relacha
+B chablera
+I chialera
harcelai
lacherai
relachai
+M marechal
+S charales
harcelas
lacheras
relachas
+T harcelat
relachat
tracheal
+U chaulera
AACEHLS
echalas
+G lachages
+L allaches
allechas
+M lachames
+R charales
harcelas
lacheras
relachas
+S lachasse

+T lachates	+D dechauma	+I entachai	**AACEHPZ**	chatrera
+V chevalas	+G chaumage	etanchai	+N panachez	+S cathares
+Z chalazes	+R chaumera	+L chanlate	**AACEHRR**	rachetas
AACEHLT	+X chameaux	+N enchanta	arrache	tacheras
+L allechat	**AACEHMX**	+P epanchat	+B rabacher	+T attacher
+N chanlate	+U chameaux	+R chantera	+C crachera	rachetat
+R harcelat	**AACEHNN**	echarnat	recracha	rattache
relachat	+I enchaina	rechanta	+E arrachee	+X exarchat
tracheal	+P chenapan	ensachat	+G chargera	**AACEHRU**
+S lachates	+T enchanta	entanchas	+M chamarre	+F fauchera
+V chevalat	**AACEHNP**	etanchas	charmera	+G rauchage
AACEHLU	epancha	+T achetant	marchera	+L chaulera
+G chaulage	panache	entachat	remarcha	+M chaumera
+R chaulera	+E panachee	etanchat	+N acharner	+R rauchera
AACEHLV	+I epanchai	+U chanteau	+R arracher	**AACEHRV**
chevala	+L palanche	+V achevant	**AACEHRS**	+B bravache
+I chevalai	+N chenapan	**AACEHNU**	+B bacheras	+C cravache
+S chevalas	+R panacher	+T chanteau	rabaches	+D vacharde
+T chevalat	+S panaches	**AACEHNV**	+C cacheras	+E achevera
AACEHLZ	+T epanchat	+T achevant	+D charades	+S havresac
chalaze	+Z panachez	**AACEHNZ**	+F facheras	**AACEHRX**
+S chalazes	**AACEHNR**	+P panachez	+G chargeas	+T exarchat
AACEHMM	acharne	+R acharnez	gacheras	**AACEHRZ**
+N emmancha	echarna	**AACEHOR**	+H hacheras	+B rabachez
+S machames	+B banchera	+M amochera	+L charales	+N acharnez
AACEHMN	ebrancha	+T cahotera	harcelas	+R arrachez
+D demancha	+C echancra	**AACEHOT**	lacheras	**AACEHSS**
+I achemina	+E acharnee	+R cahotera	relachas	assecha
+M emmancha	+G archange	**AACEHPP**	+M macheras	+B bachasse
AACEHMO	changera	echappa	remachas	+C cachasse
+R amochera	+H hanchera	+I echappai	+N acharnes	+F fachasse
AACEHMR	harnache	+R rechappa	echarnas	+G chassage
machera	+I anarchie	+S echappas	+P echarpas	gachasse
remacha	chainera	+T echappat	+R arraches	+H hachasse
+I macherai	echarnai	**AACEHPR**	+S chassera	+I assechai
remachai	+P panacher	echarpa	rechassa	+L lachasse
+L marechal	+R acharner	rechapa	+T cathares	+M machasse
+O amochera	+S acharnes	+D chaparde	rachetas	+N enchassa
+R chamarre	echarnas	+I rechapai	tacheras	ensachas
charmera	+T chantera	+N panacher	+V havresac	+R chassera
marchera	echarnat	+P rechappa	**AACEHRT**	rechassa
remarcha	rechanta	+S echarpas	cathare	+S assechas
remachas	+Z acharnez	rechapas	racheta	+T assechat
+T remachat	**AACEHNS**	+T echarpat	tachera	tachasse
+U chaumera	ensacha	rechapat	+E achetera	**AACEHST**
AACEHMS	+G changeas	**AACEHPS**	+G chargeat	achetas
+B bachames	ganachas	apaches	+I chataire	+B bachates
+C cachames	+I achaines	+N epanchas	chatiera	+C cachates
+D chamades	ensachai	panaches	rachetai	cachetas
+F fachames	+P epanchas	+P echappas	tacherai	+D detachas
+G gachames	panachas	+R echarpas	+L harcelat	+F fachates
+H hachames	+R acharnes	rechapas	relachat	+G gachates
+L lachames	+S enchassa	+T patches	tracheal	+H hachates
+M machames	ensachas	**AACEHPT**	+M remachat	+I achetais
macheras	+T acanthes	patache	+N chantera	+L lachates
remachas	ensachat	+N epanchat	echarnat	+M machates
+S machasse	entanchas	+P echappat	rechanta	tachames
+T machates	etanchas	+R echarpat	+O cahotera	+N acanthes
tachames	**AACEHNT**	rechapat	+P echarpat	ensachat
AACEHMT	acanthe	+S patches	rechapat	entachas
+R remachat	entacha	**AACEHPU**	+R catarrhe	etanchas
+S machates	etancha	chapeau		+P pataches
tachames	+D dechanta	+X chapeaux		+R cathares
AACEHMU	+G changeat	**AACEHPX**		rachetas
chameau	chantage	+U chapeaux		tacheras
+B embaucha				+S assechat
				tachasse

+T attaches	+P rapiecai	elancait	recalait	+Z cavaliez
tachates	+R carierai	enlacait	**AACEILX**	**AACEILX**
tachetas	+S acierais	lacaient	+V calvaire	+M exclamai
AACEHSU	+T acierait	lacerai	cavalier	+O coaxiale
+B ebauchas	**AACEIIS**	clavaire	clavaire	**AACEILZ**
+D echaudas	+M emaciais	+V enclavai	claveri	+V cavaliez
AACEHSV	+R acierais	**AACEILO**	**AACEILS**	**AACEIMN**
achevas	**AACEIIT**	+S asociale	ecalais	menacai
+I achevais	+F acetifia	+X coaxiale	delacais	+B ambiance
avachies	+M emaciait	apicale	diaclase	+H achemina
+L chevalas	+R acierait	capelai	+F faciales	+L calamine
+R havresac	**AACEIJL**	+D deplacai	+L alliaces	+P emancipa
AACEHSZ	+U ejaculai	+R placerai	ecaillas	+R cinerama
+L chalazes	**AACEIJR**	replacai	+M amicales	+S mecanisa
AACEHTT	+T jacterai	+S apicales	camelias	menacas
achetat	**AACEIJT**	capelais	+N alsacien	+T camaient
attache	+R jacterai	+T capelait	canalise	emaciant
tacheta	**AACEIJU**	capitale	elancais	menacait
+C cachetat	+L ejaculai	**AACEILQ**	enlacais	**AACEIMP**
+D detachat	**AACEILL**	+U alcaique	+O asociale	+D decampai
+E attachee	alliace	**AACEILR**	+P apicales	+N emancipa
+I achetait	ecailla	calerai	capelais	+R camperai
tachetai	+E alliacee	eclaira	+R calerais	**AACEIMR**
+N achetant	+G caillage	lacerai	eclairas	camerai
entachat	glaciale	raciale	lacerais	macerai
etanchat	+H allechai	recalai	raciales	+D cadmiera
+R attacher	+I ecaillai	+B baclerai	recalais	+E emaciera
rachetat	+N alcaline	cablerai	scalaire	+H macherai
rattache	alliance	+C calcaire	salacite	remachai
+S attaches	+R caillera	+D caldeira	**AACEILT**	+L calmerai
tachates	racaille	declarai	ecalait	clamerai
tachetas	+S alliaces	dilacera	eclatai	maclerai
+T tachetat	ecaillas	radicale	+D decalai	reclamai
+Z attachez	+T ecaillat	+E ecalerai	delacait	+N cinerama
AACEHTU	**AACEILM**	+G argilace	+L ecaillat	+P camperai
chateau	amicale	glacerai	+M calamite	+R cramerai
+B ebauchat	camelia	+H chialera	+N alicante	+S camerais
+D echaudat	+B cambiale	harcelai	calaient	cariames
+N chanteau	+C accalmie	lacherai	calaient	macerais
+X chateaux	+D declamai	+I eclairai	elancait	+T camerait
AACEHTV	+N calamine	+L caillera	enlacait	macerait
achevat	+R calmerai	racaille	lacaient	**AACEIMS**
+I achevait	clamerai	+M calmerai	laitance	emacias
+L chevalat	maclerai	clamerai	+P capelait	+I emaciais
+N achevant	reclamai	maclerai	capitale	+L amicales
AACEHTX	+S amicales	reclamai	+R alacrite	camelias
+R exarchat	camelias	+N calinera	calerait	+N mecanisa
+U chateaux	+T calamite	lancerai	calterai	menacas
AACEHTZ	+X exclamai	relancai	eclairat	+R camerais
+T attachez	**AACEILN**	renaclai	lacerait	cariames
AACEHUX	elancai	+P placerai	lactaire	macerais
+M chameaux	enlacai	replacai	recalait	+U camaieus
+P chapeaux	+L alcaline	+R carrelai	+S eclatais	**AACEIMT**
+T chateaux	alliance	raclerai	salacite	emaciat
AACEIIL	canaille	+S calerais	+T eclatait	+I emaciait
+D acidalie	+M calamine	eclairas	+V clavetai	+L calamite
+L ecaillai	+R calinera	eclerais	**AACEILU**	+N camaient
+R eclairai	lancerai	raciales	+J ejaculai	emaciant
AACEIIM	relancai	recalais	+Q alcaique	menacait
emaciai	renaclai	scalaire	**AACEILV**	+R camerait
+S emaciais	+S alsacien	+T alacrite	+H chevalai	macerait
+T emaciait	canalise	calerait	+N enclavai	**AACEIMU**
AACEIIP	elancais	calterai	+R calvaire	camaieu
+R rapiecai	enlacais	eclairat	cavalier	+S camaieus
AACEIIR	+T alicante	lacerait	clavaire	+X camaieux
acierai	calaient	lactaire	claveri	**AACEIMX**
+L eclairai			+T clavetai	+L exclamai

+U camaieux
AACEINN
+D canadien
+H enchaina
+R cannerai
  enracina
+S caennais
+T canaient
AACEINP
+H epanchai
+M emancipa
+T capaient
AACEINQ
+U encaquai
AACEINR
  acarien
  canerai
  carenai
+B bancaire
  carabine
+C carencai
+D deracina
  encadrai
+F farinace
  fiancera
+H anarchie
  chainera
  echarnai
+L calinera
  lancerai
  relancai
  renaclai
+M cinerama
+N cannerai
  enracina
+R ancrerai
  cranerai
  nacrerai
  ricanera
+S acariens
  canerais
  carenais
  casanier
  casernai
  serancai
+T acierant
  canerait
  carenait
  carinate
  encartai
  tancerai
+V variance
AACEINS
  aisance
+D acadiens
+G agencais
+H achaines
  ensachai
+L alsacien
  canalise
  elancais
  enlacais
+M mecanisa
  menacais
+N caennais
+R acariens
  canerais

  carenais
  casanier
  casernai
  serancai
+S aisances
  encaissa
+T casaient
  estancia
+V encavais
AACEINT
+D decantai
+G agencait
+H entachai
  etanchai
+L alicante
  calaient
  elancait
  enlacait
  lacaient
  laitance
+M camaient
  emaciant
  menacait
+N canaient
+P capaient
+R acierant
  canerait
  carenait
  encartai
  tancerai
+S casaient
  estancia
+V cavaient
  cavatine
  encavait
  vaticane
AACEINU
+G ecanguai
+Q encaquai
+V caniveau
AACEINV
  encavai
+D devancai
+L enclavai
+R variance
+S encavais
+T cavaient
  cavatine
  encavait
  vaticane
+U caniveau
+Z avanciez
AACEINZ
+V avanciez
AACEIOR
+S acariose
AACEIOS
+L asociale
+R acariose
AACEIOX
+L coaxiale
AACEIPP
+H echappai
+R apprecia
AACEIPR
  caperai

  rapieca
+E capeerai
+F prefacai
+H echarpai
  rechapai
+I rapiecai
+L placerai
  replacai
+M camperai
+P apprecia
+S caperais
  rapiecas
+T caperait
  capterai
  rapacite
  rapiecat
AACEIPS
  capeais
+D decapais
+L apicales
  capelais
+R caperais
  rapiecas
+S espacais
+T espacait
+Y capeyais
AACEIPT
  capeait
+C acceptai
  capacite
+D decapait
  decapita
+L capelait
  capitale
+N capaient
+R caperait
  capterai
  rapacite
  rapiecat
+S espacait
+Y capeyait
AACEIPY
  capeyai
+S capeyais
+T capeyait
AACEIPZ
+G pacagiez
AACEIQR
+U caquerai
AACEIQT
+U caquetai
AACEIQU
+L alcaique
+N encaquai
+R caquerai
+T caquetai
AACEIRR
  cariera
+B cabrerai
+D cadrerai
  carderai
  recardai
+E acierera
+G graciera
+I carierai
+L carrelai

  raclerai
+M cramerai
+N ancrerai
  cranerai
  nacrerai
  ricanera
+R carrerai
+S carieras
  sacrerai
+T retracai
  tracerai
AACEIRS
  acieras
  caserai
  ecrasai
  recasai
+B caraibes
+D arcadies
  ascaride
+I acierais
+L calerais
  eclairas
  lacerais
  raciales
  recalais
  scalaire
+M camerais
  cariames
  macerais
+N acariens
  canerais
  carenais
  casanier
  casernai
  serancai
+O acariose
+P caperais
  rapiecas
+R carieras
  sacrerai
+S caressai
  cariasse
  caserais
  casserai
  ecrasais
  recasais
+T caraites
  cariates
  caserait
  cataires
  ecartais
  ecrasait
  recasait
+U causerai
  recausai
  saucerai
+V avarices
  caveras
AACEIRT
  acierat
  caraite
  cataire
  ecartai
+D decatira
+F cafterai
+H chataire
  chatiera

  rachetai
  tacherai
+I acierait
+J jacterai
+L alacrite
  calerait
  calterai
  eclairat
  lacerait
  lactaire
  recalait
+M camerait
  macerait
+N acierant
  canerait
  carenait
  carinate
  encartai
  tancerai
+P caperait
  capterai
  rapacite
  rapiecat
+R retracai
  tracerai
+S caraites
  cariates
  caserait
  cataires
  ecartais
  ecrasait
  recasait
+T ecartait
+U actuaire
  autarcie
+V activera
  caverait
  reactiva
AACEIRU
+Q caquerai
+S causerai
  recausai
  saucerai
+T actuaire
  autarcie
AACEIRV
  avarice
  caverai
+D caviarde
+L calvaire
  cavalier
  clavaire
  claverai
+N variance
+S avarices
  caverais
+T activera
  caverait
  reactiva
AACEISS
+D decaissa
+H assechai
+N aisances
  encaissa
+P espacais
+R caressai
  cariasse

caserais
casserai
ecrasais
recasais
AACEIST
+G sagacite
+H achetais
+L eclatais
salacite
+N casaient
estancia
+P espacait
+R caraites
cariates
caserait
cataires
ecartais
ecrasait
recasait
AACEISU
+F faisceau
+M camaieus
+R causerai
recausai
saucerai
+V evacuais
+X exaucais
AACEISV
+H achevais
avachies
+N encavais
+R avarices
caverais
+U evacuais
+X excavais
AACEISX
+U exaucais
+V excavais
AACEISY
+P capeyais
AACEITT
+F facettai
+H achetait
tachetai
+L eclatait
+R ecartait
AACEITU
+Q caquetai
+R actuaire
autarcie
+V evacuai
+X exaucait
AACEITV
+H achevait
+L clavetai
+N cavaient
cavatine
encavait
vaticane
+R activera
caverait
reactiva
+U evacuait
+X exaucait
AACEITX
+U exaucait
+V excavait

AACEITY
+P capeyait
AACEIUV
evacuai
+N caniveau
+S evacuais
+T evacuait
AACEIUX
exaucai
+M camaieux
+S exaucais
+T exaucait
AACEIVX
excavai
+S excavais
+T excavait
AACEIVZ
+L cavaliez
+N avanciez
AACEJLO
+R cajolera
AACEJLR
+O cajolera
AACEJLS
+U ejaculas
AACEJLT
+U ejaculat
AACEJLU
ejacula
+I ejaculai
+S ejaculas
+T ejaculat
AACEJMS
+T jactames
AACEJMT
+S jactames
AACEJNT
+C jactance
+D adjacent
AACEJOR
+L cajolera
AACEJRS
+S jacasser
+T jacteras
AACEJRT
jactera
+I jacterai
+S jacteras
AACEJSS
jacasse
+R jacasser
+S jacasses
+T jactasse
+Z jacassez
AACEJST
+M jactames
+R jacteras
+S jactasse
+T jactates
AACEJSU
+L ejaculas
AACEJSZ
+S jacassez
AACEJTT
+S jactates
AACEJTU
+L ejaculat

AACEKRT
+T racketta
AACEKTT
+R racketta
AACELLN
+I alcaline
alliance
canaille
AACELLO
+C cloacale
+S alcalose
AACELLR
+I caillera
racaille
AACELLS
+H allaches
allechas
+I alliaces
ecaillas
+O alcalose
AACELLT
+H allechat
+I ecaillat
AACELMM
+S calmames
clamames
maclames
AACELMN
+F flamenca
+I calamine
+O amoncela
monacale
+S lancames
+T calmante
AACELMO
+N amoncela
monacale
AACELMP
+E palmacee
+R remplaca
+S placames
AACELMR
calmera
caramel
clamera
maclera
reclama
+C acclamer
+H marechal
+I calmerai
clamerai
maclerai
reclamai
+P remplaca
+S calmeras
caramels
clameras
clamsera
macleras
raclames
reclamas
+T reclamat
+U maculera
AACELMS
calames
lacames
+B baclames

cablames
+C acclames
+D declamas
demascla
+E ecalames
+G calmages
glacames
maclages
+H lachames
+I amicales
camelias
+M calmames
clamames
maclames
+N lancames
+P placames
+R calmeras
caramels
clameras
clamsera
macleras
maclames
raclames
reclames
+S calmasse
clamasse
maclasse
+T calmates
caltames
clamates
lactames
maclates
+U emascula
+V clavames
+X exclamas
+Y amylaces
AACELMT
lactame
+D declamat
+I calamite
+N calmante
+R reclamat
+S calmates
caltames
clamates
lactames
maclates
+X exclamat
AACELMU
+G maculage
+R maculage
+S emascula
AACELMV
+E malvacee
+S clavames
AACELMX
exclama
+I exclamai
+S exclamas
+T exclamat
AACELMY
amylace
+E amylacee
+S amylaces
AACELMZ
+C acclamez
AACELNN
+T elancant

enlacant
AACELNO
+M amoncela
monacale
AACELNP
capelan
+H palanche
+S capelans
+T capelant
placenta
AACELNQ
+U calanque
AACELNR
lancera
relanca
renacla
+B balancer
+D calandre
+E elancera
enlacera
+I calinera
lancerai
relancai
renaclai
+S lanceras
relancas
renaclas
+T lacerant
recalant
relancat
renaclat
+U canulera
AACELNS
alcanes
elancas
enlacas
+B balances
bancales
+C cancales
+D candelas
scandale
+G lancages
+I alsacien
canalise
elancais
enlacais
+M lancames
+P capelans
+R lanceras
relancas
renaclas
+S lancasse
+T lancates
scalante
+V enclavas
AACELNT
ecalant
elancat
enlacat
+A catalane
+D decalant
delacant
+G glacante
+H chanlate
+I alicante
calaient
elancait

enlacait	capelas	raclages	+C acculera	lactames
lacaient	palaces	sarclage	+E lauracee	maclates
laitance	pascale	+H charales	+H chaulera	+N lancates
+M calmante	+B capables	harcelas	+M maculera	scalante
+N elancant	+D deplacas	lacheras	+N canulera	+P placates
enlancant	+G placages	relachas	+Q calquera	+R calteras
+P capelant	+I apicales	+I calerais	claquera	raclates
placenta	capelais	eclairas	craquela	+S caltasse
+R lacerant	+M placames	lacerais	+V cavaleur	lactases
recalant	+N capelans	raciales	AACELRV	+T caltates
relancat	+R placeras	recalais	cavaler	lactates
renaclat	replacas	scalaire	clavera	+V clavates
+S lancates	scalpera	+M calmeras	+A cavalera	clavetas
scalante	+S pascales	caramels	+G verglaca	+Y catalyse
+T eclatant	placasse	clameras	+I calvaire	AACELSU
+V cavalent	+T placates	clamsera	cavalier	causale
enclavat	AACELPT	macleras	clavaire	+D caudales
AACELNU	capelat	raclames	claverai	+J ejaculas
+Q calanque	+D deplacat	reclames	+S claveras	+M emascula
+R canulera	+I capelait	+N lanceras	+U cavaleur	+S causales
AACELNV	capitale	relancas	AACELRW	AACELSV
enclava	+N capelant	renaclas	+R crawlera	cavales
+I enclavai	placenta	+P placeras	AACELSS	+E cavalees
+S enclavas	+R paraclet	replacas	calasse	+H chevalas
+T cavalent	replacat	scalpera	lacasse	+M clavames
enclavat	+S placates	+R carrelas	salaces	+N enclavas
+Y valencay	AACELQR	racleras	+B baclasse	+O sacoleva
AACELNY	+U calquera	sarclera	cablasse	+R claveras
+V valencay	claquera	+S classera	cassable	+S clavasse
AACELNZ	craquela	raclasse	+C laccases	+T clavates
+B balancez	AACELQT	reclassa	+D declassa	clavetas
AACELOQ	+U claqueta	sacrales	+E ecalasse	AACELSX
+U aquacole	AACELQU	+T calteras	+G glacasse	+M exclamas
AACELOR	+D decalqua	raclates	+H lachasse	AACELSY
+C accolera	+G calquage	+V claveras	+M calmasse	+M amylaces
caracole	claquage	AACELRT	clamasse	+T catalyse
+G racolage	+I alcaique	caltera	maclasse	AACELSZ
+J cajolera	+N calanque	lacerat	+N lancasse	+H chalazes
+R racolera	+O aquacole	recalat	+P pascales	AACELTT
AACELOS	+R calquera	+B cartable	placasse	eclatat
+C coalesca	claquera	+D declarat	+R classera	lactate
+F afocales	craquela	+E ecarlate	raclasse	+I eclatait
+I asociale	+T claquera	ecartela	reclassa	+N eclatant
+L alcalose	AACELRR	eclatera	sacrales	+S caltates
+V sacoleva	carrela	+F calfater	+S calasses	lactates
AACELOU	raclera	fractale	lacasses	+V clavetat
+Q aquacole	+C carceral	+H harcelat	+T caltasse	+Y cattleya
AACELOV	+E lacerera	relachat	lactases	AACELTU
+S sacoleva	recalera	tracheal	+U causales	+E aculeate
AACELOX	+I carrelai	+I alacrite	+V clavasse	+J ejaculat
+I coaxiale	raclerai	calerait	AACELST	+Q claqueta
AACELPP	+O racolera	calterai	acetals	AACELTV
+R clappera	+S carrelas	eclairat	calates	claveta
AACELPR	racleras	lacerait	eclatas	+H chevalat
placera	sarclera	lactaire	lacates	+I clavetai
replaca	+T carrelat	recalait	lactase	+N cavalent
+D placarde	+W crawlera	+M reclamat	+B baclates	enclavat
+I placerai	AACELRS	+N lacerant	cablates	+S clavates
replacai	caleras	recalant	+E ecalates	clavetas
+M remplaca	laceras	relancat	+F calfates	+T clavetat
+P clappera	recalas	renaclat	+G glacates	AACELTX
+S placeras	sacrale	+P paraclet	+H lachates	+M exclamat
replacas	+B bacleras	replacat	+I eclatais	AACELTY
scalpera	cableras	+R carrelat	salacite	+S catalyse
+T paraclet	+D declaras	+S calteras	+M calmates	+T cattleya
replacat	+E ecaleras	raclates	caltames	AACELTZ
AACELPS	+G glaceras	AACELRU	clamates	+F calfatez

AACELUV
  claveau
+R cavaleur
+X claveaux
AACELUX
+B cableaux
+V claveaux
AACELVX
+U claveaux
AACELVY
+N valencay
AACELVZ
  cavalez
+I cavaliez
AACEMMN
+H emmancha
AACEMMP
+S campames
AACEMMR
  macrame
+S cramames
  macrames
AACEMMS
  camames
+H machames
+L calmames
  clamames
  maclames
+P campames
+R cramames
  macrames
AACEMNN
+S cannames
+T menacant
AACEMNO
+L amoncela
  monacale
AACEMNP
+G campagne
+I emancipa
AACEMNR
+E menacera
+I cinerama
+S ancrames
  cranames
  nacrames
+T macerant
AACEMNS
  canames
  menacas
+I mecanisa
  menacais
+L lancames
+N cannames
+R ancrames
  cranames
  nacrames
+T tancames
AACEMNT
  menacat
+I camaient
  emaciant
  menacait
+L lancames
+N menacant
+R macerant
+S tancames

AACEMNU
  manceau
+X manceaux
AACEMNX
+U manceaux
AACEMOR
+G amorcage
+H amochera
+R amorcera
AACEMOS
+T escamota
AACEMOT
+S escamota
AACEMPR
  campera
+I camperai
+L remplaca
+S camperas
AACEMPS
  capames
+D decampas
+E capeames
+L placames
+M campames
+R camperas
+S campasse
+T campates
  captames
AACEMPT
+D decampat
+S campates
  captames
AACEMQS
+U caquames
  macaques
AACEMQU
  macaque
+S caquames
AACEMRR
  cramera
+B cambrera
+E macerera
+H chamarre
  charmera
  marchera
  remarcha
+I cramerai
+O amorcera
+S carrames
AACEMRS
  cameras
  maceras
+B cabrames
  macabres
+D cadrames
  camardes
  cardames
+H macheras
  remachas
+I camerais
  cariames
  macerais
+L calmeras
  caramels
  clameras

  clamsera
  macleras
  raclames
  reclamas
+M cramames
  macrames
+N ancrames
  cranames
  nacrames
+P camperas
+R carrames
  crameras
+S cramache
  massacre
  sacrames
  sarcasme
+T cramates
  mascaret
  tracames
+V vacarmes
AACEMRT
  macerat
+H remachat
+I camerait
  macerait
+L reclamat
+N macerant
+S cramates
  mascaret
  tracames
AACEMRU
+H chaumera
+L maculera
+X macareux
AACEMRV
  vacarme
+S vacarmes
AACEMRX
+U macareux
AACEMSS
  camasse
  casames
+H machasse
+L calmasse
  clamasse
  maclasse
+P campasse
+R cramasse
  massacre
  sacrames
  sarcasme
+S camasses
  cassames
+U causames
  saucames
AACEMST
  camates
+E casemate
+F caftames
+H machates
  tachames
+J jactames
+L calmates
  caltames
  clamates
  lactames
  maclates

+N tancames
+O escamota
+P campates
  captames
+R cramates
  mascaret
  tracames
AACEMSU
+I camaieus
+L emascula
+Q caquames
  macaques
+S causames
  saucames
AACEMSV
  cavames
+L clavames
+R vacarmes
AACEMSX
+L exclamas
AACEMSY
+L amylaces
AACEMTX
+L exclamat
AACEMUX
+H chameaux
+I camaieux
+N manceaux
+R macareux
AACENNN
+E cananeen
AACENNO
+E anonacee
+U caouanne
AACENNP
+H chenapan
AACENNR
  cannera
+C cancaner
+I cannerai
  enracina
+S canneras
+T carenant
+U nuancera
AACENNS
+C cancanes
+G cannages
+I caennais
+M cannames
+R canneras
+S cannasse
+T cannates
AACENNT
+G agencant
+H enchanta
+I canaient
+L elancant
  enlacant
+M menacant
+R carenant
+S cannates
+V avancent
  encavant
AACENNU
+O caouanne
+R nuancera
AACENNV

+T avancent
  encavant
AACENNZ
+C cancanez
AACENOP
+S saponace
AACENOR
+D caronade
+T canotera
AACENOS
+G aconages
+P saponace
AACENOT
+G canotage
+R canotera
AACENOU
+N caouanne
AACENPR
+C pancrace
+H panacher
+S pancreas
+T pancarte
  partance
AACENPS
  canapes
+E panacees
+H epanchas
  panaches
+L capelans
+O saponace
+R espacant
+T espacant
AACENPT
  capeant
+D decapant
+G pacagent
+H epanchat
+I capaient
+L capelant
  placenta
+R pancarte
  partance
+S espacant
+Y capeyant
AACENPY
+T capeyant
AACENPZ
+H panachez
AACENQS
+U canaques
  encaquas
AACENQT
+U encaquat
AACENQU
  canaque
  encaqua
+I encaquai
+L calanque
+S canaques
  encaquas
+T encaquat
AACENRR
  ancrera
  cranera
  nacrera
+D canarder
  rancarde

rencarda
+E carenera
+H acharner
+I ancrerai
cranerai
nacrerai
ricanera
+S ancreras
craneras
nacreras
+T crantera
AACENRS
arcanes
caneras
carenas
caserna
rasance
seranca
+C carencas
+D canardes
dracenas
encadras
scandera
+E arenaces
+G ancrages
carnages
garances
+H acharnes
echarnas
+I acariens
canerais
carenais
casanier
casernai
serancai
+L lanceras
relancas
renaclas
+M ancrames
cranames
nacrames
+N canneras
+P pancreas
+R ancreras
craneras
nacreras
+S ancrasse
casernas
cranasse
crassane
encrassa
nacrasse
rasances
serancas
+T ancrates
casernat
cranates
ecrasant
encartas
encastra
nacrates
recasant
serancat
tanceras
+U anacruse
AACENRT
carenat

encarta
tancera
+C carencat
+D encadrat
+H chantera
echarnat
rechanta
+I acierant
canerait
carenait
carinate
encartai
tancerai
+L lacerant
recalant
relancat
renaclat
+M macerant
+N carenant
+O canotera
+P pancarte
partance
+R crantera
+S ancrates
casernat
cranates
ecrasant
encartas
encastra
nacrates
recasant
serancat
tanceras
+T ecartant
encartat
tracante
AACENRU
carneau
+L canulera
+N nuancera
+S anacruse
+X carneaux
AACENRV
avancer
+A avancera
caravane
+E encavera
+I variance
AACENRX
+U carneaux
AACENRZ
+D canardez
+H acharnez
AACENSS
canasse
+H enchassa
ensachas
+I aisances
encaissa
+L lancasse
+N cannasse
+R ancrasse
casernas
cranasse
crassane
encrassa
nacrasse

rasances
serancas
+S canasses
+T cassante
tancasse
AACENST
canates
+B bacantes
cabestan
+D decanats
decantas
+F cafetans
+H acanthes
ensachat
entachas
etanchas
+I casaient
estancia
+L lancates
scalante
+M tancames
+N cannates
+P espacant
+R ancrates
casernat
cranates
ecrasant
encartas
encastra
nacrates
recasant
serancat
tanceras
+S cassante
tancasse
+T cantates
tancates
+U causante
+V vacantes
AACENSU
+G ecanguas
+Q canaques
encaquas
+R anacruse
+T vacantes
AACENSV
avances
canevas
encavas
+C vacances
+D devancas
+I encavais
+L enclavas
+T vacantes
AACENTT
cantate
+D decantat
+H achetant
entachat
etanchat
+L eclatant
+R ecartant
encartat
tracante
+S cantates
tancates

AACENTU
+C accentua
+G ecanguat
+H chanteau
+Q encaquat
+S causante
+V evacuant
+X exaucant
AACENTV
encavat
vacante
+D devancat
+H achevant
+I cavaient
cavatine
encavait
vaticane
+L cavalent
enclavat
+N avancent
encavant
+S vacantes
+U evacuant
+X excavant
AACENTX
+U exaucant
+V evacuant
AACENTY
+P capeyant
AACENUV
+I caniveau
+T evacuant
AACENUX
+D decanaux
+M manceaux
+R carneaux
+T exaucant
AACENVX
+T excavant
AACENVY
+L valencay
AACENVZ
avancez
+I avanciez
AACEOPR
+T capotera
AACEOPS
+N saponace
AACEOPT
+D decapota
+G capotage
+R capotera
AACEOQU
+L aquacole
AACEORR
+L racolera
+M amorcera
AACEORS
+I acariose
+S coassera
AACEORT
+B acrobate
cabotera
+C accotera
+H cahotera
+N canotera
+P capotera

AACEORY
+C cacaoyer
AACEOSS
+R coassera
AACEOST
+C cacaotes
cacatoes
+M escamota
+V avocates
AACEOSV
+L sacoleva
+T avocates
AACEOTV
avocate
+S avocates
AACEPPR
+H rechappa
+I apprecia
+L clappera
AACEPPS
+H echappas
AACEPPT
+H echappat
AACEPQR
+U pacquera
AACEPQU
+G pacquage
+R pacquera
AACEPRS
caperas
rapaces
+E capeeras
espacera
+F prefacas
+G parcages
+H echarpas
rechapas
+I caperais
rapiecas
+L placeras
replacas
scalpera
+M camperas
+N pancreas
+T capteras
AACEPRT
captera
+A carapate
+F prefacat
+H echarpat
rechapat
+I caperait
capterai
rapacite
rapiecat
+L paraclet
replacat
+N pancarte
partance
+O capotera
+S capteras
AACEPRU
carpeau
+Q pacquera
+X carpeaux
AACEPRX
+U carpeaux

AACEPRY	**AACEQSS**	tracera	casernas	sacrates
+E capeyera	+U caquasse	+D recardat	cranasse	tracasse
AACEPSS	casaques	+E ecartera	crassane	+T tracates
capasse	**AACEQST**	+F refracta	encrassa	+U recausat
espacas	+U caquates	+H catarrhe	nacrasse	+V cravates
+E capeasse	caquetas	chatrera	rasances	**AACERSU**
+G capsages	**AACEQSU**	+I retracai	+O coassera	causera
+I espacais	casaque	tracerai	+R carrasse	euscara
+L pascales	+M caquames	+L carrelat	sacreras	recausa
placasse	macaques	+N crantera	+S carrates	saucera
+M campasse	+N canaques	+S carrates	carresses	+C accusera
+S capasses	encaquas	castrera	casseras	+I causerai
+T captasse	+R caqueras	retracas	casseras	recausai
AACEPST	caraques	traceras	rascasse	saucerai
capates	casquera	+T retracat	sacrasse	+N anacruse
espacat	sacquera	retracta	+T caressat	+Q caqueras
+C acceptas	+S caquasse	tractera	sacrates	caraques
+E capeates	casaques	+U arcature	tracasse	casquera
+G captages	+T caquates	+V cravater	+U causeras	sacquera
+H patches	caquetas	**AACERRU**	euscaras	+S causeras
+I espacait	**AACEQTT**	carreau	recausas	euscaras
+L placates	+U caquetat	+G carguera	+V crevassa	recausas
+M campates	**AACEQTU**	+H rauchera	**AACERST**	sauceras
captames	caqueta	+Q acquerra	carates	+T recausat
+N espacant	+I caquetai	craquera	ecartas	**AACERSV**
+R capteras	+L claqueta	+T arcature	ecrasat	caveras
+S captasse	+N encaquat	+X carreaux	recasat	+D cadavres
+T captates	+R craqueta	**AACERRV**	+B cabarets	+H havresac
AACEPSY	+S caquates	+T cravater	cabrates	+I avarices
capeyas	caquetas	**AACERRW**	+D cadastre	caverais
+I capeyais	+T caquetat	+L crawlera	cadrates	+L claveras
AACEPTT	**AACERRR**	**AACERRX**	cardates	+M vacarmes
+C acceptat	carrare	+U carreaux	+F cafteras	+S crevasse
+S captates	carrera	**AACERRZ**	+G tracages	+T cravates
AACEPTY	+H arracher	+H arrachez	+H cathares	**AACERTT**
capeyat	+I carrerai	**AACERSS**	rachetas	ecartat
+I capeyait	+S carrares	carasse	tacheras	+F artefact
+N capeyant	carreras	caressa	+I caraites	+H attacher
AACEPUX	**AACERRS**	caseras	cariates	rachetat
+H chapeaux	sacrera	cassera	caserait	rattache
+R carpeaux	+B cabreras	ecrasas	cataires	+I ecartait
AACEQRR	+D cadreras	recasas	ecartais	+K racketta
+U acquerra	carderas	+B barcasse	ecrasait	+N ecartant
craquera	recardas	cabrasse	recasait	encartat
AACEQRS	+E ecrasera	+C carcasse	+J jacteras	tracante
+U caqueras	recasera	+D cadrasse	+L calteras	+R retracat
caraques	+H arraches	cardasse	raclates	retracta
casquera	+I carieras	decrassa	+M cramates	tractera
sacquera	sacrerai	+F fracassa	mascaret	+S tracates
AACEQRT	+L carrelas	+H chassera	tracames	**AACERTU**
+U craquera	racleras	+I caressai	+N ancernat	+I actuaire
AACEQRU	sarclera	cariasse	cranates	autarcie
caquera	+M carrames	caserais	ecrasant	+Q craquera
caraque	crameras	casserai	encartas	+R arcature
+G craquage	+N ancreras	ecrasais	encastra	+S recausat
+I caquerai	craneras	recassai	nacrates	**AACERTV**
+L calquera	nacreras	+J jacasser	recasant	cravate
claquera	+R carrares	+L classera	serancat	+E cravatee
craquela	carreras	raclasse	tanceras	+I activera
+P pacquera	+S carrasse	reclassa	+P capteras	caverait
+R acquerra	sacreras	sacrales	+R carrates	reactiva
craquera	+T carrates	+M cramasse	castrera	+R cravater
+S caqueras	castrera	massacre	retracas	+S cravates
caraques	retracas	sacrames	traceras	+Z cravatez
casquera	traceras	sarcasme	+S caressat	**AACERTX**
sacquera	**AACERRT**	+N ancrasse		+H exarchat
+T craqueta	retraca			

AACERTZ	sauceras	+H attachez	+N flanchai	+T fiancait
+V cravatez	+S causasse	**AACETUV**	**AACFHIN**	**AACFIIO**
AACERUV	sausasse	evacuat	+L flanchai	+P opacifia
+E evacuera	+T causates	+I evacuait	**AACFHIR**	**AACFIIP**
+L cavaleur	saucates	+N evacuant	+E facherai	pacifia
AACERUX	+X casseaux	**AACETUX**	**AACFHIS**	+I pacifiai
arceaux	**AACESSV**	exaucat	fachais	+O opacifia
+E exaucera	cavasse	+H chateaux	+F affichas	+S pacifias
+M macareux	+L clavasse	+I exaucait	+U fauchais	+T pacifiat
+N carneaux	+R crevassa	+N exaucant	**AACFHIT**	**AACFIIR**
+P carpeaux	+S cavasses	**AACETVX**	fachait	+L clarifia
+R carreaux	**AACESSX**	excavat	+F affichat	+N africain
AACERVX	+U casseaux	+I excavait	+U fauchait	+R farcirai
+E excavera	**AACESSZ**	+N excavant	**AACFHIU**	+S sacrifia
AACERVZ	+J jacassez	**AACETVZ**	fauchai	scarifia
+T cravatez	**AACESTT**	+R cravatez	+F chauffai	**AACFIIS**
AACESSS	+E acetates	**AACEUVX**	+S fauchais	+N fascinai
casasse	+F caftates	caveaux	+T fauchait	fiancais
+G cassages	facettas	+L claveaux	**AACFHLN**	+P pacifias
+H assechas	+H attaches	**AACFFHI**	flancha	+R sacrifia
+J jacasses	tachates	afficha	+I flanchai	scarifia
+L calasses	tachetas	+I affichai	+S flanchas	+S fascisai
lacasses	+J jactates	+S affichas	+T flanchat	**AACFIIT**
+M camasses	+L caltates	+T affichat	**AACFHLS**	+E acetifia
cassames	lactates	+U chauffai	+N flanchas	+L facilita
+N canasses	+N cantates	**AACFFHS**	**AACFHLT**	+N fiancait
+P capasses	tancates	+I affichas	+N flanchat	+P pacifiat
+R carasses	+P captates	+U chauffas	**AACFHMS**	**AACFILN**
caressas	+R tracates	**AACFFHT**	+E fachames	+H flanchai
casseras	**AACESTU**	+I affichat	**AACFHNS**	**AACFILO**
rascasse	+N causante	+U chauffat	+L flanchas	+S focalisa
sacrasse	+Q caquates	**AACFFHU**	**AACFHNT**	**AACFILR**
+S casasses	+R recausat	chauffa	fachant	+I clarifia
cassasse	+S causates	+E echauffa	+L flanchat	**AACFILS**
+T cassates	**AACESTV**	+I chauffai	+U fauchant	+E faciales
+U caussasse	cavates	+S chauffas	**AACFHNU**	+O focalisa
saucasse	+L clavates	+T chauffat	+T fauchant	+T califats
+V cavasses	clavetas	**AACFFII**	**AACFHRS**	**AACFILT**
AACESST	+N vacantes	+H affichai	+E facheras	califat
casates	+O avocates	**AACFFIS**	**AACFHRU**	+A calfatai
casasse	+R cravates	+E effacais	+D fauchard	+I facilita
cassate	**AACESTX**	+H affichas	+E fauchera	+S califats
+B cabasset	+E taxacees	**AACFFIT**	**AACFHSS**	**AACFINN**
+F caftasse	**AACESTY**	+E affectai	+E fachasse	financa
+H assechat	+L catalyse	effacait	**AACFHST**	+I financai
tachasse	**AACESUV**	+H affichat	+E fachates	+O faconnai
+J jactasse	evacuas	**AACFFIU**	**AACFHSU**	+S financas
+L caltasse	+I evacuais	+H chauffai	fauchas	+T fiancant
lactases	**AACESUX**	**AACFFLS**	+F chauffas	financat
+N cassante	exaucas	+E esclaffa	+I fauchais	**AACFINO**
tancasse	+I exaucais	**AACFFNT**	**AACFHTU**	+N faconnai
+P captasse	+S exaucas	+E effacant	fauchat	**AACFINR**
+R caressat	**AACESVX**	**AACFFST**	+F chauffat	+E farinace
sacrates	excavas	+E affectas	+I fauchait	fiancera
tracasse	+I excavais	**AACFFSU**	+N fauchant	+I africain
+S cassates	**AACETTT**	+H chauffas	**AACFIII**	+S francais
+U causates	+F facettat	**AACFFTT**	+D acidifia	francisa
saucates	+H tachetat	+E affectat	+P pacifiai	**AACFINS**
AACESSU	**AACETTU**	**AACFFTU**	**AACFIIL**	fascina
casseau	+Q caquetat	+H chauffat	+R clarifia	fiancas
+L causales	**AACETTV**	**AACFGNU**	+T facilita	+I fascinai
+M causames	+L clavetat	+E fauchage	**AACFIIN**	fiancais
saucames	**AACETTY**	**AACFGST**	fiancai	+N financas
+Q caquasse	+L cattleya	+E factages	+N financai	+R francisa
casaques	**AACETTZ**	**AACFHII**	+R africain	francisa
+R causeras		+F affichai	+S fascinai	+S fascinas
euscaras		**AACFHIL**	fiancais	+T fascinat
recausas				

AACFINT
fiancat
+I fiancait
+N fiancant
financat
+S fascinat
AACFIOP
+I opacifia
AACFIOS
+L focalisa
AACFIPR
+E prefacia
AACFIPS
+I pacifias
AACFIPT
+I pacifiat
+T captatif
AACFIRR
farcira
+I farcirai
+S farciras
AACFIRS
+I sacrifia
scarifia
+N francais
francisa
+R farciras
+S fricassa
+U surfacai
AACFIRT
+E cafterai
+U facturai
AACFIRU
+S surfacai
+T facturai
AACFISS
fascias
fascisa
+I fascisai
+N fascinas
+R fricassa
+S fascisas
+T fascisat
AACFIST
caftais
+L califats
+N fascinat
+S fascisat
+U causatif
AACFISU
+E faisceau
+H fauchais
+R surfacai
+T causatif
AACFITT
caftait
+E facettai
+P captatif
AACFITU
+H fauchait
+R facturai
+S causatif
AACFIUX
faciaux
AACFLMN
+E flamenca
+O malfacon

AACFLMO
+N malfacon
+U camoufla
AACFLMU
+O camoufla
AACFLNO
+M malfacon
+R forlanca
AACFLNR
+O forlanca
AACFLNS
+H flanchas
AACFLNT
+H flanchat
AACFLOR
+N forlanca
AACFLOS
+E afocales
+I focalisa
AACFLOU
+M camoufla
AACFLRS
+T fractals
AACFLRT
fractal
+E calfater
fractale
+S fractals
AACFLST
calfats
+A calfatas
+E calfates
+I califats
+R fractals
AACFLTT
+A calfatat
AACFLTZ
+E calfatez
AACFMNO
+L malfacon
AACFMOU
+L camoufla
AACFMST
+E caftames
AACFNNO
faconna
+I faconnai
+S faconnas
+T faconnat
AACFNNS
+I financas
+O faconnas
AACFNNT
+I fiancant
financat
+O faconnat
AACFNOR
carafon
+L forlanca
+S carafons
AACFNOS
+N faconnas
+R carafons
AACFNOT
+N faconnat
AACFNRS
+I francais

francisa
+O carafons
AACFNSS
+I fascinas
AACFNST
caftans
+E cafetans
+I fascinat
AACFNTT
caftant
AACFNTU
+H fauchant
AACFORS
+N carafons
AACFOUX
afocaux
AACFPRS
+E prefacas
AACFPRT
+E prefacat
AACFPTT
+I captatif
AACFRRS
+I farciras
AACFRRT
+E refracta
+U fractura
AACFRRU
+T fractura
AACFRSS
+A fracassa
+E fracasse
+I fricassa
+U surfacas
AACFRST
+E cafteras
+L fractals
+U facturas
surfacat
AACFRSU
surfaca
+D faucards
+I surfacai
+S surfacas
+T facturas
surfacat
AACFRTT
+E artefact
+U facturat
AACFRTU
factura
+I facturai
+R fractura
+S facturas
surfacat
+T facturat
AACFSSS
+I fascisas
AACFSST
+E caftasse
+I fascisat
AACFSSU
+R surfacas
AACFSTT
+E caftates
facettas
AACFSTU

+I causatif
+R facturas
AACFTTT
+E facettat
AACFTTU
+R facturat
AACGGHS
+E gachages
AACGGLS
+E glacages
AACGHHS
+E hachages
AACGHII
+U aguichai
AACGHIN
achigan
+E chainage
changeai
+R chagrina
+S achigans
AACGHIO
+U gouachai
AACGHIR
+E chargeai
gacherai
+N chagrina
+U gauchira
AACGHIS
gachais
+N achigans
+U aguichas
AACGHIT
gachait
+U aguichat
AACGHIU
aguicha
+I aguichai
+O gouachai
+R gauchira
+S aguichas
+T aguichat
AACGHLM
+E malgache
AACGHLS
+E lachages
AACGHLT
+U galuchat
AACGHLU
+E chaulage
+T galuchat
AACGHMS
+E gachames
AACGHMU
+E chaumage
AACGHNR
+E archange
changera
+I chagrina
AACGHNS
+E changeas
ganaches
+I achigans
AACGHNT
gachant
+E changeat
chantage

AACGHOP
+S gaspacho
AACGHOS
+P gaspacho
+U gouachas
AACGHOT
+U gouachat
AACGHOU
gouacha
+I gouachai
+S gouachas
+T gouachat
AACGHPS
+O gaspacho
AACGHRR
+E chargera
AACGHRS
+E chargeas
gacheras
AACGHRT
+E chargeat
AACGHRU
+E rauchage
+I gauchira
AACGHSS
+E chassage
gachasse
AACGHST
+E gachates
AACGHSU
+I aguichas
+O gouachas
AACGHTU
+I aguichat
+L galuchat
+O gouachat
AACGIIM
+R grimacai
AACGIIR
graciai
+M grimacai
+S graciais
+T graciait
AACGIIS
+R graciais
AACGIIT
+R graciait
AACGIIU
+H aguichai
AACGILL
glacial
+E caillage
glaciale
+N gallican
+S glacials
AACGILN
+L gallican
+N anglican
AACGILO
gaiacol
+S gaiacols
+U coagulai
AACGILR
+E argilace
glacerai
AACGILS
glacais

+L glacials
+O gaiacols
AACGILT
glacait
AACGILU
+O coagulai
+X glaciaux
AACGILX
+U glaciaux
AACGIMR
grimaca
+I grimacai
+S grimacas
+T grimacat
AACGIMS
+R grimacas
AACGIMT
+R grimacat
AACGINN
+L anglican
AACGINO
+S agacions
AACGINR
+D cardigan
+H chagrina
+T graciant
AACGINS
+E agencais
+H achigans
+O agacions
AACGINT
+A caatinga
+E agencait
+R graciant
AACGINU
+E ecanguai
AACGIOS
+L gaiacols
+N agacions
AACGIOU
+H gouachai
+L coagulai
AACGIPZ
+E pacagiez
AACGIRR
+E graciera
AACGIRS
agarics
gracias
+I graciais
+M grimacas
+U carguais
AACGIRT
graciat
+I graciait
+M grimacat
+N graciant
+U carguait
AACGIRU
carguai
+H gauchira
+S carguais
+T carguait
AACGIST
+E sagacite
AACGISU
+H aguichas

+R carguais
AACGITU
+H aguichat
+R carguait
AACGIUX
+L glaciaux
AACGLLN
+I gallican
AACGLLS
+I glacials
AACGLMS
+E calmages
glacames
AACGLMU
+E maculage
AACGLNN
+I anglican
AACGLNS
+E lancages
+T glacants
AACGLNT
glacant
+E glacante
+S glacants
AACGLOR
+E racolage
AACGLOS
+I gaiacols
+U coagulas
AACGLOT
+U coagulat
AACGLOU
coagula
+I coagulai
+S coagulas
+T coagulat
AACGLPS
+E placages
AACGLQU
+E calquage
claquage
AACGLRS
+E glaceras
raclages
sarclage
AACGLRV
+E verglaca
AACGLSS
+E glacasse
AACGLST
+E glacates
+N glacants
AACGLSU
+O coagulas
AACGLTU
+H galuchat
+O coagulat
AACGLUX
+I glaciaux
AACGMNP
+E campagne
AACGMNT
+A armagnac
AACGMOR
+E amorcage
AACGMRS

+I grimacas
AACGMRT
+I grimacat
AACGNNS
+E cannages
AACGNNT
+E agencant
AACGNOS
agacons
+D cadogans
+E aconages
+I agacions
+T catogans
+U guanacos
AACGNOT
catogan
+E canotage
+S catogans
AACGNOU
guanaco
+S guanacos
AACGNPT
+E pacagent
AACGNRS
+E ancrages
carnages
garances
AACGNRT
+I graciant
+U carguant
AACGNRU
+T carguant
AACGNST
+A agacants
+L glacants
+O catogans
AACGNSU
+E ecanguas
+O guanacos
AACGNTU
+E ecanguat
+R carguant
AACGOPS
+H gaspacho
AACGOPT
+E capotage
AACGOST
+N catogans
AACGOSU
+H gouachas
+L coagulas
+N guanacos
AACGOTU
+H gouachat
+L coagulat
AACGPQU
+E pacquage
AACGPRS
+E parcages
AACGPSS
+E capsages
AACGPST
+E captages
AACGQRU
+E craquage
AACGRRU
+E carguera

AACGRST
+E tracages
AACGRSU
+I carguais
AACGRTU
carguat
+I carguait
+N carguant
AACGSSS
+E cassages
AACHHIN
hanchai
+S hanchais
+T hanchait
AACHHIR
+E hacherai
+U hachurai
AACHHIS
hachais
+N hanchais
AACHHIT
hachait
+N hanchait
+U chahutai
AACHHIU
+R hacherai
+T chahutai
AACHHMS
+E hachames
AACHHNN
AACHHNR
+A harnacha
+E hanchera
harnache
AACHHNS
hanchas
+I hanchais
AACHHNT
hachant
hanchat
+I hanchait
+N hanchant
AACHHRS
+E hacheras
+U hachuras
AACHHRT
+U hachurat
AACHHRU
hachura
+I hachurai
+S hachuras
+T hachurat
AACHHSS
+E hachasse
AACHHST
+E hachates
+U chahutas
AACHHSU
+R hachuras
+T chahutas
AACHHTT
+U chahutat
AACHHTU
chahuta
+I chahutai

+R hachurat
+S chahutas
+T chahutat
AACHIIL
chialai
+S chialais
+T chialait
AACHIIM
+N machinai
AACHIIN
chainai
+C chicanai
+M machinai
+S chainais
+T chainait
AACHIIR
+R charriai
+V archivai
chavirai
AACHIIS
+D chiadais
+L chialais
+N chainais
+T chatiais
AACHIIT
chatiai
+D chiadait
+L chialait
+N chainait
+S chatiais
+T chatiait
AACHIIU
+G aguichai
AACHIIV
+R archivai
chavirai
AACHIKL
+P pachalik
AACHIKN
+T katchina
AACHIKP
+L pachalik
AACHIKT
+N katchina
AACHILL
+E allechai
AACHILM
+N machinal
AACHILN
+D chandail
+F flanchai
+M machinal
+P planchai
+T chialant
AACHILO
+T talochai
AACHILP
+K pachalik
+N planchai
AACHILR
+B brachial
+E chialera
harcelai
lacherai
relachai
AACHILS
chialas

lachais
+B chablais
+I chialais
+U chaulais
AACHILT
chialat
lachait
+B chablait
+I chialait
+N chialant
+O talochai
+U chaulait
AACHILU
chaulai
+S chaulais
+T chaulait
AACHILV
+E chevalai
AACHIMN
machina
+E achemina
+I machinai
+L machinal
+S machinais
+T machinat
AACHIMO
amochai
+S amochais
chamoisa
+T amochait
AACHIMR
charmai
marchai
+B chambrai
+E macherai
remachai
+S charmais
marchais
+T charmait
marchait
+U machurai
AACHIMS
chiasma
machais
+N machinas
+O amochais
chamoisa
+R charmais
marchais
+S chiasmas
+U chaumais
AACHIMT
machait
+N machinat
+O amochait
+R charmait
marchait
+U chaumait
AACHIMU
chaumai
+R machurai
+S chaumais
+T chaumait
AACHINN
+E enchaina
+T chainant
AACHINP

+A panachai
+D handicap
+E epanchai
+L planchai
AACHINR
+A acharnai
+B branchai
+C chancira
crachina
+E anarchie
chainera
echarnai
+G chagrina
+T antichar
tranchai
AACHINS
chainas
+B banchais
+C chicanas
+E achaines
ensachai
+G achigans
+H hanchais
+I chainais
+M machinas
+T chantais
chatains
tachinas
AACHINT
chainat
chantai
chatain
tachina
+B banchait
+C chicanat
+D chiadant
+E entachai
etanchai
+H hanchait
+I chainait
+K katchina
+L chialant
+M machinat
+N chainant
+R antichar
tranchai
+S chantais
chatains
+T chantait
chatiant
AACHIOP
+P achoppai
AACHIOR
+T chariota
AACHIOS
+M amochais
chamoisa
+T cahotais
AACHIOT
cahotai
+B bachotai
cohabita
+L talochai
+M amochait
+R chariota
+S cahotais

+T cahotait
+Y chatoyai
AACHIOU
+B abouchai
+G gouachai
AACHIOV
+T chatoyai
AACHIPP
+E echappai
+O achoppai
AACHIPR
+E echarpai
rechapai
+T chapitra
AACHIPS
+T pasticha
AACHIPT
+R chapitra
+S pasticha
AACHIRR
charria
+A arrachai
+I charriai
+S arrachis
charrias
+T charriat
AACHIRS
charias
+C crachais
+M charmais
marchais
+R arrachis
charrias
+T chatrais
+U rauchais
+V archivas
chaviras
AACHIRT
chatrai
+C crachait
+E chataire
chatiera
rachetai
tacherai
+M charmait
marchait
+N antichar
tranchai
+O chariota
+P chapitra
+R charriat
+S chatrais
+T chatrait
+U rauchait
+V archivat
chavirat
AACHIRU
rauchai
+G gauchira
+H hachurai
+M machurai
+S rauchais
+T rauchait
AACHIRV
archiva
avachir
chavira

+A avachira
+I archivai
chaviari
+S archivas
chaviras
+T chavirai
chavirat
AACHISS
chassai
+E assechai
+M chiasmas
+S chassais
+T chassait
+U chaussai
AACHIST
chatias
tachais
+E achetais
+I chatiais
+N chantais
chatains
tachinas
+O cahotais
+P pasticha
+R chatrais
+S chassait
AACHISU
+F fauchais
+G aguichas
+L chaulais
+M chaumais
+R rauchais
+S chaussai
AACHISV
avachis
+E achevais
avachies
+R archivas
chaviras
AACHITT
chatiat
tachait
+A attachai
+E achetait
tachetai
+I chatiait
+N chantait
chatiant
+O cahotait
+R chatrait
AACHITU
+F fauchait
+G aguichat
+H chahutai
+L chaulait
+M chaumait
+R rauchait
AACHITV
avachit
+E achevait
+R archivat
chavirat
AACHITY
+O chatoyai
AACHKLP
+I pachalik
AACHKNT

+I katchina
AACHKPS
chapkas
chapska
+S chapskas
AACHKSS
+P chapskas
AACHLLS
+E allaches
allechas
AACHLLT
+E allechat
AACHLMN
+A almanach
+I machinal
AACHLMO
+S chloasma
AACHLMR
+E marechal
AACHLMS
+E lachames
+O chloasma
AACHLNP
plancha
+E palanche
+I planchai
+S planchas
+T planchat
AACHLNS
+D chalands
+F flanchas
+P planchas
AACHLNT
lachant
+B chablant
+E chanlate
+F flanchat
+I chialant
+P planchat
+U chaulant
AACHLNU
+T chaulant
AACHLOP
+U chaloupa
AACHLOS
+M chloasma
+T talochas
AACHLOT
talocha
+C cachalot
+I talochai
+S talochas
+T talochat
AACHLOU
+P chaloupa
AACHLPS
+N planchas
AACHLPT
+N planchat
AACHLPU
+O chaloupa
AACHLRS
+E charales
harcelas
lacheras
relachas

AACHLRT
+E harcelat
  relachat
  tracheal
AACHLRU
+E chaulera
AACHLSS
+E lachasse
AACHLST
+E lachates
+O talochas
+Z szlachta
AACHLSU
  chaulas
+I chaulais
AACHLSV
+E chevalas
AACHLSZ
+E chalazes
+T szlachta
AACHLTT
+O talochat
AACHLTU
  chaulat
+G galuchat
+I chaulait
+N chaulant
AACHLTV
+E chevalat
AACHLTZ
+S szlachta
AACHMMN
+E emmancha
AACHMMS
+E machames
AACHMNN
+O machonna
AACHMNO
  machaon
+N machonna
+S machaons
+T amochant
AACHMNR
+D marchand
+T charmant
  marchant
AACHMNS
  chamans
+I . machinas
+O machaons
AACHMNT
  machant
+I machinat
+O amochant
+R charmant
  marchant
+U chaumant
+Y yachtman
AACHMNU
+T chaumant
AACHMNY
+T yachtman
AACHMOR
+E amochera
+T achromat
AACHMOS
  amochas

+I amochais
  chamoisa
+L chloasma
+N machaons
AACHMOT
  amochat
+I amochait
+N amochant
+R achromat
AACHMPR
+T champart
AACHMPT
+R champart
AACHMRR
+A chamarra
+E chamarre
  charmera
  marchera
  remarcha
AACHMRS
  charmas
  marchas
+B chambras
+E macheras
  remachas
+I charmais
  marchais
+U machuras
AACHMRT
  charmat
  marchat
+B chambrat
+E remachat
+I charmait
  marchait
+N charmant
  marchant
+O achromat
+P champart
+U machurat
AACHMRU
  machura
+D chaumard
+E chaumera
+I machurai
+S machuras
+T machurat
AACHMSS
+E machasse
+I chiasmas
AACHMST
+E machates
  tachames
AACHMSU
  chaumas
+I chaumais
+R machuras
AACHMTU
  chaumat
+I chaumait
+N chaumant
+R machurat
AACHMTY
+N yachtman
AACHMUX
+E chameaux
AACHNNO

  chantas
  sachant
AACHNNP
+E chenapan
+O chaponna
AACHNNT
+B banchant
+E enchanta
+H hanchant
+I chainant
+T chantant
AACHNOP
+N chaponna
+T patachon
AACHNOS
+M machaons
AACHNOT
+M amochant
+P patachon
+T cahotant
AACHNPR
+E panacher
AACHNPS
+A panachas
+E epanchas
  panaches
+L planchas
AACHNPT
+A panachat
+E epanchat
+L planchat
+O patachon
AACHNPZ
+E panachez
AACHNRR
+E acharner
AACHNRS
+A acharnas
+B branchas
+E acharnes
  echarnas
+T tranchas
AACHNRT
  trancha
+A acharnat
+B branchat
+C crachant
+E chantera
  echarnat
  rechanta
+I antichar
  tranchai
+M charmant
  marchant
+S tranchas
+T chatrant
  tranchat
+U rauchant
AACHNRU
+T rauchant
AACHNRZ
+E acharnez
AACHNSS
+E enchassa
  ensachas
+T chassant
AACHNST

  chantas
  sachant
+E acanthes
  ensachat
  entachas
  etanchas
+I chantais
  chatains
  tachinas
+R tranchas
+S chassant
AACHNTT
  chantat
  tachant
+E achetant
  entachat
  etanchat
+I chantait
+N chantant
+O cahotant
+R chatrant
  tranchat
AACHNTU
+E chanteau
+F fauchant
+L chaulant
+M chaumant
+R rauchant
AACHNTV
+E achevant
AACHNTY
+M yachtman
AACHOPP
  achoppa
+I achoppai
+R approcha
+S achoppas
+T achoppat
AACHOPR
+P approcha
AACHOPS
+G gaspacho
+P achoppas
AACHOPT
+N patachon
+P achoppat
AACHOPU
+L chaloupa
AACHORR
+Y charroya
AACHORT
+C crachota
+E cahotera
+I chariota
+M achromat
AACHORY
+R charroya
AACHOST
  cahotas
+B bachotas
+I cahotais
+L talochas
+Y chatoyas
AACHOSU
+B abouchas
+G gouachas

AACHOSY
+T chatoyas
AACHOTT
  cahotat
+B bachotat
+I cahotait
+L talochat
+N cahotant
+Y chatoyat
AACHOTU
+B abouchat
+G gouachat
AACHOTY
  chatoya
+I chatoyai
+S chatoyas
+T chatoyat
AACHPPR
+E rechappa
+O approcha
AACHPPS
+E echappas
+O achoppas
AACHPPT
+E echappat
+O achoppat
AACHPRS
+E echarpas
  rechapas
AACHPRT
+E echarpat
  rechapat
+I chapitra
+M champart
AACHPSS
+K chapskas
AACHPST
+E pataches
+I pasticha
AACHPUX
+E chapeaux
AACHRRR
+E arracher
AACHRRS
+A arrachas
+E arraches
+I arrachis
  charrias
AACHRRT
+A arrachat
+E catarrhe
  chatrera
+I charriat
AACHRRU
+E rauchera
AACHRRY
+O charroya
AACHRRZ
+E arrachez
AACHRSS
+E chassera
  rechassa
AACHRST
  chatras
  rachats
+C crachats
  scratcha

+E cathares
   rachetas
   tacheras
+I chatrais
+N tranchas
AACHRSU
   rauchas
+H hachuras
+I rauchais
+M machuras
AACHRSV
+D vachards
+E havresac
+I archivas
   chaviras
AACHRTT
   chatrat
+A rattacha
+E attacher
   rachetat
   rattache
+I chatrait
+N chatrant
   tranchat
AACHRTU
   rauchat
+C charcuta
+H hachurat
+I rauchait
+M machurat
+N rauchant
AACHRTV
+I archivat
   chavirat
AACHRTX
+E exarchat
AACHSSS
   chassas
+E assechas
+I chassais
+U chaussas
AACHSST
   chassat
+E assechat
   tachasse
+I chassait
+N chassant
+U chaussat
AACHSSU
   chaussa
+I chaussai
+S chaussas
+T chaussat
AACHSTT
+A attachas
+E attaches
   tachates
   tachetas
AACHSTU
+H chahutas
+S chaussat
AACHSTY
+O chatoyas
AACHSTZ
+L szlachta
AACHTTT
+A attachat

+E tachetat
AACHTTU
+H chahutat
AACHTTY
+O chatoyat
AACHTTZ
+E attachez
AACHTUX
+E chateaux
AACIIIL
+S laicisai
AACIIIP
+F pacifiai
AACIIIS
+L laicisai
AACIILL
   caillai
+E ecaillai
+R craillai
   criailla
+S caillais
   cisailla
+T caillait
+V vacillai
AACIILM
+N inamical
+R calmirai
AACIILN
   calinai
+C calcinai
+M inamical
+N lancinai
+S calinais
+T calinait
AACIILO
+S coalisai
+V violacai
AACIILR
+B calibrai
+E eclairai
+F clarifia
+L craillai
   criailla
+M calmirai
+V vicarial
AACIILS
   laicisa
+H chialais
+I laicisai
+L caillais
   cisailla
+N calinais
+O coalisai
+S laicisas
+T laicisat
AACIILT
+F facilita
+H chialait
+L caillait
+N calinait
+S laicisat
AACIILV
+L vacillai
+O violacai
+R vicarial
AACIIMN
+H machinai

+L inamical
+R amincira
AACIIMR
+G grimacai
+L calmirai
+N amincira
+T matricai
AACIIMS
+D cadmiais
+E emaciais
AACIIMT
+D cadmiait
+E emaciait
+R matricai
AACIINN
+F financai
+L lancinai
+R incarnai
AACIINP
+T anticipa
AACIINR
   ricanai
+D candirai
+F africain
+M amincira
+N incarnai
+R rancirai
+S ricanais
+T ricanait
+V vaincrai
AACIINS
+F fascinai
   fiancais
+H chainais
+L calinais
+R ricanais
AACIINT
+F fiancait
+H chainait
+L calinait
+P anticipa
+R incanait
+V inactiva
   vaticina
AACIINV
+C vaccinai
+R vaincrai
+T inactiva
   vaticina
AACIIOP
+F opacifia
AACIIOS
+L coalisai
+S associai
AACIIOT
+V octaviai
AACIIOV
+L violacai
+T octaviai
AACIIPR
+E rapiecai
AACIIPS
+F pacifias
+T pactisai
AACIIPT
+F pacifiat
+N anticipa

+S pactisai
+V captivai
AACIIPV
+T captivai
AACIIRR
+E carierai
+F farcirai
+H charriai
+N rancirai
AACIIRS
   cariais
+E acierais
+F sacrifia
   scarifia
AACIIRT
   cariait
+E acierait
+G graciai
+M matricai
+N ricanait
+V vicariat
AACIIRV
+H archivai
   chavirai
+L vicarial
+N vaincrai
+T vicariat
AACIISS
+F fascisai
+L laicisas
+O associai
AACIIST
+H chatiais
+L laicisat
+P pactisai
+V activais
AACIISV
+T activais
AACIITT
+H chatiait
+V activait
AACIITV
   activait
+N inactiva
   vaticina
+O octaviai
+P captivai
+S activais
+T activait
AACIJLO
   cajolai
+S cajolais
+T cajolait
AACIJLS
+O cajolais
AACIJLT
+O cajolait
AACIJLU
+E ejaculai
AACIJOS
+L cajolais
AACIJOT
+L cajolait
AACIJRT

+E jacterai
AACIJSS
+A jacassai
AACIJST
   jactais
AACIJTT
   jactait
AACIKLP
+H pachalik
AACIKNT
+H katchina
AACILLN
   alcalin
+E alcaline
   alliance
   canaille
+G gallican
+S alcalins
+T caillant
AACILLO
+S localisa
AACILLR
   crailla
+E caillera
   racaille
+I craillai
   criailla
+S craillas
+T craillat
AACILLS
   alcalis
   caillas
+E alliaces
   ecaillas
+G glacials
+I caillais
   cisailla
+N alcalins
+O localisa
+R craillas
+V vacillas
AACILLT
   caillat
+E ecaillat
+I caillait
+N caillant
+R craillat
+V vacillat
AACILLU
+B cabillau
+C calculai
AACILLV
   vacilla
+I vacillai
+S vacillas
+T vacillat
AACILMN
+A calamina
+E calamine
+H machinal
+I inamical
+O calomnia
AACILMO
+N calomnia
+T colmatai
AACILMR
   calmira

+E calmerai	+I calinais	+I violacai	+N clarains	vocalisa
clamerai	+L alcalins	+S violacas	+O racolais	**AACILSW**
maclerai	+N lancinas	vocalisa	+S sarclais	+R crawlais
reclamai	+O calaison	+T violacat	+T sarclait	**AACILTT**
+I calmirai	+R clarains	**AACILOX**	+W crawlais	caltait
+S calmiras	+U canulais	coaxial	**AACILRT**	+E eclatait
AACILMS	**AACILNT**	+E coaxiale	raclait	+O calottai
calmais	calinat	**AACILOZ**	+B calibrat	**AACILTU**
camails	lancait	+D zodiacal	+E alacrite	+C acculait
clamais	+C calcinat	**AACILPP**	calerait	+H chaulait
clamsai	+E alicante	clappai	calterai	+M maculait
maclais	calaient	+S clappais	eclairat	+N canulait
+B alambics	enlacait	+T clappait	lacerait	+P capitula
+E amicales	lacaient	**AACILPR**	lactaire	+Q calquait
camelias	laitance	+E placerai	recalait	claquait
+R calmiras	+H chialant	replacai	+L craillat	+R articula
+S clamsais	+I calinait	**AACILPS**	+O racolait	**AACILTV**
+T clamsait	+L caillant	placais	+S sarclait	clavait
+U maculais	+N calinant	scalpai	+U articula	+A cavalait
AACILMT	lancinat	+E apicales	+W crawlait	+E clavetai
calmait	+U canulait	capelais	**AACILRU**	+L vacillat
clamait	**AACILNU**	+P scalpais	+T articula	+O violacat
maclait	canulai	+S scalpais	**AACILRV**	**AACILTW**
+E calamite	+S canulais	+T scalpait	+E calvaire	+R crawlait
+O colmatai	+T canulait	+U capsulai	cavalier	**AACILUX**
+S clamsait	**AACILNV**	**AACILPT**	clavaire	+G glaciaux
+U maculait	+C vaccinal	capital	claverai	**AACILVZ**
AACILMU	+E enclavai	placait	+I vicarial	+E cavaliez
maculai	**AACILOP**	+E capelait	**AACILRW**	**AACIMMN**
+D caladium	+T clapotai	capitale	crawlai	+O ammoniac
+S maculais	**AACILOR**	+O clapotai	+S crawlais	**AACIMMO**
+T maculait	racolai	+P clappait	+T crawlait	+N ammoniac
AACILMX	+B cabriola	+S scalpait	**AACILSS**	**AACIMMN**
+E exclamai	+S racolais	+U capitula	classai	+O camionna
AACILNN	+T racolait	**AACILPU**	+I laicisas	maconnai
lancina	**AACILOS**	+S capsulai	+M clamsais	**AACIMNO**
+G anglican	asocial	+T capitula	+O coalisas	+L calomnia
+I lancinai	coalisa	**AACILQS**	+P scalpais	+M ammoniac
+O canonial	+C accolais	+U calquais	+R sarclais	+N camionna
+S lancinas	+E asociale	claquais	+S classais	maconnai
+T calinant	+F focalisa	**AACILQU**	+T classait	+R macaroni
lancinat	+G gaiacols	calquai	**AACILST**	marocain
AACILNO	+I coalisai	claquai	caltais	romancai
+D diaconal	+J cajolais	+E alcaique	laicats	**AACIMNR**
+M calomnia	+L localisa	+S calquais	+E eclatais	+E cinerama
+N canonial	+N calaison	+T calquais	salacite	+I amincira
+S calaison	+R racolais	claquait	+F califats	+O macaroin
AACILNP	+S coalisas	**AACILRR**	+I laicisat	marocain
+H planchai	+T coalisat	+E carrelai	+M clamsait	romancai
AACILNR	+V violacas	raclerai	+O coalisat	**AACIMNS**
clarain	**AACILOT**	**AACILRS**	+P scalpait	caimans
racinal	+B clabotai	clarias	+R sarclait	+E mecanisa
+D cardinal	+C accolait	raclais	+S classait	menacais
+E calinera	+H talochai	sarclai	**AACILSU**	+H machinas
lancerai	+J cajolait	+B calibras	+B basculai	**AACIMNT**
relancai	+M colmatai	+E calerais	+C acculais	+D cadmiant
renaclai	+P clapotai	eclairas	+H chaulais	+E camaient
+S clarains	+R racolait	lacerais	+M maculais	emaciant
AACILNS	+S coalisat	raciales	+N canulais	menacait
calinas	+V violacat	recalais	+P capsulai	+H machinat
lancais	**AACILOU**	scalaire	+Q calquais	**AACIMOP**
+A canalisa	+G coagulai	+L craillas	claquais	+R comparai
+C calcinas	**AACILOV**	+M calmiras	**AACILSV**	**AACIMOR**
+E alsacien	violaca		clavais	amorcai
canalise			+A cavalais	+N macaroni
elancais			+L vacillas	
enlacais			+O violacas	

```
        marocain    +B  cambiaux              canotai    +V  vaincras   AACINTT
        romancai    +E  camaieux    +B  cabotina   AACINRT               tancait
+P  comparai   AACINNN         +C  accointa            ancrait    +H  chantait
+S  amorcais    +O  annonnai    +D  diaconat           cariant         chatiant
+T  amorcait        canonnai    +N  actionna           cranait    +O  canotait
AACIMOS        AACINNO          +R  racontai           crantai    +R  crantait
+H  amochais    +F  faconnai    +S  canotais           nacrait    +V  activant
        chamoisa    +L  canonial    +T  canotait           ricanat    AACINTU
+R  amorcais    +M  camionna    +V  vacation    +D  cadratin   +L  canulait
AACIMOT             maconnai    AACINOU             radicant   +N  nuancait
+H  amochait    +N  annoncai    +B  boucanai    +E  acierant   +P  panicaut
+L  colmatai        canonnai    +Q  acoquina        canerait   AACINTV
+R  amorcait    +R  arconnai    AACINOV             carenait   +A  avancait
AACIMPR        +S  canonisa    +T  vacation            carinate   +C  vaccinat
+E  camperai    +T  actionna    AACINOY             encartai   +E  cavaient
+O  comparai   AACINNR          +S  cyanosai            tancerai        cavatine
AACIMPS             incarna     AACINPR         +G  graciant        encavait
        campais    +E  cannerai    +D  picardan    +H  antichar        vaticane
AACIMPT             enracina    AACINPS             tranchai   +I  inactiva
        campait    +I  incarnai    +T  capitans    +I  ricanait        vaticina
AACIMRR        +O  arconnai    AACINPT         +N  incarnat   +O  vacation
+E  cramerai    +S  incarnas        capitan            ricanant   +T  activant
AACIMRS        +T  incarnat    +I  anticipa    +O  racontai   AACINUV
        cramais        ricanant    +S  capitans    +S  crantais   +E  caniveau
+B  cambrais   AACINNS          +U  panicaut    +T  crantait   AACINUX
+D  camisard        cannais     AACINPU         AACINRU         +R  racinaux
+E  camerais    +B  cannabis    +T  panicaut    +X  racinaux   AACINUY
        cariames    +E  caennais    AACINQS         +Y  cyanurai   +R  cyanurai
        macerais    +F  financas    +U  casaquin    AACINRV        AACINVZ
+G  grimacas    +L  lancinas    AACINQU             vaincra    +E  avanciez
+H  charmais    +O  canonisa    +E  encaquai    +E  variance   AACIOPP
        marchais    +R  incarnas    +O  acoquina    +I  vaincrai   +H  achoppai
+L  calmiras    +U  nuancais    +S  casaquin    +S  vaincras   AACIOPR
+O  amorcais   AACINNT          AACINRR         AACINRX        +M  comparai
+T  matricas        cannait         rancira    +U  racinaux   AACIOPS
AACIMRT        +E  canaient    +D  craindra    AACINRY        +T  capotais
        cramait    +F  fiancant    +E  ancrerai    +U  cyanurai        tapiocas
        matrica        financat        cranerai    AACINSS        AACIOPT
+B  cambrait    +H  chainant        nacrerai    +D  scandais        capotai
+E  camerait    +L  calinant        ricanera    +E  aisances        tapioca
        macerait        lancinat    +I  rancirai        encaissa   +L  clapotai
+G  grimacat    +O  actionna    +S  ranciras    +F  fascinas   +S  capotais
+H  charmait    +R  incarnat    AACINRS         +R  carassin        tapiocas
        marchait        ricanant        ancrais    AACINST        +T  capotait
+I  matricai    +U  nuancait        arnicas         tancais    AACIOQU
+O  amorcait   AACINNU              canaris    +D  distanca   +N  acoquina
+S  matricas        nuancai         cranais         scandait   AACIORR
+T  matricat    +S  nuancais        nacrais    +E  casaient   +Y  carroyai
AACIMRU        +T  nuancait        ricanas         estancia   AACIORS
+H  machurai   AACINOQ          +B  carabins    +F  fascinat   +C  cariocas
AACIMSS        +U  acoquina    +D  candiras    +H  chantais   +E  acariose
+H  chiasmas   AACINOR          +E  acariens        chatains   +L  racolais
+L  clamsais        ocarina         canerais        tachinas   +M  amorcais
AACIMST        +M  macaroni        carenais    +O  canotais   +N  ocarinas
+L  clamsait        marocain        casanier    +P  capitans   +S  croassai
+R  matricas        romancai        casernai    +R  crantais   AACIORT
AACIMSU        +N  arconnai        serancai    AACINSU        +B  crabotai
+E  camaieus    +S  ocarinas    +F  francais    +L  canulais   +H  chariota
+H  chaumais    +T  racontai        francisa    +N  nuancais   +L  racolait
+L  maculais   AACINOS          +I  ricanais    +Q  acoquina   +M  amorcait
AACIMTT        +G  agacions    +L  clarains    AACINSV        +N  racontai
+R  matricat    +L  calaison    +N  incarnas    +A  avancais   +T  carottai
AACIMTU        +N  canonisa    +O  ocarinas    +C  vaccinas   AACIORU
+H  chaumait    +R  ocarinas    +R  ranciras    +E  encavais   +D  adoucira
+L  maculait    +T  canotais    +S  carassin    +R  vaincras   AACIORY
AACIMUX        +Y  cyanosai    +T  crantais    AACINSY        +R  carroyai
        amicaux    AACINOT                         +O  cyanosai
```

AACIOSS	**AACIPQT**	+U craquais	+F fricassa	+H archivat
associa	+U pacquait	**AACIQRT**	+L sarclais	chavirat
coassai	**AACIPQU**	+U craquait	+N carassin	+I vicariat
+B cabossai	pacquai	**AACIQRU**	+O croassai	**AACIRTW**
+I associai	+S pacquais	craquai	+T castrais	+L crawlait
+L coalisas	+T pacquait	+E caquerai	+U cuirassa	**AACIRUX**
+R croassai	**AACIPRS**	+S craquais	**AACIRST**	raciaux
+S associas	+E caperais	+T craquait	castrai	+D radicaux
coassais	rapiecas	**AACIQSS**	sacrait	+N racinaux
+T associat	**AACIPRT**	+U casquais	tracais	**AACIRUY**
coassait	+E caperait	sacquais	+E caraites	+N cyanurai
AACIOST	capterai	**AACIQST**	cariates	**AACISSS**
+B cabotais	rapacite	+U casquait	caserait	cassais
+C accostai	rapiecat	sacquait	cataires	+F fascisas
accotais	+H chapitra	**AACIQSU**	ecartais	+H chassais
cacatois	+U capturai	caquis	ecrasait	+L classais
+H cahotais	**AACIPRU**	casquai	recasait	+O associas
+L coalisat	+T capturai	+L calquais	+H chatrais	coassais
+N canotais	**AACIPSS**	claquais	+L sarclait	**AACISST**
+P capotais	+E espacais	+N casaquin	+M matricas	cassait
tapiocas	+L scalpais	+P pacquais	+N crantais	+F fascisat
+S associat	+T pactisas	+R craquais	+S castrais	+H chassait
coassait	**AACIPST**	+S casquais	+T castrait	+L classait
+T asticota	captais	sacquais	tractais	+O associat
+V octavias	pactisa	+T casquait	**AACIRSU**	coassait
AACIOSU	+E espacait	sacquait	+E causerai	+P pactisas
+X asociaux	+H pasticha	+U acquitta	recausai	+R castrais
AACIOSV	+I pactisai	**AACIQTU**	saucerai	**AACISSU**
+L violacas	+L scalpait	caquait	+F surfacai	causais
vocalisa	+N capitans	+E caquetai	+G carguais	saucais
+T octavias	+O capotais	+L calquait	+H rauchais	+C accusais
AACIOSX	tapiocas	claquait	+Q craquais	+H chaussai
+U asociaux	+S pactisas	+P pacquait	+S cuirassa	+Q casquais
AACIOSY	+T pactisat	+R craquait	**AACIRSV**	sacquais
+N cyanosai	+V captivas	+S casquait	caviars	+R cuirassa
AACIOTT	**AACIPSU**	+T acquitta	+E avarices	**AACISTT**
+B cabotait	+L capsulai	**AACIRRR**	caverais	+O asticota
+C accotait	+Q pacquais	+E carrerai	+H archivas	+P pactisat
+H cahotait	**AACIPSV**	**AACIRRS**	chaviras	+R castrait
+L calottai	+T captivas	carrais	+N vaincras	tractais
+N canotait	**AACIPSY**	+E carieras	**AACIRSW**	**AACISTU**
+P capotait	+E capeyais	sacrerai	+L crawlais	causait
+R carottai	**AACIPTT**	+F farciras	**AACIRTT**	saucait
+S asticota	captait	+H arrachis	tracait	+C accusait
+V octaviat	+F captatif	charrias	tractai	+F causatif
AACIOTV	+O captait	+N ranciras	+E ecartait	+Q casquait
octavia	+S pactisat	**AACIRRT**	+H chatrait	sacquait
+I octaviai	+V captivat	carrait	+M matricat	**AACISTV**
+L violacat	**AACIPTU**	+E retracai	+N crantait	activas
+N vacation	+L capitula	tracerai	+O carottai	+I activais
+S octavias	+N panicaut	+H charriat	+S castrait	+O octavias
+T octaviat	+Q pacquait	**AACIRRU**	tractais	+P captivas
AACIOTY	+R capturai	+B carburai	+T tractait	**AACISTY**
+H chatoyai	+X capitaux	**AACIRRY**	**AACIRTU**	caityas
AACIOUX	**AACIPTV**	+O carroyai	+E actuaire	**AACISUV**
+S asociaux	+I captivai	**AACIRSS**	autarcie	+E evacuais
+X coaxiaux	+S captivas	ascaris	+F facturai	**AACISUX**
AACIOXX	+T captivat	sacrais	+G carguait	+E exaucais
+U coaxiaux	**AACIPTX**	+E caressai	+H rauchait	+O asociaux
AACIPPR	+U capitaux	cariasse	+L articula	**AACISVX**
+E apprecia	**AACIPTY**	caserais	+P capturai	+E excavais
AACIPPS	+E capeyait	casserai	+Q craquait	**AACITTT**
+L clappais	**AACIPUX**	ecrasais	**AACIRTV**	+R tractait
AACIPPT	apicaux	recasais	+A cravatai	**AACITTU**
+L clappait	+T capitaux		+E activera	+Q acquitta
AACIPQS	**AACIQRS**		caverait	**AACITTV**
+U pacquais			reactiva	activat

+I activait
+N activant
+O octaviat
+P captivat
AACITUV
+E evacuait
AACITUX
+E exaucait
+P capitaux
AACITVX
+E excavait
AACIUXX
+O coaxiaux
AACJLNO
+T cajolant
AACJLNT
+O cajolant
AACJLOR
+E cajolera
AACJLOS
cajolas
+I cajolais
AACJLOT
cajolat
+I cajolait
+N cajolant
AACJLSU
+E ejaculas
AACJLTU
+E ejaculat
AACJMST
+E jactames
AACJNOT
+L cajolant
AACJNTT
jactant
AACJORU
+C carcajou
AACJOSU
acajous
AACJQRU
+D jacquard
AACJRSS
+E jacasser
AACJRST
+E jacteras
AACJSSS
+A jacassas
+E jacasses
AACJSST
+A jacassat
+E jactasse
AACJSSZ
+E jacassez
AACJSTT
+E jactates
AACKLPS
+T talpacks
AACKLPT
talpack
+S talpacks
AACKLST
+P talpacks
AACKPSS
+H chapskas
AACKPST
+L talpacks

AACKRTT
+E racketta
AACLLMR
+Y lacrymal
AACLLMY
+R lacrymal
AACLLNS
+I alcalins
AACLLNT
+I caillant
AACLLOO
+T alcoolat
AACLLOS
+E alcalose
+I localisa
AACLLOT
+O alcoolat
AACLLRS
+I craillas
AACLLRT
+I craillat
AACLLRY
+M lacrymal
AACLLSU
+C calculas
AACLLSV
+I vacillas
AACLLTU
+C calculat
AACLLTV
+I vacillat
AACLMMS
+E calmames
clamames
maclames
AACLMNO
monacal
+E amoncela
monacale
+F malfacon
+I calomnia
AACLMNS
+E lancames
+T calmants
clamsant
AACLMNT
calmant
clamant
maclant
+E calmante
+S calmants
clamsant
+U maculant
AACLMNU
+T maculant
AACLMOP
+R proclama
AACLMOR
+P proclama
AACLMOS
+H chloasma
+T colmatas
stomacal
AACLMOT
colmata
+I colmatai
+S colmatas

stomacal
+T colmatat
AACLMOU
+F camoufla
AACLMPR
+E remplaca
+O proclama
AACLMPS
+E placames
AACLMRS
calmars
+A calamars
+E calmeras
caramels
clameras
clamsera
macleras
raclames
reclamas
+I calmiras
AACLMRT
+E reclamat
AACLMRU
+E maculera
AACLMRY
+L lacrymal
AACLMSS
clamsas
+E calmasse
clamasse
maclasse
+I clamsais
AACLMST
clamsat
+E calmates
caltames
clamates
lactames
maclates
+I clamsait
+N calmants
clamsant
+O colmatas
stomacal
AACLMSU
maculas
+E emascula
+I maculais
AACLMSV
+E clavames
AACLMSX
+E exclamas
AACLMSY
+E amylaces
AACLMTT
+O colmatat
AACLMTU
maculat
+I maculait
+N maculant
AACLMTX
+E exclamat
AACLMUU
+C accumula
AACLNNO
+I canonial
+P palancon

+T cantonal
+Y clayonna
AACLNNP
+O palancon
AACLNNS
lancant
+E elancant
enlacant
+I calinant
lancinat
+O cantonal
+U canulant
AACLNNU
+T canulant
AACLNNY
+O clayonna
AACLNOP
+N palancon
AACLNOR
+F forlanca
+T racolant
AACLNOS
+I calaison
+V cavalons
AACLNOT
+C accolant
+J cajolant
+N cantonal
+R racolant
+U cantalou
AACLNOU
+T cantalou
AACLNOV
+S cavalons
AACLNOY
+N clayonna
AACLNPP
+T clappant
AACLNPS
+E capelans
+H planchas
+T scalpant
AACLNPT
placant
+E capelant
placenta
+H planchat
+P clappant
+S scalpant
AACLNQT
+U calquant
claquant
AACLNQU
+E calanque
+T claquant
AACLNRS
+E lanceras
relancas
renaclas
+I clarains
+T sarclant
+U canulars
AACLNRT
raclant

+E lacerant
recalant
relancat
renaclat
+O racolant
+S sarclant
+W crawlant
AACLNRU
canular
+E canulera
+S canulars
AACLNRV
+A carnaval
AACLNRW
+T crawlant
AACLNSS
+E lancasse
+T classant
AACLNST
cantals
scalant
+A catalans
+E lancates
scalante
+G glacants
+M calmants
clamsant
+P scalpant
+R sarclant
+S classant
scalants
AACLNSU
canulas
+I canulais
+R canulars
AACLNSV
+E enclavas
+O cavalons
AACLNTT
caltant
+E eclatant
AACLNTU
canulat
+C acculant
+H chaulant
+I canulait
+M maculant
+N canulant
+O cantalou
+Q calquant
claquant
AACLNTV
clavant
+A cavalant
+E cavalent
enclavat
AACLNTW
+R crawlant
AACLNVY
+E valencay
AACLOOT
+L alcoolat
AACLOPR
caporal
+M proclama

AACLOPS
+T clapotas
AACLOPT
  clapota
+I clapotai
+S clapotas
+T clapotat
AACLOPU
+C accoupla
+H chaloupa
AACLOQU
+E aquacole
AACLORR
+E racolera
AACLORS
  racolas
+I racolais
+T coaltars
AACLORT
  coaltar
  racolat
+I racolait
+N racolant
+S coaltars
AACLOSS
+I coalisas
AACLOST
+B clabotas
+H talochas
+I coalisat
+M colmatas
  stomacal
+P clapotas
+R coaltars
+T calottas
AACLOSU
+G coagulas
AACLOSV
+D calvados
+E sacoleva
+I violacas
  vocalisa
+N cavalons
AACLOTT
  calotta
+B clabotat
+H talochat
+I calottai
+M colmatat
+P clapotat
+S calottas
+T calottat
+Y acolytat
AACLOTU
+G coagulat
+N cantalou
AACLOTV
+I violacat
AACLOTY
+T acolytat
AACLOUX
+C cloacaux
AACLPPR
+E clappera
AACLPPS
  clappas
+I clappais

AACLPPT
  clappat
+I clappait
+N clappant
AACLPRS
+D placards
+E placeras
  replacas
  scalpera
AACLPRT
+E paraclet
  replacat
AACLPSS
  pascals
  scalpas
+E pascales
  placasse
+I scalpais
+U capsulas
AACLPST
  captals
  scalpat
+A catalpas
+E placates
+I scalpait
+K talpacks
+N scalpant
+O clapotas
+U capsulat
AACLPSU
  capsula
+I capsulai
+S capsulas
+T capsulat
AACLPTT
+O clapotat
AACLPTU
+I capitula
+S capsulat
AACLQRU
+E calquera
  claquera
  craquela
AACLQSU
  calquas
  claquas
+I calquais
  claquais
AACLQTU
  calquat
  claquat
+E claqueta
+I calquait
  claquait
+N calquant
  claquant
AACLRRS
+E carrelas
  racleras
  sarclera
AACLRRT
+E carrelat
AACLRRW
+E crawlera
AACLRSS
  lascars
  sarclas

+E classera
  raclasse
  reclassa
  sacrales
+I sarclais
AACLRST
  sarclat
+E calteras
  raclates
+F fractals
+I sarclait
+N sarclant
+O coaltars
+U claustra
AACLRSU
+C caraculs
+N canulars
+T claustra
AACLRSV
+E claveras
AACLRSW
  crawlas
+I crawlais
AACLRSZ
+A alcazars
AACLRTU
+I articula
+S claustra
AACLRTW
  crawlat
+I crawlait
+N crawlant
AACLRUV
+E cavaleur
AACLSSS
  classas
+E calasses
  lacasses
AACLSST
  classat
+E caltasse
  lactases
+I classait
+N classant
  scalants
AACLSSU
  causals
+B basculas
+E causales
+P capsulas
AACLSSV
+E clavasse
AACLSTT
+E caltates
  lactates
+O calottas
AACLSTU
+B basculat
+P capsulat
+R claustra
+U ausculta
AACLSTV
+E clavates
  clavetas
AACLSTY
+A catalysa

+E catalyse
AACLSTZ
+H szlachta
AACLSUU
+T ausculta
AACLTTT
+O calottat
AACLTTV
+E clavetat
AACLTTY
+E cattleya
+O acolytat
AACLTUU
+S ausculta
AACLUVX
+E claveaux
AACMMNO
+D commanda
+I ammoniac
AACMMPS
+E campames
AACMMRS
+E cramames
  macrames
AACMMSU
+B macumbas
AACMNNO
  maconna
+D condamna
+H machonna
+I camionna
  maconnai
+S maconnas
+T maconnat
AACMNNS
+E cannames
+O maconnas
AACMNNT
+E menacant
+O maconnat
AACMNOR
  macaron
  romanca
+D mordanca
+I macaroni
  marocain
  romancai
+S macarons
  mascaron
+T amorcant
  romancat
AACMNOS
+H machaons
+N maconnas
+R mascaron
  romancas
AACMNOT
+H amochant
+N maconnat
+R amorcant
  romancat
AACMNOU
+X monocaux
AACMNOX
+U monocaux

AACMNPT
  campant
AACMNRS
+E ancrames
  cranames
  nacrames
+O macarons
  mascaron
  romancas
AACMNRT
  cramant
+B cambrant
+E macerant
+H charmant
  marchant
+O amorcant
  romancat
AACMNRU
+U manucura
AACMNST
+E tancames
+L calmants
  clamsant
AACMNTU
+H chaumant
+L maculant
AACMNTY
+H yachtman
AACMNUU
+R manucura
AACMNUX
+E manceaux
+O monacaux
AACMOPR
  compara
+I comparai
+L proclama
+S comparas
+T comparat
AACMOPS
+R comparas
+S compassa
AACMOPT
+R comparat
AACMORR
+E amorcera
AACMORS
  amorcas
+I amorcais
+N macarons
  mascaron
  romancas
+P comparas
AACMORT
  amorcat
+H achromat
+I amorcait
+N amorcant
  romancat
+P comparat
+T marcotta
AACMOSS
+P compassa
AACMOST
+E escamota
+L colmatas
  stomacal

AACMOTT
+L colmatat
+R marcotta
AACMOUX
+N monacaux
AACMPRS
+E camperas
+O comparas
AACMPRT
+H champart
+O comparat
AACMPSS
+E campasse
+O compassa
AACMPST
+E campates
   captames
AACMQSU
+E caquames
   macaques
AACMRRS
+E carrames
   crameras
AACMRSS
+A massacra
+E cramasse
   massacre
   sacrames
   sarcasme
AACMRST
+E cramates
   mascaret
   tracames
+I matricas
AACMRSU
+H machuras
AACMRSV
+E vacarmes
AACMRTT
+I matricat
+O marcotta
AACMRTU
+H machurat
AACMRUU
+N manucura
AACMRUX
+E macareux
AACMSSS
+E camasses
   cassames
AACMSSU
+E causames
   saucames
AACNNNO
   annona
   canonna
+I annoncai
   canonnai
+R ranconna
+S annoncas
   canonnas
+T annoncat
   canonnat
   cantonna
AACNNNR
+O ranconna
AACNNNS

+O annoncas
   canonnas
AACNNNT
+O annoncat
   canonnat
   cantonna
+U nuancant
AACNNNU
+T nuancant
AACNNOP
+H chaponna
+L palancon
AACNNOR
   arconna
+B braconna
+I arconnai
+N ranconna
+S arcanson
   arconnas
+T arconnat
+Y crayonna
AACNNOS
+B cabanons
+F faconnas
+I canonisa
+M maconnas
+N annoncas
   canonnas
+R arcanson
   arconnas
+S canasson
+V avancons
AACNNOT
+F faconnat
+I actionna
+L cantonal
+M maconnat
+N annoncat
   canonnat
   cantonna
+R arconnat
   cartonna
+T canotant

AACNNOU
+E caouanne
AACNNOV
+S avancons
AACNNOY
+L clayonna
+R crayonna
AACNNRS
+E canneras
+I incarnas
+O arcanson
   arconnas
AACNNRT
   ancrant
   cranant
   nacrant
+E carenant
+I incarnat
   ricanant
+O arconnat
   cartonna
+T crantant

AACNNRU
+E nuancera
AACNNRY
+O crayonna
AACNNSS
+E cannasse
+O canasson
AACNNST
+D scandant
+E cannates
AACNNSU
   nuancas
+I nuancais
AACNNSV
+O avancons
AACNNTT
   tancant
+H chantant
+O canotant
+R crantant
AACNNTU
   nuancat
+I nuancait
+L canulant
+N nuancant
AACNNTV
+A avancant
+E avancent
AACNOPS
+E saponace
AACNOPT
+H patachon
+T capotant
AACNOQU
+I acoquina
AACNORR
+B barranco
+T racontar
AACNORS
+C consacra
+F carafons
+I ocarinas
+M macarons
   mascaron
   romancas
+N arcanson
   arconnas
+T racontas
AACNORT
   raconta
+B brocanta
+E canotera
+I racontai
+L racolant
+M amorcant
   romancat
+N arconnat
   cartonna
+R racontar
+S racontas
+T racontat
AACNORY
+N crayonna
AACNOSS
+C concassa
+N canasson

+T coassant
+Y cyanosas
AACNOST
   canotas
+G catogans
+I canotais
+R racontas
+S coassant
+T constata
+Y cyanosat
AACNOSU
+B boucanas
+G guanacos
AACNOSV
+L cavalons
+N avancons
AACNOSY
   cyanosa
+I cyanosai
+S cyanosas
+T cyanosat
AACNOTT
   canotat
+B cabotant
+C accotant
   contacta
AACNOTU
+B boucanat
+L cantalou
AACNOTV
+I vacation
AACNOTY
+S cyanosat
AACNOUX
+M monacaux
AACNPPT
+L clappant
AACNPQT
+U pacquant
AACNPQU
+T pacquant
AACNPRS
+E pancreas
AACNPRT
+E pancarte
   partance
AACNPST
+E espacant
+I capitans
+L scalpant
AACNPTT
   captant
+O capotant
AACNPTU
+I panicaut
+Q pacquant
AACNPTY
+E capeyant
AACNQRT
+U craquant
AACNQRU

+T craquant
AACNQST
+U casquant
   sacquant
AACNQSU
+E canaques
   encaquas
+I casaquin
+T casquant
   sacquant
AACNQTU
   caquant
+E encaquat
+L calquant
   claquant
+P pacquant
+R craquant
+S casquant
   sacquant
AACNRRS
+D rancards
+E ancreras
   craneras
   nacreras
+I ranciras
+T rancarts
AACNRRT
   carrant
   rancart
+E crantera
+O racontar
+S rancarts
AACNRSS
+E ancrasse
   casernas
   cranasse
   crassane
   encrassa
   nacrasse
   rasances
   serancas
+I carassin
AACNRST
   crantas
   sacrant
+E ancrates
   casernat
   cranates
   ecrasant
   encartas
   encastra
   nacrates
   recasant
   serancat
   tanceras
+H tranchas
+I crantais
+L sarclant
+O racontas
+R rancarts
+T castrant
   tracants
AACNRSU
+E anacruse
+L canulars
+Y cyanuras

AACNRSV
+I vaincras
AACNRSY
+U cyanuras
AACNRTT
  crantat
  tracant
+E ecartant
  encartat
  tracante
+H chatrant
  tranchat
+I crantait
+N crantant
+O racontat
+S castrant
  tracants
+T tractant
AACNRTU
+G carguant
+H rauchant
+Q craquant
+Y cyanurat
AACNRTW
+L crawlant
AACNRTY
+U cyanurat
AACNRUU
+M manucura
AACNRUX
+E carneaux
+I racinaux
AACNRUY
  cyanura
+I cyanurai
+S cyanuras
+T cyanurat
AACNSSS
+E canasses
+T cassants
AACNSST
  cassant
+A canastas
+E canastes
  tancasse
+H chassant
+L classant
  scalants
+O coassant
+S cassants
+U causants
AACNSSU
+T causants
AACNSSY
+O cyanosas
AACNSTT
  actants
+E cantates
  tancates
+O constata
+R castrant
  tracants
AACNSTU
  causant
  saucant
+C accusant
+E causante

+Q casquant
  sacquant
+S causants
AACNSTV
  vacants
+E vacantes
AACNSTY
+O cyanosat
AACNSUY
+R cyanuras
AACNTTT
+R tractant
AACNTTV
+I activant
AACNTUV
+E evacuant
AACNTUX
+E exaucant
AACNTUY
+R cyanurat
AACNTVX
+E excavant
AACOOTT
+U autocoat
AACOOTU
+T autocoat
AACOPPR
+H approcha
AACOPPS
+H achoppas
AACOPPT
+H achoppat
AACOPRS
+M comparas
AACOPRT
+E capotera
+M comparat
AACOPRU
+X caporaux
AACOPRX
+U caporaux
AACOPSS
+M compassa
AACOPST
  capotas
+I capotais
  tapiocas
+L clapotas
AACOPTT
  capotat
+I capotait
+L clapotat
+N capotant
AACOPUX
+R caporaux
AACORRS
+S carrossa
+Y carroyas
AACORRT
+N racontar
+Y carroyat
AACORRU
+C accourra
AACORRY
  carroya
+H charroya
+I carroyai

+S carroyas
+T carroyat
AACORSS
  casoars
  croassa
+E coassera
+I croassai
+R carrossa
+S croassas
+T croassat
AACORST
  ostraca
+B crabotas
+L coaltars
+N racontas
+S croassat
+T carottas
+U autocars
AACORSU
+C curacaos
AACORSY
+R carroyas
AACORTT
  carotta
+B crabotat
+I carottai
+M marcotta
+N racontat
+S carottes
+T carottat
AACORTU
  autocar
+C accoutra
+S autocars
AACORTY
+R carroyat
AACORUX
+P caporaux
AACOSSS
  coassas
+B cabossas
+I associas
+R croassas
AACOSST
  coassat
+B cabossat
+C accostas
+I associat
  coassait
+N coassant
+R croassat
AACOSSY
+N cyanosas
AACOSTT
+C accostat
  staccato
  toccatas
+I asticota
+L calottas
+N constata
+R carottas
AACOSTU
+R autocars
AACOSTV
  avocats

+E avocates
+I octavias
AACOSTY
+H chatoyas
+N cyanosat
AACOSUX
+I asociaux
AACOTTT
+L calottat
+R carottat
AACOTTU
+O autocoat
AACOTTV
+I octaviat
AACOTTY
+H chatoyat
+L acolytat
AACOUXX
+I coaxiaux
AACPQRU
+E pacquera
AACPQSU
  pacquas
+I pacquais
AACPQTU
  pacquat
+I pacquait
+N pacquant
AACPRST
+E capteras
+U capturas
AACPRSU
+D crapauds
+T capturas
AACPRTT
+U capturat
AACPRTU
  captura
+I capturai
+S capturas
+T capturat
AACPRUX
+E carpeaux
+O caporaux
AACPSSS
+E capasses
AACPSST
+E captasse
+I pactisas
AACPSSU
+L capsulas
AACPSTT
+E captates
+I pactisat
AACPSTU
+L capsulat
+R capturas
AACPSTV
+I captivas
AACPSUX
  pascaux
AACPTTU
+R capturat
AACPTTV
+I captivat
AACPTUX
+I capitaux

AACQRRU
+E acquerra
  craquera
AACQRSU
  craquas
+E craqueras
  caraques
  casquera
  sacquera
+I craquais
AACQRTU
  craquat
+E craqueta
+I craquait
+N craquant
AACQSSU
  casquas
  sacquas
+E caquasse
  casaques
+I casquais
  sacquais
AACQSTU
  casquat
  sacquat
+E caquates
  caquetas
+I casquait
  sacquait
+N casquant
  sacquant
AACQTTU
+E caquetat
+I acquitta
AACRRRS
+E carrares
  carreras
AACRRSS
+E carrasse
  sacreras
+O carrossa
AACRRST
+E carrates
  castrera
  retracas
  traceras
+N rancarts
AACRRSU
+B carburas
AACRRSY
+O carroyas
AACRRTT
+E retracat
  retracta
  tractera
AACRRTU
+B carburat
+E arcature
+F fracture
AACRRTV
+E cravater
AACRRTY
+O carroyat
AACRRUX
+E carreaux
AACRSSS
+E carasses

```
        caressas    AACSSSU          demanda    +E degradai   +E deradant
        casseras   +E causasse    +I demandai   AADDGRS       +S standard
        rascasse       saucasse   +S demandas   +E degradas   AADDNST
        sacrasse   +H chaussa     +T demandat   AADDGRT       +R standard
+O croassas         AACSSSV        AADDEMR      +E degradat   AADDNTU
AACRSST            +E cavasses    +S dardames   AADDIIL       +J adjudant
        castras     AACSSTT        AADDEMS      +P dilapida   AADDRRS
‡A tracassa        +R castrats    +I dadaisme   AADDIIN       +E darderas
+E caressat         AACSSTU       +N demandas   +N dandina    AADDRSS
        sacrates   +E causates    +R dardames   AADDIIP       +E dardasse
        tracasse       saucates    AADDEMT      +L dilapida   AADDRST
+I castrais        +H chaussat    +N demandat   AADDILP       +E dardates
+O croassat        +N causants     AADDENO      +I dilapida   +N standard
+T castrats         AACSSUX       +U dedouana   AADDILS       AADDRSU
AACRSSU            +E casseaux     AADDENR      +E alidades    +E daurades
+E causeras         AACSTUU       +B brandade   AADDIMN       AADDSSU
        euscaras   +L ausculta    +T deradant   +E demandai   +I dissuada
        recausas    AADDDEN        AADDENS      AADDIMS       AADEEFR
        sauceras       addenda    +B debandas   +E dadaisme   +C cafardee
+F surfacas         AADDEER       +I danaides   AADDINN       +S sefarade
+I cuirassa        +R deradera    +M demandas    dandina      AADEEFS
AACRSSV             AADDEGI        AADDENT      +I dandinai   +R sefarade
+E crevassa        +N dedaigna    +B debandat   +S dandinas   AADEEGG
AACRSTT            +R degradai    +M demandat   +T dandinat    degagea
        castrat     AADDEGN       +R deradant   AADDINS      +I degageai
        tractas    +I dedaigna     AADDENU      +C candidas   +R degagera
+E tracates         AADDEGR       +O dedouana   +E danaides   +S degageas
+I castrait         degrada        AADDEOU      +N dandinas   +T degageat
        tractais   +I degradai    +N dedouana   AADDINT      +Z degazage
+N castrant        +S degradas     AADDERR      +C candidat   AADEEGI
        tracants   +T degradat     dardera      +N dandinat   +G degageai
+O carottas         AADDEGS       +E deradera   AADDIRR      +R derageai
+S castrats        +R degradas    +I darderai   +E darderai   AADEEGJ
AACRSTU             AADDEGT       +S darderas   AADDIRS      +L galejade
+E recausat        +R degradat     AADDERS       dardais     +U dejaugea
+F facturas         AADDEIL        deradas      +E deradais   AADEEGL
        surfacat    alidade       +B debardas   AADDIRT      +C decalage
+L claustra        +S alidades    +C decadras    dardait     +J galejade
+O autocars         AADDEIM       +G degradas   +E deradait   +P pedalage
+P capturas        +N demandai    +I deradais   AADDISS      +R regalade
AACRSTV            +S dadaisme    +M dardames   +U dissuada   +V delavage
+A cravatas         AADDEIN       +R darderas   AADDIST      +Y delavage
+E cravates         danaide       +S dardasse   +E dadaiste   AADEEGM
AACRSUX            +B debandai    +T dardates   AADDISU      +N demangea
        sacraux    +G dedaigna    +U daurades   +S dissuada   +T dematage
AACRSUY            +M demandai     AADDERT      AADDJNT       AADEEGN
+N cyanuras        +S danaides     deradat      +U adjudant   +M demangea
AACRTTT             AADDEIR       +B debardat   AADDJNU      +P epandage
        tractat     deradai       +C decadrat   +T adjudant   +R derangea
+I tractait        +B debardai    +G degradat   AADDJTU      AADEEGP
+N tractant        +C decadrai    +I deradait   +N adjudant   +C decapage
+O carottât        +G degradai    +N dardant    AADDMNS      +L pedalage
AACRTTU            +R darderai    +S dardates   +E demandas   +N epandage
+F facturat        +S deradais     AADDERU      AADDMNT      +R derapage
+P capturat        +T deradait     daurade      +E demandat   +V depavage
AACRTTV             AADDEIS       +S daurades   AADDMRS      AADEEGR
+A cravatat        +L alidades     AADDESS      +E dardames    deragea
AACRTUY            +M dadaisme    +R dardasse   AADDNNS      +G degagera
+N cyanurat        +N danaides     AADDEST      +I dandinas   +I derageai
AACRTVZ            +R deradais    +I dadaiste   AADDNNT      +L regalade
+E cravatez        +T dadaiste    +R dardates   +I dandinat   +N derangea
AACSSSS             AADDEIT        AADDESU      AADDNOU      +P derapage
+E casasses        +R deradait    +B badaudes   +E dedouana   +R deragera
        casasse    +S dadaiste    +R daurades   AADDNRS      +S derageas
AACSSST             AADDELS        AADDGIN      +T standard   +T derageat
+E cassates        +I alidades    +E dedaigna   AADDNRT      +Z degazera
+N cassants         AADDEMN        AADDGIR       dardant
```

AADEEGS	+R detalera	+I deraiera	AADEFFI	+T autodafe
+G degageas	AADEELV	+P deparera	affadie	AADEFQU
+R derageas	+G delavage	derapera	+S affadies	+L defalqua
AADEEGT	+R delavera	+S derasera	AADEFFR	AADEFRR
+G degageat	devalera	+Y derayera	+T farfadet	fardera
+M dematage	AADEELY	AADEERS	AADEFFS	+C cafarder
+R derageat	+G delayage	+F sefarade	+I affadies	+I farderai
AADEEGU	+R delavera	+G derageas	AADEFFT	+S farderas
+J dejaugea	AADEEMN	+H hasardee	+R farfadet	+U fraudera
AADEEGV	+G demangea	+R derasera	AADEFGI	AADEFRS
+L delavage	+R amendera	+V evadera	+R degrafai	+C cafardes
+P depavage	+T mandatee	+X desaxera	AADEFGL	+E sefarade
AADEEGY	AADEEMO	AADEERT	+R deflagra	+G degrafas
+L delayage	+U amadouee	+G derageat	AADEFGR	fardages
AADEEGZ	AADEEMR	+L detalera	degrafa	+M fardames
+G degazage	+N amendera	+M dematera	fardage	+R farderas
+R degazera	+T dematera	+P petarade	+I degrafai	+S fardasse
AADEEHL	AADEEMS	readapte	+L deflagra	+T fardates
+R dehalera	+S damassee	+T attardee	+S degrafas	+U faraudes
AADEEHR	+V evadames	+U taraudee	fardages	+Y defrayas
+L dehalera	AADEEMT	+X detaxera	+T degrafat	AADEFRT
+R adherera	+G dematage	AADEERU	AADEFGS	+F farfadet
+S hasardee	+N mandatee	+T taraudee	+R degrafas	+G degrafat
AADEEHS	+R dematera	+V ravaudee	fardages	+S fardates
+R hasardee	AADEEMU	AADEERV	AADEFGT	+Y defrayat
AADEEIL	+O amadouee	evadera	+R degrafat	AADEFRU
+R airedale	AADEEMV	+I evaderai	AADEFHU	faraude
delaiera	+S evadames	+L delavera	+C echafaud	fardeau
AADEEIM	AADEENP	devalera	AADEFIN	+C faucarde
+C academie	+G epandage	+P depavera	+S faisande	+R fraudera
AADEEIN	AADEENR	+S evaderas	AADEFIR	+S faraudes
+R araneide	+C canardee	+U ravaudee	+G degrafai	+X fardeaux
AADEEIR	+G derangea	AADEERX	+R farderai	AADEFRX
+G derageai	+I araneide	+S desaxera	+Y defrayai	+U fardeaux
+L airedale	+M amendera	+T detaxera	AADEFIS	AADEFRY
delaiera	AADEENT	AADEERY	fadaise	defraya
+N araneide	+M mandatee	+B bayadere	+F affadies	+I defrayai
+R deraiera	AADEEOU	+L delayera	+N faisande	+S defrayas
+V evadera	+M amadouee	+R derayera	+S fadaises	+T defrayat
AADEEIV	AADEEPR	AADEERZ	AADEFIY	AADEFRZ
+R evaderai	+C decapera	+B bazardee	+R defrayai	+C cafardez
AADEEJL	+G derapage	+G degazera	AADEFLM	AADEFSS
+G galejade	+L pedalera	AADEESS	+N flamande	fadasse
AADEEJU	+R deparera	+M damassee	AADEFLN	+I fadaises
+G dejaugea	derapera	+V evadasse	+M flamande	+R fardasse
AADEELN	+T petarade	AADEEST	AADEFLQ	+S fadasses
+C decanale	readapte	+C estacade	+U defalqua	+U fadaussa
AADEELP	+V depavera	+P adaptees	AADEFLR	AADEFST
+C decapela	AADEEPS	+V evadates	+B blafarde	+R fardates
+G pedalage	+C escapade	AADEESV	+G deflagra	AADEFSU
+R pedalera	+T adaptees	+M evadames	AADEFLU	+R faraudes
AADEELR	AADEEPT	+R evadasse	+R faraudes	+S fadaussa
+C decalera	adaptee	+S evadasse	+Q defalqua	AADEFSY
delacera	+R petarade	+T evadates	AADEFMN	+R defrayas
+G regalade	readapte	AADEESX	+L flamande	AADEFSZ
+H dehalera	+S adaptees	+R desaxera	AADEFMR	+N fazendas
+I airedale	AADEEPV	AADEETT	+S fardames	AADEFTU
delaiera	+G depavage	+R attardee	AADEFMS	+O autodafe
+P pedalera	+R depavera	AADEETU	+R fardames	AADEFTY
+T detalera	AADEEQT	+Q adequate	AADEFNS	+R defrayat
+V delavera	+U adequate	+R taraudee	+I faisande	AADEFUX
devalera	AADEEQU	AADEETV	+Z fazendas	+R fardeaux
+Y delayera	+T adequate	+S evadates	AADEFNZ	AADEGGI
AADEELS	AADEERR	AADEETX	fazenda	+E degageai
+B baladees	+D deradera	+R detaxera	+S fazendas	AADEGGL
+C escalade	+G deragera	AADEEUV	AADEFOT	+N glandage
AADEELT	+H adherera	+R ravaudee	+U autodafe	
			AADEFOU	

AADEGGN	+E galejade	**AADEGNP**	+F degrafat	+C echaudai
+L glandage	**AADEGJR**	+E epandage	+O radotage	**AADEHLN**
AADEGGR	+U adjugera	**AADEGNR**	+R regardat	+C chalande
dragage	**AADEGJS**	+E derangea	+S gardates	+T dehalant
+E degagera	+U adjugeas	+I agrandie	**AADEGRU**	**AADEHLP**
+S dragages	**AADEGJT**	daignera	+J adjugera	+I hapalide
AADEGGS	+U adjugeat	drainage	+M madrague	**AADEHLR**
+E degageas	**AADEGJU**	gardenia	margaude	+E dehalera
+R dragages	adjugea	+L glandera	+R draguera	**AADEHLS**
AADEGGT	+E dejaugea	+M gendarma	graduera	dehalas
+E degageat	+I adjugeai	**AADEGNS**	**AADEGRZ**	hadales
AADEGGZ	+R adjugera	agendas	+E degazera	+I dehalais
+E degazage	+S adjugeas	+B bandages	**AADEGSS**	**AADEHLT**
AADEGHR	+T adjugeat	+I degainas	+R gardasse	dehalat
hagarde	**AADEGLL**	+T degantas	**AADEGST**	+I dehalait
+S hagardes	dallage	**AADEGNT**	datages	+N dehalant
AADEGHS	+S dallages	deganta	+N degantas	**AADEHMN**
+R hagardes	**AADEGLM**	+I degainat	+R gardates	+C demancha
AADEGII	+Y amygdale	degantai	**AADEGSU**	**AADEHMR**
+N degainai	**AADEGLN**	+S degantas	+B bagaudes	+S hardames
AADEGIJ	+G glandage	+T degantat	+J adjugeas	**AADEHMS**
+U adjugeai	+R glandera	+Z degazant	**AADEGSZ**	+C chamades
AADEGIL	**AADEGLO**	**AADEGNV**	degazas	+R hardames
+C deglacai	+P galopade	+I vidangea	+I degazais	**AADEHMU**
AADEGIM	**AADEGLP**	**AADEGNZ**	**AADEGTT**	+C dechauma
+C cadmiage	+E pedalage	+T degazant	+N degantat	**AADEHNP**
AADEGIN	+O galopade	**AADEGOP**	**AADEGTU**	+I diaphane
degaina	**AADEGLR**	+L galopade	+J adjugeat	**AADEHNR**
+B badinage	+A algarade	**AADEGOR**	**AADEGTZ**	+T adherant
baignade	+E regalade	+B abordage	degazat	**AADEHNT**
+D dedaigna	+F deflagra	+T radotage	+I degazait	+C dechanta
+I degainai	+N glandera	**AADEGOT**	+N degazant	+L dehalant
+R agrandie	**AADEGLS**	+R radotage	**AADEGUV**	+R adherant
daignera	+C deglacas	**AADEGPR**	+L galvaude	**AADEHPR**
drainage	+L dallages	+E derapage	**AADEHHI**	+C chaparde
gardenia	**AADEGLT**	**AADEGPV**	+B dahabieh	**AADEHPS**
+S degainas	+C deglacat	+E depavage	**AADEHHN**	dephasa
+T degainat	**AADEGLU**	**AADEGRR**	+C dehancha	+I dephasai
degantai	+V galvaude	gardera	**AADEHIL**	+S dephasas
+V vidangea	**AADEGLV**	regarda	dehalai	+T dephasat
AADEGIR	+E delavage	+E deragera	+P hapalide	**AADEHPT**
+B bigarade	+U galvaude	+I garderai	+S dehalais	+S dephasat
+D degradai	**AADEGLY**	regardai	+T dehalait	**AADEHRR**
+E degageai	+E delayage	+S garderas	**AADEHIN**	hardera
+F degrafai	+M amygdale	regardas	+C dechaina	+E adherera
+N agrandie	**AADEGMN**	+T regardat	hacienda	+I harderai
daignera	+E demangea	+U draguera	+P diaphane	+S harderas
drainage	+R gendarma	graduera	**AADEHIP**	hasarder
gardenia	**AADEGMR**	**AADEGRS**	+L hapalide	+W hardware
+R garderai	+B gambader	+B bardages	+N diaphane	**AADEHRS**
regardai	+N gendarma	bradages	+S dephasai	adheras
AADEGIS	+S gardames	+C cadrages	**AADEHIR**	hasarde
+N degainas	+U madrague	cardages	adherai	+C charades
+Z degazais	margaude	+D degradas	+C arachide	+E hasardee
AADEGIT	**AADEGMS**	+E derageas	chiadera	+G hagardes
+N degainat	damages	+F degrafas	+R harderai	+I adherais
degantai	+B gambades	fardages	+S adherais	+M hardames
+Z degazait	+R gardames	+G dragages	+T adherait	+R harderas
AADEGIU	**AADEGMT**	+H hagardes	**AADEHIS**	hasarder
+J adjugeai	+E dematage	+M gardames	+L dehalais	+S hardasse
AADEGIV	**AADEGMU**	+R garderas	+P dephasai	hasardes
+N vidangea	+R madrague	regardas	+R adherais	+T hardates
AADEGIZ	margaude	+S gardasse	**AADEHIT**	+Z hasardez
degazai	**AADEGMY**	+T gardates	+C detachai	**AADEHRT**
+S degazais	+L amygdale	**AADEGRT**	+L dehalait	adherat
+T degazait	**AADEGMZ**	+D degradat	+R adherait	+I adherait
AADEGJL	+B gambadez	+E derageat	**AADEHIU**	+N adherant

+S hardates
AADEHRV
+C vacharde
AADEHRW
+R hardware
AADEHRZ
+S hasardez
AADEHSS
+P dephasas
+R hardasse
  hasardes
AADEHST
+C detachas
+P dephasat
+R hardates
AADEHSU
+C echaudas
AADEHSZ
+R hasardez
AADEHTT
+C detachat
AADEHTU
+C echaudat
AADEIIL
+C acidalie
+N delainai
+S idealisa
+T delaitai
AADEIIM
+R demariai
AADEIIN
+G degainai
+L delainai
+S deniaisa
+T aidaient
AADEIIP
+R depariai
AADEIIR
  aiderai
+M demariai
+P depariai
+R draierai
  radierai
+S aiderais
+T aiderait
AADEIIS
+L idealisa
+N deniaisa
+R aiderais
AADEIIT
+L delaitai
+N aidaient
+R aiderait
AADEIJN
+T dejantai
AADEIJT
+N dejantai
AADEIJU
+G adjugeai
AADEIKK
+N akkadien
AADEIKN
+K akkadien
AADEILL
  aillade
+B deballai
+M demailla

+P depailla
+R dallerai
  derailla
+S aillades
+T detailla
  taillade
AADEILM
  maladie
+C declamai
+L demailla
+S maladies
+V maladive
AADEILN
  delaina
+I delainai
+S delainas
+T delainat
AADEILP
  pedalai
+C deplacai
+H hapalide
+L depailla
+R deplaira
  lapidera
  plaidera
+S pedalais
+T pedalait
AADEILR
  radiale
+B delabrai
+C caldeira
  declarai
  dilacera
  radicale
+E airedale
  delaiera
+L dallerai
  derailla
+P deplaira
  lapidera
  plaidera
+R larderai
+S radiales
  saladier
+T dilatera
+U adulaire
  adulerai
+V validera
+Z lezardai
AADEILS
+B absidale
+C decalais
  delacais
  diaclase
+D alidades
+H dehalais
+I idealisa
+L aillades
+M maladies
+N delainas
  landaise
+P pedalais
+R radiales
  saladier
+S delaissa
  delassai

  dessalai
+T delaitas
  detalais
+V delavais
  devalais
  devalisa
+Y delayais
AADEILT
  delaita
  detalai
+C decalait
  delacait
+H dehalait
+I delaitai
+L detailla
  taillade
+N delainat
+P pedalait
+R dilatera
+S delaitas
  detalais
+T delaitat
  detalait
+V delavait
  devalait
+Y delayait
AADEILU
+R adulaire
  adulerai
+V devaluai
AADEILV
  delavai
  devalai
+M maladive
+R validera
+S delavais
  devalais
  devalisa
+T delavait
  devalait
+U devaluai
AADEILY
  delayai
+B deblayai
+S delayais
+T delayait
AADEILZ
+B baladiez
+R lezardai
AADEIMM
+S adamisme
AADEIMN
  adamien
  amendai
+A amandaie
+D demandai
+N amandine
+R amandier
  damnerai
  manderai
  marinade
  ramendai
+S adamiens
  amendais
+T amendait
  damaient
  diamante

+Y adynamie
AADEIMO
+R amodiera
AADEIMP
+C decampai
+Z diazepam
AADEIMQ
+U adamique
AADEIMR
  aramide
  damerai
  demaria
+C cadmiera
+I demariai
+N amandier
  damnerai
  manderai
  marinade
  ramendai
+O amodiera
+R admirera
  demarrai
+S aramides
  damerais
  demarias
  desarmai
  disamare
  radiames
+T damerait
  demariat
AADEIMS
  aidames
+D dadaisme
+L maladies
+M adamisme
+N adamiens
  amendais
+R aramides
  damerais
  demarias
  desarmai
  disamare
  radiames
+T adamites
  dematais
AADEIMT
  adamite
  dematai
+N amendait
  damaient
  diamante
+R damerait
  demariat
+S adamites
  dematais
+T dematait
AADEIMU
+Q adamique
AADEIMV
+L maladive
AADEIMY
+N adynamie
AADEIMZ
+P diazepam
AADEINN
+C canadien
+M amandine

+P depannai
AADEINP
+H diaphane
+N depannai
+R epandrai
+S epandais
+T epandait
  inadapte
AADEINR
+B badinera
  banderai
+C deracina
  encadrai
+E araneide
+G agrandie
  daignera
  drainage
  gardenia
+M amandier
  damnerai
  manderai
  marinade
  ramendai
+P epandrai
+R drainera
  radinera
+S danserai
+T radaient
  radiante
+U renaudai
+V viandera
AADEINS
  naiades
+B badianes
+C acadiens
+D danaides
+F faisande
+G degainas
+I deniainas
+L delainas
  landaise
+M adamiens
  amendais
+P epandais
+R danserai
+T anatides
AADEINT
  anatide
+C decantai
+G degainat
  degantai
+I aidaient
+J dejantai
+L delainat
+M amendait
  damaient
  diamante
+P epandait
  inadapte
+R radaient
  radiante
+S anatides
+T antidate
  dataient
+V advenait
AADEINU
+R renaudai

AADEINV
+C devancai
+G vidangea
+R viandera
+T advenait
AADEINY
+M adynamie
AADEIOR
+M amodiera
+R adorerai
AADEIPR
  deparai
  deparia
  derapai
  pariade
+I depariai
+L deplaira
  lapidera
  plaidera
+N epandrai
+R diaprera
  draperai
+S deparais
  deparias
  derapais
  pariades
+T apatride
  deparait
  depariat
  derapait
+V depravai
+Z paradiez
AADEIPS
+C decapais
+H dephasai
+L pedalais
+N epandais
+R deparais
  deparias
  derapais
  pariades
+S depassai
+U diapause
+V depavais
+Y depaysai
AADEIPT
+C decapait
  decapita
+L pedalait
+N epandait
  inadapte
+R apatride
  deparait
  depariat
  derapait
+U depiauta
+V depavait
+Z adaptiez
AADEIPU
+S diapause
+T depiauta
AADEIPV
  depavai
+R depravai
+S depavais
+T depavait
AADEIPY

+S depaysai
AADEIPZ
+M diazepam
+R paradiez
+T adaptiez
AADEIQU
+M adamique
AADEIRR
  draiera
  raderai
  radiera
+B barderai
  braderai
+C cadrerai
  carderai
  recardai
+D darderai
+E deraiera
+F farderai
+G garderai
  regardai
+H harderai
+I draierai
  radierai
+L larderai
+M admirera
  demarrai
+N drainera
  radinera
+O adorerai
+P diaprera
  draperai
+S draieras
  raderais
  radieras
+T raderait
  retardai
  tarderai
+Y drayerai
AADEIRS
  aideras
  daraise
  derasai
+C arcadies
  ascaride
+D deradais
+H adherais
+I aiderais
+L radiales
  saladier
+M aramides
  damerais
  demarias
  desarmai
  disamare
  radiames
+N danserai
+P deparais
  deparias
  derapais
  pariades
+R draieras
  raderais
  radieras
+S adressai
  daraises
  derasais

  radiasse
+T daterais
  derasait
  deratisa
  radiates
+Y derayais
AADEIRT
  daterai
+B debatira
+C decatira
+D deradait
+H adherait
+I aiderait
+L dilatera
+M damerait
  demariat
+N radaient
  radiante
+P apatride
  deparait
  depariat
  derapait
+R raderait
  retardai
  tarderai
+S daterais
  derasait
  deratisa
  radiates
+T daterait
+X extradai
+Y derayait
AADEIRU
+B dauberai
+L adulaire
  adulerai
+N renaudai
AADEIRV
+C caviarde
+E evaderai
+L validera
+N viandera
+P depravai
AADEIRX
+T extradai
AADEIRY
  derayai
+B debrayai
+F defrayai
+R drayerai
+S derayais
+T derayait
AADEIRZ
+L lezardai
+P paradiez
AADEISS
  aidasse
+C decaissa
+F fadaises
+L delaissa
  delassai
  dessalai
+P depassai
+R adressai
  daraises
  derasais
  radiasse

+S aidasses
+T diastase
+X desaxais
AADEIST
  aidates
+D dadaiste
+L delaitas
  detalais
+M adamites
  dematais
+N anatides
+R daterais
  derasait
  deratisa
  radiates
+S diastase
+V devastai
+X desaxait
AADEISU
+P diapause
AADEISV
  evadais
+L delavais
  devalais
  devalisa
+P depavais
+T devastai
AADEISX
  desaxai
+S desaxais
+T desaxait
  detaxais
AADEISY
+L delayais
+P depaysai
+R derayais
AADEISZ
+G degazais
AADEITT
+L delaitat
  detalait
+M dematait
+N antidate
  dataient
+R daterait
+X detaxait
AADEITU
+P depiauta
AADEITV
  evadait
+L delavait
  devalait
+N advenait
+P depavait
+S devastai
AADEITX
  detaxai
+R extradai
+S desaxait
  detaxais
+T detaxait
AADEITY
+L delayait
+R derayait
AADEITZ
+G degazait

+P adaptiez
AADEIUV
+L devaluai
AADEJLL
+B djellaba
AADEJNS
+T dejantas
AADEJNT
  dejanta
+C adjacent
+I dejantai
+S dejantas
+T dejantat
AADEJRR
+U adjurera
AADEJRU
+G adjugera
+R adjurera
AADEJST
+N dejantas
AADEJSU
+G adjugeas
AADEJTT
+N dejantat
AADEJTU
+G adjugeat
AADEKKN
+I akkadien
AADELLM
+I demailla
+N allemand
+S dallames
AADELLN
+M allemand
AADELLP
+I depailla
AADELLR
  dallera
+I derailla
+S dalleras
AADELLS
+B ballades
  deballas
+G dallages
+I aillades
+M dallames
+R dalleras
+S dallasse
+T dallates
AADELLT
+B deballat
+I detailla
  taillade
+S dallates
AADELMN
+B damnable
+F flamande
+L allemand
+R alderman
  malandre
AADELMR
+N alderman
  malandre
+S lardames
AADELMS
  malades

+C declamas	**AADELPR**	**AADELRZ**	devalat	dansames
demascla	+C placarde	lezarda	+I delavait	mandasse
+I maladies	+E pedalera	+I lezardai	devalait	+T damnates
+L dallames	+I deplaira	+S lezardas	+N delavant	mandates
+R lardames	lapidera	+T lezardat	devalant	**AADEMNT**
+T dalmates	plaidera	**AADELSS**	+U devaluat	amendat
+U adulames	+P papelard	delassa	**AADELTY**	mandate
AADELMT	+T deplatra	dessala	delayat	+D demandat
dalmate	+U epaulard	dessala	+B deblayat	+E amendate
+C declamat	**AADELPS**	salades	+I delayait	+I amendait
+S dalmates	pedalas	+B dessabla	+N delayant	damaient
AADELMU	+C deplacas	+C declassa	**AADELTZ**	diamante
+B deambula	+I pedalais	+I delaissa	+R lezardat	+N amendant
+S adulames	**AADELPT**	delassai	**AADELUV**	mandante
AADELMV	pedalat	dessilai	devalua	+R mandater
+I maladive	+C deplacat	+L dallasse	+G galvaude	ramendat
AADELMY	+I pedalait	+N sandales	+I devaluai	+S damnates
+G amygdale	+N deplanta	+R lardasse	+S devaluas	mandates
AADELNP	pedalant	+S delassas	+T devaluat	+T dematant
+T deplanta	+R deplatra	dessalas	**AADEMMN**	+Z mandatez
pedalant	**AADELPU**	+T delassat	+S damnames	**AADEMNU**
AADELNR	+R epaulard	dessalat	mandames	+Q quemanda
+C calandre	**AADELQU**	+U adulasse	**AADEMMS**	**AADEMNY**
+G glandera	+C decalqua	**AADELST**	damames	+I adynamie
+M alderman	+F defalqua	detalas	+I adamisme	**AADEMNZ**
malandre	**AADELRR**	+B datables	+N damnames	+T mandatez
AADELNS	lardera	+I delaitas	mandames	**AADEMOR**
sandale	+I larderai	detalais	**AADEMNN**	+I amodiera
+B dansable	+S larderas	+L dallates	+I amandine	+S adorames
salbande	**AADELRS**	+M dalmates	+T amendant	+U amadouer
+C candelas	+B delabras	+R lardates	mandante	**AADEMOS**
scandale	+C declaras	+S delassat	**AADEMNQ**	+R adorames
+I delainas	+I radiales	dessalat	+U quemanda	+U amadoues
landaise	saladier	+U adulates	**AADEMNR**	**AADEMOU**
+S sandales	+L dalleras	**AADELSU**	damnera	amadoue
+V lavandes	+M lardames	+C caudales	mandera	+E amadouee
vandales	+O saladero	+M adulames	ramenda	+R amadouer
AADELNT	+R larderas	+R aduleras	+E amendera	+S amadoues
+B baladent	+S lardasse	+S adulasse	+G gendarma	+Z amadouez
+C decalant	+T lardates	+T adulates	+I amandier	**AADEMOZ**
delacant	+U aduleras	+V devaluas	damnerai	+U amadouez
+H dehalant	+Z lezardas	**AADELSV**	manderai	**AADEMPR**
+I delainat	**AADELRT**	delavas	marinade	+S drapames
+P deplanta	+B delabrat	devalas	ramendai	**AADEMPS**
pedalant	+C declarat	+I delavais	+L alderman	+C decampas
+T detalant	+E detalera	devalais	malandre	+R drapames
+V delavant	+I dilatera	devalisa	+S damneras	**AADEMPT**
devalant	+P deplatra	+N lavandes	manderas	+C decampat
+Y delayant	+S lardates	vandales	mansarde	**AADEMPZ**
AADELNV	+U adultera	+U devaluas	ramendas	+I diazepam
lavande	taularde	**AADELSY**	+T mandater	**AADEMQR**
vandale	+Z lezardat	delayas	mandatez	+U demarqua
+S lavandes	**AADELRU**	+B deblayas	**AADEMNS**	**AADEMQS**
vandales	adulera	+I delayais	amandes	+U demasqua
+T delavant	+B baladeur	**AADELSZ**	amendas	**AADEMQU**
devalant	+I adulaire	+R lezardas	manades	+I adamique
AADELNY	adulerai	**AADELTT**	+B bandames	+N quemanda
+T delayant	+P epaulard	detalat	+D demandas	+R demarqua
AADELOP	+S aduleras	+I delaitat	+I adamiens	+S demasqua
+G galopade	+T adultera	detalait	amendals	desquama
AADELOR	taularde	+N detalant	+M damnames	**AADEMRR**
+B adorable	**AADELRV**	**AADELTU**	mandames	demarra
+S saladero	+E delavera	+R adultera	+R damneras	+B rambarde
AADELOS	devalera	taularde	manderas	+I admirera
+R saladero	+I validera	+S adulates	mansarde	demarrai
AADELPP	**AADELRY**	+V devaluat	ramendas	demarras
+R papelard	+E delayera	**AADELTV**	+S damnasse	+S demarras
		delavat		

+T demarrat	+U maussade	+D dedouana	+D deradant	+G degantat
+U marauder	+Z damassez	**AADENPP**	+H adherant	+I antidate
AADEMRS	**AADEMST**	+R appendra	+I radaient	dataient
dameras	damates	**AADENPR**	radiante	+J dejantat
desarma	datames	epandra	+M mandater	+L detalant
radames	demates	panarde	ramendat	+M dematant
+B bardames	+I adamites	+I epandrai	+P deparant	+P adaptent
bradames	dematais	+P appendra	derapant	+R attendra
+C cadrames	+L dalmates	+R repandra	paradent	+X detaxant
camardes	+N damnates	+S epandras	+S derasant	**AADENTU**
cardames	mandates	panarde	+T attendra	+R denatura
+D dardames	+R desarmat	+T deparant	+U denatura	renaudat
+F fardames	tardames	derapant	renaudat	**AADENTV**
+G gardames	**AADEMSU**	derapant	+V vantarde	evadant
+H hardames	+B daubames	**AADENPS**	+Y derayant	+C devancat
+I aramides	+L adulames	panades	**AADENRU**	+I advenait
damerais	+O amadoues	+I epandais	renauda	+L delavant
demarias	+Q demasqua	+N depannas	+I renaudai	devalant
desarmai	desquama	+R epandras	+S renaudas	+N advenant
disamare	+R maraudes	panardes	+T denatura	+P depavant
radiames	+S maussade	**AADENPT**	renaudat	+R vantarde
+L lardames	**AADEMSV**	+C decapant	**AADENRV**	**AADENTX**
+N damneras	+E evadames	+I epandait	veranda	+S desaxant
manderas	**AADEMSY**	inadapte	+I viandera	+T detaxant
mansarde	+R drayames	+L deplanta	+S verandas	**AADENTY**
ramendas	**AADEMSZ**	pedalant	+T vantarde	+L delayant
+O adorames	+S damassez	+N depannat	**AADENRY**	+R derayant
+P drapames	**AADEMTT**	epandant	+T derayant	**AADENTZ**
+R demarras	dematat	+R deparant	**AADENRZ**	+G degantat
desarmas	+I dematait	derapant	+C canardez	+M mandatez
+S damasser	+N dematant	+T adaptent	**AADENSS**	**AADENUX**
desarmas	+R admettra	+V depavant	+B bandasse	+B bandeaux
+T desarmat	**AADEMTZ**	**AADENPV**	+L sandales	+C decanaux
tardames	+N mandatez	+T depavant	+M damnasse	**AADEOPP**
+U maraudes	**AADEMUZ**	**AADENQU**	dansames	+R parapode
+Y drayames	+O amadouez	+M quemanda	mandasse	**AADEOPR**
AADEMRT	+R maraudez	**AADENRR**	sardanes	+P parapode
+E dematera	**AADENNO**	+C canarder	+S dansasse	+T adoptera
+I damerait	+R adonnera	rancarde	+T dansates	+X paradoxe
demariat	**AADENNP**	rencarda	**AADENST**	**AADEOPT**
+N mandater	depanna	+I drainera	+B bandates	+C decapota
ramendat	+I depannai	radinera	+C decanats	+R adoptera
+R demarrat	+S depannas	+P repandra	decantas	**AADEOPX**
+S desarmat	+T depannat	**AADENRS**	+G degantas	+R paradoxe
tardames	epandant	dansera	+I anatides	**AADEORR**
+T admettra	**AADENNR**	sardane	+J dejantas	adorera
AADEMRU	+O adonnera	+B banderas	+M damnates	+B abordera
maraude	**AADENNS**	bardanes	mandates	+I adorerai
+G madrague	+P depannas	+C canardes	+N andantes	+S adoreras
margaude	+T andantes	dracenas	dansante	+T radotera
+O amadouer	dansante	encadras	+R derasant	**AADEORS**
+Q demarqua	**AADENNT**	scandera	+S dansates	+L saladero
+R marauder	+M amendant	+I danserai	+X desaxant	+M adorames
+S maraudes	mandante	+M damneras	**AADENSU**	+R adoreras
+Z maraudez	+P depannat	manderas	+R renaudas	+S adorasse
AADEMRY	epandant	mansarde	**AADENSV**	adossera
+S drayames	+S andantes	ramendas	+C devancas	+T adorates
AADEMRZ	dansante	+P epandras	+L lavandes	**AADEORT**
+U maraudez	+V advenant	panardes	vandales	+G radotage
AADEMSS	**AADENNV**	+S danseras	+R verandas	+P adoptera
damasse	+T advenant	sardanes	**AADENSX**	+R radotera
+E damassee	**AADENOR**	+T derasant	+T desaxant	+S adorates
+N damasses	+B abondera	+U renaudas	**AADENSZ**	**AADEORU**
dansames	+C caronade	+V verandas	+F fazendas	+B adoubera
mandasse	+N adonnera	**AADENRT**	**AADENTT**	+M amadouer
+R damasser	**AADENOU**	+C encadrat	+C decantat	**AADEORX**
desarmas				+P paradoxe
+S damasses				

AADEOSS	**AADEPRU**	**AADEQRT**	revaudra	+N derasant
+R adorasse	drapeau	+U detraqua	**AADERRV**	+O adorates
adossera	+L epaulard	**AADEQRU**	+B bavarder	+P drapates
AADEOST	+R paradeur	+B debarqua	+U ravauder	+R retardas
+R adorates	+S persuada	+M demarqua	revaudra	tarderas
AADEOSU	+X drapeaux	+T detraqua	**AADERRW**	+S adressat
+M amadoues	**AADEPRV**	**AADEQST**	+H hardware	+T attardes
+V desavoua	deprava	+U adequats	**AADERRY**	tardates
AADEOSV	+E depavera	**AADEQSU**	drayera	+U taraudes
+U desavoua	+I depravai	+M demasqua	+E derayera	+X extradas
AADEOTU	+S depravas	desquama	+I drayerai	+Y drayates
+F autodafe	+T depravat	+T adequats	+S drayeras	**AADERSU**
AADEOUV	**AADEPRX**	**AADEQTU**	**AADERRZ**	+B dauberas
+S desavoua	+O paradoxe	adequat	+B bazarder	+D daurades
AADEOUZ	+U drapeaux	+E adequate	**AADERSS**	+F faraudes
+M amadouez	**AADEPRZ**	+R detraqua	adressa	+L aduleras
AADEPPR	paradez	+S adequats	derasas	+M maraudes
+L papelard	+I paradiez	**AADERRS**	radasse	+N renaudas
+N appendra	**AADEPSS**	raderas	rasades	+P persuada
+O parapode	depassa	+B barderas	+B bardasse	+T taraudes
AADEPRR	passade	braderas	bradasse	+V ravaudes
drapera	+H dephasas	+C cadreras	+C cadrasse	**AADERSV**
parader	+I depassai	carderas	cardasse	+B bavardes
+A paradera	+R drapasse	recardas	decrassa	bravades
+E deparera	+S depassas	+D darderas	+D dardasse	+C cadavres
derapera	passades	+E derasera	+F fardasse	+E evaderas
+I diaprera	+T depassat	+F farderas	+G gardasse	+N verandas
draperai	+Y depaysas	+G garderas	+H hardasse	+P depravas
+N repandra	**AADEPST**	regardas	hasardes	+U ravaudes
+S draperas	adaptes	+H harderas	+I adressai	**AADERSX**
+U paradeur	+E adaptees	hasarder	daraises	+E desaxera
AADEPRS	+H dephasat	+I draieras	derasais	+T extradas
deparas	+R drapates	raderais	radiasse	**AADERSY**
derapas	+S depassat	radieras	+L lardasse	derayas
parades	+U pataudes	+L lardenas	+M damasser	+B debrayas
+I deparais	+Y depaysat	+M demarras	desarmas	+F defrayas
deparias	**AADEPSU**	+O adoreras	+N danseras	+I derayais
derapais	+I diapause	+P draperas	sardanes	+M drayames
pariades	+R persuada	+T retardas	+O adorasse	+R drayeras
+M drapames	+T pataudes	tarderas	adossera	+S drayasse
+N epandras	**AADEPSV**	+Y drayeras	+P drapasse	+T drayates
panardes	depavas	**AADERRT**	+S adressas	**AADERSZ**
+R draperas	+I depavais	retarda	radasses	+B bazardes
+S drapasse	+R depravas	tardera	+T adressat	+H hasardez
+T drapates	**AADEPSY**	+C recardat	+Y drayasse	+L lezardas
+U persuada	depaysa	+G regardat	**AADERST**	**AADERTT**
+V depravas	+I depaysai	+I raderait	dateras	attarde
AADEPRT	+S depaysas	retardai	derasat	+B debattra
adapter	+T depaysat	tarderai	radates	+E attardee
deparat	**AADEPTT**	+M demarrat	+B bardates	+I daterait
derapat	+N adaptent	+O radotera	batardes	+M admettra
+A adaptera	**AADEPTU**	+S retardas	bradates	+N attendra
petarada	pataude	tarderas	+C cadastre	+R attarder
readapta	+I depiauta	+T attardar	cadrates	detartra
+E petarade	+S pataudes	detartra	cardates	retardat
readapte	**AADEPTV**	retardat	+D dardates	+S attardes
+I apatride	depavat	+U tarauder	+F fardates	tardates
deparait	+I depavait	**AADERRU**	+G gardates	+X extradat
depariat	+N depavant	+F fraudera	+H hardates	+Z attardez
derapait	+R depravat	+G draguera	+I daterais	**AADERTU**
+L deplatra	**AADEPTY**	graduera	derasait	taraude
+N deparant	+S depaysat	+J adjurera	deratisa	+E taraudee
derapant	**AADEPTZ**	+M marauder	radiates	+L adultera
paradent	adaptez	+P paradeur	+L lardates	taularde
+O adoptera	+I adaptiez	+T tarauder	+M desarmat	+N denatura
+S drapates	**AADEPUX**	+V ravauder	tardames	renaudat
+V depravat	+R drapeaux			

+Q detraqua
+R tarauder
+S taraudes
+Z taraudez
AADERTV
+N vantarde
+P depravat
AADERTX
   extrada
+E detaxera
+I extradai
+S extradas
+T extradat
AADERTY
   derayat
+B debrayat
+F defrayat
+I derayait
+N derayant
+S drayates
AADERTZ
+L lezardat
+T attardez
+U taraudez
AADERUV
   ravaude
+E ravaudee
+R ravauder
   revaudra
+S ravaudes
+Z ravaudez
AADERUX
   radeaux
+B bardeaux
+F fardeaux
+P drapeaux
AADERUZ
+M maraudez
+T taraudez
+V ravaudez
AADERVZ
+B bavardez
+U ravaudez
AADERZZ
+B bazardez
AADESSS
+F fadasses
+I aidasses
+L delasses
   dessalas
+M damasses
+N dansasses
+P depassas
   passasses
+R adressas
   radasses
+T datasses
AADESST
   datasse
+I diastase
+L delassat
   dessalat
+N dansates
+P depassat
+R adressat
   tardasse
+S datasses

+V devastas
AADESSU
+B daubasse
   desabusa
+F defaussa
+L adulasse
+M maussade
AADESSV
+E evadasse
+T devastas
AADESSX
   desaxas
+I desaxais
AADESSY
+P depaysas
+R drayasse
AADESSZ
+M damassez
AADESTT
   datates
+R attardes
   tardates
+V devastat
AADESTU
+B daubates
+L adulates
+P pataudes
+Q adequats
+R taraudes
AADESTV
   devasta
+E evadates
+I devastai
+S devastas
+T devastat
AADESTX
   desaxat
   detaxas
+I desaxait
   detaxais
+N desaxant
+R extradas
AADESTY
+P depaysat
+R drayates
AADESUV
+L devaluas
+O desavoua
+R ravaudes
AADETTV
+S devastat
AADETTX
   detaxat
+I detaxait
+N detaxant
+R extradat
AADETTZ
+R attardez
AADETUV
+L devaluat
AADETUZ
+R taraudez
AADEUVZ
+R ravaudez
AADFFII
+M diffamai
AADFFIM

   diffama
+I diffamai
+S diffamas
+T diffamat
AADFFIR
   affadir
+A affadira
AADFFIS
   affadis
+E affadies
+M diffamas
AADFFIT
   affadit
+M diffamat
AADFFMS
+I diffamas
AADFFMT
+I diffamat
AADFFRT
+E farfadet
AADFGIR
+E degrafai
AADFGLR
+E deflagra
AADFGNN
+O fandango
AADFGNO
+N fandango
AADFGRS
+E degrafas
   fardages
AADFGRT
+E degrafat
AADFHRU
+C fauchard
AADFIII
+C acidifia
AADFIIM
+F diffamai
AADFIIR
+T radiatif
AADFIIT
+R radiatif
AADFILM
   maladif
+S maladifs
AADFILR
+B faiblard
AADFILS
+M maladifs
AADFILT
+U laudatif
AADFILU
+T laudatif
AADFIMS
+F diffamas
+L maladifs
AADFIMT
+F diffamat
AADFINS
+A faisanda
+E faisande
AADFIRR
+E farderai
   fardais
+U fraudais

AADFIRT
   fardait
+I radiatif
+U faudrait
   fraudait
AADFIRU
   fraudai
+S fraudais
+T fraudait
AADFIRY
+E defrayai
AADFISS
+E fadaises
AADFISU
+R fraudais
AADFITU
+L laudatif
+R fraudait
AADFLMN
   flamand
+E flamande
+S flamands
AADFLMR
+B flambard
AADFLMS
+I maladifs
+N flamands
AADFLNS
+M flamands
AADFLQU
+E defalqua
AADFLRS
+B blafards
AADFLTU
+I laudatif
AADFMNS
+L flamands
AADFMRS
+E fardames
AADFNNO
+G fandango
AADFNRT
   fardant
+U fraudant
AADFNRU
+T fraudant
AADFNSZ
+E fazendas
AADFNTU
+R fraudant
AADFOTU
+E autodafe
AADFRRS
+E farderas
AADFRRU
+E fraudera
AADFRSS
+E fardasse
AADFRST
+E fardates
AADFRSU
   farauds
   fraudas
+C faucards
+E faraudes

+I fraudais
AADFRSY
   fayards
+A faradays
+E defrayas
AADFRTU
   fraudat
+I faudrait
   fraudait
+N fraudant
AADFRTY
+E defrayat
AADFRUX
+E fardeaux
AADFSSS
+E fadasses
AADFSSU
+E defaussa
AADGGLN
+E glandage
AADGGRS
+E dragages
AADGHRS
   hagards
+E hagardes
AADGIIL
   galidia
+S galidias
AADGIIN
   daignai
+E degainai
+S daignais
+T daignait
AADGIIS
+L galidias
+N daignais
AADGIIT
+N daignait
AADGIIU
+V divaguai
AADGIIV
+U divaguai
AADGIJU
+E adjugeai
AADGILL
+O godailla
+R gaillard
AADGILM
+R madrigal
AADGILN
   glandai
+O diagonal
+S glandais
+T glandait
AADGILO
+L godailla
+N diagonal
+U dialogua
AADGILR
+L gaillard
+M madrigal
AADGILS
+I galidias
+N glandais
+U saligaud
AADGILT
+N glandait

AADGILU
+O dialogua
+S saligaud
AADGIMM
digamma
AADGIMR
+L madrigal
AADGINN
+T daignant
AADGINO
+L diagonal
AADGINR
agrandi
gardian
+C cardigan
+E agrandie
daignera
drainage
gardenia
+R agrandir
grandira
+S agrandis
gardians
+T agrandit
AADGINS
daignas
+E degainas
+I daignais
+L glandais
+R agrandis
gardians
AADGINT
daignat
+E degainat
degantai
+I daignait
+L glandait
+N daignant
+R agrandit
AADGINV
+E vidangea
AADGIOS
adagios
AADGIOU
+L dialogua
AADGIRR
+E garderai
regardai
+N agrandir
grandira
AADGIRS
gardais
+N agrandis
gardians
+U draguais
graduais
AADGIRT
gardait
+N agrandit
+U draguait
graduait
AADGIRU
draguai
graduai
+S draguais
graduais
+T draguait

graduait
AADGISU
+L saligaud
+R draguais
graduais
+V divaguas
AADGISV
+U divaguas
AADGISZ
+E degazais
AADGITU
+R draguait
graduait
+V divaguat
AADGITV
+U divaguat
AADGITZ
+E degazait
AADGIUV
divagua
+I divaguai
+S divaguas
+T divaguat
AADGJNS
+A jangadas
AADGJRU
+E adjugera
AADGJSU
+E adjugeas
AADGJTU
+E adjugeat
AADGLLO
+I godailla
AADGLLR
+I gaillard
AADGLLS
+E dallages
AADGLMR
+I madrigal
AADGLMY
+E amygdale
AADGLNN
+T glandant
AADGLNO
+I diagonal
AADGLNR
+E glandera
AADGLNS
glandas
ladangs
+I glandais
+T landtags
AADGLNT
glandat
landtag
+I glandait
+N glandant
+S landtags
AADGLOP
+E galopade
AADGLOU
+I dialogua
AADGLST
+N landtags
AADGLSU
+I saligaud
AADGLUV

+A galvauda
+E galvaude
AADGMNR
+E gendarma
AADGMRS
+E gardames
AADGMRU
+A margauda
+E madrague
margaude
AADGNNO
+F fandango
AADGNNT
+I daignant
+L glandant
AADGNOR
+U gandoura
AADGNOS
+C cadogans
AADGNOU
+R gandoura
AADGNOV
+B vagabond
AADGNRR
+I agrandir
grandira
AADGNRS
+B bagnards
+I agrandis
gardians
AADGNRT
gardant
+I agrandit
+U draguant
graduant
AADGNRU
+O gandoura
+T draguant
graduant
AADGNST
+E degantas
+L landtags
AADGNTT
+E degantant
AADGNTU
+R draguant
graduant
AADGNTZ
+E degazant
AADGORT
+E radotage
AADGORU
+N gandoura
AADGRRS
+E garderas
regardas
AADGRRT
+E regardat
AADGRRU
+E draguera
graduera
AADGRSS
sagards
+E gardasse
AADGRST
+E gardates
+U graduats

AADGRSU
draguas
graduas
+I draguais
graduais
+T graduas
AADGRTU
draguat
graduat
+I draguait
graduat
+N draguant
graduant
+S graduats
AADGSTU
+R graduas
AADGSUV
+I divaguas
AADGTUV
+I divaguat
AADHIIS
+C chiadais
AADHIIT
+C chiadait
AADHILN
+C chandail
AADHILP
+E hapalide
AADHILS
dahlias
+E dehalais
AADHILT
+E dehalait
AADHINP
+C handicap
AADHINR
+E diaphane
AADHINT
+C chiadant
AADHIPS
+E dephasai
AADHIRR
+E harderai
AADHIRS
hardais
+A hasardai
+E adherais
AADHIRT
hardait
+E adherait
+Y hydratai
AADHIRY
+T hydratai
AADHITY
+R hydratai
AADHJRS
radjahs
AADHLLN
+B handball
AADHLNS
+C chalands
AADHLNT
+E dehalant
AADHMNR
+C marchand
AADHMRS
+E hardames
AADHMRU

+C chaumard
AADHNRT
hardant
+E adherant
AADHPSS
+E dephasas
AADHPST
+E dephasat
AADHRRS
+E harderas
hasarder
AADHRRW
+E hardware
AADHRSS
hasards
+A hasardas
+E hardasse
hasardes
AADHRST
+A hasardat
+E hardates
+Y hydratas
AADHRSV
+C vachards
AADHRSY
+T hydratas
AADHRSZ
+E hasardez
AADHRTT
+Y hydratat
AADHRTY
hydrata
+I hydratai
+S hydratas
+T hydratat
AADHSTY
+R hydratas
AADHTTY
+R hydratat
AADIIIR
+R irradiai
raidirai
AADIIJN
+R jardinai
AADIIJR
+N jardinai
AADIIJS
+U judaisai
AADIIJU
+S judaisai
AADIILN
+E delainai
+V invalida
AADIILP
lapidai
plaidai
+D dilapida
+S lapidais
plaidais
+T lapidait
plaidait
AADIILS
+B absidial
+E idealisa
+G galidias
+P lapidais
plaidais

+T dilatais	radinait	+J judaisai	+O rodailla	**AADILOZ**
+V validais	+V viandait	**AADIISV**	+P paillard	+C zodiacal
+Y dialysai	**AADIINU**	+L validais	**AADILLS**	**AADILPP**
AADIILT	+M minaudai	+N viandais	dallais	+U applaudi
dilatai	**AADIINV**	**AADIISY**	+E aillades	**AADILPR**
+E delaitai	viandai	+L dialysai	**AADILLT**	+E delpaira
+P lapidait	+L invalida	**AADIITT**	dallait	lapidera
plaidait	+S viandais	+L dilatait	+A taillada	plaidera
+S dilatais	+T viandait	**AADIITV**	+E detailla	+L paillard
+T dilatait	**AADIIOP**	+L validait	taillade	+N plaindra
+V validait	+R parodiai	+N viandait	**AADILMN**	prandial
AADIILV	**AADIIOR**	**AADIIUV**	+N almandin	**AADILPS**
validai	+P parodiai	+G divaguai	+O domanial	lapidas
+N invalida	**AADIIOS**	**AADIJNR**	**AADILMO**	plaidas
+S validais	+M amodiais	jardina	+N domanial	+E pedalais
+T validait	+N anodisai	+I jardinai	**AADILMR**	+I lapidais
AADIILY	**AADIIOT**	+S jardinas	+G madrigal	plaidais
+S dialysai	+M amodiait	+T jardinat	**AADILMS**	+N paladins
AADIIMN	**AADIIPR**	**AADIJNS**	+E maladies	**AADILPT**
+U minaudai	diaprai	+R jardinas	+F maladifs	lapidat
AADIIMO	+E depariai	**AADIJNT**	**AADILMU**	plaidat
amodiai	+O parodiai	+E dejantai	+C caladium	+E pedalait
+S amodiais	+S diaprais	+R jardinat	**AADILMV**	+I lapidait
+T amodiait	+T diaprait	**AADIJRS**	+E maladive	plaidait
AADIIMR	**AADIIPS**	+N jardinas	**AADILNN**	+N lapidant
admirai	+L lapidais	+U adjurais	+M almandin	plaidant
+E demariai	plaidais	**AADIJRT**	+V lavandin	**AADILPU**
+S admirais	+R diaprais	+N jardinat	**AADILNO**	+P applaudi
+T admirait	**AADIIPT**	+U adjurait	+C diaconal	**AADILRR**
+U maudirai	+L lapidait	**AADIJRU**	+G diagonal	+E larderai
AADIIMS	plaidait	adjurai	+M domanial	**AADILRS**
+C cadmiais	+R diaprait	+S adjurais	**AADILNP**	lardais
+O amodias	**AADIIQU**	+T adjurait	paladin	+E radiales
+R admirais	+B abdiquai	**AADIJSS**	+R plaindra	saladier
AADIIMT	**AADIIRR**	+U judaisas	prandial	**AADILRT**
+C cadmiais	irradia	**AADIJST**	+S paladins	lardait
+O amodiait	raidira	+U judaisat	+T lapidant	+E dilatera
+R admirait	+E draierai	**AADIJSU**	plaidant	+O idolatra
AADIIMU	radierai	judaisa	**AADILNR**	**AADILRU**
+N minaudai	+I irradiai	+I judaisai	+C cardinal	+E adulaire
+R maudirai	raidirai	+R adjurais	+P plaindra	adulerai
AADIINN	+S irradias	+S judaisas	prandial	**AADILRV**
+D dandinai	raidiras	+T judaisat	**AADILNS**	+E validera
AADIINO	+T irradiat	**AADIJTU**	landais	**AADILRZ**
+S anodisai	**AADIIRS**	+R adjurait	+B baladins	+E lezardai
AADIINR	radiais	+S judaisat	+E delainas	**AADILSS**
drainai	+E aiderais	**AADIKKN**	landaise	+E delaissa
radinai	+M admirais	+E akkadien	+G glandais	delassai
+C candirai	+N drainais	**AADIKNP**	+P paladins	dessalai
+J jardinai	radinais	+P kidnappa	**AADILNT**	+Y dialysas
+S drainais	+P diaprais	**AADIKPP**	+E delainat	**AADILST**
radinais	+R irradias	+N kidnappa	+G glandait	dilatas
+T drainait	raidiras	**AADILLL**	+P lapidant	+E delaitas
radinait	**AADIIRT**	+O allodial	plaidant	detalais
AADIINS	radiait	**AADILLM**	+T dilatant	+I dilatais
+B badinais	+E aiderait	+E demailla	+V validant	+Y dialysat
+E deniaisa	+F radiatif	**AADILLO**	**AADILNV**	**AADILSU**
+G daignais	+M admirait	+G godailla	+I invalida	adulais
+O anodisai	+N drainait	+L allodial	+N lavandin	+G saligaud
+R drainais	radinait	+R rodailla	+T validant	**AADILSV**
radinais	+P diaprait	**AADILLP**	**AADILOR**	validas
+V viandais	+R irradiat	+E depailla	+L rodailla	+E delavais
AADIINT	**AADIIRU**	+R paillard	+T idolatra	devalais
+B badinait	+M maudirai	**AADILLR**	**AADILOT**	devalisa
+E aidenisa	**AADIIST**	+E dallerai	+R idolatra	+I validais
+G daignait	+L dilatais	derailla	**AADILOU**	**AADILSY**
+R drainait	**AADIISU**	+G gaillard	+G dialogua	dialysa

+E delayais
+I dialysai
+S dialysas
+T dialysat
AADILTT
dilatat
+E delaitat
detalait
+I dilatait
+N dilatant
AADILTU
adulait
+F laudatif
AADILTV
validat
+E delavait
devalait
+I validait
+N validant
AADILTY
+E delayait
+S dialysat
AADILUV
+E devaluai
AADIMMO
+P pommadai
AADIMMP
+O pommadai
AADIMMS
+E adamisme
AADIMNN
+E amandine
+L almandin
+O amidonna
+R mandarin
mandrina
AADIMNO
+L domanial
+N amidonna
+S nomadisa
+T amodiant
AADIMNR
+E amandier
damnerai
manderai
marinade
ramendai
+N mandarin
mandrina
+T admirant
AADIMNS
damnais
mandais
+E adamiens
amendais
+O nomadisa
+T diamants
+U minaudas
+Y dynamisa
AADIMNT
damnait
diamant
mandait
+A mandatai
+C cadmiant
+E amendait
damaient

diamante
+O amodiant
+R admirant
+S diamants
+U adiantum
minaudat
+Y dynamita
AADIMNU
minauda
+I minaudai
+S minaudas
+T adiantum
minaudat
+V vanadium
AADIMNV
+U vanadium
AADIMNY
+E adynamie
+S dynamisa
+T dynamita
AADIMOP
+M pommadai
AADIMOR
diorama
+E amodiera
+S dioramas
AADIMOS
amodias
+I amodiais
+N nomadisa
+R dioramas
AADIMOT
amodiat
+I amodiait
+N amodiant
AADIMOU
+A amadouai
AADIMPZ
+E diazepam
AADIMQU
+E adamique
AADIMRR
+E admirera
demarrai
AADIMRS
admiras
+B barmaids
+C camisard
+E aramides
damerais
demarias
desarmai
disamare
radiames
+I admirais
+O dioramas
+U maudiras
musardai
AADIMRT
admirat
+E damerait
demariat
+I admirait
+N admirant
AADIMRU
maudira
+A maraudai

+I maudirai
+S maudiras
musardai
AADIMSS
+A damassai
AADIMST
+E adamites
dematais
+N diamants
+Z samizdat
AADIMSU
+N minaudas
+R maudiras
musardai
AADIMSY
+N dynamisa
AADIMSZ
+T samizdat
AADIMTT
+E dematait
AADIMTU
+N adiantum
minaudat
AADIMTY
+N dynamita
AADIMTZ
+S samizdat
AADIMUV
+N vanadium
AADINNO
adonnai
+M amidonna
+S adonnais
+T adonnait
AADINNP
+E depannai
AADINNR
+M mandarin
mandrina
+T drainant
radinant
AADINNS
andains
+D dandinas
+O adonnais
+I drainais
AADINNT
+B badinant
+D dandinat
+G daignant
+O adonnant
+R drainant
radinant
+V viandant
AADINNV
+L lavandin
+T viandant
AADINOP
+S diapason
AADINOR
+R anordira
AADINOS
anodisa
+B abondais
+I anodisai
+M nomadisa
+N adonnais
+P diapason

+S anodisas
+T anodisat
AADINOT
+B abondait
+C diaconat
+M amodiant
+N adonnait
+S anodisat
+T datation
AADINPP
+K kidnappa
AADINPR
+C picardan
+E epandrai
+L plaindra
prandial
+T diaprant
AADINPS
+E epandais
+L paladins
+O diapason
AADINPT
+E epandait
inadapte
+L lapidant
plaidant
+R diaprant
AADINRR
+B brandira
+C craindra
+E drainera
radinera
+G agrandir
grandira
+O anordira
+T trainard
AADINRS
drainas
radians
radinas
+C candiras
+E danserai
+G agrandis
gardians
+I drainais
radinais
+J jardinas
+T radiants
AADINRT
drainat
radiant
radinat
+C cadratin
radicant
+E radaient
radiante
+G agrandit
+I drainait
radinait
+J jardinat
+M admirant
+N drainant
radinant
+P diaprant
+R trainard
+S radiants
+U truandai

AADINRU
+E renaudai
+T truandai
AADINRV
+E viandera
AADINSS
dansais
+C scandais
+O anodisas
AADINST
dansait
+C distanca
scandait
+E anatides
+M diamants
+O anodisat
+R radiants
AADINSU
+M minaudas
AADINSV
viandas
+I viandais
AADINSY
+M dynamisa
AADINTT
+A antidata
+E antidate
dataient
+L dilatant
+O datation
AADINTU
+M adiantum
minaudat
+R truandai
AADINTV
viandat
+E advenait
+I viandait
+L validant
+N viandant
AADINTY
+M dynamita
AADINUV
+M vanadium
AADIOPR
parodia
+I parodiai
+S diaspora
parodias
+T parodiat
AADIOPS
+N diapason
+R diaspora
parodias
+T adoptais
AADIOPT
adoptai
+R parodiat
+S adoptais
+T adoptait
AADIORR
+E adorerai
+N anordira
AADIORS
adorais
+B abordais
adsorbai

sabordai	**AADIPRV**	musardai	+B absidaux	adjuvat
+M dioramas	+E depravai	+V vaudrais	**AADITTX**	+N adjuvant
+P diaspora	**AADIPRZ**	**AADIRSV**	+E detaxait	+S adjuvats
parodias	+E paradiez	+U vaudrais	**AADITUV**	**AADKKRR**
+T radotais	**AADIPSS**	**AADIRSY**	+G divaguat	drakkar
torsadai	+E depassai	drayais	+R vaudrait	+S drakkars
AADIORT	**AADIPST**	+E derayais	**AADJKLN**	**AADKKRS**
adorait	+A adaptais	**AADIRTT**	+R kandjlar	+R drakkars
radotai	+O adoptais	tardait	**AADJKLR**	**AADKLNR**
+B abordait	**AADIPSU**	+A attardai	+N kandjlar	+J kandjlar
+L idolatra	+E diapause	+E daterait	**AADJKNR**	**AADKNPP**
+P parodiat	**AADIPSV**	+O radotait	kandjar	+I kidnappa
+S radotais	+E depavais	**AADIRTU**	+L kandjlar	**AADKNRS**
torsadai	**AADIPSY**	+A taraudai	+S kandjars	+J kandjars
+T radotait	+E depaysai	+F faudrait	**AADJKNS**	**AADKNSS**
AADIORU	**AADIPTT**	fraudait	sandjak	+J sandjaks
+B radoubai	+A adaptait	+G draguait	+R kandjars	**AADKRRS**
+C adoucira	+O adoptait	graduait	+S kandjars	+K drakkars
AADIOSS	**AADIPTU**	+J adjurait	**AADJKRS**	**AADLLLO**
adossai	+E depiauta	+N truandai	+N kandjars	+I allodial
+N anodisas	**AADIPTV**	+R traduira	**AADJKSS**	**AADLLMN**
+S adossais	+E depavait	+V vaudrait	+N sandjaks	+E allemand
+T adossait	**AADIPTZ**	**AADIRTV**	**AADJLNR**	**AADLLMS**
AADIOST	+E adaptiez	+U vaudrait	+K kandjlar	+E dallames
+N anodisat	**AADIQSS**	**AADIRTX**	**AADJNRS**	**AADLLNT**
+P adoptais	qasidas	+E extradai	+I jardinas	dallant
+R radotais	**AADIQSU**	**AADIRTY**	+K kandjars	**AADLLOR**
torsadai	+B abdiquas	drayait	**AADJNRT**	+I rodailla
+S adossait	**AADIQTU**	+E derayait	+I jardinat	**AADLLPR**
AADIOSU	+B abdiquat	+H hydratai	+U adjurant	+I paillard
+B adoubais	**AADIRRS**	**AADIRUV**	**AADJNRU**	**AADLLRS**
AADIOSZ	+E draieras	vaudrai	+T adjurant	+E dalleras
+B dazibaos	raderais	+A ravaudai	**AADJNSS**	**AADLLSS**
AADIOTT	radieras	+S vaudrais	+K sandjaks	+E dallasse
+N datation	+I irradias	+T vaudrais	**AADJNST**	**AADLLST**
+P adoptait	raidiras	**AADIRUX**	+E dejantas	+E dallates
+R radotait	**AADIRRT**	radiaux	**AADJNTT**	**AADLMNN**
AADIOTU	+E raderait	+C radicaux	+E dejantat	+I almandin
+B adoubait	retardai	**AADISSS**	**AADJNTU**	**AADLMNO**
AADIPPU	tarderai	+E aidasses	+D adjudant	+I domanial
+L applaudi	+I irradiat	+O adossais	+R adjurant	**AADLMNR**
AADIPPRR	+N trainard	**AADISST**	+V adjuvant	+E alderman
+E diaprera	+U traduira	stadias	**AADJNTV**	malandre
draperai	**AADIRRU**	+E diastase	+U adjuvant	+Y maryland
AADIPRS	+T traduira	+O adossait	**AADJNUV**	**AADLMNS**
diapras	**AADIRRY**	**AADISSU**	+T adjuvant	+A mandalas
drapais	+E drayerai	+D dissuada	**AADJQRU**	+F flamands
paradis	**AADIRSS**	+J judaisas	+C jacquard	+U ladanums
+A paradais	+E adressai	**AADISSX**	**AADJRRU**	**AADLMNU**
+E deparais	daraises	+E desaxais	+E adjurera	ladanum
deparias	derasais	**AADISSY**	**AADJRSU**	+B labdanum
derapais	radiasse	+L dialysas	adjuras	+S ladanums
pariades	**AADIRST**	**AADISTU**	+I adjurais	+U laudanum
+I diaprais	tardais	+J judaisat	**AADJRTU**	**AADLMNY**
+O diaspora	+E daterais	**AADISTV**	adjurat	+R maryland
parodias	derasait	+E devastai	+I adjurait	**AADLMRS**
AADIPRT	deratisa	**AADISTX**	+N adjurant	+E lardames
diaprat	radiates	+E desaxais	**AADJSSU**	**AADLMRY**
drapait	+N radiants	detaxais	+I judaisas	+N maryland
+A paradait	+O radotais	**AADISTY**	**AADJSTU**	**AADLMST**
+E apatride	torsadai	+L dialysat	+I judaisat	+E dalmates
deparait	**AADIRSU**	**AADISTZ**	+V adjuvats	**AADLMSU**
depariat	+F fraudais	+M samizdat	**AADJSTV**	+E adulames
derapait	+G draguais	**AADISUV**	+U adjuvats	+N ladanums
+I diaprait	graduais	+G divaguas	**AADJSUV**	**AADLMUU**
+N diaprant	+J adjurais	+R vaudrais	+T adjuvats	+N laudanum
+O parodiat	+M maudiras	**AADISUX**	**AADJTUV**	

AADLNNT
+G glandant
AADLNNV
+I lavandin
AADLNOS
+B baladons
+U andalous
AADLNOU
andalou
+S andalous
AADLNPR
+I plaindra
prandial
+T plantard
AADLNPS
+I paladins
AADLNPT
+E deplanta
pedalant
+I lapidant
plaidant
+R plantard
AADLNRT
lardant
+P plantard
AADLNRV
+M maryland
AADLNSS
+E sandales
AADLNST
+G landtags
AADLNSU
landaus
+M ladanums
+O andalous
AADLNSV
+E lavandes
vandales
AADLNTT
+E detalant
+I dilatant
AADLNTU
adulant
AADLNTV
+E delavant
devalant
+I validant
AADLNTY
+E delayant
AADLNUU
+M laudanum
AADLOPR
+S salopard
AADLOPS
+R salopard
AADLORR
+B labrador
AADLORS
+E saladero
+P salopard
AADLORT
+I idolatra
AADLOSU
+N andalous
AADLOSV
+C calvados
AADLPPR

+E papelard
AADLPPU
+I applaudi
AADLPRS
+C placards
+O salopard
AADLPRT
+E deplatra
+N plantard
AADLPRU
+E epaulard
AADLRRS
+E larderas
AADLRSS
+E lardasse
AADLRST
+U taulards
AADLRSU
radulas
+E aduleras
+T taulards
AADLRSZ
+E lezardas
AADLRTU
taulard
+E adultera
taularde
+S taulards
AADLRTZ
+E lezardat
AADLSSS
+E delassas
dessalas
AADLSST
+E delassat
dessalat
AADLSSU
salauds
+E adulasse
AADLSSY
+I dialysas
AADLSTU
+E adulates
+R taulards
AADLSTY
+I dialysat
AADLSUV
+E devaluas
AADLTUV
+E devalua
AADMMNO
+C commanda
AADMMNS
+E damnames
mandames
AADMMOP
pommada
+I pommadai
+S pommades
+T pommadat
AADMMOS
+P pommadas
AADMMOT
+P pommadat
AADMMPS
+O pommadas

AADMMPT
+O pommadat
AADMMRS
ramdams
AADMNNO
+C condamna
+I amidonna
AADMNNR
+I mandarin
mandrina
AADMNNS
+T mandants
AADMNNT
damnant
mandant
+E amendant
mandante
+S mandants
AADMNOR
+C mordanca
AADMNOS
+I nomadisa
AADMNOT
+I amodiant
AADMNQU
+E quemanda
AADMNRS
+E damneras
manderas
mansarde
ramendas
AADMNRT
+E mandater
ramendat
+I admirant
AADMNRY
+L maryland
AADMNSS
+E damnasse
dansames
mandasse
AADMNST
mandats
+A mandatas
+E damnates
mandates
+I diamants
+N mandants
AADMNSU
+I minaudas
+L ladanums
AADMNSY
+I dynamisa
AADMNTT
+A mandatat
+E dematant
AADMNTU
+A tamandua
+I adiantum
minaudat
AADMNTY
+I dynamita
AADMNTZ
+E mandatez
AADMNUU
+L laudanum
AADMNUV

+I vanadium
AADMOPS
+M pommadas
AADMOPT
+M pommadat
AADMORS
+E adorames
+I dioramas
+T matadors
AADMORT
matador
+S matadors
AADMORU
+E amadouer
AADMOST
+R matados
AADMOSU
amadous
+A amadouas
+E amadoues
AADMOTU
+A amadouat
+E amadouez
AADMOUZ
AADMPRS
+E drapames
AADMQRU
+E demarqua
AADMQSU
+E demasqua
desquama
AADMRRS
+E demarras
AADMRRT
+E demarrat
AADMRRU
+E marauder
AADMRSS
+E desarmas
+U musardas
AADMRST
+E desarmat
tardames
+O matadors
+U musardat
AADMRSU
marauds
musarda
+A maraudas
+E maraudes
+I maudiras
musardai
+S musardas
+T musardat
AADMRSY
+E drayames
AADMRTT
+E admettra
AADMRTU
+A maraudat
+S musardat
AADMRUZ
+E maraudez
AADMSSS
+A damassas

+E damasses
AADMSST
+A damassat
AADMSSU
+R musardas
AADMSSZ
+E damassez
AADMSTU
+R musardat
AADMSTZ
+I samizdat
AADNNNO
+T adonnant
AADNNNT
+O adonnant
AADNNOP
+R pardonna
AADNNOR
+E adonnera
+P pardonna
+R andorran
AADNNOS
adonnas
+B abandons
+I adonnais
AADNNOT
adonnat
+B abondant
+I adonnait
+N adonnant
AADNNPR
+O pardonna
AADNNPS
+E depannas
+U pandanus
AADNNPT
+E depannat
epandant
AADNNPU
+S pandanus
AADNNRR
+O andorran
AADNNRT
+I drainant
radinant
AADNNSS
+T dansants
AADNNST
dansant
+C scandant
+E andantes
dansante
+M mandants
+S dansants
AADNNSU
+P pandanus
AADNNTV
+E advenant
+I viandant
AADNOPR
+N pardonna
+S paradons
AADNOPS
+I diapason
+R paradons
+T adaptons

AADNOPT
+S adaptons
+T adoptant
AADNORR
+I anordira
+N andorran
AADNORS
+P paradons
+T ondatras
AADNORT
  adorant
  ondatra
+B abordant
+S ondatras
+T radotant
AADNORU
+G gandoura
AADNOSS
+I anodisas
+T adossant
AADNOST
+I anodisat
+P adaptons
+R ondatras
+S adossant
AADNOSU
+L andalous
AADNOTT
+I datation
+P adoptant
+R radotant
AADNOTU
+B adoubant
AADNPPR
+E appendra
AADNPRR
+E repandra
AADNPRS
  panards
+E epandras
  panardes
+O paradons
AADNPRT
  drapant
+A paradant
+E deparant
  derapant
  paradent
+I diaprant
+L plantard
AADNPST
+O adaptons
AADNPSU
+N pandanus
AADNPTT
+A adaptant
+E adaptent
+O adoptant
AADNPTV
+E depavant
AADNQRT
+U quadrant
AADNQRU
+T quadrant
AADNQTU
+R quadrant
AADNRRS

+C rancards
AADNRRT
+I trainard
AADNRSS
  nasards
+E danseras
  sardanes
AADNRST
+D standard
+E derasant
+I radiants
+O ondatras
+U truandas
+V vantards
AADNRSU
+E renaudas
+T truandas
AADNRSV
+E verandas
+T vantards
AADNRTT
  tardant
+E attendra
+O radotant
+U truandat
AADNRTU
  truanda
+E denatura
  renaudat
+F fraudant
+G draguant
  graduant
+I truandai
+J adjurant
+Q quadrant
+S truandas
+T truandat
AADNRTV
  vantard
+E vantarde
+S vantards
AADNRTY
  drayant
+E derayant
AADNSSS
+E dansasse
AADNSST
+E dansates
+N dansants
+O adossant
AADNSTU
+R truandas
AADNSTV
+R vantards
AADNSTX
+E desaxant
AADNTTU
+R truandat
AADNTTX
+E detaxant
AADNTUV
+J adjuvant
AADOPPR
+E parapode
AADOPRS
  parados
+I diaspora

  parodias
+L salopard
+N paradons
AADOPRT
+E adoptera
+I parodiat
AADOPRX
+E paradoxe
AADOPST
  adoptas
+I adoptais
+N adaptons
+T postdata
AADOPTT
  adoptat
+I adoptait
+N adoptant
+S postdata
AADORRS
+E adoreras
AADORRT
+E radotera
AADORSS
+B adsorbas
  sabordas
+E adorasse
  adossera
+T torsadas
AADORST
  radotas
  torsada
+B adsorbat
  sabordat
+E adorates
+I radotais
  torsadai
+M matadors
+N ondatras
+S torsadas
+T torsadat
AADORSU
+B absoudra
  radoubas
AADORSV
+Y savoyard
AADORSY
+V savoyard
AADORTT
  radotat
+I radotait
+N radotant
+S torsadat
AADORTU
+B radoubat
AADORVY
+S savoyard
AADOSSS
  adossas
+I adossais
AADOSST
  adossat
+I adossait
+N adossant
+R torsadas
AADOSTT
+P postdata
+R torsadat

AADOSUV
+E desavoua
AADOSVY
+R savoyard
AADPRRS
+E draperas
AADPRRU
+E paradeur
AADPRSS
+E drapasse
AADPRST
+E drapates
AADPRSU
+C crapauds
+E persuada
AADPRSV
+E depravas
AADPRTV
+E depravat
AADPRUX
+E drapeaux
AADPSSS
+E depassas
  passades
AADPSST
+E depassat
AADPSSY
+E depaysas
AADPSTT
+O postdata
AADPSTU
  patauds
+E pataudes
AADPSTY
+E depaysat
AADQRTU
+E detraqua
+N quadrant
AADQSTU
+E adequats
AADRRSS
+B brassard
AADRRST
+E retardas
  tarderas
AADRRSY
+E drayeras
AADRRTT
+E attarder
  detartra
  retardat
AADRRTU
+E tarauder
+I traduira
AADRRUV
+E ravauder
  revaudra
AADRSSS
+E adresses
  radasses
AADRSST
+E adressat
  tardasse
+O torsadas
AADRSSU
+M musardas
AADRSSY

+E drayasse
AADRSTT
+A attardas
+E attardes
  tardates
+O torsadat
AADRSTU
  daturas
  tarauds
+A taraudas
+E taraudes
+G graduats
+L taulards
+M musardat
+N truandas
AADRSTV
+N vantards
AADRSTX
+E extradas
AADRSTY
+E drayates
+H hydratas
AADRSUV
  vaudras
+A ravaudas
+E ravaudes
+I vaudrais
AADRSVY
+O savoyard
AADRTTT
+A attardat
AADRTTU
+A taraudat
+N truandat
AADRTTX
+E extradat
AADRTTY
+H hydratat
AADRTTZ
+E attardez
AADRTUV
+A ravaudat
+I vaudrait
AADRTUZ
+E taraudez
AADRUVZ
+E ravaudez
AADSSST
+E datasses
AADSSTV
+E devastas
AADSTTV
+E devastat
AADSTUV
+J adjuvats
AAEEEFF
+G affeagee
AAEEEFG
+F affeagee
AAEEEGL
+T etalagee
AAEEEGM
+N amenagee
AAEEEGN
+M amenagee
AAEEEGT
+L etalagee

AAEEELT
+G etalagee
AAEEEMN
+G amenagee
AAEEENR
+C arenacee
AAEEFFG
   affeage
+A affeagea
+E affeagee
+N affenage
+R affeager
+S affeages
+Z affeagez
AAEEFFI
+R affairee
AAEEFFL
   affalee
+S affalees
AAEEFFM
   affamee
+S affamees
AAEEFFN
+G affenage
+R effanera
AAEEFFR
+C effacera
+G affeager
+I affairee
+N effanera
+R effarera
AAEEFFS
+G affeages
+L affalees
+M affamees
AAEEFFZ
+G affeagez
AAEEFGN
+F affenage
AAEEFGR
   agrafee
+F affeager
+S agrafees
AAEEFGS
+F affeages
+R agrafees
AAEEFGZ
+F affeagez
AAEEFIR
+F affairee
AAEEFLM
+M malfamee
AAEEFLR
+B balafree
+R eraflera
AAEEFLS
+F affalees
AAEEFLT
+C caffatee
AAEEFMM
+L malfamee
AAEEFMS
+F affamees
AAEEFNR
+F effanera
+S safranee
AAEEFNS

+R safranee
AAEEFPR
   parafee
+S parafees
AAEEFPS
+R parafees
AAEEFRR
+F effarera
+L eraflera
AAEEFRS
+D sefarade
+G agrafees
+N safranee
+P parafees
+Y faseyera
AAEEFRY
+S faseyera
AAEEFSY
+R faseyera
AAEEGGI
+D degageai
+N engageai
+R agregeai
AAEEGGJ
+U jaugeage
AAEEGGL
   elagage
+N agnelage
+R regalage
+S elagages
+T galetage
AAEEGGM
+S gageames
AAEEGGN
   engagea
+I engageai
+L agnelage
+R engagera
   rengagea
+S engageas
+T engageat
AAEEGGR
   agregea
+D degagea
+I agregeai
+L regalage
+N engagera
   rengagea
+R agregera
+S agregees
+T agregeat
+V aggravee
AAEEGGS
+D degageas
+L elagages
+M gageames
+N engageas
+R agregees
+S gageasse
+T gageates
AAEEGGT
+D degageat
+L galetage
+N engageat
+R agregeat
+S gageates
AAEEGGU

+J jaugeage
AAEEGGV
+R aggravee
AAEEGGZ
+D degazage
AAEEGHN
+C echangea
AAEEGHR
+B herbagea
AAEEGII
+R egaierai
AAEEGIL
+L allegeai
+R egalerai
AAEEGIM
+N menageai
+R emargeai
AAEEGIN
+C encageai
+G engageai
+M menageai
+R agrainee
   araignee
   enrageai
AAEEGIP
+R arpegeai
AAEEGIR
   egaiera
+B abregeai
   begaiera
+C acierage
   agacerie
+D derageai
+G engageai
+I egaierai
+L egalerai
+M emargeai
+N agrainee
   araignee
   enrageai
+P arpegeai
+R agreerai
   egarerai
+S egaieras
+T etagerai
+X exagerai
+Y egayerai
AAEEGIS
+R egaieras
+S assiegea
+T etageais
AAEEGIT
   etageai
+R etagerai
+S etageais
+T etageait
AAEEGIX
+R exagerai
AAEEGIY
+R egayerai
AAEEGJL
+D galejade
+R galejera
+V javelage
AAEEGJM
+N mejanage
AAEEGJN

+M mejanage
AAEEGJR
+L galejera
AAEEGJU
+D dejaugea
+G jaugeage
AAEEGJV
+L javelage
AAEEGLL
   allegea
+B egalable
+I allegeai
+R allegeas
+S allegeas
+T allegeat
AAEEGLM
+N melangea
+S egalames
AAEEGLN
+G agnelage
+M menagera
+M remangea
AAEEGLP
+C capelage
+D pedalage
+U alpaguee
AAEEGLR
   egalera
+B agreable
+C recalage
+D regalade
+G regalage
+I egalerai
+J galejera
+L allegera
+R regalera
+S egaleras
+T etalager
   ratelage
+U elaguera
AAEEGLS
   alesage
+C galeaces
+G elagages
+L allegeas
+M egalames
+R egaleras
+S alesages
   egalasse
   galeasse
+T egalates
   etalages
AAEEGLT
   etalage
+A etalagea
+B batelage
+E etalagee
+G galetage
+L allegeat
+R etalager
   ratelage
+S egalates
   etalages
+T attelage
+Z etalagez
AAEEGLU
+P alpaguee
+R elaguera

AAEEGLV
+D delavage
+J javelage
AAEEGLY
+D delayage
AAEEGLZ
+T etalagez
AAEEGMN
   amenage
   managee
   menagea
+A amenagea
+D demangea
+E amenagee
+I menageai
+J mejanage
+L melangea
+R amenager
   engamera
   menagera
   remangea
+S amenages
   managees
   menagees
   nageames
+T menageat
+Z amenagez
AAEEGMP
+T etampage
AAEEGMR
   emargea
   ramagee
+C marecage
+I emargeai
+N amenager
   engamera
   menagera
   remangea
+R emargera
+S agreames
   egarames
   emargeas
   rageames
   ramagees
+T emargeat
   retamage
+Y mareyage
AAEEGMS
+G gageames
+L egalames
+N amenages
   managees
   menagees
   nageames
+R agreames
   egarames
   emargeas
   rageames
   ramagees
+T etamages
+Y egayames
AAEEGMT
   etamage
+D dematage
+N menageat
+P etampage
+R emargeat

retamage
+S etamages
+Y metayage
AAEEGMY
+R mareyage
+S egayames
+T metayage
AAEEGMZ
+N amenagez
AAEEGNN
+U ennuagea
AAEEGNP
+D epandage
AAEEGNR
enragea
+C agencera
carenage
encagera
+D derangea
+G engagera
rengagea
+I agrainee
araignee
enrageai
+M amenager
engamera
menagera
remangea
+R arrangee
enragera
+S enrageas
+T enrageat
rageante
+Y enrageai
AAEEGNS
+C encageas
+G engageas
+M amenages
managees
menageas
nageames
+R enrageas
+S nageasse
+T nageates
AAEEGNT
+C canetage
encageat
+G engageat
+M menageat
+R enrageat
rageante
+S nageates
+T attagene
etageant
AAEEGNU
+N ennuagea
AAEEGNY
+R enrayage
AAEEGNZ
+M amenagez
AAEEGOP
+R areopage
AAEEGOR
+P areopage
+R aerogare
AAEEGPR
arpegea

+D derapage
+I arpegeai
+O areopage
+R arpegera
+S arpegeas
aspergea
presagea
+T arpegeat
partagee
retapage
+V repavage
AAEEGPS
+C pacagees
+R arpegeas
aspergea
presagea
AAEEGPT
+M etampage
+R arpegeat
partagee
retapage
AAEEGPU
+L alpaguee
AAEEGPV
+D depavage
+R repavage
AAEEGRR
agreera
egarera
+B abregera
bagarree
+D deragera
+G agregera
+I agreerai
egarerai
+L regalera
+M emargera
+N arrangee
enragera
+O aerogare
+P arpegera
+R ragreera
+S agreeras
egareras
+T regatera
AAEEGRS
aerages
areages
+B abregeas
+D derageas
+F agrafees
+G agregees
+I egaieras
+L egaleras
+M agreames
egarames
emargeas
rageames
ramagees
+N enrageas
+P arpegeas
aspergea
presagea
+R agreeras
egareras
+S agreasse
egarasse

rageasse
+T agreates
egarates
etageras
rageates
+V ravagees
+X exageras
+Y egayeras
AAEEGRT
etagera
+B abregeat
+D derageat
+G agregeat
+I etagerai
+L etalager
ratelage
+M emargeat
retamage
+N enrageat
rageante
+P arpegeat
partagee
retapage
+R regatera
+S agreates
egarates
etageras
rageates
+X exagerat
AAEEGRY
egayera
+B begayera
+I egayerai
+M mareyage
+N enrayage
+S egayeras
AAEEGRZ
+C agacerez
AAEEGSS
+G gageasse
+I assiegea
+L alesages
egalasse
galeasse
+N nageasse
+R agreasse
egarasse
rageasse
+Y egayasse
essayage
AAEEGST
etageas
+G gageates
+I etageais

+L egalates
etalages
+M etamages
+N nageates
+R agreates
egarates
etageras
rageates
+Y egayates
etayages
AAEEGSV
+R ravagees
AAEEGSX
+R exageras
AAEEGSY
+M egayames
+R egayeras
+S essayage
+T egayates
etayages
AAEEGTT
etageat
+I etageait
+L attelage
+N attagene
etageant
AAEEGTX
+R exagerat
AAEEGTY
+M metayage
+S egayates
etayages
AAEEGTZ
+L etalagez
AAEEHLN
+R anhelera
AAEEHLP
+C acalephe
acephale
AAEEHLR
+D dehalera
+N anhelera
+T haletera
+X exhalera
AAEEHLT
+R haletera
AAEEHLX
+R exhalera
AAEEHMN
+T anatheme
AAEEHMT
+N anatheme
AAEEHNP
+C panachee
AAEEHNR
+C acharnee
+L anhelera
+Z ahanerez
AAEEHNT
+M anatheme
AAEEHNU
+B haubanee
+V haveneau
AAEEHNV
+U haveneau

AAEEHNZ
+R ahanerez
AAEEHPP
+R paraphee
AAEEHPR
+P paraphee
AAEEHRR
+C arrachee
+D adherera
AAEEHRS
+D hasardee
+S harassee
AAEEHRT
+C achetera
+L haletera
AAEEHRV
+C achevera
AAEEHRX
+L exhalera
AAEEHRZ
+N ahanerez
AAEEHSS
+R harassee
AAEEHTT
+C attachee
AAEEHUV
+N haveneau
AAEEIIR
+G egaierai
+T etaierai
AAEEIIT
+R etaierai
AAEEILL
+C alliacee
+G allegeai
+T allaitee
AAEEILM
+S malaisee
AAEEILN
+R alienera
AAEEILR
+C ecalerai
+D airedale
delaiera
+G egalerai
+N alienera
+R relaiera
+S aleserai
realesai
salariee
+T etalerai
AAEEILS
+M malaisee
+R aleserai
realesai
salariee
+V avalisee
AAEEILT
+L allaitee
+R etalerai
AAEEILV
+S avalisee
AAEEIMN
+G menageai
+R amarinee
amenerai
anemiera

emanerai
+T aimantee
AAEEIMR
+C emaciera
+G emargeai
+N amarinee
  amenerai
  anemiera
  etaiera
+T etamerai
AAEEIMS
+L malaisee
AAEEIMT
+N aimantee
+R etamerai
AAEEINN
+T aneantie
AAEEINR
+D araneide
+G agrainee
  araignee
  enrageai
+L alienera
+M amarinee
  amenerai
  anemiera
  emanerai
+R enraiera
+T aeraient
AAEEINT
+M aimantee
+N aneantie
+R aeraient
+X anatexie
AAEEINX
+T anatexie
AAEEIPP
+R appairee
  appariee
AAEEIPR
+C capeerai
+G arpegeai
+P appairee
  appariee
+R repaiera
+T epaterai
AAEEIPS
  apaisee
+S apaisees
AAEEIPT
+R epaterai
AAEEIRR
  aererai
+C acierera
+D deraiera
+G agreerai
  egarerai
+L relaiera
+N enraiera
+P repaiera
+S aererais
+T aererait
+V avererai
AAEEIRS
+B arabisee
+G egaieras
+L aleserai

realesai
salariee
+R aererais
+S essaiera
+T etaieras
+V avariees
  evaserai
AAEEIRT
  etaiera
+G etagerai
+I etaierai
+L etalerai
+M etamerai
+N aeraient
+P epaterai
+R aererait
+S etaieras
+Y etayerai
AAEEIRV
  avariee
+D evaderai
+R avererai
+S avariees
  evaserai
AAEEIRX
+G exagerai
AAEEIRY
+G egayerai
+T etayerai
AAEEIRZ
+Z zezaiera
AAEEISS
+B abaissee
+G assiegea
+P apaisees
+R essaiera
AAEEIST
+G etageais
+R etaieras
AAEEISV
+L avalisee
+R avariees
  evaserai
AAEEITT
+G etageait
AAEEITX
+N anatexie
AAEEITY
+R etayerai
AAEEIZZ
+R zezaiera
AAEEJLN
+V enjavela
AAEEJLR
+G galejera
AAEEJLV
+G javelage
+N enjavela
AAEEJMN
+G mejanage
AAEEJNV
+L enjavela
AAEELLL
+P palleale
AAEELLP
+L palleale
AAEELLR

+G allegera
+T laterale
AAEELLS
+G allegeas
AAEELLT
+G allegeat
+I allaitee
+R laterale
AAEELMM
+F malfamee
AAEELMN
  melaena
+G melangea
+S amensale
  melaenas
+T amentale
AAEELMP
+C palmacee
+R empalera
AAEELMR
  alarmee
+P empalera
+S alarmees
AAEELMS
+C ecalames
+G egalames
+I malaisee
+N amensale
  melaenas
+R alarmees
+S alesames
+T etalames
+X malaxees
AAEELMT
+N amentale
+S etalames
AAEELMV
+C malvacee
AAEELMX
  malaxee
+S malaxees
AAEELMY
+C amylacee
AAEELNN
+P epannela
AAEELNP
+N epannela
AAEELNR
+C elancera
  enlacera
+H anhelera
+I alienera
+T alaterne
AAEELNS
+M amensale
  melaenas
+Y analysee
+Z alezanes
AAEELNT
+M amentale
+R alaterne
AAEELNV
+J enjavela
AAEELNY
+S analysee
AAEELNZ
  alezane
+S alezanes

AAEELPR
+D pedalera
+M empalera
+U epaulera
  lapereau
AAEELPS
+T apetales
AAEELPT
  apetale
+S apetales
AAEELPU
+G alpaguee
+R epaulera
  lapereau
AAEELRR
+C lacerera
  recalera
+F eraflera
+G regalera
+I relaiera
+S resalera
+T alertera
  alterera
  relatera
+V relavera
+X relaxera
+Y relayera
AAEELRS
  alesera
  realesa
+C ecaleras
+G egaleras
+I aleserai
  realesai
  salariee
+M alarmees
+R resalera
+S aleseras
  realesas
+T etaleras
  realesat
+V ravalees
AAEELRT
  etalera
+B arbalete
+C ecarlate
  ecartela
  eclatera
+D detalera
+G etalager
  ratelage
+H haletera
+I etalerai
+L laterale
+N alaterne
+R alertera
  alterera
  relatera
+S etaleras
  realesat
+U laureate
+X exaltera
AAEELRU

  lapereau
+T laureate
+V evaluera
  reevalua
AAEELRV
+D delavera
  devalera
+R relavera
+S ravalees
+U evaluera
  reevalua
+Z avalerez
AAEELRX
+H exhalera
+R relaxera
+T exaltera
AAEELRY
+D delayera
+R relayera
AAEELRZ
+V avalerez
AAEELSS
+C ecalasse
+G alesages
  egalasse
  galeasse
+M alesames
+R aleseras
  realesas
+S alesasse
+T alesates
  etalasse
AAEELST
+C ecalates
+G egalates
  etalages
+M etalames
+P apetales
+R etaleras
  realesat
+S alesates
  etalasse
+T etalates
AAEELSV
  avalees
+C cavalees
+I avalisee
+R ravalees
AAEELSX
+M malaxees
AAEELSY
+B balayees
+N analysee
AAEELSZ
  azalees
+N alezanes
AAEELTT
+B attablee
+G attelage
+S etalates
AAEELTU
+C aculeate
+R laureate
AAEELTX
+R exaltera

AAEELTZ
+G etalagez
AAEELUV
+R evaluera
   reevalua
AAEELVZ
+R avalerez
AAEEMMN
+S amenames
   emanames
AAEEMMS
+N amenames
   emanames
+T etamames
AAEEMMT
+S etamames
AAEEMNN
+P panameen
+S anamnese
AAEEMNP
+N panameen
AAEEMNR
   amenera
   arameen
   emanera
+C menacera
+D amendera
+G amenager
   engamera
   menagera
   remangea
+I amarinee
   ameneria
   anemiera
   emanerai
+R ramenera
+S ameneras
   arameens
   emaneras
+T entamera
AAEEMNS
+G amenages
   managees
   menagees
   nageames
+L amensale
   melaenas
+M amenames
   emanames
+N anamnese
+R ameneras
   arameens
   emaneras
+S amenasse
   emanasse
+T amenates
   emanates
AAEEMNT
+D mandatee
+G menageat
+H anatheme
+I aimantee
+L amentale
+R entamera
+S amenates
   emanates
AAEEMNZ

+G amenagez
AAEEMOU
+D amadouee
AAEEMPR
+L empalera
+R emparera
+T empatera
   etampera
AAEEMPS
+C capeames
+T epatames
AAEEMPT
+R empatera
   etampera
+S epatames
AAEEMRR
   amarree
+C macerera
+G emargera
+N ramenera
+P emparera
+R rearmera
+S amarrees
+T retamera
AAEEMRS
   aerames
+G agreames
   egarames
   emargeas
   rageames
   ramagees
+L alarmees
+N ameneras
   arameens
   emaneras
+R amarrees
+S ramassee
+T etameras
+V averames
AAEEMRT
   etamera
+D dematera
+G emargeat
   retamage
+I etamerai
+N entamera
+P empatera
   etampera
+R retamera
+S etameras
+U ameutera
   matereau
AAEEMRU
+T ameutera
   matereau
AAEEMRV
+S averames
AAEEMRY
+G mareyage
AAEEMSS
   amassee
+D damassee
+L alesames
+N amenasse
   emanasse
+R ramassee

+S amassees
+T etamasse
+V evasames
AAEEMST
+C casemate
+G etamages
+L etalames
+M etamames
+N amenates
   emanates
+P epatames
+R etameras
+S etamasse
+T etamates
+Y etayames
AAEEMSV
+D evadames
+R averames
+S evasames
AAEEMSX
+L malaxees
AAEEMSY
+G egayames
+T etayames
AAEEMTT
+S etamates
AAEEMTU
+R ameutera
   matereau
AAEEMTY
+G metayage
+S etayames
AAEENNN
+C cananeen
AAEENNO
+C anonacee
AAEENNP
+L epannela
+M panameen
AAEENNR
+X annexera
+Z nazareen
AAEENNS
+M anamnese
AAEENNT
+B nabateen
+I aneantie
+V avenante
AAEENNU
+G ennuagea
AAEENNV
+T avenante
AAEENNX
+R annexera
AAEENNZ
+R nazareen
AAEENPS
+C panacees
+T anapeste
+V pavanees
AAEENPT
+S anapeste
+T epatante
AAEENPV
   pavanee
+S pavanees
AAEENQR

+U arnaquee
AAEENQU
+R arnaquee
AAEENRR
+C carenera
+G arrangee
   enragera
+I enraiera
+M ramenera
+Y enrayera
AAEENRS
+C arenaces
+F safranee
+G enragees
+M ameneras
   arameens
   emaneras
+S assenera
+V envasera
AAEENRT
+G enrageat
   rageante
+I aeraient
+L alaterne
+M entamera
AAEENRU
+Q arnaquee
AAEENRV
+C encavera
+S envasera
AAEENRX
+N annexera
AAEENRY
+G enrayage
+R enrayera
AAEENRZ
+H ahanerez
+N nazareen
AAEENSS
+B basanees
+G nageasse
+M amenasse
   emanasse
+R assenera
+T satanees
AAEENST
   satanee
+G nageates
+M amenates
   emanates
+P anapeste
+S satanees
AAEENSV
+C avancees
+P pavanees
+R envasera
AAEENSY
+L analysee
AAEENSZ
+L alezanes
AAEENTT
+G attagene
   etageant
+P epatante
AAEENTV
+N avenante
AAEENTX

+I anatexie
AAEENUV
+H haveneau
AAEEOPR
+G areopage
AAEEORR
+G aerogare
AAEEPPR
+H paraphee
+I appairee
   appariee
AAEEPPS
+T appatees
AAEEPPT
   appatee
+S appatees
AAEEPRR
+D deparera
   derapera
+G arpegera
+I repaiera
+M emparera
+R reparera
+S separera
+T retapera
+U apeurera
+V repavera
+Y repavera
AAEEPRS
+C capeeras
+F parafees
+G arpegeas
   aspergea
   presagea
+R separera
+T epateras
+X exaspera
AAEEPRT
   epatera
+D petarade
   readapte
+G arpegeat
   partagee
   retapage
+I epaterai
+M empatera
   etampera
+R retapera
+S epateras
+T attrapee
AAEEPRU
+L epaulera
   lapereau
+R apeurera
AAEEPRY
+D depavera
+G repavage
+R repavera
AAEEPRX
+S exaspera
AAEEPRY
+C capeyera
+R repayera
AAEEPSS
+C capeasse
+I apaisees

+T epatasse
AAEEPST
+C capeates
+D adaptees
+L apetales
+M epatames
+N anapeste
+P appatees
+R epateras
+S epatasse
+T epatates
AAEEPSV
+N pavanees
AAEEPSX
+R exaspera
AAEEPTT
+N epatante
+R attrapee
+S epatates
AAEEQRU
+B baraquee
+N arnaquee
AAEEQTT
+U attaquee
AAEEQTU
+D adequate
+T attaquee
AAEERRR
+G ragreera
+M rearmera
+P reparera
+T arretera
AAEERRS
   aereras
+B ebrasera
+C ecrasera
   recasera
+D derasera
+G agreeras
   egareras
+I aererais
+L resalera
+M amarrees
+P separera
+V avereras
+Z araserez
AAEERRT
+C ecartera
+G regatera
+I aererait
+L alertera
   alterera
   relatera
+M retamera
+P retapera
+R arretera
+T retatera
+U aerateur
AAEERRU
+P apeurera
+T aerateur
AAEERRV
   averera
+I avererai
+L relavera
+P repavera
+S avereras

AAEERRX
+L relaxera
AAEERRY
+D derayera
+L relayera
+N enrayera
+P repayera
AAEERRZ
+S araserez
AAEERSS
   aerasse
   arasees
+B abrasees
+G agreasse
   egarasse
   rageasse
+H harassee
+I essaiera
+L aleseras
   realesas
+M ramassee
+N assenera
+S aerasses
+V averasse
   evasera
+Y essayera
AAEERSV
   evasera
+D evaderas
+G ravagees
+I avariees
   evaserai
+L ravalees
+M averames
+N envasera
+R avereras
+S averasse
   evaseras
+T averates
AAEERSX
+D desaxera
+G exageras
+P exaspera
AAEERSY
+F faseyera
+G egayeras
+S essayera
   reessaya
+T etayeras
AAEERSZ
+R araserez
AAEERTT

+B barattee
+D attardee
+P attrapee
+R retatera
+S stearate
AAEERTU
+D taraudee
+L laureate
+M ameutera
   matereau
+R aerateur
AAEERTV
+C cravatee
+S averates
AAEERTX
+D detaxera
+G exagerat
+L exaltera
AAEERTY
   etayera
+I etayerai
+S etayeras
AAEERUV
+C evacuera
+D ravaudee
+L evaluera
   reevalua
AAEERUX
+C exaucera
AAEERVX
+C excavera
AAEERVZ
+L avalerez
AAEERYZ
+Z zezayera
AAEERZZ
+I zezaiera
+Y zezayera
AAEESSS
+L alesasse
+M amassees
+R aerasses
+V evasasse
AAEESST
+B tabassee
+L alesates
   etalasse
+M etamasse
+N satanees
+P epatasse
+V evasates
+Y etayasse
AAEESSV
+D evadasse
+M evasames
+R averasse
   evaseras
+S evasasse
+T evasates
AAEESSY
+G egayasse
   essayage
+R essayera
   reessaya
+T essayera
AAEESTT
+B abattees

+C acetates
+L etalates
+M etamates
+P epatates
+R stearate
+Y etayates
AAEESTV
+D evadates
+R averates
+S evasates
AAEESTX
+C taxacees
AAEESTY
+G egayates
   etayages
+M etayames
+R etayeras
+S etayasse
+T etayates
AAEETTU
+Q attaquee
AAEETTY
+S etayates
AAEEYZZ
+R zezayera
AAEFFGI
+L affilage
   affligea
+N affinage
AAEFFGM
+S gaffames
AAEFFGN
+E affenage
+I affinage
AAEFFGO
+U affouage
AAEFFGR
   gaffera
+E affeager
+I gafferai
AAEFFGS
+E affeages
+M gaffames
+R gafferas
+S gaffasse
+T gaffates
AAEFFGT
+S gaffates
+U affutage
AAEFFGU
+O affouage
+T affutage
AAEFFGZ
+E affeagez
AAEFFHU
+C echauffa
AAEFFIL
+G affilage
   affligea
+R affilera
+U efaufila
+X affixale

+Z affaliez
AAEFFIM
+R affermai
+Z affamiez
AAEFFIN
   effanai
+G affinage
+R affinera
+S effanais
+T effanait
AAEFFIP
+R piaffera
AAEFFIR
   affaire
   effarai
+E affairee
+G gafferai
+L affilera
+M affermai
+N affinera
+P piaffera
+R affairer
+S affaires
   effarais
+T affretai
+Y effrayai
+Z affairez
AAEFFIS
+C effacais
+D affadies
+N effanais
+R affaires
   effarais
+S affaisse
AAEFFIT
+C affectai
   effacait
+N effanait
+R affretai
   effarait
AAEFFIU
+L efaufila
AAEFFIX
+L affixale
AAEFFIY
+R effrayai
AAEFFIZ
+L affaliez
+M affamiez
+R affairez
AAEFFLN
+T affalent
AAEFFLO
+R affolera
AAEFFLR
+A affalera
+I affilera
+O affleura
+U affluera
AAEFFLS
   affales
+B affables
+C esclaffa
+E affalees

AAEFFLT
+N affalent
AAEFFLU
+B affabule
+I efaufila
+R affleura
   affluera
AAEFFLX
+I affixale
AAEFFLZ
   affalez
+I affaliez
AAEFFMN
+T affament
AAEFFMR
   affamer
   afferma
+A affamera
+I affermai
+S affermas
+T affermat
+U affameur
AAEFFMS
   affames
+E affamees
+G gaffames
+R affermas
AAEFFMT
+N affament
+R affermat
AAEFFMU
+R affameur
AAEFFMZ
   affamez
+I affamiez
AAEFFNN
+T affanant
AAEFFNR
   fanfare
+E· effanera
+I affinera
+S fanfares
+T effarant
AAEFFNS
   effanas
+I effanais
+R fanfares
AAEFFNT
   effanat
+C effacant
+I effanait
+L affalent
+M affament
+N effanant
+R effarant
AAEFFOR
+L affolera
AAEFFOU
+G affouage
AAEFFPR
+I piaffera
AAEFFRR
+E effarera
+I affairer
AAEFFRS
   effaras
+G gafferas

+I affaires
   effarais
+M affermas
+N fanfares
+T affretas
   staffera
+Y effrayas
AAEFFRT
   affreta
   effarat
+D farfadet
+I affretai
   effarait
+M affermat
+N effarant
+S affretas
   staffera
+T affretat
+U affutera
+Y effrayat
AAEFFRU
+L affleura
   affluera
+M affameur
+T affutera
AAEFFRY
   effraya
+I effrayai
+S effrayas
+T effrayat
AAEFFRZ
+I affairez
AAEFFSS
+G gaffasse
+I affaisse
AAEFFST
+C affectas
+G gaffates
+R affretas
   staffera
+T taffetas
AAEFFSY
+R effrayas
AAEFFTT
+C affectat
+R affretat
+S affretas
AAEFFTU
+G affutage
+R affutera
AAEFFTY
+R effrayat
AAEFGGO
+T fagotage
AAEFGGR
+A agrafage
+U gaufrage
AAEFGGT
+O fagotage
AAEFGGU
+R gaufrage
AAEFGHL
+L fellagha
AAEFGHN
   afghane
+S afghanes
AAEFGHS

+N afghanes
AAEFGHU
+C fauchage
AAEFGII
+Z gazeifia
AAEFGIL
+F affilage
   affligea
AAEFGIN
+F affinage
+R affinage
   frangeai
AAEFGIR
+D degrafai
+F gafferai
+N farinage
   frangeai
+S fraisage
+U girafeau
+Z agrafiez
AAEFGIS
+R fraisage
+T faitages
AAEFGIT
   faitage
+S faitages
AAEFGIU
+R girafeau
AAEFGIZ
+I gazeifia
+R agrafiez
AAEFGLL
   fellaga
+H fellagha
+L flagella
+O flageola
+S fellagas
AAEFGLM
+B flambage
AAEFGLN
   alfange
+S alfanges
AAEFGLO
+L flageola
AAEFGLR
+D deflagra
AAEFGLS
   fagales
+L fellagas
+N alfanges
AAEFGMS
+F gaffames
AAEFGNR
   frangea
+I farinage
   frangeai
+R frangera
+S frangeas
+T agrafent
   frangeat
+U naufrage
AAEFGNS
   fanages
+H afghanes
+L alfanges
+R frangeas
AAEFGNT

+R agrafent
   frangeat
AAEFGNU
+R naufrage
AAEFGOR
+T fagotera
AAEFGOT
+G fagotage
+R fagotera
AAEFGOU
+F affouage
AAEFGPP
+R frappage
AAEFGPR
+P frappage
AAEFGRR
   agrafer
+A agrafera
+N frangera
+U gaufrera
AAEFGRS
   agrafes
+D degrafas
   fardages
+E agrafees
+F gafferas
+I fraisage
+N frangeas
+T fartages
AAEFGRT
   fartage
+D degrafat
+N agrafent
   frangeat
+O fagotera
+S fartages
AAEFGRU
+G gaufrage
+I girafeau
+N naufrage
+R gaufrera
AAEFGRZ
   agrafez
+I agrafiez
AAEFGSS
+F gaffasse
AAEFGST
+C factages
+F gaffates
+I faitages
+R fartages
AAEFGTU
+F affutage
AAEFHIR
+C facherai
AAEFHLL
+G fellagha
AAEFHMS
+C fachames
AAEFHNS
+G afghanes
AAEFHRS
+C facheras
AAEFHRU
+C fauchera
AAEFHSS
+C fachasse

AAEFHST
+C fachates
AAEFIIN
+T enfaitai
AAEFIIR
+R fraierai
   rarefiai
AAEFIIT
+B beatifia
+C acetifia
+N enfaitai
AAEFIIZ
+G gazeifia
AAEFIKK
+N kafkaien
AAEFIKN
+K kafkaien
AAEFILL
+R faillera
+S faseilla
AAEFILM
+R malfaire
AAEFILN
+R flanerai
AAEFILR
   eraflai
+F affilera
+L faillera
+M malfaire
+N flanerai
+R flairera
   raflerai
+S eraflais
+T eraflait
   eraflati
   frelatai
AAEFILS
   falaise
+B faisable
+C faciales
+L faseilla
+R eraflais
+S falaises
AAEFILT
+R alfatier
   eraflait
   frelatai
+T fatalite
AAEFILU
+F efaufila
AAEFILX
+F affixale
AAEFILZ
+F affaliez
AAEFIMM
+T matefaim
AAEFIMR
+F affermai
+L malfaire
AAEFIMT
+M matefaim
AAEFIMZ
+F affamiez
AAEFINN
+R enfarina
+T enfantai
   faineant

fanaient
AAEFINP
+U peaufina
AAEFINR
fanerai
+C farinace
fiancera
+F affinera
+G farinage
frangeai
+L flanerai
+N enfarina
+R farinera
+S fanerais
+T fanerait
AAEFINS
faisane
+D faisande
+F enfanais
+R fanerais
+S faisanes
+T anatifes
enfaitas
fanatise
AAEFINT
anatife
enfaita
+F effanait
+I enfaitai
+N enfantai
faineant
fanaient
+R fanerait
+S anatifes
enfaitas
fanatise
+T enfaitat
AAEFINU
+P peaufina
+V avifaune
AAEFINV
+U avifaune
AAEFIPR
+C prefacai
+F piaffera
+R parfaire
+T parfaite
+U epaufrai
+Z parafiez
AAEFIPT
+R parfaite
AAEFIPU
+N peaufina
+R epaufrai
AAEFIPZ
+R parafiez
AAEFIRR
fraiera
rarefia
+B bafrerai
+D farderai
+F affairer
+I fraierai
rarefiai
+L flairera
raflerai
+N farinera

+P parfaire
+S fraieras
fraisera
fraserai
rarefias
+T farterai
rarefiat
tarifera
+Y frayerai
AAEFIRS
+F affaires
effarais
+G fraisage
+L eraflais
+N fanerais
+R fraieras
fraisera
fraserai
rarefias
+T fatrasie
AAEFIRT
+C cafterai
+F affretai
effarait
+L alfatier
eraflait
frelatai
+N fanerait
+P parfaite
+R farterai
rarefiat
tarifera
+S fatrasie
+T attifera
+U fauterai
AAEFIRU
+G girafeau
+P epaufrai
+T fauterai
AAEFIRY
+D defrayai
+F effrayai
+R frayerai
AAEFIRZ
+F affairez
+G agrafiez
+P parafiez
AAEFISS
+D fadaises
+F affaisse
+L falaises
+N faisanes
+Y faseyais
AAEFIST
+G faitages
+N anatifes
enfaitas
fanatise
+R fatrasie
+Y faseyait
AAEFISU
+C faisceau
AAEFISY
faseyai
+S faseyais
+T faseyait
AAEFITT

+C facettai
+L fatalite
+N enfaitat
+R attifera
AAEFITU
+R fauterai
AAEFITY
+S faseyait
AAEFIUV
+N avifaune
AAEFKKN
+I kafkaien
AAEFLLL
+G flagella
AAEFLLO
+G flageola
AAEFLLR
+I faillera
AAEFLLS
+G fellagas
+I faseilla
AAEFLMM
malfame
+E malfamee
+N enflamma
+S enflamma
AAEFLMN
+C flamenca
+D flamande
+M enflamma
+S flanames
AAEFLMR
+B flambera
+I malfaire
+S raflames
AAEFLMS
+M malfames
+N flanames
+R raflames
AAEFLMU
+B flambeau
AAEFLNR
flanera
+I flanerai
+S flaneras
+T eraflant
+U falunera
AAEFLNS
+G alfanges
+M flanames
+R flaneras
+S flanasse
+T flanates
AAEFLNT
+F affalent
+R eraflant
+S flanates
AAEFLNU
+R falunera
AAEFLOR
+F affolera
AAEFLOS
+C afocales
AAEFLQU
+D defalqua
AAEFLRR
raflera

+B balafrer
+E eraflera
+I flairera
raflerai
+S rafleras
AAEFLRS
eraflas
rafales
+B balafres
+I eraflais
+M raflames
+N flaneras
+R rafleras
+S raflasse
+T frelatas
raflates
AAEFLRT
eraflat
frelata
+C calfater
fractale
+I alfatier
eraflait
frelatai
+N eraflant
+S frelatas
raflates
+T flattera
frelatat
AAEFLRU
+B fabulera
+F affleura
affluera
+N falunera
AAEFLRZ
+B balafrez
AAEFLSS
+I falaises
+N flanasse
+R raflasse
AAEFLST
fatales
+C calfates
+N flanates
+R frelatas
raflates
AAEFLSV
favelas
AAEFLTT
+I fatalite
+R flattera
frelatat
AAEFLTZ
+C calfatez
AAEFMMN
+L enflamma
AAEFMMS
+L malfames
AAEFMMT
+I matefaim
AAEFMNS
fanames
+L flanames
+T fantasme
AAEFMNT
+F affament
+S fantasme

AAEFMRS
+B baframes
+D fardames
+F affermas
+L raflames
+S frasames
+T fartames
+Y frayames
AAEFMRT
+F affermat
+S fartames
AAEFMRU
+F affameur
AAEFMRY
+S frayames
AAEFMSS
+R frasames
AAEFMST
+C caftames
+N fantasme
+R fartames
+U fautames
AAEFMSU
+T fautames
AAEFMSY
+R frayames
AAEFMTU
+S fautames
AAEFNNR
+I enfarina
AAEFNNS
+T enfantas
AAEFNNT
enfanta
+F effanant
+I enfantai
faineant
fanaient
+S enfantas
+T enfantat
AAEFNPR
+T parafent
AAEFNPT
+R parafent
AAEFNPU
+I peaufina
AAEFNRR
+G frangera
+I farinera
AAEFNRS
faneras
safrane
+E safranee
+F fanfares
+G frangeas
+I fanerais
+L flaneras
+S safranes
AAEFNRT
+F effarant
+G agrafent
frangeat
+I fanerait
+L eraflant
+P parafent
AAEFNRU
+G naufrage

+L falunera
AAEFNSS
  fanasse
+I faisanes
+L flanasse
+R safranes
+S fanasses
AAEFNST
  fanates
+C cafetans
+I anatifes
  enfaitas
  fanatise
+L flanates
+M fantasme
+N enfantas
+Y faseyant
AAEFNSY
+T faseyant
AAEFNSZ
+D fazendas
AAEFNTT
+I enfaitat
+N enfantat
AAEFNTY
+S faseyant
AAEFNUV
+I avifaune
AAEFORT
+G fagotera
+Y fayotera
AAEFORU
+B bafouera
AAEFORY
+T fayotera
AAEFOTU
+D autodafe
AAEFOTY
+R fayotera
AAEFPPR
+G frappage
+R frappera
AAEFPRR
  parafer
+A parafera
+I parfaire
+P frappera
+U parafeur
AAEFPRS
  parafes
+C prefacas
+E parafees
+U epaufras
AAEFPRT
+C prefacat
+I parfaite
+N parafent
+U epaufrat
AAEFPRU
  epaufra
+I epaufrai
+R parafeur
+S epaufras
+T epaufrat
AAEFPRZ
  parafez
+I parafiez

AAEFPSU
+R epaufras
AAEFPTU
+R epaufrat
AAEFRRS
  frasera
+B bafreras
+D farderas
+I fraieras
  fraisera
  fraserai
  rarefias
+L rafleras
+S fraseras
+T farteras
+Y frayeras
AAEFRRT
  fartera
+C refracta
+I farterai
  rarefiat
  tarifera
+S farteras
AAEFRRU
+D fraudera
+G gaufrera
+P parafeur
AAEFRRY
  frayera
+I frayerai
+S frayeras
AAEFRSS
+B bafrasse
+C fracasse
+D fardasse
+L raflasse
+M frasames
+N safranes
+R fraseras
+S frasasse
+T fartasse
  frasates
+U faussera
+Y frayasse
AAEFRST
+B bafrates
+C cafteras
+D fardates
+F affretas
  staffera
+G fartages
+I fatrasie
+L frelatas
  raflates
+M fartames
+R farteras
+S fartasse
  frasates
+T fartates
+U fauteras
+Y frayates
AAEFRSU
+D faraudes
+P epaufras
+S faussera
+T fauteras
AAEFRSY

+D defrayas
+E faseyera
+F effrayas
+M frayames
+R frayeras
+S frayasse
+T frayates
AAEFRTT
+C artefact
+F affretat
+I attifera
+L flattera
  frelatat
+S fartates
AAEFRTU
  fautera
+F affutera
+I fauterai
+P epaufrat
+S fauteras
AAEFRTY
+D defrayat
+F effrayat
+O fayotera
+S frayates
AAEFRUX
+D fardeaux
AAEFSSS
+D fadasses
+N fanasses
+R frasasse
AAEFSST
+C caftasse
+R fartasse
  frasates
+U fautasse
AAEFSSU
+D defaussa
+R faussera
+T fautasse
AAEFSSY
  faseyas
+I faseyais
+R frayasse
AAEFSTT
+C caftates
  facettas
+F taffetas
+R fartates
+U fautates
AAEFSTU
+M fautames
+R fauteras
+S fautasse
+T fautates
AAEFSTY
  faseyat
+I faseyait
+N faseyant
+R frayates
AAEFTTT
+C facettat
AAEFTTU
+S fautates
AAEGGNN
  gagnage
+S gagnages

AAEGGGS
+N gagnages
AAEGGHS
+C gachages
AAEGGIN
+E engageai
+O anagogie
+R gagnerai
  grainage
  regagnai
AAEGGIO
+N anagogie
+T agiotage
AAEGGIR
  gagerai
+E agregeai
+N gagnerai
  grainage
  regagnai
+S gagerais
+T gagerait
+V vaigrage
AAEGGIS
  gageais
+R gagerais
AAEGGIT
  gageait
+O agiotage
+R gagerait
AAEGGIV
+R vaigrage
AAEGGJU
+E jaugeage
AAEGGLN
  glanage
  langage
+D glandage
+E agnelage
+S glanages
  langages
AAEGGLR
  largage
+E regalage
+S largages
AAEGGLS
+C glacages
+E elagages
+N glanages
  langages
+R largages
+U gaulages
AAEGGLT
+E galetage
AAEGGLU
  gaulage
+S gaulages
AAEGGMN
+S gagnames
AAEGGMS
+E gageames
+N gagnames
AAEGGNO
+I anagogie
AAEGGNR
+E gageasse

  gagnera
  regagna
+E engagera
  rengagea
+I gagnerai
  grainage
  regagnai
+N gangrena
+S gagneras
  regagnas
+T regagnat
AAEGGNS
+E engageas
+G gagnages
+L glanages
  langages
+M gagnames
+R gagneras
  regagnas
+S gagnasse
+T gagnates
  tangages
AAEGGNT
  gageant
  tangage
+E engageat
+N gagnante
+R regagnat
+S gagnates
  tangages
AAEGGOT
+F fagotage
+I agiotage
AAEGGRR
+E agregera
+V aggraver
AAEGGRS
  gageras
  garages
+D dragages
+E agregeas
+I gagerais
+L largages
+N gagneras
  regagnas
+T agregats
+V aggraves
AAEGGRT
  agregat
+E agregeat
+I gagerait
+N regagnat
+S agregats
+T grattage
AAEGGRU
+F gaufrage
AAEGGRV
  aggrave
+E aggravee
+I vaigrage
+R aggraver
+S aggraves
+Z aggravez
AAEGGRZ
+V aggravez
AAEGGSS
+E gageasse

+N gagnasse
AAEGGST
+E gageates
+N gagnates
    tangages
+R agregats
AAEGGSU
+B baguages
+L gaulages
AAEGGSV
    gavages
+R aggraves
AAEGGSW
    wagages
AAEGGSZ
    gazages
AAEGGTT
+R grattage
AAEGGVZ
+R aggravez
AAEGHHS
+C hachages
AAEGHIN
+C chainage
    changeai
AAEGHIP
+R agraphie
AAEGHIR
+C chargeai
    gacherai
+P agraphie
AAEGHLL
+F fellaghs
AAEGHLM
+C malgache
AAEGHLN
+P phalange
AAEGHLP
+N phalange
AAEGHLS
    halages
+C lachages
AAEGHLU
+C chaulage
AAEGHMS
+C gachames
AAEGHMU
+C chaumage
AAEGHNP
+L phalange
AAEGHNR
+C archange
    changera
+U harangue
AAEGHNS
+C changeas
    ganaches
+F afghanes
+T agnathes
AAEGHNT
    agnathe
+C changeat
    chantage
+S agnathes
AAEGHNU
+R harangue
AAEGHPR

+I agraphie
AAEGHRR
+C chargera
AAEGHRS
+C chargeas
    gacheras
+D hagardes
AAEGHRT
+C chargeat
AAEGHRU
+C rauchage
+N harangue
AAEGHSS
+C chassage
AAEGHST
+C gachates
+N agnathes
AAEGHSV
    havages
AAEGIIL
+L egaillai
+S egalisai
AAEGIIM
+R amaigrie
AAEGIIN
+D degainai
+N engainai
+R egrainai
    gainerai
AAEGIIR
+E egaierai
+M amaigrie
+N egrainai
    gainerai
+R reagirai
+T agiterai
AAEGIIS
+L egalisai
AAEGIIT
+R agiterai
+T attigeai
AAEGIIZ
+F gazeifia
AAEGIJL
    galejai
+S galejais
+T galejait
AAEGIJR
+U jaugerai
AAEGIJS
+L galejais
+U jaugeais
AAEGIJT
+L galejait
+U jaugeait
AAEGIJU
    jaugeai
+D adjugeai
+R jaugerai
+S jaugeais
+T jaugeait
AAEGILL
    alliage
    egailla
+C caillage
    glaciale

+E allegeai
+M maillage
+P pagaille
    paillage
+S alliages
    egaillas
    legalisa
+T egaillat
+U alleguai
AAEGILM
+L maillage
+N laminage
AAEGILN
    agnelai
    lainage
    langeai
+M laminage
+O analogie
+R alignera
    glanerai
+S agnelais
    anglaise
    lainages
    langeais
+T agnelait
    alginate
    langeait
+U alanguie
+V vaginale
AAEGILO
+N analogie
AAEGILP
+L pagaille
    paillage
+R plagiera
AAEGILR
    regalai
+B galberai
+C argilace
    glacerai
+E egalerai
+N alignera
    glanerai
    langerai
+P plagiera
+R elargira
    glairera
+T regalait
+U gaulerai
AAEGILS
    egalais
    egalisa
+B balisage
+I egalisai
+J galejais
+L alliages
    egaillas
    legalisa
+N agnelais
    anglaise
    lainages
    langeais

+R glaisera
    regalais
+S egalisas
+T egalisat
    laitages
+U elaguais
+X galaxies
AAEGILT
    egalait
    laitage
+J galejait
+L egaillat
    taillage
+N agnelait
    alginate
    langeait
+R regalait
+S egalisat
    laitages
+U elaguait
+V aveuglai
AAEGILU
    elaguai
+L alleguai
+N alanguie
+R gaulerai
+S elaguais
+T elaguait
+V aveuglai
AAEGILV
+B balivage
+N vaginale
+U aveuglai
AAEGILX
    galaxie
+S galaxies
AAEGIMN
    engamai
    mangeai
+A manageai
+E menagea
+L laminage
+R mangerai
    marinage
+S engamais
    gainames
    magasine
    mangeais
+T engamait
    mangeait
+Z magazine
    managiez
AAEGIMO
+P apogamie
AAEGIMP
+O apogamie
AAEGIMR
    margeai
    mariage
+A ramageai
+E emargeai
+I amaigrie
+N magnerai
    mangerai
    marinage
+R arrimage

    margerai
+S margeais
    mariages
+T margeait
+U maugreai
+Z ramagiez
AAEGIMS
+N engamais
    gainames
    magasine
    mangeais
+R margeais
    mariages
+T agitames
    tamisage
AAEGIMT
+N engamait
    mangeait
+R margeait
+S agitames
    tamisage
AAEGIMU
+R maugreai
AAEGIMZ
+N magazine
    managiez
+R ramagiez
AAEGINN
    engaina
+I engainai
+R rengaina
+S engainas
+T engainat
AAEGINO
+G anagogie
+L analogie
AAEGINP
+R epargnai
    paginera
+S paganise
+T pagaient
    patinage
AAEGINR
    agraine
    angarie
    egraina
    gainera
    nagerai
    rangeai
+B baignera
+D agrandie
    daignera
    drainage
    gardenia
+E agrainee
    araignee
    enrageai
+F farinage
    frangeai
+G gagnerai
    grainage
    regagnai
+I egrainai
    gainerai
+L alignera
    glanerai
    langerai

+M magnerai
mangerai
marinage
+N rengaina
+P epargnai
paginera
+R agrainer
agrarien
arganier
grainera
rangerai
+S agraines
angaries
egrainas
gaineras
ganserai
nagerais
rangeais
saignera
+T argentai
egrainat
ganterai
garaient
garantie
nagerait
rangeait
ratinage
trainage
+V engravai
varaigne
+Z agrainez
AAEGINS
nageais
+C agencais
+D degainas
+L agnelais
anglaise
lainages
langeais
+M engamais
gainames
magasine
mangeais
+N engainas
+P paganise
+R agraines
angaries
egrainas
gaineras
ganserai
nagerais
rangeais
saignera
+S gainasse
+T gainates
satinage
tanisage
AAEGINT
nageait
+C agencait
+D degainat
degantai
+L agnelait
alginate
langeait
+M engamait
mangeait

+N engainat
+P pagaient
patinage
+R argentai
egrainat
ganterai
garaient
garantie
nagerait
rangeait
ratinage
trainage
+S gainates
satinage
tanisage
+T gataient
+V gavaient
+Z gazaient
AAEGINU
+C ecanguai
+L alanguie
AAEGINV
+D vidangea
+L vaginale
+R engravai
varaigne
+T gavaient
AAEGINZ
+M magazine
managiez
+R agrainez
+T gazaient
AAEGIOP
+M apogamie
AAEGIOR
+B abrogeai
+R arrogeai
AAEGIOT
+G agiotage
AAEGIOV
+Y voyageai
AAEGIOY
+V voyageai
AAEGIPP
+R egrappai
AAEGIPQ
+U apiquage
AAEGIPR
pairage
pariage
+A pagaiera
+E arpegeai
+H agraphie
+L plagiera
+N epargnai
paginera
+P egrappai
+S pairages
pariages
+T piratage
AAEGIPS
pagaies
+N paganise
+R pairages
pariages
AAEGIPT
+N pagaient

patinage
+R piratage
AAEGIPU
+Q apiquage
AAEGIPY
+C pacagiez
+Y pagayiez
AAEGIQU
+P apiquage
AAEGIRR
agraire
garerai
ragerai
reagira
+B abreagir
gabarier
+C graciera
+D garderai
regardai
+E agreerai
egarerai
+I reagirai
+L elargira
glairera
+M arrimage
margerai
+N agrainer
agrarien
arganier
grainera
rangerai
+O arrogeai
+S agraires
garerais
ragerais
ragreais
reagiras
+T garerait
ragerait
ragreait
+U arguerai
raguerai
+V arrivage
graverai
AAEGIRS
agreais
egarais
rageais
+B abreagis
+E agreeais
+F fraisage
+G gagerais
+L glaisera
regalais
+M margeais
mariages
+N agraines
angaries
egrainas
gaineras
ganserai
nagerais
rangeais
saignera

+P pairages
pariages
+R agraires
garerais
ragerais
reagiras
+S agressai
+T agiteras
gaterais
regatais
+V gaverais
+Z gazerais
AAEGIRT
agitera
agreait
egarait
gaterai
rageait
regatai
+B abreagit
+E etagerai
+G gagerait
+I agiterai
+L regalait
+M mangeait
+N argentai
egrainat
ganterai
garaient
garantie
nagerait
rangeait
ratinage
trainage
+P piratage
+R garerait
ragerait
ragreait
+S agiteras
gaterais
regatais
+T attigera
gaterait
regatait
+V gaverait
+Z gazerait
AAEGIRU
+B baguerai
+F girafeau
+J jaugerai
+L gaulerai
+M maugreai
+R arguerai
raguerai
+V vaguerai
AAEGIRV
gaverai
+A ravageai
+G vaigrage
+N engravai
varaigne
+R arrivage
graverai
+S gaverais
+T gaverait
+U vaguerai

+V ravivage
+Z ravagiez
AAEGIRX
+E exagerai
AAEGIRY
+E egayerai
AAEGIRZ
gazerai
+F agrafiez
+M ramagiez
+N agrainez
+S gazerais
+T gazerait
+V ravagiez
AAEGISS
assagie
sagaies
+E assiegea
+L egalisas
+N gainasse
+R agressai
+S assagies
+T agitasse
AAEGIST
+B tabagies
+C sagacite
+E etageais
+F faitages
+L egalisat
laitages
+M agitames
tamisage
+N gainates
satinage
tanisage
+R agiteras
gaterais
regatais
+S agitasse
+T agitates
attigeas
AAEGISU
+J jaugeais
+L elaguais
AAEGISV
+R gaverais
+V avivages
AAEGISX
+L galaxies
AAEGISY
egayais
+B begayais
AAEGISZ
+D degazais
+R gazerais
AAEGITT
attigea
+E etageait
+I attigeai
+N gataient
+R attigera
gaterait
regatait
+S agitates
attigeas
+T attigeat

AAEGITU
jaugeat
+J jaugeait
+L elaguait
AAEGITV
+N gavaient
+R gaverait
AAEGITY
egayait
+B begayait
AAEGITZ
+D degazait
+N gazaient
+R gazerait
AAEGIUV
+L aveuglai
+R vaguerai
AAEGIVV
avivage
+R ravivage
+S avivages
AAEGIVY
+O voyageai
AAEGIVZ
+R ravagiez
AAEGIYZ
+P pagayiez
AAEGJLN
+T galejant
AAEGJLR
+E galejera
AAEGJLS
galejas
+I galejais
AAEGJLT
galejat
+I galejait
+N galejant
AAEGJLV
+E javelage
AAEGJMN
+E mejanage
AAEGJMS
+B jambages
AAEGJNT
+L galejant
+U jaugeant
AAEGJNU
+T jaugeant
AAEGJRS
+U jaugeras
AAEGJRU
jaugera
+D adjugera
+I jaugerai
+S jaugeras
AAEGJST
+U ajustage
ajutages
AAEGJSU
jaugeas
+D adjugeas
+I jaugeais
+R jaugeras
+T ajustage
ajutages
AAEGJTU
ajutage
jaugeat
+D adjugeat
+I jaugeait
+N jaugeant
+S ajustage
ajutages
AAEGLLL
+F flagella
AAEGLLM
+I maillage
+U allumage
AAEGLLN
+O allongea
AAEGLLO
+F flageola
+N allongea
AAEGLLP
plagale
+I pagaille
paillage
+S plagales
AAEGLLR
+B largable
+E allegera
AAEGLLS
+D dallages
+E allegeas
+F fellagas
+I alliages
egaillas
legalisa
+P plagales
+T tallages
+U alleguas
AAEGLLT
tallage
+E allegeat
+I egaillat
taillage
+S tallages
+U alleguat
AAEGLLU
allegua
+I alleguai
+M allumage
+S alleguas
+T alleguat
AAEGLMM
+A amalgame
AAEGLMN
gamelan
+A lamanage
+E melangea
+I laminage
+S gamelans
glanames
AAEGLMS
lamages
+B galbames
+C calmages
glacames
maclages
+E egalames
+N gamelans
glanames
+T maltages
+U gaulames
AAEGLMT
maltage
+S maltages
AAEGLMU
+C maculage
+L allumage
+S gaulames
AAEGLMX
+A malaxage
AAEGLMY
+D amygdale
AAEGLNN
+T agnelant
langeant
AAEGLNO
+I analogie
+L allongea
+U analogue
louangea
AAEGLNP
planage
+H phalange
+R palangre
+S planages
AAEGLNR
glanera
langera
+D glandera
+I alignera
glanerai
langerai
+P palangre
+S glaneras
langeras
sanglera
+T etrangla
regalant
AAEGLNS
agnelas
langeas
lasagne
+C lancages
+F alfanges
+G glanages
langages
+I agnelais
anglaise
lainages
langeais
+M gamelans
+P planages
+R glaneras
langeras
sanglera
+S glanasse
+T galantes
AAEGLNT
agnelat
egalant
galante
langeat
+C glacante
+I agnelait
alginate
langeait
+J galejant
+N agnelant
+R etrangla
regalant
+S glanates
+U elaguant
AAEGLNU
+I alanguie
+O analogue
louangea
+T elaguant
+Y langueya
AAEGLNV
+I vaginale
AAEGLNY
+I langueya
AAEGLOP
+D galopade
+R galopera
AAEGLOR
+C racolage
+P galopera
AAEGLOS
+U soulagea
AAEGLOU
+N analogue
louangea
+S soulagea
AAEGLPQ
+U plaquage
AAEGLPR
+I plagiera
+N palangre
+O galopera
+T platrage
+U alpaguer
AAEGLPS
alpages
+C placages
+L plagales
+N planages
+U alpagues
AAEGLPT
+R platrage
AAEGLPU
alpague
+E alpague
+Q plaquage
+R alpaguer
+S alpagues
+Z alpaguez
AAEGLPZ
+U alpaguez
AAEGLQS
+U laquages
AAEGLQU
laquage
+C calquage
claquage
+P plaquage
+S laquages
AAEGLRR
realgar
+E regalera
+I elargira
glairera
+S realgars
+U larguera
AAEGLRS
regalas
+B galberas
+C glaceras
raclages
sarclage
+E egaleras
+G largages
+I glaisera
regalais
+N glaneras
langeras
sanglera
+R realgars
+U gauleras
AAEGLRT
regalat
+E etalager
ratelage
+I regalait
+N etrangla
regalant
+P platrage
AAEGLRU
gaulera
+B blaguera
+E elaguera
+I gaulerai
+P alpaguer
+R larguera
+S gauleras
+U augurale
AAEGLRV
+C verglaca
AAEGLSS
salages
segalas
+B galbasse
sablages
+C glacasse
+E alesages
egalasse
galeasse
+I egalisas
+N glanasse
+U gaulasse
AAEGLST
galates
galetas
+B galbates
+C glacates
+E egalates
etalages
+I egalisat
laitages
+L tallages
+M maltages
+N galantes
glanates
+T lattages
+U gaulates
AAEGLSU
elaguas
+G gaulages

+I elaguais
+L alleguas
+M gaulames
+O soulagea
+P alpagues
+Q laquages
+R gauleras
+S gaulasse
+T gaulates
+V aveuglas
AAEGLSV
lavages
vagales
+U aveuglas
AAEGLSX
+I galaxies
AAEGLTT
lattage
+E attelage
+S lattages
AAEGLTU
elaguat
+I elaguait
+L alleguat
+N elaguant
+S gaulates
+V aveuglat
AAEGLTV
+U aveuglat
AAEGLTZ
+E etalagez
AAEGLUU
+R augurale
AAEGLUV
aveugla
+D galvaude
+I aveuglai
+S aveuglas
+T aveuglat
AAEGLUY
+N langueya
AAEGLUZ
+P alpaguez
AAEGMMN
+S magnames
AAEGMMR
gammare
+S gammares
AAEGMMS
+N magnames
+R gammares
AAEGMNN
+T engamant
managent
mangeant
AAEGMNO
+R ramonage
AAEGMNP
+C campagne
AAEGMNR
magnera
manager
mangera
marnage
+A managera
+D gendarma
+E amenager

engamera
menagera
remangea
+I magnerai
mangerai
marinage
+O ramonage
+S magneras
managers
mangeras
mangeres
marnages
+T margeant
ramagent
AAEGMNS
engamas
manages
+A manageas
+E amenages
menageas
nageames
+G gagnames
+I engamais
gainames
magasine
mangeais
+L gamelans
glanames
+M magnames
+R magneras
mangeras
marnages
+S gansames
magnasse
+T gantames
magentas
magnates
AAEGMNT
engamat
magenta
mangeat
+A manageat
+E menageat
+I engamait
mangeait
+N engamant
managent
mangeant
+R margeant
ramagent
+S gantames
magentas
magnates
+U augmenta
AAEGMNU
+T augmenta
AAEGMNZ
managez
+E amenagez
+I magazine
managiez
AAEGMOP
+I apogamie
AAEGMOR
+B ombragea

+C amorcage
+N ramonage
AAEGMPT
+E etampage
AAEGMQR
+U marquage
AAEGMQS
+U masquage
AAEGMQU
+R marquage
+S masquage
AAEGMRR
margera
ramager
+A amarrage
+E emargera
+I arrimage
margerai
+S margeras
+V margrave
AAEGMRS
garames
margeas
ramages
+A ramageas
+D gardames
+E agreames
egarames
rageames
ramagees
+I margeais
mariages
+M gammares
+N magneras
managers
mangeras
marnages
+R margeras
+T tramages
+U arguames
maugreas
raguames
AAEGMRT
margeat
tramage
+A ramageat
+E emargeat
retamage
+I margeait
+N margeant
ramagent
+S tramages
+U ageratum
AAEGMRU
maugrea
+D madrague
margaude
+I maugreai
+Q marquage
+S arguames
maugreas

raguames
+T ageratum
maugreat
AAEGMRV
+R margrave
+S gravames
AAEGMRW
wargame
+S wargames
AAEGMRY
+E mareyage
+S magyares
AAEGMRZ
ramagez
+I ramagiez
AAEGMSS
massage
+N gansames
magnasse
+S massages
AAEGMST
gatames
matages
+E etamages
+I agitames
tamisage
+L maltages
+N gantames
magentas
magnates
+R tramages
AAEGMSU
+B baguames
+L gaulames
+Q masquage
+R arguames
maugreas
raguames
+V vaguames
AAEGMSV
+R gravames
+U vaguames
AAEGMSW
+R wargames
AAEGMSY
+E egayames
+R magyares
AAEGMSZ
gazames
AAEGMTU
+N augmenta
+R ageratum
maugreat
AAEGMTY
+E metayage
AAEGMUV
+S vaguames
AAEGNNR
+G gangrena
+T argentan
rangeant
AAEGNNS
+C cannages
+I engainas

+T tannages
+V vannages
AAEGNNT
nageant
tannage
+C agencant
+G gagnante
+I engainat
+L agnelant
langeant
+M engamant
managent
+R argentan
rangeant
+S tannages
AAEGNNU
+E ennuagea
AAEGNNV
vannage
+S vannages
AAEGNOR
+M ramonage
+T orangeat
+U organeau
AAEGNOS
+C aconages
AAEGNOT
+C canotage
+R orangeat
AAEGNOU
+L analogue
louangea
+R organeau
AAEGNPP
nappage
+S nappages
AAEGNPR
epargna
+I epargnai
paginera
+L palangre
+S epargnas
+T epargnat
AAEGNPS
pansage
+A apanages
+I paganise
+L planages
+P nappages
+R epargnas
+S pansages
AAEGNPT
+C pacagent
+I pagaient
patinage
+R epargnat
+Y pagayent
AAEGNPY
+T pagayent
AAEGNRR
arrange
rangera
+A arrangea
+E arrangee
enragera
+F frangera

+I	agrainer		rangeait	+M	gantames
	agrarien		ratinage		magentas
	arganier		trainage		magnates
	grainera	+L	etrangla	+N	tannages
	rangerai		regalant	+R	argentas
+R	arranger	+M	margeant		ganteras
+S	arranges		ramagent		garantes
	rangeras	+N	argentan		rageants
+T	ragreant	+O	orangeat		stagnera
+U	narguera	+P	epargnat	+S	gansates
+Z	arrangez	+R	ragreant		gantasse
AAEGNRS		+S	argentas	+T	gantates
	gansera		ganteras		nattages
	nageras		garantes	**AAEGNSU**	
	rangeas		rageants		aunages
+C	ancrages		stagnera		saunage
	carnages	+T	argentat	+C	ecanguas
	garances		regatant	+R	surnagea
+E	enrageas	+U	tanguera	+S	saunages
+F	frangeas	+V	engravat	**AAEGNSV**	
+G	gagneras		ravagent	+N	vannages
	regagnas	**AAEGNRU**		+R	engravas
+I	agraines	+F	naufrage	**AAEGNTT**	
	angaries	+H	harangue		nattage
	egrainas	+O	organeau	+D	degantat
	gaineras	+R	narguera	+E	attagene
	ganserai	+S	surnagea		etageant
	nagerais	+T	tanguera	+I	gataient
	rangeais	+V	varangue	+R	argentat
	sanginera	**AAEGNRV**			regatant
+L	glaneras		engrava	+S	gantates
	langeras	+I	engravai	**AAEGNTU**	
	sanglera		varaigne	+C	ecanguat
+M	magneras	+S	engravas	+J	jaugeant
	managers	+T	engravat	+L	elaguant
	mangeras		ravagent	+M	augmenta
	marnages	+U	varangue	+R	tanguera
+P	epargnas	**AAEGNRY**		**AAEGNTV**	
+R	arranges	+E	enrayage	+A	avantage
	rangeras	**AAEGNRZ**		+I	gavaient
+S	ganseras	+I	agrainez	+R	engravat
+T	argentas	+R	arrangez		ravagent
	ganteras	**AAEGNSS**		**AAEGNTY**	
	garantes	+E	nageasse		egayant
	rageants	+G	gagnasse	+B	begayant
	stagnera	+I	gainasse	+P	pagayent
+U	surnagea	+L	glanasse	**AAEGNTZ**	
+V	engravas	+M	gansames	+D	degazant
AAEGNRT			magnasse	+I	gazaient
	agreant	+P	pansages	**AAEGNUV**	
	argenta	+R	ganseras	+R	varangue
	egarant	+S	gansasse	**AAEGNUX**	
	gantera	+T	gansates		agneaux
	garante	+U	saunages	**AAEGNUY**	
	rageant	**AAEGNST**		+L	langueya
	rangeat	+D	degantas	**AAEGOPP**	
+E	enrageat	+E	nageates	+R	propagea
	rageante	+G	gagnates	+T	papotage
+F	agrafent		tangages	**AAEGOPR**	
	frangeat	+H	agnathes	+E	areopage
+G	regagnat	+I	gainates	+L	galopera
+I	argentai		satinage	+P	propagea
	egrainat		tanisage	**AAEGOPT**	
	ganterai	+L	galantes	+C	capotage
	garaient		glanates	+P	papotage
	garantie			**AAEGORR**	
	nagerait				

	arrogea	**AAEGPQU**	
+B	abrogera	+C	pacquage
+E	aerogare	+I	apiquage
+I	arrogeai	+L	plaquage
+R	arrogera	**AAEGPRR**	
+S	arrogeas	+E	arpegera
	arrosage	+T	partager
+T	arrogeat	**AAEGPRS**	
AAEGORS			parages
+B	abrogeas		rapages
+R	arrogeas	+C	parcages
	arrosage	+E	arpegeas
AAEGORT			aspergea
+B	abrogeat		presagea
	rabotage	+I	pairages
+D	radotage		pariages
+F	fagotera	+N	epargnas
+N	orangeat	+P	egrappas
+R	arrogeat	+S	passager
+U	outragea	+T	partages
AAEGORU		+Y	paysager
+N	organeau	**AAEGPRT**	
+T	outragea		partage
+V	ouvragea	+A	partagea
AAEGORV		+E	arpegeat
+U	ouvragea		partagee
+Y	voyagera		retapage
AAEGORY		+I	piratage
+V	voyagera	+L	platrage
AAEGOST		+N	epargnat
+B	sabotage	+P	egrappat
AAEGOSU		+R	partager
+L	soulagea	+S	partages
AAEGOSV		+U	patauger
+V	voyageas		paturage
AAEGOSY			tapageur
+V	voyageas	+Z	partagez
AAEGOTT		**AAEGPRU**	
+U	tatouage	+L	alpaguer
AAEGOTU		+T	patauger
+R	outragea		paturage
+T	tatouage		tapageur
AAEGOTV		+Y	pagayeur
+Y	voyageat	**AAEGPRV**	
AAEGOTY		+E	repavage
+V	voyageat	**AAEGPRY**	
AAEGOUV			pagayer
+R	ouvragea	+A	pagayera
	voyagea	+S	paysager
AAEGOVY		+U	patauger
+R	voyagera	**AAEGPRZ**	
+S	voyageas	+T	partagez
+T	voyageat	**AAEGPSS**	
AAEGPPR			passage
	egrappa	+C	capsages
+F	frappage	+N	pansages
+I	egrappai	+R	passager
+O	propagea	+S	passages
+S	egrappas	+Y	paysages
+T	egrappat	**AAEGPST**	
AAEGPPS			tapages
+N	nappages	+C	captages
+R	egrappas	+R	partages
AAEGPPT		+U	patauges
+O	papotage	**AAEGPSU**	
+R	egrappat	+L	alpagues
		+T	patauges

AAEGPSV
pavages
AAEGPSY
pagayes
paysage
+R paysager
+S paysages
AAEGPTU
patauge
+A pataugea
+R patauger
paturage
tapageur
+S patauges
+Z pataugez
AAEGPTY
+N pagayent
AAEGPTZ
+R partagez
+U pataugez
AAEGPUY
+R pagayeur
AAEGPUZ
+L alpaguez
+T tapaguez
AAEGPYZ
pagayez
+I pagayiez
AAEGQRT
+U quartage
AAEGQRU
+B braquage
+C craquage
+M marquage
+T quartage
AAEGQSU
+L laquages
+M masquage
AAEGQTU
+R quartage
AAEGRRR
+B bagarrer
+E ragreera
+N arranger
+O arrogera
AAEGRRS
gareras
rageras
ragreas
+B bagarres
barrages
+D garderas
regardas
+E agreeras
egareras
+I agraires
garerais
ragerais
ragreais
reagiras
+L realgars
+M margeras
+N arranges
rangeras
+O arrogeas
arrosgea
+U argueras
ragueras
+V graveras
AAEGRRT
ragreat
+D regardat
+E regatera
+I garerait
ragerait
ragreait
+N ragreant
+O arrogeat
+P partager
+T grattera
regratta
+U raturage
targuera
AAEGRRU
arguera
raguera
+C carguera
+D draguera
graduera
+F gaufrera
+I arguerai
raguerai
+L larguera
+N narguera
+S argueras
ragueras
+T raturage
targuera
+U augurera
+V ravageur
AAEGRRV
gravera
ravager
+A ravagera
+G aggraver
+I arrivage
graverai
+M margrave
+S graveras
+U ravageur
AAEGRRZ
+B bagarrez
+N arrangez
AAEGRSS
agressa
garasse
rasages
+B brasages
brassage
+D gardasse
+E agreasse
egarasse
rageasse
+I agressai
+N ganseras
+P passager
+S agressas
garasses
sargasse
+T agressat
+U arguasse
gaussera
raguasse
saurages
+V gravasse
+Y grasseya
AAEGRST
garates
gateras
ratages
regatas
tarages
+C tracages
+D gardates
+E agreates
egateras
etageras
rageates
+F fartages
+G agregats
+I agiteras
gaterais
regatais
+M tramages
+N argentas
ganteras
garantes
rageants
stagnera
+P partages
+S agressat
+U arguates
raguates
+V gravates
AAEGRSU
saurage
+B bagueras
+J jaugeras
+L gauleras
+M arguames
maugreas
+N surnagea
+R argueras
ragueras
+S arguasse
gaussera
raguasse
saurages
+T arguates
raguates
+V vagueras
+Z azurages
AAEGRSV
gaveras
ravages
+A ravageas
+E ravagees
+G aggraves
+I gaverais
+M gravames
+N engravas
+R graveras
+S gravasse
+T gravates
+U vagueras
AAEGRSW
+M wargames
AAEGRSX
+E exageras
AAEGRSY
rayages
+E egayeras
+M magyares
+P paysager
+S grasseya
AAEGRSZ
gazeras
+I gazerais
+U azurages
AAEGRTT
regatat
+G grattage
+I attigera
gaterait
regatait
+N argentat
regatant
+R grattera
regratta
AAEGRTU
+M ageratum
maugreat
+N tanguera
+O outragea
+P patauger
tapageur
+Q quartage
+R raturage
targuera
+S arguates
raguates
AAEGRTV
+A ravageat
+I gaverait
+N engravat
ravagent
+S gravates
AAEGRTX
+E exagerat
AAEGRTZ
+I gazerait
+P partagez
AAEGRUU
+L augurale
+R augurera
AAEGRUV
vaguera
+I vaguerai
+N varangue
+O ouvragea
+R ravageur
+S vagueras
AAEGRUY
+P pagayeur
AAEGRUZ
azurage
+S azurages
AAEGRVV
+I ravivage
AAEGRVY
+O voyagera
AAEGRVZ
ravagez
+G aggravez
+I ravagiez
AAEGSSS
agasses
+B bagasses
+C cassages
+I assagies
+M massages
+N gansasse
+P passages
+R agressas
garasses
sargasse
+T gatasses
+V gavasses
+Z gazasses
AAEGSSST
+I agitasse
+N gansates
gantasse
+R agressat
+S gatasses
AAEGSSU
+B baguasse
+L gaulasse
+N saunages
+R arguasse
gaussera
raguasse
saurages
+V sauvages
AAEGSSV
gavasse
+R gravasse
+S gavasses
+U sauvages
vaguasse
AAEGSSY
+E essayage
+P paysages
+R grasseya
AAEGSSZ
gazasse
+S gazasses
AAEGSTT
gatates
+B battages
+I agitates
attigeas
+L lattages
+N gantates
nattages
AAEGSTU
+B baguates
bastague
+J ajustage
ajutages
+L gaulates
+P patauges
+R arguates
raguates
+V vaguates
AAEGSTV
gavates
+R gravates
+U vaguates

```
AAEGSTY          +N inhalera      AAEHINZ          +L haletait          relachat
+E egayates      +S halerais          ahaniez      +N hataient          tracheal
    etayages     +T halerait      AAEHIPP          +R haterait      +E haletera
AAEGSTZ          AAEHILS          +C echappai          hatteria     +I halerait
    gazates      +D dehalais      +R happerai      AAEHITU          +T theatral
AAEGSUV          +N anhelais      AAEHIPR          +N hautaine      AAEHLRU
    sauvage      +R halerais      +C echarpai      +V hativeau      +C chaulera
+L aveuglas      +T haletais          rechapai     AAEHITV          AAEHLRX
+M vaguames      AAEHILT          +G agraphie      +C achevait      +E exhalera
+R vagueras          haletai      +P happerai      +N havaient      AAEHLSS
+S sauvages          hiatale      AAEHIPS          +R haverait          halasse
    vaguasse     +D dehalait          aphasie      +U hativeau      +C lachasse
+T vaguates      +N anhelait      +D dephasai      AAEHITX          +S halasses
AAEGSUZ          +R halerait      +S aphasies      +L exhalait      AAEHLST
+R azurages      +S haletais      +T apathies      AAEHIUV              halates
AAEGSVV              hiatales     AAEHIPT          +T hativeau      +A althaeas
+I avivages      +T haletait          apathie      AAEHKNR          +C lachates
AAEGSVY          +X exhalait      +S apathies      +B barkhane      +I haletais
+O voyageas      AAEHILV          AAEHIRR          AAEHLLS              hiatales
AAEGTTT          +C chevalai      +D harderai      +C allaches      +P asphalte
+I attigeat      AAEHILX          AAEHIRS              allechas     AAEHLSV
AAEGTTU              exhalai      +B ebahiras      AAEHLLT          +C chevalas
+O tatouage      +S exhalais      +D adherais      +C allechat      AAEHLSX
AAEGTUV          +T exhalait      +L halerais      AAEHLMR              exhalas
+L aveuglat      AAEHIMN          +N saharien      +C marechal      +I exhalais
+S vaguates      +C achemina      +T haterais      AAEHLMS          AAEHLSZ
AAEGTUX          AAEHIMR          +V haverais          halames      +C chalazes
    gateaux      +C macherai          havraise     +B mahalebs      AAEHLTT
AAEGTUZ              remachai     AAEHIRT          +C lachames          haletat
+P pataugez      AAEHINN              haterai      AAEHLNN          +I haletait
AAEGTVY          +C enchaina      +B habitera      +T anhelant      +N haletant
+O voyageat      AAEHINP          +C chataire          lanthane     +R theatral
AAEHHIR          +C epanchai          chatiera     AAEHLNP          AAEHLTV
+C hacherai      +D diaphane          rachetai     +C palanche      +C chevalat
AAEHHMS          AAEHINR              tacherai     +G phalange      AAEHLTX
+C hachames      +A ahanerai      +D adherait      AAEHLNR              exhalat
AAEHHNR          +C anarchie      +L halerait      +E anhelera      +I exhalait
+C hanchera          chainera     +N hanterai      +I inhalera      +N exhalant
    harnache         echarnai     +S haterais      AAEHLNS          AAEHLTY
AAEHHRS          +L inhalera      +T haterait          anhelas      +B bathyale
+C hacheras      +S saharien          hatteria     +I anhelais      AAEHMMN
AAEHHSS          +T hanterai      +V haverait      AAEHLNT          +C emmancha
+C hachasse      +V envahira      AAEHIRV              anhelat      AAEHMMS
AAEHHST          AAEHINS              haverai      +C chanlate      +C machames
+C hachates      +C achaines      +N envahira      +D dehalant      AAEHMNR
AAEHIIN              ensachai     +S haverais      +I anhelait      +B brahmane
+W hawaiien      +L anhelais          havraise     +N anhelant      AAEHMNS
AAEHIIR          +R saharien      +T haverait          lanthane     +A ahanames
+B ebahirai      AAEHINT          AAEHISS          +T haletant      +T hantames
AAEHIIW          +C entachai      +C assechai      +X exhalant      AAEHMNT
+N hawaiien          etanchai     +P aphasies      AAEHLNX          +E anatheme
AAEHILL          +L anhelait      AAEHIST          +T exhalant      +S hantames
+C allechai          halaient     +C achetais      AAEHLPS          AAEHMOR
AAEHILN          +R hanterai      +L haletais      +T asphalte      +C amochera
    anhelai      +T hataient          hiatales     AAEHLPT          AAEHMPP
+R inhalera      +U hautaine      +P apathies      +B alphabet      +S happames
+S anhelais      +V havaient      +R haterais      +S asphalte      AAEHMPS
+T anhelait      AAEHINU          AAEHISV          AAEHLRS          +P happames
    halaient     +T hautaine      +C achevais          haleras      AAEHMRR
AAEHILP          AAEHINV              avachies     +C charales      +C chamarre
+D hapalide      +R envahira      +R haverais          harcelas         charmera
AAEHILR          +T havaient          havraise         lacheras         marchera
    halerai      AAEHINW          AAEHISX              relachas         remarcha
+C chialera      +I hawaiien      +L exhalais      AAEHLRT          AAEHMRS
    harcelai                      AAEHITT          +C harcelat      +C macheras
    lacherai                      +C achetait                          remachas
    relachai                          tachetai
```

+D hardames
+S smashera
+T marathes
AAEHMRT
　marathe
+C remachat
+S marathes
AAEHMRU
+C chaumera
AAEHMSS
+C machasse
+R smashera
AAEHMST
　hatames
+C machates
　tachames
+N hantames
+R marathes
AAEHMSV
　havames
AAEHMUX
　hameaux
+C chameaux
AAEHNNP
+C chenapan
AAEHNNT
　ahanent
+C enchanta
+L anhelant
　lanthane
AAEHNOP
+R anaphore
AAEHNPR
+P anaphore
AAEHNPR
+C panacher
+O anaphore
AAEHNPS
+A anaphase
+C epanchas
　panaches
AAEHNPT
+C epanchat
AAEHNPZ
+C panachez
AAEHNRR
+C acharner
AAEHNRS
+A ahanera
+C acharnes
　echarnas
+I saharien
+T hanteras
AAEHNRT
　hantera
+C chantera
　echarnat
　rechanta
+D adherant
+I hanterai
+S hanteras
AAEHNRU
+B haubaner
+G harangue
AAEHNRV
+I envahira
AAEHNRZ

+C acharnez
+E ahanerez
AAEHNSS
+A ahanasse
+C enchassa
　ensachas
+T hantasse
AAEHNST
+A ahanates
+C acanthes
　ensachat
　entachas
　etanchas
+G agnathes
+M hantames
+R hanteras
+S hantasse
+T hantates
AAEHNSU
+B haubanes
AAEHNSV
　havanes
AAEHNTT
+C achetant
　entachat
　etanchat
+I hataient
+L haletant
+S hantates
AAEHNTU
+C chanteau
+I hautaine
AAEHNTV
+C achevant
+I havaient
AAEHNTX
+L exhalant
AAEHNUV
+E haveneau
AAEHNUZ
+B haubanez
AAEHOPR
+N anaphore
AAEHORT
+C cahotera
AAEHPPR
　happera
　paraphe
+C rechappa
+E paraphee
+I happerai
+R parapher
+S happeras
　paraphes
+Z paraphez
AAEHPPS
+C echappas
+M happames
+R happeras
　paraphes
+S happasse
+T happates
AAEHPPT
+C echappat
+S happates
AAEHPPZ
+R paraphez

AAEHPRR
+P parapher
+S phrasera
AAEHPRS
+C echarpas
　rechapas
+P happeras
　paraphes
+R phrasera
AAEHPRT
+C echarpat
　rechapat
AAEHPRZ
+P paraphez
AAEHPSS
+D dephasas
+I aphasies
+P happasse
AAEHPST
+C patches
+D dephasat
+I apathies
+L asphalte
+P happates
AAEHPUX
+C chapeaux
AAEHRRR
+C arracher
AAEHRRS
+C arraches
+D harderas
　hasarder
+P phrasera
+S harasser
AAEHRRT
+C catarrhe
　chatrera
AAEHRRU
+C rauchera
AAEHRRW
+D hardware
AAEHRRZ
+C arrachez
AAEHRSS
　harasse
+C chassera
　rechassa
+D hardasse
　hasardes
+E harasse
+M smashera
+R harasser
+S harasses
+U haussera
　rehaussa
+Z harassez
AAEHRST
　hateras
+C cathares
　rachetas
　tacheras
+D hardates
+I haterais
+M marathes
+N hanteras
AAEHRSU
+S haussera

　rehaussa
AAEHRSV
　haveras
+C havresac
+I haverais
　havraise
AAEHRSZ
+D hasardez
+S harassez
AAEHRTT
+C attacher
　rachetat
　rattache
+I haterait
　hatteria
+L theatral
AAEHRTV
+I haverait
AAEHRTX
+C exarchat
AAEHSSS
+C assechas
+L halasses
+R harasses
+T hatasses
+V havasses
AAEHSST
　hatasse
+C assechat
　tachasse
+N hantasse
+S hatasses
　rehaussa
AAEHSSU
+R haussera
　rehaussa
+X exhaussa
AAEHSSV
　havasse
+S havasses
AAEHSSX
+U exhaussa
AAEHSSZ
+R harassez
AAEHSTT
　hatates
+C attaches
　tachates
　tachetas
+N hantates
AAEHSTV
　havates
AAEHSUX
+S exhaussa
AAEHTTT
+C tachetat
AAEHTTZ
+C attachez
AAEHTUV
+I hativeau
AAEHTUX
+C chateaux
AAEIILL
+C ecaillai
+G egaillai
+M emaillai
+R aillerai
　alliaire

　allierai
　eraillai
AAEIILM
+L emaillai
AAEIILN
+D delainai
+R lainerai
+S alienais
+T alienait
+V alevinai
AAEIILR
　laierai
+C eclairai
+L aillerai
　alliaire
　allierai
　eraillai
+N lainerai
+S asilaire
　laierais
　realisai
+T aliterai
　laierait
AAEIILS
　asialie
+D idealisa
+G egalisai
+N alienais
+R asilaire
　laierais
　realisai
+S asialies
AAEIILT
+D delaitai
+N alienait
+R aliterai
　laierait
AAEIILV
+N alevinai
AAEIIMN
　anemiai
+R animerai
　manierai
　reanimai
　remaniai
+S anemiais
+T aimaient
　animeait
+X examinai
AAEIIMR
　aimerai
+B abimerai
+D demariai
+G amaigrie
+N animerai
　manierai
　reanimai
　remaniai
+R marierai
　remariai
+S aimerais
+T aimerait
AAEIIMS
+B amibiase
+C emaciais
+N anemiais

+R aimerais
+S essaimai
AAEIIMT
+C emaciait
+N aimaient
   anemiait
+R aimerait
AAEIIMX
+N examinai
AAEIINN
+G engainai
AAEIINP
+S inapaise
AAEIINR
+G egrainai
   gainerai
+L lainerai
+M animerai
   manierai
   reanimai
   remaniai
+R rainerai
+S aniserai
+V avinerai
AAEIINS
+D deniaisa
+L alienais
+M anemiais
+P inapaise
+R aniserai
+S assainie
+T tanaisie
AAEIINT
+D aidaient
+F enfaitai
+L alienait
+M aimaient
   anemiait
+S tanaisie
AAEIINV
+L alevinai
+R avinerai
AAEIINW
+H hawaiien
AAEIINX
+M examinai
AAEIIOR
+B aboierai
AAEIIPR
   paierai
+C rapiecai
+D depariai
+R parierai
   repairai
+S paierais
+T paierait
AAEIIPS
+N inapaise
+R paierais
+Z apaisiez
AAEIIPT
+R paierait
AAEIIPZ
+S apaisiez
AAEIIRR
   raierai
+C carierai

+D draierai
   radierai
+F fraierai
   rarefiai
+G reagirai
+M marierai
   remariai
+N rainerai
+P parierai
   repairai
+S ariserai
   raierais
+T raierait
+V varierai
AAEIIRS
+B baierais
   baiserai
+C acierais
+D aiderais
+L asilaire
   laierais
   realisai
+M aimerais
+N aniserai
+P paierais
+R ariserai
   raierais
+S assierai
+V aviaires
   aviserai
AAEIIRT
+B abetirai
   baierait
+C acierait
+D aiderait
+E etaierai
+G agiterai
+L aliterai
   laierait
+M aimerait
+P paierait
+R raierait
AAEIIRV
   aviaire
+N avinerai
+R varierai
+S aviaires
   aviserai
+Z avariiez
AAEIIRZ
+V avariiez
AAEIISS
+L asialies
+M essaimai
+N assainie
+R assierais
AAEIIST
+N tanaisie
+T etatisai
   saiettai
+X extasiai
AAEIISV
+R aviaires
   aviserai
AAEIISX

+T extasiai
AAEIISZ
+P apaisiez
AAEIITT
+G attigeai
+S etatisai
   saiettai
AAEIITX
+S extasiai
AAEIIVV
+R aviverai
AAEIIVZ
+R avariiez
AAEIJLS
+G galejais
+V javelais
AAEIJLT
+G galejait
+V javelait
AAEIJLU
+C ejaculai
AAEIJLV
   javelai
+S javelais
+T javelait
AAEIJMN
+B enjambai
AAEIJNS
+T jasaient
AAEIJNT
+D dejantai
+S jasaient
AAEIJPP
+R japperai
AAEIJPR
+P japperai
+S jasperai
AAEIJPS
+R jasperai
AAEIJRS
   jaserai
+P jasperai
+S jaserais
+T jaserait
AAEIJRT
+C jacterai
+S jaserait
AAEIJRU
+G jaugerai
AAEIJSS
+R jaserais
+U jussiaea
AAEIJST
+N jasaient
+R jaserait
AAEIJSU
+G jaugeais
+S jussiaea
AAEIJSV
+L javelais
AAEIJTU
+G jaugeait
AAEIJTV
+L javelait
AAEIKKM
+Z kamikaze
AAEIKKN

+D akkadien
+F kafkaien
AAEIKKZ
+M kamikaze
AAEIKMZ
+K kamikaze
AAEIKNS
+B ikebanas
AAEILLL
+U alleluia
AAEILLM
   emailla
+B emballai
+D demailla
+G maillage
+I emaillai
   remailla
+S aillames
   alliames
   emaillas
   mesailla
+T emaillat
AAEILLN
+C alcaline
   alliance
   canaille
+T allaient
   entailla
   tenailla
AAEILLP
+D depailla
+G pagaille
   paillage
+M empailla
+R paillera
   palliera
+T pailleta
AAEILLR
   aillera
   alliera
   erailla
+B baillera
   ballerai
+C caillera
   racaille
+D dallerai
   derailla
+F faillera
+I aillerai
   alliaire
   allierai
   eraillai
+M maillera
   remailla
+P paillera
   palliera
+R raillera
   ralliera
+S ailleras
   allieras
   eraillas
   saillera
+T allaiter
   eraillat
   retailla

   taillera
   tallerai
AAEILLS
+B labiales
+C alliaces
   ecaillas
+D aillades
+F faseilla
+G alliages
   egaillas
   legalisa
+M aillames
   alliames
   emaillas
   mesailla
+R ailleras
   allieras
   eraillas
   saillera
+S aillasse
   alliasse
   assaille
+T aillates
   allaites
   alliates
AAEILLT
   allaite
+B bataille
+C ecaillat
+D detailla
+E allaitee
+G egaillat
   taillage
+M emaillat
+N allaient
   entailla
   tenailla
+P pailleta
+R allaiter
   eraillat
   retailla
   taillera
   tallerai
+S allaites
   alliates
+Z allaitez
AAEILLU
+G alleguai
+L alleluia
AAEILLZ
+T allaitez
AAEILMM
+N malmenai
+S lamaisme
+X maximale
AAEILMN
   animale
+B maniable
+C calamine
+G laminage
+M malmenai
+O anomalie
+R laminera
+S animales
   lainames

```
        malsaine          amirales              renaclai      +G agnelait      +T appelait
+T alimenta               lamerais          +E alienera          alginate      AAEILPR
    lamaient              malaires          +F flanerai          langeait          laperai
    lamentai              mariales          +G alignera      +H anhelait      +C placerai
    matinale          +S malaises              glanerai          halaient          replacai
AAEILMO               +T alitames              langerai      +I alienait      +D deplaira
+N anomalie               lamaiste          +H inhalera      +L allaient          lapidera
+R ameliora               maltaise          +I lainerai          entailla          plaidera
AAEILMP               +V malavise          +M laminera          tenailla          plaidira
    empalai           AAEILMT              +P lapinera      +M alimenta      +G plagiera
+L empailla           +B malbatie              planaire          lamaient      +L paillera
+R lamperai           +C calamite              planerai          lamentai      +M lamperai
    palmaire          +L emaillat          +S laineras          matinale          palmaire
    palmerai          +N alimenta          +T alternai      +N alienant          palmerai
+S empalais               lamaient              latanier          annalite      +N lapinera
+T empalait               lamentai              ralaient          annelait          planaire
AAEILMR                   matinale          AAEILNS          +P lapaient      +P appareil
    amarile           +P empalait              alienas           palatine          palperai
    amirale           +R lamerait              alineas           patelina          rappelai
    lamerai               malterai          +B banalise      +R alternai      +R parlerai
    malaire               maritale              ensablai          latanier          reparlai
    mariale               martiale          +C alsacien          ralaient      +S laperais
+B amblerai           +S alitames              canalise      +S ailantes      +T laperait
    blamerai              lamaiste              elancais          analites          parietal
    mariable              maltaise              enlacais          lainates          partiale
+C calmerai           AAEILMU              +D delainas          nasalite      +U piaulera
    clamerai          +R miaulera              landaise          salaient      AAEILPS
    maclerai          AAEILMV              +G agnelais          salaient          aplasie
    reclamai          +B emblavai              anglaise      +U aulnaies      +C apicales
+F malfaire           +D maladive              lainages      +V alevinas          capelais
+L maillera           +S malavise              langeais          vaselina      +D pedalais
    remailla          AAEILMX              +H anhelais      AAEILNT          +M empalais
+N laminera           +C exclamai          +I alienais          ailante      +N aplanies
+O ameliora           +M maximale          +M animales          alienat          nepalais
+P lamperai           +Z malaxiez              lainames          analite          penalisa
    palmaire          AAEILMZ                  malsaine      +B balaient      +P appelais
    palmerai          +R alarmiez          +N alanines          balanite      +R laperais
+S amariles           +X malaxiez              annelais          banalite      +S aplasies
    amirales          AAEILNN              +P aplanies      +C alicante      +T aplaties
    lamerais              alanine              nepalais          calaient          spatiale
    malaires              annelai              penalisa          elancait      +U epaulais
    mariales          +S alanines          +S enliassa          enlacait      AAEILPT
+T lamerait               annelais              lainasse          lacaient          aplatie
    malterai          +T alienant              nasalise          laitance      +C capelait
    maritale              annalite          +T ailantes      +D delainat          capitale
    martelai              annelait              analites                        +D pedalait
    martiale          AAEILNO                  lainates                        +L pailleta
+U miaulera           +G analogie              nasalite                        +M empalait
+Z alarmiez           +M anomalie              salaient                        +N lapaient
AAEILMS               AAEILNP              +U aulnaies                             palatine
    malaise               aplanie          +V alevinas                             patelina
+B aimables           +R lapinera              vaselina                        +P appelait
    amiables              planaire          AAEILNT                           +R laperait
+C amicales               planerai          AAEILOS                               parietal
    camelias          +S aplanies          +C asociale                            partiale
+D maladies               nepalais          AAEILOU                               raplatie
+E malaisee               penalisa          +R aureolai                       +S aplaties
+L aillames           +T lapaient          AAEILOV                               spatiale
    alliames              palatine          +R avaloire                       +U epaulait
    emaillas              patelina          AAEILOX                           AAEILPU
    mesallia          AAEILNR              +C coaxiale                           epaulai
+M lamaisme               lainera          AAEILPP                            +R piaulera
+N animales           +B ebranlai              appelai                        +S epaulais
    lainames          +C calinera          +R appareil                        +T epaulait
    malsaine              lancerai              palperai
+P empalais               relancai              rappelai
+R amariles                                +S appelais
```

AAEILNU
    aulnaie
+G alanguie
+S aulnaies
AAEILNV
    alevina
+C enclavai
+G vaginale
+I alevinai
+S alevinas
    vaselina
+T alevinat
    lavaient
    valaient
AAEILNY
+T layaient
AAEILOR
+B elaborai
+M ameliora
+U aureolai
+V avaloire

AAEILQR
+U laquerai
AAEILQT
+U altaique
AAEILQU
+C alcaique
+R laquerai
+T altaique
•**AAEILRR**
  laraire
  ralerai
+B blairera
  rablerai
+C carrelai
  raclerai
+D larderai
+E relaiera
+F flairera
  raflera
+G elargira
  glairera
+L raillera
  ralliera
+P parlerai
  reparlai
+S laraires
  ralerais
  salarier
+T ralerait
+V larvaire
AAEILRS
  alaires
  laieras
  realisa
  resalai
  salaire
  salarie
  salerai
+B balisera
  blaserai
  sablerai
+C calerais
  eclairas
  lacerais
  raciales
  recalais
  scalaire
+D radiales
  saladier
+E aleserai
  realesai
  salariee
+F eraflais
+G glaisera
  regalais
+H halerais
+I asilaire
  laierais
  realisai
+L ailleras
  allieras
  eraillas
  saillera
+M amariles
  amirales
  lamerais
  malaires
  mariales
+N laineras
+P laperais
+R laraires
+S laissera
  lasserai
  realisas
  resalais
  salaires
  salaries
  salerais
+T alertais
  aliteras
  alterais
  ratelais
  realisat
  relatais
  resalait
  salerait
+U saluerai
+V avaliser
  laverais
  relavais
  revalais
  salivera
  valserai
+X relaxais
+Y layerais
  relayais
+Z salariez
AAEILRT
  alertai
  alitera
  alterai
  ratelai
  relatai
+B atrabile
  blaterai
  etablira
  tablerai
+C alacrite
  calerait
  calterai
  eclairat
  lacerait
  lactaire
  recalait
+D dilatera
+E etalerai
+F alfatier
  eraflait
  frelatai
+G regalait
+H halerait
+I aliterai
  alierait
+L allaiter
  eraillat
  retailla
  taillera
+M lamerait
  malterai
  maritale
  martelai
  martiale
+N alternai
  latanier
  ralaient
+P laperait
  parietal
  partiale
  raplatie
+R ralerait
+S alertais
  aliteras
  alterais
  ratelais
  realisat
  relatais
  resalait
  salerait
+T alertait
  alterait
  latterai
  ratelait
+V laverait
  relavait
  revalait
+X relaxait
+Y layerait
  relayait
AAEILRU
+B biaurale
  blaireau
+D adulerai
  adulaire
+G gaulerai
+M miaulera
+O aureolai
+P piaulera
+Q laquerai
+S saluerai
+V aveulira
AAEILRV
  laverai
  relavai
+A avalerai
+B variable
+C calvaire
  cavalier
  clavaire
  claverai
+D validera
+O avaloire
+R larvaire
+S avaliser
  laverais
  relavais
  revalais
  salivera
  valserai
+T laverait
  relavait
  revalait
+U aveulira
+V valvaire
+Z ravaliez
AAEILRX
  relaxai
+R alertais
+S relaxais
+T relaxait
AAEILRY
  layerai
  relayai
+S layerais
  relayais
+T layerait
  relayait
AAEILRZ
+D lezardai
+M alarmiez
+S salariez
+V ravaliez
AAEILSS
  alaises
  alesais
+B balaises
+D delaissa
  delassai
  dessalai
+F falaises
+G egalisas
+I asialies
+L aillasse
  alliasse
  assaille
+M malaises
+N enliassa
  lainassa
  nasalise
+P aplasies
+R laissera
  lasserai
  realisas
  resalais
  salaires
  salaries
  salerais
+T alitasse
+V avalises
AAEILST
  alesait
  etalais
+C eclatais
  salacite
+D delaitas
  detalais
+G egalisat
  laitages
+H haletais
  hiatales
+L aillates
  allaites
  alliates
+M alitames
  lamaiste
  maltaise
+N ailantes
  analites
  lainates
  nasalite
  salaient
+P aplaties
  spatiale
+R alertais
  aliteras
  alterais
  ratelais
  realisat
  relatais
  resalait
  salerait
+S alitasse
+T alitates
+V tavelais
+X exaltais
AAEILSU
  saulaie
+G elaguais
+N aulnaies
+P epaulais
+R saluerai
+S saulaies
+V evaluais
AAEILSV
  avalise
+D delavais
  devalais
  devalisa
+E avalisee
+J javelais
+M malvaise
+N alevinas
  vaselina
+R avaliser
  laverais
  relavais
  revalais
  salivera
  valserai
+S avalises
+T tavelais
+U evaluais
+Z avalisez
AAEILSX
  axiales
+G galaxies
+H exhalais
+R relaxais
+T exaltais
AAEILSY
+D delayais
+R layerais
  relayais
AAEILSZ
+R salariez
+V avalisez
AAEILTT
  attelai
  etalait
+C eclatait
+D delaitat
  detalait
+F fatalite
+H haletait
+N natalite
+R alertait
  alterait
  latterai
  ratelait
  relatait
+S alitates

	attelais
+T	attelait
+V	tavelait
+X	exaltait

AAEILTU
+G	elaguait
+P	epaulait
+Q	altaique
+V	evaluait

AAEILTV
	tavelai
+B	ablative
+C	clavetai
+D	delavait
	devalait
+J	javelait
+N	alevinat
	lavaient
	valaient
+R	laverait
	relavait
	revalait
+S	tavelais
+T	tavelait
+U	evaluait
+X	laxative

AAEILTX
	exaltai
+H	exhalait
+R	relaxait
+S	exaltais
+T	exaltait
+V	laxative

AAEILTY
+D	delayait
+N	layaient
+R	layerait
	relayait

AAEILTZ
+L	allaitez

AAEILUV
	evaluai
+B	baliveau
+D	devaluai
+G	aveuglai
+R	aveulira
+S	evaluais
+T	evaluait

AAEILVV
+R	valvaire

AAEILVX
+T	laxative

AAEILVZ
	avaliez
+C	cavaliez
+R	ravaliez
+S	avalisez

AAEILXZ
+M	malaxiez

AAEILYZ
+B	balayiez

AAEIMMN
+R	mammaire

AAEIMMN
+L	malmenai
+S	animames
	maniames

AAEIMMP
+U	empaumai

AAEIMMR
+M	mammaire
+S	mariames

AAEIMMS
	aimames
+B	abimames
+D	adamisme
+L	lamaisme
+N	animames
	maniames
+R	mariames
+T	amatimes

AAEIMMT
+F	matefaim
+S	amatimes

AAEIMMU
+B	embaumai
+P	empaumai

AAEIMMX
+L	maximale

AAEIMMN
+D	amandine
+P	empannai
	panamien
+R	amarnien
+T	anemiant
	annamite

AAEIMNO
+L	anomalie
+T	anatomie

AAEIMNP
+C	emancipa
+N	empannai
	panamien
+T	pamaient

AAEIMNQ
+U	maniaque

AAEIMNR
	amarine
	animera
	maniera
	ramenai
	reanima
	remania
+C	cinerama
+D	amandier
	damnerai
	manderai
	marinade
	ramendai
+E	amarinee
	amenerai
	anemiera
	emanerai
+G	magnerai
	mangerai
	marinage
+I	animerai
	manierai
	reanimai
	remaniai
+L	laminera
+N	amarnien
+R	amariner
	marinera
	marnerai
	marraine
	ranimera

AAEIMNS
	amenais
	anemias
	emanais
+C	mecanisa
	menacais
+D	adamiens
	amendais
+G	engamais
	gainames
	magasine
	mangeais
+I	anemiais
+L	animales
	lainames
	malsaine
+M	animames
	maniames
+R	amarines
	animeras
	manieras
	ramenais
	remanias
+S	animasse
	anisames
	maniasse
+T	aimantes
	amanites
	amiantes
	animates
	entamais
	mainates
	maniates
	mataient
+X	examinat
+Z	amarinez

AAEIMNT
	aimante
	amanite
	amenait
	amiante
	anemiat
	emanait
	entamai
	mainate
+B	ambiante
+C	camaient
	emaciant
	menacait
+D	amendait
	damaient
	diamante
+E	aimantee
+G	engamait
	mangeait
+I	aimaient
	aimerait
+L	alimenta
	lamaient
	lamentai
	matinale
+N	annamiat
+O	anatomie
+P	pamaient
+R	aimanter
	armaient
	maternai
	matinera
	ramaient
	ramenait
	reanimat
	remaniat
	rentamai
+S	aimantes
	amanites
	amiantes
	animates
	entamais
	mainates
	maniates
+T	entamait
+X	examinat
+Z	aimantez

AAEIMNU
+Q	maniaque
+S	amenuisa

AAEIMNV
+S	avinames

AAEIMNX
	examina
+I	examinai
+S	examinas
+T	examinat

AAEIMNY
+D	adynamie

AAEIMNZ
+G	magazine
	managiez
+R	amarinez
+T	animatez

AAEIMOP
+G	apogamie

AAEIMOR
+D	amodiera
+L	ameliora

AAEIMOT
+N	anatomie

AAEIMPP
+R	epamprai

AAEIMPR
	emparai
+C	camperai
+L	lamperai
	palmaire
	palmerai
+P	epamprai
+R	ramperai
+S	emparais
	pamerais
	pariames
	parsemai
+T	emparait
+U	paumerai
+V	vamperai

AAEIMPS
+L	empalais
+R	emparais
	pamerais
	pariames
	parsemai
+T	empatais
	estampai
	etampais

AAEIMPT
	empatai
	etampai
+L	empalait
+N	pamaient
+R	emparait
	pamerait
+S	empatais
	estampai
	etampais
+T	empatait
	etampait

AAEIMPU
+M	empaumai
+R	paumerai

AAEIMPV
+R	vamperai

AAEIMPZ
+D	diazepam

AAEIMQU
+D	adamique
+N	maniaque

AAEIMRR
	armerai
	mariera
	famerai
	rearmai
	remaria
+B	ambrerai
	bramerai
	embarrai
+C	cramerai
+D	admirera
	demarrai
+G	arrimage
	margerai
+I	marierai
	remariai
+N	amariner
	marinera
	marnerai
	marraine

	ranimera		materai		baisames		etamait	+G	engainat
+P	ramperai		retamai	+I	essaimai	+D	dematait	+L	alienant
+R	amerrira	+B	etambrai	+L	malaises	+N	entamait		annalite
	arrimera	+C	camerait	+N	animasse		mataient		annelait
	marrerai		macerait		anisames	+P	empatait	+M	anemiant
+S	armerais	+D	damerait		maniasse		etampait		annamite
	marieras		demariat		masserai	+R	materait	+P	panaient
	ramerais	+E	etamerai	+R	arisames		retamait	+R	aneantir
	rearmais	+G	margeait		mariasse		trematai		entraina
	remarias	+I	aimerait		masserai	+S	amatites		tannerai
+T	armerait	+L	lamerait	+S	aimasses	+U	ameutait	+S	aneantis
	ramerait		malterai		essaimas	**AAEIMTU**			antenais
	rearmait		maritale	+T	amatisse		ameutai		nantaise
	remariat		martelai		essaimat	+R	amiraute		neantisa
	tramerai		martiale	+V	avisames		rameutai	+T	aneantit
+U	amurerai	+N	aimanter	+Z	amassiez	+X	annexait	+X	annexait
+Z	amarriez		armaient	**AAEIMST**		**AAEIMTV**		**AAEINNU**	
AAEIMRS			maternai		aimates	+S	atavisme	+R	annuaire
	aimeras		matinera		amaties	**AAEIMTX**		**AAEINNV**	
+B	abimeras		ramaient		etamais	+N	examinat	+R	vannerai
	arabisme		ramenait	+B	abimates	**AAEIMTZ**		**AAEINNX**	
	embrasai		reanimat	+D	adamites	+N	aimantez		annexai
+C	camerais		remaniat		dematais	+R	amatirez	+S	annexais
	cariames		rentamai	+G	agitames	**AAEIMUV**		+T	annexait
	macerais	+P	emparait		tamisage	+S	mauvaise	**AAEINOR**	
+D	aramides		pamerait	+L	alitames	**AAEIMUX**		+T	aeration
	damerais	+R	armerait		lamaiste	+C	camaieux	**AAEINOT**	
	demarias		ramerait		maltaise	**AAEIMVV**		+M	anatomie
	desarmai		rearmait	+M	amatimes	+S	avivames	+R	aeration
	disamare		remariat	+N	aimantes	**AAEIMXZ**		**AAEINOU**	
	radiames		tramerai		amanites	+L	malaxiez	+B	ouabaine
+G	margeais	+S	maestria		amiantes	**AAEINNP**		**AAEINPP**	
	mariages		mariates		animates	+D	depannai		papaine
+I	aimerais		materais		entamais	+M	empannai	+R	napperai
+L	amariles		retamais		mainates		panamien	+S	papaines
	amirales		tamisera		maniates	+T	panaient	+T	antipape
	lamerais	+T	materait	+P	empatais	**AAEINNR**		**AAEINPR**	
	malaires		retamait		estampai	+B	bananier		panerai
	mariales		trematai		etampais	+C	cannerai	+D	epandrai
+M	mariames	+U	amiraute	+R	maestria		enracina	+G	epargnai
+N	amarines		materiau		mariates	+F	enfarina		paginera
	animeras		rameutai		materais	+G	rengaina	+L	lapinera
	manieras	+Z	amatirez		retamais	+M	amarnien		planaire
	rainames	**AAEIMRU**			tamisera	+T	aneantir		planerai
	ramenais	+G	maugreai	+S	amatisse		entraina	+P	napperai
	reanimas	+L	miaulera		essaimat		tannerai	+R	parraine
	remanias	+P	paumerai	+U	ameutais	+U	annuaire	+S	panerais
+P	emparais	+R	amurerai	+V	atavisme	+V	vannerai		panserai
	pamerais	+S	amuserai	**AAEIMSU**		**AAEINNS**		+T	arpentai
	pariames	+T	amiraute	+C	camaieus	+C	caennais		panerait
	parsemai		materiau	+N	amenuisa	+G	engainas		paraient
+R	armerais		rameutai	+R	amuserai	+L	alanines		patinera
	marieras	**AAEIMRV**		+T	ameutais		annelais		rapaient
	ramerais	+P	vamperai	+V	mauvaise	+T	aneantis		tapinera
	rearmais	+S	variames	**AAEIMSV**			antenais		trepanai
	remarias	**AAEIMRY**		+L	malavise		nantaise	**AAEINPS**	
+S	arisames	+B	embrayai	+N	avinames		neantisa	+D	epandais
	mariasse	**AAEIMRZ**		+R	variames	+X	annexais	+G	paganise
	masserai	+G	ramagiez	+S	avisames	**AAEINNT**		+I	inapaise
+T	maestria	+L	alarmiez	+T	atavisme		aneanti	+L	aplanies
	mariates	+N	amarinez	+U	mauvaise	+C	canaient		nepalais
	materais	+R	amarriez	+V	avivames	+E	aneantie		penalisa
	retamais	+T	amatirez	**AAEIMSX**		+F	enfantai	+P	papaines
	tamisera	**AAEIMSS**		+N	examinas		faineant	+R	panerais
+U	amuserai		aimasse	**AAEIMSZ**			fanaient		panserai
+V	variames		essaima	+S	amassiez				+T	apaisent
AAEIMRT		+B	abimasse	**AAEIMTT**						sapaient

AAEINPT
+C capaient
+D epandait
   inadapte
+G pagaient
   patinage
+L lapaient
   palatine
   patelina
+M pamaient
+N panaient
+P antipape
+R arpentai
   panerait
   paraient
   patinera
   rapaient
   tapinera
   trepanai
+S apaisent
   sapaient
+T patentai
   patienta
   tapaient
+V pavaient
+Y payaient
AAEINPU
+F peaufina
AAEINPV
+T pavaient
+Z pavaniez
AAEINPY
+T payaient
AAEINPZ
+V pavaniez
AAEINQU
+C encaquai
+M maniaque
AAEINRR
   rainera
+C ancrerai
   cranerai
   nacrerai
   ricanera
+D drainera
   radinera
+E enraiera
+F farinera
+G agrainer
   agrarien
   arganier
   grainera
   rangerai
+I rainerai
+M amariner
   marinera
   marnerai
   marraine
   ranimera
+P parraine
+R narrerai
+S raineras
+T ratinera
   renaitra
   trainera
+V navrerai
   ravinera

AAEINRS
   anisera
+B bearnais
+C acariens
   canerais
   carenais
   casanier
   casernai
   serancai
+D danserai
+F fanerais
+G agraines
   angaries
   egrainas
   gaineras
   ganserai
   nagerais
   rangeais
   saignera
+H saharien
+I aniserai
+L laineras
+M amarines
   animeras
   manieras
   rainames
   ramenais
   reanimas
   remanias
+P panerais
   panserai
+R raineras
+S aniseras
   rainasse
+T artisane
   rainates
   rasaient
   satinera
   tanisera
+U saunerai
+V avineras
+Y enrayais
AAEINRT
+B baratine
+C acierant
   canerait
   carenait
   carinate
   encartai
   tancerai
+D radaient
   radiante
+E aeraient
+F fanerait
+G argentai
   egrainat
   ganterai
   garaient
   garantie
   nagerait
   rangeait
   ratinage
   trainage
+H hanterai
+L alternai
   latanier
   ralaient

+M aimanter
   armaient
   maternai
   matinera
   ramaient
   ramenait
   reanimat
   remaniat
   rentamai
+N aneantir
   entraina
   tannerai
+O aeration
+P arpentai
   panerait
   paraient
   patinera
   rapaient
   tapinera
   trepanai
+R ratinera
   renaitra
   trainera
+S artisane
   rainates
   rasaient
   satinera
   tanisera
+T natterai
   rataient
   ratatine
   taraient
+U auraient
   traineau
+V avarient
   entravai
   vanterai
   variante
+Y enrayait
   rayaient
AAEINRU
+D renaudai
+N annuaire
+S saunerai
+T auraient
   traineau
AAEINRV
   avinera
+C variance
+D viandera
+G engravai
   varaigne
+H envahira
+I avinerai
+N vannerai
+R navrerai
   ravinera
+S avineras
+T avarient
   entravai
   vanterai
   variante
AAEINRY
   enrayai
+S enrayais
+T enrayait
   rayaient

AAEINRZ
+G agrainez
+M amarinez
AAEINSS
+B sesbania
+C aisances
   encaissa
+F faisanes
+G gainasse
+I assainie
+L enliassa
   lainasse
   nasalise
+M anisames
   maniasse
+R rainasse
+S anisasse
   assenais
+V avinasse
   envasais
   savaient
AAEINST
   taenias
+B absentai
   basaient
+C casaient
   estancia
+D anatides
+F anatifes
   enfaitas
   fanatise
+G gainates
   satinage
+I tanaisie
+J jasaient
+L ailantes
   analites
   lainates
   nasalite
   salaient
+M aimantes
   amanites
   amiantes
   animates
   entamais
   mainates
   maniates
+N aneantis
   antenais
   nantaise
   neantisa
+P apaisent
   sapaient
+R artisane
   rainates
   rasaient
   satinera
   tanisera
+S anisates
   assenait
   entassai

AAEINSU
   aunaies
+B aubaines
+L aulnaies
+M amenuisa
+R saunerai
AAEINSV
   avanies
+C encavais
+L alevinas
   vaselina
+M avinames
+R avineras
+S avinasse
   envasais
+T avinates
   envasait
   savaient
AAEINSX
+M examinas
+N annexais
AAEINSY
+R enrayais
AAEINSZ
+B basaniez
AAEINTT
+B bataient
+D antidate
   dataient
+F enfaitat
+G gataient
+H hataient
   natalite
+M entamait
   mataient
+N aneantit
+P patentai
   patienta
   tapaient
+R natterai
   rataient
   ratatine
   taraient
+S tetanisa
+T attentai
   tataient
+U attenuai
+X taxaient
AAEINTU
+H hautaine
+R auraient
   traineau
+T attenuai
AAEINTV
   avaient
+B bavaient
+C cavaient
   cavatine
   encavait
   vaticane
+D advenait
+G gavaient

+H havaient
+L alevinat
   lavaient
   valaient
+P pavaient
+R avarient
   entravai
   vanterai
   variante
+S avinates
   envasait
   savaient
AAEINTX
   axaient
+E anatexie
+M examinat
+N annexait
+T taxaient
AAEINTY
+B bayaient
+L layaient
+P payaient
+R enrayait
   rayaient
AAEINTZ
+G gazaient
+M aimantez
AAEINUV
+C caniveau
+F avifaune
AAEINVZ
+C avanciez
+P pavaniez
AAEIOPR
+V evaporai
AAEIOPV
+R evaporai
AAEIORR
+D adorerai
+G arrogeai
+T aratoire
AAEIORS
+B aboieras
+C acariose
AAEIORT
+N aeration
+R aratoire
+U ouaterai
AAEIORU
+L aureolai
+T ouaterai
+V avouerai
AAEIORV
+L avaloire
+P evaporai
+U avouerai
AAEIOTU
+R ouaterai
AAEIOUV
+R avouerai
AAEIOVY
+G voyageai
AAEIPPR
   appaire
   apparie
+C apprecia
+E appairee

   appariee
+G egrappai
+H happerai
+J japperai
+L appareil
   palperai
   rappelai
+M epamprai
+N napperai
+R appairer
   apparier
   preparai
   rapparie
+S appaires
   apparies
+T appretai
+U appuiera
+Z appairez
   appariez
AAEIPPS
+L appelais
+N papaines
+R apparies
   appaires
AAEIPPT
+L appelait
+N antipape
+R appretai
+Z appatiez
AAEIPPU
+R appuiera
AAEIPPZ
+R appairez
   appariez
+T appatiez
AAEIPQR
+U apiquera
AAEIPQU
+G apiquage
+R apiquera
AAEIPRR
   parerai
   pariera
   raperai
   repaira
+D diaprera
   draperai
+E apaiera
+F parfaire
+I parierai
+L parlerai
   reparlai
+M ramperai
+N parraine
+P appairer
   apparier
   preparai
   rapparie
+S aspirera
   parerais
   parieras
   raperais
   reparais
+T paraitre

   parerait
   piratera
   rapatrie
   raperait
   repairat
   reparait
+U apurerai
AAEIPRS
   apaiser
   paieras
   saperai
   separai
+A apaisera
+C caperais
   rapiecas
+D deparais
   deparias
   derapais
   pariades
+G pairages
   pariages
+I paierais
+J jasperai
+L laperais
+M emparais
   pamerais
   pariames
   parsemai
+N panerais
   panserai
+P appaires
   apparies
+R aspirera
   parerais
   parieras
   raperais
   reparais
+S paraisse
   paressai
   pariasse
   passerai
   repassai
   saperais
   separais
+T parasite
   pariates
   rapiates
   retapais
   saperait
   satrapie
   separait
   taperais
+U apeurais
+V paverais
   repavais
+X expatria
+Y payerais
   repayais
AAEIPRT
   rapiate
   retapai
   taperai
+C caperait
   capterai
   rapacite

   rapiecat
+D apatride
   deparait
   depariat
   derapait
+E epaterai
+F parfaite
+G piratage
+I paierait
+L laperait
   parietal
   partiale
+M emparait
   pamerait
+N arpentai
   panerait
   patinera
   rapaient
   tapinera
   trepanai
+P appretai
+R paraitre
   parerait
   piratera
   rapatrie
   raperait
   repairat
   reparait
+S parasite
   pariates
   rapiates
   retapais
   saperait
   satrapie
   separait
   taperais
+T retapait
   taperait
+U apeurait
+V paverait
   repavait
+X expatria
+Y payerait
   repayait
AAEIPRU
   apeurai
+F epaufrai
+L piaulera
+M paumerai
+P appuiera
+Q apiquera
+R apurerai
+S apeurais
+T apeurait
AAEIPRV
   paverai
+D depravai
+M vamperai
+O evaporai
+S paverais
   repavais
+T paverait
   repavait

AAEIPRX
   apraxie
+S apraxies
+T expatria
AAEIPRY
   payerai
   repayai
+S payerais
   repayais
+T payerait
   repayait
AAEIPRZ
+D paradiez
+F parafiez
+P appairez
   appariez
AAEIPSS
   apaises
+C espacais
+D depassai
+E apaisees
+H aphasies
+L aplasies
+R paraisse
   paressai
   pariasse
   passerai
   repassai
   saperais
   separais
+T aseptisa
+U paisseau
AAEIPST
   epatais
+C espacait
+H apathies
+L aplaties
   spatiale
+M empatais
   estampai
   etampais
+N apaisent
+R parasite
   pariates
   rapiates
   retapais
   saperait
   satrapie
   separait
   taperais
+S aseptisa
+T apatites
AAEIPSU
+D diapause
+L epaulais
+R apeurais
+S paisseau
AAEIPSV
+D depavais
+R paverais
   repavais
AAEIPSX
+R apraxies
AAEIPSY
+C capeyais
+D depaysai

+R payerais
repayais
AAEIPSZ
apaisez
+I apaisiez
AAEIPTT
apatite
epatait
+M empatait
etampait
+N patentai
patienta
tapaient
+R retapait
taperait
+S apatites
AAEIPTU
+D depiauta
+L epaulait
+R apeurait
AAEIPTV
+D depavait
+N pavaient
+R paverait
repavait
AAEIPTX
+R expatria
AAEIPTY
+C capeyait
+N payaient
+R payerait
repayait
AAEIPTZ
+D adaptiez
+P appatiez
AAEIPVZ
+N pavaniez
AAEIPYZ
+G pagayiez
AAEIQRR
+U arquerai
raquerai
AAEIQRS
+U saquerai
AAEIQRT
+U etarquai
taquerai
AAEIQRU
+B arabique
+C caquerai
+L laquerai
+P apiquera
+R arquerai
raquerai
+S saquerai
+T etarquai
taquerai
+V vaquerai
AAEIQRV
+U vaquerai
AAEIQSU
+R saquerai
AAEIQTU
+C caquetai
+L altaique
+R etarquai
taquerai

+V atavique
+X ataxique
AAEIOTV
+U atavique
AAEIOTX
+U ataxique
AAEIQUV
+R vaquerai
+T atavique
AAEIQUX
+T ataxique
AAEIRRR
+B barrerai
+C carrerai
+M amerrira
arrimera
marrerai
+N narrerai
+S arrisera
+V arrivera
AAEIRRS
araires
arisera
raieras
raserai
+A araserai
+B arabiser
braisera
braserai
sabrerai
+C carieras
sacrerai
+D draieras
raderais
radieras
+E aererais
+F fraieras
fraisera
fraserai
rarefias
+G agraires
garerais
rageais
ragreais
reagiras
+I ariserai
raierais
+L laraires
ralerais
salarier
+M armerais
marieras
rameras
rearmais
remarias
+N raineras
+P aspirera
parerais
parieras
raperais
repairas
reparais
+R arrisera
+S ariseras
raserais
rassiera
+T arretais

raserait
raterais
tarerais
+U saurerai
+V ravisera
varieras
+Y rayerais
AAEIRRT
arretai
tarerai
tarerai
+B abritera
rebatira
+C retracai
tracerai
+D raderait
retardai
tarderai
+E aererait
+F farterai
rarefiat
tarifera
+G garerait
ragerait
ragreait
+I raierait
+L ralerait
+M armerait
ramerait
rearmait
remariat
tramerai
+N ratinera
renaitra
trainera
+O aratoire
+P paraitre
parerait
piratera
rapatrie
raperait
repairat
reparait
+S arretais
raserait
raterais
tarerais
+T arretait
atterrai
attirera
raterait
retraita
tarerait
traitera
+V avertira
+X extraira
+Y rayerait
AAEIRRU
+G arguerai
raguerai
+M amurerai
+P apurerai
+Q arquerai
raquerai
+S saurerai
+Z azurerai

AAEIRRV
avarier
variera
+A avariera
+B braverai
+E avererai
+G arrivage
graverai
+I varierai
+L larvaire
+N navrerai
ravinera
+R arrivera
+S ravisera
varieras
+T avertira
+V ravivera
AAEIRRX
+T extraira
AAEIRRY
rayerai
+D drayerai
+F frayerai
+S rayerais
+T rayerait
AAEIRRZ
+M amarriez
+U azurerai
+Z razziera
AAEIRSS
assiera
+B abaisser
arabises
baiseras
baissera
baserais
ebrasais
rabaisse
+C caressai
cariasse
caserais
casserai
ecrasais
recasais
+D adressai
daraises
derasais
radiasse
+E essaiera
+G agressai
+I assierai
+J jaserais
+L lasserai
lasserai
realisas
resalais
salaires
salaries
salerais
+M arisames
mariasse
masserai
+N aniseras
rainasse
+P paraisse
paressai
pariasse

passerai
repassai
saperais
separais
+R ariseras
raserais
rassiera
+S arisasse
assieras
rassasie
sasserai
+T arisates
essartai
tasserai
+V aviseras
revassai
variasse
+Y ressayai
AAEIRST
+B abetiras
abstraie
baserait
baterais
ebrasait
+C caraites
cariates
caserait
cataires
ecartais
ecrasait
recasait
+D daterais
derasait
deratisa
radiates
+E etaieras
+F fatrasie
+G agiteras
gaterais
regatais
+H haterais
+J jaserait
+L alertais
aliteras
alterais
ratelais
realisat
relatais
resalait
salerait
+M maestria
mariates
materais
retamais
tamisera
+N rainates
rasaient
satinera
taniseras
+P parasite
pariates
rapiates
retapais
saperait
satrapie
separait

	taperais	+D derayais	+S sauterai	+I avariiez	+T extasias
+R	arretais	+L layerais	+V aviateur	+L ravaliez	+Z axassiez
	raserait		relayais	**AAEIRTV**	**AAEIRZZ**	**AAEISSY**
	raterais	+N enrayais		averait	+E zezaiera		essayai
	tarerais	+P payerais	+B baverait	+R razziera	+F faseyais
+S	arisates		repayais	+C activera	**AAEISSS**	+R ressayai
	essartai	+R rayerais		caverait	+B abaisses	+S asseyais
	tasserai	+S ressayai		reactiva		baisasse		essayais
+T	attisera	**AAEIRSZ**	+G gaverait	+D aidasses	+T asseyait
	retatais		arasiez	+H haverait	+G assagies		essayai
	taterais	+B abrasiez	+L laverait	+M aimasses	**AAEISSZ**
+U	sauterai		arabisez		relavait		essaimas	+B abaissez
+V	variates	+G gazerais		revalait	+N anisasse	+M amassiez
+X	taxerais	+L salariez	+N avarient		assenais	+X axassiez
AAEIRSU	**AAEIRTT**		entravai	+R arisasse	**AAEISTT**
+B	abuserai		retatai		vanterai		assieras		etatisa
+C	causerai		taterai		variante		rassasie		saietta
	recausai	+B baterait	+P paverait		sasserai	+B ebattais
	saucerai		ebattrai		repavait	+T astasies	+G agitates
+L	saluerai	+C ecartait	+R avertira	+U saussaie		attigeas
+M	amuserai	+D daterait	+S variates	+V avisasse	+I etatisai
+N	saunerai	+F attifera	+U aviateur	+Y asseyais		saiettai
+P	apeurais	+G attigera	**AAEIRTX**		essayais	+L alitates
+Q	saquerai		gaterait		axerait	**AAEISST**		attelais
+R	saurerai		regatait		taxerai		asiates	+M amatites
+T	sauterai	+H haterait	+A ataraxie		astasie	+N tetanisa
+V	sauverai		hatteria	+D extradai	+B baisates	+P apatites
AAEIRSV	+L alertait	+L relaxait	+D diastase	+R attisera
	avaries		alterait	+P expatria	+G agitasse		retatais
	averais		latterai	+R extraira	+L alitasse		taterais
	avisera		ratelait	+S taxerais	+M amatisse	+S etatisas
+B	abrasive		relatait	+T taxerait		essaimat		saiettas
	baverais	+M materait	**AAEIRTY**	+N anisates	+T attestai
+C	avarices		retamait	+B bayerait		assenait		etatisat
	caverais		trematai	+D derayait		entassai		saiettat
+E	avariees	+N natterai	+E etayerai	+P aseptisa	+X extasiat
	evaserai		rataient	+L layerait	+R arisates	**AAEISTU**
+G	gaverais		ratatine		relayait		essartai	+B biseauta
+H	haverais		taraient	+N enrayait		tasserai	+M ameutais
	havraise	+P retapait		rayaient	+S astasies	+R sauterai
+I	aviaires		taperait	+P payerait	+T etatisas	**AAEISTV**
	aviserai	+R arretait		repayait		saiettas		evasait
+L	avaliser		atterrai	+R rayerait	+V avisates	+D devastai
	laverais		attirera	**AAEIRTZ**	+X extasias	+L tavelais
	relavais		raterait	+G gazerait	+Y asseyais	+M atavisme
	revalais		retraita	+M amatirez		essayait	+N avinates
	salivera		tarerait	**AAEIRUV**	**AAEISSU**		envasait
	valserai		traitera	+B abreuvai	+J jussiaea		savaient
+M	variames	+S attisera		ebavurai	+L saulaies	+R variates
+N	avineras		retatais	+G vaguerai	+P paisseau	+S avisates
+P	paverais		taterais	+L aveulira	+S saussaie	+V avivates
	repavais	+T retatait	+O avouerai	+V vaisseau	**AAEISTX**
+R	ravisera		taterait	+Q vaquerai	**AAEISSV**		ataxies
	varieras	+X taxerait	+S sauverai		evasais		extasia
+S	aviseras	**AAEIRTU**	+T aviateur	+L avalises	+D desaxait
	revassai	+C actuaire	**AAEIRUZ**	+M avisames		detaxais
	variasse		autarcie	+R azurerai	+N avinasse	+I extasiai
+T	variates	+F fauterai	**AAEIRVV**		envasais	+L exaltais
+U	sauverai	+M amiraute		avivera	+R aviseras	+R taxerais
+V	aviveras		materiau	+G ravivage		revassai	+S extasias
AAEIRSX		rameutai	+I aviverai		variasse	+T extasiat
	axerais	+N auraient	+L valvaire	+S avisasse	**AAEISTY**
+L	relaxais		traineau	+R ravivera	+T avisates		etayais
+P	apraxies	+O ouaterai	+S aviveras	+U vaisseau	+F faseyait
+T	taxerais	+P apeurait	**AAEIRVZ**	+V avivasse	+S asseyait
AAEIRSY	+Q etarquai		avariez	**AAEISSX**		essayait
+B	bayerais		taquerai	+G ravagiez	+D desaxais	

AAEISUV
+C evacuais
+L evaluais
+M mauvaise
+R sauverai
+S vaisseau
AAEISUX
+C exaucais
AAEISVV
+G avivages
+M avivames
+R aviveras
+S avivasse
+T avivates
AAEISVX
+C excavais
AAEISVZ
+L avalisez
AAEISXZ
+S axassiez
AAEISYZ
+Z zezayais
AAEISZZ
+Y zezayas
AAEITTT
+B ebattait
+G attigeat
+L attenuai
+N attentai
   tataient
+R retatait
   taterait
+S attestai
   etatisat
   saiettat
AAEITTU
+M ameutait
+N attenuai
AAEITTV
+L tavelait
AAEITTX
+D detaxait
+L exaltait
+N taxaient
+R taxerait
+S extasiat
AAEITTY
   etayait
AAEITTZ
+B abattiez
AAEITUV
+C evacuait
+H hativeau
+L evaluait
+Q atavique
+R aviateur
AAEITUX
+C exaucait
+Q ataxique
AAEITVV
+S avivates
AAEITVX
+C excavait
+L laxative
AAEITYZ
+Z zezayait
AAEITZZ

+Y zezayait
AAEIYZZ
   zezayai
+S zezayais
+T zezayait
AAEJLNT
+G galejant
+V javelant
AAEJLNV
+E enjavela
+T javelant
AAEJLOR
+C cajolera
AAEJLSU
+C ejaculas
AAEJLSV
   javelas
+I javelais
AAEJLTU
+C ejaculat
AAEJLTV
   javelat
+I javelait
+N javelant
AAEJMNS
+B enjambas
AAEJMNT
+B enjambat
AAEJMOR
+R majorera
AAEJMPP
+S jappames
AAEJMPS
+P jappames
+S jaspames
AAEJMRR
+O majorera
AAEJMSS
   jasames
+P jaspames
AAEJMST
+C jactames
AAEJNRT
+U jaunatre
+T jaunatre
AAEJNRU
+T jaunatre
AAEJNST
+D dejantas
+I jasaient
AAEJNTT
+D dejantat
AAEJNTU
+G jaugeant
+R jaunatre
AAEJNTV
+L javelant
AAEJORR
+M majorera
+U ajourera
AAEJORT
+B jabotera
+U ajoutera
AAEJORU
+R ajourera
+T ajoutera
AAEJOSU
+B abajoues

AAEJOTU
+R ajoutera
AAEJPPR
   jappera
+I japperai
+S japperas
AAEJPPS
+M jappames
+R japperas
+S jappasse
+T jappates
AAEJPPT
+S jappates
AAEJPRS
   jaspera
+I jasperai
+P japperas
+S jasperas
AAEJPSS
+M jaspames
+P jappasse
+R jasperas
+S jaspasse
+T jaspates
AAEJPST
+P jappates
+S jaspates
AAEJRRU
+B abjurera
+D adjurera
+O ajourera
AAEJRSS
   jaseras
+C jacasser
+I jaserais
+P jasperas
AAEJRST
+C jacteras
+I jaserait
+U ajustera
   reajusta
AAEJRSU
+G jaugeras
+T ajustera
   reajusta
AAEJRTU
+N jaunatre
+O ajoutera
+S ajustera
   reajusta
AAEJSSS
   jasasse
+C jacasses
+P jaspasse
+S jasasses
AAEJSST
   jasates
+C jactasse
+P jaspates
AAEJSSU
+I jussiaea
AAEJSSZ
+C jacassez
AAEJSTT
+C jactates
AAEJSTU
+G ajustage

   ajutages
+R ajustera
   reajusta
AAEKKMZ
+I kamikaze
AAEKKNS
   kanakes
AAEKKOS
+T kakatoes
AAEKKOT
+S kakatoes
AAEKKRT
+A karateka
AAEKKST
+O kakatoes
AAEKOST
+K kakatoes
AAEKRSS
+U eskuaras
AAEKRST
   karates
AAEKRSU
   eskuara
+S eskuaras
AAEKRTT
+C racketta
AAEKSSU
+R eskuaras
AAELLLP
   palleal
+E palleale
AAELLLU
+I alleluia
AAELLMN
+D allemand
AAELLMP
+I empailla
AAELLMR
+B remballa
+I maillera
   remailla
AAELLMS
   allames
+B ballames
   emballas
+D dallames
+I aillames
   alliames
   emaillas
   mesailla
+T tallames
AAELLMT
+B emballat
+I emaillat
+S tallames
AAELLMU
+G allumage
+R allumera
AAELLNO
+G allongea
AAELLNS
+T allantes
AAELLNT
   allante
+B ballante
+I allaient

   entailla
   tenailla
+S allantes
AAELLOR
+U allouera
AAELLOS
+C alcalose
AAELLOU
+R allouera
AAELLPP
+B palpable
AAELLPR
+I paillera
   palliera
AAELLPS
   paellas
+G plagales
AAELLPT
+A palatale
+I pailleta
AAELLPU
+X palleaux
AAELLPX
+U palleaux
AAELLRR
+I raillera
   ralliera
AAELLRS
+B balleras
+D dalleras
+I ailleras
   allieras
   eraillas
   saillera
+T talleras
AAELLRT
   lateral
   tallera
+E laterale
+I allaiter
   eraillat
   retailla
   taillera
   tallerai
+S talleras
AAELLRU
+M allumera
+O allouera
AAELLSS
   allasse
+B ballasse
+D dallasse
+I aillasse
   alliasse
   assaille
+S allasses
+T tallasse
AAELLST
   allates
+B ballaste
   ballates
+D dallates
+G tallages
+I allaites
   alliates
+M tallames

+N allantes
+R talleras
+S tallasse
+T tallates
AAELLSU
+G alleguas
AAELLSV
+B lavables
   valables
AAELLTT
+S tallates
AAELLTU
+G alleguat
AAELLTZ
+I allaitez
AAELLUX
+P palleaux
AAELMMN
   malmena
+F enflamma
+I malmenai
+S malmenas
+T malmenat
AAELMMP
+S lampames
   palmames
AAELMMS
   lamames
+B amblames
   blamames
+C calmames
   clamames
   maclames
+F malfames
+I lamaisme
+N malmenas
+P lampames
   palmames
+T malmames
AAELMMT
+N malmenat
+S maltames
AAELMMX
+I maximale
AAELMNO
   anomale
+C amoncela
   monacale
+I anomale
+R anormale
+S anomales
AAELMNP
+S planames
+T empalant
   lampante
AAELMNR
+D alderman
   malandre
+I laminera
+O anormale
+T alarment
+U lamaneur
AAELMNS
   amensal
+C lancames
+E amensale
   melaenas

+F flanames
+G gamelans
   glanames
+I animales
   lainames
   malsaine
+M malmenas
+O anomales
+P planames
+T lamentas
   malseant
AAELMNT
   lamenta
+C calmante
+E amentale
+I alimenta
   lamaient
   lamentai
   matinale
+M malmenat
+P empalant
   lampante
+R alarment
+S lamentas
   malseant
+T lamentat
+X malaxent
AAELMNU
+R lamaneur
AAELMNX
+T malaxent
AAELMOR
   amorale
+I ameliora
+N anormale
+S amorales
+T armatole
AAELMOS
+N malsames
+R amorales
AAELMOT
+R armatole
AAELMPP
+S palpames
AAELMPR
   lampera
   palmera
+C remplaca
+E empalera
+I lamperai
   palmaire
   palmerai
+S lamperas
   palmeras
   palmeras
   parlames
AAELMPS
   empalas
   lapames
+C placames
+I empalais
+M lampames
   palmames
+N planames
+P palpames
+R lamperas
   palmares

   palmeras
   parlames
+S lampasse
+T lampates
   palmasse
   palmates
AAELMPT
   empalat
+I empalait
+N empalant
   lampante
+S lampates
   palmates
AAELMQS
+U laquames
AAELMQU
+S laquames
AAELMRR
   alarmer
+A alarmera
AAELMRS
   alarmes
   lameras
   ralames
+B ambleras
   blameras
   rablames
+C calmeras
   caramels
   clamers
   clamsera
   macleras
   raclames
   reclames
+D lardames
+E alarmees
+F raflames
+I amariles
   amirales
   lamerais
   malaires
   mariales
+O amorales
+P lamperas
   palmares
   palmeras
   parlames
+T malteras
   martelas
AAELMRT
   maltera
   martela
+C reclamat
+I lamerait
   malterai
   maritale
   martelai
   martiale
+N alarment
+O armatole
+S malteras
   martelas
+T martelat
AAELMRU
+C maculera
+I miaulera
+L allumera

+N lamaneur
+X malaxeur
AAELMRX
   malaxer
+A malaxera
+U malaxeur
AAELMRY
+B remblaya
AAELMRZ
   alarmez
+I alarmiez
AAELMSS
   lamasse
   salames
+B amblasse
   assembla
   blamasse
   blasames
+C calmasse
   clamasse
   maclasse
+E alesames
+I malaises
+P lampasse
   palmasse
+S lamasses
   lassames
+T maltases
   maltasse
+U saluames
+V valsames
+Y amylases
AAELMST
   lamates
   maltase
   matelas
+B amblates
   blamates
   tablames
+C calmates
   caltames
   clamates
   maclates
+D dalmates
+E etalames
+G maltages
+I alitames
   lamaiste
   maltaise
+L tallames
+M maltames
+N lamentas
   malseant
+P lampates
   palmates
+R malteras
   martelas
+S maltases
   maltasse
+T lattames
   maltates
AAELMSU
+C emascula
+D adulames
+G gaulames

+Q laquames
+S saluames
AAELMSV
   lavames
+A avalames
+B emblavas
+C clavames
+I malavise
+S valsames
AAELMSX
+C exclamas
+E malaxes
AAELMSY
   amylase
   layames
+C amylaces
+S amylases
AAELMTT
+N lamentat
+R martelat
+S lattames
   maltates
AAELMTV
+B emblavat
AAELMTX
+C exclamat
+N malaxent
AAELMUX
+B lambeaux
+R malaxeur
AAELMXZ
   malaxez
+I malaxiez
AAELNNN
+T annelant
AAELNNO
+T etalonna
   neonatal
AAELNNP
+E epannela
+T planante
AAELNNR
+T lanterna
+U annulera
AAELNNS
   annales
   annelas
+I alanines
   annelais
AAELNNT
   annelat
+C elancant
   enlacant
+G agnelant
   langeant
+H anhelant
+I alienant
   annalite
   annelait
+N annelant
+O etalonna
   neonatal
+P planante
+R lanterna

AAELNNU
+R annulera
AAELNOR
+M anormale
AAELNOS
+M anomales
+T atonales
AAELNOT
atonale
+N etalonna
neonatal
+S atonales
AAELNOU
+G analogue
louangea
AAELNPP
+T appelant
AAELNPQ
+U palanque
AAELNPR
planera
+G palangre
+I lapinera
planaire
planerai
+S planeras
+T parental
parlante
plantera
prenatal
replanta
AAELNPS
+B anableps
+C capelans
+G planages
+I aplanies
nepalais
penalisa
+M planames
+R planeras
+S planasse
+T planates
platanes
+V panslave
AAELNPT
platane
+A panatela
+C capelant
placenta
+D deplanta
pedalant
+I lapaient
palatine
patelina
+M empalant
lampante
+N planante
+P appelant
+R parental
parlante
plantera
prenatal
replanta
+S planates
platanes
+U epaulant
AAELNPU

+Q palanque
+T epaulant
AAELNPV
+S panslave
AAELNQU
+C calanque
+P palanque
AAELNRR
+B branlera
AAELNRS
arsenal
ranales
+B ebranlas
+C lanceras
relancas
renaclas
+F flaneras
+G glaneras
langeras
sanglera
+I laineras
+P planeras
+T alternas
resalant
+Y analyser
AAELNRT
alterna
+B ebranlat
+C lacerant
recalant
relancat
renaclat
+E alaterne
+F eraflant
+G etrangla
regalant
+I alternai
latanier
ralaient
+M alarment
+N lanterna
+P parental
parlante
plantera
prenatal
replanta
+S alternas
resalant
+T alertant
alterant
alternat
ratelant
relatant
+V ravalent
relavant
+X relaxant
+Y relayant
AAELNRU
+C canulera
+F falunera
+M lamaneur
+N annulera
AAELNRV
+A ravenala
+T ravalent
relavant

revalant
AAELNRX
+T relaxant
AAELNRY
+S analyser
+T relayant
AAELNSS
nasales
+B ensablas
+C lancasse
+D sandales
+F flanasse
+G glanasse
+I enliassa
lainasse
nasalise
+P planasse
+T lassante
+Y analyses
AAELNST
alesant
natales
+B ensablat
+C lancates
scalante
+F flanates
+G galantes
glanates
+I ailantes
analites
lainates
nasalite
salaient
+L allantes
+M lamentas
malseant
+O atonales
+P planates
platanes
+R alternas
resalant
+S lassante
+T atlantes
tantales
+Y analyste
AAELNSU
+I aulnaies
AAELNSV
navales
+C enclavas
+D lavandes
vandales
+I alevinas
vaselina
+P panslave
AAELNSY
analyse
+E analysee
+R analyser
+S analyses
+T analyste
+Z analysez
AAELNSZ
alezans
+B balzanes
+E alezanes
+Y analysez

AAELNTT
atlante
etalant
tantale
+C eclatant
+D detalant
+H haletant
+I natalite
+M lamentat
+R alertant
alterant
alternat
ratelant
relatant
+S atlantes
tantales
+T attelant
+V tavelant
+X exaltant
AAELNTU
+G elaguant
+P epaulant
+V evaluant
AAELNTV
avalent
+C cavalent
enclavat
+D delavant
devalant
+I alevinat
lavaient
valaient
+J javelant
+R ravalent
relavant
revalant
+T tavelant
+U evaluant
AAELNTX
+H exhalant
+M malaxent
+R relaxant
+T exaltant
AAELNTY
+B balayent
+D delayant
+I layaient
+R relayant
+S analyste
AAELNUV
+T evaluant
AAELNUY
+G langueya
AAELNVY
+C valencay
AAELNYZ
+S analysez
AAELOPR
+B parabole
+G galopera
+S salopera
AAELOPS
+R salopera
AAELOQU
+C aquacole
AAELORR
+C racolera

+U aurorale
AAELORS
+B elaboras
+D saladero
+M amorales
+P salopera
+S assolera
+U aureolas
saoulera
AAELORT
+B elaborat
+M armatole
+U aureolat
AAELORU
aureola
+B aboulera
+I aureolai
+L allouera
+R aurorale
+S aureolas
saoulera
+T aureolat
AAELORV
+I avaloire
AAELOSS
+R assolera
AAELOST
+N atonales
+U alouates
+X oxalates
AAELOSU
+G soulagea
+R aureolas
saoulera
+T alouates
AAELOSV
+C sacoleva
AAELOSX
+T oxalates
AAELOTU
alouate
+R aureolat
+S alouates
AAELOTX
oxalate
+S oxalates
AAELOUV
+B avouable
AAELPPR
palpera
rappela
+C clappera
+D papelard
+I appareil
palperai
rappelai
+S palperas
rappelas
+T rappelat
AAELPPS
appelas
papales
+B papables
+I appelais
+M palpames
+R palperas
rappelas

+S palpasse	replatra	**AAELQRS**	+I larvaire	+M malteras
+T palpates	+S palastre	+U laqueras	+U ravaleur	martelas
AAELPPT	palatres	**AAELQRT**	**AAELRRW**	+N alternas
appelat	parlates	+U talquera	+C crawlera	resalant
+I appelait	salpetra	**AAELQRU**	**AAELRRX**	+P palastre
+N appelant	**AAELPRU**	laquera	+E relaxera	palatres
+R rappelat	+D epaulard	+B albraque	**AAELRRY**	parlates
+S palpates	+E epaulera	+C calquera	+E relayera	salpetra
AAELPQR	lapereau	claquera	**AAELRSS**	+S astrales
+U plaquera	+G alpaguer	craquela	lassera	+T latteras
AAELPQU	+I piaulera	+I laquerai	ralasse	+U australe
+G plaquage	+Q plaquera	+P plaquera	resalas	laureats
+N palanque	**AAELPRY**	+S laqueras	saleras	+V lavarets
+R plaquera	+S paralyse	+T talquera	+B blaseras	+Z lazarets
AAELPRR	**AAELPRZ**	**AAELQSS**	rablasse	**AAELRSU**
parlera	+B palabrez	+U laquasse	sableras	saluera
reparla	**AAELPSS**	**AAELQST**	+C classera	+D aduleras
+B palabrer	lapasse	+U laquates	raclasse	+G gauleras
+I parlerai	+B passable	**AAELQSU**	reclasse	+I saluerai
reparlai	+C pascales	+G laquages	sacrales	+O aureolas
+S parleras	placasse	+M laquames	+D lardasse	+Q laqueras
reparlas	+I aplasies	+R laqueras	+E aleseras	+S salueras
+T platrera	palmasse	+S laquasse	realesas	+T australe
reparlat	+M lampasse	+T laquates	+F raflasse	laureats
replatra	palmasse	+V valaques	+I laissera	+V avaleurs
AAELPRS	+N planasse	**AAELQSV**	lasserai	**AAELRSV**
laperas	+P palpasse	+U valaques	realisas	laveras
+B palabres	+R parlasse	**AAELQTU**	resalais	ravales
+C placeras	+S lapasses	+C claqueta	salaires	relavas
replacas	**AAELPST**	+I altaique	salaries	valsera
scalpera	lapates	+R talquera	salerais	+A avaleras
+I laperais	+C placates	+S laquates	+O assolera	+C claveras
+M lamperas	+E apetales	**AAELQUV**	+P parlasse	+E ravalees
palmares	+H asphalte	valaque	prelassa	+I avaliser
palmeras	+I aplaties	+S valaques	+S lasseras	laverais
parlames	spatiale	**AAELRRS**	ralasses	relavais
+N planeras	+M lampates	raleras	+T astrales	revalais
+O salopera	palmates	+B rableras	+U salueras	salivera
+P palperas	+N planates	+C carrelas	+V valseras	valserai
rappelas	platanes	racleras	**AAELRST**	+S valseras
+R parleras	+P palpates	sarclera	alertas	+T lavarets
reparlas	+R palastre	+D larderas	alteras	+U avaleurs
+S parlasse	palatres	+E resalera	astrale	**AAELRSX**
prelassa	parlates	+F rafleras	ralates	relaxas
+T palastre	**AAELPSU**	+G realgars	ratelas	+I relaxais
palatres	epaulas	+I laraires	relatas	**AAELRSY**
parlates	+G alpagues	raleurais	resalat	layeras
salpetra	+I epaulais	salarier	+B albatres	relayas
+Y paralyse	**AAELPSV**	+P parleras	blateras	+I layerais
AAELPRT	+N panslave	reparlas	rablates	relayais
palatre	**AAELPSY**	**AAELRRT**	tableras	+N analyser
+C paraclet	+B payables	+C carrelat	+C calteras	+P paralyse
replacat	+R paralyse	+E alertera	raclates	**AAELRSZ**
+D deplatra	**AAELPTU**	alterera	+D lardates	+D lezardas
+G platrage	epaulat	relatera	+E realesat	+I salariez
+I laperait	plateau	+I ralerait	+F frelatas	+T lazarets
parietal	+I epaulait	+P platrera	raflates	**AAELRTT**
partiale	+N epaulant	reparlat	+I alertais	alertat
raplatie	+X plateaux	replatra	aliteras	alterat
+N parental	**AAELPTX**	**AAELRRU**	alterais	lattera
parlante	+U plateaux	+G larguera	ratelais	ratelat
plantera	**AAELPUX**	+O aurorale	realisat	relatat
prenatal	+L palleaux	+V ravaleur	relatais	+B attabler
replanta	+T plateaux	**AAELRRV**	resalait	blaterat
+P rappelat	**AAELPUZ**	ravaler	salerait	+F flattera
+R platrera	+G alpaguez	+A ravalera	+L talleras	frelatat
reparlat		+E relavera		

+H theatral
+I alertait
 alterait
 latterai
 ratelait
 relatait
+M martelat
+N alertant
 alterant
 alternat
 ratelant
 relatant
+S latteras

AAELRTU
 laureat
+D adultera
 taularde
+E laureate
+O aureolat
+Q talquera
+S australe
 laureats
+X lateraux

AAELRTV
 lavaret
 relavat
+I laverait
 relavait
+N ravalent
 relavant
 revalant
+S lavarets

AAELRTX
 relaxat
+E exaltera
+I relaxait
+N relaxant
+U lateraux

AAELRTY
 relayat
+I layerait
 relayait
+N relayant

AAELRTZ
 lazaret
+D lezardat
+S lazarets

AAELRUU
+G augurale

AAELRUV
 avaleur
+C cavaleur
+E evaluera
 reevalua
+I aveulira
+R ravaleur
+S avaleurs

AAELRUX
+M malaxeur
+T lateraux

AAELRUY
+B balayeur

AAELRUZ
+Z zarzuela

AAELRVV
+I valvaire

AAELRVZ
 ravalez
+E avalerez
+I ravaliez

AAELRZZ
+U zarzuela

AAELSSS
 salasse
+B blasasse
 sablasse
+C calasses
 lacasses
+D delassas
 dessalas
+E alesasse
+H halasses
+L allasses
+M lamasses
 lassames
+P lapasses
+R lasseras
 ralasses
+S lassasse
 salasses
+T lassates
+U saluasse
+V lavasses
 valsasse
 vassales
+Y layasses

AAELSST
 salates
+B basaltes
 blasates
 sablates
+C caltasse
 lactases
+D delassat
 dessalat
+E alesates
 etalasse
+I alitasse
+L tallasse
+M maltases
 maltasse
+N lassante
+R astrales
+S lassates
+T lattasse
+U saluates
+V valsates

AAELSSU
+C causales
+D adulasse
+G gaulasse
+I saulaies
+M saluames
+Q laquasse
+R salueras
+S saluasse
+T saluates

AAELSSV
 lavasse
 vassale
+A avalasse
+C clavasse
+I avalises
+M valsames
+R valseras
+S lavasses
 valsasse
 vassales

AAELSSY
 layasse
+B abyssale
+M amylases
+N analyses
+S layasses

AAELSTT
 attelas
+B attables
 tablates
+C caltates
 lactates
+E etalates
+G lattages
+I alitates
+L tallates
+M lattames
 maltates
+N atlantes
 tantales
+R latteras
+S lattasse
+T lattates

AAELSTU
+D adulates
+G gaulates
+O alouates
+Q laquates
+R australe
 laureats
+S saluates

AAELSTV
 lavates
 tavelas
+A avalates
+C clavates
+I tavelais
+R lavarets
+S valsates

AAELSTX
 exaltas
+B taxables
+I exaltais
+O oxalates

AAELSTY
 layates
+C catalyse
+N analyste

AAELSTZ
+R lazarets

AAELSUV
 evaluas
+D devaluas
+G aveuglas
+I evaluais
+Q valaques
+R avaleurs

AAELSVZ
+I avalisez

AAELSYZ
+N analysez

AAELTTT
 attelat
+I attelait
+N attelant
+S lattates

AAELTTV
 tavelat
+C clavetat
+I tavelait
+N tavelant

AAELTTX
 exaltat
+I exaltait
+N exaltant

AAELTTY
+C cattleya

AAELTTZ
+B attablez

AAELTUV
 evaluat
+D devaluat
+G aveuglat
+I evaluait
+N evaluant

AAELTUX
+B tableaux
+P plateaux
+R lateraux

AAELTVX
+I laxative

AAELUVX
+C claveaux

AAELUZZ
+R zarzuela

AAEMMMR
+I mammaire

AAEMMNR
+S marnames

AAEMMNS
+D damnames
 mandames
+E amenames
 emanames
+G magnames
+I animames
 maniames
+L malmenas
+R marnames

AAEMMNT
+L malmenat

AAEMMOR
+T matamore

AAEMMOT
+R matamore

AAEMMPR
+S rampames

AAEMMPS
 pamames
+C campames
+L lampames
+R rampames
+U empaumas
 paumames
+V vampames

AAEMMPT
+U empaumat

AAEMMPU
 empauma
+I empaumai
+S empaumas
 paumames
+T empaumat

AAEMMPV
+S vampames

AAEMMRR
+S marrames

AAEMMRS
 armames
 marasme
 ramames
+B ambrames
 bramames
+C cramames
 macrames
+G gammares
+I mariames
+N marnames
+P rampames
+R marrames
+S marasmes
+T tramames
+U amurames

AAEMMRT
+O matamore
+S tramames

AAEMMRU
+S amurames

AAEMMSS
+R marasmes
+S massames
+U amusames

AAEMMST
 matames
+E etamames
+I amatimes
+L maltames
+R tramames

AAEMMSU
+B embaumas
+P empaumas
 paumames
+R amurames
+S amusames

AAEMMSV
+P vampames

AAEMMTU
+B embaumat
+P empaumat

AAEMNNP
 empanna
+E panameen
+I empannai
 panamien
+S empannas
+T empannat

AAEMNNR
+I amarnien
+T ramenant

AAEMNNS
+C cannames

+E anamnese	marnera	rentamai	+V vantames	+N enamoura
+P empannas	marrane	+L alarment	**AAEMNSU**	+S amaurose
+T tannames	+E ramenera	+N ramenant	+I amenuisa	**AAEMORY**
+V vannames	+I amariner	+P emparant	+S saunames	+T atermoya
AAEMNNT	marinera	rampante	+T amusante	**AAEMORZ**
amenant	marnerai	+R amarrent	+X amensaux	+B mozarabe
emanant	marraine	marrante	**AAEMNSV**	**AAEMOSS**
+C menacant	ranimera	rearmant	+I avinames	+N samoanes
+D amendant	+O ramonera	+S marnates	+N vannames	**AAEMOST**
mandante	+S marneras	maternas	+R navrames	+C escamota
+G engamant	marranes	rentamas	+T vantames	+R aromates
managent	narrames	+T maternal	**AAEMNSX**	+U ouatames
mangeant	+T amarrent	rentamat	+I examinas	**AAEMOSU**
+I anemiant	marrante	retamant	+U amensaux	+D amadoues
annamite	rearmant	**AAEMNRU**	**AAEMNSZ**	+R amaurose
+P empannat	**AAEMNRS**	+L lamaneur	+O amazones	+T ouatames
+R ramenant	ramenas	+O enamoura	**AAEMNTT**	+V avouames
+S tannames	+C ancrames	+Q manquera	entamat	**AAEMOSV**
+T entamant	cranames	**AAEMNRV**	etamant	+U avouames
AAEMNNV	nacrames	+S navrames	+D dematant	**AAEMOSY**
+S vannames	+D damneras	**AAEMNRZ**	+I entamait	+B aboyames
AAEMNOR	manderas	+I amarinez	mataient	**AAEMOSZ**
+G ramonage	ramendas	**AAEMNSS**	+L lamentat	+N amazones
+L anormale	+E ameneras	+D damnasse	+N entamant	**AAEMOTT**
+R ramonera	arameens	dansames	+P empatant	+U automate
+U enamoura	emaneras	mandasse	etampant	**AAEMOTU**
AAEMNOS	+G magneras	+E amenasse	+R maternat	+S ouatames
samoane	managers	emanasse	rentamat	+T automate
+L anomales	mangeras	+G gansames	retamant	**AAEMOTY**
+S samoanes	marnages	magnasse	+S nattames	+R atermoya
+Z amazones	+I amarines	+I animasse	+U ameutant	**AAEMOUV**
AAEMNOT	animeras	anisames	**AAEMNTU**	+S avouames
+I anatomie	manieras	maniasse	manteau	**AAEMOUZ**
AAEMNOU	rainames	+O samoanes	+G augmenta	+D amadouez
+R enamoura	ramenais	+P pansames	+S amusante	**AAEMPPR**
AAEMNOZ	reanimas	+R marnasse	+T ameutant	epampra
amazone	remanias	+T amassent	+X manteaux	+I epamprai
+S amazones	+M marnames	+U saunames	**AAEMNTV**	+S epampras
AAEMNPP	+P parmesan	**AAEMNST**	+S vantames	+T epamprat
+S nappames	+R marneras	amantes	**AAEMNTX**	**AAEMPPS**
AAEMNPR	marranes	entamas	+I examinat	+H happames
+S parmesan	narrames	+C tancames	+L malaxent	+J jappames
+T emparant	+S marnasse	+D damnates	+U manteaux	+L palpames
rampante	+T marnates	mandates	**AAEMNTZ**	+N nappames
AAEMNPS	maternas	+E amenates	+D mandatez	+R epampras
panames	rentamas	emanates	+I aimantez	**AAEMPPT**
+L planames	+V navrames	+F fantasme	**AAEMNUX**	+R epamprat
+N empannas	**AAEMNRT**	+G gantames	+C manceaux	**AAEMPRR**
+P nappames	materna	magentas	+S amensaux	rampera
+R parmesan	ramenat	magnates	+T manteaux	+E rampera
+S pansames	rentama	+H hantames	**AAEMORR**	+I ramperai
AAEMNPT	+A amarante	+I aimantes	+C amorcera	+S ramperas
+I pamaient	+C macerant	amanites	+J majorera	**AAEMPRS**
+L empalant	+D mandater	amiantes	+N ramonera	emparas
lampante	ramendat	animates	**AAEMORS**	pameras
+N empannat	+E entamera	entamais	+D adorames	parames
+R emparant	+G margeant	mainates	+L amorales	parsema
rampante	ramagent	maniates	+T aromates	rapames
+T empatant	+I aimanter	+L lamentas	+U amaurose	+C camperas
etampant		malseant	**AAEMORT**	+D drapames
AAEMNQR	armaient	+N tannames	aromate	+I emparais
+U quemanda	maternai	+R marnates	+L armatole	pamerais
AAEMNQU	matinera	maternas	+M matamore	pariames
+D quemanda	ramaient	rentamas	+S aromates	parsemai
+I maniaque	ramenait	+S amassent	+Y atermoya	+L lamperas
+R manquera	reanimat	nattames	**AAEMORU**	palmeras
AAEMNRR	remaniat	+U amusante	+D amadouer	palmeras

```
    parlames            palmates      +U squamate      +U amureras          ramasser
+M  rampames      +R  parsemat           taquames    AAEMRRT           +S  armasses
+N  parmesan          rampates      AAEMQSU              maratre            masseras
+P  epampras      +S  estampas      +C  caquames         rearmat            ramasses
+R  ramperas      +T  estampat          macaques         tramera       +T  tramasse
+S  parsemas      +U  paumates      +D  demasqua    +B  embarrat      +U  amurasse
    rampasse      +V  vampates          desquama    +D  demarrat          amuseras
+T  parsemat      AAEMPSU           +G  masquage    +E  retamera          assumera
    rampates      +M  empaumas      +L  laquames    +I  armerait          saumera
+U  apurames          paumames      +R  arquames        ramerait      +Z  ramassez
    paumeras      +R  apurames          marasque        rearmait      AAEMRST
+V  vamperas          paumames          masquera        tramerai          armates
AAEMPRT           +S  paumasse          raquames    +N  amarrent          materas
    emparat       +T  paumates      +S  saquames        marrante          ramates
+E  empatera      AAEMPSV           +T  squamate        rearmant          ratames
    etampera          pavames           taquames    +S  maratres          retamas
+I  emparait      +M  vampames      +V  vaquames        marrates          tarames
    pamerait      +R  vamperas      AAEMQSV             trameras      +B  ambrates
+N  emparant      +S  vampates      +U  vaquames    +U  armateur          bramates
    rampante      +T  vampates      AAEMQTU             armature          embrasat
+P  epamprat      AAEMPSY           +R  marqueta    AAEMRRU           +C  cramates
+S  parsemat          payames           matraque        amurera            mascaret
    rampates      AAEMPTT           +S  squamate    +D  marauder          tracames
+T  attrempa          empatat           taquames    +I  amurerai      +D  desarmat
+U  amputera          etampat       AAEMQUV         +Q  marquera          tardames
AAEMPRU           +I  empatait      +S  vaquames        remarqua      +E  etameras
    paumera           etampait      AAEMRRR         +S  amureras      +F  fartames
    rampeau       +N  empatant          amarrer     +T  armateur      +G  tramages
+I  paumerai          etampant          marrera         armature      +H  marathes
+S  apurames      +R  attrempa      +A  amarrera    AAEMRRV           +I  maestria
    paumeras      +S  estampat      +B  marbrera    +G  margrave          mariates
+T  amputera      AAEMPTU               rembarra    AAEMRRZ               materais
+X  rampeaux      +M  empaumat      +E  rearmera        amarrez           retamais
AAEMPRV           +R  amputera      +I  amerrira    +I  amarriez          tamisera
    vampera       +S  paumates          arrimera    AAEMRSS           +L  malteras
+I  vamperai      AAEMPTV               marrerai        amasser           martelas
+S  vamperas      +S  vampates      +S  marreras        armasse       +M  tramames
AAEMPRX           AAEMPUX           AAEMRRS             massera       +N  marnates
+U  rampeaux      +R  rampeaux          amarres         ramasse           maternas
AAEMPSS           AAEMQRR               armeras         rasames           rentames
    pamasse       +U  marquera          rameras         samares       +O  aromates
    sapames           remarqua          rearmas     +A  amassera      +P  parsemat
+C  campasse      AAEMQRS           +B  ambreras        arasames          rampates
+J  jaspames      +U  arquames          barrames    +B  ambrasse      +R  maratres
+L  lampasse          marasque          brameras        bramasse          marrates
    palmasse          masquera          embarras        brasames          trameras
+N  pansames          raquames      +C  carrames        embrasas      +S  tramasse
+R  parsemas      AAEMQRT               crameras        embrassa      +T  tramates
    rampasse      +U  marqueta      +D  demarras        sabrames          trematas
+S  pamasses          matraque      +E  amarrees    +C  cramasse      +U  amateurs
    passames      AAEMQRU          +G  margeras         massacre          amurates
+T  estampas      +B  embarqua      +I  armerais        sacrames          rameutas
+U  paumasse          embraqua          marieras        sarcasme          saumatre
+V  vampasse      +D  demarqua          ramerais    +D  damasser      AAEMRSU
AAEMPST          +G  marquage           rearmais        desarmas          amusera
    empatas       +N  manquera          remarias    +E  ramassee      +D  maraudes
    estampa       +R  marquera      +M  marrames    +F  frasames      +G  arguames
    etampas           remarqua      +N  marneras    +H  smashera          maugreas
    pamates       +S  arquames          marranes    +I  arisames          raguames
    tapames           marasque          narrames        mariasse      +I  amuserai
+C  campates          masquera      +P  ramperas        masserai      +M  amurames
    captames          raquames      +R  marreras    +M  marasmes      +O  amaurose
+E  epatames      +T  marqueta      +S  marrasse    +N  marnasse      +P  apurames
+I  empatais          matraque          ramasser    +P  parsemas          paumeras
    estampai      AAEMQSS           +T  maratres        rampasse      +Q  arquames
    etampais      +U  saquames          marrates    +R  marrasse          marasque
+L  lampates      AAEMQST               trameras                          masquera
```

	raquames		amuseras	+R trematat	+S tanneras
+R amureras	+T rameutat		assumera	**AAEMTTU**	+V navrante
+S amurasse	+X marteaux		saurames	ameutat	+Y enrayant
	amuseras	**AAEMRTX**	+S amusasse	+I ameutait	**AAENNRU**
	assumera	+U marteaux	+N ameutant	+C nuancera
	saurames	**AAEMRTY**	sautames	+O automate	+I annuaire
+T amateurs	+B embrayat	+V sauvames	+R rameutat	+L annulera
	amurates	+O atermoya	**AAEMSSV**	**AAEMTUX**	**AAENNRV**
	rameutas	**AAEMRTZ**	+E evasames	+N manteaux	vannera
	saumatre	+I amatirez	+I avisames	+R marteaux	+I vannerai
+Z azurames	**AAEMRUX**	+L valsames	**AAENNNO**	+S vanneras
AAEMRSV	rameaux	+P vampasse	+R anonnera	+T navrante
+B bravames	+C macareux	+U sauvames	**AAENNNR**	**AAENNRX**
+C vacarmes	+L malaxeur	**AAEMSSY**	+O anonnera	+E annexera
+E averames	+P rampeaux	+L amylases	**AAENNNT**	**AAENNRY**
+G gravames	+T marteaux	**AAEMSSZ**	+L annelant	+T enrayant
+I variames	**AAEMRUZ**	amassez	+T tannante	**AAENNRZ**
+N navrames	+D maraudez	+D damassez	+X annexant	+E nazareen
+P vamperas	+S azurames	+I amassiez	**AAENNNX**	**AAENNSS**
AAEMRSW	**AAEMSSS**	+R ramassez	+T annexant	+C cannasse
+G wargames	+C camasses	**AAEMSTT**	**AAENNOR**	+T assenant
AAEMRSY	cassames	matates	+B abonnera	tannasse
	rayames	+D damasses	tatames	reabonna	+V vannasse
+B embrayas	+E amassees	+E etamates	+D adonnera	**AAENNST**
+D drayames	+G massages	+I amatites	+N annotera	annates
+F frayames	+I aimasses	+L lattames	+T annotera	+B basanent
+G magyares	essaimas	maltates	**AAENNOT**	+C cannates
AAEMRSZ	+L lamasses	+N nattames	+L etalonna	+D andantes
+S ramassez	lassames	+P estampat	neonatal	dansante
+U azurames	+M massames	+R trampates	+R annotera	+F enfantas
AAEMRTT	+P pamasses	trematas	**AAENNOU**	+G tannages
	retamat	passames	**AAEMSTU**	+C caouanne	+I aneantis
	tremata	+R armasses	ameutas	**AAENNPS**	antenaise
+B embattra	masseras	+F fautames	+D depannas	nantaise
+D admettra	ramasses	+I ameutais	+M empannas	neantisa
+I materait	+S massasse	+N amusante	+Y paysanne	+M tannames
	retamait	sassames	+O ouatames	**AAENNPT**	+R tanneras
	trematait	+T massates	+P paumates	+D depannat	+S assenant
+L martelat	matasses	+Q squamate	epandant	tannasse
+N maternat	tassames	taquames	+I panaient	+T tannates
	rentamat	+U amusasse	+R amateurs	+L planante	+V avenants
	retamant	**AAEMSST**	amurates	+M empannat	envasant
+P attrempa	matasse	rameutas	+V pavanent	vannates
+S tramates	+E etamasse	saumatre	**AAENNPU**	**AAENNSV**
	trematas	+I amatisse	+S amusates	panneau	+G vannages
+T tremetat	essaimat	sautames	+X panneaux	+M vannames
+U rameutat	+L maltases	**AAEMSTV**	**AAENNPV**	+R vanneras
AAEMRTU	maltasse	+I atavisme	+T pavanent	+S vannasse
	amateur	+N amassent	+N vantames	**AAENNPX**	+T avenants
	marteau	+P estampas	+P vampates	+U panneaux	envasant
	rameuta	+R tramasse	**AAEMSTX**	**AAENNPY**	vannates
+E ameutera	+S massates	taxames	+S paysanne	**AAENNSX**
	matereau	matasses	**AAEMSTY**	**AAENNRS**	annexas
+G ageratum	tassames	+E etayames	+C canneras	+I annexais
	maugreat	+U amusates	**AAEMSUV**	+T tanneras	**AAENNSY**
+I amiraute	sautames	+G vaguames	+V vanneras	+P paysanne
	materiau	**AAEMSSU**	+I mauvaise	**AAENNRT**	**AAENNSZ**
	rameutai	+B abusames	+O avouames	tannera	zenanas
+P amputera	+C causames	+S vaguames	+C carenant	**AAENNTT**
+Q marqueta	saucames	+S sauvames	+G argentan	+F enfantat
	matraque	+D maussade	**AAEMSUX**	rangeant	+I aneantit
+R armateur	+L saluames	+N amensaux	+I aneantir	+M entamant
	armature	+M amusames	**AAEMSUZ**	entraina	+N tannante
+S amateurs	+N saunames	+R azurames	tannerai	+S tannates
	amurates	+P paumasse	**AAEMSVV**	+L lanterna	+T attenant
	rameutas	+Q saquames	+I avivames	+M ramenant	**AAENNTV**
	saumatre	+R amurasse	**AAEMTTT**	+O annotera	avenant

+C avancent
encavant
+D advenant
+E avenante
+P pavanent
+R navrante
+S avenans
envasant
vannates

AAENNTX
annexat
+I annexait
+N annexant

AAENNTY
+R enrayant

AAENNUV
vanneau
+X vanneaux

AAENNUX
anneaux
+P panneaux
+V vanneaux

AAENNVX
+U vanneaux

AAENOPR
+H anaphore

AAENOPS
+C saponace

AAENORR
+M ramonera

AAENORT
+C canotera
+G orangeat
+I aeration
+N annotera

AAENORU
+G organeau
+M enamoura

AAENOSS
+M samoanes

AAENOST
+L atonales

AAENOSZ
+M amazones

AAENPPR
nappera
+D appendra
+I napperai
+S napperas
+T apparent

AAENPPS
+G nappages
+I papaines
+M nappames
+R napperas
+S nappasse
+T nappates

AAENPPT
+I antipape
+L appelant
+R apparent
+S nappates
+T appatent

AAENPQU
+L palanque

AAENPRR
+D repandra

+I parraine
+T reparant

AAENPRS
paneras
pansera
+C pancreas
+D epandras
panardes
+G epargnas
+I panerais
panserai
+L planeras
+M parmesan
+P napperas
+S panseras
+T arpentas
separant
trepanas

AAENPRT
arpenta
trepana
+C pancarte
partance
+D deparant
derapant
paradent
+F parafent
+G epargnat
+I arpentai
panerait
paraient
patinera
rapaient
tapinera
trepanai
+L parental
parlante
plantera
prenatal
replanta
+M emparant
rampante
+P apparent
+R reparant
+S arpentas
separant
trepanas
+T arpentat
partante
retapant
trepanat
+U apeurant
+V paravent
repavant
+Y repayant

AAENPRU
+T apeurant

AAENPRV
pavaner
+A pavanera
+T paravent
repavant

AAENPRY
+T repayant

AAENPSS
panasse
+G pansages

+L planasse
+M pansames
+P nappasse
+R panseras
+S panasses
pansasse
passante

AAENPST
panates
+C espacant
+E anapeste
+I apaisent
sapaient
+L planates
platanes
+P nappates
+R arpentas
separant
trepanas
+S pansates
passante
+T epatants
patentas
tapantes
+Y payantes

AAENPSV
+E pavanees
+L panslave

AAENPSY
+N paysanne
+T payantes

AAENPTT
epatant
patenta
tapante
+D adaptent
+E epatante
+I patienta
patienta
tapaient
+M empatant
etampant
+P appatent
+R arpentat
partante
retapant
trepanat
+S epatants
patentas
tapantes
+T patentat

AAENPTU
+L epaulant
+R apeurant

AAENPTV
+D depavant
+I pavaient
+N pavanent
+R paravent
repavant

AAENPTY
payante

+R repayant
+S payantes

AAENPUX
+N panneaux

AAENPVZ
pavanez
+I pavaniez

AAENQRR
+U arnaquer

AAENQRS
+U arnaques

AAENQRT
+U quarante

AAENQRU
arnaque
+B banquera
+E arnaquee
+M manquera
+R arnaquer
+S arnaques
+T quarante
+V navarque
+Z arnaquez

AAENQRV
+U navarque

AAENQRZ
+U arnaquez

AAENQSU
+C canaques
encaquas
+R arnaques

AAENQTU
+B banqueta
+C encaquat
+R quarante

AAENQUV
+R navarque

AAENQUZ
+R arnaquez

AAENRRR
narrera
+G arranger
+I narrerai
+S narreras

AAENRRS
+C ancreras
craneras
nacreras
+G arranges
rangeras
+I raineras
+M marneras
marranes
narrames
+R narreras
+S narrasse
+T narrates
ranatres
+V navreras

AAENRRT
ranatre
+B aberrant
+C crantera
+G ragreant
+I ratinera
renaitra
trainera

+M amarrent
marrante
rearmant
+P reparant
+S narrates
ranatres
+T arretant
entartra
+W warrante
+Y rentraya

AAENRRU
+G narguera
+Q arnaquer

AAENRRV
+I navrerai
ravinera
+S navreras

AAENRRW
+T warrante

AAENRRY
+E enrayera
+T rentraya

AAENRRZ
+G arrangez

AAENRSS
+C ancrasse
caserrnas
cranasse
crassane
encrassa
nacrasse
rasances
serancas
+D danseras
sardanes
+E assenera
+F safranes
+G ganseras
+I aniseras
rainasse
+M marnasse
+P panseras
+R narrasse
+T rasantes
+U sauneras
+V navrasse

AAENRST
arasent
rasante
+B abrasent
ebrasant
+C ancrates
casernat
cranates
ecrasant
encartas
encastra
nacrates
recasant
serancat
tanceras
+D derasant
+G argentas
ganteras
garantes
rageants

stagnera
+H hanteras
+I artisane
rainates
rasaient
satinera
tanisera
+L alternas
resalant
+M marnates
maternas
rentamas
+N tanneras
+P arpentas
separant
trepanas
+R narrates
ranatres
+S rasantes
+T natteras
tartanes
+U uranates
+V entravas
vanteras

AAENRSU
saunera
+C anacruse
+D renaudas
+G surnagea
+I saunerai
+Q arnaques
+S sauneras
+T uranates
+X arsenaux

AAENRSV
+D verandas
+E envasera
+G engravas
+I avineras
+M navrames
+N vanneras
+R navreras
+S navrasse
+T entravas
navrates
vanteras

AAENRSX
+U arsenaux

AAENRSY
enrayas
+I enrayais
+L analyser

AAENRTT
nattera
tartane
+C ecartant
encartat
tracante
+D attendra
+G argentat
regatant
+I natterai
rataient
ratatine
taraient
+L alertant

alterant
alternat
ratelant
relatant
+M maternat
rentamat
retamant
+P arpentat
partante
retapant
trepanat
+R arretant
+S natteras
tartanes
+T retatant
+V entravat

AAENRTU
uranate
+D denatura
renaudat
+G tanguera
+I auraient
traineau
+J jaunatre
+P apeurant
+Q quarante
+S uranates
+V aventura

AAENRTV
averant
entrava
vantera
+D vantarde
+G engravat
ravagent
+I avarient
entravai
vanterai
variante
+L ravalent
relavant
revalant
+N navrante
+P paravent
repavant
+S entravas
navrates
vanteras
+T entravat
+U aventura

AAENRTW
+R warrante

AAENRTX
+L relaxant

AAENRTY
enrayat
+D derayant
+I enrayait
rayaient
+L relayant
+N enrayant
+P repayant
+R rentraya

AAENRUV
+G varangue
+Q navarque

+T aventura

AAENRUX
+C carneaux
+S arsenaux

AAENRUZ
+Q arnaquez

AAENSSS
assenas
+C canasses
+D dansasse
+F fanasses
+G gansasse
+I anisasse
assenais
+P panasses
pansasse
+T entassas
+U saunasse

AAENSST
assenat
entassa
satanes
+B absentas
+C cassante
tancasse
+D dansates
+E satanees
+G gansates
gantasse
+H hantasse
+I anisates
assenait
entassai
+L lassante
+M amassent
+N assenent
tannasse
+P pansates
passante
+R rasantes
+S entassas
+T entassat
nattasse
+U saunates
+V savantes
vantasse
+X axassent
+Y asseyant
essayant

AAENSSU
+G saunages
+M saunames
+R sauneras
+S saunasse
+T saunates

AAENSSV
savanes
+I avinasse
envasais
+N navnasse
+R navrasse
+T savantes
vantasse

AAENSSX
+T axassent

AAENSSY

+L analyses
+T asseyant
essayant

AAENSTT
tatanes
+B absentat
+C cantates
+G gantates
nattages
+H hantates
+I tetanisa
+L atlantes
tantales
+M nattames
+N tannates
+P epatants
patentas
tapantes
+R natteras
tartanes
+S entassat
nattasse
+T attentas
nattates
+U attenuas
+V vantates

AAENSTU
+C causante
+M amusante
+R uranates
+S saunates
+T attenuas

AAENSTV
envasat
evasant
savante
+C vacantes
+I avinates
envasait
savaient
+M vantames
+N avenants
envasant
vannates
+R entravas
navrates
vanteras
+S savantes
vantasse

AAENSTX
+D desaxant
+S axassent

AAENSTY
+F faseyant
+L analyste
+P payantes
+S asseyant
essayant

AAENSUX
naseaux
+M amensaux
+R arsenaux

AAENSYZ
+L analysez

AAENTTT

attenta
+B abattent
battante
ebattant
+I attentai
tataient
+L attelant
+N attenant
+P patentat
+R retatant
+S attentas
nattates
+T attentat
+U attenuat

AAENTTU
attenua
+I attenuai
+M ameutant
+S attenuas
+T attenuat

AAENTTV
+L tavelant
+R entravat
+S vantates

AAENTTX
+D detaxant
+I taxaient
+L exaltant

AAENTTY
etayant

AAENTUV
+C evacuant
+L evaluant
+R aventura

AAENTUX
+C exaucant
+M manteaux

AAENTVX
+C excavant

AAENTYZ
+Z zezayant

AAENTZZ
+Y zezayant

AAENUVX
+N vanneaux

AAENYZZ
+T zezayant

AAEOPPR
+D parapode
+G propagea
+S apposera
+T papotera

AAEOPPS
+R apposera

AAEOPPT
+G papotage
+R papotera

AAEOPRS
+L salopera
+P apposera
+T apoastre
apostera
+V evaporas

AAEOPRT
+C capotera
+D adoptera
+P papotera

+S apoastre
apostera
+T tapotera
+V evaporat
AAEOPRV
evapora
+I evaporai
+S evaporas
+T evaporat
AAEOPRX
+D paradoxe
AAEOPST
+R apoastre
apostera
+T apostate
AAEOPSV
+R evaporas
AAEOPTT
+R tapotera
+S apostate
AAEOPTV
+R evaporat
AAEORRR
+B arborera
+G arrogera
+S arrosera
AAEORRS
+D adorera
+G arrogeas
arrosage
+R arrosera
AAEORRT
+B rabotera
+D radotera
+G arrogeat
+I aratoire
+V avortera
AAEORRU
+J ajourera
+L aurorale
AAEORRV
+T avortera
AAEORSS
+C coassera
+D adorasse
adossera
+L assolera
AAEORST
+B sabotera
+D adorates
+M aromates
+P apoastre
apostera
+T aerostat
+U ouateras
AAEORSU
+L aureolas
saoulera
+M amaurose
+T ouateras
+V avoueras
AAEORSV
+P evaporas
+U avoueras
AAEORTT
+P tapotera
+S aerostat

+U tatouera
AAEORTU
ouatera
+B aboutera
+G outragea
+I ouaterai
+J ajoutera
+L aureolat
+S ouateras
+T tatouera
AAEORTV
+P evaporat
+R avortera
AAEORTY
+F fayotera
+M atermoya
AAEORUV
avouera
+G ouvragea
+I avouerai
+S avoueras
AAEORVY
+G voyagera
AAEOSST
+U ouatasse
AAEOSSU
+T ouatasse
+V avouasse
AAEOSSV
+U avouasse
AAEOSSY
+B aboyasse
AAEOSTT
+P apostate
+R aerostat
+U ouatates
+Z azotates
AAEOSTU
+L alouates
+M ouatames
+R ouateras
+S ouatasse
+T ouatates
+V avouates
AAEOSTV
+C avocates
+U avouates
AAEOSTX
+L oxalates
AAEOSTY
+B aboyates
AAEOSTZ
+T azotates
AAEOSUV
+D desavoua
+M avouames
+R avoueras
+S avouasse
+T avouates
AAEOSVY
+G voyageas
AAEOTTU
+G tatouage
+M automate
+R tatouera
+S ouatates
AAEOTTZ

azotate
+S azotates
AAEOTUV
+S avouates
AAEOTVY
+G voyageat
AAEPPRR
prepara
+F frappera
+H parapher
+I appairer
apparier
preparai
rapparie
+T preparat
+U rapparu
+V varapper
AAEPPRS
+G egrappas
+H happeras
paraphes
+I appaires
apparies
+J japperas
+L palperas
rappelas
+M epampras
+N napperas
+O apposera
+R preparas
+T appretas
parapets
+U apparues
+V varappes
+Y papayers
AAEPPRT
appater
appreta
parapet
+A appatera
+G egrappat
+I appretai
+L rappelat
+M epamprat
+N apparent
+O papotera
+R preparat
+S appretas
parapets
+T appretat
AAEPPRU
apparue
+I appuiera
+R reapparu
+S apparues
AAEPPRV
varappe
+R varapper
+S varappes
+Z varappez
AAEPPRY
papayer
+S papayers
AAEPPRZ
+H paraphez
+I appairez

appariez
+V varappez
AAEPPSS
+H happasse
+J jappasse
+L palpasse
+N nappasse
AAEPPST
appates
+E appatees
+H happates
+J jappates
+L palpates
+N nappates
+R appretas
parapets
+U papautes
AAEPPSU
+R apparues
+T papautes
AAEPPSV
+R varappes
AAEPPSY
papayes
+R papayers
AAEPPTT
+N appatent
+R appretat
AAEPPTU
papaute
+S papautes
AAEPPTZ
appatez
+I appatiez
AAEPPUX
appeaux
AAEPPVZ
+R varappez
AAEPQRR
+U parquera
AAEPQRT
+U parqueta
patraque
AAEPQRU
+C pacquera
+I apiquera
+L plaquera
+R parquera
+T parqueta
patraque
AAEPQST
+U pataques
AAEPQSU
+T pataques
AAEPQTU
+R parqueta
patraque
+S pataques
AAEPRRR
+E reparera
AAEPRRS

+I aspirera
parerais
raperais
repairas
reparais
+L parleras
reparlas
+M ramperas
+P preparas
+U apureras
AAEPRRT
reparat
+E retapera
+G partager
+I paraitre
parerait
piratera
rapatrie
raperait
repairat
repaitra
reparait
+L platrera
reparlat
replatra
+N reparant
+P preparat
+T attraper
+U paturera
AAEPRRU
apurera
+D paradeur
+E apeurera
+F parafeur
+I apurerai
+P reapparu
+Q parquera
+S apureras
+T paturera
AAEPRRV
+E repavera
+P varapper
AAEPRRY
+E repayera
AAEPRSS
parasse
paresse
passera
repassa
saperas
separas
+D drapasse
+G passager
+I paraisse
paressai
pariasse
passerai
repassai
saperais
separais
+J jasperas
+L parlasse
prelassa
+M parsemas

rampasse
+N panseras
+S parasses
paresses
passeras
rapasses
repassas
+T paressat
repassat
satrapes
trepassa
+U apurasse
AAEPRST
apartes
parates
rapates
retapas
satrape
separat
taperas
+C capteras
+D drapates
+E epateras
+G partages
+I parasite
pariates
rapiates
retapais
saperait
satrapie
separait
taperais
+L palastre
palatres
parlates
salpetra
+M parsemat
rampates
+N arpentas
separant
trepanas
+O apoastre
apostera
+P appretas
parapets
+S paressat
repassat
satrapes
trepassa
+T attrapes
+U apurates
AAEPRSU
apeuras
+D persuada
+F epaufras
+I apeurais
+M apurames
paumeras
+P apparues
+R apureras
+S apurasse
+T apurates
AAEPRSV
paveras
repavas
+D depravas
+I paverais

repavais
+M vamperas
+O evaporas
AAEPRSX
+E exaspera
AAEPRSY
payeras
repayas
+G paysager
+I payerais
repayais
+L paralyse
+P papayers
AAEPRTT
attrape
retapat
+E attrapee
+I retapait
taperait
+M attrempa
+N arpentat
partante
retapant
trepanat
+O tapotera
+P appretat
+R paturera
rattrape
+S attrapes
+Z attrapez
AAEPRTU
apeurat
+F epaufrat
+G patauger
paturage
tapageur
+I apeurait
+M amputera
+N apeurant
+Q parqueta
patraque
+R paturera
+S apurates
AAEPRTV
repavat
+D depravat
+I paverait
repavait
+N paravent
+O evaporat
AAEPRTX
+A parataxe
+I expatria
AAEPRTY
repayat
+I payerait
repayait
+N repayant
AAEPRTZ
+G partagez
+T attrapez
AAEPRUX
+C carpeaux
+D drapeaux

+M rampeaux
AAEPRUY
+G pagayeur
AAEPRVZ
+P varappez
AAEPSSS
sapasse
+C capasses
+D depassas
passades
+G passages
+J jaspasse
+L lapasses
+M pamasses
passames
+N panasses
pansasse
+R parasses
paresses
passeras
rapasses
repassas
+S passasse
sapasses
+T passases
tapasses
+V pavasses
+Y payasses
AAEPSST
sapates
tapasse
+C captasse
+D depassat
+E epatasse
+I aseptisa
+J jaspates
+N estampas
pansates
passante
+R paressat
repassat
satrapes
trepassa
+S passates
tapasses
AAEPSSU
+I paisseau
+M paumasse
+R apurasse
AAEPSSV
pavasse
+M vampasse
+S pavasses
AAEPSSY
payasse
+D depaysa
+G paysages
+S payasses
AAEPSTT
patates
tapates
+C captates
+E epatates
+I apatites
+M estampat
+N epatants
patentas

tapantes
+O apostate
+R attrapes
AAEPSTU
+D pataudes
+G patauges
+M paumates
+P papautes
+R apurates
AAEPSTV
pavates
+M vampates
AAEPSTY
payates
+D depaysat
+N payantes
AAEPTTT
+N patentat
AAEPTTZ
+R attrapez
AAEPTUX
+L plateaux
AAEPTUZ
+G pataugez
AAEQRRS
+U arqueras
raqueras
AAEQRRT
+U quartera
traquera
AAEQRRU
arquera
raquera
+B baraquer
braquera
+C acquerra
craquera
+I arquerai
raquerai
+M marquera
remarqua
+N arnaquer
+P parquera
+S arqueras
raqueras
+T quartera
traquera
AAEQRSS
+U arquasse
raquasse
AAEQRST
+U arquates
etarquas
raquates
taqueras
tarasque
AAEQRSU
saquera
+B baraques
+C caqueras
caraques
casquera
sacquera
+I saquerai
+L laqueras

+M arquames
marasque
masquera
raquames
+N arnaques
+R arqueras
raqueras
+S arquasse
raquasse
saqueras
+T arquates
etarquas
raquates
taqueras
tarasque
+V vaqueras
AAEQRSV
+U vaqueras
AAEQRTT
+U attaquer
etarquat
AAEQRTU
etarqua
taquera
+C craqueta
+D detraqua
+G quartage
+I etarquai
taquerai
+L talquera
+M marqueta
matraque
+N quarante
+P parqueta
patraque
+R quartera
traquera
+S arquates
etarquas
raquates
taqueras
tarasque
+T attaquer
etarquat
AAEQRUV
vaquera
+I vaquerai
+N navarque
+S vaqueras
AAEQRUZ
+B baraquer
+N arnaquez
AAEQSSS
+U saquasse
AAEQSST
+U saquates
taquasse
AAEQSSU
+C caquasse
casaques
+L laquasse
+M saquames
+R arquasse
raquasse
saqueras
+S saquasse
+T saquates

```
        taquasse
+V  vaquasse
AAEQSSV
+U  vaquasse
AAEQSTT
+U  attaques
        taquates
AAEQSTU
+C  caquates
        caquetas
+D  adequats
+L  laquates
+M  squamate
        taquames
+P  pataques
+R  arquates
        etarquas
        raquates
        taqueras
        tarasque
+S  saquates
        taquasse
+T  attaques
        taquates
+V  vaquates
AAEQSTV
+U  vaquates
AAEQSUV
+L  valaques
+M  vaquames
+R  vaqueras
+S  vaquasse
+T  vaquates
AAEQTTU
        attaque
+C  caquetat
+E  attaqué
+R  attaquer
        etarquat
+S  attaques
        taquates
+Z  attaquez
AAEQTTZ
+U  attaquez
AAEQTUV
+I  atavique
+S  vaquates
AAEQTUX
+I  ataxique
AAEQTUZ
+T  attaquez
AAERRRS
+B  barreras
+C  carrares
        carreras
+I  arrisera
+M  marreras
+N  narreras
+O  arrosera
AAERRRT
+E  arretera
+U  raturera
AAERRRU
+T  ratturera
AAERRRV
+I  arrivera
AAERRSS
```

```
        raseras
+A  araseras
+B  barrasse
        braseras
        brassera
        sabreras
+C  carrasse
        sacreras
+F  fraseras
+H  harasser
+I  ariseras
        raserais
        rassiera
+M  marrasse
        ramasser
+N  narrasse
+T  terrassa
+U  assurera
        reassura
        saureras
AAERRST
        arretas
        rateras
        tarares
        tareras
+B  barrates
+C  carrates
        castrera
        retracas
        traceras
+D  retardas
        tarderas
+F  farteras
+I  arretais
        raserait
        raterais
        tarerais
+M  maratres
        marrates
        trameras
+N  narrates
        ranatres
+S  terrassa
+T  atterras
        tartares
+U  restaura
        saturera
+V  traversa
AAERRSU
        saurera
+G  argueras
        ragueras
+I  saurerai
+M  amureras
+P  apureras
+Q  arqueras
        raqueras
+S  assurera
        reassura
        saureras
+T  restaura
        saturera
+Z  azureras
AAERRSV
+B  braveras
+E  avereras
+G  graveras
```

```
+I  ravisera
        varieras
+N  navreras
+T  traversa
AAERRSY
        rayeras
+D  drayeras
+F  frayeras
+I  rayerais
AAERRSZ
+E  araserez
+U  azureras
AAERRTT
        arretat
        atterra
        tartare
+B  baratter
        rabattre
        rebattra
+C  retracat
        retracta
        tractera
+D  attarder
        detartra
        retardat
+E  retatera
+G  grattera
        regratta
+I  arretait
        atterrai
        attirera
        raterait
        retraita
        tarerait
        traitera
+N  arretant
        entartra
+P  attraper
        rattrape
+S  atterras
        tartares
+T  atterrat
        tartrate
AAERRTU
+C  arcature
+D  tarauder
+E  aerateur
+G  raturage
        targuera
+M  armateur
        armature
+P  paturera
+Q  quartera
        traquera
+R  raturera
+S  restaura
        saturera
+V  vautrera
AAERRTV
+C  cravater
+I  avertira
+O  avortera
+S  traversa
+U  vautrera
AAERRTW
+N  warrante
AAERRTX
```

```
+I  extraira
AAERRTY
+I  rayerait
+N  rentraya
AAERRUU
+G  augurera
AAERRUV
+D  ravaudra
        revaudra
+G  ravageur
+L  ravaleur
+T  vautrera
AAERRUX
+B  barreaux
+C  carreaux
AAERRUZ
        azurera
+I  azurerai
+S  azureras
AAERRVV
+I  ravivera
AAERRZZ
+I  razziera
AAERSSS
        rasasse
+A  arasasse
+B  brasasse
        sabrasse
+C  carasses
        caressas
        casseras
        rascasse
        sacrasse
+D  adressas
        radasses
+E  aerasses
+F  frasasse
+G  agressas
        garasses
        sargasse
+H  harasses
+I  arisasse
        assieras
        rassasie
        sasserai
+L  lasseras
        ralasses
+M  armasses
        masseras
        ramasses
+P  parasses
        paressas
        passeras
        rapasses
        repassas
+S  rasasses
        ressassa
        sasseras
+T  essartas
        ratasses
        tarasses
        tasseras
+U  saurasse
+V  revassas
+Y  rayasses
        ressayas
```

```
AAERSST
        essarta
        rasates
        ratasse
        tarasse
        tassera
+A  arasates
+B  brasates
        sabrates
        tabasser
+C  caressat
        sacrates
        tracasse
+D  adressat
        tardasse
+F  fartasse
        frasates
+G  agressat
+I  arisates
        essartai
        tasserai
+L  astrales
+M  tramasse
+N  rasantes
+P  paressat
        repassat
        satrapes
        trepassa
+R  terrassa
+S  essartas
        ratasses
        tarasses
        tasseras
+T  essartat
+U  ressauta
        saurates
        sauteras
+V  revassat
+Y  ressayat
AAERSSU
+B  abuseras
+C  causeras
        euscaras
        recausas
        sauceras
+F  faussera
+G  arguasse
        gaussera
        raguasse
+H  haussera
        rehaussa
+K  eskuaras
+L  salueras
+M  amurasse
        amuseras
        assumera
        saurames
+N  sauneras
+P  apureras
+Q  arquasse
        raquasse
        saqueras
+R  assurera
        reassura
        saureras
+S  saurasse
```

+T ressauta
   saurates
   sauteras
+V sauveras
+Z azurasse
AAERSSV
   revassa
+B bavasser
   bravasse
+C crevassa
+E averasse
   evaseras
+G gravasse
+I aviseras
   revassai
   variasse
+L valseras
+N navrasse
+S revassas
+T revassat
+U sauveras
AAERSSY
   rayasse
   ressaya
+D drayasse
+E essayera
   reessaya
+F frayasse
+G grasseya
+I ressayai
+S rayasses
   ressayas
+T ressayat
AAERSSZ
+H harassez
+M ramassez
+U azurasse
AAERSTT
   ratates
   retatas
   tarates
   tatares
   tateras
+B barattes
   ebattras
   rabattes
+C tracates
+D attardes
   tardates
+E stearate
+F fartates
+I attisera
   retatais
   taterais
+L latteras
+M tramates
   tremates
+N natteras
   tartenes
+O aerostat
+P attrapes
+R atterras
   tartares
+S essartat
+U statuera
AAERSTU
   sautera

+C recausat
+D taraudes
+F fauteras
+G arguates
   raguates
+I sauterai
+J ajustera
   reajusta
+L australe
   laureats
+M amateurs
   amurates
   rameutas
   saumatre
+N uranates
+O ouateras
+P apurates
+Q arquates
   etarquas
   raquates
   taqueras
   tarasque
+R restaura
   saturera
+S ressauta
   saurates
   sauteras
+T statuera
+Z azurates
AAERSTV
+B bravates
+C cravates
+E averates
+G gravates
+I variates
+L lavarets
+N entravas
   navrates
   vanteras
+R traversa
+S revassat
AAERSTX
   taxeras
+D extradas
+I taxerais
AAERSTY
   rayates
+D drayates
+E etayeras
+F frayates
+S ressayat
AAERSTZ
+L lazarets
+U azurates
AAERSUV
   sauvera
+B abreuvas
   ebavuras
+D ravaudes
+G vagueras
+I sauverai
+L avaleurs
+O avoueras
+Q vagueras
+S sauveras
AAERSUX
+N arsenaux

AAERSUZ
+G azurages
+M azurames
+R azureras
+S azurasse
+T azurates
AAERSVV
+I aviveras
AAERTTT
   retatat
+I retatait
   taterait
+M trematat
+N retatant
+R atterrat
   tartrate
AAERTTU
+B abatteur
   rabattue
+M rameutat
+O tatouera
+Q attaquer
   etarquat
+S statuera
AAERTTV
+N entravat
AAERTTX
+D extradat
+I taxerait
AAERTTZ
+B abattrez
   barattez
   rabattez
+D attardez
+P attrapez
AAERTUU
   taureau
+X taureaux
AAERTUV
+B abreuvat
   ebavurat
+I aviateur
+N aventura
+R vautrera
AAERTUX
   rateaux
+L lateraux
+M marteaux
+U sauterau
AAERTUZ
+D taraudez
+S azureras
AAERTVZ
+C cravatez
AAERUUX
+T taureaux
AAERUVZ
+D ravaudez
AAERUZZ
+L zarzuela
AAERYZZ
+E zezayera
AAESSSS
+B basasses
+C casasses
   cassasse
+J jasasses

+L lassasse
   salasses
+M massasse
   sassames
+P passasse
   sapasses
+R rasasses
   ressassa
   sasseras
+S sassasse
+T sassates
   tassasse
AAESSST
+B batasses
   tabasses
+C cassates
+D datasses
+G gatasses
+H hatasses
+I astasies
+L lassates
+M massates
   matasses
   tassames
+N entassas
+P passates
   tapasses
+R essartas
   ratasses
   tarasses
   tasseras
+S sassates
   tassasse
+T tassates
   tatasses
+U sautasse
+X taxasses
AAESSSU
+B abusasse
+C causasse
   saucasse
+I saussaie
+L saluasse
+M amusasse
+N saunasse
+Q saquasse
+R saurasse
+T sautasse
+V sauvates
AAESSSV
+B bavasses
+C cavasses
+E evasasse
+G gavasses
+H havasses
+I avisasse
+L lavasses
   valsasse
   vassales
+P pavasses
+R revassas
+U evasasse
AAESSSX
   axasses
+T taxasses
AAESSSY
   essayas

+B bayasses
+I asseyais
   essayais
+L layasses
+P payasses
+R rayasses
   ressayas
AAESSSZ
+G gazasses
AAESSTT
   astates
   tatasse
+I etatisas
   saiettas
+L lattasse
+N entassat
   nattasse
+R essartat
+S tassates
   tatasses
+T attestas
+U sautates
AAESSTU
   tasseau
+B abusates
+C causates
   saucates
+F fautasse
+L saluates
+M amusates
   sautames
+N saunates
+O ouatasse
+Q saquates
+R ressauta
   saurates
   sauteras
+S sautasses
+T sautates
+V sauvates
+X tasseaux
AAESSTV
   savates
+D devastas
+E evasates
+I avisates
+L valsates
+N savantes
+R revassat
+U sauvates
AAESSTX
   taxasse
+I extasias
+N axassent
+S tassases
+U tasseaux
AAESSTY
   essayat
+E etayasse
+I asseyait
   essayait
+N asseyant
+R ressayat

AAESSTZ	zezayas	affilia	+U affluait	**AAFFIPS**
+B tabassez	+I zezayais	+B affaibli	faufilat	piaffas
AAESSUV	**AAETTTT**	+I affiliai	**AAFFILU**	+I piaffais
+G sauvages	+N attentat	+S affilais	affluai	**AAFFIPT**
vaguasse	+S attestat	affilias	faufila	+I piaffait
+I vaisseau	**AAETTTU**	falsifia	+B affublai	+N piaffant
+M sauvames	+N attenuat	+T affilait	+E efaufila	**AAFFIRR**
+O avouasse	**AAETTUZ**	affiliat	+I faufilai	+E affairer
+Q vaquasse	+Q attaquez	+U faufilai	+S affluais	**AAFFIRS**
+R sauveras	**AAETUUX**	**AAFFIIM**	faufilas	+A affairas
+S sauvasse	+R taureaux	+D diffamai	+T affluait	+E affaires
+T sauvates	**AAETYZZ**	+R affirmai	faufilat	effarais
AAESSUX	zezayat	**AAFFIIN**	**AAFFILX**	+G agriffas
asseaux	+I zezayait	affinai	affixal	+M affirmas
+C casseaux	+N zezayant	+R raffinai	+E affixale	+N raffinas
+H exhaussa	**AAFFGII**	+S affinais	**AAFFILZ**	**AAFFIRT**
+T tasseaux	+R agriffai	+T affinait	+E affaliez	+A affairat
AAESSUZ	**AAFFGIL**	**AAFFIIP**	**AAFFIMR**	+E affretai
+R azurasse	+E affilage	piaffai	affirma	effarait
AAESSVV	affligea	+S piaffais	+E affermai	+G agriffat
+I avivasse	**AAFFGIN**	+T piaffait	+I affirmai	+M affirmat
AAESSVZ	+E affinage	**AAFFIIR**	+S affirmas	+N raffinat
+B bavassez	**AAFFGIR**	+A affairai	+T affirmat	+U affruita
AAESSXZ	agriffa	+G agriffai	**AAFFIMS**	raffutai
+I axassiez	+E gafferai	+M affirmai	maffias	**AAFFIRU**
AAESTTT	+I agriffai	+N raffinai	+A affamais	+T affruita
attesta	+S agriffas	**AAFFIIS**	+D diffamas	raffutai
tatates	+T agriffat	+L affilais	+R affirmas	**AAFFIRY**
+I attestai	**AAFFGIS**	affilias	**AAFFIMT**	+E effrayai
etatisat	gaffais	falsifia	+A affamait	**AAFFIRZ**
saiettat	+R agriffas	+N affinais	+D diffamat	+E affairez
+L lattates	**AAFFGIT**	+P piaffais	+R affirmat	**AAFFISS**
+N attentas	gaffait	**AAFFIIT**	**AAFFIMZ**	+A affaissa
nattates	+R agriffat	+L affilait	+E affamiez	+E affaisse
+S attestas	**AAFFGMS**	affiliat	**AAFFINN**	+O assoiffa
+T attestat	+E gaffames	+N affinait	+T affinant	+T staffais
AAESTTU	**AAFFGNT**	+P piaffait	**AAFFINP**	**AAFFIST**
+B abattues	gaffant	**AAFFIIU**	+T piaffant	staffai
+F fautates	**AAFFGOU**	+L faufilai	**AAFFINR**	+S staffais
+N attenuas	+E affouage	**AAFFILN**	raffina	+T staffait
+O ouatates	**AAFFGRS**	+T affilant	+E affinera	+U affutais
+Q attaques	+E gafferas	**AAFFILO**	+I raffinai	**AAFFISU**
taquates	+I agriffas	affolai	+S raffinas	+L affluais
+R statuera	**AAFFGRT**	+R affriola	+T raffinat	faufilas
+S sautates	+I agriffat	raffolai	**AAFFINS**	+T affutais
AAESTTV	**AAFFGSS**	+S affolais	affinas	**AAFFITT**
+D devastat	+E gaffasse	+T affolait	+E effannais	+S staffait
+N vantates	**AAFFGST**	**AAFFILR**	+I affinais	+U affutait
AAESTTX	+E gaffates	+E affilera	+R raffinas	**AAFFITU**
taxates	**AAFFGTU**	+O affriola	**AAFFINT**	affutai
+I extasiat	+E affutage	raffolai	affinat	+L affluait
AAESTTY	**AAFFHII**	**AAFFILS**	+E effannait	faufilat
+E etayates	+C affichai	affilas	+I affinait	+R affruita
AAESTTZ	**AAFFHIS**	+A affalais	+N affinant	raffutai
+O azotates	+C affichas	+I affilais	+P piaffant	+S affutais
AAESTUV	**AAFFHIT**	affilias	+R raffinat	+T affutait
+G vaguates	+C affichat	falsifia	**AAFFIOR**	**AAFFIUX**
+O avouates	**AAFFHIU**	+O affolais	+L affriola	+X affixaux
+Q vaquates	+C chauffai	+U faufilas	raffolai	**AAFFIXX**
+S sauvates	**AAFFHSU**	**AAFFILT**	**AAFFIOS**	+U affixaux
AAESTUX	+C chauffas	affilat	+L affolais	**AAFFLNO**
+S tasseaux	**AAFFHTU**	+A affalait	+S assoiffa	+S affalons
AAESTUZ	+C chauffat	+I affilait	**AAFFIOT**	+T affolant
+R azurates	**AAFFIII**	affiliat	+L affolait	**AAFFLNS**
AAESTVV	+L affiliai	+N affilant	**AAFFIPR**	+O affalons
+I avivates	**AAFFIIL**	+O affolait	+E piaffera	
AAESYZZ	affilai			

AAFFLNT
+A affalant
+E affalent
+I affilant
+O affolant
+U affluant
AAFFLNU
+T affluant
AAFFLOR
   raffola
+E affolera
+I affriola
   raffolai
+S raffolas
+T raffolat
AAFFLOS
   affolas
+I affolais
+N affalons
+R raffolas
AAFFLOT
   affolat
+I affolait
+N affolant
+R raffolat
AAFFLRS
+O raffolas
AAFFLRT
+O raffolat
AAFFLRU
+E affleura
   affluera
AAFFLSU
   affluas
+B affublas
+I affluais
   faufilas
AAFFLTU
   affluat
+B affublat
+I affluait
   faufilat
+N affluant
AAFFMNO
+S affamons
AAFFMNS
+O affamons
AAFFMNT
+A affamant
+E affament
+I affirmat
AAFFMOS
+N affamons
AAFFMRS
+E affermas
+I affirmas
AAFFMRT
+E affermat
+I affirmat
AAFFMRU
+E affameur
AAFFNNO
+R fanfaron
AAFFNNR
+O fanfaron
AAFFNNT
+E effanant
+I affinant

AAFFNOR
+N fanfaron
+T affronta
AAFFNOS
+L affalons
+M affamons
AAFFNOT
+L affolant
+R affronta
AAFFNPT
+I piaffant
AAFFNRS
+E fanfares
+I raffinas
AAFFNRT
+E affarant
+I raffinat
+O affronta
AAFFNST
+T staffant
AAFFNTT
+S staffant
+U affutant
AAFFNTU
+L affluant
+T affutant
AAFFORS
+L raffolas
AAFFORT
+L raffolat
+N affronta
AAFFOSS
+I assoiffa
AAFFRST
+E affretas
   staffera
+U raffutas
AAFFRSU
+T raffutas
AAFFRSY
+E effrayas
AAFFRTT
+E affretat
+U raffutat
AAFFRTU
   raffuta
+E affutera
+I affruita
   raffutai
+S raffutas
+T raffutat
AAFFRTY
+E effrayat
AAFFSST
   staffas
+I staffais
AAFFSTT
   staffat
+E taffetas
+I staffait
+N staffant
AAFFSTU
   affutas
+I affutais
+R raffutas
AAFFTTU
   affutat

+I affutait
+N affutant
+R raffutat
AAFFUXX
+I affixaux
AAFGGOR
   foggara
+S foggaras
AAFGGOS
+R foggaras
AAFGGOT
+E fagotage
AAFGGRS
+O foggaras
AAFGGRU
+E gaufrage
AAFGHIN
   afghani
+S afghanis
AAFGHIS
+N afghanis
AAFGHLL
+E fellagha
AAFGHNR
   harfang
+S harfangs
AAFGHNS
   afghans
+E afghanes
+I afghanis
+R harfangs
AAFGHRS
+N harfangs
AAFGIII
+T gatifiai
AAFGIIM
+N magnifia
AAFGIIN
+M magnifia
AAFGIIR
+F agriffai
+T gratifia
AAFGIIS
+T gatifias
AAFGIIT
   gatifia
+I gatifiai
+R gratifia
+S gatifias
+T gatifiat
+U fatiguai
AAFGIIU
+T fatiguai
AAFGIIZ
+E gazeifia
AAFGIMN
+I magnifia
AAFGINN
+T faignant
AAFGINR
+E farinage
   frangeai
AAFGINS
+H afghanis
AAFGINT
+N faignant
+T fatigant

AAFGIOS
+T fagotais
AAFGIOT
   fagotai
+S fagotais
+T fagotai
AAFGIRS
+A agrafais
+E fraisage
+F agriffas
+U gaufras
AAFGIRT
+A agrafait
+F agriffat
+I gratifia
+U gaufrait
AAFGIRU
   gaufrai
+E girafeau
+S gaufrais
+T gaufrait
AAFGIRZ
+E agrafiez
AAFGIST
+E faitages
+I gatifias
+O fagotais
+U fatiguas
AAFGISU
+R gaufrais
+T fatiguas
AAFGITT
+I gatifiat
+N fatigant
+O fagotait
+U fatiguat
AAFGITU
   fatigua
+I fatiguai
+R gaufrait
+S fatiguas
+T fatiguat
AAFGLLL
+E flagella
AAFGLLO
+E flageola
AAFGLLS
+E fellagas
AAFGLNO
+R flagorna
AAFGLNR
+O flagorna
+T flagrant
AAFGLNS
+E alfanges
AAFGLNT
+R flagrant
AAFGLNO
+N flagorna
AAFGLRT
+N flagrant
AAFGNNO
+D fandango
AAFGNNT
+I faignant
AAFGNOR
+L flagorna

+S agrafons
AAFGNOS
AAFGNOT
+R agrafons
AAFGNOT
+T fagotant
AAFGNRR
+E frangera
AAFGNRS
+E frangeas
+H harfangs
+O agrafons
AAFGNRT
+A agrafant
+E agrafent
   frangeat
+L flagrant
+U gaufrant
AAFGNRU
+E naufrage
+T gaufrant
AAFGNTT
+I fatigant
+O fagotant
AAFGNTU
+R gaufrant
AAFGORS
+G foggaras
+N agrafons
AAFGORT
+E fagotera
AAFGOST
   fagotas
+I fagotais
AAFGOTT
   fagotat
+I fagotait
+N fagotant
AAFGPPR
+E frappage
AAFGRRU
+E gaufrera
AAFGRST
+E fartages
AAFGRSU
   gaufras
+I gaufrais
AAFGRTU
   gaufrat
+I gaufrait
+N gaufrant
AAFGSTU
+I fatiguas
AAFGTTU
+I fatiguat
AAFHILN
+C flanchai
AAFHINS
+G afghanis
AAFHISU
+C fauchais
AAFHITU
+C fauchait
AAFHLNS
+C flanchas
AAFHLNT
+C flanchat

AAFHNRS
+G harfangs
AAFHNTU
+C fauchant
AAFIIIL
+F affiliai
+S salifiai
AAFIIIM
+R ramifiai
AAFIIIN
+P panifiai
AAFIIIP
+C pacifiai
+N panifiai
AAFIIIR
+M ramifiai
+T ratifiai
+U aurifiai
AAFIIIS
+L salifiai
AAFIIIT
+G gatifiai
+R ratifiai
AAFIIIU
+R aurifiai
AAFIILL
  faillai
+M familial
+R faillira
+S faillais
+T faillait
AAFIILM
+L familial
+P amplifia
AAFIILN
+P planifia
AAFIILP
+M amplifia
+N planifia
+R parfilai
AAFIILQ
+U qualifia
AAFIILR
  flairai
+B faiblira
+C clarifia
+L faillira
+P parfilai
+S flairais
+T flairait
AAFIILS
  salifia
+F affilais
  affilias
  falsifia
+I salifiai
+L faillais
+R flairais
+S salifias
+T salifiat
AAFIILT
+C facilita
+F affiliat
  affilait
+L faillait
+R flairait
+S salifiat

AAFIILU
+F faufilai
+Q qualifia
AAFIIMN
+G magnifia
AAFIIMP
+L amplifia
AAFIIMR
  ramifia
+F affirmai
+I ramifiai
+S ramifias
+T ramifiat
AAFIIMS
+R ramifias
AAFIIMT
+R ramifiat
AAFIINN
+C financai
AAFIINP
  panifia
+I panifiai
+L planifia
+S panifias
+T panifiat
AAFIINR
  farinai
+C africain
+F raffinai
+S farinais
+T farinait
AAFIINS
+C fascinai
  fiancais
+F affinais
+P panifias
+R farinais
+S finassai
AAFIINT
+C fiancait
+E enfaitai
+F affinait
+P panifiat
+R farinait
AAFIIOP
+C opacifia
AAFIIPR
+L parfilai
AAFIIPS
+C pacifias
+F piaffais
+N panifias
AAFIIPT
+C pacifiat
+F piaffait
+N panifiat
AAFIIQU
+L qualifia
AAFIIRR
+C farcirai
+E fraierai
  rarefia
AAFIIRS
  fraisai
+C sacrifia
  scarifia
+L flairais

+M ramifias
+N farinais
+T fraisait
  ratifias
  tarifais
+U aurifias
AAFIIRT
  ratifia
  tarifai
+D radiatif
+G gratifia
+I ratifiai
+L flairait
+M ramifiat
+N farinait
+S fraisait
AAFIIRU
  aurifia
+I aurifiai
+S aurifias
+T aurifiat
AAFIISS
  faisais
+C fascisai
+L salifias
+N finassai
+R fraisais
AAFIIST
  faisait
+G gatifias
+L salifiat
+R fraisait
  ratifias
  tarifais
+T attifais
AAFIISU
+R aurifias
AAFIITT
  attifai
+G gatifiat
+R ratifiat
  tarifait
+S attifais
+T attifait
AAFIITU
+G fatiguai
+R aurifiat
AAFIKKN
+E kafkaien
AAFILLM
+I familial
AAFILLN
+T faillant
AAFILLO
+U fouailla
AAFILLR
+E faillera
+I faillira
AAFILLS
  faillas
+E faseilla

+I faillais
AAFILLT
  faillat
  fallait
+I faillait
+N faillant
AAFILLU
+O fouailla
AAFILMP
+I amplifia
AAFILMR
+E malfaire
AAFILMS
+B flambais
+D maladifs
AAFILMT
+B flambait
AAFILNP
+I planifia
AAFILNQ
+U flanquai
AAFILNR
+E flanerai
+T flairant
AAFILNS
  flanais
+U falunais
AAFILNT
  flanait
+F affilant
+L faillant
+R flairant
+U falunait
AAFILNU
  falunai
+Q flanquai
+S falunais
+T falunait
AAFILOR
+F affriola
  raffolai
+T folatrai
AAFILOS
+C focalisa
+F affolais
AAFILOT
+B batifola
+F affolait
+R folatrai
AAFILOU
+L fouailla
AAFILPR
  parfila
+I parfilai
+S parfilas
+T parfilat
AAFILPS
+R parfilas
AAFILPT
+R parfilat
AAFILQU
+I qualifia
+N flanquai
AAFILRR
+E flairera
  raflerai
AAFILRS

  flairas
  raflais
+E eraflais
+I flairais
+P parfilas
AAFILRT
  flairat
  raflait
+E alfatier
  eraflait
  frelatai
+I flairait
+N flairant
+O folatrai
+P parfilat
AAFILSS
+E falaises
+I salifias
AAFILST
+B ablatifs
+C califats
+I salifiat
+T flattais
+U sulfatai
+X laxatifs
AAFILSU
+B fabulais
+F affluais
  faufilas
+N falunais
+T sulfatai
AAFILSX
+T laxatifs
AAFILTT
  flattai
+E fatalite
+S flattais
+T flattait
AAFILTU
+B fabulait
+D laudatif
+F affluait
  faufilat
+N falunait
+S sulfatai
AAFILTX
  laxatif
+S laxatifs
AAFILUX
+B fabliaux
AAFIMMT
+E matefaim
AAFIMNN
+T infamant
AAFIMNT
+N infamant
AAFIMPR
+U parfumai
AAFIMPU
+R parfumai
AAFIMRS
+F affirmas
+I ramifias
AAFIMRT
+F affirmat
+I ramifiat

AAFIMRU
+P parfumai
AAFINNO
+C faconnai
AAFINNR
+E enfarina
+T farinant
AAFINNS
+C financas
AAFINNT
+C fiancant
financat
+E enfantai
faineant
fanaient
+F affinant
+G faignant
+M infamant
+R farinant
AAFINOP
+R profanai
AAFINOR
+P profanai
AAFINPR
+O profanai
AAFINPS
+I panifias
AAFINPT
+F piaffant
+I panifiat
AAFINPU
+E peaufina
AAFINQU
+L flanquai
AAFINRR
+E farinera
+T narratif
AAFINRS
farinas
+C francais
francisa
+E fanerais
+F raffinas
+I farinais
+T fraisant
AAFINRT
farinat
+E fanerait
+F raffinat
+I farinait
+L flairant
+N farinant
+R narratif
+S fraisant
+T tarifant
AAFINSS
faisans
finassa
+C fascinas
+E faisanes
+I finassai
+S finassas
+T finassat
AAFINST
faisant
+A fanatisa
fantasia

+C fascinat
+E anatifes
enfaitas
fanatise
+R fraisant
+S finassat
AAFINSU
+L falunais
AAFINTT
+E enfaitat
+G fatigant
+R tarifant
+T attifant
AAFINTU
+L falunait
AAFINUV
+E avifaune
AAFIOPR
+N profanai
AAFIORS
+V favorisa
AAFIORT
+L folatrai
AAFIORV
+S favorisa
AAFIOSS
+F assoiffa
AAFIOST
+G fagotais
+Y fayotais
AAFIOSU
+B bafouais
AAFIOSV
+R favorisa
AAFIOSY
+T fayotais
AAFIOTT
+G fagotait
+Y fayotait
AAFIOTU
+B bafouait
AAFIOTY
fayotai
+S fayotais
+T fayotait
AAFIPPR
frappai
+S frappais
+T frappait
AAFIPPS
+R frappais
AAFIPPT
+R frappait
AAFIPRR
+E parfaire
AAFIPRS
+A parafais
+L parfilas
+P frappais
+T parfaits
AAFIPRT
parfait
+A parafait
+E parfaite
+L parfilat
+P frappait

+S parfaits
AAFIPRU
+E epaufrai
+M parfumai
AAFIPRZ
+E parafiez
AAFIPST
+R parfaits
AAFIPTT
+C captatif
AAFIQRT
+U trafiqua
AAFIQRU
+B fabriqua
+T trafiqua
AAFIQTU
+R trafiqua
AAFIRRS
+C farciras
+E fraieras
fraisera
fraserai
rarefias
AAFIRRT
+E farterai
rarefiat
tarifera
+N narratif
AAFIRRY
+E frayerai
AAFIRSS
fraisas
frasais
safaris
+B abrasifs
+C fricassa
+I fraisais
AAFIRST
fartais
fraisat
frasait
tarifas
+A ratafias
+E fatrasie
+I fraisait
ratifias
tarifais
+N parfaits
+P parfaits
AAFIRSU
+C surfacai
+D fraudais
+G gaufrais
+I aurifias
AAFIRSV
+O favorisa
AAFIRSY
frayais
AAFIRTT
fartait
tarifat
+E attifera
+I ratifiat
tarifait
+N tarifant
AAFIRTU
+C facturai

+D faudrait
fraudait
+E fauterai
+F affruita
+G gaufrait
+I aurifiat
+Q trafiqua
AAFIRTY
frayait
AAFISSS
+C fascisas
+N finassas
+U faussais
AAFISST
+C fascisat
+F staffais
+N finassat
+U faussait
AAFISSU
faussai
+S faussais
+T faussait
AAFISSY
+E faseyais
AAFISTT
attifas
+F staffait
+I attifais
+L flattais
+U statufia
AAFISTU
fautais
+C causatif
+F affutais
+G fatiguas
+L sulfatai
+S faussait
+T statufia
AAFISTX
+L laxatifs
AAFISTY
+E faseyait
+O fayotais
AAFITTT
attifat
+I attifait
+L flattait
+N attifant
AAFITTU
fautait
+F affutait
+G fatiguat
+S statufia
AAFITTY
+O fayotait
AAFIUXX
+F affixaux
AAFLLNT
+I faillant
AAFLLOU
+I fouailla
AAFLMMN
+E enflamma
AAFLMMS
+E malfames
AAFLMNO

+C malfacon
AAFLMNS
+D flamands
+E flanames
+T flamants
AAFLMNT
flamant
+B flambant
+S flamants
AAFLMOR
+U maroufla
AAFLMOU
+C camoufla
+R maroufla
AAFLMOY
+B flamboya
AAFLMRS
+E raflames
+T malfrats
AAFLMRT
malfrat
+S malfrats
AAFLMRU
+O maroufla
AAFLMST
+N flamants
+R malfrats
AAFLNNO
+P plafonna
AAFLNNP
+O plafonna
AAFLNNT
+U falunant
AAFLNNU
+T falunant
AAFLNOP
+N plafonna
AAFLNOR
+C forlanca
+G flagorna
AAFLNOS
+B balafons
+F affalons
AAFLNOT
+F affolant
AAFLNQS
+U flanquas
AAFLNQT
+U flanquat
AAFLNQU
flanqua
+I flanquai
+S flanquas
+T flanquat
AAFLNRS
+E flaneras
AAFLNRT
raflant
+E eraflant
+G flagrant
+I flairant
AAFLNRU
+E falunera
AAFLNSS
+E flanasse

AAFLNST
+E flanates
+M flamants
AAFLNSU
  falunas
+I falunais
+Q flanquas
AAFLNTT
+T flattant
AAFLNTU
  falunat
+B fabulant
+F affluant
+I falunait
+N falunais
+Q flanquat
AAFLORS
+F raffolas
+T folatras
AAFLORT
  folatra
+F raffolat
+I folatrai
+S folatras
+T folatrat
AAFLORU
+M maroufla
AAFLOST
+R folatras
AAFLOTT
+R folatrat
AAFLPRS
+I parfilas
AAFLPRT
+I parfilat
AAFLQSU
+N flanquas
AAFLQTU
+N flanquat
AAFLRRS
+E rafleras
AAFLRSS
+E raflasse
AAFLRST
+C fractals
+E frelatas
  raflates
+M malfrats
+O folatras
AAFLRSZ
  falzars
AAFLRTT
+E flattera
  frelatat
+O folatrat
AAFLSST
+U sulfatas
AAFLSSU
+T sulfatas
AAFLSTT
  flattas
+I flattais
+U sulfatat
AAFLSTU
  sulfata
+I sulfatai
+S sulfatas

+T sulfatat
AAFLSTX
+I laxatifs
AAFLTTT
  flattat
+I flattait
+N flattant
AAFLTTU
+S sulfatat
AAFMNNT
+I infamant
AAFMNOS
+F affamons
AAFMNST
+A fantasma
+E fantasme
+L flamants
AAFMORU
+L maroufla
AAFMPRS
+U parfumas
AAFMPRT
+U parfumat
AAFMPRU
  parfuma
+I parfumai
+S parfumas
+T parfumat
AAFMPSU
+R parfumas
AAFMPTU
+R parfumat
AAFMRSS
+E frasames
AAFMRST
+E fartames
+L malfrats
AAFMRSU
+P parfumas
AAFMRSY
+E frayames
AAFMRTU
+P parfumat
AAFMSTU
+E fautames
AAFNNOP
+L plafonna
AAFNNOR
+F fanfaron
AAFNNOS
+C faconnas
AAFNNOT
+C faconnat
AAFNNRT
+I farinant
AAFNNST
+E enfantas
AAFNNTT
+E enfantat
AAFNNTU
+L falunant
AAFNOPR
  profana
+I profanai
+S parafons
  profanas
+T profanat

AAFNOPS
+R parafons
  profanas
AAFNOPT
+R profanat
AAFNORS
+C carafons
+G agrafons
+P parafons
  profanas
AAFNORT
+F affronta
+P profanat
AAFNOTT
+G fagotant
+Y fayotant
AAFNOTU
+B bafouant
AAFNOTY
+T fayotant
AAFNPPR
+T frappant
AAFNPPT
+R frappant
AAFNPRS
+O parafons
  profanas
AAFNPRT
+A parafant
+E parafent
+O profanat
+P frappant
AAFNQSU
+L flanquas
AAFNQTU
+L flanquat
AAFNRRT
+I narratif
AAFNRSS
  safrans
+E safranes
AAFNRST
  frasant
+I fraisant
AAFNRTT
  fartant
+I tarifant
AAFNRTU
+D fraudant
+G gaufrant
AAFNRTY
  frayant
AAFNSSS
+E fanasses
+I finasses
AAFNSST
+I finassat
+U faussant
AAFNSSU
+T faussant
AAFNSTT
+F staffant
AAFNSTU
+S faussant
AAFNSTY
+E faseyant
AAFNTTT

+I attifant
+L flattant
AAFNTTU
  fautant
+F affutant
AAFNTTY
+O fayotant
AAFOPPT
+U patapouf
AAFOPPU
+T patapouf
AAFOPRS
+N parafons
  profanas
AAFOPRT
+N profanat
AAFOPTU
+P patapouf
AAFORST
+L folatras
AAFORSV
+I favorisa
AAFORTT
+L folatrat
AAFORTY
+E fayotera
AAFOSTY
  fayotas
+I fayotais
AAFOTTY
  fayotat
+I fayotait
+N fayotant
AAFPPRR
+E frappera
AAFPPRS
  frappas
+I frappais
AAFPPRT
  frappat
+I frappait
+N frappant
AAFPPTU
+O patapouf
AAFPRRU
+E parafeur
AAFPRST
+I parfaits
AAFPRSU
+E epaufras
+M parfumas
AAFPRTU
+E epaufrat
+M parfumat
AAFORTU
+I trafiqua
AAFRRSS
+E fraseras
AAFRRST
+E farteras
AAFRRSY
+E frayeras
AAFRRTU
+C fractura
AAFRSSS
+E frasasse
AAFRSST

+E fartasse
  frasates
AAFRSSU
+C surfacas
+E faussera
AAFRSSY
+E frayasse
AAFRSTT
+E fartates
AAFRSTU
+C facturas
  surfacat
+E fauteras
+F raffutas
AAFRSTV
+E frayates
AAFRTTU
+C facturat
+F raffutat
AAFSSSU
  faussas
+I faussais
AAFSSTU
  faussat
+E fautasse
+I faussait
+L sulfatas
+N faussant
AAFSTTU
+E fautates
+I statufia
+L sulfatat
AAGGGNS
+E gagnages
AAGGINN
+T antigang
AAGGINO
+E anagogie
AAGGINR
+E gagnerai
  grainage
  regagnai
AAGGINS
  gagnais
AAGGINT
  gagnait
+N antigang
AAGGIOT
+E agiotage
AAGGIRS
+E gagerais
AAGGIRT
+E gagerait
AAGGIRV
+A aggravai
+E vairgage
AAGGIUZ
+Z zigzagua
AAGGIZZ
+U zigzagua
AAGGKRSU
  gagakus
AAGGLLS
  galgals
AAGGLNS
+E glanages
  langages

AAGGLOS	galagos
AAGGLRS	
+E	largages
AAGGLSU	
+E	gaulages
AAGGMNS	gagmans
+E	gagnames
AAGGNNN	
+N	gnangnan
AAGGNNR	
+E	gangrena
AAGGNNS	
+T	gagnants
AAGGNNT	gagnant
+E	gagnante
+I	antigang
+S	gagnants
AAGGNRS	
+E	gagneras
	regagnas
AAGGNRT	
+E	regagnat
AAGGNSS	
+E	gagnasse
AAGGNST	
+E	gagnates
	tangages
+N	gagnants
AAGGORS	
+F	foggaras
AAGGRRV	
+E	aggraver
AAGGRST	
+E	agregats
AAGGRSV	
+A	aggravas
+E	aggraves
AAGGRTT	
+E	grattage
AAGGRTV	
+A	aggravat
AAGGRVZ	
+E	aggravez
AAGGUZZ	
+I	zigzagua
AAGHIIU	
+C	aguichai
AAGHINR	
+C	chagrina
AAGHINS	
+C	achigans
+F	afghanis
AAGHIOU	
+C	gouachai
AAGHIPR	
+E	agraphie
AAGHIRU	
+C	gauchira
AAGHISU	
+C	aguichas
AAGHITU	
+C	aguichat
AAGHKMN	
+Y	gymkhana
AAGHKMY	
+N	gymkhana
AAGHKNY	
+M	gymkhana
AAGHLNP	
+E	phalange
AAGHLTU	
+C	galuchat
AAGHMNY	
+K	gymkhana
AAGHNRS	hangars
+F	harfangs
AAGHNRU	
+A	harangua
+E	harangue
AAGHNST	
+E	agnathes
AAGHOPS	
+C	gaspacho
AAGHOSU	
+C	gouachas
AAGHOTU	
+C	gouachat
AAGIIIM	
+N	imaginai
AAGIIIN	
+M	imaginai
AAGIIIR	
+R	airgirai
AAGIIIS	
+U	aiguisai
AAGIIIT	
+F	gatifiai
AAGIIIU	
+S	aiguisai
AAGIILL	
+E	egaillai
+R	graillai
+U	aiguilla
AAGIILM	
+N	imaginal
AAGIILN	alignai
+M	imaginal
+S	alignais
	signalai
+T	alignait
AAGIILP	plagiai
+R	glapirai
+S	plagiais
+T	plagiait
AAGIILR	glairai
+L	graillai
+P	glapirai
+S	glairais
+T	glairait
	glatirai
AAGIILS	glaisai
+D	galidias
+E	egalisai
+N	alignais
	signalai
+P	plagiais
+R	glairais
+S	glaisais
+T	glaisait
+U	aiguails
AAGIILT	
+N	alignait
+P	plagiait
+R	glairait
	glatirai
+S	glaisait
AAGIILU	aiguail
+L	aiguilla
+S	aiguails
AAGIIMN	imagina
+F	magnifia
+I	imaginal
+S	imaginas
+T	imaginat
AAGIIMR	amaigri
+C	grimacai
+E	amaigrie
+R	amaigrir
	maigrira
+S	amaigris
+T	amaigrit
AAGIIMS	
+N	imaginas
+R	amaigris
AAGIIMT	
+N	imaginat
+R	amaigrit
AAGIINN	
+E	engainai
+V	invagina
AAGIINO	
+R	agonirai
+S	agonisai
AAGIINP	paginai
+S	paginais
+T	paginait
AAGIINR	grainai
+A	agrainai
+E	egrainai
	gainerai
+O	agonirai
+R	garnirai
+S	grainais
+T	grainait
	gratinai
+V	vinaigra
AAGIINS	gainais
	saignai
+B	baignais
+D	daignais
+L	alignais
	signalai
+M	imaginas
+O	agonisai
+P	paginais
+R	grainais
+S	assignai
+T	saignait
AAGIINT	gainait
+B	baignait
+D	daignait
+L	alignait
+M	imaginat
+P	paginait
+R	grainait
	gratinai
+S	saignait
AAGIINU	
+V	naviguai
AAGIINV	
+N	invagina
+R	vinaigra
+U	naviguai
AAGIIOR	
+N	agonirai
AAGIIOS	
+N	agonisai
AAGIIPP	
+R	agrippai
AAGIIPR	
+L	glapirai
+P	agrippai
AAGIIPS	
+L	plagiais
+N	paginais
AAGIIPT	
+L	plagiait
+N	paginait
AAGIIRR	aigrira
+B	bigarrai
+E	reagirai
+I	aigirai
+M	amaigrir
	maigrira
+N	garnirai
+S	aigriras
+V	gravirai
AAGIIRS	agirais
+C	graciais
+L	glairais
+M	amaigris
+N	grainais
+R	aigriras
+S	graissai
+V	vagirais
AAGIIRT	agirait
+C	graciait
+E	agiterai
+F	gratifia
+L	glairait
	glatirai
+M	amaigrit
+N	grainait
	gratinai
+V	gravitai
AAGIIRV	vagirai
+N	vinaigra
+R	gravirai
+S	vagirais
+T	gravitai
AAGIISS	
+L	glaisais
+N	assignai
	saignais
+R	graissai
+S	agissais
+T	agissait
+U	aiguisas
AAGIIST	agitais
+F	gatifias
+L	glaisait
+N	saignais
+S	agissait
+U	aiguisat
AAGIISU	aiguisa
+I	aiguisai
+L	aiguails
+S	aiguisas
+T	aiguisat
AAGIISV	
+R	vagirais
AAGIITT	agitait
+E	attigeai
+F	gatifiat
AAGIITU	
+F	fatiguai
+S	aiguisat
AAGIITV	
+R	gravitai
	vagirait
AAGIIUV	
+D	divaguai
+N	naviguai
AAGIJLS	
+E	galejais
AAGIJLT	
+E	galejait
AAGIJRT	
+U	gujarati
AAGIJRU	
+E	jaugerai
+T	gujarati
AAGIJSU	
+E	jaugeais
AAGIJTU	
+E	jaugeait
+R	gujarati
AAGIKLN	
+O	kaoliang
AAGIKLO	
+N	kaoliang
AAGIKNO	
+L	kaoliang
AAGILLM	
+B	gambilla
+E	maillage
AAGILLN	
+C	gallican

AAGILLO
+D godailla
+U gouailla
AAGILLP
+E pagaille
 paillage
+S gaspilla
AAGILLR
 grailla
+D gaillard
+I graillai
+S graillas
+T graillat
AAGILLS
+C glacials
+E alliages
 egaillas
 legalisa
+P gaspilla
+R graillas
AAGILLT
+E egaillat
 taillage
+R graillat
AAGILLU
+E alleguai
+I aiguilla
+O gouailla
+Z alguzail
AAGILLZ
+U alguazil
AAGILMN
+E laminage
+I imaginal
+O magnolia
+R marginal
AAGILMO
+N magnolia
AAGILMR
+D madrigal
+N marginal
AAGILNN
+C anglican
+O galonnai
+T alignant
AAGILNO
+D diagonal
+E analogie
+K kaoliang
+M magnolia
+N galonnai
+S angolais
AAGILNP
+T plagiant
AAGILNR
+E alignera
 glanerai
 langerai
+M marginal
+T glairant
+U alanguir
 granulai
 languira
 ralingua
AAGILNS
 alignas
 anglais
 glanais
 sanglai
 signala
+A anglaisa
+D glandais
+E agnelais
 anglaise
 lainages
 langeais
+I alignais
 signalai
+O angolais
+S sanglais
 signalas
+T glaisant
 sanglait
 signalat
+U alanguis
AAGILNT
 alignat
+D glandait
+E agnelait
 alginate
 langeait
+I alignait
+N alignant
+P plagiant
+R glairant
+S glaisant
 sanglait
 signalat
+U alanguit
AAGILNU
 alangui
+E alanguie
+R alanguir
 granulai
 languira
 ralingua
+S alanguis
+T alanguit
AAGILNV
 vaginal
+E vaginale
AAGILOP
 galopai
+S galopais
+T galopait
AAGILOS
+C gaiacols
+N angolais
+P galopais
AAGILOT
+P galopait
AAGILOU
+C coagulai
+D dialogua
+L gouailla
AAGILPR
 glapira
+E plagiera
+I glapirai
+S glapiras
AAGILPS
 plagias
+I plagiais
+L gaspilla
+O galopais
+R glapiras
+T plagiats
AAGILPT
 plagiat
+A galapiat
+I plagiait
+N plagiant
+O galopait
+S plagiats
AAGILPU
+A alpaguai
AAGILRR
+E elargira
 glairera
AAGILRS
 glairas
+E glaisera
 regalais
+I glairais
+L graillis
+P glapiras
+T glatiras
+U larguais
AAGILRT
 glairat
 glatira
+E regalait
+I glairait
 glatirai
+L graillat
+N glairant
+S glatiras
+U larguait
 ligatura
AAGILRU
 larguai
+E gaulerai
+N alanguir
 granulai
 languira
 ralingua
+S larguais
+T larguait
 ligatura
AAGILSS
 glaisas
+E egalisas
+I glaisais
+N sanglais
 signalas
AAGILST
 glaisat
+E egalisat
 laitages
+I glaisait
+N glaisant
 sanglait
 signalat
+P plagiats
+R glatiras
+T sagittal
AAGILSU
 gaulais
+B blaguais
+D saligaud
+E elaguais
+O galousai
+N alanguis
+R larguais
AAGILSV
 gavials
AAGILSX
+E galaxies
AAGILTT
+S sagittal
AAGILTU
 gaulait
+B blaguait
+E elaguait
+N alanguit
+R larguait
 ligatura
AAGILUV
+E aveuglai
AAGILUX
+C glaciaux
AAGILUZ
+L alguazil
AAGIMNO
+L magnolia
AAGIMNR
+E magnerai
 mangerai
 marinage
+L marginal
AAGIMNS
 magasin
 magnais
 siamang
+A magasina
+E engamais
 gainames
 magasine
 mangeais
+I imaginas
+S magasins
 siamangs
AAGIMNT
 magnait
+E engamait
 mangeait
+I imaginat
AAGIMNZ
+E magazine
 managiez
AAGIMOP
+E apogamie
AAGIMOR
+T margotai
AAGIMOT
+R margotai
AAGIMPT
+U patagium
AAGIMPU
+T patagium
AAGIMRR
+E arrimage
 margerai
+I amaigrir
 maigrira
AAGIMRS ?
+E margeais
 mariages
+I amaigris
AAGIMRT
+C grimacat
+E margeait
+I amaigrit
+O margotai
AAGIMRU
+E maugreai
AAGIMRZ
+E ramagiez
AAGIMSS
+N magasins
 siamangs
AAGIMST
+E agitames
 tamisage
AAGIMTU
+P patagium
AAGINNO
+L galonnai
+T agnation
+Z gazonnai
AAGINNP
+T paginant
AAGINNR
+E rengaina
+T grainant
AAGINNS
+E engainas
+T saignant
AAGINNT
 gainant
+B baignant
+D daignant
+E engainat
+F faignant
+G antigang
+L alignant
+O agnation
+P paginant
+R grainant
+S saignant
+V navigant
AAGINNV
+I invagina
+T navigant
AAGINNZ
+O gazonnai
AAGINOR
 agonira
+I agonirai
+S agoniras
 organisa
AAGINOS
 agonisa
+B gabonais
+C agacions
+I agonisai
+L angolais
+R agoniras
 organisa
+S agonisas
 angoissa
+T agonisat

AAGINOT
+N agnation
+S agonisat
AAGINOZ
+N gazonnai
AAGINPP
+R parpaing
AAGINPR
+E epargnai
   paginera
+P parpaing
AAGINPS
   paginas
+A paganisa
+E paganise
+I paginais
AAGINPT
   paginat
+E pagaient
+I paginait
+L plagiant
+N paginant
AAGINRR
   garnira
+D agrandir
   grandira
+E agrainer
   agrarien
   arganier
   grainera
   rangerai
+I garnirai
+S garniras
+T garantir
AAGINRS
   grains
   nagaris
   sangria
+A agrainas
+D agrandis
   gardians
+E agraines
   angaries
   egrainas
   gaineras
   ganserai
   nagerais
   rangeais
   saignera
+I grainais
+O agoniras
   organisa
+R garniras
+S sangrias
+T garantis
   gratinas
+U guaranis
   narguais
AAGINRT
   garanti
   grainat
   gratina
+A agrainat
+C graciant
+D agrandit
+E argentai

egrainat
ganterai
garaient
garantie
nagerait
rangeait
ratinage
trainage
+I grainait
   gratinai
+L glairait
+N grainant
+R garantir
+S garantis
   gratinas
+T garantit
+U narguait
AAGINRU
   guarani
   narguai
+L alanguir
   granulai
   languira
   ralingua
+S guaranis
   narguais
+T narguait
+U inaugura
AAGINRV
+E engravai
   varaigne
+I vinaigra
AAGINRZ
+E agrainez
AAGINSS
   agassin
   assigna
   gansais
   saginas
   saignas
+E gainasse
+I assignai
   saignais
+L sanglais
   signalas
+M magasins
   siamangs
+O agonisas
   angoissa
+R sangrias
+S agassins
   assignas
+T agissant
   assignat
   santiags
   stagnais
AAGINST
   gansait
   gantais
   saignat
   santiag
   stagnai
+B bastaing
+E gainates
   satinage
   tanisage

+I saignait
+L glaisant
   sanglait
   signalat
+N saignant
+O agonisat
+R garantis
   gratinas
+S agissant
   assignat
   santiags
   stagnais
+T stagnait
+U tanguais
AAGINSU
+L alanguis
+R guaranis
   narguais
+T tanguais
+V naviguas
+Y guyanais
+U naviguas
   sauvagin
AAGINSY
+U guyanais
AAGINTT
   agitant
   gantait
+E gataient
+F fatigant
+R garantit
   gratinat
+S stagnait
+U tanguait
AAGINTU
   tanguai
+L alanguit
+R narguait
+S tanguais
+T tanguait
+V naviguat
AAGINTV
+E gavaient
+N navigant
+U narguait
AAGINTZ
+E gazaient
AAGINUU
+R inaugura
AAGINUV
   navigua
+I naviguai
+S naviguas
   sauvagin
+T naviguat
+X vaginaux
AAGINUX
+V vaginaux
AAGINUY
+S guyanais
AAGINVX
+U vaginaux
AAGIOPS
+L galopais
AAGIOPT

+L galopait
AAGIORR
+E arrogeai
AAGIORS
+N agoniras
   organisa
AAGIORT
+M margotai
+V ravigota
AAGIORV
+T ravigota
AAGIOSS
   asiagos
+N agonisas
   angoissa
AAGIOST
+F fagotais
+N agonisat
AAGIOTT
   agitato
+F fagotait
AAGIOTV
+R ravigota
AAGIOVY
+E voyageai
AAGIPPR
   agrippa
+E egrappai
+I agrippai
+N parpaing
+S agrippas
+T agrippat
AAGIPPS
+R agrippas
AAGIPPT
+R agrippat
AAGIPQU
+E apiquage
AAGIPRS
+E pairages
   pariages
+L glapiras
+P agrippas
AAGIPRT
+E piratage
+P agrippat
AAGIPST
+L plagiats
AAGIPSY
+A pagayais
AAGIPTU
+M patagium
AAGIPTY
+A pagayait
AAGIPYZ
+E pagayiez
AAGIRRS
+B bigarras
+E agraires
   gareras
   ragerais
   ragreais
   reagiras
+I aigriras
+N agrniras
+V graviras
AAGIRRT

+B bigarrat
+E garerait
   ragerait
   ragreait
+N garantir
AAGIRRU
+E arguerai
   raguerai
AAGIRRV
   gravira
+E arrivage
+I gravirai
+S graviras
AAGIRSS
   assagir
   graissa
+A assagira
+E agressai
+I graissai
+N sangrias
+S graissas
+T graissat
AAGIRST
+B gabarits
+E agiteras
   gateras
   regatais
+L glatiras
+N garantis
   gratinas
+S graissat
+T grattais
+U targuais
+V gravitas
AAGIRSU
   arguais
   raguais
+C carguais
+D draguais
   graduais
+F gaufrais
+L larguais
+N guaranis
   narguais
+T targuais
+U augurais
AAGIRSV
   gravais
   vagiras
+E gaverais
+I vagirais
+R graviras
+T gravitas
AAGIRSZ
+E gazerais
AAGIRTT
   grattai
+E attigera
   gaterait
   regatait
+N garantit
   gratinat
+S grattais
+T grattait
+U targuait
+V gravitat

AAGIRTU
arguait
raguait
+C carguait
+D draguait
graduait
+F gaufrait
+J gujarati
+L larguait
ligatura
+N narguait
+S targuais
+T targuait
+U augurait

AAGIRTV
gravait
gravita
+E gaverait
+I gravitai
vagirait
+O ravigota
+S gravitas
+T gravitat

AAGIRTZ
+E gazerait

AAGIRUU
augurai
+N inaugura
+S augurais
+T augurait

AAGIRUV
+E vaguerai

AAGIRVV
+E ravivage

AAGIRVZ
+E ravagiez

AAGISSS
assagis
+E assagies
+I agissais
+N agassins
assignas
+R graissas
+U gaussais

AAGISST
assagit
+E agitasse
+I agissait
+N agissant
assignat
santiags
stagnais
+R graissat
+U gaussait

AAGISSU
gaussai
+I aiguisas
+S gaussais
+T gaussait

AAGISTT
+E agitates
attigeas
+L sagittal
+N stagnait
+R grattais

AAGISTU
+F fatiguas
+I aiguisat
+N tanguais
+R targuais
+S gaussait

AAGISTV
+R gravitas

AAGISUU
+R augurais

AAGISUV
vaguais
+D divaguas
+N naviguas
sauvagin

AAGISUY

AAGISVV

AAGISVY
+E avivages

AAGITTT
+E attigeat
+R grattait

AAGITTU
+F fatiguat
+N tanguait
+R targuait

AAGITTV
+R gravitat

AAGITUU
+R augurait

AAGITUV
vaguait
+D divaguat
+N naviguat

AAGIUVX
+N vaginaux

AAGIUZZ
+G zigzagua

AAGJLNT
+E galejant

AAGJNNO
+R jargonna

AAGJNNR
+O jargonna

AAGJNOR
+N jargonna

AAGJNTU
+E jaugeant

AAGJRSU
jaguars
+E jaugeras

AAGJRTU
+I gujarati

AAGJSTU
+E ajustage
ajutages

AAGKLNO
+I kaoliang

AAGKLNR
kanglar
+S kanglars

AAGKLNS
+R kanglars

AAGKLRS
+N kanglars

AAGKMNY
+H gymkhana

AAGKNRS
+L kanglars

AAGLLMU
+E allumage

AAGLLNO
+E allongea

AAGLLOP
+Y polygala

AAGLLOU
+I gouailla

AAGLLOY
+P polygala

AAGLLPS
+E plagales
+I gaspilla

AAGLLPY
+O polygala

AAGLLRS
+I graillas

AAGLLRT
+I graillat

AAGLLST
+E tallages

AAGLLSU
+E alleguas

AAGLLTU
+E alleguat

AAGLLUZ
+I alguazil

AAGLMNO
+I magnolia

AAGLMNR
+I marginal

AAGLMNS
+E gamelans
glanames

AAGLMNU
+B galbanum

AAGLMST
+E maltages

AAGLMSU
+E gaulames

AAGLNNO
galonna
+I galonnai
+S galonnas
+T galonnat

AAGLNNS
+O galonnas
+T sanglant

AAGLNNT
glanant
+D glandant
+E agnelant
langeant
+I alignant
+O galonnat
+S sanglant

AAGLNOP
+T galopant

AAGLNOR
+F flagorna

AAGLNOS
+I angolais
+N galonnas
+T sanglota
+V galvanos

AAGLNOT
+N galonnat
+P galopant
+S sanglota

AAGLNOU
+E analogue
louangea

AAGLNOV
galvano
+S galvanos

AAGLNPR
+E palangre

AAGLNPS
+E planages

AAGLNPT
+I plagiant
+O galopant

AAGLNRS
raglans
+E langeras
sanglera
+K kanglars
+U granulas

AAGLNRT
+E etrangla
regalant
+F flagrant
+I glairant
+U granulat
larguant

AAGLNRU
granula
+I alanguir
granulai
languira
ralingua
+S granulas
+T granulat
larguant

AAGLNSS
sanglas
+E glanasse
+I sanglais
signalas

AAGLNST
galants
sanglat
+C glacants
+D landtags
+E galantes
+I glaisant
sanglait
signalat
+N sanglant
+O sanglota

AAGLNSU
+I alanguis
+R granulas

AAGLNSV
+O galvanos

AAGLNTU
gaulant
+B blaguant
+E elaguant
+I alanguit
+R granulat
larguant

AAGLNUY
+E langueya

AAGLOPR
+E galopera

AAGLOPS
galopas
+I galopais

AAGLOPT
galopat
+I galopait
+N galopant

AAGLOPY
+L polygala

AAGLOSS
aglossa
+S aglossas

AAGLOST
+N sanglota

AAGLOSU
+C coagulas
+E soulagea

AAGLOSV
+N galvanos

AAGLOTU
+C coagulat

AAGLPQU
+E plaquage

AAGLPRS
+I glapiras

AAGLPRT
+E platrage

AAGLPRU
+E alpaguer

AAGLPST
+I plagiats

AAGLPSU
+A alpaguas
+E alpagues

AAGLPTU
+A alpaguat

AAGLPUX
plagaux

AAGLPUZ
+E alpaguez

AAGLQSU
+E laquages

AAGLRRS
+E realgars

AAGLRRU
+E larguera

AAGLRST
+I glatiras
+U gastrula

AAGLRSU
larguas
+E gauleras
+I larguais
+N granulas
+T gastrula

AAGLRTU
larguat
+I larguait
ligatura
+N granulat
larguant
+S gastrula

AAGLRUU
  augural
+E augurale
AAGLSSS
+O aglossas
AAGLSST
  stalags
AAGLSSU
+E. gaulasse
AAGLSTT
+E lattages
+I sagittal
AAGLSTU
+E gaulates
+R gastrula
AAGLSUV
+E aveuglas
AAGLTUV
+E aveuglat
AAGMMNS
+E magnames
AAGMMRS
+E gammares
AAGMNNS
  magnans
AAGMNNT
  magnant
+E engamant
  managent
  mangeant
AAGMNOR
+E ramonage
+T martagon
AAGMNOT
+R martagon
AAGMNRS
+E magneras
  managers
  mangeras
  marnages
AAGMNRT
+E margeant
  ramagent
+O martagon
AAGMNRZ
+A mazagran
AAGMNSS
+E gansames
  magnasse
+I magasins
  siamangs
AAGMNST
  magnats
+E gantames
  magentas
  magnates
AAGMNTU
+E augmenta
AAGMORS
+T margotas
AAGMORT
  margota
+I margotai
+N martagon
+S margotas
+T margotat
  margotta

AAGMOST
+R margotas
AAGMOTT
+R margotat
  margotta
AAGMPTU
+I patagium
AAGMQRU
+E marquage
AAGMQSU
+E masquage
AAGMRRS
+E margeras
AAGMRRV
+E margrave
AAGMRST
+E tramages
+O margotas
AAGMRSV
+E gravames
AAGMRSW
+E wargames
AAGMRSY
  magyars
  margays
+E magyares
AAGMRTT
+O margotat
  margotta
AAGMRTU
+E ageratum
  maugreat
AAGMSSS
+E massages
AAGMSUV
+E vaguames
AAGNNNN
+G gnangnan
AAGNNOP
+R parangon
AAGNNOR
+J jargonna
+P parangon
AAGNNOS
+L galonnas
+Z gazonnas
AAGNNOT
+I agnation
+L galonnat
+Z gazonnat
AAGNNOZ
  gazonna
+I gazonnai
+S gazonnas
+T gazonnat
AAGNNPR
+O parangon
AAGNNPT
+I paginant
AAGNNRT
+E argentan
  rangeant
+I grainant

+U narguant
AAGNNRU
+T narguant
AAGNNST
  gansant
+E tannages
+G gagnants
+I saignant
+L sanglant
+T stagnant
AAGNNTU
+R narguant
+T tanguant
AAGNNTV
+I navigant
AAGNNTZ
+O gazonnat
AAGNOPR
+N parangon
AAGNOPS
+Y pagayons
AAGNOPT
+L galopant
AAGNOPY
+S pagayons
AAGNORR
+T arrogant
AAGNORS
  angoras
+F agrafons
+I agoniras
  organisa
+U ouragans
AAGNORT
+E orangeat
+M martagon
+R arrogant
AAGNORU
  ouragan
+D gandoura
+E organeau
+S ouragans
AAGNOSS
+I agonisas
  angoissa
AAGNOST
+C catogans
+I agonisat
+L sanglota
AAGNOSU
+C guanacos
+R ouragans
AAGNOSV
+L galvanos
AAGNOSY
+P pagayons
AAGNOSZ
+N gazonnas
AAGNOTT

+F fagotant
AAGNOTZ
+N gazonnat
AAGNPPR
+I parpaing
AAGNPPS
+E nappages
AAGNPRS
+E epargnas
AAGNPRT
+E epargnat
AAGNPSS
+E pansages
AAGNPSY
+O pagayons
AAGNPTY
+A pagayant
+E pagayent
AAGNRRR
+E arranger
AAGNRRS
+E arranges
  rangeras
+I garniras
AAGNRRT
+E ragreant
+I garantir
+O arrogant
AAGNRRU
+E narguera
AAGNRRZ
+E arrangez
AAGNRSS
+E ganseras
+I sangrias
AAGNRST
  garants
+A tanagras
  tangaras
+E argentas
  ganteras
  garantes
  rageants
  stagnera
+I garantis
  gratinas
AAGNRSU
  narguas
+E surnagea
+I guaranis
  narguais
+L granulas
+O ouragans
AAGNRSV
+E engravas
AAGNRTT
+E argentat
  regatant
+I garantit
  gratinat
+T grattant
+U targuant
AAGNRTU
  arguant
  narguant
  raguant
+C carguant

+D draguant
  graduant
+E tanguera
+F gaufrant
+I narguait
+L granulat
  larguant
+N narguant
+T targuant
+U augurant
AAGNRTV
  gravant
+E engravat
  ravagent
AAGNRUU
+I inaugura
+T augurant
AAGNRUV
+E varangue
AAGNSSS
+E gansasse
+I agassins
  assignas
AAGNSST
  stagnas
+E gansates
  gantasse
+I agissant
  assignat
  santiags
  stagnais
+U gaussant
AAGNSSU
+E saunages
+T gaussant
AAGNSTT
  stagnat
+E gantates
  nattages
+I stagnait
+N stagnant
AAGNSTU
  tanguas
+I tanguais
+S gaussant
AAGNSTY
+A vatagans
AAGNSUV
+I naviguas
  sauvagin
AAGNSUY
+I guyanais
AAGNTTT
+R grattant
AAGNTTU
  tanguat
+I tanguait
+N tanguant
+R targuant
AAGNTUU
+R augurant
AAGNTUV
  vaguant
+I naviguat
AAGNUVX
+I vaginaux

AAGOPPR
+E propagea
AAGOPPT
+E papotage
AAGOPSY
+N pagayons
AAGORRR
+E arrogera
AAGORRS
+E arrogeas
arrosage
AAGORRT
+E arrogeat
+N arrogant
+T garrotta
AAGORST
+M margotas
AAGORSU
+N ouragans
AAGORTT
+M margotat
margotta
+R garrotta
AAGORTU
+E outragea
AAGORTV
+I ravigota
AAGORUV
+E ouvragea
AAGORVY
+E voyagera
AAGOSSS
+L aglossas
AAGOSVY
+E voyageas
AAGOTTU
+E tatouage
AAGOTVY
+E voyageat
AAGPPRS
grappas
+E egrappas
+I agrippas
AAGPPRT
+E egrappat
+I agrippat
AAGPRRT
+E partager
AAGPRSS
+E passager
AAGPRST
+E partages
AAGPRSY
+E paysager
AAGPRTU
+E patauger
paturage
tapageur
AAGPRTZ
+E partagez
AAGPRUY
+E pagayeur
AAGPSSS
+E passages
AAGPSSY
+E paysages
AAGPSTU

+E patauges
AAGPTUZ
+E pataugez
AAGQRTU
+E quartage
AAGRRSU
+E argueras
ragueras
AAGRRSV
+E graveras
+I graviras
AAGRRTT
+E grattera
regratta
+O garrotta
AAGRRTU
+E raturage
targuera
AAGRRUU
+E augurera
AAGRRUV
+E ravageur
AAGRSSS
+E agressas
garasses
sargasse
+I graissas
AAGRSST
+E agressat
+I graissat
AAGRSSU
+E arguasse
gaussera
raguasse
saurages
AAGRSSV
+E gravasse
AAGRSSY
+E grasseya
AAGRSTT
grattas
+I grattais
AAGRSTU
targuas
+D graduats
+E arguates
raguates
+I targuais
+L gastrula
AAGRSTV
gravats
+E gravates
+I gravitas
AAGRSUU
auguras
+I augurais
AAGRSUV
+E vagueras
AAGRSUZ
+E azurages
AAGRTTT
grattat
+I grattait
+N grattant
AAGRTTU
targuat
+I targuait

+N targuant
AAGRTTV
+I gravitat
AAGRTUU
augurat
+I augurait
+N augurant
AAGRUUU
+X auguraux
AAGRUUX
+U auguraux
AAGSSST
+E gatasses
AAGSSSU
gaussas
+I gaussais
AAGSSSV
+E gavasses
AAGSSSZ
+E gazasses
AAGSSTU
gaussat
+I gaussait
+N gaussant
AAGSSUV
+E sauvages
vaguasse
AAGSTUV
+E vaguates
AAGUUUX
+R auguraux
AAHHINS
+C hanchais
AAHHINT
+C hanchait
AAHHIRU
+C hachurai
AAHHITU
+C chahutai
AAHHNNT
+C hanchant
AAHHORU
+B brouhaha
AAHHRSU
+C hachuras
AAHHRTU
+C hachurat
AAHHSTU
+C chahutas
AAHHTTU
+C chahutat
AAHIIKS
haikais
AAHIILL
+B habillai
AAHIILN
inhalai
+N annihila
+T inhalait
AAHIILS
+C chialais
+N inhalais
AAHIILT
+B habilita
+C chialait
+N inhalait

AAHIIMN
+C machinai
AAHIINN
+L annihila
AAHIINS
+C chainais
+L inhalais
AAHIINT
+C chainait
AAHIINW
+E hawaiien
AAHIIRR
+T trahirai
+U ahurirai
AAHIIRS
hairais
AAHIIRT
hairait
+R trahirai
AAHIIRU
+R ahurirai
AAHIIRV
+C archivai
chavirai
AAHIISS
+S haissais
+T haissait
AAHIIST
+B habitais
+C chatiais
+S haissait
AAHIITT
+B habitait
+C chatiait
AAHIITU
+B habituai
AAHIKLP
+C pachalik
AAHIKNT
+C katchina
AAHIKRS
sikhara
+S sikharas
AAHIKSS
+R sikharas
AAHILLL
hallali
+S hallalis
AAHILLR
+B rhabilla
AAHILLS
+B habillas
+L hallalis
AAHILLT
+B habillat
AAHILMN
+C machinal
AAHILNN
+I annihila
+T inhalant
AAHILNO
+T antihalo
AAHILNP

+C planchai
AAHILNR
+E inhalera
+T hilarant
AAHILNS
inhalas
+E anhelais
+I inhalais
AAHILNT
inhalat
+C chialant
+E anhelait
halaient
+I inhalait
+N inhalant
+O antihalo
+R hilarant
AAHILOT
+C talochai
+N antihalo
AAHILPR
harpail
+S harpails
AAHILPS
+R harpails
+V pahlavis
AAHILPV
pahlavi
+S pahlavis
AAHILRS
+E halerais
+P harpails
AAHILRT
+E halerait
+N hilarant
AAHILST
+E haletais
hiatales
AAHILSU
+C chaulais
AAHILSV
+P pahlavi
AAHILSX
+E exhalais
AAHILTT
+E haletait
AAHILTU
+C chaulait
AAHILTX
+E exhalait
AAHIMNO
mahonia
+S mahonias
AAHIMNR
+A maharani
AAHIMNS
+C machinas
+O mahonias
+U humanisa
AAHIMNT
+C machinat
AAHIMNU
+S humanisa
AAHIMOS
+C amochais
chamoisa
+N mahonias

AAHIMOT	+A havanais	haussai	+C chaussai	**AAHLNTT**
+C amochait	**AAHINTT**	+Y asphyxia	+S haussais	+E haletant
AAHIMRS	hantait	**AAHIPSY**	+T haussait	**AAHLNTU**
+C charmais	+B habitant	+X asphyxia	**AAHISTT**	nahuatl
marchais	+C chantait	**AAHIPXY**	+B habitats	+C chaulant
+T marathis	chatiant	+S asphyxia	**AAHISTU**	+S nahuatls
AAHIMRT	+E hataient	**AAHIRRS**	+B habituas	**AAHLNTX**
marathi	**AAHINTU**	+C arrachis	+N hautains	+E exhalant
+C charmait	hautain	charrias	+O souhaita	**AAHLOPU**
marchait	+E hautaine	+T trahiras	+S haussait	+C chaloupa
+S marathis	+S hautains	+U ahuriras	**AAHISXY**	**AAHLOST**
AAHIMRU	**AAHINTV**	**AAHIRRT**	+P asphyxia	+C talochas
+C machurai	+E havaient	trahira	**AAHITTU**	**AAHLOTT**
AAHIMSS	**AAHIOPP**	+C charriat	+B habituat	+C talochat
smashai	+C achoppai	+I trahirai	**AAHITUV**	**AAHLPRS**
+C chiasmas	**AAHIOPR**	+S trahiras	+E hativeau	+I harpails
+S smashais	+T atrophia	**AAHIRRU**	**AAHITUX**	**AAHLPST**
+T smashait	**AAHIOPT**	ahurira	hiataux	+A asphalta
AAHIMST	+R atrophia	+I ahurirai	**AAHKKSZ**	+E asphalte
+R marathis	**AAHIORR**	+S ahuriras	kazakhs	**AAHLPSV**
+S smashait	+B abhorrai	**AAHIRSS**	**AAHKMNY**	+I pahlavis
AAHIMSU	**AAHIORS**	harissa	+G gymkhana	**AAHLRTT**
+C chaumais	+U sahraoui	+A harassai	**AAHKMOT**	+E theatral
+N humanisa	**AAHIORT**	+K sikharas	+W tomahawk	**AAHLSSS**
AAHIMTU	+C chariota	+P phrasais	**AAHKMOW**	+E halasses
+C chaumait	+P atrophia	+S harissas	+T tomahawk	**AAHLSTU**
AAHINNO	**AAHIORU**	**AAHIRST**	**AAHKMTW**	+M thalamus
+S ahanions	+S sahraoui	+C chatrais	+O tomahawk	+N nahuatls
AAHINNS	**AAHIOST**	+E haterais	**AAHKNST**	**AAHLSTZ**
+O ahanions	+C cahotais	+M marathis	khanats	+C szlachta
AAHINNT	+U souhaita	+P phrasait	**AAHKOTW**	**AAHMMMS**
+C chainant	**AAHIOSU**	+R trahiras	+M tomahawk	hammams
+L inhalant	+R sahraoui	**AAHIRSU**	**AAHKPSS**	**AAHMNNO**
AAHINOS	+T souhaita	+C rauchais	+C chapskas	+C machonna
+M mahonias	**AAHIOTT**	+O sahraoui	**AAHKRSS**	**AAHMNOR**
+N ahanions	+C cahotait	+R ahuriras	+I sikharas	+T marathon
AAHINOT	**AAHIOTU**	**AAHIRSV**	**AAHLLLS**	**AAHMNOS**
+L antihalo	+S souhaita	havrais	+I hallals	+C machaons
AAHINPR	**AAHIOTY**	+C archivas	**AAHLMOS**	+I mahonias
piranha	+C chatoyai	chaviras	+C chloasma	**AAHMNOT**
+S piranhas	**AAHIPPR**	+E haverais	**AAHLMSS**	+C amochant
AAHINPS	+A paraphai	havraise	smalahs	+R marathon
+R piranhas	+E happerai	**AAHIRTT**	**AAHLMST**	**AAHMNRT**
AAHINRS	**AAHIPPS**	+C chatrait	+U thalamus	+C charmant
harnais	happais	+E haterait	**AAHLMSU**	marchant
+E saharien	**AAHIPPT**	hatteria	+T thalamus	+O marathon
+P piranhas	happait	**AAHIRTU**	**AAHLMTU**	**AAHMNSS**
AAHINRT	**AAHIPRS**	+C rauchait	+S thalamus	+T smashant
+C antichar	phrasai	**AAHIRTV**	**AAHLNNT**	**AAHMNST**
tranchai	raphias	+C archivat	+E anhelant	+E hantames
+E hanterai	+L harpails	chavirat	lanthane	+S smashant
+L hilarant	+N piranhas	+E haverait	+I inhalant	**AAHMNSU**
AAHINRV	+S phrasais	**AAHIRTY**	**AAHLNOT**	+I humanisa
+E envahira	+T phrasait	+D hydratai	+I antihalo	**AAHMNTU**
AAHINSS	**AAHIPRT**	**AAHISSS**	**AAHLNPS**	+C chaumant
+T haissant	+C chapitra	+C chassais	+C planchas	**AAHMNTY**
AAHINST	+O atrophia	+I haissais	**AAHLNPT**	+C yachtman
hantais	+S phrasait	+M smashais	+C planchat	**AAHMORT**
+C chantais	**AAHIPSS**	+R harissas	**AAHLNRS**	+C achromat
chatains	+E aphasies	+U haussais	+B halbrans	+N marathon
tachinas	+R phrasais	**AAHISST**	**AAHLNRT**	**AAHMOTW**
+S haissant	**AAHIPST**	+C chassait	+I hilarant	+K tomahawk
+U hautains	+C pasticha	+I haissait	**AAHLNST**	**AAHMPPS**
AAHINSU	+E apathies	+M smashait	+U nahuatls	+E happames
+M humanisa	+R phrasait	+N haissant	**AAHLNSU**	**AAHMPRT**
+T hautains	**AAHIPSV**	+U haussant	+T nahuatls	+C champart
AAHINSV	+L pahlavis	**AAHISSU**		

AAHMRSS
+E smashera
AAHMRST
+E marathes
+I marathis
AAHMRSU
+C machuras
AAHMRTU
+C machurat
AAHMSSS
smashas
+I smashais
AAHMSST
smashat
+I smashait
+N smashant
AAHMSTU
+L thalamus
AAHNNOP
+C chaponna
+R harponna
AAHNNOR
+P harponna
AAHNNOS
ahanons
hosanna
+I ahanions
+S hosannas
AAHNNPR
+O harponna
AAHNNSS
+O hosannas
AAHNNTT
hantant
+C chantant
AAHNOPR
pharaon
+E anaphore
+N harponna
+S pharaons
AAHNOPS
+R pharaons
AAHNOPT
+C patachon
AAHNORS
+P pharaons
AAHNORT
+M marathon
AAHNOSS
+N hosannas
AAHNOST
+T thanatos
AAHNOTT
+C cahotant
+S thanatos
AAHNPPT
happant
AAHNPRS
+I piranhas
+O pharaons
+T phrasant
AAHNPRT
+S phrasant
AAHNPST
naphtas
+R phrasant
AAHNRST

+C tranchas
+E hanteras
+P phrasant
AAHNRTT
+C chatrant
tranchat
AAHNRTU
+C rauchant
AAHNRTX
anthrax
AAHNSST
+C chassant
+E hantasse
+I haissant
+M smashant
+U haussant
AAHNSSU
+T haussant
AAHNSTT
+O thanatos
AAHNSTU
+I hautains
+L nahuatls
+S haussant
AAHOPPR
+C approcha
AAHOPPS
+C achoppas
AAHOPPT
+C achoppat
AAHOPRS
+N pharaons
AAHOPRT
+I atrophia
AAHORRS
+B abhorras
AAHORRT
+B abhorrat
AAHORRY
+C charroya
AAHORSU
+I sahraoui
AAHOSSS
+U haoussas
AAHOSSU
+S haoussas
AAHOSTT
+N thanatos
AAHOSTU
+I souhaita
AAHOSTY
+C chatoyas
AAHOTTY
+C chatoyat
AAHPPRR
+E parapher
AAHPPRS
+A paraphas
+E happeras
paraphes
AAHPPRT
+A paraphat
AAHPPRZ
+E paraphez
AAHPPSS

+E happasse
AAHPPST
+E happates
AAHPRRS
+E phrasera
AAHPRSS
phrasas
+I phrasais
AAHPRST
phrasat
+I phrasait
+N phrasant
AAHPSXY
+I asphyxia
AAHRRSS
+E harasser
AAHRRST
+I trahiras
AAHRRSU
+I ahuriras
AAHRSSS
+A harassas
+E harasses
+I harissas
AAHRSST
+A harassat
AAHRSSU
+E haussera
rehaussa
AAHRSSZ
+E harassez
AAHRSTV
+D hydratas
AAHRTTY
+D hydratat
AAHSSST
+E hatasses
AAHSSSU
haussas
+C chaussas
+I haussais
+O haoussas
AAHSSSV
+E havasses
AAHSSTU
haussat
+C chaussat
+I haussait
+N haussant
AAHSSUX
+E exhaussa
AAHTUXY
+B bathyaux
AAIIILL
+P piaillai
AAIIILP
+L piaillai
AAIIILR
+V avilirai
AAIIILS
+C laicisai
+F salifiai
AAIIILV
+R avilirai
AAIIIMN
+G imaginai
AAIIIMR

+F ramifiai
AAIIINP
+F panifiai
AAIIIRR
+D irradiai
raidirai
AAIIIRS
+S saisirai
AAIIIRT
+F ratifiai
AAIIIRU
+F aurifiai
AAIIIRV
+L avilirai
AAIIISS
+B biaisais
+R saisirai
AAIIIST
+B biaisait
AAIIISU
+G aiguisai
AAIIJLL
+R jaillira
AAIIJLR
+L jaillira
AAIIJNP
+S jaspinai
AAIIJNR
+D jardinai
+U jaunirai
AAIIJNS
+P jaspinai
AAIIJNU
+R jaunirai
AAIIJPS
+N jaspinai
AAIIJRU
+N jaunirai
AAIIJSU
+D judaisai
AAIILLM
maillai
+E emaillai
+F familial
+R armailli
rimailla
+S maillais
+T maillait
AAIILLN
+P pinailla
+S nasillai
AAIILLP
paillai
palliai
piailla
+I paillait
+N pinailla
+R ripailla
+S paillais
palliais
piaillas
+T paillait
palliait
paillatt
AAIILLR
raillai

ralliai
+B braillai
+C craillai
criailla
+E aillerai
alliaire
allierai
eraillai
+F faillira
+G graillai
+J jaillira
+M armailli
rimailla
+P ripailla
+S raillais
ralliais
saillira
+T raillait
ralliait
tirailla
AAIILLS
aillais
alliais
+B baillais
+C caillais
cisailla
+F faillais
+M maillais
+N nasillai
+P paillais
palliais
piaillas
+R raillais
ralliais
+S assailli
+T saillais
taillais
AAIILLT
aillait
alliait
taillai
+A allaitai
+B baillait
+C caillait
+F faillait
+M maillait
+P paillait
palliait
piaillat
+R raillait
ralliait
tirailla
+S saillait
taillais
+T taillait
AAIILLU
+G aiguilla
AAIILLV
+C vacillai
AAIILMN
laminai
+B lambinai
+C inamical
+G imaginal
+S laminais
milanais

+T laminait	**AAIILOR**	realisai	+R salirait	+A aimantai
AAIILMP	+B abolirai	+F flairais	+S laissait	+E aimaient
+F amplifia	bariolai	+G glairais	+V salivait	**AAIILSU**
AAIILMR	**AAIILOS**	+L raillais	**AAIILSU**	+G imaginat
+C calmirai	+C coalisai	ralliais	+G aiguails	+L laminait
+L armailli	+P opalisai	saillira	+M miaulais	+R marinait
rimailla	+V ovalisai	+P palirais	+P piaulais	ranimait
AAIILMS	**AAIILOV**	plairais	+S laiussai	+S amnistia
+L maillais	+C violacai	+S salirais	**AAIILSV**	matinais
+N laminais	+S ovalisai	+T salirait	salivai	+T matinait
milanais	**AAIILPP**	+V aviliras	+A avalisai	**AAIIMNU**
+S assimila	+T palpitai	rivalisa	+D validais	+D minaudai
islamisa	**AAIILPR**	+Z alizaris	+O ovalisai	**AAIIMNX·**
+U miaulais	palirai	**AAIILRT**	+R aviliras	+E examinai
AAIILMT	plairai	+B blairait	rivalisa	**AAIIMOR**
+L maillait	+F parfilai	+E aliterai	+S salivais	+R armoriai
+N laminait	+G glapirai	laierait	slavisai	**AAIIMOS**
+U miaulait	+L ripailla	+F flairait	+T salivait	+D amodiais
AAIILMU	+N pralinai	+G glairait	**AAIILSY**	+T atomisai
miaulai	+R prairial	glatirai	+D dialysai	**AAIIMOT**
+S miaulais	+S palirais	+L raillait	**AAIILSZ**	+D amodiait
+T miaulait	+T palirait	ralliait	+R alizaris	+S atomisai
AAIILNN	plairait	tirailla	**AAIILTT**	**AAIIMRR**
+C lancinai	**AAIILPS**	+P palirait	alitait	arrimai
+H annihila	+D lapidais	plairait	+D dilatait	+E marierai
AAIILNP	+G plagiais	+S salirait	+L taillait	remariai
lapinai	+L paillais	+T attirail	+R attirail	+G amaigrir
+F planifia	palliais	**AAIILRU**	**AAIILTU**	maigrira
+L pinailla	piaillas	+N alunirai	+M miaulait	+O armoriai
+R pralinai	+N lapinais	**AAIILRV**	+P piaulait	+S arrimais
+S lapinais	+O opalisai	avilira	**AAIILTV**	+T arrimait
+T lapinait	+R palirais	+C vicarial	+D validait	**AAIIMRS**
platinai	plairais	+I avilirai	+S salivait	mariais
AAIILNR	+S palissai	+S aviliras	**AAIIMMS**	+D admirais
+E lainerai	plaisais	rivalisa	+X maximisa	+E aimerais
+P pralinai	+T plaisait	**AAIILRZ**	**AAIIMMX**	+F ramifias
+U alunirai	+U piaulais	alizari	+S maximisa	+G amaigris
AAIILNS	**AAIILPT**	+S alizaris	**AAIIMNO**	+N marinais
lainais	+D lapidait	**AAIILSS**	+B abominai	ranimais
+B libanais	plaidait	laissai	**AAIIMNR**	+R arrimais
+C calinais	+G plagiait	+B balisais	marinai	+T maitrisa
+E alienais	+L paillait	+C laicisas	ranimai	matinais
+G alignais	palliait	+E asialies	+A amarinai	+U amuirais
signalai	piaillat	+F salifias	+C amincira	**AAIIMRT**
+H inhalais	+N lapinait	+G glaisais	+E animerai	mariait
+L nasillai	platinai	+L assailli	manierai	matirai
+M laminais	+P palpitai	+M assimila	reanimai	+A amatirai
milanais	+R palirait	islamisa	remaniai	+C matricai
+P lapinais	plairait	+P palissai	+S marinais	+D admirait
+T latinisa	+S plaisait	plaisais	ranimais	+E aimerait
AAIILNT	+U piaulait	+R salirais	+T marinait	+F ramifiat
lainait	**AAIILPU**	+S laissais	ranimait	+G amaigrit
+C calinait	piaulai	+T laissait	**AAIIMNS**	+N marinait
+E alienait	+S piaulais	+U laiussai	animais	ranimait
+G alignait	+T piaulait	+V salivais	maniais	+R arrimait
+H inhalait	**AAIILQU**	slavisai	+E anemiais	+S maitrisa
+M laminait	+F qualifia	**AAIILST**	+G imaginas	matirais
+P lapinait	**AAIILRR**	alitais	+L laminais	+T matirait
platinai	+P prairial	+B balisait	milanais	+U amuirait
+S latinisa	**AAIILRS**	+C laicisat	+R marinais	**AAIIMRU**
AAIILNU	salirai	+D dilatais	ranimais	amuirai
+R alunirai	+A salariai	+F salifiat	+T amnistia	+D maudirai
AAIILNV	+B blairais	+G glaisait	matinais	+S amuirais
+D invalida	+E asilaire	+L saillait	**AAIIMNT**	+T amuirait
+E alevinai	laierais	taillais	animait	**AAIIMSS**
AAIILOP		+N latinisa	maniait	+E essaimai
+S opalisai		+P plaisait	matinai	+L assimila

islamisa
+T tamisais
AAIIMST
tamisai
+N amnistia
matinais
+O atomisai
+R maitrisa
matirais
+S tamisais
+T tamisais
AAIIMSU
+L miaulais
+R amuirais
AAIIMSX
+M maximisa
AAIIMTT
+N matinait
+R matirait
+S tamisait
AAIIMTU
+L miaulait
+R amuirait
AAIINNR
+B bannirai
+C incarnai
+T nantirai
AAIINNS
+S naissain
+T tannisai
AAIINNT
+R nantirai
+S tannisai
+Z antinazi
AAIINNV
+G invagina
AAIINNZ
+T antinazi
AAIINOP
+T pianotai
AAIINOR
+G agonirai
AAIINOS
+D anodisai
+G agonisai
+V avoisina
AAIINOT
+P pianotai
+U ouatinai
+V aviation
AAIINOU
+T ouatinai
AAIINOV
+S avoisina
+T aviation
AAIINPQ
+U paniquai
AAIINPR
+L pralinai
AAIINPS
+E inapaise
+F panifias
+G paginais
+J jaspinai
+L lapinais
+T patinais
tapinais

+U punaisai
AAIINPT
patinai
tapinai
+C anticipa
+F panifiat
+G paginait
+L lapinait
platinai
+O pianotai
+S patinais
tapinais
+T patinait
tapinait
AAIINPU
+Q paniquai
+S punaisai
AAIINQT
+U aquitain
taquinai
AAIINQU
+P paniquai
+T aquitain
taquinai
AAIINRR
+C rancirai
+E rainerai
+G garnirai
+U rainurai
AAIINRS
airains
rainais
+C ricanais
+D drainais
radinais
+E aniserai
+F farinais
+G grainais
+M marinais
ranimais
+S assainir
+T naitrais
ratinais
trainais
+V ravinais
AAIINRT
naitrai
rainait
ratinai
trainai
+C ricanait
+D drainait
radinait
+F farinait
+G grainait
gratinai
+M marinait
ranimait
+N nantirai
+S naitrais
ratinais
trainais
+T naitrait
nitratai
ratinait
tartinai
trainait

+V ravinait
AAIINRU
+J jaunirai
+L alunirai
+R rainurai
AAIINRV
ravinai
+C vaincrai
+E avinerai
+G vinaigra
+S ravinais
+T ravinait
AAIINSS
assaini
+B bassinai
+E assainie
+F finassai
+G assignai
saignais
+N naissain
+R assainir
+S assainis
naissais
+T assainit
naissait
satinais
AAIINST
anisait
satinai
tanisai
+B biaisant
+E tanaisie
+G saignait
+L latinisa
+M amnistia
matinais
+N tannisai
+P patinais
tapinais
+R naitrais
ratinais
+S assainit
naissait
satinais
tanisais
+T satinait
tanisait
AAIINSU
+P punaisai
AAIINSV
avinais
+D viandais
+O avoisina
+R ravinais
AAIINTT
+M matinait
+P patinait
tapinait
+R naitrait
nitratai
ratinait
tartinai
trainait
+S satinait

tanisait
AAIINTU
+O ouatinai
+Q aquitain
AAIINTV
avinait
+C inactiva
vaticina
+D viandait
+O aviation
+R ravinait
AAIINTZ
+N antinazi
AAIINUV
+G naviguai
AAIIOPR
+D parodiai
AAIIOPS
+L opalisai
AAIIOPT
+N pianotai
+S patoisai
+V pavoisai
AAIIOPT
+N pianotai
+S patoisai
+Y apitoyai
AAIIOPV
+S pavoisai
AAIIOPY
+T apitoyai
AAIIORR
+M armoriai
AAIIORS
+S assoirai
AAIIORT
+B rabiotai
AAIIOSS
+C associai
+R assoirai
AAIIOST
+B baisotai
+M atomisai
+P patoisai
AAIIOSV
+L ovalisai
+N avoisina
+P pavoisai
AAIIOTU
+N ouatinai
AAIIOTV
+C octaviai
+N aviation
AAIIOTY
+P apitoyai
AAIIPPR
+A appairai
apparai
+G agrippai
AAIIPPT
+L palpitai
AAIIPQS
+U apiquais
AAIIPQT
+U apiquait
AAIIPQU
apiquai
+N paniquai

+S apiquais
+T apiquait
AAIIPRR
+E parierai
repairai
+L prairial
+T partirai
AAIIPRS
aspirai
pariais
+D diaprais
+E paierais
+L palirais
plairais
+S aspirais
+T aspirait
paitrais
patirais
piratais
tapirais
AAIIPRT
paitrai
pariait
patirai
piratai
tapirai
+D diaprait
+E paierait
+L palirait
plairait
+R partirai
+S aspirait
paitrais
patirais
piratais
tapirais
+T paitrait
patirait
piratait
tapirait
AAIIPSS
+A apaisais
+B bipassai
+L palissai
plaisais
+R aspirais
+S paissais
+T paissait
tapissai
AAIIPST
+A apaisait
+B baptisai
+C pactisai
+L plaisait
+N patinais
tapinais
+O patoisai
+R aspirait
paitrais
patirais
piratais
tapirais
+S paissait
tapissai
AAIIPSU
+L piaulais
+N punaisai

+Q apiquais	**AAIIRRV**	+R arrivais	naissais	+R ravivait
AAIIPSV	arrivai	ravirais	+P paissais	**AAIITZZ**
+O pavoisai	ravirai	+S ravisais	+R saisiras	+R razziait
AAIIPSZ	+E varierai	+T ravisait	+T assistai	**AAIJLLR**
+E apaisiez	+G gravirai	+V ravivais	**AAIISST**	+I jaillira
AAIIPTT	+S arrivais	**AAIIRSZ**	taisais	**AAIJLNN**
+N patinait	ravirais	+L alizaris	+B baissait	+O jalonnai
tapinait	+T arrivait	+Z razziais	+G agissait	**AAIJLNO**
+R paitrait	ravirait	**AAIIRTT**	+H haissait	+N jalonnai
patirait	**AAIIRSS**	attirai	+L laissait	**AAIJLOS**
piratait	arisais	tairait	+M tamisais	+C cajolais
tapirait	saisira	traitai	+N assainit	+U jalousai
AAIIPTU	+B braisais	+B abritait	naissait	**AAIJLOT**
+L piaulait	+E assierai	batirait	satinais	+C cajolai
+Q apiquait	+F fraisais	+F ratifiat	tanisais	**AAIJLOU**
AAIIPTV	+G graissai	tarifait	+P paissait	+S jalousai
+C captivai	+I saisirai	+L attirail	+R ratissai	**AAIJLSU**
AAIIPTY	+L salirais	+M matirait	starisai	+O jalousai
+O apitoyai	+N assainir	+N naitrait	+S assistai	**AAIJLSV**
AAIIQST	+O assoirai	nitratai	+T attisais	+E javelais
+U astiquai	+P aspirais	ratinait	**AAIISSU**	**AAIJLTV**
AAIIQSU	+R arrisais	tartinai	+G aiguisas	+E javelait
+P apiquais	+S saisiras	trainait	+L laiussai	**AAIJMOR**
+T astiquai	+T ratissai	+P paitrait	**AAIISSV**	majorai
AAIIQTU	starisai	patirait	avisais	+S majorais
+N aquitain	+V ravissai	piratait	+L salivais	+T majorait
taquinai	**AAIIRST**	tapirait	slavisai	**AAIJMOS**
+P apiquait	arisait	+R tarirait	+R ravissai	+R majorais
+S astiquai	tairais	trairait	**AAIISTT**	**AAIJMOT**
AAIIRRR	+B abritais	+S attirais	attisai	+R majorait
+B barrirai	batirais	+T attirait	taisait	**AAIJMRS**
AAIIRRS	braisait	attitrai	+E etatisai	+O majorais
arrisai	+F fraisait	traitait	saiettai	**AAIJMRT**
rairais	ratifias	**AAIIRTU**	+F attifais	+O majorait
+D irradias	tarifais	+F aurifiat	+M tamisait	**AAIJNNO**
raidiras	+L salirait	+M amuirait	+N satinait	+L jalonnai
+E ariserai	+M maitrisa	**AAIIRTV**	tanisait	**AAIJNOP**
raierais	matirais	variait	+R attirais	+S japonais
+G aigriras	+N naitrais	+A avariait	traitais	**AAIJNOR**
+M arrimais	ratinais	+C vicariat	+S attisais	+U ajournai
+S arrisais	trainais	+G gravitai	+T attisait	**AAIJNOS**
+T arrisait	+P aspirait	vagirait	**AAIISTU**	+P japonais
tarirais	paitrais	+N ravinait	+G aiguisat	**AAIJNOU**
trairais	patirais	+R arrivait	+Q astiquai	+R ajournai
+V arrivais	piratais	ravirait	**AAIISTV**	**AAIJNPS**
ravirais	tapirais	+S ravisait	avisait	jaspina
AAIIRRT	+R arrisait	+V ravivait	+C activais	+B panjabis
rairait	tarirais	**AAIIRTZ**	+L salivait	+I jaspinai
tarirai	trairais	+Z razziait	+R ravissait	+O japonais
trairai	+S ratissai	**AAIIRVV**	**AAIISTX**	+S jaspinas
+B arbitrai	starisai	ravivai	+E extasiai	+T jaspinat
brairait	+T attirais	+E aviverai	**AAIISVV**	**AAIJNPT**
+D irradiat	traitais	+S ravivais	avivais	+S jaspinat
+E raierait	+V ravisait	+T ravivait	+R ravissais	**AAIJNRS**
+H trahirai	**AAIIRSU**	**AAIIRVZ**	**AAIISZZ**	+U jauniras
+M arrimait	+F aurifias	+E avariiez	+R razziais	**AAIJNRT**
+P partirai	+M amuirais	**AAIIRZZ**	**AAIITTT**	+D jardinat
+S arrisait	**AAIIRSV**	razziai	+F attifait	**AAIJNRU**
tarirais	ravisai	+S razziais	+R attirait	jaunira
trairais	variais	+T razziait	attitrai	+I jaunirai
+T tarirait	+A avariais	**AAIISSS**	traitait	+O ajournai
trairait	+E aviaires	+B baissais	+S attisait	+S jauniras
+V arrivait	aviserai	+G agissais	**AAIITTV**	**AAIJNSS**
ravirait	+G vagirais	+H haissais	+C activait	+P jaspinas
AAIIRRU	+L aviliras	+L laissais	**AAIITVV**	**AAIJNST**
+H ahurirai	rivalisa	+N assainis	avivait	+E jasaient
+N rainurai	+N ravinais			

+P jaspinat
AAIJNSU
+R jauniras
AAIJNSV
+A javanais
AAIJOPS
+N japonais
AAIJORS
+M majorais
+U ajourais
AAIJORT
+M majorait
+U ajourait
  rajoutai
AAIJORU
  ajourai
+N ajournai
+S ajourais
+T ajourait
  rajoutai
AAIJOST
+B jabotais
+U ajoutais
AAIJOSU
+L jalousai
+R ajourais
+T ajoutais
AAIJOTT
+B jabotait
+U ajoutait
AAIJOTU
  ajoutai
+R ajourait
  rajoutai
+S ajoutais
+T ajourait
AAIJPPR
+E japperai
AAIJPPS
  jappais
AAIJPPT
  jappait
AAIJPRR
+U parjurai
AAIJPRS
+E jasperai
AAIJPRU
+R parjurai
AAIJPSS
  jaspais
+N jaspinas
AAIJPST
  jaspait
+N jaspinat
AAIJRRU
+P parjurai
AAIJRSS
+E jaserais
AAIJRST
+E jaserait
+U rajustai
AAIJRSU
+B abjurais
+D adjurais
+N jauniras
+O ajourais
+T rajustai

AAIJRTU
+B abjurait
+D adjurait
+G gujarati
+O ajourait
  rajoutai
+S rajustai
AAIJSST
+U ajustais
AAIJSSU
+D judaisas
+E jussiaea
+T ajustais
AAIJSTT
+U ajustait
AAIJSTU
  ajustai
+D judaisat
+O ajoutais
+R rajustai
+S ajustais
+T ajustait
AAIJTTU
+U ajustait
+S ajustait
AAIKKMZ
+E kamikaze
AAIKLMS
  makilas
AAIKLNO
+G kaoliang
AAIKNPP
+D kidnappa
AAIKPPR
  paprika
+S paprikas
AAIKPPS
+R paprikas
AAIKPRS
+P paprikas
AAIKRSS
+H sikharas
AAIKSST
+V svastika
AAIKSSV
+T svastika
AAIKSTV
+S svastika
+V akvavits
AAIKSVV
+T akvavits
AAIKTVV
+S akvavits
  akvavit
AAILLLO
+D allodial
AAILLLS
+H hallalis
AAILLLU
+E alleluia
+V alluvial
AAILLLV
+U alluvial
AAILLMN
+T maillant
AAILLMO
+R amollira

+S slalomai
AAILLMP
+E empailla
AAILLMQ
+U maquilla
AAILLMR
+E maillera
  remailla
+I armailli
  rimailla
+O amollira
+U rallumai
AAILLMS
  maillas
+E aillames
  alliames
  emaillas
  mesailla
+I maillais
+O slalomai
+U allumais
AAILLMT
  maillat
+E emaillat
+I maillait
+N maillant
+U allumait
AAILLMU
  allumai
+Q maquilla
+R rallumai
+S allumais
+T allumait
AAILLNP
+I pinailla
+T paillant
  palliant
AAILLNR
+T raillant
  ralliant
AAILLNS
  nasilla
+C alcalins
+I nasillai
+S nasillas
+T installa
  nasillat
  saillant
AAILLNT
  aillant
  alliant
+B baillant
+C caillant
+E allaient
  entailla
  tenailla
+F faillant
+M maillant
+P paillant
  palliant
+R raillant
  ralliant
+S installa
  nasillat
  saillant
+T taillant
+V vaillant

AAILLNV
+T vaillant
AAILLOR
+D rodailla
+M amollira
AAILLOS
+C localisa
+M slalomai
+U allouais
AAILLOT
+U allouait
AAILLOU
  allouai
+F fouailla
+G gouailla
+S allouais
+T allouait
AAILLPR
+D paillard
+E paillera
  palliera
+I ripailla
AAILLPS
  paillas
  pallias
+G gaspilla
+I paillais
  palliais
  piaillas
AAILLPT
  paillat
  palliat
+A palatial
+E pailleta
+I paillait
  palliait
  piaillat
+N paillant
  palliant
AAILLQU
+M maquilla
AAILLRR
+E raillera
  ralliera
AAILLRS
  raillas
  rallias
+A salarial
+B braillas
+C craillas
+E ailleras
  allieras
  eraillas
  saillera
+G graillas
+I raillais
  ralliais
  saillira
AAILLRT
  raillat
  ralliat
+B braillat
+C craillat
+E allaiter
  eraillat
  retailla
  taillera

  tallerai
+G graillat
+I raillait
  ralliait
  tirailla
+N raillant
  ralliant
AAILLRU
+M rallumai
AAILLSS
+E aillasse
  alliasse
  assaille
+I assailli
+N nasillas
AAILLST
  taillas
  tallais
+A allaitas
+E aillates
  allaites
  alliates
+I saillait
  taillais
+N installa
  nasillat
  saillant
+U sautilla
AAILLSU
+C vacillas
AAILLSW
+Y willayas
AAILLSY
+W willayas
AAILLTT
  taillat
  tallait
+A allaitat
+I taillait
+N taillant
AAILLTU
+M allumait
+O allouait
+S sautilla
AAILLTV
+C vacillat
+N vaillant
AAILLTZ
+E allaitez
AAILLUV
+L alluvial
AAILLUZ
+G alguazil
AAILLWY
  willaya
+S willayas
AAILMMN
+E malmenai
AAILMMS
+E lamaisme
AAILMMX
  maximal
+E maximale

AAILMNN	**AAILMPT**	+L allumais	+V avalions	+M manipula
+D almandin	lampait	**AAILMSV**	**AAILNOT**	+Q planquai
+T lamantin	palmait	+E malavise	+B ablation	+T piaulant
laminant	+E empalait	**AAILMSX**	+H antihalo	**AAILNQU**
AAILMNO	+N implanta	+A malaxais	+N laitonna	+F flanquai
+C calomnia	**AAILMPU**	**AAILMTT**	national	+P planquai
+D domanial	+N manipula	maltait	talonnai	**AAILNRS**
+E anomalie	**AAILMQU**	**AAILMTU**	+R notarial	+B branlais
+G magnolia	+L maquilla	miaulat	**AAILNOV**	+C clarains
AAILMNP	**AAILMRR**	+C maculait	+S avalions	+E laineras
+T implanta	+O armorial	+I miaulait	**AAILNPQ**	+P pralinas
+U manipula	**AAILMRS**	+L allumait	+U planquai	+U aluniras
AAILMNR	amarils	+N miaulant	**AAILNPR**	**AAILNRT**
+E laminera	marials	+Z azimutal	aplanir	+B blairant
+G marginal	+A alarmais	**AAILMTX**	pralina	branlait
AAILMNS	malarias	+A malaxait	+A aplanira	+E alternai
laminas	+C calmiras	**AAILMTZ**	+D plaindra	latanier
malsain	+E amariles	+U azimutal	prandial	ralaient
+B lambinas	amirales	**AAILMUZ**	+E lapinera	+F flairant
+E animales	lamerais	+T azimutal	planaire	+G glairant
lainames	malaires	**AAILMXZ**	planerai	+H hilarant
malsaine	mariales	+E malaxiez	+I pralinai	+L raillant
+I laminais	+O moralisa	**AAILNNO**	+S pralinas	ralliant
milanais	+T alastrim	+C canonial	+T pralinat	+O notarial
+S malsains	tramails	+G galonnai	**AAILNPS**	+P pralinat
+T staminal	**AAILMRT**	+J jalonnai	aplanis	**AAILNRU**
talisman	marital	+T laitonna	lapinas	alunira
AAILMNT	martial	national	nepalais	+B binaural
laminat	tramail	talonnai	penalisa	+G alanguir
matinal	+A alarmait	**AAILNNP**	+I lapinais	granulai
+B lambinat	+B trimbala	+T lapinant	+R pralinas	languira
+E alimenta	+E lamerait	plantain	+T palatins	ralingua
lamaient	malterai	**AAILNNS**	plaisant	+I alunirai
lamentai	maritale	+C lancinas	plantais	+S aluniras
matinale	martelai	+E alanines	platinas	**AAILNSS**
+I laminait	martiale	annelais	**AAILNPT**	+A nasalisa
+L maillant	+S alastrim	+U annulais	aplanit	+E enliassa
+N lamantin	tramails	**AAILNNT**	lapinat	lainasse
laminant	**AAILMRU**	lainant	palatin	nasalise
+P implanta	+E miaulera	+C calinant	planait	+G sanglais
+S staminal	+L rallumai	lancinat	plantai	signalas
talisman	**AAILMRY**	+E alienant	platina	+L nasillas
+U miaulant	+O larmoyai	annalite	+D lapidant	+M malsains
AAILMNU	**AAILMRZ**	annelait	+E lapaient	+O salaison
+P manipula	+E alarmiez	+G alignant	palatine	+T laissant
+T miaulant	**AAILMSS**	+H inhalant	patelina	**AAILNST**
AAILMOR	salamis	+M lamantin	+G plagiant	+B balisant
+E ameliora	+C clamsais	laminant	+I lapinait	+E ailantes
+L amollira	+E malaises	+O laitonna	platinai	analites
+R armorial	+I assimila	national	+L paillant	lainates
+S moralisa	islamisa	talonnai	palliant	nasalite
+Y larmoyai	+N malsains	+P lapinant	+M implanta	salaient
AAILMOS	**AAILMST**	plantain	+N lapinant	+G glaisant
+L slalomai	maltais	+U annulait	plantain	sanglait
+R moralisa	+B malbatis	**AAILNNU**	+R pralinat	signalat
AAILMOT	+C clamsait	annulai	+S palatins	+I latinisa
+C colmatai	+E alitames	+S annulais	plaisant	+L installa
AAILMOY	lamaiste	+T annulait	plantais	nasillat
+R larmoyai	maltaise	**AAILNNV**	platinas	saillant
AAILMPR	+N staminal	+D lavandin	+T plantait	+M staminal
+E lamperai	talisman	**AAILNOR**	platinat	talisman
palmaire	+R alastrim	+B anoblira	+U piaulant	+P palatins
palmerai	tramails	+T notarial	**AAILNPU**	plaisant
AAILMPS	**AAILMSU**	**AAILNOS**		plantais
lampais	miaulas	+C calaison		platinas
palmais	+C maculais	+G angolais		+S laissant
+E empalais	+I miaulais	+S salaison		+V salivant

AAILNSU
+C canulais
+E aulnaies
+F falunais
+G alanguis
+N annulais
+R aluniras
AAILNSV
+A valaisan
+E alevinas
  vaselina
+O avalions
+T salivant
AAILNSY
+A analysai
AAILNTT
  alitant
+D dilatant
+E natalite
+L taillant
+P plantait
  platinat
AAILNTU
+C canulait
+F falunait
+G alanguit
+M miaulant
+N annulait
+P piaulant
AAILNTV
  vantail
+D validant
+E alevinat
  lavaient
  valaient
+L vaillant
+S salivant
AAILNTY
+E layaient
AAILOPR
+S polarisa
+V varlopai
AAILOPS
  opalisa
  salopai
+G galopais
+I opalisai
+R polarisa
+S opalisas
  salopais
+T opalisat
  salopait
AAILOPT
+C clapotai
+G galopait
+S salopait
  salopait
AAILOPV
+R varlopai
AAILORR
+M armorial
AAILORS
+B aboliras
  bariolas
+C racolais
+M moralisa
+P polarisa

+V avaloirs
  valorisa
AAILORT
+B bariolat
+C racolait
+D idolatra
+F folatrai
+N notarial
+U autorail
AAILORU
+B labourai
+E aureolai
+T autorail
AAILORV
  avaloir
+E avaloire
+P varlopai
+S avaloirs
  valorisa
AAILORY
+M larmoyai
AAILOSS
  assolai
+C coalisas
+N salaison
+P opalisas
  salopais
+S assolais
+T assolait
+U saoulais
+V ovalisas
AAILOST
+C coalisat
+P opalisat
  salopait
+S assolait
+T totalisa
+U saoulait
+V ovalisat
AAILOSU
  saoulai
+B aboulais
+J jalousai
+L allouais
+S saoulais
+T saoulait
AAILOSV
  ovalisa
+C violacas
  vocalisa
+I ovalisai
+N avalions
+R avaloirs
  valorisa
+S ovalisas
+T ovalisat
AAILOTT
+C calottai
+S totalisa
AAILOTU
+B aboulait
+L allouait
+R autorail
+S saoulait
AAILOTV
+C violacat
+S ovalisat

AAILPPQ
+U appliqua
AAILPPR
+E appareil
  palperai
  rappelai
AAILPPS
  palpais
+C clappais
+E appelais
+T palpitas
AAILPPT
  palpait
  palpita
+C clappait
+E appelait
+I palpitai
+S palpitas
+T palpitat
AAILPPU
+D applaudi
+Q appliqua
AAILPQS
+U plaquais
AAILPQT
+U plaquait
AAILPQU
+N planquai
+P appliqua
+S plaquais
+T plaquait
AAILPRR
+E parlerai
  reparlai
+I prairial
+T raplatir
AAILPRS
  paliras
  parlais
  plairas
+E laperais
+F parfilas
+G glapiras
+H harpails
+I palirais
  plairais
+N pralinas
+O polarisa
+T platrais
  raplatis
AAILPRT
  aplatir
  parlait
  partial
  platrai
  raplati
+A aplatira
+E laperait
  parietal
  partiale
  raplatie
+F parfilat
+I palirait
  plairait
+N pralinat
+R raplatir

+S platrais
  raplatis
+T platrait
  raplatit
AAILPRU
+E piaulera
AAILPRV
+O varlopai
AAILPSS
  palissa
+C scalpais
+E aplasies
+I palissai
  plaisais
+O opalisas
  salopais
+S palissas
+T palissat
AAILPST
  aplatis
  spatial
+C scalpait
+E aplaties
  spatiale
+G plagiats
+I plaisait
+N palatins
  plaisant
  plantais
  platinas
+O opalisat
  salopait
+P palpitas
+R platrais
  raplatis
+S palissat
AAILPSU
  piaulas
+C capsulai
+E epaulais
+I piaulais
+Q plaquais
AAILPSV
+H pahlavis
AAILPTT
  aplatit
+N plantait
  platinat
+P palpitat
+R platrait
  raplatit
AAILPTU
  piaulat
+C capitula
+E epaulait
+I piaulait
+N piaulant
+Q plaquait
AAILQRU
+E laquerai
AAILQST
+U talquais
AAILQSU
  laquais
+C calquais
  claquais
+P plaquais

+T talquais
AAILQTT
+U talquait
AAILQTU
  laquait
  talquai
+C calquait
  claquait
AAILRRS
+E laraires
  ralerais
  salarier
AAILRRT
+B arbitral
+E ralerait
+P raplatir
AAILRRV
+E larvaire
AAILRSS
  saliras
+A salarias
+C sarclais
+E laissera
  lasserai
  realisas
  resalais
  salaires
  salaries
  salerais
AAILRST
+A salariat
+C sarclait
+E alertais
  aliteras
  alterais
  ratelais
  realisat
  relatais
  resalait
  salerait
+G glatiras
+I salirait
+M alastrim
  tramails
+P platrais
  raplatis
+V travails
AAILRSU
+E saluerai
+G larguais
+N aluniras
AAILRSV
+A ravalais
+E avaliser
  laverais
  relavais
  revalais
  salivera
  valserai
+I aviliras
  rivalisa
+O avaloirs

valorisa
+T travails
AAILRSW
+C crawlais
AAILRSX
+E relaxais
AAILRSY
+E layerais
relayais
AAILRSZ
+E salariez
+I alizaris
AAILRTT
+E alertait
alterait
latterai
ratelait
relatait
+I attirail
+P platrait
raplatit
AAILRTU
+C articula
+G larguait
ligatura
+O autorail
AAILRTV
travail
+A ravalait
+E laverait
relavait
revalait
+S travails
AAILRTW
+C crawlait
AAILRTX
+E relaxait
AAILRTY
+E layerait
relayait
AAILRUV
+E aveulira
AAILRVV
+E valvaire
AAILRVZ
+E ravaliez
AAILSSS
laissas
lassais
+C classais
+I laissais
+O assolais
+P palissas
+U laiussas
+V slavisas
AAILSST
laissat
lassait
+C classait
+E alitasse
+I laissait
+N laissant
+O assolait
+P palissat
+U laiussat
+V slavisat
AAILSSU
laiussa
saluais
+E saulaies
+I laiussai
+O saoulais
+S laiussas
+T laiussat
AAILSSV
salivas
slavisa
valsais
+A avalisas
+E avalises
+I salivais
slavisai
+O ovalisas
+S slavisas
+T slavisat
AAILSSY
+D dialysas
AAILSTT
lattais
+E alitates
attelais
+F flattais
+G sagittal
+O totalisa
AAILSTU
saluait
+F sulfatai
+L sautilla
+O saoulait
+Q talquais
+S laiussat
AAILSTV
salivat
valsait
+A avalisat
+E tavelais
+I salivait
+N salivant
+O ovalisat
+R travails
+S slavisat
AAILSTX
+E exaltais
+F laxatifs
AAILSTY
+D dialysat
AAILSUV
+E evaluais
AAILSVZ
+E avalisez
AAILSWY
wilayas
+L willayas
AAILTTT
lattait
+E attelait
+F flattait
AAILTTU
+Q talquait
AAILTTV
+E tavelait
AAILTTX
+E exaltait
AAILTUV
+E evaluait
AAILTUZ
+M azimutal
AAILTVX
+E laxative
AAIMMMR
+E mammaire
AAIMMNO
+C ammoniac
AAIMMNS
+E animames
maniames
AAIMMOP
+D pommadai
AAIMMOS
+S assommai
AAIMMPU
+E empaumai
AAIMMRS
+E mariames
+U samarium
AAIMMRU
+S samarium
AAIMMSS
+O assommai
AAIMMST
imamats
+E amatimes
AAIMMSU
+R samarium
AAIMMSX
+I maximisa
AAIMMUX
+X maximaux
AAIMMXX
+U maximaux
AAIMNNO
+C camionna
maconnai
+D amidonna
+R maronnai
+Y monnayai
AAIMNNP
+E empannai
panamien
AAIMNNR
+D mandarin
mandrina
+E amarnien
+O maronnai
+T marinant
AAIMNNT
animant
maniant
+E anemiant
annamite
+F infamant
+L lamantin
laminant
+R marinant
ranimant
+T matinant
AAIMNNY
+O monnayai
AAIMNOR
ramonai
+C macaroni
marocain
romancai
+S ramonais
romanisa
+T ramonait
tamanoir
AAIMNOS
+B abominas
+D nomadisa
+H mahonias
+R ramonais
romanisa
AAIMNOT
+B abominat
+D amodiant
+E anatomie
+R ramonait
tamanoir
AAIMNOY
+N monnayai
AAIMNPT
+E pamaient
+L implanta
AAIMNPU
+L manipula
AAIMNQS
+U manquais
AAIMNQT
+U manquait
AAIMNQU
manquai
+E maniaque
+S manquais
+T manquait
AAIMNRR
+E amariner
marinera
marnerai
marraine
ranimera
AAIMNRS
marinas
marnais
ranimas
+A amarinas
+E amarines
animeras
manieras
rainames
ramenais
reanimas
remanias
+I marinais
+O ramonais
romanisa
+T tamarins
AAIMNRT
mariant
marinat
marnait
ranimat
tamarin
+A amarinat
+D admirant
+E aimanter
armaient
maternai
matinera
ramenait
reanimat
remaniat
rentamai
+I marinait
+N marinant
ranimant
+O tamanoir
+R arrimant
trimaran
+S tamarins
AAIMNRZ
+E amarinez
AAIMNSS
+E animasse
anisames
maniasse
+G magasins
siamangs
AAIMNST
aimants
imanats
matinas
+A aimantas
+B ambiants
+D diamants
+E aimantes
amanites
amiantes
animates
entamais
mainates
maniates
+I amnistia
matinais
+L staminal
talisman
+R tamarins
+T tamisant
AAIMNSU
+D minaudas
+E amenuisa
+H humanisa
+Q manquais
AAIMNSV
+E avinames
AAIMNSX
+E examinas
AAIMNSY
+D dynamisa
AAIMNTT
matinat
+A aimantat
+E entamait
mataient
+I matinait
+N matinant

+S tamisant
AAIMNTU
+D adiantum
   minaudat
+L miaulant
+Q manquait
+X matinaux
AAIMNTX
+E examinat
+U matinaux
AAIMNTY
+D dynamita
AAIMNTZ
+E aimantez
AAIMNUV
+D vanadium
AAIMNUX
   animaux
+T matinaux
AAIMOPR
+C comparai
AAIMOPU
+Y paumoyai
AAIMOPY
+U paumoyai
AAIMORR
   armoria
+I armoriai
+L armorial
+S armorias
+T amortira
   armoriat
AAIMORS
+C amorcais
+D dioramas
+J majorais
+L moralisa
+N ramonais
   romanisa
+R armorias
+T mortaisa
+U samourai
AAIMORT
+C amorcait
+G margotai
+J majorait
+N ramonait
   tamanoir
+R amortira
   armoriat
+S mortaisa
AAIMORU
+S samourai
AAIMORY
+L larmoyai
AAIMOSS
+M assommai
+T atomisas
   somatisa
AAIMOST
   atomisa
+I atomisai
+R mortaisa
+S atomisas
   somatisa
+T atomisat
AAIMOSU

+R samourai
AAIMOTT
+S atomisat
AAIMOTU
+Z mazoutai
AAIMOTZ
+U mazoutai
AAIMOUY
+P paumoyai
AAIMOUZ
+T mazoutai
AAIMPPR
+E epamprai
AAIMPRR
+E ramperai
AAIMPRS
   rampais
+E emparais
   pamerais
   pariames
   parsemai
AAIMPRT
   rampait
+E emparait
   pamerait
AAIMPRU
+E paumerai
+F parfumai
AAIMPRV
+E vamperai
AAIMPST
+E empatais
   estampai
   etampais
+U amputais
AAIMPSU
   paumais
+T amputais
AAIMPSV
   vampais
AAIMPTT
+E empatait
   etampait
+U amputait
AAIMPTU
   amputai
   paumait
+G patagium
+S amputais
+T amputait
AAIMPTV
   vampait
AAIMPUY
+O paumoyai
AAIMQRS
+U marquais
AAIMQRT
+U marquait
AAIMQRU
   marquai
+S marquais
+T marquait
+U aquarium
AAIMQSS
+U masquais
AAIMQST
+U masquait

   mastiqua
AAIMQSU
+N manquais
+R marquais
+S masquais
+T masquait
AAIMQTU
+N manquait
+R marquait
+S masquait
   mastiqua
AAIMQUU
+R aquarium
AAIMRRR
+E amerrira
   arrimera
   marrerai
AAIMRRS
   arrimas
   marrais
+A amarrais
+B marbrais
+E armerais
   marieras
   ramerais
   rearmais
   remarias
+I arrimais
+O armorais
AAIMRRT
   arrimat
   marrait
+A amarrait
+B marbrait
+E armerait
   ramerait
   rearmait
   remariat
   tramerai
+I arrimait
+N arrimant
   trimaran
+O amortira
   armoriat
AAIMRRU
+E amurerai
AAIMRRZ
+E amarriez
AAIMRSS
+A ramassai
+E arisames
   mariasse
   masserai
+S ramassis
+U samurais
AAIMRST
   matiras
   tamaris
   tramais
+A amatiras
+C matricas
+E maestria
   mariates
   materais
   retamais

   tamisera
+H marathis
+I maitrisa
   matirais
+L alastrim
   tramails
+N tamarins
+O mortaisa
AAIMRSU
   amuiras
   amurais
   samurai
+B simaruba
+D maudiras
   musardai
+E amuserai
+I amuirais
+M samarium
+O samourai
+Q marquais
+S samurais
+U saumurai
AAIMRSV
+E variames
AAIMRTT
   tramait
+C matricat
+E materait
   retamait
   trematai
+I matirait
AAIMRTU
   amurait
+E amiraute
   materiau
   rameutai
+I amuirait
+Q marquait
+X maritaux
   martiaux
AAIMRTX
   tamarix
+U maritaux
   martiaux
AAIMRTZ
+E amatirez
AAIMRUU
+Q aquarium
+S saumurai
AAIMRUX
   amiraux
   mariaux
+T maritaux
   martiaux
AAIMSSS
   massais
+A amassais
   assamais
+E amasses
   essaimas
+H smashais
+R ramassis
+U assumais
AAIMSST
   massait
   tamisas
+A amassait

+E amatisse
   essaimat
+H smashait
+I tamisais
+O atomisas
   somatisa
+U assumait
AAIMSSU
   amusais
   assumai
+Q masquais
+R samurais
+S assumais
+T assumait
AAIMSSV
+E avisames
AAIMSSZ
+E amassiez
AAIMSTT
   tamisat
   tatamis
+E amatites
+I tamisait
+N tamisant
+O atomisat
AAIMSTU
   amusait
+E ameutais
+P amputais
+Q masquait
+S assumait
AAIMSTV
+E atavisme
AAIMSTZ
+D samizdat
AAIMSUU
+R saumurai
AAIMSUV
   mauvais
+E mauvaise
AAIMSVV
+E avivames
AAIMTTU
+E ameutait
+P amputait
AAIMTUX
+N matinaux
+R maritaux
   martiaux
AAIMTUZ
+L azimutal
+O mazoutai
AAIMUXX
+M maximaux
AAINNNO
   anonnai
+C annoncai
   canonnai
+S anonnais
+T anonnait
AAINNNS
+O anonnais
AAINNNT
+O anonnait
AAINNOR
+B abonnira

+C arconnai
+M maronnai
+S raisonna
+T rationna
+Y rayonnai
AAINNOS
+B abonnais
+C canonisa
+D adonnais
+H ahanions
+N anonnais
+R raisonna
+T annotais
+V savonnai
AAINNOT
annotai
+B abonnais
+C actionna
+D adonnait
+G agnation
+L laitonna
national
talonnai
+N anonnait
+R rationna
+S annotais
+T annotait
natation
tatonnai
AAINNOV
+S savonnai
AAINNOY
+M monnayai
+R rayonnai
AAINNOZ
+G gazonnai
AAINNPT
+E panaient
+G paginant
+L lapinant
plantain
+T patinant
tapinant
AAINNRS
+B banniras
+C incarnas
+O raisonna
+T nantiras
+V navarins
nirvanas
AAINNRT
nantira
rainant
+C incarnat
ricanant
+D drainant
radinant
+E aneantir
entraina
tannerai
+F farinant
+G grainant
+I nantirai
+M marinant
ranimant
+O rationna
+S nantiras

+T ratinant
trainant
+V ravinant
AAINNRU
+E annuaire
AAINNRV
navarin
nirvana
+E vannerai
+S navarins
nirvanas
+T ravinant
AAINNRY
+O rayonnai
AAINNSS
+I naissain
+T tannisas
tannisa
AAINNST
anisant
nantais
tannais
tannisa
+E aneantis
antenais
nantaise
neantisa
+G saignant
+I tannisai
+O annotais
+R nantiras
+S naissant
tannisas
+T satinant
tanisant
tannisat
AAINNSU
+C nuancais
+L annulais
AAINNSV
vannais
+O savonnai
+R navarins
nirvanas
AAINNSX
+E annexais
AAINNTT
tannait
+E aneantit
+M matinant
+O annotait
tatonnai
+P patinant
tapinant
+R ratinant
trainant
+S satinant
tanisant
tannisat
AAINNTU
+C nuancait
+L annulait
AAINNTV
avinant
vannait
+D viandant

+G navigant
+R ravinant
AAINNTX
+E annexait
AAINNTZ
+I antinazi
AAINOPP
+T appointa
appontai
AAINOPR
+A paranoia
+F profanai
+S paraison
AAINOPS
+D diapason
+J japonais
+R paraison
+S apaisons
panossai
+T pianotas
AAINOPT
+I pianotai
+P appointa
appontai
+S pianotas
+T pianotat
AAINOQU
+C acoquina
AAINORP
+D anordira
AAINORS
+B abrasion
+C ocarinas
+G agoniras
organisa
+M ramonais
romanisa
+N raisonna
+P paraison
+S arasions
+V avarions
AAINORT
+C racontai
+E aeration
+L notarial
+M ramonait
tamanoir
+N rationna
+T notariat
AAINORU
+J ajournai
AAINORV
+S avarions
AAINORY
+N rayonnai
AAINOSS
+D anodisas
+G agonisas
angoissa
+L salaison
+P apaisons
panossai
+R arasions
AAINOST
+C canotais
+D anodisat

+G agonisat
+N annotais
+P pianotas
+U ouatinas
AAINOSU
+T ouatinas
AAINOSV
+I avoisina
+L avalions
+N savonnai
+R avarions
AAINOSY
+C cyanosai
AAINOTT
+C canotait
+D datation
+N annotait
natation
tatonnai
+P pianotat
+R notariat
+U ouatinat
+X taxation
AAINOTU
ouatina
+I ouatinai
+S ouatinas
+T ouatinat
+Y noyautai
AAINOTV
+C vacation
+I aviation
AAINOTX
+T taxation
AAINOTY
+U noyautai
AAINOUY
+T noyautai
AAINPPR
+E napperai
+G parpaing
AAINPPS
nappais
+E papaines
AAINPPT
nappait
+E antipape
+O appointa
appontai
AAINPQS
+U paniquas
AAINPQT
+U apiquant
paniquat
AAINPQU
paniqua
+I paniquai
+L planquai
+S paniquas
+T apiquant
paniquat
AAINPRR
parrain
+A parraina
+E parraine
+S parrains
AAINPRS

panaris
+E panerai
panserai
+H piranhas
+L pralinas
+O paraison
+R parrains
+T aspirant
partisan
patarins
AAINPRT
pariant
patarin
+D diaprant
+E arpentai
panerait
paraient
patinera
rapaient
tapinera
trepanai
+L pralinat
+S aspirant
partisan
patarins
+T piratant
AAINPSS
pansais
+J jaspinas
+O apaisons
panossai
+T paissant
+U punaisat
AAINPST
pansait
patinas
tapinas
+A apaisant
+C capitans
+E apaisent
sapaient
+I patinais
tapinais
+J jaspinat
+L palatins
plaisant
plantais
platinas
+O pianotas
+R aspirant
partisan
patarins
+S paissant
+U punaisat
AAINPSU
punaisa
+I punaisai
+Q paniquas
+S punaisas
+T punaisat
AAINPSV
+A pavanais
AAINPTT
patinat
tapinat
+E patentai
patienta

	tapaient
+I	patinait
	tapinait
+L	plantait
	platinat
+N	patinant
	tapinant
+O	pianotat
+R	piratant

AAINPTU
+C	panicaut
+L	piaulant
+Q	apiquant
	paniquat
+S	punaisat

AAINPTV
+A	pavanait
+E	pavaient

AAINPTY
+E	payaient

AAINPVZ
+E	pavaniez

AAINQRT
+U	quatrain

AAINQRU
+A	arnaquai
+T	quatrain

AAINQST
+U	squatina
	taquinas

AAINQSU
+B	banquais
+C	casaquin
+M	manquais
+P	paniquas
+T	squatina
	taquinas

AAINQTT
+U	taquinat

AAINQTU
	taquina
+B	banquait
+I	aquitain
	taquinai
+M	manquait
+P	apiquant
	paniquat
+R	quatrain
+S	squatina
	taquinas
+T	taquinat

AAINRRR
+E	narrerai

AAINRRS
	narrais
+C	ranciras
+E	raineras
+G	garniras
+P	parrains
+S	sarrasin
+T	arrisant
	transira
+U	rainuras

AAINRRT
	narrait
+D	trainard
+E	ratinera

	renaitra
	trainera
+F	narratif
+G	garantir
+M	arrimant
	trimaran
+S	arrisant
	transira
+U	rainurat
+V	arrivant

AAINRRU
	rainura
	rainure
+I	rainurai
+S	rainuras
+T	rainurat

AAINRRV
+E	navrerai
	ravinera
+T	arrivant

AAINRSS
+C	carassin
+E	aniseras
	rainasse
+G	sangrias
+I	assainir
+O	arasions
+R	sarrasin
+T	artisans
+V	savarins

AAINRST
	arisant
	artisan
	naitras
	ratinas
	trainas
+B	baratins
	braisant
+C	crantais
+D	radiants
+E	artisane
	rainates
	rasaient
	satinera
	tanisera
+F	fraisant
+G	garantis
	gratinas
+I	naitrais
	ratinais
	trainais
+M	tamarins
+N	nantiras
+P	aspirant
	partisan
	patarins
+R	arrisant
	transira
+S	artisans
	tartinas
	transita
+U	instaura
+V	ravisant

AAINRSU
+B	urbanisa
+E	saunerai
+G	guaranis

	narguais
+J	jauniras
+L	aluniras
+R	rainuras
+T	instaura

AAINRSV
	navrais
	ravinas
+C	vaincras
+E	avineras
+I	ravinais
+N	navarins
	nirvanas
+O	avarions
+S	savarins
+T	ravisant

AAINRSY
+E	enrayais

AAINRTT
	nitrata
	ratinat
	tartina
	trainat
+A	ratatina
+B	abritant
+C	crantait
+E	natterai
	rataient
	ratatine
	taraient
+F	tarifant
+G	garantit
	gratinat
+I	naitrait
	nitratai
	ratinait
	tartinai
	trainait
+N	ratinant
	trainant
+O	notariat
+P	piratant
+S	nitratas
	tartinas
	transita
+T	attirant
	nitratat
	tartinat
	traitant

AAINRTU
+D	truandai
+E	auraient
	traineau
+G	narguait
+Q	quatrain
+R	rainurat
+S	instaura

AAINRTV
	navrait
	ravinat
	variant
+A	avariant
+E	avarient
	entravai
	vanterai
	variante

+I	ravinait
+N	ravinant
+R	arrivant
+S	ravisant
+V	ravivant

AAINRTY
+E	enrayait
	rayaient

AAINRTZ
+Z	razziant

AAINRUU
+G	inaugura

AAINRUX
+C	racinaux

AAINRUY
+C	cyanurai

AAINRVV
+T	ravivant

AAINRZZ
+B	zanzibar
+T	razziant

AAINSSS
+B	bassinas
+E	anisasse
	assenais
+F	finassas
+G	agassins
	assignas
+I	assainis
	naissais
+S	assassin

AAINSST
	satinas
	tanisas
+B	baissant
	bassinat
+E	anisates
	assenait
	entassai
+F	finassat
+G	agissant
	assignat
	santiags
	stagnais
+H	haissant
+I	assainit
	naissait
	satinais
	tanisais
+L	laissant
+N	naissant
	tannisas
+P	paissant
+R	artisans

AAINSSU
	saunais
+P	punaisas

AAINSSV
+E	avinasse
	envasais
+R	savarins

AAINSTT
	nattais
	satinat
	taisant
	tanisat
+E	tetanisa

+G	stagnait
+I	satinait
	tanisait
+M	tamisant
+N	satinant
	tanisant
	tannisat
+R	nitratas
	tartinas
	transita
+T	attisant

AAINSTU
	saunait
+G	tanguais
+H	hautains
+O	ouatinas
+P	punaisat
+Q	squatina
	taquinas
+R	instaura

AAINSTV
	avisant
	vantais
+E	avinates
	envasait
	savaient
+L	salivant
+R	ravisant

AAINSUV
+G	naviguas

AAINSUY
+G	guyanais

AAINTTT
	nattait
+E	attentai
	tataient
+F	attifant
+R	attirant
	nitratat
	tartinat
+S	attisant

AAINTTU
+E	attenuai
+G	tanguait
+O	ouatinat
+Q	taquinat

AAINTTV
	vantait
+C	activant

AAINTTX
+E	taxaient
+O	taxation

AAINTUX
+M	matinaux

AAINTUY
+O	noyautai

AAINTVV
	avivant
+R	ravinant

AAINTZZ
+R	razziant

AAINUVX
+G	vaginaux

AAIOPPR
+T apportai
AAIOPPS
  apposai
+S apposais
+T apposait
  papotais
AAIOPPT
  papotai
+N appointa
  appontai
+R apportai
+S apposait
  papotais
+T papotait
AAIOPRS
+D diaspora
  parodias
+L polarisa
+N paraison
+V vaporisa
AAIOPRT
+D parodiat
+H atrophia
+P apportai
AAIOPRV
+E evaporai
+L varlopai
+S vaporisa
AAIOPSS
+L opalisas
  salopais
+N apaisons
  panossai
+P apposais
+T apostais
  patoisas
  potassai
+V pavoisas
AAIOPST
  apostai
  patoisa
+C capotais
  tapiocas
+D adoptais
+I patoisai
+L opalisat
  salopait
+N pianotas
+P apposait
  papotais
+S apostais
  patoisas
  potassai
+T apostait
  patoisat
  tapotais
+U autopsia
+V pavoisat
+Y apitoyas
AAIOPSU
+T autopsia
AAIOPSV
  pavoisa
+I pavoisai
+R vaporisa
+S pavoisas

+T pavoisat
AAIOPSY
+T apitoyas
AAIOPTT
  tapotai
+C capotait
+D adoptait
+N pianotat
+P papotait
+S apostait
  patoisat
  tapotais
+T tapotait
+Y apitoyat
AAIOPTU
+S autopsia
AAIOPTV
+S pavoisat
AAIOPTY
  apitoya
+I apitoyai
+S apitoyas
+T apitoyat
AAIOPUY
+M paumoyai
AAIORRS
  arrosai
+B arborais
+M armorias
+S arrosais
  rassoira
+T arrosait
AAIORRT
+B arborait
+E aratoire
+M amortira
  armoriat
+S arrosait
AAIORRU
+B rabrouai
AAIORRY
+C carroyai
AAIORSS
  assoira
+C croassai
+I assoirai
+N arasions
+R arrosais
  rassoira
+S assoiras
AAIORST
+B rabiotas
  rabotais
+D radotais
  torsadai
+M mortaisa
+R arrosait
AAIORSU
+H sahraoui
+J ajourais
+M samourai
+T autorisa
+V savourai
AAIORSV
+B bavarois

+F favorisa
+L avaloirs
  valorisa
+N avarions
+P vaporisa
+T avortais
+U savourai
AAIORTT
+B abattoir
  rabiotat
  rabotait
+C carottai
+D radotait
+N notariat
+V avortait
AAIORTU
+B aboutira
  raboutai
+E ouaterai
+J ajourait
  rajoutai
+L autorail
AAIORTV
  avortai
+G ravigota
+S avortais
+T avortait
AAIORUV
+E avouerai
+S savourai
AAIOSSS
+C associas
  coassais
+D adossais
+L assolais
+R assoiras
+Y assoyais
AAIOSST
+B baisotas
  sabotais
+C associat
  coassait
+D adossait
+L assolait
+M atomisas
  somatisa
+P apostais
  patoisas
  potassai
+Y assoyais
AAIOSSU
+L saoulais
AAIOSSV
+L ovalisas
+P pavoisas
AAIOSSY
+S assoyais
+T assoyait
AAIOSTT
+B baisotat
+C asticota
+L totalisa
+M atomisat
+P apostait
  patoisat

  tapotais
+U tatouais
AAIOSTU
  ouatais
+B aboutais
+H souhaita
+J ajoutais
+L saoulait
+N ouatinas
+P autopsia
+R autorisa
+T tatouais
AAIOSTV
+C octavias
+L ovalisat
+P pavoisat
+R avortais
AAIOSTY
+F fayotais
+P apitoyas
+S assoyait
AAIOSUV
  avouais
+R savourai
AAIOSUX
+C asociaux
AAIOSUZ
  zaouias
AAIOTTT
+P tapotait
+U tatouait
AAIOTTU
  ouatait
  tatouai
+B aboutait
+J ajoutait
+N ouatinat
+S tatouais
+T tatouait
AAIOTTV
+C octaviat
+R avortait
AAIOTTX
+N taxation
AAIOTTY
+F fayotait
+P apitoyat
AAIOTUV
  avouait
AAIOTUY
+N noyautai
AAIOTUZ
+M mazoutai
AAIOUXX
+C coaxiaux
AAIPPQU
+L appliqua
AAIPPRR
+A rapparia
+E appairer
  apparier
  preparai
  rapparie
AAIPPRS
+A appairas
  apparais
  apparias

+E appaires
  apparies
+F frappais
+G agrippas
+K paprikas
AAIPPRT
+A appairat
  apparait
  appariat
+E appretai
+F frappait
+G agrippat
+O apportai
AAIPPRU
+E appuiera
+V appauvri
AAIPPRV
+A varappai
+U appauvri
AAIPPRZ
+E appairez
  appariez
AAIPPSS
+O apposais
AAIPPST
+A appatais
+L palpitas
+O apposait
  papotais
AAIPPSU
+Y appuyais
AAIPPSY
+U appuyais
AAIPPTT
+A appatait
+L palpitat
+O papotait
AAIPPTU
+Y appuyait
AAIPPTY
+U appuyait
AAIPPTZ
+E appatiez
AAIPPUV
+R appauvri
AAIPPUY
  appuyai
+S appuyais
+T appuyait
AAIPQRS
+U parquais
AAIPQRT
+U parquait
  pratiqua
AAIPQRU
+E apiquera
+S parquais
+T parquait
  pratiqua
AAIPQSU
  apiquas
+C pacquais
+I apiquais
+L plaquais
+N paniquas
+R parquais

AAIPQTU
apiquat
+C pacquait
+I apiquait
+L plaquait
+N apiquant
paniquat
+R parquait
pratiqua

AAIPRRS
+E aspirera
parerais
parieras
raperais
repairas
reparais
+N parrains
+T partiras

AAIPRRT
partira
+A paraitra
rapatria
+E paraitre
parerait
piratera
rapatrie
raperait
repairat
repaira
reparait
+I partirai
+L raplatir
+S partiras

AAIPRRU
+E apurerai
+J parjurai

AAIPRSS
aspiras
+E paraisse
paressai
pariasse
passerai
repassai
saperais
separais
+H phrasais
+I aspirais

AAIPRST
aspirat
paitras
partais
patiras
piratas
rapiats
tapiras
+A parasita
+E parasite
pariates
rapiates
retapais
saperait
satrapie
separait
taperais
+F parfaits
+H phrasait
+I aspirait
paitrais
patirais
piratais
tapirais
+L platrais
raplatis
+N aspirant
partisan
patarins
+R partiras
+T partitas
+U paturais
+Y surpayai

AAIPRSV
+E paverais
repavais
+O vaporisa

AAIPRSX
+E apraxies

AAIPRSY
pirayas
+E payerais
repayais
+U surpayai

AAIPRTT
partait
partita
piratat
+A attrapai
+E retapait
taperait
+I paitrait
piratait
tapirait
+L platrait
+N piratant
+S partitas
+U paturait

AAIPRTU
apurait
paturai
+C capturai
+E apeurait
+Q parquait
pratiqua
+S paturais
+T paturait
+X partiaux

AAIPRTV
+E paverait
repavait

AAIPRTX
+E expatria
+U partiaux

AAIPRTY
+E payerait
repayait

AAIPRUV
+P appauvri

AAIPRUX
+T partiaux

AAIPRUY
+S surpayai

AAIPSSS
passais
+B bipassas
+I paissais
+L palissas
+T tapissas

AAIPSST
passait
tapissa
+B baptisas
+C pactisas
+E aseptisa
+I paissait
+L palissat
+N paissant
+O apostais
patoisas
potassai
+S tapissas
+T tapissat

AAIPSSU
+E paisseau
+N punaisas

AAIPSSV
+A piassava
+O pavoisas

AAIPSTT
+B baptisat
+C pactisat
+E apatites
+O apostait
patoisat
tapotais
+R partitas
+S tapissat

AAIPSTU
tupaias
+M amputais
+N punaisat
+O autopsia
+R paturais
+X spatiaux

AAIPSTV
+C captivas
+O pavoisat

AAIPSTX
+U spatiaux

AAIPSTY
+O apitoyas

AAIPSUX
+T spatiaux

AAIPSUY
+P appuyais
+R surpayai

AAIPSXY
+H asphyxia

AAIPSZZ
piazzas

AAIPTTT
+O tapotait

AAIPTTU
+M amputait
+R paturait

AAIPTTV
+C captivat

AAIPTTY
+O apitoyat

AAIPTUX
+C capitaux
+R partiaux
+S spatiaux

AAIPTUY
+P appuyait

AAIQRRU
+E arquerai
raquerai

AAIQRST
+U quartais
traquais

AAIQRSU
arquais
raquais
+B braquais
+C craquais
+E saquerai
+M marquais
+P parquais
+T quartais
traquais

AAIQRTT
+U quartait
traquait

AAIQRTU
arquait
quartai
raquait
traquai
+B braquait
+C craquait
+E etarquai
+F trafiqua
+M marquait
+N quatrain
+P parquait
pratiqua
+S quartais
traquais
+T traquait

AAIQRUU
+M aquarium

AAIQRUV
+E vaquerai

AAIQSSS
+U quassias

AAIQSST
+U astiquas

AAIQSSU
quassia
saquais
+B basquais
+C casquais
sacquais
+M masquais
+S quassias
+T astiquas

AAIQSTT
+U astiquat
squattai

AAIQSTU
astiqua
saquait
taquais
+C casquait
sacquait
+I astiquai
+L talquais
+M masquait
mastiqua
+N squatina
taquinas
+R traquais
+S astiquas
+T astiquat
squattai

AAIQSTV
+U aquavits

AAIQSUV
vaquais
+T aquavits

AAIQTTU
taquait
+A attaquai
+C acquitta
+L talquait
+N taquinat
+R quartait
traquait
+S astiquat
squattai

AAIQTUV
aquavit
+E atavique
+S aquavits

AAIQTUX
+E ataxique

AAIRRRS
+B barriras
+E arrisera

AAIRRRV
+E arrivera

AAIRRSS
arrisas
+E ariseras
raserais
rassiera
+I arrisais
+N sarrasin
+O arrosais
rassoira
+U rassurai

AAIRRST
arrisat
tariras
trairas
+B arbitras
+E arretais
raserait
raterais
tarerais
+H trahiras
+I arrisait

tarirais
trairais
+N arrisant
transira
+O arrosait
+P partiras
+U raturais
AAIRRSU
+E saurerai
+H ahuriras
+N rainuras
+S rassurai
+T raturais
AAIRRSV
arrivas
raviras
+E ravisera
varieras
+G graviras
+I arrivais
ravirais
AAIRRSY
+E rayerais
AAIRRTT
+B arbitrat
+E arretait
atterrai
attirera
raterait
retraita
tarerait
traitera
+I tarirait
trairait
+U raturait
AAIRRTU
raturai
+B abrutira
+D traduira
+N rainurat
+S raturais
+T raturait
AAIRRTV
arrivat
+E avertira
+I arrivait
ravirait
+N arrivant
AAIRRTX
+E extraira
AAIRRTY
+E rayerait
AAIRRUZ
+E azurerai
AAIRRVV
+E ravivera
AAIRRZZ
+E razziera
AAIRSSS
+A rassasia
+B brassais
+E ariseras
assieras
rassasie
sasserai
+G graissas
+H harissas

+I saisiras
+M ramassis
+O assoires
+T ratissas
starisas
+U assurais
AAIRSST
ratissa
starisa
+B abstrais
brassait
+C castrais
+E arisates
essartai
tasserai
+G graissat
+I ratissai
starisai
+N artisans
+S ratissas
starisas
+T ratissat
starisat
+U assurais
saturais
AAIRSSU
assurai
sauris
+C cuirassa
+M samurais
+R rassurai
+S assurais
+T assurait
saturais
AAIRSSV
ravisas
+E aviseras
revassai
variasse
+I ravisais
+N savarins
AAIRSSY
+E ressayai
AAIRSTT
attiras
traitas
+B abstrait
battrais
rabattis
+C castrait
tractais
+E attisera
retatais
taterais
+G grattais
+I attirais
traitais
+N nitratas
tartinas
transita
+P partitas
+S ratissat
starisat
+T attitras
attraits
attrista
+U saturait

AAIRSTU
saturai
saurait
+E sauterai
+G targuais
+J rajustai
+N instaura
+O autorisa
+P paturais
+Q quartais
traquais
+R raturais
+S assurait
saturais
+T saturait
+V vautrais
+X surtaxai
AAIRSTV
ravisat
+E variates
+G gravitas
+I ravisait
+L travails
+N ravisant
+O avortais
+U vautrais
AAIRSTX
+E taxerais
+U surtaxai
AAIRSTY
trayais
AAIRSUU
+G auguruais
+M saumurai
AAIRSUV
+D vaudrais
+E sauverai
+O savourai
+T vautrais
AAIRSUX
+T surtaxai
AAIRSUY
+P surpayai
AAIRSUZ
azurais
AAIRSVV
ravivas
+E aviveras
+I ravivais
AAIRSZZ
razzias
+I razziais
AAIRTTT
attirat
attitra
attrait
traitat
+B battrait
rabattit
+C tractait
+E retatait
taterait
+G grattait
+I attirait
attitrai
traitait
+N attirant

nitratat
tartinat
traitant
+S attitras
attraits
+T attitrat
AAIRTTU
+B attribua
+G targuait
+P paturait
+Q quartait
traquait
+R raturait
+S saturait
+V vautrait
AAIRTTV
+G gravitat
+O avortait
+U vautrait
AAIRTTX
+E taxerait
AAIRTTY
trayait
AAIRTUU
+G augurait
AAIRTUV
vautrai
+D vaudrait
+E aviateur
+S vautrais
+T vautrait
AAIRTUX
atriaux
+M maritaux
martiaux
+P partiaux
+S surtaxai
AAIRTUZ
azurait
AAIRTVV
ravivat
+I ravivait
+N ravivant
AAIRTZZ
razziat
+I razziait
+N razziant
AAIRUUX
+B biauraux
AAISSSS
sassais
+N assassin
+T assistas
AAISSST
assista
sassait
tassais
+E astasies
+I assistai
+P tapissas
+R ratissas
starisas
+S assistas
+T assistas
+V vasistas
AAISSSU

+E saussaie
+F faussais
+G gaussais
+H haussais
+L laiusses
+M assumais
+Q quassias
+R assurais
AAISSSV
+E avisasse
+L slavisas
+T vasistas
AAISSSY
+E asseyais
+O assoyais
AAISSTT
attisas
tassait
+E etatisas
saiettas
+I attisais
+P tapissat
+R ratissat
starisat
+S assistat
+U statuais
AAISSTU
sautais
+F faussait
+G gaussait
+H haussait
+J ajustais
+L laiusset
+M assumait
+Q astiquas
+R assurait
saturais
+T statuais
AAISSTV
+E avisates
+K svastika
+L slavisat
+S vasistas
AAISSTX
+E extasias
AAISSTY
+E asseyait
essayait
+O assoyait
AAISSUV
+E vaisseau
AAISSVV
+E avivasse
AAISSXZ
+E axassiez
AAISTTT
attisat
+E attestai
etatisat
saiettat
+I attisait
+N attisant
+R attitras
attraits
attrista

+U statuait
AAISTTU
    sautait
    statuai
+F statufia
+J ajustait
+O tatouais
+Q astiquat
. squattai
+R saturait
+S statuais
+T statuait
AAISTTX
+E extasiat
AAISTUV
    sauvait
+Q aquavits
+R vautrais
AAISTUX
+P spatiaux
+R surtaxai
AAISTVV
+E avivates
+K akvavits
AAISWYZ
    zawiyas
AAISYZZ
+E zezayais
AAITTTT
+R attitrat
AAITTTU
+O tatouait
+S statuait
AAITTUU
+Y tuyautai
AAITTUV
+R vautrait
AAITTUY
+U tuyautai
AAITUUY
+T tuyautai
AAITYZZ
+E zezayait
AAJKLNR
+D kandjlar
AAJKNRS
+D kandjars
AAJKNSS
+D sandjaks
AAJLMOR
    majoral
AAJLNNO
    jalonna'
+I jalonnai
+S jalonnas
+T jalonnat
AAJLNNS
+O jalonnas
AAJLNNT
+O jalonnat
AAJLNOS
+N jalonnas
AAJLNOT
+C cajolant
+N jalonnat
AAJLNTV
+E javelant

AAJLOSS
+U jalousas
AAJLOST
+U jalousat
AAJLOSU
+I jalousai
+S jalousas
+T jalousat
AAJLOTU
+S jalousat
AAJLSSU
+O jalousas
AAJLSTU
+O jalousat
AAJMNOR
+T majorant
AAJMNOT
+R majorant
AAJMNRT
+O majorant
AAJMNSZ
+Z jazzmans
AAJMNZZ
    jazzman
+S jazzmans
AAJMORR
+E majorera
AAJMORS
    majoras
+I majorais
+T majorats
AAJMORT
    majorat
+I majorait
+N majorant
+S majorant
AAJMORU
+X majoraux
AAJMORX
+U majoraux
AAJMOST
+R majorats
AAJMOUX
+R majoraux
AAJMPPS
+E jappames
AAJMPSS
+E jaspames
AAJMPSY
    pyjamas
AAJMRST
+O majorats
AAJMRUX
+O majoraux
AAJMSZZ
+N jazzmans
AAJNNOR
+G jargonna
AAJNNOS
+L jalonnas
AAJNNOT
+L jalonnat
AAJNOPS
+I japonais
AAJNORS
+U ajournas

AAJNORT
+M majorant
+U ajourant
    ajournat
AAJNORU
    ajourna
+I ajournai
+S ajournas
+T ajourant
    ajournat
AAJNOSU
+R ajournas
AAJNOTT
+B jabotant
+U ajoutant
AAJNOTU
+R ajourant
    ajournat
+T ajourant
AAJNPPT
    jappant
AAJNPSS
+I jaspinas
AAJNPST
    jaspant
+I jaspinat
AAJNRSU
+I jauniras
+O ajournas
AAJNRTU
+B abjurant
+D adjurant
+E jaunatre
+O ajournat
    ajournat
AAJNSTT
+U ajustant
AAJNSTU
+T ajustant
AAJNSZZ
+M jazzmans
AAJNTTU
+O ajoutant
+S ajustant
AAJNTUV
+D adjuvant
AAJOPSS
+U sapajous
AAJOPSU
    sapajou
+S sapajous
AAJORRU
+E ajourera
AAJORST
+M majorats
+U rajoutas
AAJORSU
    ajouras
+I ajourais
+N ajournas
+T rajoutas
AAJORTT
+U rajoutat
AAJORTU
    ajourat
    rajouta
+E ajoutera

+I ajourait
    rajoutai
+N ajourant
    ajournat
+T rajoutat
AAJORUX
+M majoraux
AAJOSSU
+L jalousas
+P sapajous
AAJOSTU
    ajoutas
+I ajoutais
+L jalousat
+R rajoutas
AAJOTTU
    ajoutat
+I ajoutant
+N ajoutant
+R rajoutat
AAJPPRS
+E japperas
AAJPPSS
+E jappasse
AAJPPST
+E jappates
AAJPRRS
+U parjuras
AAJPRRT
+U parjurat
AAJPRRU
    parjura
+I parjurai
+S parjuras
+T parjurat
AAJPRSS
+E jasperas
AAJPRSU
+R parjuras
AAJPRTU
+R parjurat
AAJPSSS
+E jaspasse
AAJPSST
+E jaspates
AAJPSSU
+O sapajous
AAJPSTU
    tupajas
AAJRRSU
+P parjuras
AAJRRTU
+P parjurat
AAJRSST
+U rajustas
AAJRSSU
+T rajustas
AAJRSTT
+U rajustat
AAJRSTU
    rajusta
+E ajustera
    reajusta
+I rajustai
+O rajoutas
+S rajustas

+T rajustat
AAJRSTV
    javarts
AAJRTTU
+O rajoutat
+S rajustat
AAJSSSS
+E jasasses
AAJSSTU
    ajustas
+I ajustais
+R rajustas
AAJSTTU
    ajustat
+I ajustait
+N ajustant
+R rajustat
AAJSTUV
+D adjuvats
AAKKLRS
+U karakuls
AAKKLRU
    karakul
+S karakuls
AAKKLSU
+R karakuls
AAKKMOS
+T tokamaks
AAKKMOT
    tokamak
+S tokamaks
AAKKMST
+O tokamaks
AAKKOST
+E kakatoes
+M tokamaks
AAKKRRS
+D drakkars
AAKKRSU
+L karakuls
AAKLMNS
+W walkmans
AAKLMNW
    walkman
+S walkmans
AAKLMSW
+N walkmans
AAKLNNO
+X klaxonna
AAKLNNX
+O klaxonna
AAKLNOS
+Y ankylosa
AAKLNOX
+N klaxonna
AAKLNOY
+S ankylosa
AAKLNRS
+G kanglars
AAKLNSW
+M walkmans
AAKLNSY
+O ankylosa
AAKLOSY
+N ankylosa
AAKLPST
+C talpacks

AAKLRSU
+K karakuls
AAKMNRS
  karmans
AAKMNSW
+L walkmans
AAKMOSS
+U moussaka
AAKMOST
+K tokamaks
AAKMOSU
+S moussaka
AAKMOTW
+H tomahawk
AAKMRSU
+Z mazurkas
AAKMRSZ
+U mazurkas
AAKMRUZ
  mazurka
+S mazurkas
AAKMSSU
+O moussaka
AAKMSUZ
+R mazurkas
AAKNNOX
+L klaxonna
AAKNNRS
+A kannaras
AAKNNST
+U nunataks
AAKNNSU
+T nunataks
AAKNNTU
  nunatak
+S nunataks
AAKNORS
  anoraks
AAKNOSY
+L ankylosa
AAKNRST
+A astrakan
AAKNSTU
+N nunataks
AAKOOSZ
+B bazookas
AAKOSSU
+M moussaka
AAKPPRS
+I paprikas
AAKRSSU
+E eskuaras
AAKRSUZ
+M mazurkas
AAKSSTV
+I svastika
AAKSTVV
+I akvavits
AALLLUV
+I alluvial
AALLMNT
+I maillant
+U allumant
AALLMNU
+T allumant
AALLMOR
+I amollira

AALLMOS
  slaloma
+I slalomai
+S slalomas
+T slalomat
AALLMOT
+S slalomat
+M slalomat
AALLMQU
+I maquilla
AALLMRS
+U rallumas
AALLMRT
+U rallumat
AALLMRU
  ralluma
+E allumera
+I rallumai
+S rallumas
+T rallumat
AALLMRY
+C lacrymal
AALLMSS
+O slalomas
AALLMST
+E tallames
+O slalomat
AALLMSU
  allumas
+I allumais
+R rallumas
AALLMTU
  allumat
+I allumait
+N allumant
+R rallumat
AALLNNO
+B ballonna
AALLNOT
+U allouant
AALLNOU
+T allouant
AALLNPT
+I paillant
  palliant
AALLNRT
+I raillant
  ralliant
AALLNSS
+I nasillas
AALLNST
  allants
+B ballants
+E allantes
+I installa
  nasillat
  saillant
AALLNTT
  tallant
+I taillant
AALLNTU
+M allumant
+O allumant
AALLNTV
+I vaillant
AALLOOT
+C alcoolat
AALLOPY

+G polygala
AALLORU
+E allouera
AALLOSS
+M slalomas
AALLOST
+M slalomat
AALLOSU
  allouas
+I allouais
AALLOTT
+B ballotta
AALLOTU
  allouat
+I allouait
+N allouant
AALLPPR
+E empalant
AALLPUX
+E palleaux
AALLRST
+A tralalas
+E talleras
AALLRSU
+M rallumas
AALLRTU
+M rallumat
AALLSSS
+E allasses
AALLSST
+B ballasts
+E tallasse
AALLSTT
+E tallates
AALLSTU
+B blastula
+I sautilla
AALLSWY
+B wallabys
+I willayas
AALMMNO
  ammonal
+S ammonals
AALMMNS
+E malmenas
+O ammonals
AALMMNT
+E malmenat
AALMMOS
+N ammonals
AALMMPS
+E lampames
  palmames
AALMMST
+E maltames
AALMNNT
+I lamantin
  laminant
AALMNOR
  anormal
+E anormale
+S alarmons
+U monaural
AALMNOS
+A anomalas
+E anomales
+M ammonals

+R alarmons
+X malaxons
AALMNOT
+U automnal
AALMNOU
+R monaural
+T automnal
AALMNOX
+S malaxons
AALMNPS
  napalms
+E planames
+T lampants
AALMNPT
  lampant
  palmant
+E empalant
  lampante
+I implanta
+S lampants
+Y tympanal
AALMNPU
+I manipula
AALMNPY
+T tympanal
AALMNRS
+O alarmons
AALMNRT
+A alarmant
+E alarment
AALMNRU
+E lamaneur
+O monaural
AALMNRY
+D maryland
AALMNSS
+I malsains
AALMNST
+C calmants
  clamsant
+E lamentas
  malseant
+F flamants
+I staminal
  talisman
+P lampants
AALMNSU
+D ladanums
AALMNSW
+K walkmans
AALMNSX
+O malaxons
AALMNTT
  maltant
AALMNTU
+B ambulant
+C maculant
+I miaulant
+L allumant
+O automnal
AALMNTX
+A malaxant
+E malaxent
+P tympanal
AALMNUU

+D laudanum
AALMOPR
  lamparo
+C proclama
+S lamparos
AALMOPS
+R lamparos
AALMORR
+I armorial
+T matorral
AALMORS
+E amorales
+I moralisa
+N alarmons
+P lamparos
+Y larmoyas
AALMORT
+E armatole
+R matorral
+Y larmoyat
AALMORU
+F maroufla
+N monaural
AALMORY
  larmoya
+I larmoyai
+S larmoyas
+T larmoyat
AALMOSS
+L slalomas
AALMOST
+C colmatas
  stomacal
+L slalomat
AALMOSX
+N malaxons
AALMOSY
+R larmoyas
AALMOTT
+C colmatat
AALMOTU
+N automnal
AALMOTY
+R larmoyat
AALMPPS
+E palpames
AALMPRS
+E lamperas
  palmares
  palmeras
  parlames
+O lamparos
AALMPSS
  plasmas
+E lampasse
  palmasse
AALMPST
+E lampates
  palmates
+N lampants
AALMPTY
+N tympanal
AALMQSU
+E laquames
AALMRRT
+O matorral

```
AALMRSS            +J jalonnat        +P salopant        +C scalpant        AALNRTV
+A marsalas        +P pantalon        +S assolant        +E planates        +A ravalant
AALMRST            +S talonnas        +U saoulant           platanes        +E ravalent
+E malteras        +T talonnat        AALNOSU            +I palatins           relavant
   martelas        AALNNOX            +D andalous           plaisant           revalant
+F malfrats        +K klaxonna        +T saoulant           plantais        AALNRTW
+I alastrim        AALNNOY            AALNOSV            +M lampants        +C crawlant
   tramails        +C clayonna           avalons         +N planants        AALNRTX
+U marsault        AALNNPS            +C cavalons        +O salopant        +E relaxant
AALMRSU            +T planants        +G galvanos        +R parlants        AALNRTY
+B labarums           planant         +I avalions        AALNPSU            +E relayant
+L rallumas        AALNNPT            +R ravalons        +Q planquas        AALNSSS
+T marsault        +E planante        AALNOSX            +R lupanars        +T lassants
AALMRSY            +I lapinant        +M malaxons        AALNPSV            AALNSST
+O larmoyas           plantain        AALNOSY            +E panslave           lassant
AALMRTT            +O pantalon        +B balayons        AALNPTT               salants
+E martelat        +S planants        +K ankylosa           plantat            santals
AALMRTU            +T plantant        AALNOTT            +I plantait        +C classant
+L rallumat        AALNNRT            +N talonnat           platinat           scalants
+S marsault        +B branlant        AALNOTU            +N plantant        +E lassante
AALMRTY            +E lanterna        +B aboulant        +R platrant        +I laissant
+O larmoyat        AALNNRU            +C cantalou        AALNPTU            +O assolant
AALMRUX            +E annulera        +L allouant        +E epaulant        +S lassants
+E malaxeur        AALNNST            +M automnal        +I piaulant        AALNSSY
AALMSSS            +A lantanas        +S talonnas        +Q planquat        +A analysas
+E lamasses        +G sanglant        AALNPPT               plaquant        +E analyses
   lassames        +O talonnas           palpant         AALNPTY            AALNSTT
AALMSST            +P planants        +C clappant        +M tympanal        +E atlantes
+E maltases        AALNNSU            +E appelant        AALNQSU               tantales
   maltasse           annulas         AALNPQS            +F flanquas        +U sultanat
AALMSSU            +I annulais        +U planquas        +P planquas        AALNSTU
+E saluames        AALNNTT            AALNPQT            AALNQTT            +H nahuatls
AALMSSV            +O talonnat        +U planquat        +U talquant        +O saoulant
+E valsames        +P plantant           plaquant        AALNQTU            +T sultanat
AALMSSY            AALNNTU            AALNPQU               laquant         AALNSTV
+E amylases           annulat            planqua         +C calquant           valsant
AALMSTT            +C canulant        +E palanque           claquant        +I salivant
+E lattames        +F falunant        +I planquai        +F flanquat        AALNSTY
   maltates        +I annulait        +S planquas        +P planquat        +A analysat
AALMSTU            +N annulant        +T planquat           plaquant        +E analyste
+H thalamus        AALNOPR               plaquant        +T talquant        AALNSYZ
+R marsault        +T patronal        AALNPRS            AALNRST            +E analysez
AALMTUZ            AALNOPS            +E planeras        +C sarclant        AALNTTT
+I azimutal        +T salopant        +I pralinas        +E alternas           lattant
AALNNNT            AALNOPT            +T parlants           resalant        +E attelant
+E annelant        +G galopant        +U lupanars        +P parlants        +F flattant
+U annulant        +N pantalon        AALNPRT            AALNRSU            AALNTTU
AALNNNU            +R patronal           parlant         +C canulars        +Q talquant
+T annulant        +S salopant        +A rataplan        +G granulas        +S sultanat
AALNNOP            AALNORS            +D plantard        +I aluniras        AALNTTV
+C palancon        +M alarmons        +E parental        +P lupanars        +E tavelant
+F plafonna        +V ravalons           parlante        AALNRSV            AALNTTX
+T pantalon        AALNORT               plantera           narvals         +E exaltant
AALNNOS            +C racolant           prenatal        +O ravalons        AALNTUV
+B blasonna        +I notarial        +I pralinat        AALNRSY            +E evaluant
+G galonnas        +P patronal        +O patronal        +E analyser        AALOPRS
+J jalonnas        AALNORU            +S parlants        AALNRTT               parasol
+T talonnas        +M monarual        +T platrant        +E alertant        +D salopard
AALNNOT            AALNORV            AALNPRU               alterant        +E salopera
   talonna         +S ravalons           lupanar            alternat        +I polarisa
+C cantonal        AALNOSS            +S lupanars           ratelant        +M lamparos
+E etalonna        +I salaison        AALNPSS               relatant        +S parasols
   neonatal        +T assolant        +E planasse        +P platrant        +T pastoral
+G galonnat        AALNOST            AALNPST            AALNRTU            +V varlopas
+I laitonna        +E atonales           plantas         +G granulat        AALOPRT
   national        +G sanglota        +A aplanats           larguant        +N patronal
   talonnai        +N talonnas
```

+S pastoral	assolas	reparlat	+E astrales	**AAMMNNR**
+V varlopat	+G aglossas	replatra	+U australs	+O marmonna
AALOPRV	+I assolais	+I raplatir	**AALRSSU**	**AAMMNOR**
varlopa	**AALOSST**	**AALPRSS**	+E salueras	+N marmonna
+I varlopai	assolat	+E parlasse	+O sarouals	**AAMMNOS**
+S varlopas	+I assolait	prelassa	+T australs	+L ammonals
+T varlopat	+N assolant	+O parasols	**AALRSSV**	**AAMMNRS**
AALOPSS	**AALOSSU**	**AALPRST**	+E valseras	+E marnames
salopas	saoulas	platras	**AALRSTT**	**AAMMOPS**
+I opalisas	+I saoulais	+E palastre	+E latteras	+D pommadas
salopais	+J jalousas	palatres	**AALRSTU**	**AAMMOPT**
+R parasols	+R sarouals	parlates	austral	+D pommadat
AALOPST	**AALOSSV**	salpetra	+C claustra	**AAMMORT**
salopat	+I ovalisas	+I platrais	+D taulards	+E matamore
+C clapotas	**AALOSTT**	raplatis	+E australe	+T marmotta
+I opalisat	+C calottas	+N parlants	laureats	**AAMMOSS**
salopait	+I totalisa	+O pastoral	+G gastrula	assomma
+N salopant	**AALOSTU**	**AALPRSV**	+M marsault	+I assommai
+R pastoral	saoulat	+N lupanars	+S australs	+S assommas
AALOPSV	+E alouates	**AALPRSV**	**AALRSTV**	+T assommat
+R varlopas	+I saoulait	+O varlopas	+E lavarets	**AAMMOST**
AALOPTT	+J jalousat	**AALPRSY**	+I travails	+S assommat
+C clapotat	+N* saoulant	+A paralysa	**AALRSTZ**	**AAMMOTT**
AALOPTV	**AALOSTV**	+E paralyse	+E lazarets	+R marmotta
+R varlopat	+I ovalisat	**AALPRTT**	**AALRSUV**	**AAMMPRS**
AALORRT	**AALOSTX**	platrat	+E avaleurs	+E rampames
+M matorral	+E oxalates	+I platrait	**AALRTUX**	**AAMMPSU**
AALORRU	**AALOSUV**	raplatit	+E lateraux	+E empaumas
auroral	ouvalas	+N platrant	**AALRTVY**	paumames
+E aurorale	**AALOTTT**	**AALPRTV**	+O lavatory	**AAMMPSV**
AALORSS	+C calottat	+O varlopat	**AALRUZZ**	+E vampames
+E assolera	**AALOTTY**	**AALPSSS**	+E zarzuela	**AAMMPTU**
+P parasols	+C acolytat	+E lapasses	**AALSSSS**	+E empaumat
+U sarouals	**AALOTVY**	+I palissas	+E lassasse	**AAMMRRS**
AALORST	+R lavatory	**AALPSST**	salasses	+E marrames
+B albatros	**AALOUXY**	+I palissat	**AALSSST**	**AAMMRSS**
+C coaltars	aloyaux	**AALPSTU**	+E lassates	+E marasmes
+F folatras	**AALPPQU**	+C capsulas	+N lassants	**AAMMRST**
+P pastoral	+I appliqua	+C capsulat	**AALSSSU**	+E tramames
AALORSU	**AALPPRS**	**AALPTUX**	+E saluasse	**AAMMRSU**
saroual	+E palperas	+A palataux	+I laiussas	+E amurames
+B labouras	rappelas	+E plateaux	**AALSSSV**	+I samarium
+E aureolas	**AALPPRT**	**AALQRSU**	+E lavasses	**AAMMRTT**
saoulera	+E rappelat	+E laqueras	valsasse	+O marmotta
+S sarouals	**AALPPSS**	**AALQRTU**	vassales	**AAMMSSS**
AALORSV	+E palpasse	+E talquera	+I slavisas	+E massames
+I avaloirs	**AALPPST**	**AALQSSU**	**AALSSSY**	+O assommas
valorisa	+E palpates	+E laquasse	+E layasses	**AAMMSST**
+N ravalons	+I palpitas	**AALQSTU**	**AALSSTT**	+O assommat
+P varlopas	**AALPPTT**	talquas	+E lattasse	**AAMMSSU**
AALORSY	+I palpitat	+E laquates	**AALSSTU**	+E amusames
+M larmoyas	**AALPQRU**	+I talquais	+E saluates	**AAMMUXX**
AALORTT	+E plaquera	**AALQSUV**	+F sulfatas	+I maximaux
+F folatrat	**AALPQSU**	+E valaques	+I laiussat	**AAMNNOP**
AALORTU	plaquas	**AALQTTU**	+R australs	+T tamponna
+B labourat	+I plaquais	talquat	**AALSSTV**	**AAMNNOR**
+E aureolat	+N planquas	+I talquait	+E valsates	maronna
+I autorail	**AALPQTU**	+N talquant	+I slavisat	+I maronnai
AALORTV	plaquat	**AALRRSU**	**AALSTTT**	+M marmonna
+P varlopat	+I plaquait	+B saburral	+E lattates	+S maronnas
+Y lavatory	+N planquat	**AALRRUV**	**AALSTTU**	+T maronnat
AALORTY	**AALPRRS**	+E ravaleur	+F sulfatat	ramonant
+M larmoyat	+E parleras	**AALRSSS**	+N sultanat	**AAMNNOS**
+V lavatory	reparlas	+E lasseras	**AALSTUU**	+C maconnas
AALORVY	**AALPRRT**	ralasses	+C ausculta	+R maronnas
+T lavatory	+E platrera	**AALRSST**	**AAMMNNO**	+Y monnayas
AALOSSS			+R marmonna	

AAMNNOT	+N maronnas	vampant	massant	+V samovars
+C maconnat	+R amarrons	**AAMNPTY**	+A amassant	**AAMORST**
+P tamponna	**AAMNORT**	+L tympanal	+E amassent	+D matadors
+R maronnat	ramonat	**AAMNQRT**	+H smashant	+E aromates
ramonant	+C amorcant	+U marquant	+U amusants	+G margotas
+U mantouan	romancat	**AAMNQRU**	assumant	+I mortaisa
+Y anonymat	+G martagon	+E manquera	**AAMNSSU**	+J majorats
monnayat	+H marathon	+T marquant	+E saunames	**AAMORSU**
AAMNNOU	+I ramonait	**AAMNQST**	+T amusants	+E amaurose
+T mantouan	tamanoir	+U masquant	assumant	+I samourai
AAMNNOY	+J majorant	**AAMNQTU**	**AAMNSTT**	**AAMORSV**
monnaya	+N maronnat	manquat	+E nattames	samovar
+I monnayai	ramonant	+I manquait	+I tamisant	+S samovars
+S monnayas	**AAMNORU**	+N manquant	+O manostat	**AAMORSY**
+T anonymat	+E enamoura	+R marquant	+W wattmans	+L larmoyas
monnayat	+L monaural	+S masquant	**AAMNSTU**	**AAMORTT**
AAMNNPS	+X anormaux	**AAMNRRS**	amusant	+C marcotta
+E empannas	**AAMNORX**	+E marneras	+E amusante	+G margotat
AAMNNPT	+U anormaux	marranes	+Q masquant	margotta
+E empannat	**AAMNOSS**	narrames	+R transmua	+M marmotta
+O tamponna	samoans	+O amarrons	+S amusants	**AAMORTU**
AAMNNQT	+S amassons	+T marrants	**AAMNSTV**	+B marabout
+U manquant	**AAMNOST**	**AAMNRRT**	+E vantames	**AAMORTY**
AAMNNQU	+T manostat	marrant	**AAMNSTW**	+E atermoya
+T manquant	**AAMNOSX**	+A amarrant	+T wattmans	+L larmoyat
AAMNNRS	+L malaxons	+B marbrant	**AAMNSUX**	**AAMORUX**
+O maronnas	**AAMNOSY**	+E amarrent	+E amensaux	amoraux
AAMNNRT	+N monnayas	marrante	**AAMNSZZ**	+J majoraux
marnant	**AAMNOSZ**	rearmant	+J jazzmans	+N anormaux
+E ramenant	+E amazones	+I arrimant	**AAMNTTU**	**AAMOSSS**
+I marinant	**AAMNOTT**	trimaran	+E ameutant	+M assommas
ranimant	+S manostat	+S marrants	+P amputant	+N amassons
+O maronnat	**AAMNOTU**	**AAMNRSS**	**AAMNTTW**	**AAMOSST**
ramonant	+L automnal	+E marnasse	wattman	+I atomisas
AAMNNST	+N mantouan	**AAMNRST**	+S wattmans	somatisa
manants	**AAMNOTY**	+A marantas	**AAMNTUX**	+M assommat
+D mandants	+N anonymat	+E marnates	+E manteaux	**AAMOSSU**
+E tannames	monnayat	maternas	+I matinaux	+K moussaka
AAMNNSV	**AAMNOUX**	rentamas	**AAMOPRS**	**AAMOSSV**
+E vannames	anomaux	+I tamarins	+C comparas	+R samovars
AAMNNSY	+C monacaux	+P rampants	+L lamparos	**AAMOSTT**
+O rhonnays	+R anormaux	+R marrants	**AAMOPRT**	+I atomisat
AAMNNTT	**AAMNPPS**	+U transmua	+C comparat	+N manostat
+E entamant	+E nappames	**AAMNRSU**	**AAMOPSS**	+E ouatames
+I matinant	**AAMNPRS**	+T transmua	+C compassa	+Z mazoutas
AAMNNTU	+E parmesan	**AAMNRSV**	**AAMOPSU**	**AAMOSTZ**
+O mantouan	+T rampants	+E navrames	+Y paumoyas	+U mazoutas
+Q manquant	**AAMNPRT**	**AAMNRTT**	**AAMOPSY**	**AAMOSUV**
AAMNNTY	rampant	tramant	+U paumoyas	+E avouames
+O anonymat	+E emparant	+E maternat	**AAMOPTU**	**AAMOSUY**
monnayat	rampante	rentamat	+Y paumoyat	+P paumoyas
AAMNNOPR	+S rampants	retamant	**AAMOPTY**	**AAMOSUZ**
+A panorama	**AAMNPSS**	**AAMNRTU**	+U paumoyat	+T mazoutas
AAMNNOPT	sampans	amurant	**AAMOPUY**	**AAMOTTU**
+N tamponna	+E pansames	+Q marquant	paumoya	+E automate
AAMNNORR	**AAMNPST**	+S transmua	+I paumoyai	+Z mazoutat
+E ramonera	+L lampants	**AAMNRUU**	+S paumoyas	**AAMOTTZ**
+S amarrons	+R rampants	+C manucura	+T paumoyat	+U mazoutat
AAMNNORS	**AAMNPTT**	**AAMNRUX**	**AAMORRS**	**AAMOTUY**
aramons	+E empatant	+O anormaux	+I armorias	+P paumoyat
ramonas	**AAMNPTU**	**AAMNSSS**	+N amarrons	**AAMOTUZ**
+C macarons	+U amputant	+O amassons	**AAMORRT**	mazouta
mascaron	paumant	**AAMNSST**	+I amortira	+I mazoutai
romancas	+T amputant	+O amassons	armoriat	+S mazoutas
+I ramonais	**AAMNPTV**	**AAMNSST**	+L matorral	+T mazoutat
romanisa			**AAMORSS**	
+L alarmons				

AAMPPRS
+E epampras
AAMPPRT
+E epamprat
AAMPRRS
+E ramperas
AAMPRSS
+E parsemas
  rampasse
AAMPRST
+E parsemat
  rampates
+N rampants
AAMPRSU
+E apurames
  paumeras
+F parfumas
AAMPRSV
+E vamperas
AAMPRTT
+E attrempa
AAMPRTU
+E amputera
+F parfumat
AAMPRUX
+E rampeaux
AAMPSSS
+E pamasses
  passames
AAMPSST
+E estampas
AAMPSSU
+E paumasse
AAMPSSV
+E vampasse
AAMPSTT
+E estampat
AAMPSTU
  amputas
+E paumates
+I amputais
AAMPSTV
+E vampates
AAMPSUY
+O paumoyas
AAMPTTU
  amputat
+I amputait
+N amputant
AAMPTUY
+O paumoyat
AAMQRRU
+E marquera
  remarqua
AAMQRSU
  marquas
+E arquames
  marasque
  masquera
  raquames
+I marquais
AAMQRTU
  marquat
+A matraqua
+E marqueta
  matraque
+I marquait

+N marquant
AAMQRUU
+I aquarium
AAMQSSU
  masquas
+E saquames
+I masquais
AAMQSTU
  masquat
+E squamate
+I masquait
  mastiqua
+N masquant
AAMQSUV
+E vaquames
AAMRRRS
+E marreras
AAMRRSS
+E marrasse
  ramasser
AAMRRST
+E maratres
  marrates
  trameras
+N marrants
AAMRRSU
+E amureras
AAMRRTU
+E armateur
  armature
AAMRSSS
+A ramassas
+E armasses
  masseras
  ramasses
+I ramassis
AAMRSST
+A ramassat
+E tramasse
AAMRSSU
+B brumassa
+D musardas
+E amurasse
  amuseras
  saurames
+I samurais
+U saumuras
AAMRSSV
+O samovars
AAMRSSZ
+E ramassez
AAMRSTT
+E tramates
  trematas
AAMRSTU
  traumas
+B masturba
+D musardat
+E amateurs
  amurates
  rameutas
  saumatre
+L marsault
+N transmat
+U saumurat

AAMRSTW
+Y tramways
AAMRSTY
+W tramways
AAMRSUU
  saumura
+I saumurai
+S saumuras
+T saumurat
AAMRSUZ
+E azurames
+K mazurkas
AAMRSWY
+T tramways
AAMRTTT
+E trematat
AAMRTTU
+E rameutat
AAMRTUX
+E marteaux
+I maritaux
  martiaux
AAMRTWY
  tramway
+S tramways
AAMSSSS
+E massasse
  sassames
AAMSSST
+E massates
  matasses
  tassames
AAMSSSU
  assumas
+E amusasse
+I assumais
AAMSSTU
  assumat
+E amusates
  sautames
+I assumait
+N amusants
  assumant
AAMSSUU
+R saumuras
AAMSSUV
+E sauvames
AAMSTTW
+N wattmans
AAMSTTU
+R saumurat
AAMSTUZ
+O mazoutas
AAMSTWY
+R tramways
AAMTTUZ
+O mazoutat
AANNNNO
+T anonnant
AANNNNT
+O anonnant
AANNNOR
+C ranconna
+E anonnera
AANNNOS

  anonnas
+C annonças
AANNNOT
+B abonnant
+C annoncat
  canonnat
  cantonna
+D adonnant
+I anonnait
+N anonnant
+T annotant
AANNNST
+T tannants
AANNNTT
  tannant
+E tannante
+O annotant
+S tannants
AANNNTU
+C nuançant
+L annulant
AANNNTV
  vannant
AANNNTX
+E annexant
AANNOPR
+D pardonna
+G parangon
+H harponna
+T patronna
AANNOPS
+V pavanons
AANNOPT
+L pantalon
+M tamponna
+R raponna
AANNOPV
+S pavanons
AANNORR
+D andorran
AANNORS
+C arcanson
  arconnas
+I raisonna
+M maronnas
+Y rayonnas
AANNORT
+C arconnat
  cartonna
+E annotera
+I rationna
+M maronnat
  ramonant
+P patronna
+Y rayonnat
AANNORY
  rayonna
+C crayonna
+I rayonnai
+S rayonnas
+T rayonnat
AANNOSS
+B basanons
+C canasson

+H hosannas
+T assonant
+V savonnas
AANNOST
  annotas
+I annotais
+L talonnas
+S assonant
+T tatonnas
+V savonnat
AANNOSV
  savonna
+C avançons
+I savonnai
+P pavanons
+S savonnas
+T savonnat
AANNOSY
+M monnayas
+R rayonnas
AANNOSZ
+G gazonnas
AANNOTT
  annotat
  tatonna
+B batonnat
+C canotant
+I annotait
  tatonnai
+L talonnat
+N annotant
+S tatonnas
+T tatonnat
AANNOTU
+M mantouan
AANNOTV
+S savonnat
AANNOTY
+M anonymat
  monnayat
+R rayonnat
AANNOTZ
+G gazonnat
AANNPPT
  nappant
AANNPRT
+O patronna
AANNPST
  pansant
+L planants
AANNPSU
+D pandanus
AANNPSV
+O pavanons
AANNPSY
+E paysanne
AANNPTT
+I patinant
  tapinant
+L plantant
AANNPTV
+A pavanant
+E pavanent
AANNPUX
+E panneaux

AANNQTU	**AANOOPP**	arasons	+T noyautas	+I parrains
+B banquant	+X opopanax	+B abrasons	**AANOTTT**	**AANPRRT**
+M manquant	**AANOOPX**	+I arasions	+N tatonnat	+E reparant
AANNRRT	+P opopanax	**AANORST**	+P tapotant	**AANPRSS**
narrant	**AANOPPS**	+C racontas	+U tatouant	+E panseras
AANNRST	+T appatons	+D ondatras	**AANOTTU**	**AANPRST**
+E tanneras	appontas	+R arrosant	ouatant	tarpans
+I nantiras	apposant	**AANORSU**	+B aboutant	+E arpentas
+V navrants	**AANOPPT**	+G ouragans	+I ouatinat	separant
AANNRSV	apponta	+J ajournas	+J ajoutant	trepanas
+E vanneras	+I appointa	**AANORSV**	+T tatouant	+H phrasant
+I navarins	appontai	+I avarions	+Y noyautat	+I aspirant
nirvanas	+S appatons	+L ravalons	**AANOTTV**	partisan
+T navrants	appontas	**AANORSY**	+R avortant	patarins
AANNRSY	apposant	+N rayonnas	**AANOTTX**	+L parlants
+O rayonnas	+T appontat	**AANORTT**	+I taxation	+M rampants
AANNRTT	papotant	+B rabotant	**AANOTTY**	+T partants
+C crantant	**AANOPPX**	+C racontat	+F fayotant	**AANPRSU**
+I ratinant	+O opopanax	+D radotant	+U noyautat	+L lupanars
trainant	**AANOPRS**	+I notariat	**AANOTUV**	**AANPRTT**
AANNRTU	+D paradons	+P patronat	avouant	partant
+G narguant	+F parafons	+V avortant	**AANOTUX**	+E arpentat
AANNRTV	profanas	**AANORTU**	atonaux	partante
navrant	+H pharaons	+J ajourant	**AANOTUY**	retapant
+E navrante	+I paraison	ajournat	noyauta	trepanat
+I ravinant	**AANOPRT**	**AANORTV**	+I noyautai	+I piratant
+S navrants	+F profanat	+T avortant	+S noyautas	+L platrant
AANNRTY	+L patronal	**AANORTY**	+T noyautat	+O patronat
+E enrayant	+N patronna	+N rayonnat	**AANPPRS**	+S partants
+O rayonnat	+T patronat	**AANORUX**	+E napperas	+U paturant
AANNSST	**AANOPSS**	+M anormaux	**AANPPRT**	**AANPRTU**
+D dansants	panossa	**AANOSSS**	+E apparent	apurant
+E assenant	+I apaisons	+M amassons	+F frappant	+E apeurant
tannasse	panossai	+P panossas	**AANPPSS**	+Q parquant
+I naissant	+S panossas	**AANOSST**	sappans	+T paturant
tannisas	+T panossat	+C coassant	+E nappasse	**AANPRTV**
+O assonant	**AANOPST**	+D adossant	**AANPPST**	+E paravent
AANNSSV	+D adaptons	+L assolant	+E nappates	repavant
+E vannasse	+I pianotas	+N assonant	+O appatons	**AANPRTY**
+O savonnas	+L salopant	+P panossat	appontas	+E repayant
AANNSTT	+P appatons	+Y assoyant	apposant	**AANPSSS**
+E tannates	appontas	**AANOSSV**	**AANPPTT**	+E panasses
+G stagnant	apposant	+N savonnas	+A appatant	pansasse
+I satinant	+S panossat	**AANOSSY**	+E appatent	+O panossas
tanisant	+T apostant	+B sabayons	+O appontat	+T passants
tannisat	**AANOPSV**	+C cyanosas	papotant	**AANPSST**
+N tannants	+N pavanons	+T assoyant	**AANPPTU**	passant
+O tatonnas	**AANOPSY**	**AANOSTT**	+Y appuyant	+E pansates
AANNSTU	+G pagayons	+B abattons	**AANPPTY**	passante
saunant	**AANOPTT**	sabotant	+U appuyant	+I paissant
+K nunataks	+C capotant	+C constata	**AANPPUY**	+O panossat
AANNSTV	+D adoptant	+H thanatos	+T appuyant	+S passants
+E avenants	+I pianotat	+M manostat	**AANPQRT**	**AANPSSU**
envasant	+P appontat	+N tatonnas	+U parquant	+I punaisas
vannates	papotant	+P apostant	**AANPQRU**	**AANPSSY**
+O savonnat	+R patronat	**AANOSTU**	+T parquant	paysans
+R navrants	+S apostant	+I ouatinas	**AANPQSU**	**AANPSTT**
AANNTTT	+T tapotant	+L saoulant	+I paniquas	tapants
nattant	**AANORRS**	+Y noyautas	+L planquas	+E epatants
+E attenant	+M amarrons	**AANOSTV**	**AANPQTU**	patentes
+O tatonnat	+T arrosant	+N savonnat	+C pacquant	tapantes
AANNTTU	**AANORRT**	**AANOSTY**	+I apiquant	+O apostant
+G tanguant	+B arborant	+C cyanosat	paniquat	+R partants
AANNTTV	+C racontar	+S assoyant	+L planquat	**AANPSTU**
vantant	+G arrogant	+U noyautas	+R parquant	+I punaisat
AANNUVX	+S arrosant	**AANOSUY**	**AANPRRS**	**AANPSTY**
+E vanneaux	**AANORSS**			payants

+E payantes
AANPTTT
+E patentat
+O tapotant
AANPTTU
+M amputant
+R paturant
AANPTUY
+P appuyant
AANQRRU
+E arnaquer
AANQRSU
+A arnaquas
+E arnaques
AANQRTT
+U quartant
  traquant
AANQRTU
  arquant
  raquant
+A arnaquat
+B braquant
+C craquant
+D quadrant
+E quarante
+I quatrain
+M marquant
+P parquant
+T quartant
  traquant
AANQRUV
+E navarque
AANQRUZ
+E arnaquez
AANQSTU
  saquant
+C casquant
  sacquant
+I squatina
  taquinas
+M masquant
AANQTTU
  taquant
+I taquinat
+L talquant
+R quartant
  traquant
AANQTUV
  vaquant
AANRRRS
+E narreras
AANRRSS
+E narrasse
+I sarrasin
AANRRST
+C rancarts
+E narrates
  ranatres
+I arrisant
  transira
+M marrants
+O arrosant
+W warrants
AANRRSU
+I rainuras
AANRRSV
+E navreras

AANRRSW
+T warrants
AANRRTT
+E arretant
  entartra
+U raturant
AANRRTU
+I rainurat
+T raturant
AANRRTV
+I arrivant
AANRRTW
  warrant
+A warranta
+E warrante
+S warrants
AANRRTY
+E rentraya
AANRSST
  rasants
+B brassant
+E rasantes
+I artisans
+T transats
+U assurant
AANRSSU
+E sauneras
+T assurant
AANRSSV
+E navrasse
+I savarins
AANRSTT
  tartans
  transat
+C castrant
  tracants
+E natteras
  tartanes
+I nitratas
  tartinas
  transita
+P partants
+S transats
+U saturant
AANRSTU
  saurant
+D truandas
+E uranates
+I instaura
+M transmua
+S assurant
+T saturant
+Z azurants
AANRSTV
+D vantards
+E entravas
  navrates
  vanteras
+I ravisant
+N navrants
AANRSTW
+R warrants
AANRSTZ
+U azurants
AANRSUX
+E arsenaux
AANRSUY

+C cyanuras
AANRSUZ
+T azurants
AANRTTT
+C tractant
+E retatant
+G grattant
+I attirant
  nitratat
  tartinat
AANRTTU
+D truandat
+G targuant
+P paturant
+Q quartant
  traquant
+R raturant
+S saturant
+V vautrant
AANRTTV
+E entravat
+O avortant
+U vautrant
AANRTTY
  trayant
AANRTUU
+G augurant
AANRTUV
+E aventura
+T vautrant
AANRTUY
+C cyanurat
AANRTUZ
  azurant
+S azurants
AANRTVV
+I ravivant
AANRTZZ
+I razziant
AANSSSS
+I assassin
AANSSST
  sassant
+C cassants
+E entassas
+L lassants
+P passants
AANSSSU
+E saunasse
AANSSTT
  tassant
+E entassat
  nattasse
+R transats
AANSSTU
+C causants
+E saunates
+F faussant
+G gaussant
+H haussant
+M amusants
  assumant
+R assurant
AANSSTV
  savants
+E savantes

  vantasse
AANSSTX
+E axassent
AANSSTY
+E asseyant
  esseyant
+O assoyant
AANSTTT
+B battants
+E attentas
  nattates
+I attisant
+U statuant
AANSTTU
  sautant
+E attenuas
+J ajustant
+L sultanat
+R saturant
+T statuant
AANSTTV
+E vantates
AANSTTW
+M wattmans
AANSTUV
  sauvant
AANSTUX
  santaux
AANSTUY
+O noyautas
AANSTUZ
+R azurants
AANTTTT
+E attentat
AANTTTU
+E attenuat
+O tatouant
+S statuant
AANTTUV
+R vautrant
AANTTUY
+O noyautat
AANTUVX
  vantaux
AANTYZZ
+E zezayant
AAOOPPX
+N opopanax
AAOOTTU
+C autocoat
AAOPPRR
+T rapporta
AAOPPRS
+E apposera
+T apportas
AAOPPRT
  apporta
+E papotera
+I apportai
+R rapporta
+S apportas
+T apportat
AAOPPRU
+V approuva
AAOPPRV
+U approuva
AAOPPSS

  apposas
+I apposais
AAOPPST
  apposat
  papotas
+I apposait
  papotais
+N appatons
  appontas
  apposant
+R apportas
AAOPPTT
  papotat
+I papotait
+N appontat
  papotant
+R apportat
AAOPPTU
+F patapouf
AAOPPUV
+R approuva
AAOPRRT
  prorata
+P rapporta
AAOPRSS
+L parasols
AAOPRST
+E apoastre
  apostera
+L pastoral
+P apportas
+T pastorat
AAOPRSV
+E evaporas
+I vaporisa
+L varlopas
AAOPRTT
+E tapotera
+N patronat
+P apportat
+S pastorat
+U attroupa
AAOPRTU
+T attroupa
AAOPRTV
+E evaporat
+L varlopat
AAOPRUV
+P approuva
AAOPRUX
+C caporaux
AAOPSSS
+N panossas
+T potassas
AAOPSST
  apostas
  potassa
+I apostais
  patoisas
  potassai
+N panossat
+S potassas
+T apostats
  potassat
AAOPSSU
+J sapajous

AAOPSSV
+I pavoisas
AAOPSTT
  apostat
  tapotas
+D postdata
+E apostate
+I apostait
  patoisat
  tapotais
+N apostant
+R pastorat
+S apostats
  potassat
AAOPSTU
+I autopsia
AAOPSTV
+I pavoisat
AAOPSTY
+I apitoyas
AAOPSUY
+M paumoyas
AAOPTTT
  tapotat
+I tapotait
+N tapotant
AAOPTTU
+R attroupa
AAOPTTY
+I apitoyat
AAOPTUY
+M paumoyat
AAORRRS
+E arrosera
AAORRSS
  arrosas
+C carrossa
+I arrosais
  rassoira
AAORRST
  arrosat
+I arrosait
+N arrosant
AAORRSU
+B rabrouas
AAORRSY
+C carroyas
AAORRTT
+G garrotta
AAORRTU
+B rabrouat
AAORRTV
+E avortera
AAORRTY
+C carroyat
AAORRUU
+X auroraux
AAORRUX
+U auroraux
AAORSSS
+C croassas
+I assoiras
AAORSST
+C croassat
+D torsadas
AAORSSU
+L sarouals

+V savouras
AAORSSV
+M samovars
+U savouras
AAORSTT
+C carottas
+D torsadat
+E aerostat
+P pastorat
AAORSTU
+B raboutas
+C autocars
+E ouateras
+I autorisa
+J rajoutas
+V savouras
AAORSTV
  avortas
+I avortais
+U savourat
AAORSUV
  savoura
+E avoueras
+I savourai
+S savouras
+T savourat
AAORSVY
+D savoyard
AAORTTT
+C carottat
AAORTTU
+B raboutat
+E tatouera
+J rajoutat
+P attroupa
AAORTTV
  avortat
+I avortait
+N avortant
AAORTUV
+S savourat
AAORTVY
+L lavatory
AAORUUX
+R auroraux
AAOSSST
+P potassas
AAOSSSU
+H haoussas
AAOSSSY
+I assoyais
AAOSSTT
+P apostats
  potassat
AAOSSTU
+E ouatasse
AAOSSTY
+I assoyait
+N assoyant
AAOSSUV
+E avouasse
+R savouras
AAOSTTU
  aoutats
  tatouas
+E ouatates
+I tatouais

AAOSTTZ
+E azotates
AAOSTUV
+E avouates
+R savourat
AAOSTUY
+N noyautas
AAOSTUZ
+M mazoutas
AAOTTTU
+I tatouait
+N tatouant
AAOTTUV
+N noyautat
AAOTTUZ
+M mazoutat
AAPPRRS
+E preparas
AAPPRRT
+E preparat
+O rapporta
AAPPRRU
+E reapparu
AAPPRRV
+E varapper
AAPPRST
+A apparats
  parapets
+O apportas
  apparus
AAPPRSU
+E apparues
AAPPRSV
+A varappas
+E varappes
AAPPRSY
+E papayers
AAPPRTT
+E appretat
+O apportat
AAPPRTU
  apparut
AAPPRTV
+A varappat
AAPPRUV
+I appauvri
+O approuva
AAPPRUX
+A apparaux
AAPPRVZ
+E varappez
AAPPSTU
+E papautes
AAPPSUY
  appuyas
+I appuyais
AAPPTUY
  appuyat
+I appuyait
+N appuyant
AAPQRRU
+E parquera
  parquas
+I parquais

AAPQRTU
  parquat
+E parqueta
  patraque
+I parquait
  pratiqua
+N parquant
AAPQSTU
+E pataques
AAPRRST
+I partiras
AAPRRSU
+E apureras
+J parjuras
AAPRRTT
+A rattrapa
+E attraper
  rattrape
AAPRRTU
+E paturera
+J parjurat
AAPRSSS
+E parasses
  paresses
  passeras
  rapasses
  repassas
+U surpassa
AAPRSST
+E paressat
  repassat
  satrapes
  trepassa
AAPRSSU
+E apurasse
+S surpassa
+Y surpayas
AAPRSSY
+U surpayas
AAPRSTT
+A attrapas
  patatras
  saqueras
AAPRSTU
  paturas
+C capturas
+E apurates
+I paturais
+Y surpayat
AAPRSUY
+U surpaya
  surpayai
+S surpayas
+T surpayat
AAPRTTT
+A attrapat
AAPRTTU
  paturat
+C capturat
+I paturait
+N paturant
+O attroupa

AAPRTTZ
+E attrapez
AAPRTUX
+I partiaux
AAPRTUY
+S surpayat
AAPSSSS
+E passasse
  sapasses
AAPSSST
+E passates
  tapasses
+I tapissas
+N passants
+O potassas
AAPSSSU
+R surpassa
AAPSSSV
+E pavasses
AAPSSSY
+E payasses
AAPSSTT
+I tapissat
+O apostats
  potassat
AAPSSUY
+R surpayas
AAPSTUX
+I spatiaux
AAPSTUY
+R surpayat
AAQRRSU
+E arqueras
  raqueras
AAQRRTU
+E quartera
  traquera
AAQRSSU
  quasars
AAQRSSU
+E arquasse
  raquasse
  saqueras
AAQRSTU
  quartas
  traquas
+E arquates
  etarquas
  raquates
  taqueras
  tarasque
+I quartais
  traquais
AAQRSUV
+E vaqueras
AAQRTTU
  quartat
  traquat
+E attaquer
  etarquat
+I quartait
  traquait
+N quartant
  traquant
+U quartaut
AAQRTUU
+T quartaut

+T dribblat	ebarbure	**ABBEILO**	+L balbutie	+O bomberas
ABBDILS	+Z barberez	babiole	**ABBEJOR**	**ABBEMRU**
+R dribblas	**ABBEERS**	+S babioles	+U joubarbe	+O embourba
ABBDILT	barbees	**ABBEILR**	**ABBEJOU**	**ABBEMSS**
+R dribblat	barbes	+L babiller	+R joubarbe	+I babismes
ABBDINO	+E ebarbees	+M brimbale	**ABBEJRU**	**ABBEMST**
+E debobina	+L barbeles	+U bulbaire	+O joubarbe	+O bombates
ABBDIRS	+O absorbee	**ABBEILS**	**ABBEKLS**	**ABBENOR**
+L dribblas	**ABBEERT**	+I bilabies	+A kabbales	+I bobinera
ABBDIRT	+N ebarbent	+L babilles	**ABBELLM**	+S ebarbons
+L dribblat	+O barbotee	+O babioles	+A blamable	**ABBENOS**
ABBDLRS	+T barbette	**ABBEILT**	**ABBELLR**	+R ebarbons
+I dribblas	**ABBEERU**	+U balbutie	+I babiller	**ABBENRS**
ABBDLRT	+C barbecue	**ABBEILU**	**ABBELLS**	+O ebarbons
+I dribblat	+R babeurre	+R bulbaire	+I babilles	**ABBENRT**
ABBDMOR	ebarbure	+T balbutie	**ABBELLZ**	barbent
+A bombarda	**ABBEERZ**	**ABBEILZ**	+I babillez	+A barbante
+E bombarde	ebarbez	+L babillez	**ABBELMR**	ebarbant
ABBDORS	+I ebarbiez	**ABBEIMN**	+I brimbale	+E ebarbent
babords	+R barberez	+O embobina	**ABBELOP**	**ABBEOPR**
bobards	**ABBEESS**	**ABBEIMO**	+R probable	+L probable
ABBDORU	abbesse	+N embobina	**ABBELOR**	**ABBEORR**
+E debourba	+S abbesses	+R bomberai	+P probable	+I ebarboir
ABBEEEL	**ABBEESU**	**ABBEIMR**	**ABBELOS**	+S absorber
+R barbelee	+I ebaubies	+I imbibera	+O probable	+T barboter
ABBEEER	**ABBEETT**	+L brimbale	**ABBELPR**	**ABBEORS**
ebarbee	+R barbette	+O bomberai	+O probable	absorbe
+L barbelee	**ABBEGIN**	**ABBEIMS**	**ABBELRS**	+E absorbee
+S ebarbees	+O bobinage	babisme	+C scrabble	+M bomberas
ABBEEES	**ABBEGIO**	+S babismes	+E barbeles	+N ebarbons
+R earbarbees	+N bobinage	**ABBEINO**	**ABBELRU**	+R absorber
ABBEEGR	**ABBEGMO**	+D debobina	+I bulbaire	+S absorbes
+A ebarbage	bombage	+G bobinage	**ABBELSU**	+T barbotes
ABBEEII	+S bombages	+M embobina	bubales	+Z absorbez
+L bilabiee	**ABBEGMS**	+R bobinera	+V buvables	**ABBEORT**
ABBEEIL	+O bombages	**ABBEINR**	**ABBELSV**	barbote
+I bilabiee	**ABBEGNO**	+O bobinera	+U buvables	+E absorbee
ABBEEIR	+I bobinage	**ABBEINS**	**ABBELTU**	+R barboter
+Z ebarbiez	**ABBEGOS**	babines	+I balbutie	+S barbotes
ABBEEIS	+M bombages	**ABBEIOR**	**ABBELUV**	+T barbotte
+U ebaubies	**ABBEHIR**	+M bomberai	buvable	+Z barbotez
ABBEEIU	+C barbiche	+N bobinera	+S buvables	**ABBEORU**
ebaubie	**ABBEHMO**	+R ebarboir	**ABBEMMO**	+D debourba
+S ebaubies	+C bamboche	**ABBEIOS**	+S bombames	+J joubarbe
ABBEEIZ	**ABBEHOU**	+L babioles	**ABBEMMS**	+M embourba
+R ebarbiez	+C babouche	**ABBEIRR**	+O bombames	+Z barbouze
ABBEELR	**ABBEHRR**	barbier	**ABBEMNO**	**ABBEORZ**
barbele	+U rhubarbe	+A barbarie	+C bombance	+S absorbez
+E barbelee	**ABBEHRU**	barberai	+I embobina	+T barbotez
+S barbeles	+R rhubarbe	+O ebarboir	**ABBEMOR**	+U barbouze
ABBEELS	**ABBEIIL**	+S barbiers	bombera	**ABBEOSS**
+R barbeles	bilabie	**ABBEIRS**	+D bombarde	+M bombasse
ABBEENR	+E bilabiee	+A ebarbais	+I bomberai	+R absorbes
+T ebarbent	+S bilabies	+R barbiers	+S bomberas	**ABBEOST**
ABBEENT	**ABBEIIM**	**ABBEIRT**	+U embourba	+M bombates
+R ebarbent	+R imbibera	+A ebarbait	**ABBEMOS**	+R barbotes
ABBEEOR	**ABBEIIR**	**ABBEIRU**	+G bombages	**ABBEOSZ**
+S absorbee	+M imbibera	+L bulbaire	+M bombames	+R absorbez
+T barbotee	**ABBEIIS**	**ABBEIRZ**	+R bomberas	**ABBEOTT**
ABBEEOS	+L bilabies	barbiez	+S bombasse	+R barbotte
+R absorbee	**ABBEILL**	+E ebarbiez	+T bombates	**ABBEOTZ**
ABBEEOT	babille	**ABBEISS**	**ABBEMOT**	+R barbotez
+R barbotee	+R babiller	+M babismes	+S bombates	**ABBEOUZ**
ABBEERR	+S babilles	**ABBEISU**	**ABBEMOU**	+R barbouze
ebarber	+Z babillez	ebaubis	+R embourba	**ABBEQRU**
+A ebarbera	**ABBEILM**	+E ebaubies	**ABBEMRS**	+A barbaque
+U babeurre	+R brimbale	**ABBEITU**	+A barbames	

ABBERRS	+I imbibais	+S barbions	bambous	+H caboches
+A barbares	**ABBIIMT**	+T barbotin	**ABBNNOT**	**ABCCESU**
barberas	imbibat	**ABBINOS**	+I bobinant	+L buccales
+I barbiers	+I imbibais	bobinas	**ABBNORS**	**ABCCHHI**
+O absorber	+N imbibant	+I bobinais	barbons	+K bakchich
ABBERRT	**ABBIINO**	+R barbions	+E ebarbons	**ABCCHHK**
+O barboter	bobinai	+U babouins	+I barbions	+I bakchich
ABBERRU	+S bobinais	**ABBINOT**	**ABBNORT**	**ABCCHIK**
+E babeurre	+T bobinait	bobinat	+I barbotin	+H bakchich
ebarbure	**ABBIINS**	+I bobinait	**ABBNOSU**	**ABCCHNO**
+H rhubarbe	+O bobinais	+N bobinant	+I babouins	+O cabochon
ABBERRZ	**ABBIINT**	+R barbotin	**ABBNRST**	**ABCCHOO**
+E barberez	+M imbibant	**ABBINOU**	+A barbants	+N cabochon
ABBERSS	+O bobinait	babouin	brabants	**ABCCHOS**
+A barbasse	**ABBIIOS**	+L obnubila	**ABBOOUU**	+E caboches
+O absorbes	+N bobinais	+S babouins	+L bouboula	**ABCCKLO**
ABBERST	**ABBIIOT**	**ABBINRS**	**ABBORRS**	colback
barbets	+N bobinait	rabbins	+E absorber	+S colbacks
+A barbates	**ABBILLR**	+O barbions	**ABBORRT**	**ABCCKLS**
+O barbotes	+E babiller	**ABBINRT**	+E barboter	+O colbacks
ABBERSU	**ABBILLS**	+A rabbinat	**ABBORSS**	**ABCCKOS**
barbues	+A babillas	+O barbotin	+A absorbas	+L colbacks
ABBERSZ	+E babilles	**ABBINSU**	+E absorbes	**ABCCLLY**
+O absorbez	**ABBILLT**	+O babouins	**ABBORST**	+E cyclable
ABBERTT	+A babillat	**ABBIORR**	+A absorbat	**ABCCLOS**
+E barbette	**ABBILLZ**	+A absorbai	barbotes	+K colbacks
+O barbotte	+E babillez	+N barbions	**ABBORSZ**	**ABCCLSU**
ABBERTZ	**ABBILMR**	**ABBIORT**	+E absorbez	+E buccales
+O barbotez	+A brimbala	+A barbotai	**ABBORTT**	**ABCCMOS**
ABBERUX	+E brimbale	+N barbotin	+A barbotat	+U succomba
+A barbeaux	**ABBILNO**	**ABBIOSU**	+E barbotte	**ABCCMOU**
ABBERUZ	+U obnubila	+N babouins	**ABBORTZ**	+S succomba
+O barbouze	**ABBILNU**	**ABBIRRS**	+E barbotez	**ABCCMSU**
ABBESSS	+O obnubila	+E barbiers	**ABBORUZ**	+O succomba
+E abbesses	**ABBILOS**	abribus	+E barbouze	**ABCCNOO**
ABBESUV	+E babioles	**ABBJORU**	**ABCCEEL**	+H cabochon
+L buvables	**ABBILOU**	+E joubarbe	+A accablee	**ABCCNOS**
ABBGINO	+N obnubila	**ABBKOSU**	**ABCCEEN**	+A cacabons
+E bobinage	**ABBILRS**	koubbas	+T bectance	**ABCCOSU**
ABBGMOS	+D dribblas	**ABBLMOU**	**ABCCEET**	+M succomba
+E bombages	**ABBILRT**	+A bamboula	+N bectance	**ABCCUUX**
ABBGORS	+D dribblat	**ABBLNOU**	**ABCCEHO**	buccaux
gabbros	**ABBILRU**	+I obnubila	caboche	**ABCDEEE**
ABBHIRU	+E bulbaire	**ABBLOOU**	+S caboches	+H debachee
+C barbichu	**ABBILTU**	+U bouboula	**ABCCEHS**	**ABCDEEH**
ABBHRRU	+A balbutia	**ABBLOPR**	+O caboches	debache
+E rhubarbe	+E balbutie	+E probable	**ABCCEIZ**	+E debachee
ABBIIIM	**ABBIMNO**	**ABBLOUU**	+A cacabiez	+R debacher
imbibai	+E embobina	+O bouboula	**ABCCELL**	+S debaches
+S imbibais	**ABBIMNS**	**ABBLSUV**	+Y cyclable	+U debauche
+T imbibait	bambins	+E buvables	**ABCCELR**	+Z debauchez
ABBIIIS	**ABBIMNT**	**ABBMMOS**	+A accabler	**ABCDEEI**
+M imbibais	+I imbibant	+E bombames	**ABCCELS**	+T debectai
ABBIIIT	**ABBIMOR**	**ABBMNOT**	+A accables	**ABCDEEL**
+M imbibait	+E bomberai	bombant	+U buccales	debacle
ABBIILL	**ABBIMOS**	**ABBMORS**	**ABCCELU**	+S debacles
+A babillai	bombais	+E bomberas	buccale	+U educable
ABBIILR	**ABBIMOT**	**ABBMORU**	+S buccales	**ABCDEER**
+D dribblai	bombait	+E embourba	**ABCCELY**	+H debacher
ABBIILS	**ABBIMSS**	**ABBMOSS**	+L cyclable	**ABCDEES**
+E bilabies	+E babismes	+E bombasse	**ABCCELZ**	+H debaches
ABBIIMN	**ABBINNO**	**ABBMOST**	+A accablez	+L debacles
+T imbibant	+T bobinant	+E bombates	**ABCCENT**	+T debectas
ABBIIMR	**ABBINNT**	**ABBMOSU**	+A cacabent	**ABCDEET**
+E imbibera	+O bobinant		+E bectance	debectai
ABBIIMS	**ABBINOR**		**ABCCEOS**	+I debectai
imbibas	+E bobinera			+S debectas

+T debectat
ABCDEEU
+H debauche
+L educable
ABCDEEZ
+H debachez
ABCDEHI
+A debachai
+U deboucha
ABCDEHO
+R debrocha
+U deboucha
ABCDEHR
+E debacher
+O debrocha
ABCDEHS
+A debachas
+E debaches
+U debuchas
ABCDEHT
+A debachat
+U debuchat
ABCDEHU
debucha
+A debaucha
+E debauche
+I debuchai
+O deboucha
+S debuchas
+T debuchat
ABCDEHZ
+E debachez
ABCDEII
biacide
+S biacides
ABCDEIS
+I biacides
ABCDEIT
+E debectai
ABCDEIU
+H debuchai
ABCDELO
+U deboucla
ABCDELR
clebard
+S clebards
ABCDELS
+E debacles
+R clebards
ABCDELU
+A clabaude
+E educable
+O deboucla
ABCDEOR
+H debrocha
+R brocarde
ABCDEOU
+H deboucha
+L deboucla
ABCDERR
+O brocarde
ABCDERS
becards
+L clebards
ABCDEST
+E debectas
ABCDESU

+H debuchas
ABCDETT
+E debectat
ABCDETU
+H debuchat
ABCDHIU
+E debuchai
ABCDHMR
+A chambard
ABCDHNR
+U chadburn
ABCDHNU
+R chadburn
ABCDHOR
+E debrocha
ABCDHOU
+E deboucha
ABCDHRU
+N chadburn
ABCDHSU
+E debuchas
ABCDHTU
+E debuchat
ABCDIIS
+E biacides
ABCDIRR
+S briscard
ABCDIRS
+R briscard
ABCDKRW
+A drawback
ABCDLOU
+E deboucla
ABCDLRS
+S clebards
ABCDLSU
+A clabauds
ABCDNRR
+A brancard
ABCDNRU
+H chadburn
ABCDOOR
cordoba
+S cordobas
ABCDOOS
+R cordobas
ABCDORR
+A brocarda
+E brocarde
+S brocards
ABCDORS
+O cordobas
+R brocards
ABCDOSU
+U boucauds
ABCDOUU
boucaud
+S boucauds
ABCDRRS
+I briscard
+O brocards
ABCDSUU
+O boucauds
ABCEEEE
+N ebanacee
ABCEEEH

+D debachee
+R herbacee
+U ebauchee
ABCEEEN
+G bechages
+L chablees
+M bechames
+N banchees
+X exacerbe
ABCEEES
sebacee
+S sebacees
ABCEEEU
+H ebauchee
ABCEEEX
+R exacerbe
ABCEEGH
bechage
+S bechages
ABCEEGO
+R bocagere
+U ecobuage
ABCEEGR
+O bocagere
ABCEEGS
+H bechages
ABCEEGU
+O ecobuage
ABCEEHI
+R becherai
ebrechai
ABCEEHL
chablee
+M bechamel
+S chablees
ABCEEHM
+L bechamel
+R chambree
+S bechames
ABCEEHN
banchee
+R bernache
branchee
ebranche
+S banchees
ABCEEHO
+U abouchee
ABCEEHR
bechera
ebrecha
herbace
+A rabachee
+D debacher
+E herbacee
+I becherai
+M chambree
+N bernache
branchee
ebranche
+S becheras
ebrechas
herbaces
+T ebrechat
+U ebaucher
+Z bacherez

ABCEEHS
bachees
+D debaches
+G bechages
+L chablees
+M bechames
+N banchees
+R becheras
ebrechas
herbaces
+S bechasse
+T bechates
+U ebauches
ABCEEHT
+R ebrechat
+S bechates
ABCEEHU
ebauche
+D debauche
+E ebauchee
+M embauche
maubeche
+O abouchee
+R ebaucher
+S ebauches
+Z abauchez
ABCEEHZ
+D debachez
+R bacherez
+U ebauchez
ABCEEIL
+A labiacee
+R cablerie
calibree
celebrai
ABCEEIR
+H becherai
ebrechai
+L cablerie
calibree
celebrai
+R bercerai
bicarree
+T bacterie
becterie
+U rubiacee
ABCEEIT
+D debectai
+R bacterie
becterie
ABCEEIU
+R rubiacee
ABCEEJO
jacobee
+S jacobees
ABCEEJS
+O jacobees
+T abjectes
ABCEEJT
abjecte
+S abjectes
ABCEELM
embacle
+H bechamel
+S embacles
ABCEELN
+A balancee

+R bernacle
ABCEELO
+T clabotee
+V evocable
ABCEELR
celebra
+I cablerie
calibree
celebrai
+N bernacle
+R cerebral
+S celebras
+T bracelet
celebrat
+Z baclerez
cablerez
ABCEELS
baclees
cablees
secable
+D debacles
+H chablees
+M embacles
+R celebras
+S secables
+U basculee
cableuse
ABCEELT
+O clabotee
+R bracelet
celebrat
ABCEELU
+D educable
+S basculee
cableuse
ABCEELV
+O evocable
ABCEELZ
+R baclerez
cablerez
ABCEEMR
cambree
+H chambree
+S bercames
cambrees
ABCEEMS
+H bechames
+L embacles
+R bercames
cambrees
+T bectames
ABCEEMT
+S bectames
ABCEEMU
+H embauche
maubeche
ABCEENN
+A encabane
ABCEENO
+R carbonee
+U boucanee
ABCEENR
+H bernache
branchee
ebranche
+L bernacle
+O carbonee

+T bercante	+H ebrechat	+S buxacees	**ABCEHIN**
cabernet	+I bacterie	**ABCEEUZ**	+L blanchie
ABCEENS	becterai	+H ebauchez	+Z banchiez
absence	+L bracelet	**ABCEFIL**	**ABCEHIO**
beances	celebrat	+O bifocale	+T cohabite
becanes	+N bercante	**ABCEFIO**	**ABCEHIQ**
+H banchees	cabernet	+L bifocale	+U bachique
+S absences	+O becotera	**ABCEFIS**	**ABCEHIR**
ABCEENT	crabotee	bifaces	bichera
+C bectance	+S becteras	**ABCEFLO**	+A bacherai
+R bercante	bercates	+I bifocale	+B barbiche
cabernet	bractees	**ABCEGHN**	+E becherai
ABCEENU	**ABCEERU**	+A banchage	ebrechai
+O boucanee	berceau	**ABCEGHO**	+I bicherai
ABCEEOR	+B barbecue	+R brochage	+S bicheras
+G bocagere	+H ebaucher	+U bouchage	+U bucherai
+N carbonee	+I rubiacee	**ABCEGHR**	**ABCEHIS**
+T becotera	+O ecobuera	+O brochage	bechais
crabotee	+R carburee	**ABCEGHS**	+M bichames
+U ecobuera	+X berceaux	+A bachages	+R bicheras
ABCEEOS	**ABCEERX**	+E bechages	+S bichasse
+J jacobees	+A exacerba	**ABCEGHU**	+T bichates
+S cabossee	+E exacerbe	+O bouchage	**ABCEHIT**
ABCEEOT	+U berceaux	**ABCEGIL**	bechait
+L clabotee	**ABCEERZ**	+R criblage	+O cohabite
+R becotera	+H bacherez	**ABCEGIR**	+S bichates
crabotee	+L baclerez	+L criblage	**ABCEHIU**
ABCEEOU	cablerez	**ABCEGLO**	+A ebauchai
+G ecobuage	+R cabrerez	blocage	+D debuchai
+H abouchee	**ABCEESS**	+S blocages	+Q bachique
+N boucanee	becasse	+U bouclage	+R bucherai
+R ecobuera	besaces	**ABCEGLR**	**ABCEHIZ**
ABCEEOV	sebaces	+I criblage	bachiez
+L evocable	+E sebacees	**ABCEGLS**	+L chabliez
ABCEEQT	+H bechasse	+A baclages	+N banchiez
+U becqueta	+L secables	cablages	**ABCEHLM**
ABCEEQU	+N absences	+O blocages	+E bechamel
+T becqueta	+O cabossee	**ABCEGLU**	+O chomable
ABCEERR	+R bercasse	+O bouclage	**ABCEHLN**
becarre	+S becasses	**ABCEGMR**	blanche
bercera	+T bectasse	+A cambrage	+I blanchie
+I bercerai	**ABCEEST**	**ABCEGOR**	+S blanches
bicarree	+D debectas	bocager	+T blanchet
+L cerebral	+H bechates	+E bocagere	chablent
+S becarres	+J abjectes	+H brochage	**ABCEHLO**
berceras	+M bectames	+S bocagers	+M chomable
+U carburee	+R becteras	**ABCEGOS**	**ABCEHLR**
+Z cabrerez	bercates	bocages	chabler
ABCEERS	bractees	+L blocages	+A chablera
acerbes	+S bectasse	+R bocagers	**ABCEHLS**
cabrees	+T bectates	**ABCEGOT**	chables
+A scarabee	**ABCEESU**	+A cabotage	+E chablees
+H becheras	+A escabeau	**ABCEGOU**	+N blanches
ebrechas	+H ebauches	+E ecobuage	+U chasuble
herbaces	+L basculee	+H bouchage	**ABCEHLT**
+L celebras	cableuse	+L bouclage	+N blanchet
+M bercames	+X buxacees	**ABCEGRS**	chablent
cambrees	**ABCEESX**	+O bocagers	**ABCEHLU**
+R becarres	+U buxacees	**ABCEGSU**	+S chasuble
berceras	**ABCEETT**	cubages	**ABCEHLZ**
+S bercasse	+D debectat	**ABCEHII**	chablez
+T becteras	+S bectates	+R bicherai	+I chabliez
bercates	**ABCEETU**	**ABCEHIL**	**ABCEHMO**
bractees	+Q becqueta	+N blanchie	+B bamboche
ABCEERT	**ABCEEUX**	+Z chabliez	+L chomable
bectera	buxacee	**ABCEHIM**	+R embrocha
bractee	+R berceaux	+S bichames	+U emboucha

ABCEHMR
chambre
+E chambree
+O embrocha
+R chambrer
+S chambres
+U rembucha
+Z chambrez
ABCEHMS
+A bachames
+E bechames
+I bichames
+R chambres
+U buchames
ABCEHMU
+A embaucha
+E embauche
maubeche
+O emboucha
+R rembucha
+S buchames
ABCEHMZ
+R chambrez
ABCEHNN
+T banchent
ABCEHNR
bancher
branche
+A banchera
ebrancha
+E branchee
ebranche
+R brancher
+S branches
+U branchue
+Z branchez
ABCEHNS
banches
+E banchees
+L branches
+R branches
ABCEHNT
bachent
bechant
+L blanchet
chablent
+N banchent
ABCEHNU
+R branchue
ABCEHNZ
banchez
+I banchiez
+R branchez
ABCEHOR
+D debrocha
+G brochage
+M embrocha
+R brochera
+T bachoter
+U aboucher
bouchera
reboucha
ABCEHOS
basoche
+C caboches
+S basoches

+T bachotes
+U abouches
ABCEHOT
   bachote
+I cohabite
+R bachoter
+S bachotes
+T bachotte
+Z bachotez
ABCEHOU
   abouche
+B babouche
+D debouche
+E abouchee
+G bouchage
+M emboucha
+R aboucher
   bouchera
   reboucha
+S abouches
+Z abouchez
ABCEHOZ
+T bachotez
+U abouchez
ABCEHQU
+I bachique
ABCEHRR
+A rabacher
+M chambrer
+N brancher
+O brochera
ABCEHRS
+A bacheras
   rabaches
+E becheras
   ebrechas
   herbaces
+I bicheras
+M chambres
+N branches
+U boucheras
ABCEHRT
+E ebrechat
+O bachoter
+U trebucha
ABCEHRU
   buchera
+E ebaucher
+I bucherai
+M rembucha
+N branchue
+O aboucher
   bouchera
   reboucha
+S bucheras
+T trebucha
ABCEHRV
+A bravache
ABCEHRZ
+A rabachez
+E bacherez
+M chambrez
+N branchez
ABCEHSS
+A bachasse
+E bechasse
+I bichasse

+O basoches
+U buchasse
ABCEHST
+A bachates
+E bechates
+I bichates
+O bachotes
+U buchates
ABCEHSU
+A ebauchas
+D debuchas
+E ebauches
+L chasuble
+M buchames
+O abouches
+R bucheras
+S buchasse
+T buchates
ABCEHTT
+O bachotte
ABCEHTU
+A ebauchat
+D debuchat
+R trebucha
+S buchates
ABCEHTZ
+O bachotez
ABCEHUZ
+E ebauchez
+O abouchez
ABCEIIL
+V viciable
ABCEIIN
+S biscaien
ABCEIIR
+H bicherai
ABCEIIS
+D biacides
+N biscaien
+T basicite
ABCEIIT
+S basicite
ABCEIIV
+L viciable
ABCEIJN
+O jacobine
ABCEIJO
+N jacobine
+T jacobite
   objectai
ABCEIJT
+O jacobite
   objectai
ABCEILL
   bacille
+S bacilles
+V clivable
+Y beylical
ABCEILM
+A cambiale
ABCEILN
+H blanchie
ABCEILO
+F bifocale
+R cabriole
+S sociable
ABCEILP

   biplace
+S biplaces
ABCEILR
   bercail
   cablier
   calibre
+A baclerai
   cablerai
+E cablerie
   celebrai
+G criblage
+O cabriole
+R calibrer
   criblera
+S cabliers
   calibres
+Z calibrez
ABCEILS
   sciable
+L bacilles
+O sociable
+P biplaces
+R cabliers
   calibres
+S sciables
+T cabliste
   celibats
ABCEILT
   celibat
+S cabliste
   celibats
ABCEILU
+U cubitale
+Y beylicat
ABCEILV
+I viciable
+L clivable
ABCEILY
+L beylical
+T beylicat
ABCEILZ
   bacliez
   cabliez
+H chabliez
+R calibrez
ABCEIMN
+A ambiance
+R cambrien
ABCEIMR
+N cambrien
+Z cambriez
ABCEIMS
+H bichames
+T cambiste
ABCEIMT
+S cambiste
ABCEIMZ
+R cambriez
ABCEINO
+J jacobine
+T cabotine
ABCEINR
   cinabre
+A bancaire
   carabine

+M cambrien
+S cinabres
+U incubera
ABCEINS
   cabines
+I biscaien
+R cinabres
+T cabinets
+U cubaines
+Y biscayen
ABCEINT
   cabinet
+O cabotine
+S cabinets
+U cubaient
ABCEINU
   cubaine
+R incubera
+S cubaines
+T cubaient
ABCEINY
+S biscayen
ABCEINZ
+H banchiez
ABCEIOR
+L cabriole
+T abricote
ABCEIOS
+L sociable
+T becotais
+U ecobuais
ABCEIOT
   becotai
+H cohabite
+J jacobite
   objectai
+N cabotine
+R abricote
+U ecobuait
+Z cabotiez
ABCEIOU
   ecobuai
+S ecobuais
+T ecobuait
ABCEIOZ
+T cabotiez
ABCEIPS
+L biplaces
ABCEIQU
+H bachique
ABCEIRR
   bicarre
   crabier
+A cabrerai
+E bercerai
   bicarree
+L caliber
   criblera
+S bicarres
   crabiers
ABCEIRS
   bercais
   cibares
+A caraibes
+H bicheras

+L cabliers
+N cinabres
   calibres
+R bicarres
   crabiers
+U cuberais
ABCEIRT
   bercait
+E bacterie
   becterai
+O abricote
+U cuberait
ABCEIRU
   cuberai
+E rubiacee
+H bucherai
+N incubera
+S cuberais
+T cuberait
ABCEIRZ
   cabriez
+L calibrez
+M cambriez
ABCEISS
+H bichasse
+L sciables
+S abscisse
ABCEIST
   bectais
+H bichates
+I basicite
+L cabliste
   celibats
+M cambiste
+N cabinets
+O becotais
ABCEISU
+N cubaines
+O ecobuais
+R cuberais
+X scabieux
ABCEISX
+U scabieux
ABCEISY
+N biscayen
ABCEITT
   bectait
+O becotait
ABCEITU
+L cubitale
+N cubaient
+O ecobuait
+R cuberait
ABCEITY
+L beylicat
ABCEITZ
+O cabotiez
ABCEIUX
+S scabieux
ABCEJLO
+T objectal
ABCEJLT
+O objectal
ABCEJNO
+I jacobine
ABCEJOS
+E jacobees

+T objectas
ABCEJOT
objecta
+I jacobite
objectai
+L objectal
+S objectas
+T objectat
ABCEJST
abjects
+E abjectes
+O objectas
ABCEJTT
+O objectat
ABCELLR
+U brucella
ABCELLS
+I bacilles
ABCELLU
+R brucella
ABCELLV
+I clivable
ABCELLY
+C cyclable
+I beylical
ABCELMO
+H chomable
+R comblera
ABCELMR
+O comblera
ABCELMS
+A baclames
cablames
+E embacles
+Y cymbales
ABCELMY
cymbale
+S cymbales
ABCELNO
+U encoubla
ABCELNR
+A balancer
+E bernacle
ABCELNS
+A balances
bancales
+H blanches
ABCELNT
baclent
cablent
+H blanchet
chablent
ABCELNU
+O encoubla
ABCELNZ
+A balancez
ABCELOP
placebo
+S placebos
+U coupable
ABCELOR
+I cabriole
+M comblera
+T claboter
+U bouclera
+Y croyable
ABCELOS

+G blocages
+I sociable
+P placebos
+T clabotes
obstacle
+V vocables
ABCELOT
+E clabotee
+J objectal
+R claboter
+S clabotes
obstacle
+Z clabotez
ABCELOU
+D deboucla
+G bouclage
+N encoubla
+P coupable
+R bouclera
ABCELOV
vocable
+E evocable
+S vocables
ABCELOY
+R croyable
ABCELOZ
+T clabotez
ABCELPS
+A capables
+I biplaces
+O placebos
ABCELPU
+O coupable
ABCELRR
+E cerebral
+I calibrer
criblera
ABCELRS
+A bacleras
cableras
+B scrabble
+D clebards
+E celebras
+I cabliers
calibres
+U basculer
cableurs
curables
ABCELRT
+A cartable
+E bracelet
celebrat
+O claboter
ABCELRU
cableur
curable
+L brucella
+O bouclera
+S basculer
cableurs
curables
ABCELRY
+O croyable
ABCELRZ
+E baclerez
cablerez

+I calibrez
ABCELSS
+A baclasse
cablasse
cassable
+E secables
+I sciables
+U bascules
ABCELST
+A baclates
cablates
+I cabliste
+O clabotes
obstacle
ABCELSU
bascule
+C buccales
+E basculee
cableuse
+H chasuble
+R basculer
cableurs
curables
+S bascules
+Z basculez
ABCELSV
+O vocables
ABCELSY
+M cymbales
ABCELSZ
+U basculez
ABCELTU
+I cubitale
ABCELTY
+I beylicat
ABCELTZ
+O clabotez
ABCELUX
+A cableaux
ABCELUZ
+S basculez
ABCEMNO
+B bombance
+R encombra
ABCEMNR
+I cambrien
+O encombra
+T cambrent
ABCEMNT
+R cambrent
ABCEMOR
+H embrocha
+L comblera
+N encombra
ABCEMOT
+T combatte
ABCEMOU
+H emboucha
ABCEMRR
cambrer
+A cambrera
+H chambrer
+U chambrure
ABCEMRS
cambres
crambes

+A cabrames
macabres
+E bercames
cambrees
+H chambres
ABCEMRT
+N cambrent
ABCEMRU
+H rembucha
+R cambrure
ABCEMRX
+Y cerambyx
ABCEMRY
+X cerambyx
ABCEMRZ
cambrez
+H chambrez
+I cambriez
ABCEMSS
+U cambuses
ABCEMST
+E bectames
+I cambiste
ABCEMSU
cambuse
cubames
+S cambuses
ABCEMSY
+L cymbales
ABCEMTT
+O combatte
ABCEMXY
+R cerambyx
ABCENNO
+R braconne
ABCENNR
+O braconne
ABCENNT
+H banchent
ABCENOR
carbone
+E carbonee
+M encombra
+N braconne
+S carbones
+T brocante
+U boucaner
ABCENOS
+R carbones
+S absconse
+U boucanes
cebuanos
ABCENOT
+I cabotine
+R brocante
+T becotant
cabotent
+U ecobuant
ABCENOU
boucane
cebuano
+E boucanee
+L encoubla
+R boucaner
+S boucanes
cebuanos

+T ecobuant
+Z boucanez
ABCENOZ
+U boucanez
ABCENRR
+H brancher
ABCENRS
+H branches
+I cinabres
+O carbones
+U bucranes
ABCENRT
bercant
cabrent
+E bercante
cabernet
+M cambrent
+O brocante
ABCENRU
bucrane
+H branchue
+I incubera
+O boucaner
+S bucranes
ABCENRZ
+H branchez
ABCENSS
+E absences
+O absconse
ABCENST
+A bacantes
cabestan
+I cabinets
ABCENSU
+I cubaines
+O boucanes
cebuanos
+R bucranes
ABCENSY
+I biscayen
ABCENTT
bectant
+O becotant
cabotent
ABCENTU
+I cubaient
+O ecobuant
ABCENUZ
+O boucanez
ABCEOPS
+L placebos
ABCEOPU
+L coupable
+U beaucoup
ABCEORR
+D brocarde
+H brochera
+T craboter
+U courbera
recourba
ABCEORS
+G bocagers
+N carbones
+S cabosser
+T crabotes
escarbot
+U caroubes

ABCEORT	
	caboter
	crabote
+A	acrobate
	cabotera
+E	becotera
	crabotee
+H	bachoter
+I	abricote
+L	claboter
+N	brocante
+R	craboter
+S	crabotes
	escarbot
+U	caboteur
+Z	crabotez
ABCEORU	
	caroube
	corbeau
+E	ecobuera
+H	aboucher
	bouchera
	reboucha
+L	bouclera
+N	boucaner
+R	courbera
	recourba
+S	caroubes
+T	caboteur
+X	corbeaux
ABCEORX	
+U	corbeaux
ABCEORY	
+L	croyable
ABCEORZ	
+T	crabotez
ABCEOSS	
	cabosse
+E	cabossee
+H	basoches
+N	absconse
+R	cabosser
+S	cabosses
+Z	cabossez
ABCEOST	
	becotas
	cabotes
+H	bachotes
+I	becotais
+J	objectas
+L	clabotes
	obstacle
+R	crabotes
	escarbot
ABCEOSU	
	ecobuas
+H	abouches
+I	ecobuais
+N	boucanes
	cebuanos
+R	caroubes
ABCEOSV	
+L	vocables
ABCEOSY	
	cobayes
ABCEOSZ	
+S	cabossez

ABCEOTT	
	becotat
+H	bachotte
+I	becotait
+J	objectat
+M	combatte
+N	becotant
	cabotent
ABCEOTU	
	ecobuat
+I	ecobuait
+N	ecobuant
+R	caboteur
ABCEOTZ	
	cabotez
+H	bachotez
+I	cabotiez
+L	clabotez
+R	crabotez
ABCEOUU	
+P	beaucoup
ABCEOUX	
+R	corbeaux
ABCEOUZ	
+H	abouchez
+N	boucanez
ABCEPUU	
+O	beaucoup
ABCEQTU	
+E	becqueta
ABCERRR	
+U	carburer
ABCERRS	
+A	cabreras
+E	becarres
	berceras
+I	bicarres
	crabiers
+U	carbures
ABCERRT	
+O	craboter
ABCERRU	
	carbure
+E	carburee
+M	cambrure
+O	courbera
	recourba
+R	carburer
+S	carbures
+Z	carburez
ABCERRZ	
+E	cabrerez
+U	carburez
ABCERSS	
+A	barcasse
	cabrasse
+E	bercasse
+O	cabosser
ABCERST	
	carbets
+A	cabarets
	cabrates
+E	becteras
	bercates
	bractees
+O	crabotes
	escarbot

ABCERSU	
	cuberas
+H	bucheras
+I	cuberais
+L	basculer
	cableurs
	curables
+N	bucranes
+O	caroubes
+R	carbures
+X	scabreux
ABCERSX	
+U	scabreux
ABCERTU	
+H	trebucha
+I	cuberait
+O	caboteur
+U	curbates
ABCERTZ	
+O	crabotez
ABCERUU	
+T	cubature
ABCERUX	
+E	berceaux
+O	corbeaux
+S	scabreux
ABCERUZ	
+R	carburez
ABCERXY	
+M	cerambyx
ABCESSS	
+E	becasses
+I	abscisse
+O	cabosses
+U	cubasses
ABCESST	
+A	cabasset
+E	bectasse
ABCESSU	
	cubasse
+H	buchasse
+L	bascules
+M	cambuses
+S	cubasses
ABCESSZ	
+O	cabossez
ABCESTT	
+E	bectates
ABCESTU	
	cubates
+H	buchates
ABCESUX	
+E	buxacees
+I	scabieux
+R	scabreux
ABCESUZ	
+L	basculez
ABCETUU	
+R	cubature
ABCFILO	
	bifocal
+E	bifocale
ABCFIMO	
+T	combatif
ABCFIMT	
+O	combatif
ABCFIOT	

+M	combatif
ABCFIOU	
+X	bifocaux
ABCFIOX	
+U	bifocaux
ABCFIUX	
+O	bifocaux
ABCFMOT	
+I	combatif
ABCFOUX	
+I	bifocaux
ABCGHOR	
+E	brochage
ABCGHOU	
+E	bouchage
ABCGIIS	
	cagibis
ABCGILR	
+E	criblage
ABCGLOS	
+E	blocages
ABCGLOU	
+E	bouclage
ABCGORS	
+E	bocagers
ABCHHIK	
+C	bakchich
ABCHIIR	
+E	bicherai
ABCHIIS	
	bichais
ABCHIIT	
	bichait
ABCHILN	
	blanchi
+E	blanchie
+R	blanchir
+S	blanchis
+T	blanchit
ABCHILR	
+A	brachial
+N	blanchir
ABCHILS	
	chablis
+A	chablais
+N	blanchis
ABCHILT	
+A	chablait
+N	blanchit
ABCHILZ	
+E	chabliez
ABCHIMR	
+A	chambrai
ABCHIMS	
+E	bichames
ABCHINN	
+O	bichonna
ABCHINO	
+N	bichonna
+R	bronchai
+S	bachions
+U	bouchain
ABCHINR	
+A	branchai
+L	blanchir
+O	bronchai
ABCHINS	

+A	banchais
+L	blanchis
+O	bachions
ABCHINT	
	bichant
+A	banchait
+L	blanchit
ABCHINU	
+O	bouchina
ABCHINZ	
+E	banchiez
ABCHIOR	
	brochai
+N	bronchai
+S	brochais
+T	brochait
ABCHIOS	
+N	bachions
+R	brochais
+U	bouchais
ABCHIOT	
+A	bachotai
	cohabita
+E	cohabite
+R	brochait
+U	bouchait
ABCHIOU	
	bouchai
+A	abouchai
+N	bouchain
+S	bouchais
+T	bouchait
ABCHIQU	
+E	bachique
ABCHIRS	
+E	bicheras
+O	brochais
ABCHIRT	
+O	brochait
ABCHIRU	
+B	barbichu
+E	bucherai
ABCHISS	
+E	bichasse
ABCHIST	
+E	bichates
ABCHISU	
	buchais
+O	bouchais
ABCHITU	
	buchait
+O	bouchait
ABCHLMO	
+E	chomable
ABCHLNO	
+S	chablons
+U	baluchon
ABCHLNR	
+I	branchir
ABCHLNS	
+E	blanches
+I	blanchis
+O	chablons
ABCHLNT	
+A	chablant
+E	blanchet
	chablent

+I blanchit
ABCHLNU
+O baluchon
ABCHLOO
+U boulocha
ABCHLOR
.chabrol
ABCHLOS
+N chablons
ABCHLOU
+N baluchon
+O boulocha
ABCHLSU
+E chasuble
ABCHMOR
+E embrocha
ABCHMOU
+E emboucha
ABCHMRR
+E chambrer
ABCHMRS
+A chambras
+E chambres
ABCHMRT
+A chambrat
ABCHMRU
+E rembucha
ABCHMRZ
+E chambrez
ABCHMSU
+E buchames
ABCHNNO
+I bichonna
+S banchons
ABCHNNS
+O banchons
ABCHNNT
+A banchant
+E banchent
ABCHNOO
+C cabochon
ABCHNOR
broncha
charbon
+I bronchai
+S bronchas
charbons
+T brochant
bronchat
ABCHNOS
bachons
+I bachions
+L chablons
+N banchons
+R bronchas
charbons
ABCHNOT
+R brochant
bronchat
+U bouchant
ABCHNOU
+I bouchain
+L baluchon
+T bouchant
ABCHNRR
+E brancher
ABCHNRS

+A branchas
+E branches
+O bronchas
+U branchus
ABCHNRT
+A branchat
+O brochant
bronchat
ABCHNRU
branchu
branchu
+D chadburn
+E branchue
+S branchus
ABCHNRZ
+E branchez
ABCHNSU
+R branchus
ABCHNTU
buchant
+O bouchant
ABCHOOU
+L boulocha
ABCHORR
+E brochera
ABCHORS
brochas
+I brochais
+N charbons
charbons
ABCHORT
brochat
chabrot
+E bachoter
+I brochait
+N brochant
+U tarbouch
ABCHORU
+E aboucher
bouchera
rebaoucha
+T tarbouch
ABCHOSS
+E basoches
ABCHOST
bachots
chabots
+A bachotas
+E bachotes
ABCHOSU
bouchas
+A abouchas
+E abouches
+I bouchais
ABCHOTT
+A bachotat
+E bachotte
ABCHOTU
bouchat
+A abouchat
+I bouchait
+N bouchant
+R tarbouch
ABCHOTZ
+E bachotez
ABCHOUZ

+E abouchez
ABCHRSU
+E bucheras
+N branchus
ABCHRTU
+E trebucha
+O tarbouch
ABCHSSU
+E buchasse
ABCHSTU
+E buchates
ABCIILO
+R bricolai
ABCIILR
criblai
+A calibrai
+O bricolai
+S criblais
+T criblait
ABCIILS
basilic
+R criblais
+S basilics
ABCIILT
+R criblait
ABCIILV
+E viciable
ABCIIMN
+O combinai
incombai
ABCIIMO
+N combinai
incombai
ABCIINO
+M combinai
incombai
ABCIINS
+E biscaien
+U incubais
ABCIINT
+U incubait
ABCIINU
incubai
+S incubais
+T incubait
ABCIIOR
+L bricolai
ABCIIRS
+L criblais
ABCIIRT
+L criblait
ABCIISS
+L basilics
ABCIIST
+E basicite
+U biscuita
ABCIISU
+N incubais
+T biscuita
ABCIITU
+N incubait
+S biscuita
ABCIJNO
jacobin
+E jacobine
+S jacobins
ABCIJNS

+O jacobins
ABCIJOS
+N jacobins
ABCIJOT
+E jacobite
objectai
+T cabillot
ABCILLS
+E bacilles
ABCILLT
+O cabillot
ABCILLU
+A caballau
ABCILLV
+E clivable
ABCILLY
+E beylical
ABCILMO
comblai
+S comblais
+T comblait
ABCILMS
+A alambics
+O comblais
ABCILMT
+O comblait
ABCILNO
+S baclions
cablions
ABCILNR
+H blanchir
+T criblant
ABCILNS
+H blanchis
+O baclions
cablions
ABCILNT
+H blanchit
+R criblant
ABCILOR
bricola
+A cabriola
+E cabriole
+I bricolai
+S bricolas
+T bricolat
ABCILOS
+E sociable
+M comblais
+N baclions
cablions
+R bricolas
+U bouclais
ABCILOT
+A clabotai
+L cabillot
+M comblait
+R bricolat
+U bouclait
ABCILOU
bouclai
+S bouclais
+T bouclait
ABCILPS
+E biplaces
ABCILRR

+E calibrer
criblera
ABCILRS
criblas
+A calibras
+E cabliers
calibres
+I criblais
+O bricolas
ABCILRT
criblat
+A calibrat
+I criblait
+N criblant
+O bricolat
ABCILRZ
+E calibrez
ABCILSS
+E sciables
+I basilics
ABCILST
+E cabliste
celibats
ABCILSU
+A basculai
+O bouclais
ABCILTU
cubital
+E cubitale
+O bouclait
+U culbutai
ABCILTY
+E beylicat
ABCILUU
+T culbutai
ABCIMMS
+U cambiums
ABCIMMU
cambium
+S cambiums
ABCIMNO
combina
incomba
+I combinai
+S combinas
+T combinat
incombat
ABCIMNR
+E cambrien
ABCIMNS
+O combinas
incombas
ABCIMNT
+O combinat
incombat
ABCIMOS
+L comblais
+N combinas
incombas
+U cambouis
ABCIMOT
+F combatif
+L comblait
+N combinat
incombat

ABCIMOU
+S cambouis
ABCIMRS
+A cambrais
ABCIMRT
+A cambrait
ABCIMRZ
+E cambriez
ABCIMST
+E cambiste
ABCIMSU
+M cambiums
+O cambouis
ABCIMUX
+A cambiaux
ABCINNO
+H bichonna
ABCINNS
+A cannabis
ABCINNT
+U incubant
ABCINNU
+T incubant
ABCINOR
+H bronchai
+S cabrions
ABCINOS
+H bachions
+J jacobins
+L baclions
   cablions
+M combinas
   incombas
+R cabrions
+T cabotins
ABCINOT
   cabotin
+A cabotina
+E cabotine
+M combinat
   incombat
+S cabotins
ABCINOU
+A boucanai
+H bouchain
ABCINRS
   scriban
+A carabins
+E cinabres
+O cabrions
+S scribans
+U rubicans
ABCINRT
+L criblant
ABCINRU
   rubican
+E incubera
+S rubicans
ABCINSS
+R scribans
ABCINST
+E cabinets
+O cabotins
ABCINSU
   cubains
   incubas
+E cubaines

+I incubais
+R rubicans
ABCINSY
+E biscayen
ABCINTU
   incubat
+E cubaient
+I incubait
+N incubant
ABCIORS
+H brochais
+L bricolas
+N cabrions
+T abricots
+U caribous
   courbais
ABCIORT
   abricot
+A crabotai
+E abricote
+H brochait
+L bricolat
+S abricots
+U courbait
ABCIORU
   caribou
   courbai
+S caribous
   courbais
ABCIOSS
+A cabossai
ABCIOST
+A cabotais
+E becotais
+N cabotins
+R abricots
ABCIOSU
+E ecobuais
+H bouchais
+L bouclais
+M cambouis
+R caribous
   courbais
+V bivouacs
ABCIOSV
+U bivouacs
ABCIOTT
+A cabotait
+E becotait
ABCIOTU
+E ecobuait
+H bouchait
+L bouclait
+R courbait
ABCIOTZ
+E cabotiez
ABCIOUV
   bivouac
+S bivouacs
ABCIOUX
+F bifocaux
ABCIRRS
+D briscard
+E bicarres
   crabiers
ABCIRRU

+A carburai
ABCIRSS
+N scribans
ABCIRST
+O abricots
ABCIRSU
+E cuberais
+N rubicans
+O caribous
   courbais
ABCIRTU
+E cuberait
+O courbait
ABCISSS
+E abscisse
ABCISTU
+I biscuita
ABCISUV
+O bivouacs
ABCISUX
+E scabieux
ABCITUU
+L culbutai
+X cubitaux
ABCITUX
+U cubitaux
ABCIUUX
+T cubitaux
ABCJLOT
+E objectal
ABCJNOS
+I jacobins
ABCJOST
+E objectas
ABCJOTT
+E objectat
ABCKLOS
+C colbacks
ABCLLOO
   collabo
+S collabos
ABCLLOS
+O collabos
ABCLLOT
+I cabillot
ABCLLRU
+E brucella
ABCLMMU
+Y cymbalum
ABCLMMY
+U cymbalum
ABCLMNO
+T comblant
ABCLMNT
+O comblant
ABCLMOR
+E comblera
ABCLMOS
   comblas
+I comblais
ABCLMOT
   comblat
+I comblait
+N comblant
ABCLMSY
+E cymbales
ABCLMUY

+M cymbalum
ABCLNOS
   baclons
   balcons
   cablons
+H chablons
+I baclions
   cablions
ABCLNOT
+M comblant
+U bouclant
ABCLNOU
+E encoubla
+H baluchon
+T bouclant
ABCLNRT
+I criblant
ABCLNTU
+O bouclant
ABCLOOS
+L collabos
ABCLOOT
+U caboulot
ABCLOOU
+H boulocha
+T caboulot
ABCLOPS
+E placebos
ABCLOPU
+E coupable
ABCLORR
+U carburol
ABCLORS
+I bricolas
ABCLORT
+E claboter
+I bricolat
ABCLORU
+E bouclera
+R carburol
ABCLORY
+E croyable
ABCLOST
   cablots
   clabots
   cobalts
+A clabotas
+E clabotes
   obstacle
ABCLOSU
   bouclas
+I bouclais
+U bouscula
ABCLOSV
+E vocables
ABCLOTT
+A clabotat
ABCLOTU
   bouclat
+I bouclait
+N bouclant
+O caboulot
ABCLOTZ
+E clabotez
ABCLOUU
+S bouscula
ABCLOUX

   blocaux
ABCLRRU
+O carburol
ABCLRSU
+E basculer
   cableurs
   curables
ABCLSSU
+A basculas
+E bascules
ABCLSTU
+A basculat
+U culbutas
ABCLSUU
+O bouscula
+T culbutas
ABCLSUZ
+E basculez
ABCLTTU
+U culbutat
ABCLTUU
   culbuta
+I culbutai
+S culbutas
+T culbutat
ABCMMSU
+A macumbas
+I cambiums
ABCMMUY
+L cymbalum
ABCMNOR
+E encombra
+S cambrons
ABCMNOS
+I combinas
   incombas
+R cambrons
ABCMNOT
+I combinat
   incombat
+L comblant
ABCMNRS
+O cambrons
ABCMNRT
+A cambrant
+E cambrent
ABCMORS
+N cambrons
ABCMOST
   combats
   tombacs
ABCMOSU
+C succomba
+I cambouis
ABCMOTT
+E combatte
+U combattu
ABCMOTU
+T combattu
ABCMRRU
+E cambrure
ABCMRXY
+E cerambyx
ABCMSSU
+E cambuses
ABCMTTU
+O combattu

ABCNNOR
+A braconna
+E braconne
ABCNNOS
+A cabanons
+H banchons
ABCNNTU
+I incubant
ABCNOOS
+T cabotons
ABCNOOT
+S cabotons
ABCNORR
+A barranco
ABCNORS
cabrons
+E carbones
+H bronchas
charbons
+I cabrions
+M cambrons
ABCNORT
+A brocanta
+E brocante
+H brochant
bronchat
+U courbant
ABCNORU
+E boucaner
+T courbant
ABCNOSS
abscons
+E absconse
ABCNOST
+I cabotins
+O cabotons
ABCNOSU
boucans
+A boucanas
+E boucanes
cebuanos
ABCNOTT
+A cabotant
+E becotant
cabotent
ABCNOTU
+A boucanat
+E ecobuant
+H bouchant
+L bouclant
+R courbant
ABCNOUZ
+E boucanez
ABCNRSS
+I scribans
ABCNRSU
+E bucranes
+H branchus
+I rubicans
ABCNRTU
+O courbant
ABCOORS
+D cordobas
ABCOOST
+N cabotons
ABCOOTT
+Y boycotta

ABCOOTU
+L caboulot
+T boycotta
ABCOPUU
+E beaucoup
ABCORRS
+D brocards
+T brocarts
ABCORRT
brocart
+E craboter
+S brocarts
ABCORRU
+E courbera
recourba
+L carburol
ABCORSS
+E cabosser
ABCORST
crabots
+A crabotas
+E crabotes
escarbot
+I abricots
+R brocarts
ABCORSU
courbas
+E caroubes
+I caribous
courbais
ABCORTT
+A crabotat
ABCORTU
courbat
+E caboteur
+H tarbouch
+I courbait
+N courbant
+U courbatu
ABCORTZ
+E crabotez
ABCORUU
+T courbatu
ABCORUX
+E corbeaux
ABCOSSS
+A cabossas
+E cabosses
ABCOSST
+A cabossat
ABCOSSZ
+E cabossez
ABCOSTU
+U boucauts
ABCOSUU
+D boucauds
+L bouscula
+T boucauts
ABCOSUV
+I bivouacs
ABCOTTU
+M combattu
ABCOTTY
+O boycotta
ABCOTUU
boucaut

+R courbatu
+S boucauts
ABCOUUX
boucaux
ABCRRRU
+E carburer
ABCRRST
+O brocarts
ABCRRSU
+A carburas
+E carbures
ABCRRTU
+A carburat
ABCRRUZ
+E carburez
ABCRSUX
+E scabreux
ABCRTUU
+E cubature
+O courbatu
ABCSSSU
+E cubasses
ABCSTUU
+L culbutas
+O boucauts
ABCTTUU
+L culbutat
ABCTUUX
+I cubitaux
ABDDEEE
+N debandee
+R debardee
ABDDEEN
debande
+E debandee
+R debarder
+S debandes
+Z debardez
ABDDEEO
+R derobade
ABDDEER
debarde
+E debardee
+N debander
+O derobade
+R debarder
+S debardes
+Z debardez
ABDDEES
+N debandes
+R debardez
ABDDEEZ
+N debandez
+R debardez
ABDDEII
+R debridai
ABDDEIN
+A debandai
+O debondai
ABDDEIO
+N debondai
+R debordai
ABDDEIR
debrida
+A debardai
+I debridai
+O debordai

+S debridas
+T debridat
ABDDEIS
+R debridas
ABDDEIT
+R debridat
ABDDELO
+U dedoubla
ABDDELU
+O dedoubla
ABDDENO
debonda
+I debondai
+S debondas
ABDDENR
+A brandade
+E debander
ABDDENS
+A debandas
+E debandes
+O debondas
ABDDENT
+A debandat
+O debondat
ABDDENZ
+E debandez
ABDDEOR
deborda
+E derobade
+I debordai
+S debordas
+T debordat
ABDDEOS
+N debondas
+R debordas
ABDDEOT
+N debondat
+R debordat
ABDDEOU
+L dedoubla
ABDDERR
+E debarder
ABDDERS
+A debardas
+E debardes
+I debridas
+O debordas
ABDDERT
+A debardat
+I debridat
+O debordat
ABDDERZ
+E debardez
ABDDESU
+A badaudes
ABDDHOS
+U bouddhas
ABDDHOU
bouddha
+S bouddhas
ABDDHSU
+O bouddhas
ABDDIIR
+E debridai
ABDDINO
+E debondai

ABDDIOR
+E debordai
ABDDIRS
+E debridas
ABDDIRT
+E debridat
ABDDLOU
+E dedoubla
ABDDNOS
+E debondas
ABDDNOT
+E debondat
ABDDORS
+E debordas
ABDDORT
+E debordat
ABDDOSU
+H bouddhas
ABDEEEH
+C debachee
ABDEEEL
+L deballee
+R delabree
+Y deblayee
ABDEEEM
+R embardee
ABDEEEN
+D debandee
ABDEEER
+D debardee
+L delabree
+M embardee
+Y debrayee
ABDEEEV
+L deblayee
+R debrayee
ABDEEGI
+T debitage
ABDEEGR
bedegar
+S bedegars
ABDEEGS
+R bedegars
ABDEEGT
+I debitage
ABDEEHI
+T thebaide
ABDEEHR
+C debacher
+S desherba
ABDEEHS
+C debaches
+R desherba
ABDEEHT
+I thebaide
ABDEEHU
+C debauche
ABDEEHZ
+C debachez
ABDEEIL
deblaie
+N endiable
+R delibera
+S deblaies
ABDEEIN
bedaine
+L endiable

+R debinera	+C educable	+S adoubees	+Y debrayez	**ABDEGIR**
+S bedaines	+M deambule	**ABDEEPR**	**ABDEESS**	bridgea
ABDEEIQ	demeubla	+L perdable	+L dessable	+A bigarade
+U abdiquee	+N denebula	**ABDEEQR**	+U desabuse	+I bridgeai
ABDEEIR	**ABDEELV**	+U debarque	**ABDEEST**	+R bridgera
debraie	+N vendable	**ABDEEQU**	+C debectas	+S bridgeas
+L delibera	+R deverbal	+I abdiquee	+I debaties	+T bridgeat
+N debinera	**ABDEELY**	+R debarque	diabetes	**ABDEGIS**
+R braderie	deblaye	**ABDEERR**	+R debaters	+R bridgeas
+S debraies	+E deblayee	+D debarder	+T debattes	brigades
+T debitera	+R deblayer	+I braderie	**ABDEESU**	**ABDEGIT**
+U daubiere	+S deblayes	+L delabrer	daubees	+E debitage
ABDEEIS	+Z deblayez	+O derobera	+O adoubees	+R bridgeat
+L deblaies	**ABDEEMM**	+Y debrayer	+R bradeuse	**ABDEGLN**
+N bedaines	+R demembra	+Z barderez	+S desabuse	+I blindage
+R braderies	**ABDEEMR**	**ABDEERS**	**ABDEESV**	**ABDEGLO**
+T debaties	+E embardee	bardees	+R adverbes	+U doublage
diabetes	+M demembra	bradees	**ABDEESY**	**ABDEGLU**
ABDEEIT	**ABDEEMU**	+D debardes	+L deblayes	+O doublage
debatie	+L deambule	+G bedegars	+R debrayes	**ABDEGMR**
diabete	demeubla	+H desherba	**ABDEETT**	+A gambader
+C debectai	**ABDEENP**	+I debraies	debatte	**ABDEGMS**
+G debitage	+L pendable	+L delabres	+C debectat	+A gambades
+H thebaide	**ABDEENR**	+N badernes	+R debattre	**ABDEGMZ**
+R debitera	baderne	benardes	+S debattes	+A gambadez
+S debaties	benarde	+O abordees	+U debattue	**ABDEGNO**
diabetes	+D debander	adsorbee	+Z debattez	+I badigeon
ABDEEIU	+I debinera	obsedera	**ABDEETU**	**ABDEGNS**
+Q abdiquee	+S badernes	sabordee	+R debutera	+A bandages
+R daubiere	benardes	+T debaters	+T debattue	**ABDEGOR**
ABDEELL	+Z banderez	+U bradeuse	**ABDEETZ**	bordage
deballe	**ABDEENS**	+V adverbes	+T debattez	+A abordage
+E deballer	bandees	+Y debrayes	**ABDEEUX**	+S bordages
+R deballer	bedanes	**ABDEERT**	bedeaux	+U bourgade
+S deballes	+D debandes	debater	**ABDEEUZ**	**ABDEGOS**
+Z deballez	+I bedaines	+I debitera	+R dauberez	+R bordages
ABDEELM	+R badernes	+S debaters	**ABDEEYZ**	**ABDEGOU**
+U deambule	benardes	+T debattre	+L deblayez	+L doublage
demeubla	**ABDEENU**	+U debutera	+R debrayez	+R bourgade
ABDEELN	+L denebula	**ABDEERU**	**ABDEFII**	**ABDEGRR**
+I endiable	**ABDEENV**	+I daubiere	+R defibrai	+I bridgera
+P pendable	+L vendable	+O radoubee	**ABDEFIR**	**ABDEGRS**
+U denebula	**ABDEENZ**	+Q debarque	defibra	begards
+V vendable	+D debandez	+S bradeuse	+I defibrai	+A bardages
ABDEELP	+R banderez	+T debutera	+S defibras	bradages
+N pendable	**ABDEEOR**	+Z dauberez	+T defibrat	+E bedegars
+R perdable	abordee	**ABDEERV**	**ABDEFIS**	+I bridgeas
ABDEELR	+D derobade	adverbe	+R defibras	brigades
delabre	+R derobera	+L deverbal	**ABDEFIT**	+O bordages
+E delabree	+S abordees	+S adverbes	+R defibrat	**ABDEGRT**
+I delibera	adsorbee	**ABDEERY**	**ABDEFLR**	+I bridgeat
+L deballer	obsedera	debraye	+A blafarde	**ABDEGRU**
+P perdable	sabordee	+A bayadere	**ABDEFRS**	+O bourgade
+R delabrer	+U radoubee	+E debrayee	+I defibras	**ABDEGSU**
+S delabres	**ABDEEOS**	+L deblayer	**ABDEFRT**	+A bagaudes
+V deverbal	+R abordees	+R debrayer	+I defibrat	**ABDEHHI**
+Y deblayer	adsorbee	+S debrayes	**ABDEGII**	+A dahabieh
+Z delabrez	obsedera	+Z debrayez	+R bridgeai	**ABDEHIT**
ABDEELS	sabordee	**ABDEERZ**	**ABDEGIL**	+E thebaide
+A baladees	+U adoubees	+A bazarde	+N blindage	+U habitude
+C debacles	**ABDEEOU**	+D debardez	**ABDEGIN**	thibaude
+I deblaies	adoubee	+L delabrez	+A badinage	**ABDEHIU**
+L deballes	+R radoubee	+N banderez	baignade	+C debuchai
+R delabres		+R barderez	+L blindage	+T habitude
+S dessable		braderez	+O badigeon	thibaude
+Y deblayes		+U dauberez	**ABDEGIO**	
ABDEELU			+N badigeon	

ABDEHOR
+C debrocha
ABDEHOU
+C deboucha
ABDEHRS
+E desherba
ABDEHSU
+C debuchas
ABDEHTU
+C debuchat
+I habitude
  thibaude
ABDEIIL
+T debilita
ABDEIIM
+O amiboide
ABDEIIN
  debinai
+S debinais
+T debinait
+Z badiniez
ABDEIIO
+M amiboide
+S deboisai
+T deboitai
ABDEIIR
+D debridai
+F defibrai
+G bridgeai
+R briderai
+T diatribe
ABDEIIS
+C biacides
+N debinais
+O deboisai
+T debitais
ABDEIIT
  debitai
+L debilita
+N debinait
+O deboitai
+R diatribe
+S debitais
+T debitait
ABDEIIZ
+N badiniez
ABDEILL
+A deballai
ABDEILN
+E endiable
+G blindage
+R blindera
ABDEILO
+U deboulai
ABDEILR
+A delabrai
+E delibera
+N blindera
ABDEILS
  deblais
  diables
+A absidale
+E deblaies
+U audibles
ABDEILT
+I debilita
ABDEILU

audible
+O deboulai
+S audibles
ABDEILY
+A deblayai
ABDEILZ
+A baladiez
ABDEIMO
+I amiboide
ABDEIMR
  brimade
+S bridames
  brimades
ABDEIMS
+R bridames
  brimades
ABDEINN
+O bedonnai
+T badinent
  debinant
+U danubien
ABDEINO
+B debobina
+D debondai
+G badigeon
+N bedonnai
+Z abondiez
ABDEINR
  badiner
  brandie
+A badinera
  banderai
+E debinera
+L blindera
+S brandies
ABDEINS
  badines
  debinas
+A badianes
+E bedaines
+I debinais
+R brandies
ABDEINT
  debinat
+I debinait
+N badinent
  debinant
+T debitant
ABDEINU
+N danubien
ABDEINZ
  badinez
  bandiez
+I badiniez
+O abondiez
ABDEIOR
  derobai
+D debordai
+R borderai
  broderai
  rebordai
+S derobais
+T derobait
+U baudroie
  bouderai
+Z abordiez
ABDEIOS

badoise
deboisa
+I deboisai
+R derobais
+S badoises
  deboisas
  obsedais
+T deboisat
  deboitas
  obsedais
ABDEIOT
  deboita
+I deboita
+R derobait
+S deboisat
  deboitas
  obsedait
+T debottat
  debottai
+U deboutai
ABDEIOU
+L deboulai
+R bouderai
  bouderai
+T deboutai
+Z adoubiez
ABDEIOZ
+N abondiez
+R abordiez
+U adoubiez
ABDEIQR
+U abdiquer
ABDEIQS
+U abdiques
ABDEIQU
  abdique
+E abdiquee
+R abdiquer
+S abdiques
+Z abdiquez
ABDEIQZ
+U abdiquez
ABDEIRR
  briarde
  bridera
+A barderai
  braderai
+E braderie
+G bridgera
+I briderai
+O borderai
  broderai
  rebordai
+S briardes
  brideras
ABDEIRS
+D debridas
+E debraies
+F defibras
+G bridgeas
+M bridames
  brimades
+N brandies
+O derobais

+R briardes
  brideras
+S bridasse
+T bridates
+U ribaudes
ABDEIRT
  debatir
+A debatira
+D debridat
+E debitera
+F defibrat
+G bridgeat
+I diatribe
+O derobait
+S bridates
ABDEIRU
  ribaude
+A dauberai
+E daubiere
+O baudroie
  bouderai
+Q abdiquer
+R baudrier
+S ribaudes
ABDEIRY
+A debrayai
ABDEIRZ
  bardiez
  bradiez
+O abordiez
ABDEISS
  absides
  basides
  bidasse
+O badoises
  deboisas
  obsedais
+R bridasse
+S bidasses
+T bastides
ABDEIST
  bastide
  debatis
  debitas
+E debaties
  diabetes
+I debitais
+O deboisat
  obsedait
+R bridates
+S bastides
+T debattis
+U debutais
ABDEISU
+L audibles
+Q abdiques
+R ribaudes
+T debutais
ABDEITT
  debatit
  debitat
+I debitait
+N debitant
+O deboitat
  debottai
+S debattis

+T debattit
+U debutait
ABDEITU
  debutai
+H habitude
  thibaude
+O deboutai
+S debutais
+T debutait
ABDEIUZ
+O adoubiez
+Q abdiquez
ABDEJLL
+A djellaba
ABDEJOR
  jobarde
+S jobardes
ABDEJOS
+R jobardes
ABDEJRS
+O jobardes
ABDELLR
+E deballer
ABDELLS
+A ballades
  deballas
+E deballes
ABDELLT
+A deballat
ABDELLZ
+E deballez
ABDELMN
+A damnable
ABDELMO
+P deplomba
+R lombarde
ABDELMP
+O deplomba
ABDELMR
+O lombarde
ABDELMU
+A deambula
+E deambule
  demeubla
ABDELNP
+E pendable
ABDELNR
+I blindera
ABDELNS
+A dansable
  salbande
ABDELNT
+A baladent
ABDELNU
+E denebula
ABDELNV
+E vendable
ABDELOP
+M deplomba
ABDELOQ
+U debloqua
ABDELOR
+A adorable
+M lombarde
+U balourde
  doublera

redoubla
ABDELOS
  albedos
  dosable
+S dosables
+U deboulas
  soudable
ABDELOT
+U deboulat
ABDELOU
  deboula
+C deboucla
+D dedoubla
+G doublage
+I deboulai
+Q debloqua
+R balourde
  doublera
  redoubla
+S deboulas
  soudable
+T deboulat
+U doubleau
ABDELOX
+Y oxydable
ABDELOY
+X oxydable
ABDELPR
+E perdable
ABDELQU
+O debloqua
ABDELRR
+E delabrer
ABDELRS
+A delabras
+C clebards
+E delabres
+U durables
ABDELRT
+A delabrat
ABDELRU
  durable
+A baladeur
+O balourde
  doublera
  redoubla
+S durables
ABDELRV
+E deverbal
ABDELRY
+E deblayer
ABDELRZ
+E delabrez
ABDELSS
+A dessalas
+E dessable
+O dosables
ABDELST
+A datables
ABDELSU
+I audibles
+O deboulas
  soudable
+R durables
ABDELSY
+A deblayas
+E deblayes

ABDELTU
+O deboulat
ABDELTY
+A deblayat
ABDELUU
+O doubleau
ABDELXY
+O oxydable
ABDELYZ
+E deblayez
ABDEMMR
+E demembra
ABDEMNO
  abdomen
+R denombra
  doberman
+S abdomens
ABDEMNR
+O denombra
  doberman
ABDEMNS
+A bandames
+O abdomens
ABDEMOP
+L deplomba
ABDEMOR
+B bombarde
+L lombarde
+N denombra
  doberman
+S bordames
  brodames
ABDEMOS
+N abdomens
+R bordames
  brodames
+U boudames
ABDEMOU
+S boudames
ABDEMRR
+A rambarde
ABDEMRS
+A bardames
  bradames
+I bridames
  brimades
+O bordames
  brodames
+U bermudas
+Y darbysme
ABDEMRU
  bermuda
+S bermudas
ABDEMRY
+S darbysme
ABDEMSU
+A daubames
+O boudames
+R bermudas
ABDEMSY
+R darbysme
ABDENNO
  bedonna
+I bedonnai
+S bedonnas
+T abondent
  bedonnat

ABDENNS
+O bedonnas
ABDENNT
  bandent
+I badinent
  debinant
+O abondent
  bedonnat
ABDENNU
+I danubien
ABDENOR
  abonder
+A abondera
+M denombra
  doberman
+T abordent
  derobant
ABDENOS
  abondes
+D debondas
+M abdomens
+N bedonnas
+T obsedant
ABDENOT
+D debondat
+N abondent
  bedonnat
+R abordent
  derobant
+S obsedant
+U adoubent
ABDENOU
+T adoubent
ABDENOZ
  abondez
+I abondiez
ABDENRS
  brandes
+A banderas
  bardanes
+E badernes
  benardes
+I brandies
ABDENRT
  bardent
  bradent
+O abordent
  derobant
ABDENRZ
+E banderez
ABDENSS
+A bandasse
ABDENST
+A bandates
+O obsedant
ABDENTT
+I debitant
+U debutant
ABDENTU
  daubent
+O adoubent
+T debutant
ABDENUX
+A bandeaux
ABDEOQU
+L debloqua
+U debouqua

ABDEORR
  aborder
  bordera
  brodera
  reborda
+A abordera
+C brocarde
+E derobera
+I borderai
  broderai
  rebordai
+S adsorber
  borderas
  broderas
  rebordas
+T rebordat
+U bourrade
  debourra
  radouber
+X bordeaux
ABDEORS
  abordes
  adsorbe
  derobas
  saborde
+D debordas
+E abordees
  adsorbee
  obsedera
  sabordee
+G bordages
+I derobais
+J jobardes
+M bordames
  brodames
+R adsorber
  borderas
  broderas
  rebordas
  saborder
+S adsorbes
  bordasse
  brodasse
  sabordes
+T bordates
  brodates
+U absoudre
  bouderas
  deboursa
  radoubes
+Z adsorbez
  sabordez
ABDEORT
  derobat
+D debordat
+I derobait
+N abordent
  derobant
+R rebordat
+S bordates
  brodates
ABDEORU
  adouber
  boudera
  radoube
+A adoubera
+B debourba

+E radoubee
+G bourgade
+I baudroie
  bouderai
+L balourde
  doublera
  redoubla
+R bourrade
  debourra
  radouber
+S absoudre
  bouderas
  deboursa
  radoubes
+X bordeaux
ABDEORX
+U bordeaux
ABDEORZ
  abordez
+I abordiez
+S adsorbez
  sabordez
+U radoubez
ABDEOSS
  obsedas
+I badoises
  deboisas
  obsedais
+L dosables
+R adsorbes
  bordasse
  brodasse
  sabordes
+U boudasse
ABDEOST
  obsedat
+I deboisat
  deboitas
  obsedait
+N obsedant
+R bordates
  brodates
+T debottas
+U batoudes
  boudates
  boutades
  deboutas
ABDEOSU
  adoubes
+E adoubees
+L soudable
+M boudames
+R absoudre
  bouderas
  deboursa
  radoubes
+S boudasse
+T batoudes
  boudates
  boutades
  deboutas
ABDEOSZ
+R adsorbez
  sabordez

ABDEOTT
  debotta
+I deboitat
  debottai
+S debottas
+T debottat
+U deboutat
ABDEOTU
  batoude
  boutade
  debouta
+I deboutai
+L deboulat
+N adoubent
+S batoudes
  boudates
  boutades
  deboutas
+T deboutat
ABDEOUU
+L doubleau
+Q debouqua
ABDEOUX
+R bordeaux
ABDEOUZ
  adoubez
+I adoubiez
+R radoubez
ABDEOXY
+L oxydable
ABDEPRS
+Y bradypes
ABDEPRY
  bradype
+S bradypes
ABDEPSY
+R bradypes
ABDEQRU
+A debarqua
+E debarque
+I abdiquer
ABDEQSU
+I abdiques
+U debusqua
ABDEQUU
+O debouqua
+S debusqua
ABDEQUZ
+I abdiquez
ABDERRS
+A barderas
  braderas
  debarras
+I briardes
  brideras
+O adsorber
  borderas
  broderas
  rebordas
  saborder
+U bradeurs
ABDERRT
+O rebordat
ABDERRU
  bradeur
+I baudrier
+O bourrade

  debourra
  radouber
+S bradeurs
ABDERRV
+A bavarder
ABDERRY
+E debrayer
ABDERRZ
+A bazarder
+E barderez
  braderez
ABDERSS
+A bardasse
  bradasse
+I bridasse
+O adsorbes
  bordasse
  brodasse
  sabordes
+U absurdes
ABDERST
+A bardates
  batardes
  bradates
+E debaters
+I bridates
+O bordates
  brodates
+U tubardes
+Y darbyste
ABDERSU
  absurde
+A dauberas
+E bradeuse
+I ribaudes
+L durables
+M bermudas
+O absoudre
  bouderas
  deboursa
  radoubes
+R bradeurs
+S absurdes
+T tubardes
ABDERSV
+A bavardes
  bravades
+E adverbes
ABDERSY
+A debrayas
+E debrayes
+M darbysme
+P bradypes
+T darbyste
ABDERSZ
+A bazardes
+O adsorbez
  sabordez
ABDERTT
+A debattra
+E debattre
ABDERTU
  tubarde
+E debutera
+S tubardes
ABDERTY
+A debrayat

+S darbyste
ABDERUX
+A bardeaux
+O bordeaux
ABDERUZ
+E dauberez
+O radoubez
ABDERVZ
+A bavardez
ABDERYZ
+E bazardez
ABDERZZ
+A bazarder
ABDESSS
+I bidasses
ABDESST
+I bastides
ABDESSU
+A daubasse
  desabusa
+O boudasse
+R absurdes
ABDESTT
+E debattes
+I debattis
+O debottas
+U debattus
ABDESTU,
  baudets
  debutas
+A daubates
+I debutais
+O batoudes
  boudates
  boutades
  deboutas
+R tubardes
+T debattus
ABDESTY
+R darbyste
ABDESUS
+Q debusqua
ABDETTT
+I debattit
+O debottat
ABDETTU
  debattu
  debutat
+E debattue
+I debutait
+N debutant
+O deboutat
+S debattus
ABDETTZ
+E debattez
ABDFIIR
+E defibrai
ABDFILR
+A faiblard
ABDFIRR
+U furibard
ABDFIRS
+E defibras
ABDFIRT
+E defibrat
ABDFIRU

+R furibard
ABDFLMR
+A flambard
ABDFLRS
+A blafards
ABDFRRU
+I furibard
ABDGIIR
+E bridgeai
ABDGILN
+E blindage
ABDGINO
+E badigeon
ABDGINR
  brigand
+S brigands
ABDGINS
+R brigands
ABDGIRR
+E bridgera
ABDGIRS
+E bridgeas
  brigades
+N brigands
ABDGIRT
+E bridgeat
ABDGLOU
+E doublage
ABDGNOV
+A vagabond
ABDGNRS
+A bagnards
+I brigands
ABDGORS
+E bordages
ABDGORU
+E bourgade
ABDHIIR
+Y hybridai
ABDHIIY
+R hybridai
ABDHIRS
+Y hybridas
ABDHIRT
+Y hybridat
ABDHIRY
  hybrida
+I hybridat
+S hybridas
+T hybridat
ABDHISY
+R hybridas
ABDHITU
+E habitude
  thibaude
ABDHITY
+R hybridat
ABDHLLN
+A handball
ABDHNRU
+C chadburn
ABDHOSU
+D bouddhas
ABDHRSY
+I hybridas
ABDHRTY
+I hybridat

ABDIILN
  blindai
+S blindais
+T blindait
ABDIILR
+B dribblai
ABDIILS
+A absidial
+N blindais
ABDIILT
+E debilita
+N blindait
ABDIIMO
+E amiboide
ABDIINN
+O bidonnai
ABDIINO
+N bidonnai
+R bondirai
+U boudinai
ABDIINR
+O bondirai
ABDIINS
+A badinais
+E debinais
+L blindais
ABDIINT
+A badinait
+E debinait
+L blindait
ABDIINU
+O boudinai
ABDIINZ
+E badiniez
ABDIIOR
+N bondirai
ABDIIOS
+E deboisai
ABDIIOT
+E deboitai
ABDIIOU
+N boudinai
ABDIIQU
+A abdiquai
ABDIIRR
+E briderai
ABDIIRS
  bridais
ABDIIRT
  bridait
+E diatribe
ABDIIRY
+H hybridai
ABDIIST
+E debitais
ABDIITT
+E debitait
ABDILLR
  billard
+S billards
ABDILLS
+R billards
ABDILNN
+T blindant
ABDILNO
+R blondira

ABDILNR
+E blindera
+O blondira
ABDILNS
blindas
+A baladins
+I blindais
ABDILNT
blindat
+I blindait
+N blindant
ABDILOO
diabolo
+S diabolos
ABDILOR
+N blondira
ABDILOS
+O diabolos
+T tabloids
+U doublais
ABDILOT
tabloid
+S tabloids
+U doublait
ABDILOU
doublai
+E deboulai
+S doublais
+T doublait
ABDILRS
+B dribblas
+L billards
ABDILRT
+B dribblat
ABDILRZ
+Z blizzard
ABDILST
+O tabloids
ABDILSU
bliauds
+E audibles
+O doublais
ABDILTU
+O doublait
ABDILZZ
+R blizzard
ABDIMRS
+A barmaids
+E bridames
brimades
ABDINNO
bidonna
+E bedonnai
+I bidonnai
+S badinons
bandions
bidonnas
+T bidonnat
ABDINNS
+O badinons
bandions
bidonnas
ABDINNT
+A badinant
+E badinent
debinant
+L blindant

+O bidonnat
ABDINNU
+E danubien
ABDINOR
bondira
+I bondirai
+L blondira
+S bardions
bondiras
bradions
ABDINOS
+A abondais
+N badinons
bandions
bidonnas
+R bardions
bondiras
bradions
+T bastion
+U boudins
daubions
ABDINOT
+A abondait
+N bidonnat
+S bastion
+U boudinat
ABDINOU
boudina
+I boudinai
+S boudins
+T boudinat
ABDINOZ
+E abondiez
ABDINRR
brandir
+A brandira
ABDINRS
binards
brandis
+E brandies
+G brigands
+O bardions
bondiras
bradions
ABDINRT
brandit
bridant
ABDINST
bandits
+O bastion
ABDINSU
+O boudins
daubions
ABDINTT
+E debitant
ABDINTU
+O boudinat
ABDIOOS
+L diabolos
ABDIORR
+E borderai
broderai
rebordai
ABDIORS
bordais
brodais

+A abordais
adsorbai
sabordai
+E derobais
+N bardions
bondiras
bradions
ABDIORT
bordait
brodait
+A abordait
+E derobait
ABDIORU
+A radoubai
+E baudroie
bouderai
ABDIORZ
+E abordiez
ABDIOSS
+E badoises
deboisas
obsedais
ABDIOST
+E deboisat
deboitas
obsedait
+L tabloids
+N bastion
ABDIOSU
boudais
+A adoubais
+L doublais
+N boudinas
daubions
ABDIOSZ
+A dazibaos
ABDIOTT
+E deboitat
debottai
ABDIOTU
boudait
+A adoubait
+E deboutai
+L doublait
+N boudinat
ABDIOUZ
+E adoubiez
ABDIQRU
+E abdiquer
ABDIQSU
+A abdiquas
+E abdiques
ABDIQTU
+A abdiquat
ABDIQUZ
+E abdiquez
ABDIRRS
briards
+C briscard
+E briardes
brideras
ABDIRRU
+E baudrier
+F furibard
ABDIRSS
+E bridasse
ABDIRST

+E bridates
ABDIRSU
ribauds
+E ribaudes
ABDIRSY
+H hybridas
ABDIRTY
+H hybridat
ABDIRZZ
+L blizzard
ABDISSS
+E bidasses
ABDISST
+E bastides
ABDISTT
+E debattis
ABDISTU
+E debutais
ABDISUX
+A absidaux
ABDITTT
+E debattit
ABDITTU
+E debutait
ABDJORS
jobards
+E jobardes
ABDLLOR
bollard
+S bollards
ABDLLOS
+R bollards
ABDLLRS
+I billards
+O bollards
ABDLMNU
+A labdanum
ABDLMOP
+E deplomba
ABDLMOR
lombard
+E lombarde
+S lombards
ABDLMOS
+R lombards
ABDLMRS
+O lombards
ABDLNNT
+I blindant
ABDLNOR
+I blondira
ABDLNOS
+A baladons
ABDLNOT
+U doublant
ABDLNOU
+T doublant
ABDLNTU
+O doublant
ABDLOOS
+I diabolos
ABDLOQU
+E deblaqua
ABDLORR
+A labrador
+U roublard
ABDLORS

+L bollards
+M lombards
+U balourds
loubards
ABDLORU
balourd
loubard
+E balourde
doublera
redoubla
+R roublard
+S balourds
loubards
ABDLOSS
+E dosables
ABDLOST
+I tabloids
ABDLOSU
doublas
+E deboulas
+I doublais
+R balourds
loubards
ABDLOTU
doublat
+E deboulat
+I doublait
+N doublant
ABDLOUU
+E doubleau
ABDLOXY
+E oxydable
ABDLRRU
+O roublard
ABDLRSU
+E durables
+O balourds
loubards
ABDLRZZ
+I blizzard
ABDMNOR
+E denombra
doberman
ABDMNOS
+E abdomens
ABDMORS
+E bordames
brodames
+L lombards
ABDMOSU
+E bodames
ABDMRSU
+E bermudas
ABDMRSY
+E darbysme
ABDNNOO
+S abondons
ABDNNOR
brandon
+S brandons
ABDNNOS
bandons
+A abandons
+E bedonnas
+I badinons
bandions

bidonnas	saborder	**ABDRRSS**	+O elaboree	+G begayees
+O abondons	**ABDORRT**	+A brassard	**ABEEELS**	**ABEEEUV**
+R brandons	+E rebordat	**ABDRRSU**	+N ensablee	+R abreuvee
ABDNNOT	**ABDORRU**	+E bradeurs	**ABEEELV**	ebavuree
+A abondant	+E bourrade	**ABDRRTU**	+M emblavee	**ABEEFFL**
+E abondent	debourra	+O broutard	**ABEEELY**	+U affublee
bedonnat	radouber	**ABDRSSU**	+D deblayee	**ABEEFFU**
+I bidonnat	**ABDORSS**	busards	**ABEEEMM**	+L affublee
ABDNNRS	sabords	+E absurdes	+U embaumee	**ABEEFII**
+O brandons	+A adsorbas	**ABDRSTU**	**ABEEEMN**	+T beatifie
ABDNOOR	sabordas	tubards	+J enjambee	**ABEEFIT**
+S abordons	+E adsorbes	+E tubardes	**ABEEEMR**	+I beatifie
ABDNOOS	bordasse	**ABDRSTY**	+D embarree	**ABEEFLM**
+N abondons	brodasse	+E darbyste	+R embarree	flambee
+R abordons	sabordes	**ABDRSUV**	+S embrasee	+S flambees
+U adoubons	**ABDORST**	buvards	+T embetera	**ABEEFLR**
ABDNOOU	bardots	**ABDSTTU**	+Y embrayee	+A balafree
+S adoubons	+A adsorbat	+E debattus	**ABEEEMS**	**ABEEFLS**
ABDNORS	sabordat	**ABEEEEN**	+R embrasee	+M flambees
bardons	+E bordates	+C ebenacee	**ABEEEMU**	**ABEEFLU**
bradons	brodates	**ABEEEGH**	+M embaumee	+F affublee
+I bardions	**ABDORSU**	+R hebergea	**ABEEEMV**	**ABEEFMS**
bondiras	barouds	herbagee	+L emblavee	+L flambees
bradions	radoubs	**ABEEEGR**	**ABEEEMY**	**ABEEFOS**
+N brandons	+A absoudra	abregee	+R embrayee	+U bafouees
+O abordons	radoubas	+H hebergea	**ABEEENN**	**ABEEFOU**
ABDNORT	+E absoudre	herbagee	+S sabeenne	bafouee
bordant	bouderas	+S abregees	**ABEEENR**	+S bafouees
brodant	deboursa	**ABEEEGS**	+L ebranlee	**ABEEFRR**
+A abordant	radoubes	+R abregees	**ABEEENS**	+Z bafrerez
+E abordent	+L balourds	+Y begayees	+L ensablee	**ABEEFRS**
derobant	loubards	**ABEEEGY**	+N sabeenne	bafrees
ABDNOST	+O subodora	begayee	+T absentee	+U bafreuse
+E obsedant	**ABDORSY**	+S begayees	**ABEEENT**	**ABEEFRU**
+I bastidon	boyards	**ABEEEHR**	+S absentee	+S bafreuse
ABDNOSU	**ABDORSZ**	+C herbacee	**ABEEEOR**	**ABEEFRZ**
daubons	+E adsorbez	+G hebergea	+L elaboree	+R bafrerez
+I boudinas	sabordez	herbagee	**ABEEERR**	**ABEEFSU**
daubions	**ABDORTU**	+T hebetera	+M embarree	+O bafouees
+O adoubons	+A radoubat	**ABEEEHT**	**ABEEERS**	+R bafreuse
ABDNOTU	+R broutard	+R hebetera	ebrasee	**ABEEGGI**
boudant	**ABDORUX**	**ABEEEHU**	+B ebarbees	gabegie
+A adoubant	+E bordeaux	+C ebauchee	+G abregees	+S gabegies
+E adoubent	**ABDORUZ**	**ABEEEIL**	+M embrasee	**ABEEGGM**
+I boudinat	+E radoubez	+N baleinee	+S ebrasees	+R gamberge
+L doublant	**ABDOSSU**	**ABEEEIN**	**ABEEERT**	**ABEEGGN**
ABDNRSY	+E boudasse	+L baleinee	+H hebetera	+O engobgea
brandys	**ABDOSTT**	**ABEEEJM**	+M embetera	**ABEEGGO**
ABDNTTU	+E debottas	+N enjambee	**ABEEERU**	+N engobgea
+E debutant	**ABDOSTU**	**ABEEEJN**	+V abreuvee	+R gobergea
ABDOORS	+E batoudes	+M enjambee	ebavuree	**ABEEGGR**
+C cordobas	boudates	**ABEEELL**	**ABEEERV**	gerbage
+N abordons	boutades	+D deballee	+U abreuvee	+M gamberge
+U subodora	deboutas	+M emballee	ebavuree	+O gobergea
ABDOORU	**ABDOSUU**	**ABEEELM**	**ABEEERX**	+S gerbages
+S subodora	+C boucauds	+L emballee	+C exacerbe	**ABEEGGS**
ABDOOSU	**ABDOTTT**	+V emblavee	**ABEEERY**	+I gabegies
+N adoubons	+E debottat	**ABEEELN**	+D debrayee	+R gerbages
+R subodora	**ABDOTTU**	+I baleinee	+M embrayee	**ABEEGHR**
ABDOQUU	+E deboutat	+R ebranlee	**ABEEESS**	herbage
+E debouqua	**ABDPRSY**	+S ensablee	+C sebacees	+A herbagea
ABDORRS	+E bradypes	**ABEEELO**	+R ebrasees	+E hebergea
+C brocards	**ABDQSUU**	+R elaboree	**ABEEEST**	herbagee
+E adsorber	+E debusqua	+B barbelee	+N absentee	+R herbager
borderas		+D delabree	**ABEEESY**	+S herbages
broderas		+N ebranlee		+Z herbagez
rebordas				

ABEEGHS	+U blaguees	gerbera	+I beguetai	+N halbrene
+C bechages	gueables	+A abregera	+S beguetas	**ABEEHLS**
+R herbages	**ABEEGLT**	+H herbager	+T baguette	+C chablees
ABEEGHZ	+A batelage	+I bigarree	beguetat	+U hableuse
+R herbagez	**ABEEGLU**	gerberai	**ABEEGTY**	**ABEEHLT**
ABEEGIN	blaguee	+S gerberas	+N begayent	+I habilete
baignee	gueable	**ABEEGRS**	**ABEEGUV**	**ABEEHLU**
+R engerbai	+J jugeable	abreges	+M embuvage	+S hableuse
+S baignees	+R beuglera	+A abregeas	+R breuvage	**ABEEHMR**
+T baigaient	+S blaguees	+D bedegars	**ABEEGUZ**	+C chambree
ABEEGIR	gueables	+E abregees	+R baguerez	**ABEEHMS**
+A abregeai	**ABEEGLZ**	+G gabarges	**ABEEGYZ**	+C bechames
begaiera	+R galberez	+H herbages	begayez	+I behaisme
+N engerbai	**ABEEGMO**	+L alberges	+I begayiez	**ABEEHMU**
+R bigarree	+R ombragee	algebres	**ABEEHIL**	+C embauche
gerberai	+U embouage	+M gerbames	+L habillee	maubeche
+V verbiage	**ABEEGMR**	+N engerbas	+R hablerie	**ABEEHNR**
+Z abregiez	+G gamberge	+O abrogees	+T habilete	enherba
ABEEGIS	+O ombragee	+R gerbases	**ABEEHIM**	+C bernache
begaies	+S gerbames	+S gerbasse	+S behaisme	branchee
+G gabegies	**ABEEGMS**	+T gerbates	ebahimes	ebranche
+N baignees	+R gerbames	+U auberges	**ABEEHIN**	+I enherbai
+U besaigue	**ABEEGMT**	**ABEEGRT**	+R enherbai	+L halbrene
ABEEGIT	+T gambette	+A abregeat	+T thebaine	+S enherbas
+D debitage	**ABEEGMU**	+N abregent	**ABEEHIP**	+T enherbat
+N begaient	+O embouage	engerbat	+S biphasee	**ABEEHNS**
+U beguetai	+V embuvage	+S gerbates	**ABEEHIR**	+C banchees
ABEEGIU	**ABEEGMV**	**ABEEGRU**	+C becherai	+R enherbas
+S besaigue	+U embuvage	auberge	ebrechai	**ABEEHNT**
+T beguetai	**ABEEGNO**	+L beuglera	+L hablerie	+I thebaine
ABEEGIV	+G engobage	+S auberges	+N enherbai	+R enherbat
+R verbiage	+R engobera	+V breuvage	+X exhibera	+T hebetant
ABEEGIY	enrobage	+Z baguerez	+Z abrahirez	**ABEEHNU**
+Z begayiez	**ABEEGNR**	**ABEEGRV**	**ABEEHIS**	+A haubanee
ABEEGIZ	engerba	+I verbiage	ebahies	**ABEEHOR**
+R abregiez	+I engerbai	+U breuvage	+M behaisme	+R abhorree
+Y begayiez	+O engobera	**ABEEGRY**	ebahimes	+S rheobase
ABEEGJL	enrobage	begayer	+P biphasee	+U hobereau
+U jugeable	+S engerbas	+A begayera	+S ebahisse	**ABEEHOS**
ABEEGJU	+T abregent	**ABEEGRZ**	+T ebahites	+R rheobase
+L jugeable	engerbat	abregez	habitees	**ABEEHOU**
ABEEGLL	**ABEEGNS**	+H herbagez	hebetais	+C abouchee
gabelle	+I baignees	+I abregiez	**ABEEHIT**	+R hobereau
+A egalable	+R engerbas	+L galberez	habitee	**ABEEHPS**
+L glabelle	**ABEEGNT**	+U baguerez	hebetai	+I biphasee
+O logeable	+I begaient	**ABEEGSS**	+D thebaide	**ABEEHRR**
+R reglable	+R abregent	+R gerbasse	+L habilete	+G herbager
+S gabelles	engerbat	**ABEEGST**	+N thebaine	+O abhorree
ABEEGLO	+Y begayent	+R gerbates	+S ebahites	**ABEEHRS**
+L logeable	**ABEEGNY**	+U beguetas	habitees	+C becheras
+R robelage	+T begayent	**ABEEGSU**	hebetais	ebrechas
ABEEGLR	**ABEEGOR**	baguees	+T hebetait	herbaces
alberge	+C bocagere	+I besaigue	+U habituee	+D desherba
algebre	+G gobergea	+L blaguees	**ABEEHIU**	+G herbages
+A agreable	+L robelage	gueables	+T habituee	+N enherbas
+L reglable	+M ombragee	+R auberges	**ABEEHIX**	+O rheobase
+O robelage	+N engobera	+T begaies	+R exhibera	**ABEEHRT**
+S alberges	enrobage	**ABEEGSY**	**ABEEHIZ**	+C ebrechat
algebres	+S abrogees	begayes	+R ebahirez	+E hebetera
+U beuglera	**ABEEGOS**	+E begayera	**ABEEHLL**	+N enherbat
+Z galberez	+R abrogees	**ABEEGTT**	+I habillee	**ABEEHRU**
ABEEGLS	**ABEEGOU**	+M gambette	**ABEEHLM**	+C ebaucher
beagles	+C ecobuage	+U baguette	+C bechamel	+O hobereau
galbees	+M embouage	beguetat	**ABEEHLN**	**ABEEHRX**
+L gabelles	**ABEEGRR**	**ABEEGTU**	+R halbrene	+I exhibera
+R alberges	abreger	begueta	**ABEEHLR**	
algebres			+I hablerie	

ABEEHRZ
+C bacherez
+G herbagez
+I ebahirez
ABEEHSS
+C bechasse
+I ebahisse
ABEEHST
hebates
+C bechates
+I ebahites
habitees
hebetais
ABEEHSU
+C ebauches
+L hebleuse
ABEEHTT
hebetat
+I hebetait
+N hebetant
ABEEHTU
+I habituee
ABEEHUZ
+C ebauchez
ABEEIIL
+B bilabiee
ABEEIIR
+Z baieriez
ABEEIIT
+F beatifie
ABEEIIZ
+R baieriez
ABEEIJM
+R jambiere
ABEEIJR
+M jambiere
ABEEIKL
+T bakelite
ABEEIKT
+L bakelite
ABEEILL
abeille
baillee
+H habillee
+R braillee
liberale
rebellai
+S abeilles
baillees
isabelle
ABEEILM
+R remblaie
+U ameublie
ABEEILN
abelien
baleine
+D endiable
+E baleinee
+N biennale
+S abeliens
baleines
+T belaient
+U banlieue
+V enviable
ABEEILO
+R bariolee
ABEEILP

+X expiable
ABEEILR
belerai
blairee
blaire
+C cablerie
calibree
celebrai
+D delibera
+H hablerie
+L braillee
liberale
rebellai
+M remblaie
+O bariolee
+R brelerai
liberera
+S belerais
blairees
bleserai
sabliere
batelier
etirable
retablie
ABEEILS
balisee
labiees
+L abeilles
baillees
isabelle
+N abeliens
baleines
+R belerais
blairees
bleserai
sabliere
+S balisees
+T bestiale
etablies
ABEEILT
etablie
+H habilete
+K bakelite
+N belaient
+R batelier
belerait
etirable
retablie
+S bestiale
etablies
+V evitable
ABEEILU
+M ameublie
+N banlieue
ABEEILV
+N enviable
+T evitable
ABEEILX
+P expiable
ABEEIMN
+O abominee
ABEEIMO
+N abominee
ABEEIMR
embraie
+J jambiere

+L remblaie
+S embrais
+U embuerai
+V embrevai
+Z abimerez
ABEEIMS
abimees
+H behaisme
ebahimes
+R embraies
+S sabeisme
+T abetimes
embetais
ABEEIMT
embetai
+S abetimes
embetais
+T embetait
ABEEIMU
+L ameublie
+R embuerai
ABEEIMV
+R embrevai
ABEEIMZ
+R abimerez
ABEEINN
+L biennale
+R banniere
ABEEINO
+M abominee
ABEEINP
+U aubepine
ABEEINR
+D debinera
+G engerbai
+H enherbai
+N banniere
+R bernerai
ABEEINS
+D bedaines
+G baignees
+L abeliens
baleines
+S bassinee
sesbanie
ABEEINT
beaient
+G begaient
+H thebaine
+L belaient
ABEEINU
+L banlieue
+P aubepine
ABEEINV
+L enviable
ABEEIOR
aerobie
+L bariolee
+R obererai
+S aerobies
+T rabiotee
+Z aboierez
ABEEIOS
+R aerobies
+T baisotee
ABEEIOT
+R rabiotee

+S baisotee
ABEEIOZ
+R aboierez
ABEEIPS
+H biphasee
+S bipassee
+T baptisee
ABEEIPT
+S baptisee
ABEEIPU
+N aubepine
ABEEIPX
+L expiable
ABEEIQU
+D abdiquee
ABEEIRR
+C bercerai
bicarree
+D braderie
+G bigarree
gerberai
+L brelerai
liberera
+N bernerai
+O oberera
+R barriere
ABEEIRS
beerais
braisee
+A arabisee
+D debraies
+L belerais
blairees
bleserai
sabliere
+M embraies
+O aerobies
+S braisees
+T abritees
rebaties
+Z baiserez
baseriez
ebrasiez
ABEEIRT
abritee
beerait
rebatie
+C bacterie
becterai
+D debitera
+L batelier
belerait
etirable
retablie
+O rabiotee
+R arbitree
+S abritees
rebaties
+T batterie
+V brevetai
+Z abetirez
bateriez
ABEEIRU
+C rubiacee
+D daubiere

+M embuerai
ABEEIRV
+G verbiage
+M embrevai
+T brevetai
+Z baveriez
ABEEIRX
+H exhibera
ABEEIRY
+Z bayeriez
ABEEIRZ
baierez
+B ebarbiez
+G abregiez
+H ebahirez
+I baieriez
+M abimerez
+O aboierez
+R zebrerai
+S baiserez
baseriez
ebrasiez
+T abetirez
bateriez
+V baveriez
+Y bayeriez
ABEEISS
baisees
baissee
+A abaissee
+H ebahisse
+L balisees
+M sabeisme
+N bassinee
sesbanie
+P bipassee
+R braisees
+S baissees
+T abetisse
+Z beassiez
ABEEIST
abeties
+D debaties
diabetes
+H ebahites
habitees
hebetais
+L bestiale
etablies
+M abetimes
embetais
+O baisotee
+P baptisee
+R abritees
rebaties
+S abetisse
+T abetisse
+U biseaute
ABEEISU
+B ebaubies
+G besaigue
+T biseaute
ABEEISZ
+R baiserez
baseriez
ebrasiez
+S beassiez

ABEEITT
+H hebetait
+M embetait
+R batterie
+S abetites
+Z ebattiez
ABEEITU
+G beguetai
+H habituee
+S biseaute
ABEEITV
+L evitable
+R brevetai
ABEEITZ
+R abetirez
  bateriez
+T ebattiez
ABEEIVZ
+R baveriez
ABEEIYZ
+G begayiez
+R bayeriez
ABEEJLS
+T jetables
ABEEJLT
  jetable
+S jetables
ABEEJLU
+G jugeable
ABEEJMN
  enjambe
+E enjambee
+R enjamber
+S enjambes
+Z enjambez
ABEEJMO
+R jamboree
ABEEJMR
+I jambiere
+N enjamber
+O jamboree
ABEEJMS
+N enjambes
ABEEJMT
+T jambette
ABEEJMZ
+N enjambez
ABEEJNR
+M enjamber
ABEEJNS
+M enjambes
+U bejaunes
  bejaune
+S bejaunes
ABEEJNZ
+M enjambez
ABEEJOR
+M jamboree
ABEEJOS
+C jacobees
ABEEJRS
+U abjurees
ABEEJRU
  abjuree
+S abjurees
ABEEJST

+C abjectes
+L jetables
ABEEJSU
+N bejaunes
+R abjurees
ABEEJTT
+M jambette
ABEEKLT
  bakelite
ABEELLL
  labelle
+G glabelle
+S labelles
ABEELLM
  emballe
+E emballee
+R emballer
  remballe
+S emballes
+Z emballez
ABEELLO
+G logeable
ABEELLR
  rebella
+D deballer
+G reglable
+I braillee
  liberale
  rebellai
+M emballer
  remballe
+S rebellas
+T bellatre
  rebellat
+Z ballerez
ABEELLS
  baselle
  sabelle
+D deballes
+G gabelles
+I abeilles
  baillees
  isabelle
+L labelles
+M emballes
+R rebellas
+S baselles
  sabelles
+T tabelles
ABEELLT
  tabelle
+R bellatre
  rebellat
+S tabelles
ABEELLZ
+D deballez
+M emballez
+R ballerez
ABEELMR
+I remblaie
+L emballer
  remballe
+S brelames
  semblera
+U meublera
  remeubla
+V emblaver

+Y remblaye
+Z amblerez
  blamerez
ABEELMS
  belames
  blames
+C embacles
+F flambees
+L emballes
+R brelames
  semblera
+S assemble
  blesames
+U ambleuse
+V emblaves
ABEELMT
+T mettable
ABEELMU
+D deambule
  demeubla
+R meublera
  remeubla
+S ameublie
ABEELMV
+E emblavee
+R emblaver
+S emblaves
+Z emblavez
ABEELMY
+R remblaye
ABEELMZ
+L emballez
+R amblerez
  blamerez
+V emblavez
ABEELNN
+I biennale
ABEELNP
+D pendable
+R prenable
+S pensable
ABEELNR
  branlee
  ebranle
+C bernacle
+E ebranlee
+H halbrene
+P prenable
+R ebranler
+S branlees
  ebranles
+T rentable
+Z ebranlez
ABEELNS
  ensable
+E ensablee
+I abeliens
  baleines
+P pensable
+R branlees
  ebranles
  ensabler
+S ensables
+T belantes

  tenables
+Z ensablez
ABEELNT
  belante
  tenable
+I belaient
+R rentable
+S belantes
  tenables
ABEELNU
+D denebula
+I banlieue
ABEELNV
+D vendable
+I enviable
ABEELNZ
+R ebranlez
+S ensablez
ABEELOP
+R operable
+T pelobate
ABEELOR
  boreale
  elabore
+E elaboree
+G robelage
+I bariolee
+P operable
+R elaborer
+S boreales
  elabores
+U eboulera
  labouree
+Z elaborez
ABEELOS
+R boreales
  elabores
+U aboulees
ABEELOT
+C clabotee
+P pelobate
ABEELOU
  aboulee
+R eboulera
  labouree
+S aboulees
ABEELOV
+C evocable
ABEELOZ
+R elaborez
ABEELPR
+D perdable
+N prenable
+O operable
ABEELPS
+N pensable
ABEELPT
+O pelobate
ABEELPX
+I expiable
ABEELQR
+U querable
ABEELQU
+R querable
ABEELRR
  brelera
+C cerebral

+D delabrer
+I brelerai
  liberera
+N ebranler
+O elaborer
+S breleras
+T blaterer
+Z rablerez
ABEELRS
  beleras
  blesera
  erables
  rablees
+B barbeles
+C celebras
+D delabres
+G alberges
  algebres
+I belerais
  blairees
  bleserai
  sabliere
+L rebellas
+M brelames
  semblera
+N branlees
  ebranles
  ensabler
+O boreales
  elabores
+R breleras
+S bleseras
  blessera
  brelasse
+T blateres
  brelates
  retables
+V balevres
  verbales
+Z blaserez
  sablerez
ABEELRT
  blatere
  retable
+A arbalete
+C bracelet
  celebrat
+I batelier
  belerait
  etirable
  retablie
+L bellatre
  rebellat
+N rentable
+R blaterer
+S blateres
  brelates
  retables
+T brettela
+U bateleur
  bleuatre
  tuberale
+Z blaterez
  tablerez
ABEELRU
+G beuglera
+M meublera

remeubla	testable	+J enjamber	zebrames	**ABEEMSZ**
+O eboulera	**ABEELSU**	+M membrane	**ABEEMRT**	+R embrasez
labouree	+C basculee	+S bernames	+E embetera	**ABEEMTT**
+Q querable	cableuse	**ABEEMNS**	+T ambrette	embatte
+T bateleur	+G blaguees	+J enjambes	+V embrevat	embetat
bleuatre	gueables	+R bernames	**ABEEMRU**	+G gambette
tuberale	+H hableuse	**ABEEMNT**	embuera	+I embetait
ABEELRV	+M ambleuse	+T embetant	+I embuerai	+J jambette
balevre	+O aboulees	**ABEEMNZ**	+L meublera	+L mettable
verbale	+S sableuse	+J enjambez	remeubla	+N embetant
+D deverbal	**ABEELSV**	**ABEEMOR**	+M embaumer	+R ambrette
+M emblaver	+M emblaves	+G ombragee	+O embouera	embattre
+S balevres	+R balevres	+J jamboree	+Q embarque	+S embattes
verbales	verbales	+S oberames	embraque	+U embattue
ABEELRY	**ABEELSY**	+U embouera	+S embueras	+Z embattez
+D deblayer	+A balayees	**ABEEMOS**	**ABEEMRV**	**ABEEMTU**
+M remblaye	+D deblayes	+R oberames	embreva	+S embuates
ABEELRZ	**ABEELSZ**	**ABEEMOU**	+I embrevai	+T embattue
+C baclerez	balezes	+G embouage	+L emblaver	**ABEEMTV**
cablerez	+N ensablez	+R embouera	+S embrevas	+R embrevat
+D delabrez	+R blaserez	**ABEEMPS**	+T embrevat	**ABEEMTZ**
+G galberez	sablerez	+T baptemes	**ABEEMRY**	+T embattez
+L ballerez	**ABEELTT**	**ABEEMPT**	embraye	**ABEEMUV**
+M amblerez	ablette	bapteme	+E embrayee	+G embuvage
blamerez	batelet	+S baptemes	+L remblaye	**ABEEMUZ**
+N ebranlez	+A attablee	**ABEEMQR**	+R embrayer	+M embaumez
+O elaborez	+M mettable	+U embarque	+S embrayes	**ABEEMVZ**
+R rablerez	+R brettela	embraque	+Z embrayez	+L emblavez
+S blaserez	+S ablettes	**ABEEMQU**	**ABEEMRZ**	**ABEEMYZ**
sablerez	batelets	+R embarque	+I abimerez	+R embrayez
+T blaterez	testable	embraque	+L amblerez	**ABEENNO**
tablerez	+T tablette	**ABEEMRR**	blamerez	abonnee
ABEELSS	**ABEELTU**	embarre	+R ambrerez	+R reabonne
belasse	+R bateleur	marbree	bramerez	+S abonnees
blasees	bleuatre	+E embarree	embarrez	**ABEENNR**
sablees	tuberale	+M remembra	+S embrasez	+I banniere
+C secables	**ABEELTV**	+R embarrer	zebrames	+O reabonne
+D dessable	+I evitable	rembarre	+Y embrayez	+T banneret
+I balisees	**ABEELTZ**	+S embarres	**ABEEMSS**	**ABEENNS**
+L baselles	+R blaterez	embraser	+I sabeisme	+E sabeenne
sabelles	tablerez	marbrees	+L assemble	+O abonnees
+M assemble	**ABEELVZ**	+Y embrayer	blesames	**ABEENNT**
blesames	+M emblavez	+Z ambrerez	+R embrases	+A nabateen
+N ensables	**ABEELYZ**	bramerez	embrasse	+R banneret
+R blesseras	+D deblayez	embarrez	+U embuasse	+T bannette
blessera	**ABEEMMN**	**ABEEMRS**	**ABEEMST**	**ABEENOR**
brelasse	+R membrane	ambrees	embetas	+C carbonee
+S belasses	**ABEEMMR**	baremes	+C bectames	+G engobera
blesasse	+D demembra	embrase	+I abetimes	enrobage
+T blesates	+N membrane	+C bercames	embetais	+N reabonne
+U sableuse	+R remembra	cambrees	+P baptemes	+R enrobera
ABEELST	+U embaumer	+E embrasee	+T embattes	**ABEENOS**
belates	**ABEEMMS**	+G gerbames	+U embuates	+N abonnees
etables	+U embaumes	+I embraies	**ABEEMSU**	**ABEENOT**
tablees	embuames	+L brelames	+L ambleuse	+Z benzoate
+I bestiale	**ABEEMMU**	semblera	+M embaumes	**ABEENOU**
etablies	embaume	+N bernames	embuames	+C boucanee
+J jetables	+E embaumee	+O oberames	+R embueras	**ABEENOZ**
+L tabelles	+R embaumer	+R embarres	+S embuasse	+T benzoate
+N belantes	+S embaumes	embraser	+T embuates	**ABEENPR**
tenables	embuames	marbrees	**ABEEMSV**	+L prenable
+R blateres	+Z embaumez	+S embrases	+L emblaves	**ABEENPS**
brelates	**ABEEMMZ**	embrasse	+R embrevas	+L pensable
retables	+U embaumez	+U embuases	**ABEEMSY**	**ABEENPU**
+S blesates	**ABEEMNO**	+V embrevas	+R embrayes	+I aubepine
+T ablettes	+I abominee	+Y embrayes		
batelets	**ABEEMNR**	+Z embrasez		

ABEENQT		beassent		+H rheobase		+U beaupres		**ABEERRV**
+U banquete	**ABEENST**		+I aerobies	**ABEEPRU**		+U abreuver	
ABEENQU	absente		+L boreales	beaupre		ebavurer	
+T banquete	beantes		elabores	+S beaupres		+Z braverez	
ABEENRR	+E absentee		+M oberames	**ABEEPSS**		**ABEERRY**	
bernera	+L belantes		+R arborees	+I bipassee		+D debrayer	
+I bernerai	tenables		obereras	**ABEEPST**		+M embrayer	
+L ebranler	+R absenter		+S oberase	+I baptisee		**ABEERRZ**	
+O enrobera	baserent		+T boratees	+M baptemes		zebrerez	
+S berneras	basterne		oberates	**ABEEPSU**		+B barberez	
ABEENRS	bernates		rabotees	+R beaupres		+C cabrerez	
+D badernes	ebrasent		**ABEEORT**	**ABEEQRS**		+D barderez	
benardes	+S absentes		boratee	+U braquees		braderez	
+G engerbas	beassent		rabotee	**ABEEQRU**		+F bafrerez	
+H enherbas	+U abstenue		+B rabbotee	braquee		+I zebrerai	
+L branlees	+Z absentez		+C becotera	+A baraquee		+L rablerez	
ebranles	abstenez		crabotee	+D debarque		+M ambrerez	
ensabler	**ABEENSU**		+I rabiotee	+L querable		bramerez	
+M bernames	+J bejaunes		+S boratees	+M embarque		embarrez	
+R berneras	+R rubanees		oberates	embraque		+R barrerez	
+S bernasse	+T abstenue		rabotees	+S braquees		+S braserez	
bressane	**ABEENSZ**		+U ebouter	**ABEEQSU**		sabrerez	
+T absenter	+L ensablez		**ABEEORU**	+R braquees		zebreras	
baserent	+T absentez		+C ecobuera	**ABEEQTU**		+V braverez	
basterne	abstenez		+D radoubee	+C becqueta		**ABEERSS**	
bernates	**ABEENTT**		+H hobereau	+N banquete		brasees	
ebrasent	+H hebetant		+L eboulera	**ABEERRR**		brassee	
+U rubanees	+M embetant		labouree	+I arbitree		ebrasees	
ABEENRT	+N bannette		+M embouera	+M embarrer		sabrees	
+B ebarbent	+R baterent		+R ebrouera	rembarre		+A abrasees	
+C bercante	**ABEENTU**		rabrouee	+U beurrera		+C bercasse	
cabernet	+Q banquete		+T ebouter	+Z barrerez		+E ebrasees	
+G abregent	+R entubera		raboutee	**ABEERRS**		+G gerbasse	
engerbat	+S abstenue		**ABEEORZ**	barres		+I braisees	
+H enherbat	**ABEENTV**		+I aboierez	ebraser		+L bleseras	
+L rentable	+R baverent		+L elaborez	+A ebrasera		blessera	
+N banneret	**ABEENTY**		**ABEEOSS**	+C becarres		brelasse	
+S absenter	+G begayent		+C cabossee	berceras		+M embrases	
baserent	+R bayerent		+R oberasse	+G gerberas		embrasse	
basterne	**ABEENTZ**		+T sabotees	+L breleras		+N bernasse	
bernates	+O benzoate		**ABEEOST**	+M embarres		bressane	
ebrasent	+S absentez		sabotee	embarrer		+O oberasse	
+T baterent	abstenez		+I baisotee	embraser		+S brassees	
+U entubera	**ABEEOPR**		+R boratees	marbrees		+Z zebrasse	
+V baverent	+L operable		oberates	+N berneras		**ABEERST**	
+Y bayerent	**ABEEOPT**		rabotees	+O arborees		+C becteras	
ABEENRU	+L pelobate		+S sabotees	obereras		bercates	
rubanee	**ABEEORR**		+U aboutees	+U barreuse		bractees	
+S rubanees	arboree		**ABEEOSU**	+Z braserez		+D debaters	
+T entubera	oberera		+D adoubees	sabrerez		+G gerbates	
ABEENRV	+D derobera		+F bafouees	zebreras		+I abritees	
+T baverent	+H abhorree		+L aboulees	**ABEERRT**		rebaties	
ABEENRY	+I obererai		+T aboutees	+I arbitree		+L blateres	
+T bayerent	+L elaborer		+Y aboyeuse	+L blaterer		brelates	
ABEENRZ	+N enrobera		**ABEEOSY**	+T barrette		retables	
+D banderez	+S arborees		+U aboyeuse	rebattre		+N absenter	
+L ebranlez	obereras		**ABEEOTU**	+U rebutera		baserent	
ABEENSS	+U ebrouera		aboutee	**ABEERRU**		basterne	
sabeens	rabrouee		+R eboutera	+B babeurre		bernates	
+A basanees	**ABEEORS**		raboutee	ebarbure		ebrasent	
+C absences	+B absorbee		+S aboutees	+C carburee		+O boratees	
+I bassinee	+D abordees		**ABEEOTZ**	+O ebrouera		oberates	
sesbanie	adsorbee		+N benzoate	rabrouee		rabotees	
+L ensables	obsedera		**ABEEOUY**	+R beurrera		+T rebattes	
+R bernasse	sabordee		+S aboyeuse	+S barreuse		+V brevetas	
bressane	+G abrogees		**ABEEPRS**	+T rebutera		+Z zebrates	
+T absentes				+V abreuver			
				ebavurer			

ABEERSU
auberes
+D bradeuse
+F bafreuse
+G auberges
+J abjurees
+M embueras
+N rubanees
+P beaupres
+Q braquees
+R barreuse
+V abreuves
ebavures
+Z abuserez

ABEERSV
bravees
ebavres
+D adverbes
+L balevres
verbales
+M embrevas
+T brevetas
+U abreuves
ebavures

ABEERSY
+D debrayes
+M embrayes

ABEERSZ
baserez
ebrasez
+I baiserez
baseriez
ebrasiez
+L blaserez
sablerez
+M embrasez
zebrames
+R braserez
sabrerez
zebreras
+S zebrasse
+T zebrates
+U abuserez

ABEERTT
ebattre
rebatte
+A barattee
+B barbette
+D debattre
+I batterie
+L brettela
+M ambrette
embattre
+N baterent
+R barrette
rebattre
+S rebattes
+U rebattue
+V brevetat
+Z ebattrez
rebattez

ABEERTU
+D debutera
+L bateleur
bleuatre
tuberale
+N entubera
+O eboutera
raboutee
+R rebutera
+T rebattue

ABEERTV
breveta
+I brevetai
+M embrevat
+N baverent
+S brevetas
+T brevetat

ABEERTY
+N bayerent

ABEERTZ
baterez
+I abetirez
bateriez
+L blaterez
tablerez
+S zebrates
+T ebattrez
rebattez

ABEERUV
abreuve
ebavure
+E abreuvee
ebavuree
+G breuvage
+R abreuver
ebavurer
+S abreuves
ebavures
+Z abreuvez
ebavurez

ABEERUX
+C berceaux

ABEERUZ
+D dauberez
+G baguerez
+S abuserez
+V abreuvez
ebavurez

ABEERVZ
baverez
+I baveriez
+R braverez
+U abreuvez
ebavurez

ABEERYZ
bayerez
+D debrayez
+I bayeriez
+M embrayez

ABEESSS
beasses
+B abbesses
+C becasses
+I baissees
+L belasses
blesasse
+R brassees
+S bassesse
+T asbestes
betasses
sebastes

ABEESST
asbeste
betasse
sebaste
+A tabassee
+C bectasse
+I abetisse
+L blesates
+N absentes
beassent
+O sabotees
+S asbestes
betasses
sebastes

ABEESSU
abusees
+D desabuse
+L sableuse
+M embuasse
+V baveuses

ABEESSV
+U baveuses

ABEESSZ
+I beassiez
+R zebrasse

ABEESTT
ebattes
+A abattees
+C bectates
+D debattes
+I abetites
+L ablettes
batelets
testable
+M embattes
+R rebattes
+U aubettes
batteuse
ebattues
+V bavettes

ABEESTU
beautes
+G beguetas
+I biseaute
+M embuates
+N abstenue
+O aboutees
+T aubettes
batteuse
ebattues

ABEESTV
+R brevetas
+T bavettes

ABEESTZ
+N absentez
abstenez
+R zebrates

ABEESUV
baveuse
+R abreuves
ebavures
+S baveuses

ABEESUX
+C buxacees

ABEESUY
+O aboyeuse

ABEESUZ
+R abuserez

ABEETTT
+L tablette
+N ebattent

ABEETTU
aubette
ebattue
+D debattue
+G baguette
beguetat
+M embattue
+R rebattue
+S aubettes
batteuse
ebattues

ABEETTV
bavette
+R brevetat
+S bavettes

ABEETTZ
ebattez
+D debattez
+I ebattiez
+M embattez
+R ebattrez
rebattez

ABEEUVZ
+R abreuvez
ebavurez

ABEFFGI
biffage
+S biffages

ABEFFGL
+U bufflage

ABEFFGS
+I biffages

ABEFFGU
+L bufflage

ABEFFII
+R bifferai
rebiffai

ABEFFIM
+S biffames

ABEFFIR
biffera
rebiffa
+I bifferai
rebiffai
+S bifferas
rebiffas
+T rebiffat

ABEFFIS
+G biffages
+M biffames
+R bifferas
rebiffas
+T biffates

ABEFFIT
+R rebiffat
+S biffates

ABEFFLR
+U affubler
bluffera
bufflera

ABEFFLS
+A affables
baffles
+U affubles

ABEFFLU
affuble
+A affabule
+E affublee
+G bufflage
+R affubler
bluffera
bufflera
+S affubles
+Z affublez

ABEFFLZ
+U affublez

ABEFFMS
+I biffames

ABEFFOR
+U bouffera

ABEFFOU
+R bouffera

ABEFFRS
+I bifferas
rebiffas

ABEFFRT
+I rebiffat

ABEFFRU
+L affubler
bluffera
bufflera
+O bouffera

ABEFFSS
+I biffasse

ABEFFST
+I biffates

ABEFFSU
+L affubles

ABEFFUZ
+L affublez

ABEFGIS
+F biffages

ABEFGLM
+A flambage

ABEFGLU
+F bufflage

ABEFIII
+T betifiai

ABEFIIN
+T bienfait

ABEFIIR
+D defibrai
+F bifferai
rebiffai
+U rubefiai

ABEFIIS
+T betifias

ABEFIIT
+A beatifia
+E beatifie
+I betifiai
+N bienfait
+S betifias
+T betifiat

ABEFIIU
+R rubefiai

ABEFILM
+O flamboie
+Z flambiez

ABEFILO
+C bifocale

+M flamboie
+R faribole
+T batifole
ABEFILR
    fablier
    friable
+O faribole
+S fabliers
    friables
ABEFILS
    faibles
    fiables
+A faisable
+R fabliers
    friables
ABEFILT
+O batifole
ABEFILU
+Z fabuliez
ABEFILZ
+M flambiez
+U fabuliez
ABEFIMO
+L flamboie
ABEFIMS
+F biffames
ABEFIMZ
+L flambiez
ABEFINN
+R fibranne
ABEFINR
+N fibranne
ABEFINT
+I bienfait
ABEFIOR
+L faribole
ABEFIOT
+L batifole
ABEFIOU
+Z bafouiez
ABEFIOZ
+U bafouiez
ABEFIQR
+U fabrique
ABEFIQU
+R fabrique
ABEFIRR
+A bafrerai
ABEFIRS
+D defibras
+F bifferas
    rebiffas
+L fabliers
    friables
+U rubefias
ABEFIRT
+D defibrat
+F rebiffat
+U rubefiat
ABEFIRU
    rubefia
+I rubefiai
+Q fabrique
+S rubefias
+T rubefiat
ABEFIRZ
    bafriez

ABEFISS
+F biffasse
ABEFIST
+F biffates
+I betifias
ABEFISU
+R rubefias
ABEFITT
+I betifiat
ABEFITU
+R rubefiat
ABEFIUZ
+L fabuliez
+O bafouiez
ABEFLMN
+T flambent
ABEFLMO
+I flamboie
+Y flamboye
ABEFLMR
    flamber
+A flambera
+U flambeur
ABEFLMS
    flambes
+E flambees
+U fumables
ABEFLMT
+N flambent
ABEFLMU
    fumable
+A flambeau
+R flambeur
+S fumables
ABEFLMY
+O flamboye
ABEFLMZ
    flambez
+I flambiez
ABEFLNT
+M flambent
+U fabulent
ABEFLNU
+T fabulent
ABEFLOR
+I faribole
ABEFLOT
+I batifole
ABEFLOY
+M flamboye
ABEFLRR
+A balafrer
ABEFLRS
+A balafres
+I fabliers
    friables
ABEFLRU
    fabuler
+A fabulera
+F affubler
    bluffera
    bufflera
+M flambeur
ABEFLRZ
+A balafrez
ABEFLSU
    fabules

+F affubles
+M fumables
ABEFLTU
+N fabulent
ABEFLUU
+X fabuleux
ABEFLUX
+U fabuleux
ABEFLUZ
    fabulez
+F affublez
+I fabuliez
ABEFMNT
+L flambent
ABEFMOY
+L flamboye
ABEFMRS
+A baframes
ABEFMRU
+L flambeur
ABEFMSU
+L fumables
ABEFNNR
+I fibranne
ABEFNOT
+U bafouent
ABEFNOU
+T bafouent
ABEFNRT
    bafrent
ABEFNTU
+L fabulent
+O bafouent
ABEFORS
+U esbroufa
ABEFORT
+U beaufort
ABEFORU
    bafouer
+A bafouera
+F bouffera
+S esbroufa
+T beaufort
ABEFOSU
    bafoues
+E bafouees
+R esbroufa
ABEFOTU
+N bafouent
+R beaufort
ABEFOUZ
    bafouez
+I bafouiez
ABEFQRU
+I fabrique
ABEFRRS
+A bafreras
+U bafreurs
ABEFRRU
    bafreur
+S bafreurs
ABEFRRZ
+E bafferez
ABEFRSS
+A bafrasse
ABEFRST
+A bafrates

+U fauberts
ABEFRSU
+E bafreuse
+I rubefias
+O esbroufa
+R bafreurs
+T fauberts
ABEFRTU
    faubert
+I rubefiat
+O beaufort
+S fauberts
ABEFSTU
+R fauberts
ABEFUUX
+L fabuleux
ABEGGIS
+E gabegies
ABEGGMR
+E gamberge
ABEGGNO
+E engobage
ABEGGOR
+E gobergea
ABEGGRS
+E gerbages
+U grabuges
ABEGGRU
    grabuge
+S grabuges
ABEGGSU
+A baguges
+R grabuges
ABEGHOR
+C brochage
ABEGHOU
+C bouchage
ABEGHRR
+E herbager
ABEGHRS
+E herbages
ABEGHRZ
+E herbagez
ABEGIIL
+O obligeai
+R biglerai
ABEGIIM
    bigamie
+R regimbai
+S bigamies
ABEGIIN
+S esbignai
+Z baigniez
ABEGIIO
+L obligeai
ABEGIIR
+D bridgeai
+L biglerai
+M regimbai
ABEGIIS
+M bigamies
+N esbignai
ABEGIIZ
+N baigniez
ABEGILL
    billage
+M gambille

+S billages
ABEGILM
+L gambille
+S biglames
ABEGILN
    bengali
+D blindage
+O englobai
+S bengalis
+T tangible
ABEGILO
    obligea
+I obligeai
+N englobai
+R obligera
+S obligeas
+T obligeat
ABEGILR
    biglera
+A galberai
+C criblage
+I biglerai
+O obligera
+S bigleras
ABEGILS
    libages
+A balisage
+L billages
+M biglames
+N bengalis
+O obligeas
+R bigleras
+S biglasse
+T biglates
+U beuglais
ABEGILT
+N tangible
+O obligeat
+S biglates
+U beuglait
ABEGILU
    beuglai
+S beuglais
+T beuglait
+Z blaguiez
ABEGILV
+A balivage
ABEGILZ
    galbiez
+U blaguiez
ABEGIMN
    ingambe
+S ingambes
ABEGIMR
    regimba
+I regimbai
+S regimbas
+T regimbat
    timbrage
ABEGIMS
    bigames
+I bigamies
+L biglames
+N ingambes
+R regimbas
+U ambigues
    gambusie

ABEGIMT
+R regimbat
timbrage
+U bitumage
ABEGIMU
ambigue
+S ambigues
gambusie
+T bitumage
ABEGINN
+T baignent
ABEGINO
begonia
engobai
+B bobinage
+D badigeon
+L englobai
+R eborgnai
+S begonias
besognai
engobais
+T gobaient
gobaient
ABEGINR
baigner
+A baignera
+E engerbai
+O eborgnai
+U baigneur
burinage
ABEGINS
baignes
binages
esbigna
+E baignees
+I esbignai
+L bengalis
+M ingambes
+O begonias
besognai
engobais
+S esbignas
+T esbignat
ABEGINT
+E begaient
+L tangible
+N baignent
+O engobait
gobaient
+S esbignat
ABEGINU
+R baigneur
burinage
ABEGINZ
baignez
+I baigniez
ABEGIOR
goberai
+A abrogeai
+L obligera
+N eborgnai
+S goberais
+T goberait
+U bougerai
+Z abrogiez
ABEGIOS
boisage

+L obligeas
+N begonias
besognai
engobais
+R goberais
+S boisages
+U bougeais
ABEGIOT
+L obligeat
+N engobait
gobaient
+R goberait
+U bougeait
ABEGIOU
bougeai
+R bougerai
+S bougeais
+T bougeait
ABEGIOZ
+R abrogiez
ABEGIRR
bigarre
+A abreagir
gabarier
+D bridgera
+E bigarree
gerberai
+R bigarrer
+S bigarres
+U briguera
+Z bigarrez
ABEGIRS
gabiers
gerbais
+A abreagis
+D bridgeas
+L bigleras
+M regimbas
+O goberais
+R bigarres
+U baguiers
+V vibrages
ABEGIRT
gerbait
+A abreagit
+D bridgeat
+M regimbat
timbrage
+O goberait
+U bruitage
ABEGIRU
baguier
+A baguerai
+N baigneur
burinage
+O bougerai
+R briguera
+S baguiers
+T bruitage
ABEGIRV
vibrage
+E verbiage
+S vibrages
ABEGIRZ
+E abregiez
+O abrogiez

+R bigarrez
ABEGISS
+L biglasse
+O boisages
ABEGIST
+A tabagies
+L biglates
+N esbignat
ABEGISU
+E besaigue
+L beuglais
+M ambigues
. gambusie
+O bougeais
+R baguiers
+U subaigue
ABEGISV
+R vibrages
ABEGISY
+A begayais
ABEGITU
+E beguetai
+L beuglait
+M bitumage
+O bougeait
+R bruitage
+Z bizutage
ABEGITY
+A begayait
ABEGITZ
+U bizutage
ABEGIUU
+S subaigue
ABEGIUZ
baguiez
+L blaguiez
+T bizutage
ABEGIYZ
+E begayiez
ABEGJLU
+E jugeable
ABEGJMS
+A jambages
ABEGLLL
+E glabelle
ABEGLLM
+I gambille
ABEGLLO
globale
+E logeable
+S globales
ABEGLLR
+A largable
+E reglable
ABEGLLS
+E gabelles
+I billages
+O globales
ABEGLMO
+P plombage
ABEGLMP
+O plombage
ABEGLMS
+A galbames
+I biglames
ABEGLNO

bagnole
engloba
+I englobai
+S bagnoles
englobas
+T englobat
+U boulange
ABEGLNS
+I bengalis
+O bagnoles
englobas
ABEGLNT
galbent
+I tangible
+O englobat
+U beuglant
blaguent
ABEGLNU
+O boulange
+T beuglant
blaguent
ABEGLOP
+M plombage
ABEGLOR
+E robelage
+I obligera
ABEGLOS
+C blocages
+I obligeas
+L globales
+N bagnoles
englobas
+U belougas
gabelous
ABEGLOT
+I obligeat
+N englobat
+U galoubet
ABEGLOU
belouga
gabelou
+C bouclage
+D doublage
+N boulange
+S belougas
+T galoubet
ABEGLRS
glabres
+A galberas
+E alberges
algebres
+I bigleras
+U brulages
ABEGLRU
blaguer
brulage
bulgare
+A blaguera
+E beuglera
+S brulages
+U blagueur
ABEGLRZ
+E galberez
ABEGLSS

+A galbasse
sablages
+I biglasse
ABEGLST
+A galbates
+I biglates
+U blutages
ABEGLSU
belugas
beuglas
blagues
+E blaguees
gueables
+I beuglais
+O belougas
gabelous
+R brulages
+T blutages
ABEGLTU
beuglat
blutage
+I beuglait
+N beuglant
blaguent
+O galoubet
+S blutages
ABEGLUU
+R blagueur
ABEGLUZ
blaguez
+I blaguiez
ABEGMNS
+I ingambes
ABEGMOP
+L plombage
ABEGMOR
embargo
ombrage
+A ombragea
+E ombragee
+R ombrager
+S embargos
ombrages
+Z ombragez
ABEGMOS
gobames
+B bombages
+R embargos
ombrages
ABEGMOU
+E embouage
ABEGMOZ
+R ombragez
ABEGMRR
+O ombrager
ABEGMRS
bregmas
+E gerbames
+I regimbas
+O embargos
ombrages
ABEGMRT
+I regimbat
timbrage
ABEGMRZ
+O ombragez

ABEGMSU
+A baguames
+I ambigues
gambusie
ABEGMTT
+E gambette
ABEGMTU
+I bitumage
ABEGMUV
+E embuvage
ABEGNNO
+T engobant
ABEGNNT
+I baignent
+O engobant
ABEGNOR
bornage
eborgna
+E engobera
enrobage
+I eborgnai
+S bornages
eborgnas
+T abrogent
eborgnat
+Z bronzage
ABEGNOS
besogna
engobas
+I begonias
besognai
engobais
+L bagnoles
englobas
+R bornages
eborgnas
+S besognas
+T besognat
+Y begayons
ABEGNOT
engobat
+I engobait
gobaient
+L englobat
+N engobant
+R abrogent
eborgnat
+S besognat
+U bougeant
ABEGNOU
+L boulange
+T bougeant
ABEGNOY
+S begayons
ABEGNOZ
+R bronzage
ABEGNRS
grabens
+E engerbas
+O bornages
eborgnas
+U bugranes
ABEGNRT
gerbant
+E abregent
engerbat
+O abrogent
eborgnat
ABEGNRU
bugrane
+I baigneur
burinage
+S bugranes
ABEGNRZ
+O bronzage
ABEGNSS
+I esbignas
+O besognas
ABEGNST
+I esbignat
+O besognat
ABEGNSU
+R bugranes
ABEGNSY
+O begayons
ABEGNTU
baguent
+L beuglant
blaguent
+O bougeant
ABEGNTY
+A begayant
+E begayent
ABEGORR
abroger
+A abrogera
+M ombrager
+U bourrage
ABEGORS
abroges
goberas
robages
+A abrogeas
+C bocagers
+D bordages
+E abrogees
+I goberais
+M embargos
ombrages
+N bornages
eborgnas
+S brossage
+U bougeras
subrogea
+Y broyages
ABEGORT
+A abrogeat
rabotage
+I goberait
+N abrogent
eborgnat
+U broutage
ABEGORU
bougera
+D bourgade
+I bougerai
+R bourrage
+S bougeras
subrogea
+T broutage
ABEGORY
broyage
+S broyages
ABEGORZ
abrogez
+I abrogiez
+M ombragez
+N bronzage
ABEGOSS
bossage
gobasse
+I boisages
+N besognas
+R brossage
+S bossages
gobasses
ABEGOST
gobates
+A sabotage
+N besognat
ABEGOSU
bougeas
+I bougeais
+L belougas
gabelous
+R bougeras
subrogea
ABEGOSY
+N begayons
+R broyages
ABEGOTU
bougeat
+I bougeait
+L galoubet
+N bougeant
+R broutage
ABEGQRU
+A braquage
ABEGRRR
+A bagarrer
+I bigarrer
ABEGRRS
+A bagarres
barrages
+E gerberas
+I bigarres
+U garbures
ABEGRRU
garbure
+I briguera
+O bourrage
+S garbures
+V burgrave
ABEGRRV
+U burgrave
ABEGRRZ
+A bagarrez
+I bigarrez
ABEGRSS
+A brasages
brassage
+E gerbasse
+O brossage
ABEGRST
+E gerbates
ABEGRSU
+A bagueras
+E auberges
+G grabuges
+I baguiers
+L brulages
bulgares
+N bugranes
+O bougeras
subrogea
+R garbures
ABEGRSV
+I vibrages
ABEGRSY
+O broyages
ABEGRTU
+I bruitage
+O broutage
ABEGRUU
+L blagueur
ABEGRUV
+E breuvage
+R burgrave
ABEGRUZ
+E baguerez
ABEGSSS
+A bagasses
+O bossages
gobasses
ABEGSSU
+A baguasse
ABEGSTT
+A battages
+U buttages
ABEGSTU
tubages
+A baguates
bastague
+E beguetas
+L blutages
+T buttages
ABEGSUU
+I subaigue
ABEGTTU
buttage
+E baguette
beguetat
+S buttages
ABEGTUZ
+I bizutage
ABEHIIL
+N inhabile
+T habilite
ABEHIIM
+P amphibie
ABEHIIN
+L inhabile
+R hibernai
inhibera
+T inhabite
ABEHIIP
+M amphibie
ABEHIIR
+A ebahirai
+C bicherai
+N hibernai
inhibera
ABEHIIS
+X exhibais
ABEHIIT
+L habilite
+N inhabite
+X exhibait
+Z habitiez
ABEHIIX
exhibai
+S exhibais
+T exhibait
ABEHIIZ
+T habitiez
ABEHILL
habille
+E habillee
+R habiller
rhabille
+S habilles
+Z habillez
ABEHILN
+C blanchie
+I inhabile
+R hibernal
ABEHILR
+E hablerie
+L habiller
rhabille
+N hibernal
ABEHILS
habiles
+L habilles
ABEHILT
+E habilete
+I habilite
+U habituel
ABEHILU
+T habituel
ABEHILZ
+C chabliez
+L habillez
ABEHIMN
+R brahmine
ABEHIMP
+I amphibie
ABEHIMR
+N brahmine
ABEHIMS
+C bichames
+E behaisme
ebahimes
ABEHINR
hiberna
+E enherbai
+I hibernai
inhibera
+L hibernal
+M brahmine
+S hibernas
+T hibernat
ABEHINS
+R hibernas
+T absinthe
thebains
ABEHINT
thebain
+E thebaine
+I inhabite
+R hibernat
+S absinthe
thebains
+T habitent
+X exhibant

ABEHINX
+T exhibant
ABEHINZ
+C banchiez
ABEHIOR
+U bihoreau
ABEHIOS
+T isobathe
ABEHIOT
+C cohabite
+S isobathe
ABEHIOU
+R bihoreau
ABEHIPS
biphase
+E biphasee
+S biphases
ABEHIQU
+C bachique
ABEHIRS
+A ebahiras
+C bicheras
+N hibernas
ABEHIRT
habiter
+A habitera
+N hibernat
+U habituer
ABEHIRU
+C bucherai
+O bihoreau
+T habituer
ABEHIRX
+E exhibera
ABEHIRZ
+E ebahirez
ABEHISS
+C bichasse
+E ebahisse
+P biphases
ABEHIST
habites
+C bichates
+E ebahites
habitees
hebetais
+N absinthe
thebains
+O isobathe
+U habitues
ABEHISU
+T habitues
ABEHISX
exhibas
+I exhibais
ABEHITT
+E hebetait
+N habitent
ABEHITU
habitue
+D habitude
thibaude
+E habituel
+L habituel
+R habituer
+S habitues
+Z habituez

ABEHITX
exhibat
+C buchames
ABEHNNT
+N exhibant
ABEHITZ
habitez
+I habitiez
+U habituez
ABEHIUZ
+T habituez
ABEHKNR
+A barkhane
ABEHKSS
sebkhas
ABEHLLR
+I habiller
rhabille
ABEHLLS
+I habilles
ABEHLLZ
+I habillez
ABEHLMO
+C chomable
ABEHLMS
+A mahalebs
ABEHLNR
+E halbrene
+I hibernal
ABEHLNS
+C blanches
ABEHLNT
+C blanchet
chablent
ABEHLPT
+A alphabet
ABEHLRS
+U hableurs
ABEHLRU
hableur
+S hableurs
ABEHLSU
+C chasuble
+E hableuse
+R hableurs
ABEHLTU
+I habituel
ABEHLTY
+A bathyale
ABEHMNR
+A brahmane
+I brahmine
ABEHMOO
+R rehoboam
ABEHMOR
+C embrocha
+O rehoboam
ABEHMOU
+C emboucha
ABEHMRR
+C chambrer
ABEHMRS
+C chambres
ABEHMRU
+C rembucha
ABEHMRZ
+C chambrez
ABEHMSU

+C buchames
ABEHNNT
+C banchent
ABEHNRR
+C brancher
ABEHNRS
+C branches
+E enherbas
+I hibernas
ABEHNRT
+E enherbat
+I hibernat
ABEHNRU
+A haubaner
+C branchue
ABEHNRZ
+C branchez
ABEHNST
+I absinthe
thebains
ABEHNSU
+A haubanes
ABEHNTT
+E hebetant
+I habitent
ABEHNTX
+I exhibant
ABEHNUZ
+A haubanez
ABEHOOR
+M rehoboam
ABEHORR
abhorre
+C brochera
+E abhorree
+R abhorrer
+S abhorres
+Z abhorrez
ABEHORS
+E rheobase
+R abhorres
ABEHORT
+C bachoter
ABEHORU
+C aboucher
bouchera
reboucha
+E hobereau
+I bihoreau
ABEHORZ
+R abhorrez
ABEHOSS
+C basoches
ABEHOST
+C bachotes
+I isobathe
ABEHOSU
+C abouches
ABEHOTT
+C bachotte
ABEHOTZ
+C bachotez
ABEHOUZ
+C abouchez
ABEHPSS
+I biphases
ABEHRRR

+O abhorrer
ABEHRRS
+O abhorres
ABEHRRU
+B rhubarbe
ABEHRRZ
+O abhorrez
ABEHRST
+U haubers
ABEHRSU
+C bucheras
+L hableurs
+T haubers
ABEHRTU
haubert
+C trebucha
+I habituer
+S haubers
ABEHSSU
+C buchasse
ABEHSTU
+C buchates
+I habitues
+R haubers
ABEHTUZ
+I habituez
ABEIIIL
+R biliaire
ABEIIIR
+L biliaire
ABEIIIS
+Z biaisiez
ABEIIIT
+F betifiai
ABEIIIZ
+S biaisiez
ABEIILL
+L libellai
+R billerai
+T labilite
+Z bailliez
ABEIILM
+R blemirai
limbaire
+T imitable
ABEIILN
+H inhabile
+T bilaient
ABEIILO
+G obligeai
ABEIILP
+S paisible
ABEIILR
bilerai
liberai
+G biglerai
+I biliaire
+L billerai
+M blemirai
limbaire
+R libraire
+S balisier
bilerais
irisable
liberais
+T bilerait
liberait

+U bleuirai
+Z blairiez
ABEIILS
+B bilabies
+P paisible
+R balisier
bilerais
irisable
liberais
+T tibiales
+U bisaieul
+Z balisiez
ABEIILT
tibiale
+D debilita
+H habilite
+L labilite
+M imitable
+N bilaient
+R bilerait
liberait
+S tibiales
ABEIILU
+R bleuirai
+S bisaieul
ABEIILV
+C viciable
ABEIILZ
+L bailliez
+R blairiez
+S balisiez
ABEIIMN
amibien
+O bioamine
+R nimberai
+S ambiens
ABEIIMO
+D amiboide
+N bioamine
+T emboitai
ABEIIMP
+H amphibie
ABEIIMQ
+U iambique
ABEIIMR
+A abimerai
+B imbibera
+G regimbai
+L blemirai
limbaire
+N nimberai
+R brimerai
ABEIIMS
+A amibiase
+G bigamies
+N ambiens
ABEIIMT
+L imitable
+O emboitai
ABEIIMU
+Q iambique
ABEIIMZ
abimiez
ABEIINN
+T binaient
ABEIINO
+M bioamine

ABEIINR
beninai
binaire
binerai
+H hibernai
inhibera
+M nimberai
+S beninais
binaires
binerais
+T beninait
binerait
inabrite

ABEIINS
+C biscaien
+D debinais
+G esbignai
+M amibiens
+R beninais
binaires
binerais
+T biaisent
bisaient

ABEIINT
+D debinait
+F bienfait
+H inhibate
+L bilaient
+N binaient
+R beninrait
binerait
inabrite
+S biaisent
bisaient
+T tibetain

ABEIINZ
+D badiniez
+G baigniez

ABEIIOR
obeirai
+A aboierai
+R broierai
+S boiserai
obeirais
reboisai
+T boiterai
obeirait
+V obvierai

ABEIIOS
+D deboisai
+R boiserai
obeirais
reboisai

ABEIIOT
+D deboitai
+M emboitai
+R boiterai
obeirait

ABEIIOV
+R obvierai

ABEIIPR
+T bipartie

ABEIIPS
+L paisible

ABEIIPT
+R bipartie

ABEIIQR
+U rebiquai

ABEIIQU
+M iambique
+R rebiquai

ABEIIRR
+D briderai
+L libraire
+M brimerai
+O broierai
+S briserai
+V vibrerai

ABEIIRS
biaiser
+A baierais
baiserai
biaisera
+L balisier
bilerais
irisable
liberais
+N beninrais
binaires
binerais
+O boiserai
obeirais
reboisai
+R briserai
+S baissier
biserais
bisserai
+T biserait
+Z braisiez

ABEIIRT
+A abetirai
baierait
+D diatribe
+L bilerait
liberait
+N beninrait
binerait
inabrite
+O boiterai
obeirait
+P bipartie
+S biserait
+U ebruitai
+Z abritiez
batiriez

ABEIIRU
+F rubefiai
+L bleurai
+Q rebiquai
+T ebruitai

ABEIIRV
+O obvierai
+R vibrerai

ABEIIRZ
+E baieriez
+L blairiez
+S braisiez
+T abritiez
batiriez

ABEIISS
biaiss
+R baissier
biserais
bisserai
+Z baissiez

ABEIIST
+C basicite
+D debitais
+F betifias
+L tibiales
+N biaisent
bisaient
+R briserait

ABEIISU
+L bisaieul

ABEIISX
+H exhibais

ABEIISZ
baisiez
baisiez
biaisez
+I biaisiez
+L balisiez
+R braisiez
+S baissiez

ABEIITT
+D debitait
+F betifiat
+N tibetain

ABEIITU
+R ebruitai

ABEIITX
+H exhibait

ABEIITZ
+H habitiez
+R abritiez
batiriez

ABEIJLO
+R jabloire

ABEIJLR
+O jabloire
+U jubilera

ABEIJLU
+R jubilera

ABEIJMN
+A enjambai
+N benjamin

ABEIJMR
jambier
+E jambiere
+S jambiers

ABEIJMS
+R jambiers

ABEIJNN
+M benjamin

ABEIJNO
+C jacobine

ABEIJOR
+L jabloire

ABEIJOT
+C jacobite
objectai
+Z jabotiez

ABEIJOZ
+T jabotiez

ABEIJRS
+M jambiers

ABEIJRU
+L jubilera
+Z abjuriez

ABEIJRZ
+U abjuriez

ABEIJTZ
+O jabotiez

ABEIJUZ
+R abjuriez

ABEIKLS
skiable
+S skiables

ABEIKLT
+E bakelite

ABEIKNS
+A ikebanas
+T beatniks

ABEIKNT
beatnik
+S beatniks

ABEIKSS
+L skiables

ABEIKST
+N beatniks

ABEILLL
libella
+I libellai
+S libellas
+T libellat

ABEILLM
+A emballai
+G gambille
+S billames

ABEILLN
+T baillent

ABEILLO
+S isolable

ABEILLP
pliable
+S pliables

ABEILLQ
+U bequilla

ABEILLR
bailler
billera
braille
liberal
+A baillera
ballerai
+B babiller
+E braillee
liberale
rebellai
+H habiller
rhabille
+I billerai
+R brailler
brillera
+S billeras
brailles
bresilla
+T barillet
+U bailleur
bullaire
+V livrable
+Z braillez

ABEILLS
bailles
labiles
+A labiales
+B babilles
+C bacilles
+E abeilles
baillees
isabelle
+G billages
+H habilles
+L libellas
+M billames
+O isolable
+P pliables
+R billeras
brailles
+S billasse
+T bastille
billates

ABEILLT
+A bataille
+I labilite
+L libellat
+N baillent
+R barillet
+S bastille
billates

ABEILLU
+Q bequilla
+R bailleur
bullaire

ABEILLV
+C clivable
+R livrable

ABEILLY
+C beylical

ABEILLZ
baillez
+B babillez
+H habillez
+I bailliez
+R braillez

ABEILMM
+U immuable

ABEILMN
lambine
minable
+A maniable
+R lambiner
+S lambines
minables
+U albumine
+Z lambinez

ABEILMO
+F flamboie
+R lombaire
+S abolimes
bemolisa
+V amovible

ABEILMR
blemira
remblai
+A amblerai
blamerai
mariable
+B brimbale
+E remblaie
+I blemirai
limbaire

+N lambiner
+O lombaire
+S blemiras
    remblais
+T tremblai
    trimbale
+U ameublir

ABEILMS
    bilames
    semblai
+A aimables
    amiables
+G biglames
+L billames
+N lambines
    minables
+O abolimes
    bemolisa
+R blemiras
    remblais
+S semblais
+T semblait
    timbales
+U ameublis
    meublais
    simbleau

ABEILMT
    bimetal
    timbale
+A malbatie
+I imitable
+R tremblai
    trimbale
+S semblait
    timbales
+U ameublit
    meublait

ABEILMU
    ameubli
    meublai
+E ameublie
+M immuable
+N albumine
+R ameublir
+S ameublis
    meublais
    simbleau
+T ameublit
    meublait

ABEILMV
+A emblavai
+O amovible

ABEILMZ
    ambliez
    blamiez
+F flambiez
+N lambinez

ABEILNN
    biennal
+E biennale

ABEILNO
    anoblie
+G englobai
+S anoblies
+T lobaient

ABEILNR
+A ebranlai

+D blindera
+H hibernal
+M lambiner
+T blairent
    liberant

ABEILNS
    niables
+A banalise
    ensablai
+E abeliens
    baleines
+G bengalis
+M lambines
    minables
+O anoblies
+T balisent
    instable
+U inusable
    nebulisa

ABEILNT
+A balaient
    balanite
    banalite
+E belaient
+G tangible
+I bilaient
+L baillent
+O lobaient
+R blairent
    liberant
+S balisent
    instable
+V bivalent

ABEILNU
+E banlieue
+M albumine
+S inusable
    nebulisa

ABEILNV
+E enviable
+T bivalent

ABEILNZ
+M lambinez
+R branliez

ABEILOR
    bariole
    lobaire
    loberai
+A elaborai
+C cabriole
+E bariolee
+F faribole
+G obligera
+J jabloire
+M lombaire
+R barioler
+S barioles
    lobaires
    loberais
+T loberait
    oblitera
+U boulerai
    eblouira
    oubliera
+Z abolirez

    bariolez

ABEILOS
    abolies
    baloise
+B babioles
+C sociable
+G obligeas
+L isolable
+M abolimes
    bemolisa
+N anoblies
+R barioles
    lobaires
    loberais
+S abolisse
    baloises
+T abolites
+U aboulies
    boulaies
    eboulais

ABEILOT
+F batifole
+G obligeat
+N lobaient
+R loberait
    oblitera
    orbitale
+S abolites
+T bottelai
+U eboulait
+V oblative

ABEILOU
    aboulie
    boulaie
    eboulai
+D deboulai
+R boulerai
    eblouira
    oubliera
+S aboulies
    boulaies
    eboulais
+T eboulait
+Z abouliez

ABEILOV
+M amovible
+T oblative

ABEILOZ
+R abolirez
    bariolez
+U abouliez

ABEILPR
+U publiera

ABEILPS
    bipales
    pibales
+C biplaces
+I paisible
+L pliables
+S passible

ABEILPU
+R publiera

ABEILPX
+E expiable

ABEILQT
+U baltique

ABEILQU
+L bequilla
+T baltique

ABEILRR
    blairer
+A blairera
    rablerai
+C calibrer
    criblera
+E brelerai
    liberera
+I libraire
+L brailler
    brillera
+O barioler
+T retablir
+U brulerai
    rebrulai

ABEILRS
    baliser
    bileras
    blaires
    brelais
    liberas
    sablier
+A balisera
    blaserai
    sablerai
+C cabliers
    calibres
+E belerais
    blaireis
    bleserai
    sabliere
+F fabliers
    friables
+G bigleras
+I balisier
    bileras
    irisable
    liberais
+L billeras
    brailles
    bresilla
+M blemiras
    remblais
+O barioles
    lobaires
    loberais
+S sabliers
+T retablis
    tabliers
    tribales
+U baliseur
    bleuiras

ABEILRT
    brelait
    etablir
    liberat
    retabli
    tablier
    tribale
+A atrabile
    blaterai
    etablira
    tablerai
+E batelier

    belerait
    etirable
    retablie
+I bilerait
    liberait
+L barillet
+M tremblai
    trimbale
+N blairent
    liberant
+O loberait
    oblitera
    orbitale
+R retablir
+S retablis
    tabliers
    tribales
+T blettira
    retablit
+U bluterai

ABEILRU
    bleuira
+A biaurale
    blaireau
+B bulbaire
+I bleuirai
+J jubilera
+L bailleur
    bullaire
+M ameublir
+O boulerai
    eblouira
    oubliera
+P publiera
+R brulerai
    rebrulai
+S baliseur
    bleuiras
+T bluterai
+X liberaux

ABEILRV
+A variable
+L livrable

ABEILRX
+U liberaux

ABEILRZ
    blairez
    rabliez
+C calibrez
+I blairiez
+L braillez
+N branliez
+O abolirez
    bariolez

ABEILSS
    balises
    bilasse
    blesais
    blessai
+A balaises
+C sciables
+E balisees
+G biglasse
+K skiables
+L billasse
+M semblais
+O abolisse

baloises	+H habituel	bimanes	**ABEIMOZ**	**ABEIMRY**
bosselai	+M ameublit	binames	+N abominez	+A embrayai
+P passible	meublait	+G ingambes	+T mozabite	**ABEIMRZ**
+R sabliers	+O eboulait	+I amibiens	**ABEIMPS**	ambriez
+S bilasses	+Q baltique	+L lambines	+T baptisme	bramiez
blessais	+R bluterai	minables	**ABEIMPT**	+C cambriez
+T balistes	**ABEILTV**	+M nimbames	+S baptisme	+E abimerez
blessait	+A ablative	+N bannimes	**ABEIMQU**	+R marbriez
+U basileus	+E evitable	+O abomines	+I iambique	**ABEIMSS**
ABEILST	+N bivalent	+R birmanes	**ABEIMRR**	bisames
albites	+O oblative	nimberas	brimera	+A abimasse
baliste	**ABEILTY**	+S nimbasse	+A ambrerai	+B babismes
bestial	+C beylicat	+T nimbates	bramerai	+E sabeisme
bilates	**ABEILTZ**	+Z zambiens	embarrai	+L semblais
blesait	tabliez	**ABEIMNT**	+I brimerai	+N nimbasse
etablis	**ABEILUV**	abiment	+O ombrerai	+O biomasse
+C cabliste	+A baliveau	+A ambiante	+R marbrier	boisames
celibats	**ABEILUX**	+R braiment	+S barrimes	embossai
+E bestiale	+R liberaux	+S nimbates	brimeras	+R brimasse
etablies	**ABEILUZ**	+T batiment	+T timbrera	brisames
+G biglates	+F fabuliez	**ABEIMNU**	+U brumaire	+S bissames
+I tibiales	+G blaguiez	+L albumine	+Z marbriez	**ABEIMST**
+L bastille	+O abouliez	**ABEIMNZ**	**ABEIMRS**	batimes
billates	**ABEILVV**	zambien	+A abimeras	+A abimates
+M semblait	bivalve	+L lambinez	arabisme	+C cambiste
timbales	vivable	+O abominez	embrasai	+E abetimes
+N balisent	+S bivalves	+S zambiens	+D bridames	embetais
instable	vivables	**ABEIMOR**	brimades	+L semblait
+O abolites	**ABEILYZ**	+B bomberai	+E embraies	timbales
+R retablis	+A balayiez	+L lombaire	+G regimbas	+N nimbates
tabliers	**ABEIMMN**	+N abominer	+J jambiers	+O boitames
tribales	+S nimbames	+R ombrerai	+L blemiras	emboitas
+S balistes	**ABEIMMR**	+T remboita	remblais	moabites
blessait	+S brimames	retombai	+M brimames	+P baptisme
ABEILSU	+U embrumai	tomberai	+N birmanes	+R brimates
+D audibles	**ABEIMMS**	**ABEIMOS**	nimberas	+T battimes
+G beuglais	+A abimames	+L abolimes	+R barrimes	embattis
+I bisaieul	+N nimbames	bemolisa	brimeras	+Z mzabites
+M ameublis	+R brimames	+N abomines	+S brimasse	**ABEIMSU**
meublais	**ABEIMMU**	+S biomasse	brisames	embuais
simbleau	+A embaumai	boisames	+T brimates	+G ambigues
+N inusable	+L immuable	embossai	+U baumiers	gambusie
nebulisa	+R embrumai	+T boitames	+V vibrames	+L ameublis
+O aboulies	**ABEIMNN**	emboitas	**ABEIMRT**	meublais
boulaies	+J benjamin	moabites	+A etambrai	simbleau
eboulais	+S bannimes	+U embouais	+G regimbat	+O embouais
+R baliseur	**ABEIMNO**	+V obviames	timbrage	+R baumiers
bleuiras	abomine	**ABEIMOT**	+L tremblai	**ABEIMSV**
+S basiules	+B embobina	emboita	trimbale	+O obviames
ABEILSV	+E abominee	moabite	+N braiment	+R vibrames
viables	+I bioamine	+I emboitai	+O remboita	**ABEIMSZ**
+V bivalves	+R abominer	+R remboita	retombai	+N zambiens
vivables	+S abomines	retombai	+R timbera	+T mzabites
ABEILSZ	+Z abominez	tomberai	+S brimates	**ABEIMTT**
balisez	**ABEIMNR**	+S boitames	+U bitumera	+E embetait
blasiez	birmane	emboitas	**ABEIMRU**	+N batiment
sabliez	mirbane	moabites	baumier	+O emboitat
+I balisiez	nimbera	+T emboitat	+E embuerai	+S battimes
ABEILTT	+C cambrien	+U embouait	+L ameublir	embattis
etablit	+H brahmine	+Z mozabite	+M embrumai	+T embattit
+O bottelai	+I nimberai	**ABEIMOU**	+R brumaire	**ABEIMTU**
+R blettira	+L lambiner	embouai	+S baumiers	embuait
retablit	+O abominer	+S embouais	+T bitumera	+G bitumage
ABEILTU	+S birmanes	+T embouait	**ABEIMRV**	+L ameublit
+B balbutie	nimberas	**ABEIMOV**	+E embrevai	meublait
+C cubitale	+T braiment	+L amovible	+S vibrames	+O embouait
+G beuglait	**ABEIMNS**	+S obviames		

+R bitumera
+X bimetaux
ABEIMTX
+U bimetaux
ABEIMTZ
mzabite
+O mozabite
+S mzabites
ABEIMUX
+T bimetaux
ABEINNO
abonnie
+D bedonnai
+R baronnie
rabonnie
+S abonnies
+T betonnai
+Z abonniez
ABEINNR
+A bananier
+E banniere
+F fibranne
+O baronnie
rabonnie
+Z bannirez
ABEINNS
bannies
+M bannimes
+O abonnies
+S bannisse
+T bannites
ABEINNT
+D badinent
debinant
+G baignent
+I binaient
+O betonnai
+S bannites
ABEINNU
+D danubien
+X biennaux
ABEINNX
+U biennaux
ABEINNZ
+O abonniez
+R bannirez
ABEINOR
boraine
enrobai
+B bobinera
+G eborgnai
+M abominer
+N baronnie
rabonnie
+R bornerai
+S baierons
boraines
enrobais
snoberai
+T baieront
enrobait
robaient
ABEINOS
anobies
+G begonias
besognai
engobais

+L anoblies
+M abomines
+N abonnies
+R baierons
boraines
enrobais
snoberai
+T obtenais
+V obvenais
ABEINOT
aboient
+C cabotine
+G engobait
gobaient
+L lobaient
+N betonnai
+R baieront
enrobait
robaient
+S obtenais
+T obtenait
+V obvenait
+X boxaient
ABEINOU
+A ouabaine
ABEINOV
+S obvenais
+T obvenait
ABEINOX
+T boxaient
ABEINOZ
+D abondiez
+M abominez
+N abonniez
ABEINPU
+E aubepine
ABEINQR
+U banquier
ABEINQS
+U banquise
basquine
ABEINQU
+R banquier
+S banquise
basquine
+Z banquiez
ABEINQZ
+U banquiez
ABEINRR
+E bernerai
+O bornerai
+U bruinera
burinera
rubanier
ABEINRS
beniras
bernais
bineras
+A bearnais
+C cinabres
+D brandies
+H hibernas
+I benirais
binaires
binerais
+M birmanes
nimberas

+O baierons
boraines
enrobais
snoberai
+S bassiner
+T abstenir
brisante
+U urbaines
urbanise
ABEINRT
bernait
braient
+A baratine
+H hibernat
+I benirait
binerait
inabrite
+L blairent
liberant
+M braiment
+O baieront
enrobait
robaient
+S abstenir
braisent
brisante
+T abritent
batirent
+U butanier
butinera
urbanite
+V abrivent
vibrante
+Y barytine
ABEINRU
urbaine
+C incubera
+G baigneur
burinage
+Q banquier
+R bruinera
burinera
rubanier
+S urbaines
urbanise
+T butanier
butinera
urbanite
ABEINRV
+T abrivent
vibrante
ABEINRY
+T barytine
ABEINRZ
+L branliez
+N bannirez
ABEINSS
bassine
binasse
sabines
+A sesbania
+E bassinee
sesbanie
+G esbignas
+M nimbasse
+N bannisse

+R bassiner
+S bassines
binasses
+T abstiens
baissent
bassinet
+Y abyssine
+Z bassinez
ABEINST
baisent
binates
+A absental
basaient
+C cabinets
+G esbignat
+H absinthe
thebains
+I biaisent
bisaient
+K beatniks
+L balisent
instable
+M nimbates
+N bannites
+O obtenais
+R abstenir
braisent
brisante
+S abstiens
baissent
bassinet
+T abstient
+U entubais
ABEINSU
+A aubaines
+C cubaines
+L inusable
nebulisa
+Q banquise
basquine
+R urbaines
urbanise
+T entubais
ABEINSV
+O obvenais
ABEINSY
+C biscayen
+S abyssine
ABEINSZ
+A basaniez
+M zambiens
+S bassinez
ABEINTT
+A bataient
+D debitant
+H habitent
+I tibetain
+M batiment
+O obtenais
+R abritent
batirent
+S abstient
entubait
tubaient
ABEINTU
entubai

+C cubaient
+R butanier
butinera
urbanite
+S entubais
+T butaient
entubait
tubaient
+V buvaient
ABEINTV
+A bavaient
+L bivalent
+O obvenait
+R abrivent
vibrante
+U buvaient
ABEINTX
+H exhibant
+O boxaient
ABEINTY
+A bayaient
+R barytine
ABEINUV
+T buvaient
ABEINUX
+N biennaux
ABEINUZ
+Q banquiez
ABEIORR
broiera
roberai
+B ebarboir
+D borderai
broderai
rebordai
+E obererai
+I broierai
+L barioler
+M ombrerai
+N bornerai
+S broieras
resorbai
roberais
+T biarrote
rabioter
+U ebourrai
+Z arboriez
ABEIORS
boisera
isobare
obeiras
oberais
reboisa
+A aboieras
+D derobais
+E aerobies
+G goberais
+I boiserai
obeirais
reboisai
+L barioles
lobaires
loberais
+N baierons
boraines
enrobais

```
    snoberai        +I obvierai      +C ecobuais      ABEIOYZ          +U basiques
+R broieras         +S observai      +G bougeais         aboyiez       ABEIQSU
    resorbai           obvieras      +L aboulies      ABEIPRR             basique
    roberais        +T abortive         boulaies      +V pervibra      +D abdiques
+S boiseras         ABEIORX             eboulais      ABEIPRS          +N banquise
    bosserai           boxerai       +M embouais      +S bipasser      +R bisquera
    isobares        +S boxerais      +R ebrouais      +T baptiser         rabiques
    reboisas        +T boxerait      +S auboises      ABEIPRT             rebiquas
+T baisoter         ABEIORZ             boisseau      +I bipartie      +S basiques
    boiteras        +D abordiez      +T eboutais      +S baptiser      ABEIQTU
    rabiotes        +E aboierez      ABEIOSV          ABEIPRU          +L baltique
    reboisat        +G abrogiez      +M obviames      +L publiera      +R briqueta
    sabotier        +L abolirez      +N obvenais      ABEIPRV             rebiquat
+U ebrouais            bariolez      +R observai      +R pervibra      ABEIQUZ
+V observai         +R arboriez         obvieras      ABEIPSS          +D abdiquez
    obvieras        +T rabiotez      +S obviasse      +E bipassee      +N banquiez
+X boxerais            rabotiez      +T obviates      +H biphases      +R braquiez
ABEIORT             ABEIOSS          ABEIOSX          +L passible      ABEIRRR
    boitera         +D badoises      +R boxerais      +R bipasser      +A barrerai
    oberait            deboisas      ABEIOSZ          +S bipasses      +E barriere
    rabiote            obsedais      +T baisotez      +T baptises      +G bigarrer
+C abricote         +G boisages         sabotiez      +Z bipassez      +M marbrier
+D derobait         +L abolisse      ABEIOTT          ABEIPST          +T arbitrer
+E rabiotee            baloises      +C becotait         baptise       +Z barrirez
+G goberait           bosselai      +D deboitat      +E baptisee      ABEIRRS
+I boiterai         +M biomasse         debottai      +M baptisme         braiser
    obeirait           boisames      +L bottelai      +R baptiser         brasier
+L loberait            embossai      +M emboitat      +S baptises         brisera
    oblitera        +R boiseras      +N obtenait      +T baptiste      +A arabiser
    orbitale           bosserai      +R botterai      +Z baptisez         braisera
+M remboita            isobares         taborite      ABEIPSZ             braserai
    retombai           reboisas      +S boitates      +S bipassez         sabrerai
    tomberai        +S boisasse      +U eboutait      +T baptisez      +B barbiers
+N baieront         +T baisotes      ABEIOTU          ABEIPTT          +C bicarres
    enrobait           boisates         eboutai       +S baptiste         crabiers
    robaient           boitasse      +C ecobuait      ABEIPTZ          +D briardes
+R biarrote         +U auboises      +D deboutat      +S baptisez         brideras
    rabioter           boisseau      +G bougeait      ABEIQRR          +G bigarres
    roberait        +V obviasse      +L eboulait      +U barrique      +I briserai
+S baisoter         ABEIOST          +M emboutai         briquera      +M barrimes
    boiteras           baisote       +R bouterai      ABEIQRS             brimeras
    rabiotes        +C becotais         ebrouait      +U bisquera      +O broieras
    reboisat        +D deboisat      +S eboutais         rabiques         resorbai
    sabotier           deboitas      +T eboutait         rebiquas        roberais
+T botterai            obsedait      +Z aboutiez      ABEIQRT          +S barrisse
    taborite        +E baisotee      ABEIOTV          +U briquera         brasiers
+U bouterai         +H isobathe      +L oblative         rebiquat        briseras
    ebrouait        +L abolites      +N obvenait      ABEIQRU          +T arbitres
+V abortive         +M boitames      +R abortive         rabique          barrites
+X boxerait            emboitas      +S obviates         rebiqua       +U beurrais
+Z rabiotez            moabites      ABEIOTX          +A arabique      +V vibreras
    rabotiez        +N obtenais      +N boxaient      +D abdiquer      +Z bizarres
ABEIORU             +R baisoter      +R boxerait      +F fabrique      ABEIRRT
    ebrouai            boiteras      ABEIOTZ          +I rebiquai         abriter
+D baudroie            rabiotes      +C cabotiez      +N banquier         arbitre
    bouderai           reboisat      +J jabotiez      +R barrique         rebatir
+G bougerai            sabotier      +M mozabite         briquera      +A abritera
+H bihoreau         +S baisotes      +R rabiotez      +S bisquera         rebatira
+L boulerai            boisates         rabotiez         rabiques      +E arbitree
    eblouira           boitasse      +S baisotez      +T briqueta      +L retablir
    oubliera        +T boitates         sabotiez         rebiquat      +M timbrera
+R ebourrai         +U eboutais      +U aboutiez      +Z braquiez      +O biarrote
+S ebrouais         +V obviates      ABEIOUZ          ABEIQRZ             rabioter
+T bouterai         +Z sabotiez      +D adoubiez      +U braquiez         roberait
    ebrouait        ABEIOSU          +F bafouiez      ABEIQSS          +R arbitrer
ABEIORV                auboise       +L abouliez                       +S arbitres
    obviera                          +T aboutiez
```

```
        barrites      +R barrisse         tuberais     +O bouterai     +C abscisse
+U beurrait            brasiers      ABEIRSV              ebrouait     +D bidasses
    biturera          briseras      +A abrasive     +Q briqueta     +E baissees
    bruitera      +S bisseras           baverais         rebiquat     +L bilasses
    retribua          brisasse      +G vibrages     +R beurrait          blessais
+Z arbitrez       +T brisates       +M vibrames          biturera     +M bissames
ABEIRRU           +V vibrasse       +O observai          bruitera     +N bassines
    beurrai       +Z brassiez           obvieras         retribua          binasses
+D .baudrier      ABEIRST           +R vibreras      +S abruties     +O boisasse
+G briguera           abrites       +S vibrasse          buterais     +P bipasses
+L brulerai           rebatis       +T vibrates          ebruitas     +R bisseras
    rebrulai      +A abetiras       ABEIRSX              rebutais          brisasse
+M brumaire           abstraie      +O boxerais          tubaires     +S bisasses
+N bruinera           baserait      ABEIRSY          +T attribue          bissasse
    burinera          baterais      +A bayerais          buterait     +T bassiste
    rubanier          ebrasait      +T sybarite          butterai          batisses
+O ebourrai       +D bridates       ABEIRSZ              ebruitat          bissates
+Q barrique       +E abritees           braisez          rebutait     ABEISST
    briquera          rebaties          brasiez          titubera          batisse
+S beurrais       +I biserait           sabriez          tuberait          bisates
+T beurrait       +L retablis           zebrais      +Z bizutera      +A baisates
    biturera          tabliers      +A abrasiez     ABEIRTV          +D bastides
    bruitera          tribales          arabisez     +A baverait     +E abetisse
    retribua      +M brimates       +E baiserez     +E brevetai     +L balistes
ABEIRRV           +N abstenir           baseriez     +N abrivent          blessait
    vibrera           braisent          ebrasiez          vibrante     +N abstiens
+A braverai           brisante      +I braisiez     +O abortive          baissent
+I vibrerai       +O baisoter       +R bizarres     +S vibrates          bassinet
+P pervibra           boiteras      +S brassiez     ABEIRTX          +O baisotes
+S vibreras           rabiotes      ABEIRTT         +O boxerait          boitasse
ABEIRRZ               reboisat          rebatit      ABEIRTY               boitasse
    barriez           sabotier      +A baterait     +A bayerait     +P baptises
    bizarre       +P baptiser           ebattrai     +N barytine     +R brisates
+E zebrerai       +R arbitres       +E batterie     +S sybarite     +S bassiste
+G bigarrez           barrites      +L blettira      ABEIRTZ              batisses
+M marbriez       +S brisates           retablit         abritez          bissates
+O arboriez       +T rebattis       +N abritent          batirez     +T batistes
+R barrirez       +U abruties           batirent         zebrait          battisse
+S bizarres           buteras       +O botterai     +E abetirez     +Z batissez
+T arbitrez           ebruitas          taborite         bateriez     ABEISSU
ABEIRSS               rebutais      +S rebattis     +I batiriez     +L basileus
    baisers           tubaires      +T rebattit          batiriez    +O auboises
    baisser           tuberais      +U attribue     +O rabiotez     +Q basiques
    biseras       +V vibrates           buterait         rabotiez     +V abusives
    bissera       +Y sybarite           butterai     +R arbitrez     ABEISSV
    braises       ABEIRSU               ebruitat     +T battriez     +O obviasse
+A abaisser           aubiers           rebutait     +U bizutera     +R vibrasse
    arabises      +A abuserai           titubera     ABEIRUV         +U abusives
    baiseras      +C cuberais           tuberait     +A abreuvai     ABEISSY
    baissera      +D ribaudes       +Z battriez          ebavurai    +N abyssine
    baserais      +F rubefias       ABEIRTU          ABEIRUX          ABEISSZ
    ebrasais      +G baguiers           abrutie      +L liberaux          baissez
    rabaisse      +L baliseur           buterai      ABEIRUZ          +A abaissez
+D bridasse           bleuiras          ebruita      +J abjuriez     +E beassiez
+E braisees       +M baumiers           rebutai      +Q braquiez     +I baissiez
+I baissier       +N urbaines           tubaire      +T bizutera     +N bassinez
    biserais          urbanise          tuberai      ABEIRVZ         +P bipassez
    bisserai      +O ebrouais       +C cuberait     +A braviez      +R brassiez
+L sabliers       +Q bisquera       +F rubefiat     +E baveriez     +T batissez
+M brimasse           rabiques      +G bruitage     ABEIRYZ          ABEISTT
    brisames          rebiquas      +H habituer     +E bayeriez          batiste
+N bassiner       +R beurrais       +I ebruitai     ABEISSS              batites
+O boiseras       +T abruties       +L bluterai          baisses          ebattis
    bosserai          buteras       +M bitumera          bisasse     +A ebattais
    isobares          ebruitas      +N butanier     +A abaisses     +D debattis
    reboisas          rebutais          butinera         baisasse    +E abetites
+P bipasser           tubaires          urbanite
```

+M battimes
embattis
+N abstient
+O boitates
+P baptiste
+R rebattis
+S batistes
battisse
+T battites
ABEISTU
+A biseauta
+D debutais
+E biseaute
+H habitues
+N entubais
+O eboutais
+R abruties
buterais
ebruitas
rebutais
tubaires
tuberais
+X bauxites
bestiaux
ABEISTV
+O obviates
+R vibrates
ABEISTX
+U bauxites
bestiaux
ABEISTY
+R sybarite
ABEISTZ
+M mzabites
+O baisotez
sabotiez
+P baptisez
+S batissez
ABEISUU
+G subaigue
ABEISUV
abusive
+S abusives
ABEISUX
biseaux
+C scabieux
+T bauxites
bestiaux
ABEISUZ
abusiez
ABEISVV
+L bivalves
vivables
ABEITTT
ebattit
+A ebattait
+D debattit
+M embattit
+R rebattit
+S battites
ABEITTU
+D debutait
+N butaient
entubait
tubaient
+O eboutait
+R attribue

buterait
butterai
ebruitat
rebutait
titubera
tuberait
ABEITTZ
battiez
+A abattiez
+E ebattiez
+R battriez
ABEITUV
+N buvaient
ABEITUX
bauxite
+M bimetaux
+S bauxites
bestiaux
ABEITUZ
+G bizutage
+H habituez
+O aboutiez
+R bizutera
ABEIUVX
biveaux
ABEJLOR
+I jabloire
ABEJLOS
+U jouables
ABEJLOT
+C objectal
ABEJLOU
jouable
+S jouables
ABEJLRU
+I jubilera
ABEJLST
+E jetables
ABEJLSU
ABEJMNN
+I benjamin
ABEJMNR
+E enjamber
ABEJMNS
+A enjambas
+E enjambes
ABEJMNT
+A enjambat
ABEJMNZ
+E enjambez
ABEJMOO
+R jeroboam
ABEJMOR
+E jamboree
+O jeroboam
ABEJMOS
jambose
+S jamboses
ABEJMRS
+I jambiers
ABEJMSS
+O jamboses
ABEJMTT
+E jambette
ABEJNOT
+T jabotent

ABEJNRT
+U abjurent
ABEJNRU
+T abjurent
ABEJNSU
+E bejaunes
ABEJNTT
+O jabotent
ABEJNTU
+R abjurent
ABEJOOR
+M jeroboam
ABEJORS
+D jobardes
+Y bajoyers
ABEJORT
jaboter
+A jabotera
ABEJORU
+B joubarbe
ABEJORY
bajoyer
+S bajoyers
ABEJOSS
+M jamboses
ABEJOST
jabotes
+C objectas
ABEJOSU
bajoues
+A abajoues
+L jouables
ABEJOSY
+R bajoyers
ABEJOTT
+C objectat
+N jabotent
ABEJOTZ
jabotez
+I jabotiez
ABEJRRU
abjurer
+A abjurera
ABEJRST
+U jubartes
ABEJRSU
abjures
+E abjurees
+T jubartes
ABEJRSY
+O bajoyers
ABEJRTU
jubarte
+N abjurent
+S jubartes
ABEJRUZ
abjurez
+I abjuriez
ABEJSTU
+R jubartes
ABEKLSS
+I skiables
ABEKLSY
kabyles
ABEKNST
+I beatniks
ABEKSST

baskets
ABELLLS
+E labelles
+I libellas
ABELLLT
+I libellat
ABELLMR
+A remballa
+E emballer
remballe
ABELLMS
lambels
+A ballames
emballas
+E emballes
+I billames
ABELLMT
+A emballat
ABELLMZ
+E emballez
ABELLNN
+O ballonne
ABELLNO
+N ballonne
ABELLNT
ballent
+A ballante
+I baillent
ABELLOS
+G globales
+I isolable
+T ballotes
+U louables
+V solvable
ABELLOT
ballote
+S ballotes
+T ballotte
ABELLOU
louable
+S louables
ABELLOV
+S solvable
ABELLPP
+A palpable
ABELLPS
+I pliables
ABELLQU
+I bequilla
ABELLRR
+I brailler
brillera
ABELLRS
+A balleras
+E rebellas
+I billeras
brailles
bresilla
ABELLRT
+E bellatre
rebellat
+I barillet
ABELLRU
+C brucella
+I bailleur
bullaire
ABELLRV

+I livrable
ABELLRZ
+E ballerez
+I braillez
ABELLSS
+A ballasse
+E baselles
sabelles
+I billasse
+Y syllabes
ABELLST
ballets
+A ballaste
ballastes
+E tabelles
+I bastille
billates
+O ballotes
ABELLSV
+A lavables
valables
+O solvable
ABELLSY
syllabe
+S syllabes
ABELLTT
+O ballotte
ABELMMO
+S sommable
ABELMMS
+A amblames
blamames
+O sommable
ABELMMU
+I immuable
ABELMNR
+I lambiner
ABELMNS
+I lambines
minables
+T semblant
+U albumens
ABELMNT
amblent
blament
+F flambent
+S semblant
+U meublant
ABELMNU
albumen
+I albumine
+S albumens
+T meublant
ABELMNZ
+I lambinez
ABELMOP
palombe
+D deplomba
+G plombage
+R plombera
+S palombes
+Y amblyope
ABELMOR
+C comblera
+D lombarde

+I lombaire	blasames	+G bagnoles	+I inusable	oblitera
+P plombera	sablames	englobas	nebulisa	orbitale
ABELMOS	+E assemble	+I anoblies	+M albumens	+P portable
lobames	blesames	+N blasonne	**ABELNSZ**	+S sortable
+I abolimes	+I semblais	+T notables	+A balzanes	+U traboule
bemolisa	**ABELMST**	**ABELNOT**	+E ensablez	**ABELORU**
+M sommable	semblat	notable	**ABELNTT**	abouler
+P palombes	+A amblates	+G englobat	tablent	boulera
+T tombales	blamates	+I lobaient	**ABELNTU**	laboure
+U boulames	tablames	+S notables	+F fabulent	rouable
maboules	+I semblait	+U aboulent	+G beuglant	+A aboulera
ABELMOT	timbales	eboulant	blaguent	+C bouclera
tombale	+N semblant	**ABELNOU**	+M meublant	+D balourde
+S tombales	+O tombales	+C encoubla	+O aboulent	doublera
ABELMOU	+R tremblas	+G boulange	eboulant	redoubla
maboule	+U blutames	+T aboulent	+R brulante	+E eboulera
+S boulames	mutables	eboulant	**ABELNTV**	labouree
maboules	**ABELMSU**	**ABELNPR**	+I bivalent	+I boulerai
ABELMOV	meublas	+E prenable	**ABELNTY**	eblouira
+I amovible	+E ambleuse	+O planorbe	+A balayent	oubliera
ABELMOY	+F fumables	**ABELNPS**	**ABELOPR**	+Q bloquera
+F flamboye	+I ameublis	+A anableps	+A parabole	+R labourer
+P amblyope	meublais	+E pensable	+B probable	+S blousera
ABELMPR	simbleau	**ABELNRR**	+E operable	bouleras
+O plombera	+N albumens	branler	+M plombera	laboures
ABELMPS	+O boulames	+A branlera	+N planorbe	rouables
+O palombes	maboules	+E ebranler	+T portable	+T traboule
ABELMPY	+R ambleurs	**ABELNRS**	**ABELOPS**	+V ouvrable
+O amblyope	brulames	branles	+C placebos	+Z labourez
ABELMRS	+T blutames	brelans	+M palombes	**ABELORV**
+A ambleras	**ABELMSV**	+A abranlas	+T potables	+U ouvrable
blameras	+A emblavas	+E branlees	**ABELOPT**	**ABELORY**
rablames	+E emblaves	ebranles	potable	+C croyable
+E brelames	**ABELMSY**	ensabler	+E pelobate	**ABELORZ**
semblera	+C cymbales	**ABELNRT**	+R portable	+E elaborez
+I blemiras	**ABELMTT**	brelant	+S potables	+I abolirez
remblais	+E mettable	rablent	**ABELOPU**	bariolez
+T tremblas	+R tremblat	+A abranlat	+C coupable	+U labourez
+U ambleurs	**ABELMTU**	+E rentable	**ABELOPY**	**ABELOSS**
brulames	meublat	+I blairent	+M amblyope	bossela
ABELMRT	mutable	liberant	**ABELOQR**	lobasse
trembla	+I ameublit	+N branlent	+U bloquera	+D dosables
+I tremblai	meublait	+U branlote	**ABELOQU**	+I abolisse
trimbale	meublait	**ABELNRU**	+D debloqua	baloises
+S tremblas	+N meublant	+T brulante	+R bloquera	bosselai
+T tremblat	+S blutames	**ABELNRZ**	**ABELORR**	+S bosselas
ABELMRU	mutables	branlez	+E elaborer	lobasses
ambleur	**ABELMTV**	+E ebranlez	+I barioler	+T bosselat
+E meublera	+A emblavat	+I branliez	+U labourer	+U absolues
remeubla	**ABELMUX**	**ABELNSS**	**ABELORS**	boulasse
+F flambeur	+A lambeaux	+A ensablas	boreals	+V absolves
+I ameublir	**ABELMVZ**	+E ensables	loberas	**ABELOST**
+S ambleurs	+E emblavez	+T blessant	+A elaboras	lobates
brulames	**ABELNNO**	**ABELNST**	+E boreales	oblates
ABELMRV	+L ballonne	belants	elabores	+C clabotes
+E emblaver	+S blasonne	blasent	+I barioles	obstacle
ABELMRY	**ABELNNR**	blesant	lobaires	+I abolites
+A remblaya	+T branlent	sablent	loberais	+L ballotes
+E remblaye	**ABELNNS**	+A ensablat	+T sortable	+M tombales
ABELMRZ	+O blasonne	+E belantes	+U blousera	+N notables
+E amblerez	**ABELNNT**	tenables	bouleras	+P potables
blamerez	+R branlent	+I balisent	laboures	+R sortable
ABELMSS	**ABELNOP**	instable	rouables	+S bosselat
semblas	+R planorbe	+M semblant	**ABELORT**	+T bottelas
+A amblasse	**ABELNOR**	+O notables	+A elaborat	+U boulates
assembla	+P planorbe	+S blessant	+C claboter	+V bavolets
blamasse	**ABELNOS**	**ABELNSU**	+I loberait	

ABELOSU
aboules
absolue
eboulas
+D deboulas
soudable
+E aboulees
+G belougas
gabelous
+I aboulies
boulaies
eboulais
+J jouables
+L louables
+M boulames
maboules
+R blousera
bouleras
laboures
rouables
+S absolues
boulasse
+T boulates
ABELOSV
absolve
+C vocables
+L solvable
+S absolves
+T bavolets
+Z absolver
ABELOSZ
+V absolvez
ABELOTT
bottela
+I bottelai
+L ballotte
+S bottelas
+T bottelat
ABELOTU
eboulat
+D deboulat
+G galoubet
+I eboulait
+N aboulent
eboulant
+R traboule
+S boulates
ABELOTV
bavolet
+I oblative
+S bavolets
ABELOTZ
+C clabotez
ABELOUU
bouleau
+D doubleau
+X bouleaux
ABELOUV
+A avouable
+R ouvrable
ABELOUX
+U bouleaux
ABELOUZ
aboulez
+I abouliez
+R labourez
ABELOVZ

+S absolvez
ABELOXY
+D oxydable
ABELPPS
+A papables
ABELPRR
+A palabrer
ABELPRS
+A palabres
ABELPRT
+O portable
ABELPRU
parbleu
+I publiera
ABELPRZ
+A palabrez
ABELPSS
+A passable
+I passible
ABELPST
+O potables
ABELPSY
+A payables
ABELQRU
+A albraque
+E querable
+O bloquera
ABELQTU
+I baltique
ABELRRS
+A rableras
+E breleras
+U bruleras
rebrulas
ABELRRT
+E blaterer
+I retablir
+U rebrulat
ABELRRU
brulera
rebrula
+I brulerai
rebrulai
+O labourer
+S bruleras
+T rebrulat
ABELRRZ
+E rablerez
ABELRSS
+A blaseras
rablasse
sableras
+E bleseras
blessera
brelasse
+I sabliers
+U brulasse
sableurs
salubres
ABELRST
+A albatres
blateras
rablates
tableras
+E blateras
brelates

retables
+I retablis
tabliers
tribales
+M tremblas
+O sortable
+U balustre
bluteras
brulates
brutales
ABELRSU
labeurs
sableur
salubre
+C basculer
cableurs
curables
+D durables
+G brulages
bulgares
+H hableurs
+I baliseur
bleuiras
+M ambleurs
brulames
+O blousera
bouleras
laboures
rouables
+R bruleras
rebrulas
+S brulasse
sableurs
salubres
+T balustre
bluteras
brulates
brutales
ABELRSV
+E balevres
verbales
ABELRSZ
blazers
+E blaserez
sablerez
ABELRTT
+A attabler
blaterat
+E brettela
+I blettira
retablit
+M tremblat
ABELRTU
blutera
brutale
+E bateleur
bleuatre
tuberale
+I bluterai
+N brulante
+O traboule
+R rebrulat
+S balustre
bluteras
brulates
brutales
ABELRTZ

+E blaterez
tablerez
ABELRUU
+G blagueur
ABELRUV
+O ouvrable
ABELRUX
+I liberaux
ABELRUY
+A balayeur
ABELRUZ
+O labourez
ABELSSS
blessas
+A blasasse
sablasse
+E belasses
blessasse
+I bilasses
blessais
+O bosselas
lobasses
ABELSST
blessat
stables
+A basaltes
blasates
sablates
tablasse
+E blesates
+I balistes
blessait
+N blessant
+O bosselat
+U blutasse
ABELSSU
+C bascules
+E sableuse
+I basileus
+O absolues
boulasse
+R brulasse
sableurs
+T blutasse
ABELSSV
+O absolves
ABELSSY
+A abyssale
+L syllabes
ABELSTT
blattes
+A attables
tablettes
+E ablettes
batelets
testable
+O bottelas
+U bluterai
ABELSTU
tabules
+G blutages
+M blutames
mutables
+O boulates
+R balustre
bluteras

brulates
brutales
+S blutasse
+T blutates
ABELSTV
+O bavolets
ABELSTX
+A taxables
ABELSUV
+B buvables
ABELSUX
sableux
+C basculez
ABELSVV
+I bivalves
vivables
ABELSVZ
+O absolvez
ABELTTT
+E tablette
+O bottelat
ABELTTU
+S blutates
ABELTTZ
+A attablez
ABELTUX
+A tableaux
ABELUUX
+F fabuleux
+O bouleaux
ABEMMNR
+E membrane
ABEMMNS
+I nimbames
ABEMMOR
+S ombrames
ABEMMOS
+B bombames
+L sommable
+R ombrames
+T tombames
ABEMMOT
+S tombames
ABEMMRR
+E remembra
ABEMMRS
+A ambrames
bramames
+I brimames
+O ombrames
+U embrumas
ABEMMRT
+U embrumat
ABEMMRU
embruma
+E embaumer
+I embrumai
+S embrumes
+T embrumat
ABEMMST
+O tombames
ABEMMSU
+A embaumas
+E embaumes
embuames
+R embrumas

ABEMMTU
+A embaumat
+R embrumat
ABEMMUZ
+E embaumez
ABEMNNS
+I bannimes
ABEMNOR
+C encombra
+D denombra
   doberman
+I abominer
+S bornames
ABEMNOS
+D abdomens
+I abomines
+R bornames
+S snobames
ABEMNOT
+T tombante
+U embouant
ABEMNOU
+T embouant
ABEMNOZ
+I abominez
ABEMNRR
+T marbrent
ABEMNRS
+E bernames
+I birmanes
   nimberas
+O bornames
ABEMNRT
   ambrent
   brament
+C cambrent
+I braiment
+R marbrent
ABEMNSS
+I nimbasse
+O snobames
ABEMNST
+I nimbames
+L semblant
ABEMNSU
+L albumens
ABEMNSZ
+I zambiens
ABEMNTT
+E embetant
+I batiment
+O tombante
ABEMNTU
   embuant
+L meublant
+O embouant
ABEMOOR
+H rehoboam
+J jeroboam
ABEMOPR
+L plombera
ABEMOPS
+L palombes
ABEMOPY
+L amblyope
ABEMOQU
+U embouqua

ABEMORR
   ombrera
+G ombrager
+I ombrerai
+S ombreras
   sombrera
+U embourra
ABEMORS
   robames
+B bomberas
+D bordames
   brodames
+E oberames
+G embargos
   ombrages
+M ombrames
+N bornames
+R ombreras
   sombrera
+S ombrasse
+T bromates
   ombrates
   retombas
   tomberas
ABEMORU
   boumera
+B embourba
+E embouera
+R embourra
ABEMORY
+S broyames
ABEMORZ
+A mozarabe
+G ombragez
ABEMOSS
   embossa
+B bombasse
+I biomasse
   boisames
   embossai
+J jamboses
+N snobames
+R ombrasse
+S bossames
   embossas
+T embossat
   tombasse
ABEMOST
+B bombates
+I boitames
   emboitas
   moabites
+L tombales
+M tombames

+R bromates
   ombrates
   retombas
   tomberas
+S embossat
   tombasse
+T bottames
   etambots
   tombates
+U boutames
ABEMOSU
   embouas
+D boudames
+I embouais
+L boulames
   maboules
+T boutames
ABEMOSV
+I obviames
ABEMOSX
   boxames
ABEMOSY
+A aboyames
+R broyames
ABEMOTT
   etambot
+C combatte
+I emboitat
+N tombante
+R retombat
+S bottames
   etambots
   tombates
ABEMOTU
   embouat
   tombeau
+I embouait
+N embouant
+S boutames
+X tombeaux
ABEMOTX
+U tombeaux
ABEMOTZ
+I mozabite
ABEMOUU
+Q embouqua
ABEMOUX
+T tombeaux
ABEMPST
+E baptemes
+I baptisme
ABEMQRU
+A embarqua
   embraqua
+E embarque
   embraque
ABEMQSU
+U embusqua
ABEMQUU
+O embouqua
+S embusqua
ABEMRRR
   marbrer
+A rembarra
   rembarra
+E embarrer
   rembarre

+I marbrier
+U marbrure
ABEMRRS
   marbres
+A embreras
   barrames
   brameras
   embarras
+E embarres
   embraser
   marbrees
+I barrimes
   brimeras
+O ombreras
   sombrera
+U marrubes
ABEMRRT
+A embarrat
+I timbrera
+N marbrent
ABEMRRU
   brumera
   marrube
+C cambrure
+I brumaire
+O embourra
+R marbrure
+S marrubes
ABEMRRY
+E embrayer
ABEMRRZ
   marbrez
+E ambrerez
   bramerez
   embarrez
+I marbriez
ABEMRSS
+A ambrasse
   bramasse
   brasames
   embrasas
   embrassa
   sabrames
+E embrasse
   embraser
+I brimasse
   brisames
+O ombrasse
+U brumasse
ABEMRST
+A ambrates
   bramates
   embrasat
+I brimates
+L tremblas
+O bromates
   ombrates
   retombas
   tomberas
+U masturbe
ABEMRSU
+D bermudas
+E embueras
+L baumiers
   ambleurs
   brulames
+M embrumas

+R marrubes
+S brumasse
+T masturbe
ABEMRSV
+A bravames
+E embrevas
+I vibrames
ABEMRSY
+A embrayas
+D darbysme
+E embrayes
+O broyames
ABEMRSZ
+E embrasez
   zebrames
ABEMRTT
+A embattra
+E embrette
   embattre
+L tremblat
+O retombat
ABEMRTU
+I bitumera
+M embrumat
+S masturbe
ABEMRTV
+E embrevat
ABEMRTY
+A embrayat
ABEMRXY
+C cerambyx
ABEMRYZ
+E embrayez
ABEMSSS
+I bissames
+O bossames
   embossas
ABEMSST
+O embossat
   tombasse
ABEMSSU
+A abusames
+C cambuses
+E embuasse
+R brumasse
ABEMSTT
+E embattes
+I battimes
   embattis
+O bottames
   etambots
   tombates
+U battumes
   embattus
ABEMSTU
   butames
   tubames
+E embuates
+L blutames
   mutables
+O boutames
+R masturbe
+T buttames
   embattus
ABEMSTZ
+I mzabites

ABEMSUU
+Q embusqua
ABEMTTT
+I embattit
ABEMTTU
embattu
+E embattue
+S buttames
embattus
ABEMTTZ
+E embattez
ABEMTUX
+I bimetaux
+O tombeaux
ABENNNO
+T abonnent
banneton
ABENNNT
+O abonnent
banneton
ABENNOR
abonner
baronne
+A abonnera
reabonna
+C braconne
+E reabonne
+I baronnie
rabonnie
+S baronnes
+T enrobant
ABENNOS
abonnes
+D bedonnas
+E abonnees
+I abonnies
+L blasonne
+R baronnes
+T betonnas
ABENNOT
betonna
+D abondent
bedonnat
+G engobant
+I betonnai
+N abonnent
banneton
+R enrobant
+S betonnas
+T batonnet
betonnat
obtenant
+V obvenant
ABENNOV
+T obvenant
ABENNOZ
abonnez
+I abonniez
ABENNQT
+U banquent
ABENNQU
+T banquent
ABENNRS
+O baronnes
ABENNRT
bernant
+E banneret
+L branlent
+O enrobant
ABENNRU
+T brunante
+U brunante
ABENNRZ
+I bannirez
ABENNSS
+I bannisse
ABENNST
+A basanent
ABENNTT
+E bannette
+O batonnet
betonnat
obtenant
+U entubant
ABENNTU
+Q banquent
+R brunante
+T entubant
ABENNTV
+O obvenant
ABENNUX
+I biennaux
ABENOPR
+L planorbe
+T probante
ABENOPT
+R probante
ABENORR
+E enrobera
+I bornerai
+S borneras
+T arborent
+Z bronzera
ABENORS
boranes
enrobas
snobera
+B ebarbons
+C carbones
+G bornages
eborgnas
+I baierons
boraines
enrobais
snoberai
+M bornames
+N baronnes
+R borneras
+S baserons
bornasse
ebrasons
snoberas
+T baronets
baseront
baterons
bornates
+V baverons
+Y bayerons
ABENORT
baronet
enrobat
oberant
+C brocante
+D abordent
derobant
+G abrogent
ebognat
+I baieront
enrobait
robaient
+N enrobant
+P probante
+R arborent
+S baronets
baseront
baterons
+T bateront
betatron
rabotent
+U ebrouant
+V baveront
bevatron
+Y bayeront
ABENORU
+C boucaner
+T ebrouant
ABENORV
+S baverons
+T bevatron
ABENORY
+S bayerons
+T bayeront
ABENORZ
+G bronzage
+R bronzera
ABENOSS
bonasse
+C absconse
+G besognas
+M snobames
+R baserons
bornasse
ebrasons
snoberas
+S bonasses
snobasse
+T snobates
ABENOST
nabotes
+D obsedant
+G besognat
+I obtenais
+L notables
+N betonnas
+R baronets
baserons
baterons
bornates
+S snobates
+T ebattons
sabotent
+U bantoues
ABENOSU
+C boucanes
cebuanos
+T bantoues
ABENOSV
+I obvenais
ABENOSY
+G begayons
+R bayerons
ABENOTT
+C becotant
cabotent
+I obtenait
+J jabotent
+M tombante
+N batonnet
betonnat
obtenant
+R bateront
betatron
rabotent
+S ebattons
sabotent
+U aboutent
eboutant
ABENOTU
bantoue
+C ecobuant
+D adoubent
+F bafouent
+G bougeant
+L aboulent
eboulant
+M embouant
+R ebrouant
+S bantoues
+T aboutent
eboutant
ABENOTV
+I obvenait
+N obvenant
+R baveront
bevatron
ABENOTX
+I boxaient
ABENOTY
+R bayeront
ABENOTZ
+E benzoate
ABENOUZ
+C boucanez
ABENPRT
+O probante
ABENQRT
+U braquent
ABENQRU
banquer
+A banquera
+I banquier
+T braquent
ABENQST
+U banquets
ABENQSU
banques
+I banquise
+T banquets
ABENQTU
banquet
+A banqueta
+E banquete
+N banquent
+R braquent
+S banquets
ABENQUZ
banquez
+I banquiez
ABENRRS
+E berneras
+O borneras
ABENRRT
barrent
+A aberrant
+M marbrent
+O arborent
+U beurrant
brunatre
ABENRRU
+I bruinera
burinera
rubanier
+T beurrant
brunatre
ABENRRZ
+O bronzera
ABENRSS
bressan
+E bernasse
bressane
+I bassiner
+O baserons
bornasse
ebrasons
snoberas
+S bressans
+T brassent
ABENRST
brantes
brasent
sabrent
+A abrasent
ebrasant
+E absenter
baserent
basterne
bernates
ebrasent
+I abstenir
braisent
brisante
+O baronets
baseront
baterons
bornates
+S brassent
ABENRSU
rubanes
+C bucranes
+E rubanees
+G bugranes
+I urbaines
urbanise
ABENRSV
+O baverons
ABENRSY
+O bayerons

ABENRTT
+E baterent
+I abritent
   batirent
+O bateront
   betatron
   rabotent
+U rebutant

ABENRTU
+E entubera
+I butanier
   butinera
   urbanite
+J abjurent
+L brulante
+N brunante
+O ebrouant
+Q braquent
+R beurrant
   brunatre
+T rebutant
+Y bruyante

ABENRTV
   bravent
+E baverent
+I abrivent
   vibrante
+O baveront
   bevatron

ABENRTY
+E bayerent
+I barytine
+O bayeront
+U bruyante

ABENRTZ
   zebrant

ABENRUY
+T bruyante

ABENSSS
+I bassines
   binasses
+O bonasses
   snobasse
+R bressans

ABENSST
   absents
   besants
+A absentas
+E absentes
   beassent
+I abstiens
   baissent
   bassinet
+L blessant
+O snobates
+R brassent
+U abstenus

ABENSSU
+T abstenus

ABENSSY
+I abyssine

ABENSSZ
+I bassinez

ABENSTT
+A absentat
+I abstient
+O ebattons

sabotent

ABENSTU
   abstenu
   abusent
   butanes
   entubas
+E abstenue
+I entubais
+O bantoues
+Q banquets
+S abstenus

ABENSTZ
+E absentez
   abstenez

ABENTTT
   battent
+A abattent
   battante
   ebattant
+E ebattent

ABENTTU
   entubat
+D debutant
+I butaient
   entubait
   tubaient
+N entubant
+O aboutent
   eboutant
+R rebutant

ABENTUV
+I buvaient

ABENTUY
+R bruyante

ABEOPQT
+U paquebot

ABEOPQU
+T paquebot

ABEOPRT
+L portable
+N probante

ABEOPST
+L potables

ABEOPTU
+Q paquebot

ABEOPUU
+C beaucoup

ABEOQRS
+U baroques

ABEOQRU
   baroque
+L bloquera
+S baroques

ABEOQSU
+R baroques

ABEOQTU
+P paquebot

ABEOQUU
+D debouqua
+M embouqua

ABEORRR
   arborer
+A arborera
+H abhorrer
+U bourrera
   rabrouer

ABEORRS
   arbores
   brasero
   resorba
   roberas
+B absorber
+D adsorber
   borderas
   broderas
   rebordas
   saborder
+E arborees
   obereras
+H abhorres
+I broieras
   resorbai
   roberais
+M ombreras
   sombrera
+N bornera
+S braseros
   brossera
   resorbas
+T resorbat
+U ebourras
   rabroues

ABEORRT
   raboter
+A rabotera
+B barboter
+C craboter
+D rebordat
+I biarrote
   rabioter
   roberait
+N arborent
+S resorbat
+U broutera
   ebourrat
   obturera
   raboteur
   rabouter

ABEORRU
   ebourra
   rabroue
+C courbera
   recourba
+D bourrade
   debourra
   radouber
+E ebrouera
   rabrouee
+G bourrage
+I ebourrai
+L labourer
+M embourra
+R bourrera
   rabrouer
+S ebourras
   rabroues
+T broutera
   ebourrat
   obturera
   raboteur
   rabouter
+U bourreau
+V bravoure
+Z rabrouez

ABEORRV
+U bravoure

ABEORRZ
   arborez
+H abhorrez
+I arboriez
+N bronzera
+U rabrouez

ABEORSS
   bossera
   robasse
+B absorbes
+C cabosser
+D adsorbes
   bordasse
   brodasse
   sabordes
+E oberasse
+G brossage
+I boiseras
   bosserai
   isobares
   reboisas
+M ombrasse
+N baserons
   bornasse
   ebrasons
   snoberas
+R braseros
   brossera
   resorbas
+S bosseras
   robasses
+U arbouses
   bossuera
+V observas
+Y broyasse

ABEORST
   borates
   rabotes
   robates
   saboter
+A sabotera
+B barbotes
+C crabotes
   escarbot
+D bordates
   brodates
+E boratees
   oberates
+I baisoter
   boiteras
   rabiotes
   reboisat
+L sortable
+M bromates
   ombrates
   retombas
   tomberas
+N baronets
   baseront
   baterons
   bornates
+R resorbat
+T botteras
+U bouteras
   raboutes
   saboteur
+V observat
+Y broyates

ABEORSU
   arbouse
   ebrouas
+C caroubes
+D absoudre
   bouderas
   deboursa
   radoubes
+F esbroufa
+G bougeras
   subrogea
+I ebrouais
+L blousera
   bouleras
   laboures
   rouables
+Q baroques
+R ebourras
   rabroues
+S arbouses
+T bouteras
   raboutes
   saboteur
+Y aboyeurs

ABEORSV
   observa
+I observai
   obvieras
+N baverons
+S observas
+T observat

ABEORSX
   boxeras
+I boxerais

ABEORSY
+G broyages
+J bajoyers
+M broyames
+N bayerons
+S broyasse
+T broyates
+U aboyeurs

ABEORSZ
+B absorbez
+D adsorbez
   sabordez

ABEORTT
   bottera
+B barbotte
+I botterai
   taborite
+M retombat
+N bateront
   betatron
   rabotent
+S botteras
+U brouetta
   tabouret

ABEORTU
   abouter
   boutera

	ebrouat		lobasses	+E aboutees	**ABEPRSY**	+E beurrera
	raboute	+M bossames	+I eboutais	+D bradypes	+M marbrure

ebrouat
raboute
+A aboutera
+C caboteur
+E ebourtera
rabboutee
+F beaufort
+G broutage
+I bouterai
ebrouait
+L traboule
+N ebrouant
+R broutera
ebourrat
obturera
raboteur
rabouter
+S bouteras
raboutes
saboteur
+T brouetta
tabouret
+X raboteux
+Z raboutez
ABEORTV
+I abortive
+N baveront
bevatron
+S observat
ABEORTX
+I boxerait
+U raboteux
ABEORTY
+N bayeront
+S broyates
ABEORTZ
rabotez
+B barbotez
+C crabotez
+I rabiotez
rabotiez
+U raboutez
ABEORUU
+R bourreau
ABEORUV
+L ouvrable
+R bravoure
ABEORUX
boreaux
+C corbeaux
+D bordeaux
+T raboteux
ABEORUY
aboyeur
+S aboyeurs
ABEORUZ
+B barbouze
+D radoubez
+L labourez
+R rabrouez
+T rabotez
ABEOSSS
+C cabosses
+G bossages
gobasses
+I boisasse
+L bosselas

lobasses
+M bossames
embossas
+N bonasses
snobasse
+R bosseras
robasses
+S bossasse
+T bossates
+X boxasses
ABEOSST
sabotes
+E sabotees
+I baisotes
boisates
boitasse
+L bosselat
+M embossat
tombasse
+N snobates
+S bossates
+T bottasse
+U absoutes
boutasse
ABEOSSU
+D boudasse
+I auboises
boisseau
+L absolues
boulasse
+R arbouses
bossuera
+T absoutes
boutasse
ABEOSSV
+I obviasse
+L absolves
+R observas
ABEOSSX
boxasse
+S boxasses
ABEOSSY
+A aboyasse
+R broyasse
ABEOSSZ
+C cabossez
ABEOSTT
+D debottas
+I boitates
+L bottelas
+M bottames
etambots
tombasse
+N ebattons
sabotent
+R botteras
+S bottasse
+T bottates
+U boutates
ABEOSTU
aboutes
absoute
eboutas
+D batoudes
boudates
deboutas

+E aboutees
+I eboutais
+L boulates
+M boutames
+N bantoues
+R bouteras
raboutes
saboteur
+S absoutes
boutasse
+T boutates
ABEOSTV
+I obviates
+L bavolets
+R observat
ABEOSTX
boxates
ABEOSTY
+A aboyates
+R broyates
ABEOSTZ
sabotez
+I baisotez
sabotiez
ABEOSUY
+E aboyeuse
+R aboyeurs
ABEOSVZ
+L absolvez
ABEOTTT
+D debottat
+L bottelat
+S bottates
ABEOTTU
eboutat
+D deboutat
+I eboutait
+N aboutent
+R brouetta
tabouret
+S boutates
ABEOTUX
+M tombeaux
+R raboteux
ABEOTUZ
aboutez
+I aboutiez
+R raboutez
ABEOUUX
+L bouleaux
ABEPQTU
+O paquebot
ABEPRRT
+U perturba
ABEPRRU
+T perturba
ABEPRRV
+I pervibra
ABEPRSS
+I bipasser
ABEPRST
+I baptiser
+U abruptes
ABEPRSU
+E beaupres
+T abruptes

ABEPRSY
+D bradypes
ABEPRTU
abrupte
+R perturba
+S abruptes
ABEPSSS
+I bipasses
ABEPSST
+I baptises
ABEPSSZ
+I bipassez
ABEPSTT
+I baptiste
ABEPSTU
+R abruptes
ABEPSTZ
+I baptisez
ABEQRRU
braquer
+A baraquer
braquera
+I barrique
briquera
+U braqueur
ABEQRST
+U braquets
ABEQRSU
barques
braques
+A baraques
+E braquees
+I bisquera
rabiques
rebiquas
+O baroques
+T braquets
ABEQRUZ
braquez
+A baraquez
+I braquiez
ABEQSSU
basques
+I basiques
baquets
+N banquets
+R braquets
ABEQSUU
+D debusqua
+M embusqua
ABERRRS
+A barreras
+U barreurs
ABERRRT
+I arbiter
ABERRRU
barreur
+C carburer

+E beurrera
+M marbrure
+O bourrera
rabrouer
+S barreurs
ABERRRZ
+E barrerez
+I barrirez
ABERRSS
brasser
+A barrasse
braseras
brassera
sabreras
+I barrisse
brasiers
briseras
+O braseros
brossera
resorbas
+U brasseur
brasures
sabreurs
ABERRST
+A barrates
+I arbitres
barrites
+O resorbat
ABERRSU
beurras
brasure
sabreur
+C carbures
+D bradeurs
+E barreuse
+F bafreurs
+G garbures
+I bourrais
+L bruleras
rebrulas
+M marrubes
+O ebourras
rabroues
+R barreurs
+S brasseur
brasures
sabreurs
ABERRSV
+A braveras
+I vibreras
ABERRSY
brayers
ABERRSZ
+E braserez
sabrerez
zebreras
+I bizarres
ABERRTT
+A baratter
rabattre
rebattra
+E barrette
rebattre
ABERRTU
beurrat
+E rebutera
+I beurrait

biturera
bruitera
retribua
+L rebrulat
+N beurrant
brunatre
+O broutera
ebourrat
obturera
raboteur
rabouter
+P perturba
ABERRTZ
+I arbitrez
ABERRUU
+O bourreau
+Q braqueur
ABERRUV
+E abreuver
ebavurer
+G burgrave
+O bravoure
ABERRUX
+A barreaux
ABERRUZ
+C carburez
+O rabrouez
ABERRVZ
+E braverez
ABERSSS
brasses
+A brasasse
sabrasse
+E brassees
+I bisseras
brisasse
+N bressans
+O bosseras
robasses
ABERSST
+A brasates
sabrates
tabasser
+I brisates
+N brassent
+U abstruse
arbustes
ABERSSU
+A abuseras
+D absurdes
+L brulasse
sableurs
salubres
+M brumasse
+O arbouses
bossuera
+R brasseur
brasures
sabreurs
+T abstruse
arbustes
ABERSSV
+A bavasser
bravasse
+I vibrasse
+O observas
ABERSSY

+O broyasse
ABERSSZ
brassez
+E zebrasse
+I brassiez
ABERSTT
+A barattes
ebattras
rabattes
+E rebattes
+I rebattis
+O botteras
+U batteurs
battures
butteras
rebattus
ABERSTU
arbuste
buteras
rebutas
tuberas
+D tubardes
+F fauberts
+H hauberts
+I abruties
buterais
ebruitas
rebutais
tubaires
tuberais
+J jubartes
+L balustre
bluteras
brulates
brutales
+M masturbe
+O bouteras
raboutes
saboteur
+P abruptes
+Q braquets
+S abstruse
arbustes
+T batteurs
battures
butteras
rebattus
ABERSTV
+A bravates
+E brevetas
+I vibrates
+O observat
ABERSTY
barytes
+D darbyste
+I sybarite
+O broyates
ABERSTZ
+E zebrates
ABERSUV
bavures
+A abreuvas
ebavuras
+E abreuves
ebavures
ABERSUX
+C scabreux

ABERSUY
+O aboyeurs
ABERSUZ
+E abuserez
ABERTTT
+I rebattit
ABERTTU
batteur
batture
buttera
rebattu
rebutat
+A abatteur
+E rebattue
+I attribue
buterait
butterai
ebruitat
rebutait
titubera
tuberait
+N rebutant
+O brouetta
tabouret
+S batteurs
battures
butteras
rebattus
+Y butyrate
ABERTTV
+E brevetat
ABERTTY
+U butyrate
ABERTTZ
battrez
+A abattrez
barattez
rabattez
+E ebattrez
rebattez
+I battriez
ABERTUU
+C cubature
ABERTUV
+A abreuvat
ebavurat
ABERTUX
+O raboteux
ABERTUY
+N bruyante
+T butyrate
ABERTUZ
+I bizutera
+O raboutez
ABERUUX
bureaux
ABERUVX
verbaux
ABERUVZ
+E abreuvez
ebavurez
ABESSSS
+A basasses
+E bassesse
+I bisasses
bissasse

+O bossasse
ABESSST
bassets
+A batasses
tabasses
+E asbestes
betasses
sebastes
+I bassiste
batisses
bissates
+O bossates
+U butasses
ABESSSU
+A abusasse
+C cubasses
+T butasses
tubasses
ABESSSV
+A bavasses
ABESSSX
+O boxasses
ABESSSY
abysses
+A bayasses
ABESSTT
+I batistes
batisse
+O bottasse
+U buttasse
ABESSTU
butasse
tubasse
+A abusates
+L blutasse
+N abstenus
+O absoutes
boutasse
+R abstruse
arbustes
+S butasses
tubasses
+T buttasse
ABESSTZ
+A tabassez
+I batissez
ABESSUV
+E baveuses
+I abusives
ABESSVZ
+A bavassez
ABESTTT
+I battites
+O bottates
+U buttates
ABESTTU
battues
butates
ebattus
tubates
+A abattues
+D debattus
+E aubettes
batteuse
ebattues
+G buttages

+L blutates
+M buttames
embattus
+O boutates
+R batteurs
battures
butteras
rebattus
+S buttasse
+T buttates
ABESTTV
+E bavettes
ABESTUX
+I bauxites
bestiaux
ABETTLU
+S blutates
ABETTUY
+R butyrate
ABFFGIS
+E biffages
ABFFGLU
+E bufflage
ABFFIIL
+A affaibli
ABFFIIR
+E bifferai
rebiffai
ABFFIIS
biffais
ABFFILS
+U bufflais
ABFFILT
+U bufflait
ABFFILU
bluffai
bufflai
+A affublai
+S bluffais
bufflais
+T bluffait
bufflait
ABFFIMS
+E biffames
ABFFINT
biffant
ABFFIOR
+U bouffira
ABFFIOS
+U bouffais
ABFFIOT
+U bouffait
ABFFIOU
bouffai
+R bouffira
+S bouffais
+T bouffait
ABFFIRS
+E bifferas
rebiffas
ABFFIRT
+E rebiffat

ABFFIRU	**ABFIIIO**	bufflait	+R arbustif	+E esbroufa
+O bouffira	+N bonifiai	**ABFILUX**	**ABFLLOO**	**ABFORTU**
ABFFISS	**ABFIIIT**	+A fabliaux	+T football	+E beaufort
+E biffasse	+E betifiai	**ABFILUZ**	**ABFLLOT**	**ABFORUU**
ABFFIST	**ABFIILR**	+E fabuliez	+O football	+G faubourg
+E biffates	faiblir	**ABFIMOT**	**ABFLMNO**	**ABFORUU**
ABFFISU	+A faiblira	+C combatif	+S flambons	+I bifurqua
+L bluffais	+U lubrifia	**ABFINNR**	**ABFLMNS**	**ABFRRSU**
bufflais	**ABFIILS**	+E fibranne	+O flambons	+E bafreurs
+O bouffais	faiblis	**ABFINOR**	**ABFLMNT**	**ABFRSTU**
ABFFITU	**ABFIILT**	+S bafrions	+A flambant	+E fauberts
+L bluffait	faiblit	**ABFINOS**	+E flambent	+I arbustif
bufflait	**ABFIILU**	+I bonifias	**ABFLMOS**	**ABGGNOO**
+O bouffait	+R lubrifia	+R bafrions	+N flambons	+T toboggan
ABFFLNT	**ABFIINO**	**ABFINOT**	**ABFLMOY**	**ABGGNOT**
+U bluffant	bonifia	+I bonifiat	+A flamboya	+O toboggan
bufflant	+I bonifiai	**ABFINRS**	+E flamboye	**ABGGOOT**
ABFFLNU	+S bonifias	+O bafrions	**ABFLMRU**	+N toboggan
+T bluffant	+T bonifiat	**ABFIORR**	+E flambeur	**ABGGRSU**
bufflant	**ABFIINS**	+U fourbira	**ABFLMSU**	+E grabuges
ABFFLRU	+O bonifias	**ABFIORS**	+E fumables	**ABGIILO**
+E affubler	**ABFIINT**	+N bafrions	**ABFLNOS**	+E obligeai
bluffera	+E bienfait	+T abortifs	+A balafons	**ABGIILR**
bufflera	+O bonifiat	**ABFIORT**	+M flambons	+E biglerai
ABFFLSU	**ABFIIOS**	abortif	+U fabulons	**ABGIILS**
bluffas	+N bonifias	+S abortifs	**ABFLNOU**	biglais
bufflas	**ABFIIOT**	**ABFIORU**	+S fabulons	**ABGIILT**
+A affublas	+N bonifiat	+F bouffira	**ABFLNSU**	biglait
+E affubles	**ABFIIRU**	+R fourbira	+O fabulons	**ABGIIMR**
+I bluffais	+E rubefiai	**ABFIOST**	**ABFLNTU**	+E regimbai
bufflais	+L lubrifia	+L oblatifs	+A fabulant	**ABGIIMS**
ABFFLTU	**ABFIIST**	+R abortifs	+E fabulent	+E bigamies
bluffat	+E betifias	**ABFIOSU**	+F bluffant	**ABGIINN**
bufflat	**ABFIITT**	+A bafouais	bufflant	+O bignonia
+A affublat	+E betifiat	+F bouffais	**ABFLOOT**	**ABGIINO**
+I bluffait	**ABFILMO**	**ABFIOTU**	+L football	+N bignonia
bufflait	+E flamboie	+A bafouait	**ABFLOST**	+R bigornai
+N bluffant	**ABFILMS**	+F bouffait	+I oblatifs	**ABGIINR**
bufflant	+A flambais	**ABFIOUX**	**ABFLOSU**	+O bigornai
ABFFLUZ	**ABFILMT**	+C bifocaux	+N fabulons	**ABGIINS**
+E affublez	+A flambait	**ABFIOUZ**	**ABFLUUX**	+A baignais
ABFFNOT	**ABFILMZ**	+E bafouiez	+E fabuleux	+E esbignai
+U bouffant	+E flambiez	**ABFIQRU**	**ABFMNOS**	**ABGIINT**
ABFFNOU	**ABFILOR**	+A fabriqua	+L flambons	+A baignait
+T bouffant	+E faribole	+E fabrique	**ABFNOOS**	**ABGIINZ**
ABFFNTU	**ABFILOS**	+U bifurqua	+U bafouons	+E baigniez
+L bluffant	+T oblatifs	**ABFIQUU**	**ABFNOOU**	**ABGIIOR**
bufflant	**ABFILOT**	+R bifurqua	+S bafouons	+N bignonia
+O bouffant	oblatif	**ABFIRRU**	**ABFNORS**	**ABGIIRR**
ABFFORU	+A batifola	+D furibard	bafrons	+A bigarrai
+E bouffera	+E batifole	+O fourbira	forbans	**ABGIIRS**
+I bouffira	+S oblatifs	**ABFIRSS**	+I bafrions	+U briguais
ABFFOSU	**ABFILRS**	+A abrasifs	**ABFNOSU**	**ABGIIRT**
bouffas	+E fabliers	**ABFIRST**	+L fabulons	+U briguait
+I bouffais	**ABFILRU**	+O abortifs	+O bafouons	**ABGIIRU**
ABFFOTU	+I lubrifia	+U arbustif	**ABFNOTU**	briguai
bouffat	**ABFILST**	**ABFIRSU**	+A bafouant	+S briguais
+I bouffait	+A ablatifs	+E rubefias	+E bafouent	+T briguait
+N bouffant	+O oblatifs	+T arbustif	+F bouffant	**ABGIISU**
ABFGORU	**ABFILSU**	**ABFIRTU**	**ABFOOSU**	+R briguais
+U faubourg	+A fabulais	+E rubefiat	+N bafouons	**ABGIITU**
ABFGOUU	+F bluffais	+S arbustif	**ABFORRU**	+R briguait
+R faubourg	bufflais	**ABFIRUU**	+I fourbira	**ABGILLM**
ABFGRUU	**ABFILTU**	+Q bifurqua	**ABFORST**	+A gambilla
+O faubourg	+A fabulait	**ABFISSU**	+I abortifs	+E gambille
ABFIIIN	+F bluffait	abusifs	**ABFORSU**	**ABGILLS**
+O bonifiai		**ABFISTU**	baroufs	+E billages

ABGILMS	+A gabonais	+E briguera	+O barlongs	eborgnas
+E biglames	+E begonias	+O rabougri	**ABGLNSU**	+I bigornas
ABGILNO	besognai	**ABGIRRZ**	+O blaguons	+L barlongs
+E englobai	engobais	+E bigarrez	**ABGLNTU**	**ABGNORT**
+S galbions	+L galbions	**ABGIRST**	+A blaguant	+E abrogent
ABGILNS	+N baignons	+A gabarits	+E beuglant	eborgnat
+E bengalis	+R bigornas	**ABGIRSU**	blaguent	+I bigornat
+O galbions	+U baguions	briguas	**ABGLNUW**	**ABGNORZ**
ABGILNT	**ABGINOT**	+E baguiers	+O bungalow	+E bronzage
biglant	+E engobait	+I briguais	**ABGLOOS**	**ABGNOSS**
+E tangible	gobaient	**ABGIRSV**	+M lombagos	+E besognas
ABGILOR	+R bigornat	+E vibrages	**ABGLORS**	**ABGNOST**
+E obligera	**ABGINOU**	**ABGIRTU**	+N barlongs	+E besognat
ABGILOS	+S baguions	briguat	**ABGLOST**	+U bougnats
+E obligeas	**ABGINRS**	+E bruitage	+I galibots	**ABGNOSU**
+N galbions	+D brigands	+I briguait	**ABGLOSU**	baguons
+T galibots	+O bigornas	+N briguant	albugos	+I baguions
ABGILOT	**ABGINRT**	**ABGISST**	+E belougas	+L blaguons
galibot	+O bigornat	+N bastings	gabelous	+T bougnats
+E obligeat	+U briguant	**ABGISSU**	+M lumbagos	**ABGNOSY**
+S galibots	**ABGINRU**	+U subaigus	+N blaguons	+E begayons
ABGILRS	+E baigneur	**ABGISUU**	**ABGLOTU**	**ABGNOTU**
+E bigleras	burinage	subaigu	+E galoubet	+E bougeant
ABGILSS	+T briguant	+E subaigue	**ABGLOUW**	+S bougnats
+E biglasse	**ABGINSS**	+S subaigus	+N bungalow	**ABGNOUW**
ABGILST	+E esbignas	**ABGITUZ**	**ABGLOUX**	+L bungalow
+E biglates	+T bastings	+E bizutage	globaux	**ABGNRSU**
+O galibots	**ABGINST**	**ABGJSUU**	**ABGLRSU**	+E bugranes
ABGILSU	basting	+U subjugua	+E brulages	**ABGNRTU**
+A blaguais	+A bastaing	**ABGJUUU**	**ABGLRUU**	+I briguant
+E beuglais	+E esbignat	+S subjugua	+E blagueur	**ABGNRUY**
ABGILTU	+S bastings	**ABGLLOS**	**ABGLSTU**	+M rugbyman
+A blaguait	**ABGINSU**	+E globales	+E blutages	**ABGNSST**
+E beuglait	+O baguions	**ABGLMNU**	**ABGMNRU**	+I bastings
ABGILUZ	**ABGINTU**	+A galbanum	+Y rugbyman	**ABGNSTU**
+E blaguiez	+R briguant	**ABGLMOO**	**ABGMNRY**	+O bougnats
ABGIMNS	**ABGIORR**	lombago	+U rugbyman	**ABGORRU**
+E ingambes	+U rabougri	+S lombagos	**ABGMNUY**	+E bourrage
ABGIMRS	**ABGIORS**	**ABGLMOP**	+R rugbyman	+I rabougri
+E regimbas	+E goberais	+E plombage	**ABGMOOS**	**ABGORSS**
ABGIMRT	+N bigornas	**ABGLMOS**	+L lombagos	+E brossage
+E regimbat	**ABGIORT**	+O lombagos	**ABGMORR**	**ABGORSU**
timbrage	+E goberait	+U lumbagos	+E ombrager	+E bougeras
ABGIMST	+N bigornat	**ABGLMOU**	**ABGMORS**	subrogea
gambits	**ABGIORU**	lumbago	+E embargos	**ABGORSY**
ABGIMSU	+E bougerai	+S lumbagos	ombrages	+E broyages
ambigus	+R rabougri	**ABGLMSU**	**ABGMORZ**	**ABGORTU**
+E ambigues	**ABGIORZ**	+O lumbagos	+E ombragez	+E broutage
gambusie	+E abrogiez	**ABGLNOR**	**ABGMOSU**	**ABGORUU** /
ABGIMTU	**ABGIOSS**	barlong	+L lumbagos	+F faubourg
+E bitumage	+E boisages	+S barlongs	**ABGMRUY**	**ABGOSSS**
ABGINNO	**ABGIOST**	**ABGLNOS**	+N rugbyman	+E bossages
+I bignonia	+L galibots	galbons	**ABGNNOO**	gobasses
+S baignons	**ABGIOSU**	+E bagnoles	+U bougonna	**ABGOSTU**
ABGINNS	baguios	englobas	**ABGNNOS**	bagouts
+O baignons	+E bougeais	+I galbions	+I baignons	+N bougnats
ABGINNT	+N baguions	+R barlongs	**ABGNNOT**	**ABGRRSU**
+A baignant	**ABGIOTU**	+U blaguons	+E engobant	+E garbures
+E baignent	+E bougeait	**ABGLNOT**	**ABGNNOU**	**ABGRRUV**
ABGINOR	**ABGIRRR**	+E englobat	+O bougouna	+E burgrave
bigorna	+E bigarrer	**ABGLNOU**	**ABGNOOT**	**ABGRUUX**
+E eborgnai	**ABGIRRS**	+E boulange	+G toboggan	burgaux
+I bigornai	+A bigarras	+S blaguons	**ABGNOOU**	**ABGSSUU**
+S bigornas	+E bigarres	+W bungalow	+N bougonna	+I subaigus
+T bigornat	**ABGIRRT**	**ABGLNOW**	**ABGNORS**	**ABGSTTU**
ABGINOS	+A bigarrat	+U bungalow	+E bornages	+E buttages
gabions	**ABGIRRU**	**ABGLNRS**		

ABGSUUU
+J subjugua
ABHHORU
+A brouhaha
ABHIIIN
  inhibai
+S inhibais
+T inhibait
ABHIIIS
+N inhibais
ABHIIIT
+N inhibait
ABHIILL
+A habillai
ABHIILN
+E inhabile
ABHIILT
+A habilita
+E habilite
ABHIIMP
+E amphibie
ABHIINN
+T inhibant
ABHIINR
+E hibernai
  inhibera
ABHIINS
  inhibas
+I inhibais
ABHIINT
  inhibat
+E inhabite
+I inhibait
+N inhibant
ABHIINU
+A bauhinia
ABHIIOP
+R prohibai
ABHIIOR
+P prohibai
ABHIIPR
+O prohibai
ABHIIRS
  biharis
ABHIIRY
+D hybridai
ABHIIST
+A habitas
ABHIISX
+E exhibais
ABHIITT
+A habitait
ABHIITU
+A habituai
ABHIITX
+E exhibait
ABHIITZ
+E habitiez
ABHILLR
+A rhabilla
+E habiller
  rhabille
ABHILLS
+A habillas
+E habilles
ABHILLT
+A habillat

ABHILLZ
+E habillez
ABHILNO
+T biathlon
ABHILNR
+C blanchir
+E hibernal
ABHILNS
+C blanchis
ABHILNT
+C blanchit
+O biathlon
ABHILOT
+N biathlon
ABHILTU
+E habituel
ABHIMNR
+E brahmine
ABHIMRS
  brahmis
ABHINNO
+C bichonna
ABHINNT
+I inhibant
ABHINOR
+C bronchai
ABHINOS
+C bachions
+T habitons
ABHINOT
+L biathlon
+S habitons
ABHINOU
+C bouchain
ABHINRS
+E hibernas
ABHINRT
+E hibernat
ABHINST
+E absinthe
  thebains
+O habitons
ABHINTT
+A habitant
+E habitent
ABHINTX
+E exhibant
ABHIOPR
  prohiba
+I prohibai
+S prohibas
+T prohibat
ABHIOPS
+R prohibas
ABHIOPT
+R prohibat
ABHIORR
+A abhorrai
ABHIORS
+C brochais
+P prohibas
ABHIORT
+C brochait
+P prohibat
ABHIORU
+E bihoreau
ABHIOST

+E isobathe
+N habitons
+U hautbois
ABHIOSU
+C bouchais
+T hautbois
ABHIOTU
+C bouchait
+S hautbois
ABHIPRS
+O prohibas
ABHIPRT
+O prohibat
ABHIPSS
+E biphases
ABHIRSY
+D hybridas
ABHIRTU
+E habituer
ABHIRTY
+D hybridat
ABHISTT
+A habitats
ABHISTU
  habitus
+A habituas
+E habitues
+O hautbois
ABHITTU
+A habituat
ABHITUZ
+E habituez
ABHLNOS
+C chablons
ABHLNOT
+I biathlon
ABHLNOU
+C baluchon
ABHLNRS
+A halbrans
ABHLOOU
+C boulocha
ABHLRSU
+E hableurs
ABHMOOR
+E rehoboam
ABHNNOS
+C banchons
ABHNORS
+C bronchas
  charbons
ABHNORT
+C brochant
  bronchat
ABHNOST
+I habitons
ABHNOTU
+C bouchant
ABHNRSU
+C branchus
ABHOPRS
+I bronchas
ABHOPRT
+I prohibat
ABHORRR
+E abhorrer
ABHORRS

+A abhorras
+E abhorres
ABHORRT
+A abhorrat
ABHORRZ
+E abhorrez
ABHORTU
+C tarbouch
ABHOSTU
+I hautbois
ABHRSTU
+E hauberts
ABHTUXY
+A bathyaux
ABIIILR
+E biliaire
ABIIIMS
+B imbibais
ABIIIMT
+B imbibait
ABIIINO
+F bonifiai
ABIIINS
+H inhibais
ABIIINT
+H inhibait
ABIIISS
+A biaisais
ABIIIST
+A biaisait
ABIIISZ
+E biaisiez
ABIIJLS
+U jubilais
ABIIJLT
+U jubilait
ABIIJLU
  jubilai
+S jubilais
+T jubilait
ABIIJSU
+L jubilais
ABIIJTU
+L jubilait
ABIILLL
+E libellai
ABIILLM
+R millibar
ABIILLO
+T boitilla
ABIILLR
  brillai
+A braillai
+E billerai
+M millibar
+S brillais
+T brillait
ABIILLS
  baillis
  billais
+A baillais
+R brillais
ABIILLT
  billait
+A baillait
+E labilite
+O boitilla

+R brillait
ABIILLZ
+E bailliez
ABIILMN
+A lambinai
+O binomial
ABIILMO
+N binomial
+S mobilisa
ABIILMR
+E blemirai
  limbaire
+L millibar
ABIILMS
+O mobilisa
+U sublimai
ABIILMT
+E imitable
ABIILMU
+S sublimai
ABIILNO
+M binomial
+T libation
ABIILNS
+A libanais
+D blindais
+T sibilant
ABIILNT
+D blindait
+E bilaient
+O libation
+S sibilant
ABIILOQ
+U biloquai
  obliquai
ABIILOR
+A abolirai
  bariolai
+C bricolai
ABIILOS
+M mobilisa
+U oubliais
ABIILOT
+L boitilla
+N libation
+U oubliait
ABIILOU
  oubliai
+Q biloquai
  obliquai
+S oubliais
+T oubliait
ABIILPS
+E paisible
+U publiais
ABIILPT
+U publiait
ABIILPU
  publiai
+S publiais
+T publiait
ABIILQU
+O biloquai
  obliquai
ABIILRR
+E libraire

ABIILRS
+A blairais
+C criblais
+E balisier
 bilerais
 irisable
 liberais
+L brillais
ABIILRT
+A blairait
+C criblait
+E bilerait
 liberait
+L brillait
ABIILRU
+E bleuirai
+F lubrifia
ABIILRZ
+E blairiez
ABIILSS
+A balisais
+C basilics
ABIILST
+A balisait
+E tibiales
+N sibilant
ABIILSU
+E bisaieul
+J jubilais
+M sublimai
+O oubliais
+P publiais
ABIILSZ
+E balisiez
ABIILTU
+J jubilait
+O oubliait
+P publiait
ABIIMNO
+A abominai
+C combinai
 incombai
+E bioamine
+L binomial
+S abimions
+T ambition
ABIIMNR
+E nimberai
ABIIMNS
 nimbais
+E amibiens
+O abimions
ABIIMNT
 nimbait
+B imbibant
+O ambition
ABIIMOS
+L mobilisa
+N abimions
ABIIMOT
+E emboitai
+N ambition
ABIIMQR
+U imbriqua
ABIIMQU
+E iambique
+R imbriqua

ABIIMRR
+E brimerai
ABIIMRS
 brimais
+T timbrais
ABIIMRT
 brimait
 timbrai
+S timbrais
+T timbrait
ABIIMRU
+Q imbriqua
ABIIMST
+R timbrais
+U bitumais
ABIIMSU
+L sublimai
+T bitumais
ABIIMTT
+R timbrait
+U bitumait
ABIIMTU
 bitumai
+S bitumais
+T bitumait
ABIINNO
+D bidonnai
+G bignonia
ABIINNR
+A bannirai
ABIINNT
+E binaient
+H inhibant
ABIINOR
+D bondirai
+G bigornai
ABIINOS
+B bobinais
+F bonifias
+M abimions
+S baisions
 biaisons
 sainbois
+T obstinai
ABIINOT
+B bobinait
+F bonifiat
+L libation
+M ambition
+S obstinai
ABIINOU
+D boudinai
ABIINRR
+U brunirai
ABIINRS
+E benirais
 binaires
 binerais
+U burinais
ABIINRT
+E benirait
 binerait
 inabrite
+U bruinait
 burinait
 turbinai
ABIINRU

 burinai
+R brunirai
+S burinais
+T bruinait
 burinait
 turbinai
ABIINSS
+A bassinai
+O baisions
 biaisons
 sainbois
ABIINST
+A biaisant
+E biaisent
 bisaient
+L sibilant
+O obstinai
+U butinais
ABIINSU
+C incubais
+R burinais
+T butinais
ABIINTT
+E tibetain
+U butinait
ABIINTU
 butinai
+C incubait
+R bruinait
 burinait
 turbinai
+S butinais
+T butinait
ABIIOPR
+H prohibai
ABIIOQU
+L biloquai
 obliquai
ABIIORR
+E broierai
ABIIORS
 boirais
+E boiserai
 obeirais
 reboisai
ABIIORT
 boirait
+A rabiotai
+E boiterai
 obeirait
ABIIORV
+E obvierai
ABIIOSS
 boisais
+N baisions
 biaisons
 sainbois
ABIIOST
 boisait
 boitais
+A baisotai
+N obstinai
ABIIOSU
+L oubliais
ABIIOSV
 obviais
ABIIOTT

 boitait
ABIIOTU
+L oubliait
ABIIOTV
 obviait
ABIIPRS
+T bipartis
ABIIPRT
 biparti
+E bipartie
+S bipartis
ABIIPSS
+A bipassai
ABIIPST
+A baptisai
+R bipartis
ABIIPSU
+L publiais
ABIIPTU
+L publiait
ABIIQRS
+U briquais
ABIIQRT
+U briquait
ABIIQRU
 briquai
+E rebiquai
+M imbriqua
+S briquais
+T briquait
ABIIQSS
+U bisquais
ABIIQST
+U bisquait
ABIIQSU
 bisquai
+R briquais
+S bisquais
+T bisquait
ABIIQTU
+R briquait
+S bisquait
ABIIRRR
+A barrirai
ABIIRRS
+E briserai
ABIIRRT
+A arbitrai
 brairait
ABIIRRU
+N brunirai
ABIIRRV
+E vibrerai
ABIIRSS
 brisais
+A braisais
+E baissier
 biserais
 bisserai
+U subirais
ABIIRST
 brisait
+A abritais
 batirais
 braisait
+E biserait
+M timbrais

+P bipartis
+U biturais
 bruitais
 subirait
ABIIRSU
 subirai
+G briguais
+N burinais
+Q briquais
+S subirais
+T biturais
 bruitais
 subirait
ABIIRSV
 vibrais
ABIIRSZ
+E braisiez
ABIIRTT
+A abritait
 batirait
+M timbrait
+U biturait
 bruitait
ABIIRTU
 biturai
 bruitai
+E ebruitai
+G briguait
+N bruinait
 burinait
 turbinai
+Q briquait
+S biturais
 bruitais
 subirait
+T biturait
 bruitait
ABIIRTV
 vibrait
ABIIRTZ
+E abritiez
 batiriez
ABIISSS
 bissais
+A baissais
ABIISST
 bissait
+A baissait
ABIISSU
+Q bisquais
+R subirais
ABIISSZ
+E baissiez
ABIISTT
+U titubais
ABIISTU
+C biscuita
+M bitumais
+N butinais
+Q bisquait
+R biturais
 bruitais
 subirait
+T titubais
+Z bizutais
ABIISTZ
+U bizutais

ABIISUZ	**ABIKKSU**	**ABILLRU**	**ABILMRU**	+B obnubila
+T bizutais	kabukis	+E bailleur	+E ameublir	+T ablution
ABIITTT	**ABIKLSS**	bullaire	**ABILMSS**	oubliant
+U titubait	+E skiables	+O brouilla	+E semblais	+X nobliaux
ABIITTU	**ABIKNST**	**ABILLRV**	+U sublimas	**ABILNOX**
titubai	+E beatniks	+E livrable	**ABILMST**	+U nobliaux
+M bitumait	**ABIKRSS**	**ABILLRZ**	+A malbatis	**ABILNPS**
+N butinait	briskas	+E braillez	+E semblait	biplans
+R biturait	**ABILLLS**	**ABILLSS**	timbales	+U subalpin
bruitait	+E libellas	+E billasse	+U sublimat	**ABILNPT**
+S titubais	**ABILLLT**	**ABILLST**	**ABILMSU**	+U publiant
+T titubait	+E libellat	+E bastille	labiums	**ABILNPU**
+Z bizutait	**ABILLMR**	billates	sublima	+S subalpin
ABIITTZ	+I millibar	**ABILLSU**	+E ameublis	+T publiant
+U bizutait	**ABILLMS**	+O bousilla	meublais	**ABILNRS**
ABIITUX	+E billames	**ABILMMU**	simbleau	larbins
tibiaux	**ABILLNO**	+E immuable	+I sublimai	+A branlais
ABIITUZ	baillon	**ABILMNO**	+S sublimas	+O blairons
bizutai	+S baillons	+I binomial	+T sublimat	rablions
+S bizutais	ballions	+S amblions	**ABILMTU**	rosalbin
+T bizutait	+T ballotin	blamions	+E ameublit	**ABILNRT**
ABIJLNT	**ABILLNR**	**ABILMNR**	meublait	+A blairant
+U jubilant	+T brillant	+E lambiner	+S sublimat	branlait
ABIJLNU	**ABILLNS**	**ABILMNS**	**ABILNNT**	+C criblant
+T jubilant	+O baillons	lambins	+D blindant	+E blairent
ABIJLOR	ballions	+A lambinas	**ABILNOO**	liberant
jabloir	**ABILLNT**	+E lambines	+S bolonais	+L brillant
+E jabloire	billant	minables	+T oblation	+U tribunal
+S jabloirs	+A baillant	+O amblions	**ABILNOR**	**ABILNRU**
ABIJLOS	+E baillent	blamions	anoblir	+A binaural
+R jabloirs	+O ballotin	**ABILMNT**	+A anoblira	+T tribunal
ABIJLRS	+R brillant	+A lambinat	+D blondira	**ABILNRZ**
+O jabloirs	**ABILLOR**	**ABILMNU**	+S blairons	+E branliez
ABIJLRU	+U brouilla	+E albumine	rablions	**ABILNSS**
+E jubilera	**ABILLOS**	**ABILMNZ**	rosalbin	+O balisons
ABIJLSU	+E isolable	+E lambinez	**ABILNOS**	blasions
jubilas	+N baillons	**ABILMOP**	albinos	sablions
+I jubilais	ballions	plombai	anoblis	**ABILNST**
ABIJLTU	+U bousilla	+S plombais	+C baclions	+A balisant
jubilat	**ABILLOT**	+T plombait	cablions	+E balisent
+I jubilait	+C cabillot	**ABILMOR**	+E anoblies	+I sibilant
+N jubilant	+I boitilla	+E lombaire	+G galbions	+O tablions
ABIJMNN	+N ballotin	**ABILMOS**	+L baillons	**ABILNSU**
+E benjamin	**ABILLOU**	+C comblais	ballions	+E inusable
ABIJMRS	+R brouilla	+E abolimes	+M amblions	nebulisa
+E jambiers	+S bousilla	bemolisa	blamions	+P subalpin
ABIJNOS	**ABILLPS**	+I mobilisa	+O bolonais	**ABILNTU**
+C jacobins	+E pliables	+N amblions	+R blairons	+J jubilant
ABIJNPS	**ABILLQU**	blamions	rablions	+O ablution
+A panjabis	+E bequilla	+P plombais	rosalbin	oubliant
ABIJNTU	**ABILLRR**	**ABILMOT**	+S balisons	+P publiant
+L jubilant	+E brailler	+C comblait	blasions	+R tribunal
ABIJORS	brillera	+P plombait	sablions	**ABILNTV**
+L jabloirs	**ABILLRS**	**ABILMOV**	+T tablions	+E bivalent
ABIJOST	brillas	+E amovible	**ABILNOT**	**ABILNUX**
+A jabotais	+A braillas	**ABILMPS**	anoblit	+O nobliaux
ABIJOTT	+D billards	+O plombais	+A ablation	**ABILOOS**
+A jabotait	+E billeras	**ABILMPT**	+E lobaient	+D diabolos
ABIJOTZ	brailles	+O plombait	+H biathlon	+N bolonais
+E jabotiez	bresilla	**ABILMRS**	+I libation	**ABILOOT**
ABIJRSU	+I brillais	lambris	+L ballotin	+N oblation
jabirus	**ABILLRT**	+E blemiras	+O oblation	**ABILOPS**
+A abjurais	brillat	remblais	+S tablions	+M plombais
ABIJRTU	+A braillat	**ABILMRT**	+U ablution	**ABILOPT**
+A abjurait	+E barillet	+A trimbala	oubliant	+M plombait
ABIJRUZ	+I brillait	+E tremblai	**ABILNOU**	
+E abjuriez	+N brillant	trimbale	nobliau	

ABILOQS
+U biloquas
   bloquais
   obliquas
ABILOQT
+U biloquat
   bloquait
   obliquat
ABILOQU
   biloqua
   bloquai
   obliqua
+I biloquai
   obliquai
+S biloquas
   bloquais
   obliquas
+T biloquat
   bloquat
   obliquat
ABILORR
+E barioler
ABILORS
+A aboliras
   bariolas
+C bricolas
+E barioles
   lobaires
   loberais
+J jabloirs
+N blairons
   rablions
   rosalbin
+V bolivars
ABILORT
   orbital
+A bariolat
+C bricolat
+E loberait
   oblitera
   orbitale
+T blottira
+U troublai
ABILORU
+A labourai
+E boulerai
   eblouira
   oubliera
+L brouilla
+T troublai
ABILORV
   bolivar
+S bolivars
ABILORZ
+E abolirez
   bariolez
ABILOSS
+E abolisse
   baloises
   bosselai
+N balisons
   blasions
   sablions
+U blousais
ABILOST
+D tabloids
+E abolites

+F oblatifs
+G galibots
+N tablions
+U blousait
ABILOSU
   blousai
   boulais
   oublias
+A aboulais
+C bouclais
+D doublais
+E aboulies
   boulaies
   eboulais
+I oubliais
+L bousilla
+Q biloquas
   bloquais
   obliquas
+S blousais
+T blousait
ABILOSV
+R bolivars
ABILOTT
+E bottelai
+R blottira
ABILOTU
   boulait
   oubliat
+A aboulait
+C bouclait
+D doublait
+E eboulait
+I oubliait
+N ablution
   oubliant
+Q biloquat
   bloquait
   obliquat
+R troublai
+S blousait
ABILOTV
+E oblative
ABILOUX
+N nobliaux
ABILOUZ
+E abouliez
ABILPRU
+E publiera
ABILPSS
+E passible
ABILPSU
   publias
+I publiais
+N subalpin
ABILPTU
   publiat
+I publiait
+N publiant
ABILQSU
+O biloquas
   bloquais
   obliquas
ABILQTU
+E baltique
+O biloquat
   bloquait

   obliquat
ABILRRT
+A arbitral
+E retablir
ABILRRU
+E brulerai
   rebrulai
ABILRSS
+E sabliers
ABILRST
   labrits
   tribals
+E retablis
   tabliers
   tribales
ABILRSU
   brulais
+E baliseur
   bleuiras
ABILRSV
+O bolivars
ABILRTT
+E blettira
   retablit
+O blottira
ABILRTU
   brulait
+E bluterai
+N tribunal
+O troublai
ABILRUX
+E liberaux
ABILRZZ
+D blizzard
ABILSSS
+E bilasses
   blessais
ABILSST
+E balistes
   blessait
ABILSSU
+E basileus
+M sublimas
+O blousais
ABILSTU
   blutais
+M sublimat
+O blousait
ABILSVV
+E bivalves
   vivables
ABILTTU
   blutait
ABILTUU
+C culbutai
ABIMMNS
+E nimbames
ABIMMRS
+E brimames
ABIMMRU
+E embrumai
ABIMMSU
+C cambiums
ABIMNNS
+E bannimes
ABIMNNT
   nimbant

ABIMNOR
+E abominer
+S ambrions
   bramions
ABIMNOS
   abimons
+A abominas
+C combinas
   incombas
+E abomines
+I abimions
+L amblions
   blamions
+R ambrions
   bramions
ABIMNOT
+A abominat
+C combinat
   incombat
+I ambition
ABIMNOZ
+E abominez
ABIMNRS
   birmans
   minbars
+E birmanes
   nimberas
+O ambrions
   bramions
ABIMNRT
   brimant
+E braiment
+T timbrant
ABIMNSS
+E nimbasse
ABIMNST
+A ambiants
+E nimbates
ABIMNSZ
+E zambiens
ABIMNTT
+E batiment
+R timbrant
+U bitumant
ABIMNTU
+T timbrant
ABIMOPS
+L plombais
ABIMOPT
+L plombait
ABIMORR
+E ombrerai
+V vrombira
ABIMORS
   ombrais
   sombrai
+N ambrions
   bramions
+S assombri
   sombrais
+T sombrait
ABIMORT
   ombrait
+E remboita
   retombai
   tomberai
+S sombrait

ABIMORV
+R vrombira
ABIMOSS
+E biomasse
   boisames
   embossai
+R assombri
   sombrais
ABIMOST
   tombais
+E boitames
   emboitas
   moabites
+R sombrait
ABIMOSU
+C cambouis
+E embouais
ABIMOSV
+E obviames
ABIMOTT
   tombait
+E emboitat
ABIMOTU
   boumait
+E embouait
ABIMOTZ
+E mozabite
ABIMPST
+E baptisme
ABIMQRU
+I imbriqua
ABIMRRR
+E marbrier
ABIMRRS
+A marbrais
+E barrimes
   brimeras
ABIMRRT
+A marbrait
+E timbrera
ABIMRRU
+E brumaire
ABIMRRV
+O vrombira
ABIMRRZ
+E marbriez
ABIMRSS
+E brimasse
   brisames
+O assombri
   sombrais
ABIMRST
   timbras
+E brimates
+I timbrais
+O sombrait
ABIMRSU
+A simaruba
+E baumiers
ABIMRSV
+E vibrames
ABIMRTT
   timbrat
+I timbrait
+N timbrant
ABIMRTU
   brumait

+E bitumera
ABIMSSS
+E bissames
ABIMSSU
+L sublimas
ABIMSTT
+E battimes
embattis
ABIMSTU
bitumas
+I bitumais
+L sublimat
ABIMSTZ
+E mzabites
ABIMTTT
+E embattit
ABIMTTU
bitumat
+I bitumais
+N bitumant
ABIMTUX
+E bimetaux
ABINNOR
abonnir
rabonni
+A abonnira
+E abonnie
rabonnie
+R rabonnir
+S rabonnis
+T rabonnit
ABINNOS
abonnis
+A abonnais
+D badinons
bandions
bidonnas
+E abonnies
+G baignons
+R rabonnis
ABINNOT
abonnit
+A abonnait
+B bobinant
+D bidonnat
+E betonnai
+R rabonnit
ABINNOZ
+E abonniez
ABINNRR
+O rabonnir
ABINNRS
+A banniras
+O rabonnis
ABINNRT
+O rabonnit
+U burinant
ABINNRU
+T burinant
ABINNRZ
+E bannirez
ABINNSS
+E bannisse
ABINNST
+E bannites
ABINNSV
banvins

ABINNTT
+U butinant
ABINNTU
+R burinant
+T butinant
ABINNTY
+Z byzantin
ABINNTZ
+Y byzantin
ABINNUX
+E biennaux
ABINNYZ
+T byzantin
ABINOOR
+Y bornoyai
ABINOOS
+L bolonais
+Y aboyions
ABINOOT
+L oblation
ABINOOY
+R bornoyai
+S aboyions
ABINOQU
+U bouquina
ABINORR
+E bornerai
+N rabonnir
+S barrions
+T brairont
ABINORS
borains
bornais
+A abrasion
+B barbions
+C cabrions
+D bardions
bondiras
bradions
+E baierons
boraines
enrobais
snoberai
+F bafrions
+G bigornas
+L blairons
rablions
rosalbin
+M ambrions
bramions
+N rabonnis
+R barrions
+S braisons
sabrions
+T abritons
batirons
+U subornai
+V bravions
+Z bronzais
ABINORT
bornait
+B barbotin
+E baieront
enrobait
robaient

+G bigornat
+N rabonnit
+R brairont
+S abritons
batirons
+T batiront
+Z bronzait
ABINORU
+S subornai
ABINORV
+S bravions
ABINORY
+O bornoyai
ABINORZ
bronzai
+S bronzais
+T bronzait
ABINOSS
baisons
basions
bonsais
snobais
+I baisions
biaisons
sainbois
+L balisons
blasions
sablions
+R braisons
brasions
sabrions
+S baissons
+T bastions
obstinas
+U abusions
ABINOST
bastion
bations
boisant
obstina
snobait
+C cabotins
+D bastidon
+E obtenais
+H habitons
+I obstinai
+L tablions
+R abritons
batirons
+S bastions
obstinas
+T battions
obstinat
ABINOSU
+B babouins
+D boudinas
daubinos
+G baguions
+R subornai
+S abusions
ABINOSV
bavions
+E obvenais
+R bravions
ABINOSY
bayions
+O aboyions

ABINOSZ
+R bronzais
ABINOTT
+E obtenait
+R batiront
+S battions
obstinat
ABINOTU
+D boudinat
+L ablution
oubliant
ABINOTV
obviant
+E obvenait
ABINOTX
+E boxaient
ABINOTZ
+R bronzait
ABINOUU
+Q bouquina
ABINOUX
+L nobliaux
ABINPSU
+L subalpin
ABINPTU
+L publiant
ABINQRT
+U briquant
ABINQRU
+E banquier
+S briquant
ABINQST
+U bisquant
ABINQSU
+A banquais
+E banquise
basquine
+T bisquant
ABINQTU
+A banquait
+R briquant
+S bisquant
ABINQUU
+O bouquina
ABINQUZ
+E banquiez
ABINRRS
+O barrions
+U bruniras
ABINRRT
+O brairont
ABINRRU
brunira
+E bruinera
burinera
rubanier
+I brunirai
+S bruniras
ABINRSS
brassin
+C scribans
+E bassiner
+O braisons
brasions
sabrions
+S brassins

+T brisants
ABINRST
brisant
+A baratins
braisant
+E abstenir
braisent
brisante
+O abritons
batirons
+S brisants
+U turbinas
+V vibrants
ABINRSU
burinas
urbains
+A urbanisa
+C rubicans
+E urbaines
urbanise
+I burinais
+O subornai
+R bruniras
+T turbinas
ABINRSV
+O bravions
+T vibrants
ABINRSZ
+O bronzais
ABINRTT
+A abritant
+E abritent
batirent
+M timbrant
+O batiront
+U biturant
bruitant
tribunat
turbinat
ABINRTU
bruinat
burinat
turbina
+E butanier
butinera
urbanite
+G briguant
+I bruinait
burinait
turbinai
+L tribunal
+N burinant
+Q briquant
+S turbinas
+T biturant
bruitant
tribunat
turbinat
ABINRTV
vibrant
+E abrivent
+S vibrants
ABINRTY
+E barytine
ABINRTZ
+O bronzait

ABINRZZ
+A zanzibar
ABINSSS
  bassins
+A bassinas
+E bassines
  binasses
+O baissons
+R brassins
+Y abyssins
ABINSST
  abstins
  bissant
+A baissant
  bassinat
+E abstiens
  baissent
  bassinet
+G bastings
+O bastions
  obstinas
+R brisants
ABINSSU
+O abusions
ABINSSY
  abyssin
+E abyssine
+S abyssins
ABINSSZ
+E bassinez
ABINSTT
  abstint
+E abstient
+O battions
  obstinat
ABINSTU
  butinas
+E entubais
+I butinais
+Q bisquant
+R turbinas
ABINSTV
+R vibrants
ABINTTT
+U titubant
ABINTTU
  butinat
+E butaient
  entubait
  tubaient
+I butinait
+M bitumant
+N butinant
+R biturant
  bruitant
  tribunat
  turbinat
+T titubant
+Z bizutant
ABINTTZ
+U bizutant
ABINTUV
+E buvaient
ABINTUZ
+T bizutant
ABINTYZ
+N byzantin

ABIOORS
+T robotisa
ABIOORT
+S robotisa
ABIOORY
+N bornoyai
ABIOOST
+R robotisa
ABIOOSY
+N aboyions
ABIOPRS
+H prohibas
ABIOPRT
+H prohibat
ABIOQSU
+L biloquas
  bloquais
  obliquas
ABIOQTU
+L biloquat
  bloquait
  obliquat
ABIOQUU
+N bouquina
ABIORRS
+A arborais
+E broieras
  resorbai
  roberais
+N barrions
+T biarrots
+U bourrais
ABIORRT
  biarrot
+A arborait
+E biarrote
  rabioter
  roberait
+N brairont
+S biarrots
+U bourrait
ABIORRU
  bourrai
+A rabrouai
+E ebourrai
+F fourbira
+G rabougri
+S bourrais
+T bourrait
ABIORRV
+M vrombira
ABIORRZ
+E arboriez
ABIORSS
  brossai
+E boiseras
  bosserai
  isobares
  reboisas
+M assombri
  sombrais
+N braisons
  brasions
+S brossais
+T brossait
ABIORST

  rabiots
+A rabiotas
  rabotais
+C abricots
+E baisoter
  boiteras
  rabiotes
  reboisat
  sabotier
+F abortifs
+M sombrait
+N abritons
  batirons
+O robotisa
+R biarrots
+S brossait
+T battoirs
+U broutais
  obstruai
  obturais
+V vibratos
ABIORSU
+C caribous
  courbais
+E ebrouais
+N subornai
+R bourrais
+T broutais
  obstruai
  obturais
ABIORSV
  bavoirs
+A bavarois
+E observai
  obvieras
+L bolivars
+N bravions
+T vibratos
ABIORSX
+E boxerais
ABIORSY
  broyais
ABIORSZ
  barzois
+N bronzais
ABIORTT
  battoir
+A abattoir
  rabiotat
  rabotait
+E botterai
  taborite
+L blottira
+N batiront
+S battoirs
+U broutais
  obturait
ABIORTU
  aboutir
  broutai
  obturai
+A rabotai
  rabotau
+C courbait
+E bouterai
  ebrouait
+L troublai

+R bourrait
+S broutais
  obstruai
  obturais
+T broutait
  obturait
+U bouturai
+X orbitaux
ABIORTV
  vibrato
+E abortive
+S vibratos
ABIORTX
+E boxerait
+U orbitaux
ABIORTY
  broyait
ABIORTZ
+E rabiotez
  rabotiez
+N bronzait
ABIORUU
+T bouturai
ABIORUX
+T orbitaux
ABIOSSS
  bossais
+E boisasse
+N baissons
+R brossais
+U bossuais
ABIOSST
  bossait
+A baisotas
  sabotais
+E baisotes
  boisates
  boitasse
+N bastions
  obstinas
+R brossait
+U bossuait
ABIOSSU
  bossuai
+E auboises
  boisseau
+L blousais
+N abusions
+S boussais
+T bossuait
ABIOSSV
+E obviasse
ABIOSTT
  bottais
+A baisotat
  sabotait
+E boitates
+N battions
  obstinat
+R battoirs
ABIOSTU
  aboutis
  boutais
+A aboutais
+E eboutais
+H hautbois
+L blousait

+R broutais
+S broutais
  obstruai
  obturais
+S bossuait
ABIOSTV
+E obviates
+R vibratos
ABIOSTZ
+E baisotez
  sabotiez
+C bivouacs
ABIOTTT
  bottait
ABIOTTU
  aboutit
  boutait
+A aboutait
+E eboutait
+R broutait
  obturait
ABIOTUU
+R bouturai
ABIOTUX
+R orbitaux
ABIOTUZ
+E aboutiez
ABIPRRV
+E pervibra
ABIPRSS
+E bipasser
ABIPRST
+E baptiser
+I bipartis
ABIPSSS
+A bipassas
+E bipasses
ABIPSST
+A baptisas
  bipassat
+E baptises
ABIPSSZ
+E bipassez
ABIPSTT
+A baptisat
+E baptiste
ABIPSTZ
+E baptisez
ABIQRRU
+E barrique
  briquera
ABIQRSU
  briquas
+A braquais
+E bisquera
  rabiques
  rebiquas
+I briquais
+U brusquai
ABIQRTU
  briquat
+A braquait
+E briqueta
  rebiquat
+I briquait
+N briquant

ABIQRUU
+F bifurqua
+S brusquai
ABIQRUZ
+E braquiez
ABIQSSU
 bisquas
+A basquais
+E basiques
+I bisquais
ABIQSTU
 bisquat
+I bisquait
+N bisquant
ABIQSUU
+R brusquai
ABIRRRS
+A barriras
ABIRRRT
+E arbitrer
ABIRRRZ
+E barrirez
ABIRRSS
+E barrisse
 brasiers
 briseras
ABIRRST
+A arbitras
+E arbitres
 barrites
+O biarrots
ABIRRSU
+E beurrais
+N bruniras
+O bourrais
ABIRRSV
+E vibreras
ABIRRSZ
+E bizarres
ABIRRTT
+A arbitrat
ABIRRTU
 abrutir
+A abrutira
+E beurrait
 biturera
 bruitera
 retribua
+O bourrait
ABIRRTZ
+E arbitrez
ABIRSSS
+A brassais
+E bisseras
 brisasse
+N brassins
+O brossais
ABIRSST
+A abstrais
 brassait
+E brisates
+N brisants
+O brossait
ABIRSSU
 rasibus
 subiras
+I subirais

ABIRSSV
+E vibrasse
ABIRSSZ
+E brassiez
ABIRSTT
+A abstrait
 battrais
 rabattis
+E rebattis
+O battoirs
ABIRSTU
 abrutis
 bituras
 bruitas
+E abruties
 buterais
 ebruitas
 rebutais
 tubaires
 tuberais
+F arbustif
+I biturais
 bruitais
 subirait
+N turbinas
+O broutais
 obstruai
 obturais
ABIRSTV
+E vibrates
+N vibrants
+O vibratos
ABIRSTY
+E sybarite
ABIRSUU
+Q brusquai
ABIRTTT
+A battrait
 rabattit
+E rebattit
+U attribut
ABIRTTU
 abrutit
 biturat
 bruitat
+A attribua
+E attribue
 buterait
 butterai
 ebruitat
 rebutait
 titubera
 tuberait
+I biturait
 bruitait
+N biturant
 bruitant
 tribunat
 turbinat
+O broutait
 obturait
+T attribut
ABIRTTZ
+E battriez
ABIRTUU
+O bouturai
ABIRTUX

 tribaux
+O orbitaux
ABIRTUZ
+E bizutera
ABIRUUX
+A biauraux
ABISSSS
+E bisasses
 bissasse
ABISSST
+E bassiste
 batisses
 bissates
+U subsista
ABISSSU
+O bossuais
+T subsista
ABISSSY
+N abyssins
ABISSTT
+E batistes
 battisse
ABISSTU
+O bosswait
+S subsista
ABISSTZ
+E batissez
ABISSUU
+G subaigus
ABISSUV
+E abusives
ABISTTT
+E battites
ABISTTU
 buttais
 titubas
+I titubais
ABISTUX
+E bauxites
 bestiaux
ABISTUZ
 bizutas
+I bizutais
ABITTTU
 buttait
 titubat
+I titubait
+N titubant
+R attribut
ABITTUZ
 bizutat
+I bizutait
+N bizutant
ABITUUX
+C cubitaux
ABJLNTU
+I jubilant
ABJLORS
+I jabloirs
ABJLOSU
+E jouables
ABJMNOS
 jambons
ABJMOOR
+E jeroboam
ABJMOSS
+E jamboses

ABJNOOS
+T jabotons
ABJNOOT
+S jabotons
ABJNORS
+U abjurons
ABJNORU
+S abjurons
ABJNOST
+O jabotons
ABJNOSU
+R abjurons
ABJNOTT
+A jabotant
+E jabotent
ABJNRSU
+O abjurons
ABJNRTU
+A abjurant
+E abjurent
ABJOOST
+N jabotons
ABJORSU
+N abjurons
ABJORSY
+E bajoyers
ABJRSTU
+E jubartes
ABJSUUU
+G subjugua
ABKNRSU
+U bunrakus
ABKNRUU
 bunraku
+S bunrakus
ABKNSUU
+R bunraku
ABKOOSZ
+A bazookas
ABKRSUU
+N bunrakus
ABLLNNO
+A ballonna
+E ballonne
ABLLNOS
 ballons
+I baillons
 ballions
ABLLNRT
+I brillant
ABLLNST
+A ballants
ABLLOOS
+C collabos
ABLLOOT
+F football
ABLLORS
+D bollards
ABLLORU
+I brouilla
ABLLOST
 ballots
+E ballotes
ABLLOSU
+E louables

+I bousilla
ABLLOSV
+E solvable
ABLLOTT
+A ballotta
+E ballotte
ABLLSST
+A ballasts
ABLLSSU
+Y syllabus
ABLLSSY
+E syllabes
+U syllabus
ABLLSTU
+A blastula
ABLLSUY
+S syllabus
ABLLSWY
+A wallabys
ABLMMOS
+E sommable
ABLMMUY
+C cymbalum
ABLMNOP
+T plombant
ABLMNOS
 amblons
 blamons
+F flambons
+I amblions
 blamions
ABLMNOT
+C comblant
+P plombant
ABLMNPT
+O plombant
ABLMNST
+E semblant
ABLMNSU
+E albumens
ABLMNTU
+A ambulant
+E meublant
ABLMOOS
+G lombagos
+T tombolas
ABLMOOT
 tombola
+S tombolas
ABLMOPR
+E plombera
ABLMOPS
 aplombs,
 plombas
+E palombes
+I plombais
ABLMOPT
 plombat
+I plombait
+N plombant
ABLMOPY
+E amblyope
ABLMORS
+D lombards
ABLMOST
+E tombales
+O tombolas

ABLMOSU
mabouls
+E boulames
maboules
+G lumbagos
ABLMRST
+E tremblas
ABLMRSU
+A labarums
+E ambleurs
brulames
ABLMRTT
+E tremblat
ABLMSSU
+I sublimas
ABLMSTU
+E blutames
mutables
+I sublimat
ABLNNOO
+U boulonna
ABLNNOR
+S branlons
ABLNNOS
+A blasonna
+E blasonne
+R branlons
ABLNNOU
+O boulonna
ABLNNRS
+O branlons
ABLNNRT
+A branlant
+E branlent
ABLNOOS
+I bolonais
+U aboulons
ABLNOOT
+I oblation
ABLNOOU
+N boulonna
+S aboulons
ABLNOPR
+E planorbe
ABLNOPT
+M plombant
ABLNOQT
+U bloquant
ABLNOQU
+T bloquant
ABLNORS
rablons
+G barlongs
+I blairons
rablions
rosalbin
+N branlons
ABLNOSS
blasons
sablons
+I balisons
blasions
sablions
ABLNOST
tablons
+E notables
+I tablions

+U blousant
ABLNOSU
+F fabulons
+G blaguons
+O aboulons
+T blousant
ABLNOSY
+A balayons
ABLNOTU
boulant
+A aboulant
+C bouclant
+D doublant
+E aboulent
eboulant
+I ablution
oubliant
+Q bloquant
+S blousant
ABLNOUW
+G bungalow
ABLNOUX
+I nobliaux
ABLNPSU
+I subalpin
ABLNPTU
+I publiant
ABLNQTU
+O bloquant
ABLNRST
+U brulants
ABLNRSU
+T brulants
ABLNRTU
brulant
+E brulante
+I tribunal
+S brulants
ABLNSST
+E blessant
ABLNSTU
+O blousant
+R brulants
ABLNTTU
blutant
ABLOOST
+M tombolas
ABLOOSU
+N aboulons
ABLOOTT
+U boulotta
ABLOOTU
+C caboulot
+T boulotta
ABLOOUU
+B bouboula
ABLOPRT
+E portable
ABLOPST
+E potables
ABLOQRU
+E bloquera
ABLOQSU
bloquas
+I biloquas
bloquais
obliquas

ABLOQTU
bloquat
+I biloquat
bloquait
obliquat
+N bloquant
ABLORRU
+C carburol
+D roublard
+E labourer
ABLORST
+A albatros
+E sortable
+U troublas
ABLORSU
labours
+A labouras
+D balourds
loubards
+E blousera
bouleras
laboures
rouables
+T troublas
ABLORSV
+I bolivars
ABLORTT
+I blottira
+U troublat
ABLORTU
troubla
+A labourat
+E traboule
+I troublai
+S troublas
+T troublat
ABLORUV
+E ouvrable
ABLORUZ
+E labourez
ABLOSSS
+E bosselas
lobasses
ABLOSST
+E bosselat
ABLOSSU
absolus
blousas
+E absolues
boulasse
+I blousais
ABLOSSV
+E absolves
ABLOSTT
+E bottelas
ABLOSTU
blousat
+E boulates
+I blousait
+N blousant
+R troublas
ABLOSTV
+E bavolets
ABLOSUU
+C bouscula
ABLOSVZ
+E absolvez

ABLOTTT
+E bottelat
ABLOTTU
+O boulotta
+R troublat
ABLOUUX
+E bouleaux
ABLRRSU
+A saburral
+E bruleras
rebrulas
ABLRRTU
+E rebrulat
ABLRSSU
+E brulasse
sableurs
salubres
ABLRSTU
burlats
+E balustre
bluteras
brulates
brutales
+N brulants
+O troublas
ABLRTTU
+O troublat
ABLSSTU
+E blutasse
ABLSSUY
+L syllabus
ABLSTTU
+E blutates
ABLSTUU
+C culbutas
ABLTTUU
+C culbutat
ABMMORS
+E ombrames
ABMMOST
+E tombames
ABMMRSU
+E embrumas
ABMMRTU
+E embrumat
ABMNOPT
+L plombant
ABMNORR
+S marbrons
ABMNORS
ambrons
bramons
+C cambrons
+E bornames
+I ambrions
bramions
+R marbrons
+T sombrant
ABMNORT
ombrant
+S sombrant
ABMNOSS
+E snobames
ABMNOST
+R sombrant
+T tombants

ABMNOTT
tombant
+E tombante
+S tombants
ABMNOTU
+E embouant
ABMNRRS
+O marbrons
ABMNRRT
+A marbrant
+E marbrent
ABMNRST
+O sombrant
ABMNRTT
+I timbrant
ABMNRUY
+G rugbyman
ABMNSTT
+O tombants
ABMNTTU
+I bitumant
ABMOOST
+L tombolas
ABMOQUU
+E embouqua
ABMORRS
+E ombreras
sombrera
+N marbrons
ABMORRU
+E embourra
ABMORRV
+I vrombira
ABMORSS
sombras
+E ombrasse
+I assombri
sombrais
ABMORST
sombrat
+E bromates
ombrates
retombas
tomberas
+I sombrait
+N sombrant
+U tambours
ABMORSU
+T tambours
ABMORSY
+E broyames
ABMORTT
+E retombat
ABMORTU
tambour
+A marabout
+S tambours
ABMOSSS
+E bossames
ABMOSST
+E embossat
ABMOSTT
+E bottames
etambots
tombates
+N tombants

ABMOSTU	
+E	boutames
+R	tambours
ABMOSTW	
	wombats
ABMOTTU	
+C	combattu
ABMOTUX	
+E	tombeaux
ABMQSUU	
+E	embusqua
ABMRRRU	
+E	marbrure
ABMRRSU	
+E	marrubes
ABMRSSU	
+A	brumassa
+E	brumasse
ABMRSTU	
+A	masturba
+E	masturbe
+O	tambours
ABMRSUY	
	baryums
ABMSTTU	
+E	buttames
	embattus
ABNNNOO	
+S	abonnons
ABNNNOS	
+O	abonnons
ABNNNOT	
+A	abonnant
+E	abonnent
	banneton
ABNNOOS	
+D	abondons
+N	abonnons
ABNNOOT	
+U	boutonna
ABNNOOU	
+G	bougonna
+L	boulonna
+T	boutonna
ABNNOQS	
+U	banquons
ABNNOQU	
+S	banquons
ABNNORR	
+I	rabonnir
ABNNORS	
+D	brandons
+E	baronnes
+I	rabonnis
+L	branions
ABNNORT	
	bornant
+E	enrobant
+I	rabonnit
+Z	bronzant
ABNNORZ	
+T	bronzant
ABNNOSS	
+A	basanons
ABNNOST	
	snobant
+E	betonnas

ABNNOSU	
+Q	banquons
ABNNOTT	
+A	batonnat
+E	batonnet
	betonnat
	obtenant
ABNNOTU	
+O	boutonna
ABNNOTV	
+E	obvenant
ABNNOTZ	
+R	bronzant
ABNNQSU	
+O	banquons
ABNNQTU	
+A	banquant
+E	banquent
ABNNRTU	
+E	brunante
+I	burinant
ABNNRTZ	
+O	bronzant
ABNNTTU	
+E	entubant
+I	butinant
ABNNTYZ	
+I	byzantin
ABNOORR	
+S	arborons
ABNOORS	
+D	abordons
+R	arborons
+T	rabotons
+Y	bornoyas
ABNOORT	
+S	rabotons
+Y	bornoyat
ABNOORY	
	bornoya
+I	bornoyai
+S	bornoyas
+T	bornoyat
ABNOOSS	
+T	sabotons
ABNOOST	
+C	cabotons
+J	jabotons
+R	rabotons
+S	sabotons
+U	aboutons
ABNOOSU	
+D	adoubons
+F	bafouons
+L	aboulons
+T	aboutons
ABNOOSY	
	aboyons
+I	aboyions
+R	bornoyas
ABNOOTU	
+N	boutonna
+S	aboutons
ABNOOTY	
+R	bornoyat
ABNOPRS	
+T	probants

ABNOPRT	
	probant
+E	probante
+S	probants
ABNOPST	
+R	probants
ABNOQRS	
+U	braquons
ABNOQRU	
+S	braquons
ABNOQSU	
+N	banquons
+R	braquons
ABNOQTU	
+L	bloquant
ABNOQUU	
+I	bouquina
ABNORRS	
	barrons
+E	borneras
+M	marbrons
+O	arborons
ABNORRT	
+A	arborant
+E	arborent
+I	brairont
+U	bourrant
ABNORRU	
+T	bourrant
ABNORRZ	
+E	bronzera
ABNORSS	
	brasons
	sabrons
+A	abrasons
+E	baserons
	bornasse
	ebrasons
	snoberas
+I	braisons
	brasions
	sabrions
+S	brassons
+T	brossant
+U	subornas
ABNORST	
+E	baronets
	baseront
	baterons
	bornates
+I	abritons
	batirons
+M	sombrant
+O	rabotons
+P	probants
+S	brossant
+T	battrons
+U	subornat
+Y	barytons
ABNORSU	
	suborna
+I	subornai
+J	abjurons
+Q	braquons
+S	subornas
+T	subornat

ABNORSV	
	bravons
+E	baverons
+I	bravions
ABNORSY	
	baryons
+O	bornoyas
+T	barytons
ABNORSZ	
	bronzas
+I	bronzais
ABNORTT	
+A	rabotant
+E	bateront
	betatron
	rabotent
ABNORTU	
+C	courbant
+E	ebrouant
+R	bournant
+S	subornat
+T	broutant
+U	runabout
ABNORTV	
+E	baveront
	bevatron
ABNORTY	
	baryton
	broyant
+E	bayeront
+O	bornoyat
+S	barytons
ABNORTZ	
	bronzat
+I	bronzait
+N	bronzant
ABNORUU	
+T	runabout
ABNOSSS	
	bassons
+E	bonasses
	snobasse
+I	baissons
+R	brassons
ABNOSST	
	bossant
+E	snobates
+I	bastions
	obstinas
+O	sabotons
+R	brossant
+U	bossuant
ABNOSSU	
	abusons
+I	abusions
+R	subornas
+T	bossuant
ABNOSSY	
+A	sabayons
ABNOSTT	

	battons
+A	abattons
	sabotant
+E	ebattons
	sabotent
+I	battions
	obstinat
+M	tombants
+R	battrons
ABNOSTU	
	bantous
+E	bantoues
+G	bougnats
+L	blousant
+O	aboutons
+R	subornat
+S	bossuant
ABNOSTY	
+R	barytons
ABNOTTT	
	bottant
+R	battront
ABNOTTU	
	boutant
+A	aboutant
+E	aboutent
	eboutant
+R	broutant
	obturant
ABNOTUU	
+R	runabout
ABNPRST	
+O	probants
ABNQRSU	
+O	braquons
ABNQRTU	
+A	braquant
+E	braquent
+I	briquant
ABNQSTU	
+E	banquets
+I	bisquant
ABNRRSU	
+I	bruniras
ABNRRTU	
+E	beurrant
	brunatre
+O	bourrant
ABNRSSS	
+E	bressans
+I	brassins
+O	brassons
ABNRSST	
+A	brassant
+E	brassent
+I	brisants
+O	brossant
ABNRSSU	
+O	subornas
ABNRSTT	
+O	battrons
ABNRSTU	
	bruants
	turbans
+I	turbinas
+L	brulants
+O	subornat

+Y bruyants
ABNRSTV
+I vibrants
ABNRSTY
+O barytons
+U bruyants
ABNRSUU
+K bunrakus
ABNRSUY
+T bruyants
ABNRTTT
+O battront
ABNRTTU
+E rebutant
+I biturant
  bruitant
  tribunat
  turbinat
+O broutant
  obturant
ABNRTUU
+O runabout
ABNRTUY
  bruyant
+E bruyante
+S bruyants
ABNSSSY
+I abyssins
ABNSSTU
+E abstenus
+O bossuant
ABNSTTT
+A battants
ABNSTUY
+R bruyants
ABNTTTU
  buttant
+I titubant
ABNTTUZ
+I bizutant
ABOORRS
+N arborons
ABOORST
+I robotisa
+N rabotons
ABOORSU
+D subodora
ABOORSY
+N bornoyas
ABOORTY
+N bornoyat
ABOOSST
+N sabotons
ABOOSTU
+N aboutons
ABOOTTU
+L boulotta
ABOOTTY
+C boycotta
ABOPQTU
+E paquebot
ABOPRST
+N probants
ABOQRSU
+E baroques
+N braquons
ABORRRU

+E bourrera
  rabrouer
ABORRSS
+E braseros
  brossera
  resorbas
ABORRST
  barrots
+C brocarts
+E resorbat
+I biarrots
ABORRSU
  bourras
+A rabrouas
+E ebourras
  rabroues
+I bourrais
ABORRTT
+U broutart
ABORRTU
  bourrat
+A rabrouat
+D broutard
+E broutera
  ebourrat
  obturera
  raboteur
  rabouter
+I bourrait
+N bourrant
+T broutart
ABORRUU
+E bourreau
ABORRUV
+E bravoure
ABORRUZ
+E rabrouez
ABORSSS
  brossas
+E bosseras
  robasses
ABORSST
  brossat
+I brossait
+N brossant
+U obstruas
ABORSSU
+E arbouses
  bossuera
+N subornas
+S borassus
+T obstruas
ABORSSV
+E observas
ABORSSY
+E broyasse
ABORSTT
+E botteras
+I battoirs
+N battrons
+U obstruat
ABORSTU
  broutas
  obstrua

  obturas
+A raboutas
+E bouteras
  raboutes
+I broutais
  obstruai
  obturais
+L troublas
+M tambours
+N subornat
+S obstruas
+T obstruat
+U bouturas
ABORSTV
+E observat
+I vibratos
ABORSTY
+E broyates
+N barytons
ABORSUU
+T bouturas
ABORSUY
+E aboyeurs
ABORTTT
+N battront
ABORTTU
  broutat
  obturat
+A raboutat
+E tabrouet
  tabouret
+I broutait
  obturait
+L troublat
+N broutant
  obturant
+R broutart
+S obstruat
+U bouturat
ABORTUU
  boutura
+C courbatu
+I bouturai
+N runabout
+S bouturas
+T bouturat
ABORTUX
+E raboteux
+I orbitaux
ABORTUZ
+E raboutez
ABOSSSS
+E bossasse
ABOSSST
+E bossates
ABOSSSU
  bossuas
+I bossuais
+R borassus
ABOSSSX
+E boxasses
ABOSSTT
+E bottasse
ABOSSTU
  bossuat
+E absoutes

  boutasse
+I bossuait
+N bossuant
+R obstruas
ABOSTTT
+E bottates
ABOSTTU
+E boutates
+R obstruat
ABOSTUU
  autobus
+C boucauts
+R bouturas
ABOTTUU
+R bouturat
ABPRRTU
+E perturba
ABPRSTU
  abrupts
+E abruptes
ABQRRUU
+E braqueur
ABQRSSU
+U brusquas
ABQRSTU
+E braquets
+U brusquat
ABQRSUU
  brusqua
+I brusquai
+S brusquas
+T brusquat
ABQRTUU
+S brusquat
ABQSSUU
+R brusquas
ABQSTUU
+R brusquat
ABRRRSU
+E barreurs
ABRRSSU
+E brasseur
  brasures
  sabreurs
ABRRTTU
+O broutart
ABRSSSU
+O borassus
ABRSSTT
+U substrat
ABRSSTU
  abstrus
+E abstruse
  arbustes
+O obstruas
+T substrat
ABRSSUU
+Q brusquas
ABRSTTU
+A rabattus
+E batteurs
  battures
  butteras
  rebattus
+O obstruat
+S substrat
ABRSTUU

+O bouturas
+Q brusquat
ABRSTUY
+N bruyants
ABRSUUX
  surbaux
ABRTTTU
+I attribut
ABRTTUU
+O bouturat
ABRTTUY
+E butyrate
ABRTUUX
  brutaux
ABSSSTU
+E butasses
ABSSTTU
+E buttasse
+R substrat
ABSSUXY
+A abyssaux
ABSTTTU
+E buttates
ACCCEET
+A cactacee
ACCCEHO
+R accroche
+U accouche
ACCCEHR
+O accroche
ACCCEHU
+O accouche
ACCCEOR
+H accroche
ACCCEOS
+U coaccuse
ACCCEOU
+H accouche
+S coaccusa
ACCCESU
+O coaccuse
ACCCHHU
+A cachucha
ACCCHOR
+A accroche
+E accroche
ACCCHOU
+A accoucha
+E accouche
ACCCNOO
+T concocta
ACCCNOT
+O concocta
ACCCOOT
+N concocta
ACCCORR
  raccroc
ACCCORS
  accrocs
ACCCOSU
+E coaccuse
ACCDDEE
+I dedicace
ACCDDEI
+A dedicaca

+E dedicace
ACCDEEE
+N cadencee
ACCDEEI
+D dedicace
+Z accediez
ACCDEEL
+R decercla
ACCDEEN
  cadence
+E cadencee
+R cadencer
+S cadences
+T accedent
+Z cadencez
ACCDEEO
+R accordee
+U accoudee
ACCDEER
  acceder
+A accedera
+L decercla
+N cadencer
+O accordee
ACCDEES
  accedes
+A saccadee
+N cadences
+U caducees
ACCDEET
+N accedent
ACCDEEU
  caducee
+O accoudee
+S caducees
ACCDEEZ
  accedez
+I accediez
+N cadencez
ACCDEHI
+O decochai
ACCDEHL
+O caldoche
ACCDEHO
  decocha
+I decochai
+L caldoche
+R decrocha
+S decochas
+T decochat
+U decoucha
ACCDEHR
+O decrocha
ACCDEHS
+O decochas
ACCDEHT
+O decochat
ACCDEHU
+O decoucha
ACCDEIN
+A cadencai
+O concedai
  decoinca
+T accident
ACCDEIO
+H decochai
+N concedai

  decoinca
ACCDEIS
+A accedais
+U succedai
ACCDEIT
+A accedait
+N accident
+U caducite
ACCDEIU
+S succedai
+T caducite
ACCDEIZ
+E accediez
ACCDELO
+A accolade
+H caldoche
ACCDELR
+E decercla
ACCDELY
+A cycadale
ACCDENO
  conceda
+I concedai
  decoinca
+S accedons
  concedas
+T concedat
ACCDENR
+E cadencer
ACCDENS
+A cadencas
+E cadences
+O accedons
ACCDENT
+A accedant
  cadencat
+E accedent
+I accident
+O concedat
ACCDENZ
+E cadencez
ACCDEOR
  accorde
  cocarde
+E accordee
+H decrocha
+R accorder
  raccorde
+S accordes
  cocardes
+U accouder
+Z accordez
ACCDEOS
+H decochas
+N accedons
  concedas
+R accordes
  cocardes
+U accoudes
ACCDEOT
+H decochat
+N concedat
ACCDEOU
  accoude
+E accoudee
+H decoucha

+R accouder
+S accoudes
+Z accoudez
ACCDEOZ
+R accordez
+U accoudez
ACCDERR
+A cacarder
+O accorder
  raccorde
ACCDERS
+A cacardes
  cascader
+O accordes
  cocardes
ACCDERU
+O accouder
ACCDERZ
+A cacardez
+O accordez
ACCDESS
+A cascades
  saccades
+U succedas
ACCDEST
+U succedat
ACCDESU
  succeda
+E caducees
+I succedai
+O accoudes
+S succedas
+T succedat
ACCDESZ
+A cascadez
ACCDETU
+I caducite
+S succedat
ACCDEUZ
+O accoudez
ACCDHIO
+E decochai
ACCDHIR
+U archiduc
ACCDHIU
+R archiduc
ACCDHLO
+E caldoche
+R clochard
ACCDHLR
+O clochard
ACCDHOR
+E decrocha
+L clochard
ACCDHOS
+E decochas
ACCDHOT
+E decochat
ACCDHOU
+E decoucha
ACCDHRU
+I archiduc
ACCDIIN
+O coincida
ACCDIIO
+N coincida
ACCDINO

+E concedai
  decoinca
+I coincida
ACCDINT
+E accident
ACCDIOR
+A accordai
ACCDIOU
+A accoudai
ACCDIRU
+H archiduc
ACCDISU
+E succedai
ACCDITU
+E caducite
ACCDLOR
+H clochard
ACCDNOO
+R concorda
ACCDNOR
+O concorda
ACCDNOS
+E concedas
  concedas
ACCDNOT
+E concedat
ACCDOOR
+N concorda
ACCDORR
  raccord
+A raccorda
+E accorder
  raccorde
+S raccords
ACCDORS
  accords
+A accordas
+E accordes
  cocardes
+R raccords
ACCDORT
+A accordat
ACCDORU
+E accouder
ACCDORZ
+E accordez
ACCDOSU
+A accoudas
+E accoudes
ACCDOTU
+A accoudat
ACCDOUZ
+E accoudez
ACCDRRS
+A raccards
+O raccords
ACCDSSU
+E succedas
ACCDSTU
+E succedat
ACCEEEH
+N echeance
+T cachetee
ACCEEEI
+R ericacee
ACCEEEL
+R accelere

ACCEEEN
+D cadencee
+H echeance
+R carencee
ACCEEEP
+T acceptee
ACCEEER
+A aceracee
+I ericacee
+L accelere
+N carencee
+T cretacee
ACCEEET
+H cachetee
+P acceptee
+R cretacee
ACCEEFF
+I efficace
ACCEEFI
+F efficace
ACCEEGL
+R cerclage
ACCEEGO
+R ecorcage
ACCEEGR
+L cerclage
+O ecorcage
ACCEEGS
+A saccagee
ACCEEHI
+N chicanee
+X cachexie
ACCEEHL
  caleche
+N chancele
+S caleches
ACCEEHM
+P campeche
ACCEEHN
+E echeance
+I chicanee
+L chancele
+R echancre
ACCEEHP
+M campeche
ACCEEHR
  crachee
+N echancre
+R crechera
  recrache
+S crachees
+T cacheter
  ceterach
+Z cacherez
ACCEEHS
  cachees
+L caleches
+R crachees
+T cachetes
ACCEEHT
  cachete
+E cachetee
+R cacheter
  ceterach
+S cachetes
+T cachette
+Z cachetez

ACCEEHX
+I cachexie
ACCEEHZ
+R cacherez
+T cachetez
ACCEEIL
+M calcemie
+N calcinee
+S ecclesia
ACCEEIM
  micacee
+L calcemie
+S micacees
ACCEEIN
+H chicanee
+L calcinee
+V vaccinee
ACCEEIR
+E ericacee
+R cercaire
+T circaete
ACCEEIS
+L ecclesia
+M micacees
ACCEEIT
+R circaete
ACCEEIV
+N vaccinee
ACCEEIX
+H cachexie
ACCEEJZ
+D accediez
ACCEEJN
+O joncacee
ACCEEJO
+N joncacee
ACCEELL
+U calculee
ACCEELM
+A acclamee
+I calcemie
ACCEELN
  cenacle
+H chancele
+I calcinee
+R encercla
+S cenacles
ACCEELO
  accolee
+S accolees
  coalesce
ACCEELR
+A accelera
+D decercla
+E accelere
+G cerclage
+N encercla
+R cerclera
  recercla
ACCEELS
+A caecales
+H caleches
+I ecclesia
+N cenacles
+O accolees
  coalesce
+U acculees

ACCEELU
  acculee
+L calculee
+S acculees
ACCEEMP
+H campeche
ACCEEMS
+I micacees
ACCEENO
+J joncacee
+R cornacee
ACCEENR
  carence
  creance
+D cadencer
+E carencee
+H echancre
+L encercla
+O cornacee
+R carencer
+S carences
  creances
+Z carencez
ACCEENS
+D cadences
+L cenacles
+R carences
  creances
+T acescent
ACCEENT
+B bectance
+D accedent
+S acescent
+U accentue
ACCEENU
+T accentue
ACCEENV
+I vaccinee
ACCEENZ
+D cadencez
+R carencez
ACCEEOR
+D accordee
+G ecorcage
+N cornacee
+R ecorcera
ACCEEOS
+L accolees
  coalesce
+T accostee
  accottees
ACCEEOT
  accotee
+A cacaotee
+S accostee
  accottees
ACCEEOU
+D accoudee
ACCEEPR
+T accepter
ACCEEPS
+T accestes
ACCEEPT
  accepte
+E acceptee
+R accepter
+S acceptes

+Z acceptez
ACCEEPZ
+T acceptez
ACCEERR
+H crechera
  recrache
+I cercaire
+L cerclera
  recercla
+N carencer
+O ecorcera
ACCEERS
+H crachees
+N carences
  creances
+T cretaces
ACCEERT
  cretace
+E cretacee
+H cacheter
  ceterach
+I circaete
+P accepter
+S cretaces
ACCEERU
  cerceau
+X cerceaux
ACCEERX
+U cerceaux
ACCEERZ
+H cacherez
+N carencez
ACCEESS
+U accusees
ACCEEST
  cactees
  cetaces
+H cachetes
+N acescent
+O accostee
  accottees
+P acceptes
+R cretaces
ACCEESU
  accusee
+D caducees
+L accules
+S accusees
ACCEETT
  coalesce
+H cachette
ACCEETU
+N accentue
ACCEETZ
+H cachetez
+P acceptez
ACCEEUX
+R cerceaux
ACCEFFI
+E efficace
ACCEFII
+L calcifie
ACCEFIL
+I calcifie
ACCEFIR
+T factrice
ACCEFIS
+T factices

ACCEFIT
  factice
+R factrice
+S factices
ACCEFRT
+I factrice
ACCEFST
+I factices
ACCEGHI
+L clichage
ACCEGHL
+I clichage
ACCEGHO
+U couchage
ACCEGHU
+O couchage
ACCEGIL
+H clichage
ACCEGIN
+O coincage
ACCEGIO
+N coincage
ACCEGLO
+A accolage
ACCEGLR
+E cerclage
ACCEGNO
  cocagne
+A acconage
+I coincage
ACCEGOR
+E ecorcage
ACCEGOS
+U cocuages
ACCEGOU
  cocuage
+H couchage
+S cocuages
ACCEGRS
+A saccager
ACCEGSS
+A saccages
ACCEGSU
+O cocuages
ACCEGSZ
+A saccagez
ACCEHHI
  chechia
+R cherchai
+S chechias
ACCEHHR
  chercha
+I cherchai
+S cherchas
+T cherchat
ACCEHHS
+I chechias
+R cherchas
ACCEHHT
+R cherchat
ACCEHIL
  caliche
+G clichage
+R clichera
+S caliches
ACCEHIN
  caniche

  chicane
+E chicanee
+O encochai
+R chicaner
  crachine
+S caniches
  chicanes
+Z chicanez
ACCEHIO
+D decochai
+N encochai
+R cocherai
  ecorchai
ACCEHIR
  crechai
+A cacherai
+H cherchai
+L clichera
+N chicaner
  crachine
+O cocherai
  ecorchai
+S crechais
+T crechait
+Z crachiez
ACCEHIS
+H chechias
+L caliches
+N caniches
  chicanes
+R crechais
+V viscache
ACCEHIT
+A cachetai
+R crechait
ACCEHIV
+S viscache
ACCEHIX
+E cachexie
ACCEHIZ
+N chicanez
+R crachiez
ACCEHLN
  chancel
+A chancela
+E chancele
+S chancels
ACCEHLO
+D caldoche
+R clochera
ACCEHLR
+I clichera
+O clochera
ACCEHLS
+E caleches
+I caliches
+N chancels
ACCEHMO
+S cochames
ACCEHMP
+E campeche
ACCEHMS
+A cachames
+O cochames
ACCEHNN
+O chaconne

ACCEHNO
chacone
encocha
+I encochai
+N chaconne
+S chacones
encochas
+T encochat

ACCEHNR
chancre
+A echancra
+E echancre
+I chicaner
crachine
+S chancres
+T crachent
crechant

ACCEHNS
canches
chances
+I caniches
chicanes
+L chancels
+O chacones
encochas
+R chancres

ACCEHNT
cachent
+O encochat
+R crachent
crechant

ACCEHNU
chacune
+X chanceux

ACCEHNX
+U chanceux

ACCEHNZ
+I chicanez

ACCEHOR
cochera
ecorcha
+C accroche
+D decrocha
+I cocherai
ecorchai
+L clochera
+R crochera
+S cocheras
ecorchas
+T crachote
crocheta
ecorchat
+U couchera
recoucha

ACCEHOS
coaches
sacoche
+B caboches
+D decochas
+M cochames
+N chacones
encochas
+R cocheras
ecorchas
+S cochasse
sacochas
+T cochates

ACCEHOT
+D decochat
+N encochat
+R crachote
crocheta
ecorchat
+S cochates

ACCEHOU
+C accouche
+D decoucha
+G couchage
+R couchera
recoucha

ACCEHPS
+U capuches
capuche
+S capuches

ACCEHRR
cracher
+A crachera
recracha
+E crechera
recrache
+O crochera
+U cracheur

ACCEHRS
craches
crechas
+A cacheras
+E crachees
+H cherchas
+I crechais
+N chancres
+O cocheras
ecorchas
+T scratche

ACCEHRT
crechat
+E cacheter
ceterach
+H cherchat
+I crechait
+N crachent
crechant
+O crachote
crocheta
ecorchat
+S scratche
+U catcheur
charcute

ACCEHRU
+O couchera
recoucha
+R cracheur
+T catcheur
charcute

ACCEHRV
+A cravache

ACCEHRZ
crachez
+E cacherez
+I crachiez

ACCEHSS
+A cachasse
+O cochasse
sacoches

ACCEHST
cachets
+A cachates
cachetas
+E cachetes
+O cochates
+R scratche

ACCEHSU
+P capuches

ACCEHSV
+I viscache

ACCEHTT
+A cachetat
+E cachette

ACCEHTU
+R catcheur
charcute

ACCEHTZ
+E cachetez

ACCEHUX
+N chanceux

ACCEIIL
+F calcifie
+N licencia
+R eclairci

ACCEIIN
+L licencia

ACCEIIR
+L eclairci

ACCEIIS
+N accisien

ACCEILL
+R clerical
+U calicule

ACCEILM
+A accalmie
+E calcemie

ACCEILN
calcine
+E calcinee
+I licencia
+R calciner
+S calcines
+U canicule
+V clavecin
+Z calcinez

ACCEILO
+Z accoliez

ACCEILQ
+U calcique

ACCEILR
cerclai
+A calcaire
+H clichera
+I eclairci
+L clerical
+N calciner
+S cerclais
+T cerclait
+U cruciale
+V cervical
+Y recyclai

ACCEILS
calices
+E ecclesia
+H caliches
+N calcines
+R cerclais
+T calcites
+U accueils

ACCEILT
calcite
+R cerclait
+S calcites

ACCEILU
accueil
+L calicule
+N canicule
+Q calcique
+R cruciale
+S accueils
+Z acculiez

ACCEILV
+N clavecin
+R cervical

ACCEILY
+R recyclai

ACCEILZ
+N calcinez
+O accoliez
+U acculiez

ACCEIMO
+S cacosmie

ACCEIMS
micaces
+E micaces
+O cacosmie

ACCEINO
cocaine
+D concedai
decoinca
+G coincage
+H encochai
+R acconier
coincera
+S cocaines
+T accointe
occitane

ACCEINP
+U capucine

ACCEINR
+A carencai
+H chicaner
crachine
+L calciner
+O acconier
coincera
+V vacciner

ACCEINS
+H caniches
chicanes
+I accisien
+L calcines
+O cocaines
+V vaccines

ACCEINT
+D accident
+O accointe
occitane

ACCEINU
+L canicule
+P capucine

ACCEINV
vaccine
+E vaccinee
+L clavecin
+R vacciner
+S vaccines
+Z vaccinez

ACCEINZ
+H chicanez
+L calcinez
+V vaccinez

ACCEIOR
coriace
ecorcai
+H cocherai
ecorchai
+N acconier
coincera
+R accroire
+S coriaces
ecorcais
scoriace
+T ecorcait

ACCEIOS
+M cacosmie
+N cocaines
+R coriaces
ecorcais
scoriace

ACCEIOT
+N accointe
occitane
+R ecorcait
+Z accotiez

ACCEIOZ
+L accoliez
+T accotiez

ACCEIPR
caprice
+S caprices

ACCEIPS
+R caprices

ACCEIPT
+A acceptai
capacite

ACCEIPU
+N capucine

ACCEIQS
+U caciques

ACCEIQU
cacique
+L calcique
+S caciques

ACCEIRR
+E cercaire
+O accroire

ACCEIRS
+H crechais
+L cerclais
+O coriaces
ecorcais
scoriace
+P caprices
+T actrices

ACCEIRT
actrice
+E circaete
+F factrice

+H crechait
+L cerclait
+O ecorcait
+S actrices
ACCEIRU
+L cruciale
ACCEIRV
+L cervical
+N vacciner
ACCEIRY
+L recyclai
ACCEIRZ
+H crachiez
ACCEISS
accises
+T accessit
ACCEIST
+F factices
+L calcites
+R actrices
+S accessit
ACCEISU
+D succedai
+L accueils
+Q caciques
+Z accusiez
ACCEISV
+H viscache
+N vaccines
ACCEISZ
+U accusiez
ACCEITU
+D caducite
ACCEITZ
+O accotiez
ACCEIUZ
+L acculiez
+S accusiez
ACCEIVZ
+N vaccinez
ACCEJNO
+E joncacee
ACCEJNT
+A jactance
ACCEKRR
cracker
+S crackers
ACCEKRS
+R crackes
ACCELLO
+A cloacale
+T collecta
ACCELLR
+I clerical
+U calculer
ACCELLS
+U calcules
ACCELLT
+O collecta
ACCELLU
calcule
+E calculee
+I calicule
+R calculer
+S calcules
+Z calculez
ACCELLY

+B cyclable
ACCELLZ
+U calculez
ACCELMN
+Y cyclamen
ACCELMR
+A acclamer
ACCELMS
+A acclames
ACCELMU
+U accumule
ACCELMY
+N cyclamen
ACCELMZ
+A acclamez
ACCELNO
calecon
+S calecons
+T accolent
+V conclave
ACCELNR
+E encercla
+I calciner
+T cerclant
ACCELNS
cancels
+A cancales
+E cenacles
+H chancels
+I calcines
+O calecons
+Y cyclanes
ACCELNT
+O accolent
+R cerclant
ACCELNU
+I canicule
+T acculent
ACCELNV
+I clavecin
+O conclave
ACCELNY
cyclane
+M cyclamen
+S cyclanes
ACCELNZ
+I calcinez
ACCELOO
+S colocase
ACCELOP
+U accouple
ACCELOR
accoler
+A accolera
caracole
+H clochera
ACCELOS
accoles
+A coalesca
+E accolees
+N calecons
+O colocase
+T cacolets
ACCELOT
cacolet

+L collecta
+N accolent
+S cacolets
ACCELOU
+P accouple
ACCELOV
+N conclave
ACCELOZ
accolez
+I accoliez
ACCELPU
+O accouple
ACCELQU
+I calcique
ACCELRR
+A carceral
+E cerclera
recercla
ACCELRS
carcels
cerclas
+I cerclais
+Y recyclas
ACCELRT
cerclat
+I cerclait
+N cerclant
+Y recyclat
ACCELRU
acculer
+A acculera
+I cruciale
+L calculer
ACCELRV
+I cervical
ACCELRY
recycla
+I recyclai
+S recyclas
+T recyclat
ACCELSS
+A laccases
+U saccules
ACCELST
+I calcites
+O cacolets
ACCELSU
accules
saccule
+B buccales
+E accolees
+I accueils
+L calcules
+S saccules
ACCELSY
+N cyclanes
+R recyclas
ACCELTU
+N acculent
ACCELTY
+R recyclat
ACCELUU
+M accumule
ACCELUZ
acculez
+I acculiez
+L calculez

ACCEMMN
+O commenca
ACCEMMO
+N commenca
+R commerca
ACCEMMR
+O commerca
ACCEMNO
+M commenca
ACCEMNY
+L cyclamen
ACCEMOP
+T compacte
ACCEMOR
+M commerca
ACCEMOS
+H cochames
+I cacosmie
ACCEMOT
+P compacte
ACCEMPT
+O compacte
ACCEMRS
+U accrumes
ACCEMRU
+S accrumes
ACCEMSU
caecums
+R accrumes
ACCEMUU
+L accumule
ACCENNO
+H chaconne
+R concerna
+T connecta
ACCENNR
+A cancaner
+O concerna
ACCENNS
+A cancanes
ACCENNT
+O connecta
ACCENNZ
+A cancanez
ACCENOR
+E cornacee
+I acconier
coincera
+N concerna
+S consacre
+T concerta
ecorcant
+V concevra
+Y croyance
ACCENOS
+D accedons
concedas
+H chacones
encochas
+I cocaines
+L calecons
+R consacre
+S concasse
+V cavecons
concaves
ACCENOT
+D concedat

+H encochat
+I accointe
occitane
+L accolent
+N connecta
+R concerta
ecorcant
+T accotent
contacte
ACCENOV
cavecon
concave
+L conclave
+R concevra
+S cavecons
concaves
ACCENOY
+R croyance
ACCENPR
+A pancrace
ACCENPU
+I capucine
ACCENRR
+E carencer
ACCENRS
cancers
cancres
+A carencas
+E carences
creances
+H chancres
+O consacre
ACCENRT
+A carencat
+H crachent
crechant
+L cerclant
+O concerta
ecorcant
ACCENRV
+I vacciner
+O concevra
ACCENRY
+O croyance
ACCENRZ
+E carencez
ACCENSS
+O concasse
ACCENST
accents
+E acescent
+U accusent
ACCENSU
+T accusent
ACCENSV
+A vacances
+I vaccines
+O cavecons
concaves
ACCENSY
+L cyclanes
ACCENTT
+O accotent
contacte
ACCENTU
+A accentua
+E accentue

+L acculent
+S accusent
ACCENUX
+H chanceux
ACCENVZ
+I vaccinez
ACCEOOS
+L colocase
ACCEOPR
+U occupera
  reoccupa
ACCEOPT
+M compacte
ACCEOPU
+L accouple
+R occupera
  reoccupa
ACCEORR
+D accorder
  raccorde
+E ecorcera
+H crochera
+I accroire
ACCEORS
  accores
  ecorcas
+D accordes
  cocardes
+H cocheras
  ecorchas
+I coriaces
  ecorcais
  scoriace
+N consacre
+T accortes
  accoster
+U accoures
ACCEORT
  accorte
  accoter
  ecorcat
+A accotera
+H crachote
  crochate
  ecorchat
+I ecorcait
+N concerta
  ecorcant
+S accortes
  accoster
+U accoutre
ACCEORU
  accoure
+D accoudera
+H couchera
  recoucha
+P occupera
  reoccupa
+S accoures
+T accoutre
+U accourue
+Z accourez
ACCEORV
+N concevra
ACCEORY
+A cacaoyer
+N croyance

ACCEORZ
+D accordez
+U accourez
ACCEOSS
  cocasse
  occases
+H cochasse
  sacoches
+N concasse
+S cocasses
+T accostez
ACCEOST
  accoste
  accotes
+A cacaotes
  cacatoes
+E accostee
  accotees
+H cochates
+L cacolets
+R accortes
  accoster
+S accostes
+Z accostez
ACCEOSU
+C coaccuse
+D accoudes
+G cocuages
+R accoures
ACCEOSV
+N cavecons
  concaves
ACCEOSZ
+T accostez
ACCEOTT
  toccate
+N accotent
  contacte
ACCEOTU
+R accoutre
ACCEOTZ
  accotez
+I accotiez
+S accostez
ACCEOUU
+R accourue
ACCEOUZ
+D accoudez
+R accourez
ACCEPRS
+I caprices
ACCEPRT
+E accepter
ACCEPRU
+O occupera
  reoccupa
ACCEPST
+A acceptas
+E acceptes
ACCEPSU
  capuces
+H capuches
ACCEPTT
+A acceptat
ACCEPTZ
+E acceptez
ACCEQSU

+I caciques
ACCERRS
+K crackers
ACCERRU
+H cracheur
ACCERSS
+A carcasse
+U accrusse
ACCERST
+E cretaces
+H scratche
+I actrices
+O accortes
  accoster
+U accrutes
  crustace
ACCERSU
  accrues
  accuser
+A accusera
+M accrumes
+O accoures
+S accrusse
+T accrutes
  crustace
ACCERSY
+L recyclas
ACCERTU
+H catcheur
  charcute
+O accoutre
+S accrutes
  crustace
ACCERTY
+L recyclat
ACCERUU
+O accourue
ACCERUX
+E cerceaux
ACCERUZ
+O accourez
ACCESSS
+O cocasses
ACCESST
+I accessit
+O accostes
ACCESSU
  accuses
+D succedas
+E accusees
+L saccules
+R accrusse
ACCESTU
+D succedat
+N accusent
+R accrutes
  crustace
ACCESTZ
+O accostez
ACCESUZ
  accusez
+I accusiez
ACCFIIL
+E calcifie
ACCFIIO
+U cocufiai
ACCFIIR

+U crucifia
ACCFIIS
+T siccatif
ACCFIIT
+S siccatif
ACCFIIU
+O cocufiai
+R crucifia
ACCFIOS
+U cocufias
ACCFIOT
+U cocufiat
ACCFIOU
  cocufia
+I cocufiai
+S cocufias
+T cocufiat
ACCFIRT
+E factrice
ACCFIRU
+I crucifia
ACCFIST
+E factices
+I siccatif
ACCFISU
+O cocufias
ACCFITU
+O cocufiat
ACCFOSU
+I cocufias
ACCFOTU
+I cocufiat
ACCGHIL
+E clichage
ACCGHOU
+E couchage
ACCGIKN
+R cracking
ACCGIKR
+N cracking
ACCGINO
+E coincage
+T cotignac
ACCGINR
+K cracking
ACCGINT
+O cotignac
ACCGIOT
+N cotignac
ACCGKNR
+I cracking
ACCGNOS
  cognacs
ACCGNOT
+I cotignac
ACCGOSU
+E cocuages
ACCHHHI
+S hachisch
  haschich
ACCHHHS
+I hachisch
  haschich
ACCHHIK
+B bakchich
ACCHHIR
+E cherchai

ACCHHIS
+E chechias
+H hachisch
  haschich
ACCHHOS
+U chaouchs
ACCHHOT
+U chuchota
ACCHHOU
  chaouch
+S chaouchs
+T chuchota
ACCHHRS
+E cherchas
ACCHHRT
+E cherchat
ACCHHSU
+O chaouchs
ACCHHTU
+O chuchota
ACCHIIL
  clichai
+S clichais
+T clichait
ACCHIIN
+A chicanai
ACCHIIO
+R ricochai
+T chicotai
ACCHIIR
+O ricochai
ACCHIIS
+L clichais
ACCHIIT
+L clichait
+O chicotai
ACCHILN
+T clichant
ACCHILO
  clochai
+S clochais
+T clochait
ACCHILR
+E clichera
ACCHILS
  clichas
+E caliches
+I clichais
+O clochais
ACCHILT
  clichat
+I clichait
+N clichant
+O clochait
ACCHINO
  chicano
+E encochai
+S cachions
  chicanos
ACCHINR
  chancir
  crachin
+A chancira
  crachina
+E chicaner
  crachine
+S crachins

ACCHINS	**ACCHIRZ**	+E chancres	**ACCHRRU**	**ACCIISY**
chancis	+E crachiez	+I crachins	+E cracheur	+L cyclisai
+A chicanas	**ACCHIST**	+O crachons	**ACCHRSS**	**ACCIKLO**
+E caniches	+O chicotas	**ACCHNRT**	+T scratchs	+T cocktail
chicanes	scotchai	+A crachant	**ACCHRST**	**ACCIKLT**
+O cachions	**ACCHISU**	+E crachent	scratch	+O cocktail
chicanos	+O cauchois	crechant	+A crachats	**ACCIKNR**
+R crachins	couchais	+O crochant	scratcha	+G cracking
ACCHINT	**ACCHISV**	**ACCHNTU**	+E scratche	**ACCIKOT**
chancit	+E viscache	+O couchant	+S scratchs	+L cocktail
+A chicanat	**ACCHITT**	**ACCHNUX**	**ACCHRTU**	**ACCIKRR**
+L clichant	+O chicotat	+E chanceux	+A charcuta	carrick
ACCHINZ	**ACCHITU**	**ACCHOOT**	+E catcheur	+S carricks
+E chicanez	+O couchait	+L chocolat	charcute	**ACCIKRS**
ACCHIOR	**ACCHLNO**	**ACCHOPU**	**ACCHSST**	+R carricks
crochai	+T clochant	+N capuchon	+O scotchas	**ACCILLR**
ricocha	**ACCHLNS**	**ACCHORR**	+R scratchs	+E clerical
+E cocherai	+E chancels	+E crochera	**ACCHSTT**	**ACCILLU**
ecorchai	**ACCHLNT**	+I crachoir	+O scotchat	+A calculai
+I ricochai	+I clichant	**ACCHORS**	**ACCIILN**	+E calicule
+R crachoir	+O clochant	crochas	+A calcinai	**ACCILMO**
+S crochais	**ACCHLOO**	+E cocheras	+E licencia	+P accompli
ricochas	+T chocolat	ecorchas	+O concilia	**ACCILMP**
+T crochait	**ACCHLOR**	+I crochais	+T clinicat	+O accompli
ricochat	+D clochard	ricochas	**ACCIILO**	**ACCILMS**
ACCHIOS	+E clochera	+N crachons	+N concilia	+U calciums
cochais	**ACCHLOS**	**ACCHORT**	**ACCIILR**	**ACCILMU**
+L clochais	clochas	crochat	+E eclairci	calcium
+N cachions	+I clochais	+A crachota	+U circulai	+S calciums
chicanos	**ACCHLOT**	+E crachote	**ACCIILS**	**ACCILNO**
+R crochais	clochat	crocheta	+H clichais	+I concilia
ricochas	+A clachot	ecorchat	+Y cyclisai	**ACCILNR**
scotchai	+I clochait	+I crochait	**ACCIILT**	+E calciner
+T chicotas	+N clochant	ricochat	+H clichait	**ACCILNS**
+U cauchois	+O chocolat	+N crochant	+N clinicat	calcins
couchais	**ACCHMOS**	**ACCHORU**	**ACCIILU**	+A calcinas
ACCHIOT	+E cochames	+E couchera	+R circulai	+E calcines
chicota	**ACCHNNO**	recoucha	**ACCIILY**	**ACCILNT**
cochait	+E chaconne	**ACCHOSS**	+S cyclisai	+A calcinat
+I chicotai	+O cochonne	+E cochasse	**ACCIINO**	+H clichant
+L clochait	**ACCHNOO**	sacoches	coincai	+I clinicat
+R crochait	+B cabochon	+T scotchas	+D coincida	**ACCILNU**
ricochat	+N cochonna	**ACCHOST**	+L concilia	+E canicule
+S chicotas	**ACCHNOP**	cachots	+S coincais	**ACCILNV**
scotchai	+U capuchon	scotcha	+T coincait	+A vaccinal
+T chicotat	**ACCHNOR**	+E cochates	**ACCIINS**	+E clavecin
+U couchait	+S crachons	+I chicotas	+E accisien	**ACCILNZ**
ACCHIOU	+T crochant	scotchai	+O coincais	+E calcinez
couchai	**ACCHNOS**	+S scotchas	**ACCIINT**	**ACCILOP**
+S cauchois	cachons	+T scotchat	+L clinicat	+M accompli
couchais	+E chacones	**ACCHOSU**	+O coincait	**ACCILOR**
+T couchait	encochas	cachous	**ACCIINV**	+T cortical
ACCHIRR	+I cachions	choucas	+A vaccinai	+U occlurai
+O crachoir	chicanos	+H chaouchs	**ACCIIOR**	**ACCILOS**
ACCHIRS	+R crachons	+I cauchois	+H ricochai	+A accolais
+A crachais	**ACCHNOT**	**ACCHOTT**	**ACCIIOS**	+H clochais
+E crechais	cochant	+I chicotat	+N coincais	+T calicots
+N crachins	+E encochat	+S scotchat	**ACCIIOT**	+U occluais
+O crochais	+L clochant	**ACCHOTU**	+H chicotai	**ACCILOT**
ricochas	+R crochant	couchat	+N coincait	calicot
ACCHIRT	+U couchant	+H chuchota	**ACCIIOU**	+A accolait
+A crachait	**ACCHNOU**	+N couchant	+F cocufiai	+H clochait
+E crechait	+P capuchon		**ACCIIRU**	+K cocktail
+O crochait	+T couchant		+F crucifia	+R cortical
ricochat	**ACCHNPU**		+L circulai	+S calicots
ACCHIRU	+O capuchon		**ACCIIST**	+U occluait
+D archiduc	**ACCHNRS**		+F siccatif	occultai

ACCILOU	**ACCINNV**	+E accroire	+L circulas	**ACCLNOT**
+R occlurai	+O convainc	+H crachoir	**ACCIRTT**	+A accolant
+S occluais	**ACCINOO**	+U accourir	+R trictrac	+E accolent
+T occluait	+S occasion	**ACCIORS**	**ACCIRTU**	+H clochant
occultai	**ACCINOR**	accrois	+L circulat	+U occluant
ACCILOZ	+E acconier	+A cariocas	**ACCIRUU**	**ACCLNOU**
+E accolliez	coincera	+E coriaces	+X cruciaux	+R conclura
ACCILQU	**ACCINOS**	ecorcais	**ACCIRUX**	+S acculons
+E calcique	coincas	scoriace	+U cruciaux	+T occluant
ACCILRS	+E cocaines	+H crochais	**ACCISST**	**ACCLNOV**
+E cerclais	+H cachions	ricochas	+E accessit	+E conclave
+U circulas	chicanos	**ACCIORT**	**ACCISSU**	**ACCLNOY**
ACCILRT	+I coincais	accroit	+A accusais	+L cyclonal
+E cerclait	+O occasion	+E ecorcait	**ACCISSY**	**ACCLNRT**
+O cortical	+T occitans	+H crochait	+L cyclisas	+E cerclant
+U circulat	**ACCINOT**	ricochat	**ACCISTU**	**ACCLNRU**
ACCILRU	coincat	+L cortical	+A accusait	+O conclura
circula	occitan	+O accotoir	**ACCISTY**	**ACCLNSU**
crucial	+A accointa	**ACCIORU**	+L cyclisat	+O acculons
+E cruciale	+E accointe	+L occlurai	**ACCISUZ**	**ACCLNSY**
+I circulai	occitane	+P accroupi	+E accusiez	+E cyclanes
+O occlurai	+G cotignac	+R accourir	**ACCIUUX**	**ACCLNTU**
+S circulas	+I coincait	**ACCIOST**	+R cruciaux	+A acculant
+T circulat	+N coincant	+A accostai	**ACCJORU**	+E acculent
ACCILRV	+S occitans	accotais	+A carcajou	+O occluant
+E cervical	**ACCINOV**	cacatois	**ACCKLOS**	**ACCLOOR**
ACCILRY	+N convainc	+H chicotas	+B colbacks	+T colcotar
+E recyclai	**ACCINPS**	scotchai	**ACCKLOT**	**ACCLOOS**
ACCILSS	+U capucins	+L calicots	+I cocktail	+E colocase
+Y cyclisas	**ACCINPU**	+N occitans	**ACCKRRS**	+N accolons
ACCILST	capucin	**ACCIOSU**	+E crackers	**ACCLOOT**
+E calcites	+E capucine	+F cocufias	+I carricks	+H chocolat
+O calicots	+S capucins	+H cauchois	**ACCLLNO**	+R colcotar
+Y cyclisat	**ACCINRS**	couchais	+Y cyclonal	**ACCLOPU**
ACCILSU	+H crachins	+L occluais	**ACCLLNY**	+A accoupla
+A acculais	**ACCINRV**	+P occupais	+O cyclonal	+E accouple
+E accueils	+E vacciner	**ACCIOTT**	**ACCLLOT**	**ACCLORS**
+M calciums	**ACCINST**	+A accotait	+E collecta	+U occluras
+O occluais	+O occitans	+H chicotat	**ACCLLOY**	**ACCLORT**
+R circulas	**ACCINSU**	**ACCIOTU**	+N cyclonal	+I cortical
ACCILSY	+P capucins	+F cocufiat	**ACCLLRU**	+O colcotar
cyclisa	**ACCINSV**	+H couchait	+E calculer	**ACCLORU**
+I cyclisai	vaccins	+L occluait	**ACCLLSU**	occlura
+S cyclisas	+A vaccinas	occultai	calculs	+I occlurai
+T cyclisat	+E vaccines	+P occupait	+A calculas	+N conclura
ACCILTU	**ACCINTV**	**ACCIOTZ**	+E calcules	+S occluras
+A acculait	+A vaccinat	+E accotiez	**ACCLLTU**	**ACCLOST**
+O occluait	**ACCINVZ**	**ACCIPRS**	+A calculat	+E cacolets
occultai	+E vaccinez	+E caprices	**ACCLLUZ**	+I calicots
+R circulat	**ACCIOOR**	**ACCIPRU**	+E calculez	+U occultas
ACCILTY	+T accotoir	+O accroupi	**ACCLMNY**	**ACCLOSU**
+S cyclisat	**ACCIOOS**	**ACCIPSU**	+E cyclamen	+I occluais
ACCILUZ	+N occasion	+N capucins	**ACCLMOP**	+N acculons
+E acculiez	**ACCIOOT**	+O occupais	+I accompli	+R occluras
ACCIMMS	+R accotoir	**ACCIPTU**	**ACCLMSU**	+T occultas
micmacs	**ACCIOPR**	+O occupait	+I calciums	**ACCLOTT**
ACCIMOP	+U accroupi	**ACCIQSU**	**ACCLMUU**	+U occultat
+L accompli	**ACCIOPS**	+E caciques	+A accumula	**ACCLOTU**
ACCIMOS	+U occupais	**ACCIRRS**	+E accumule	occulta
+E cacosmie	**ACCIOPT**	+K carricks	**ACCLNOO**	+I occluait
ACCIMSU	+U occupait	**ACCIRRT**	+S accolons	occultai
+L calciums	**ACCIOPU**	+T trictrac	**ACCLNOR**	+N occluant
ACCINNO	occupai	**ACCIRRU**	+U conclura	+S occultas
+T coincant	+R accroupi	+O accourir	**ACCLNOS**	+T occultat
+V convainc	+S occupais	**ACCIRST**	+E calecons	**ACCLOUX**
ACCINNT	+T occupait	+E actrices	+O accolons	+A cloacaux
+O coincant	**ACCIORR**	**ACCIRSU**	+U acculons	

ACCLRSU
+A caraculs
+I circulas
+O occluras
ACCLRSY
+E recyclas
ACCLRTU
+I circulat
ACCLRTY
+E recyclat
ACCLSSU
+E saccules
ACCLSSY
+I cyclisas
ACCLSTU
+O occultas
ACCLSTY
+I cyclisat
ACCLTTU
+O occultat
ACCMMNO
+E commenca
ACCMMOR
+E commerca
ACCMOPS
+T compacts
ACCMOPT
compact
+E compacte
+S compacts
ACCMOST
+P compacts
ACCMOSU
+B succomba
ACCMPST
+O compacts
ACCMRSU
+E accrumes
+U curcumas
ACCMRUU
curcuma
+S curcumas
ACCMSUU
+R curcumas
ACCNNOO
+H cochonna
ACCNNOR
+E concerna
ACCNNOT
+E connecta
+I coincant
ACCNNOV
+I convainc
ACCNOOR
+D concorda
ACCNOOS
+I occasion
+L accolons
+T accotons
ACCNOOT
+C concocta
+S accotons
ACCNOPT
+U occupant
ACCNOPU
+H capuchon
+T occupant

ACCNORS
cornacs
+A consacra
+E consacre
+H crachons
ACCNORT
+E concerta
ecorcant
+H crochant
ACCNORU
+L conclura
ACCNORV
+E concevra
ACCNORY
+E croyance
ACCNOSS
+A concassa
+E concasse
+U accusons
ACCNOSV
+E cavecons
concaves
ACCNOTT
contact
+A accotant
contacta
+E accotent
contacte
+S contacts
ACCNOTU
+H couchant
+L occluant
+P occupant
ACCNPSU
+I capucins
ACCNPTU
+O occupant
ACCNSSU
+O accusons
ACCNSTT
+O contacts
ACCNSTU
+A accusant
+E accusent
ACCOORT
+I accotoir
+L colcotar
ACCOOST
+N accotons
ACCOPRU
+E occupera
reoccupa
+I accroupi
ACCOPST
+M compacts
ACCOPSU
occupas
+I occupais
ACCOPTU
occupat

+I occupait
+N occupant
ACCORRS
+D raccords
ACCORRU
+A accourra
+I accourir
ACCORST
+E accostes
accoster
ACCORSU
accours
+A curacaos
+E accoures
+L occluras
+U accourus
ACCORTU
accourt
+A accoutra
+E accoutre
+U accourut
ACCORUU
accouru
+E accourue
+S accourus
+T accourut
ACCORUZ
+E accourez
ACCOSSS
+E cocasses
ACCOSST
+A accostas
+E accostes
+H scotchas
ACCOSSU
+N accusons
ACCOSTT
+A accostat
staccato
toccatas
+H scotchat
+N contacts
ACCOSTU
+L occultas
ACCOSTZ
+E accostez
ACCOSUU
+R accourus
ACCOTTU
+L occultat
ACCOTUU
+R accourut
ACCRRTT
+I trictrac
ACCRSST
+H scratchs
ACCRSSU
+E accrusse
ACCRSTU
+E accrutes
crustace
ACCRSUU
+M curcumas
+O accourus
ACCRTUU
+O accourut
ACCRUUX

+I cruciaux
ACDDEEE
+R decadree
decaedre
decedera
ACDDEEG
+O decodage
ACDDEEI
decedai
+C dedicace
+R decidera
+S decedais
+T decedait
ACDDEEN
+T decadent
decadant
ACDDEEO
+G decodage
+P decapode
+R decodera
ACDDEEP
+O decapode
ACDDEER
decadre
+E decadree
decaedre
decedera
+I decidera
+O decodera
+R decadrer
+S decadres
+Z decadrez
ACDDEES
decades
decedas
+I decedais
+R decadres
ACDDEET
decedat
+I decedait
+N decadent
decedant
ACDDEEZ
+R decadrez
ACDDEGO
+E decodage
ACDDEHR
cheddar
+S cheddars
ACDDEHS
+R cheddars
ACDDEII
decidai
diacide
+S decidais
diacides
+T decidait
ACDDEIN
candide
+S candides
+T decidant
ACDDEIO
decodai
+R decordai
+S decodais
+T decodait
ACDDEIR

+A decadrai
+E decidera
+O decordai
ACDDEIS
caddies
decadis
decidas
+E decedais
+I decidais
diacides
+N candides
+O decodais
ACDDEIT
decidat
+E decedait
+I decidait
+N decidant
+O decodait
ACDDENO
+T decodant
ACDDENS
+I candides
ACDDENT
+E decadent
decedant
+I decidant
+O decodant
ACDDEOP
+E decapode
ACDDEOR
decorda
+E decodera
+I decodai
+S decordas
+T decordat
+U decoudra
ACDDEOS
decodas
+I decodais
+R decordas
ACDDEOT
decodat
+I decodait
+N decodant
+R decordat
ACDDEOU
+R decoudra
ACDDERR
+E decadrer
ACDDERS
+A decadras
+E decadres
+H cheddars
+O decordas
ACDDERT
+A decadrat
+O decordat
ACDDERU
+O decoudra
ACDDERZ
+E decadrez
ACDDHKO
haddock
+S haddocks
ACDDHKS
+O haddocks

ACDDHOS
+K haddocks
ACDDHRS
+E cheddars
ACDDIIS
+E decidais
   diacides
ACDDIIT
+E decidait
ACDDINS
+A candidas
+E candides
ACDDINT
+A candidat
+E decidant
ACDDIOR
+E decordai
ACDDIOS
+E decodais
ACDDIOT
+E decodait
ACDDKOP
   paddock
+S paddocks
ACDDKOS
+H haddocks
+P paddocks
ACDDKPS
+O paddocks
ACDDNOT
+E decodant
ACDDOPS
+K paddocks
ACDDORS
+E decordas
ACDDORT
+E decordat
ACDDORU
+E decoudra
ACDEEEG
+L deglacee
+P depecage
ACDEEEH
+B debachee
+T detachee
+U echaudee
ACDEEEL
   decalee
   delacee
+G deglacee
+M declamee
+P decapele
   deplacee
+R decelera
   declaree
+S decalees
   delacees
ACDEEEM
+L declamee
+P decampee
ACDEEEN
+C cadencee
+R encadree
+T decantee
+V devancee
ACDEEEP
   decapee

+G depecage
+L decapele
   deplacee
+M decampee
+R depecera
+S decapees
ACDEEER
+D decadree
   decaedre
   decedera
+L decelera
   declaree
+N encadree
+P depecera
+R recardee
   recedera
+X excedera
ACDEEES
+L decalees
   delacees
+P decapees
+V decavees
ACDEEET
+H detachee
+N decantee
ACDEEEU
+H echaudee
ACDEEEV
   decavee
+N devancee
+S decavees
ACDEEEX
+R excedera
ACDEEFI
+L deficela
+N defiance
ACDEEFL
+I deficela
ACDEEFN
+I defiance
ACDEEFR
+A cafardee
ACDEEGH
+R decharge
ACDEEGI
+L decilage
ACDEEGL
   deglace
+A decalage
+E deglacee
+I decilage
+R deglacer
+S deglaces
+Z deglacez
ACDEEGN
+O decagone
   encodage
ACDEEGO
+D decodage
+N decagone
   encodage
ACDEEGP
+A decapage
+E depecage
ACDEEGR
+H decharge
+L deglacer

ACDEEGS
+L deglaces
ACDEEGU
+V decuvage
ACDEEGV
+U decuvage
ACDEEGZ
+L deglacez
ACDEEHH
+N dehanche
ACDEEHI
   chiadee
+N dechaine
+P depechai
+S chiadees
ACDEEHL
+N chaldeen
ACDEEHM
+N demanche
+R demarche
+U dechaume
ACDEEHN
+H dehanche
+I dechaine
+L chaldeen
+M demanche
+R decharne
+T dechante
ACDEEHP
   depecha
+I depechai
+S depechas
+T depechat
ACDEEHR
   echarde
+B debacher
+G decharge
+M demarche
+N decharne
+S echardes
+T detacher
+U echauder
ACDEEHS
+B debaches
+I chiadees
+P depechas
+R echardes
+S dessecha
+T detaches
+U echaudes
ACDEEHT
   detache
+E detachee
+N dechante
+P depechat
+R detacher
+S detaches
+Z detachez
ACDEEHU
   echaude
+B debauche
+E echaudee
+M dechaume
+R echauder
+S echaudes
+Z echaudez
ACDEEHZ

+B debachez
+T detachez
ACDEEII
+R iridacee
ACDEEIL
   decelai
+F deficela
+G decilage
+M camelide
   decimale
   medicale
+R dilacere
+S decelais
+T decelait
ACDEEIM
   cadmiee
+A academie
+L camelide
   decimale
   medicale
+R decimera
+S cadmiees
ACDEEIN
+F defiance
+H dechaine
+O oceanide
+R decernai
   deracine
+T cedaient
+U audience
+V deviance
ACDEEIO
+N oceanide
ACDEEIP
   depecai
+H depechai
+R decrepai
   deprecia
   precedai
+S depecais
   dipsacee
+T decapite
   depecait
+Z decapiez
ACDEEIR
   cederai
   cedraie
   recedai
+D decidera
+I iridacee
+L dilacere
+M decimera
+N decernai
   deracine
+P decrepai
   deprecia
   precedai
+R decriera
+S cederais
   cedraies

   recedais
+T cederait
   decretai
   edictera
   recedait
+V decevrai
ACDEEIS
+D decedais
+H chiadees
+L decelais
+M cadmiees
+P depecais
   dipsacee
+R cederais
   cedraies
   recedais
+S decaisse
+T decaties
+V decevais
+X excedais
ACDEEIT
   decatie
+B debectai
+D decedait
+L decelait
   delectai
   delicate
   dialecte
+N cedaient
+P decapite
   depecait
+R cederait
   decretai
   edictera
   recedait
+S decaties
+T detectai
+V decevait
+X excedait
ACDEEIU
+L acidulee
+N audience
ACDEEIV
+N deviance
+R decevrai
+S decevais
+T decevait
ACDEEIX
   excedai
+S excedais
+T excedait
ACDEEIZ
+C accediez
+L decaliez
   delaciez
+P decapiez
ACDEELL
+S descella
ACDEELM
   declame
+E declamee
+I camelide
   decimale
   medicale
+R declamer
+S declames
   demascle

+Z declamez

ACDEELN
+A decanale
+H chaldeen
+N decennal
+S calendes
+T decalent
   decelant
   delacent

ACDEELO
+R decolera

ACDEELP
   deplace
+A decapela
+E decapele
   deplacee
+R deplacer
+S deplaces
+U depucela
+Z deplacez

ACDEELQ
+U decalque

ACDEELR
   decaler
   declare
   delacer
+A decalera
   delacera
+C decercla
+E decelera
   declaree
+G deglacer
+I dilacere
+M declamer
+O decolera
+P deplacer
+R declarer
+S declares
+U reculade
+Z declarez

ACDEELS
   decales
   decelas
   delaces
+A escalade
+B debacles
+E decalees
   delacees
+G deglaces
+I decelais
+L descella
+M declames
   demascle
+N calendes
+P deplaces
+R declares
+S declasse
+T delectas

ACDEELT
   decelat
   delecta
+I decelait
   delectai
   delicate
   dialecte
+N decalent
   decelant
   delacent
+S delectas
+T delectat

ACDEELU
+B educable
+I acidulee
+P depucela
+Q decalque
+R reculade

ACDEELZ
   decalez
   delacez
+G deglacez
+I decaliez
   delaciez
+M declamez
+P deplacez
+R declarez

ACDEEMN
+H demanche

ACDEEMP
   decampe
+E decampee
+R decamper
+S decampes
+Z decampez

ACDEEMR
+H demarche
+I decimera
+L declamer

ACDEEMS
   cedames
+I cadmiees
+L declames
   demascle
+P decampes

ACDEEMU
+H dechaume

ACDEEMZ
+L declamez
+P decampez

ACDEENN
+L decennal
+T tendance

ACDEENO
+G decagone
   encodage
+I oceanide
+R androcee
   encodera
+T anecdote

ACDEENP
+T decapent
   depecant
+U peucedan

ACDEENR
   cerdane
   decerna
   encadre
+A canardee
+C cadencer
+E encadree
+H decharne
+I decernai
   deracine
+O androcee
   encodera
+R rencarde
+S cerdanes
   decernas
   encadres
+T decanter
   decentra
   decernat
   recedant

ACDEENS
   cadenes
   scandee
+C cadences
+L calendes
+R cerdanes
   decernas
   encadres
+S scandees
+T cedantes
   decantes
+U saduceen
+V devances

ACDEENT
   cedante
   decante
+C accedent
+D decadent
   decedant
+E decantee
+H dechante
+I decaient
+L decalent
   decelant
   delacent
+N tendance
+O anecdote
+P decapent
   depecant
+R decanter
   decentra
   decernat
   recedant
+S cedantes
   decantes
+V decevant
+X excedant
+Z decantez

ACDEENU
+I audience
+P peucedan
+S saduceen

ACDEENV
   devance
+E devancee
+I deviance
+R devancer
+S devances
+T decevant
+Z devancez

ACDEENX
+T excedant

ACDEENZ
+C cadencez
+R encadrez

ACDEEOP
+D decapode
+T decapote

ACDEEOR
+C accordee
+D decodera
+L decolera
+N androcee
   encodera
+R decorera
+T octaedre

ACDEEOS
+T estocade
+U escouade

ACDEEOT
+N anecdote
+P decapote
+R octaedre
+S estocade

ACDEEOU
+C accoudee
+S escouade

ACDEEPR
   decaper
   decrepa
   preceda
+A decapera
+E depecera
+I decrepai
   deprecia
   precedai
+L deplacer
+M decamper
+S decrepas
   precedas
+T decrepat
   precedat
+U drupacee

ACDEEPS
   decapes
   depecas
+A escapade
+E decapees
+H depechas
+I depecais
   dipsacee
+L deplaces
+M decampes
+R decrepas
   precedas

ACDEEPT
   depecat
+H depechat
+I depecait
   decapite
+N decapent
   depecant
+O decapote
+R decrepat
   precedat

ACDEEPU
+L depucela
+N peucedan
+R drupacee

ACDEEPZ
   decapez
+L deplacez
+M decampez

ACDEEQU
+L decalque

ACDEERR
   cardere
   recarde
+D decadrer
+E recardee
   recedera
+I decriera
+L declarer
+N encadrer
   rencarde
+O decorera
+R recarder
+S carderes
   recardes
+Z cadrerez
   carderez
   recardez

ACDEERS
   cadrees
   cardees
   cederas
   escadre
   recedas
+D decadres
+H echardes
+I cederais
   recedais
+L declares
+N cerdanes
   decernas
   encadres
+P decrepas
   precedas
+R carderes
   recardes
+S decrasse
   escadres
+T decretas
+U cardeuse
   decreusa
+V decevras

ACDEERT
   decreta
   recedat
+H detacher
+I cederait
   decretai
   edictera
   recedait
+N decanter
   decentra
   decernat
   recedant
+O octaedre
+P decrepat
   precedat
+S decretas
+T decretat

ACDEERU
+H echauder

+L reculade
+P drupacee
+S cardeuse
   decreusa
+V decuvera
ACDEERV
   decevra
+I decevrai
+N devancer
+S decevras
+U decuvera
ACDEERX
+E excedera
ACDEERZ
+D decadrez
+L declarez
+N encadrez
+R cadrerez
   carderez
   recardez
ACDEESS
   cedasse
+H dessecha
+I decaisse
+L declasse
+N scandees
+R decrasse
   escadres
+S cedasses
ACDEEST
   cedates
+A estacade
+B debectas
+H detaches
+I decaties
+L delectas
+N cedantes
   decantes
+O estocade
+R decretas
+T cadettes
   detectas
ACDEESU
+C caducees
+H echaudes
+N saducees
+O escouade
+R cardeuse
   decreusa
ACDEESV
   decaves
+E decavees
+I decevais
+N devances
+R decevras
ACDEESX
   excedas
+I excedais
ACDEETT
   cadette
   detecta
+B debectat
+I detectai
+L delectat
+R decretat
+S cadettes
   detectas

+T detectat
ACDEETV
+I decevait
+N decevant
ACDEETX
   excedat
+I excedait
+N excedant
ACDEETZ
+H detachez
+N decantez
ACDEEUV
+G decuvage
+R decuvera
ACDEEUZ
+H echaudez
ACDEEVZ
+N devancez
ACDEFFI
+O decoiffa
ACDEFFO
+I decoiffa
+R decoffra
ACDEFFR
+O decoffra
ACDEFHI
+R defricha
ACDEFHR
+I defricha
ACDEFHU
+A echafaud
ACDEFII
+I acidifie
ACDEFIJ
+T adjectif
ACDEFIL
+E deficela
ACDEFIN
+E defiance
+O defoncai
   fecondai
ACDEFIO
+F decoiffa
+N defoncai
   fecondai
+R deforcai
ACDEFIR
+H defricha
+O deforcai
ACDEFIT
+J adjectif
+U educatif
ACDEFIU
+T educatif
ACDEFJT
+I adjectif
ACDEFNO
   defonca
   faconde
   feconda
+I defoncai
   fecondai
+R defronca
+S defoncas
   facondes
   fecondas
+T defoncat

   fecondat
ACDEFNR
+O defronca
ACDEFNS
+O defoncas
   facondes
   fecondas
ACDEFNT
+O defoncat
   fecondat
ACDEFOR
   deforca
+F decoffra
+I deforcai
+N defronca
+S deforcas
+T deforcat
ACDEFOS
+N defoncas
   facondes
   fecondas
+R deforcas
+U foucades
ACDEFOT
+N defoncat
   fecondat
+R deforcat
ACDEFOU
   foucade
+S foucades
ACDEFRR
+A cafarder
ACDEFRS
+A cafardes
+O deforcas
ACDEFRT
+O deforcat
ACDEFRU
+A faucarde
ACDEFRZ
+A cafardez
ACDEFSU
+O foucades
ACDEFTU
+I educatif
ACDEGHI
+U degauchi
ACDEGHR
+E decharge
ACDEGHU
+I degauchi
ACDEGIL
+A deglacai
+E decilage
ACDEGIM
+A cadmiage
ACDEGIN
+O congedia
ACDEGIO
+N congedia
ACDEGIR
+S disgrace
ACDEGIS
+R disgrace
ACDEGIU
+H degauchi

+E deglacer
ACDEGLS
+A deglacas
+E deglaces
ACDEGLT
+A deglacat
ACDEGLZ
+E deglacez
ACDEGNO
+E decagone
   encodage
+I congedia
ACDEGOR
   cordage
+S cordages
ACDEGOS
   codages
+R cordages
ACDEGRS
+A cadrages
   cardages
+I disgrace
+O cordages
ACDEGUV
+E decuvage
ACDEHIM
+A dehancha
+E dehanche
ACDEHII
+N denichai
+R dechirai
+S scheidai
ACDEHIJ
+U dejuchai
ACDEHIM
+N dimanche
+S schiedam
ACDEHIN
   denicha
+A dechaina
   hacienda
+E dechaine
+I denichai
+M dimanche
+S denichas
+T chiadent
   denichat
   tchadien
ACDEHIO
+C decochai
+R dechoira
   derochai
ACDEHIP
+E depechai
ACDEHIR
   chiader
   dechira
+A arachide
   chiadera
+F defricha
+I dechirai
+O dechoira
   derochai
+R richarde
+S dechiras
+T dechirat

   thridace
+U chiadeur
+Y dyarchie
ACDEHIS
   chiades
   scheida
+E chiadees
+I scheidai
+M schiedam
+N denichas
+R dechiras
+S scheidas
+T scheidat
ACDEHIT
+A detachai
+N chiadent
   denichat
   tchadien
+R dechirat
   thridace
+S scheidat
ACDEHIU
+A echaudai
+B debuchai
+G degauchi
+J dejuchai
+R chiadeur
ACDEHIY
+R dyarchie
ACDEHIZ
   chiadez
+I chiadiez
ACDEHJS
+U dejuchas
ACDEHJT
+U dejuchat
ACDEHJU
   dejucha
+I dejuchai
+S dejuchas
+T dejuchat
ACDEHLM
+Y chlamyde
ACDEHLN
+A chalande
+E chaldeen
ACDEHLO
+C caldoche
ACDEHLY
+M chlamyde
ACDEHMN
+A demancha
+E demanche
+I dimanche
ACDEHMO
+R mordache
ACDEHMR
   drachme
+E demarche
+O mordache
+S drachmes
ACDEHMS
+A chamades
+I schiedam
+R drachmes
ACDEHMU
+A dechauma

+E dechaume
ACDEHMY
+L chlamyde
ACDEHNO
+R rondache
ACDEHNR
+E dechante
+O rondache
ACDEHNS
+I denichas
ACDEHNT
+A dechanta
+E dechante
+I chiadent
  denichat
  tchadien
ACDEHOP
  pochade
+R pocharde
+S pochades
ACDEHOR
  derocha
+B debrocha
+C decrocha
+I dechoira
  derochai
+M mordache
+N rondache
+P pocharde
+S derochas
+T derochat
+U douchera
ACDEHOS
+C decochas
+P pochades
+R derochas
+T cathodes
ACDEHOT
  cathode
+C decochat
+R derochat
+S cathodes
ACDEHOU
+B deboucha
+C decoucha
+R douchera
ACDEHPR
+A chaparde
+O pocharde
ACDEHPS
+E depechas
+O pochades
ACDEHPT
+E depechat
ACDEHRR
+I richarde
ACDEHRS
+A charades
+D cheddars
+E echardes
+I dechiras
+M drachmes
+O derochas
+U rechauds
ACDEHRT
+E detacher
+I dechirat

  thridace
+O derochat
ACDEHRU
  rechaud
+E echauder
+I chiadeur
+O douchera
+S rechauds
ACDEHRV
+A vacharde
ACDEHRY
+I dyarchie
ACDEHSS
+E dessecha
+I scheidas
ACDEHST
+A detachas
+E detaches
+I scheidat
+O cathodes
ACDEHSU
  chaudes
+A echaudas
+B debuchas
+E echaudes
+J dejuchas
+R rechauds
ACDEHTT
+A detachat
ACDEHTU
+A echaudat
+B debuchat
+J dejuchat
ACDEHTZ
+E detachez
ACDEHUX
  dechaux
ACDEHUZ
+E echaudez
ACDEIII
+F acidifie
ACDEIIL
+A acidalie
+N declinai
+U elucidai
ACDEIIM
  decimai
+S decimais
+T decimait
+Z cadmiiez
ACDEIIN
+H denichai
+L declinai
+N incendia
+R acridien
  ceindrai
  cnidaire
+T actinide
  citadine
ACDEIIR
  decriai
+E iridacee
+H dechirai
+N acridien
  ceindrai
+R decrirai

+S decriais
+T creditai
  decriait
  dicterai
  raticide
  triacide
+V recidiva
ACDEIIS
  ascidie
+B biacides
+D decidais
  diacides
+H scheidai
+M decimais
+R decriais
+S ascidies
+T acidites
  edictais
ACDEIIT
  acidite
  edictai
+D decidait
+M decimait
+N actinide
  citadine
+R creditai
  decriait
  dicterai
  raticide
  triacide
+S acidites
  edictais
+T edictait
ACDEIIU
+L elucidai
ACDEIIV
+R recidiva
ACDEIIZ
+H chiadiez
+M cadmiiez
ACDEIJT
+F adjectif
ACDEIJU
+H dejuchai
ACDEILL
+O decollai
ACDEILM
  decimal
  medical
+A declamai
+E camelide
  decimale
  medicale
+O madicole
ACDEILN
  declina
+I declinai
+S declinas
  scaldien
+T declinat
ACDEILO
+L decollai
+M madicole
+R cordelai
  cordiale
+T cotidale
+U declouai

  decoulai
ACDEILP
  placide
+A deplacai
+S placides
+U decuplai
ACDEILR
+A caldeira
  declarai
  dilacera
  radicale
+E dilacere
+O cordelai
  cordiale
+U radicule
ACDEILS
  discale
+A decalais
  delacais
  diaclase
+E decelais
+N declinas
  scaldien
+P placides
+S discales
+T delicats
+U acidules
  elucidas
ACDEILT
  delicat
+A decalait
  delacait
+E decelait
  delectai
  delicate
  dialecte
+N declinat
+O cotidale
+S delicats
+U elucidat
ACDEILU
  acidule
  elucida
+E acidulee
+I elucidai
+O declouai
  decoulai
+P decuplai
+R radicule
+S acidules
  elucidas
+T elucidat
ACDEILZ
+E decaliez
  delaciez
ACDEIMN
+H dimanche
+S candimes
+T cadmient
  decimant
ACDEIMO
+L madicole
ACDEIMP
+A decampai
ACDEIMR
  cadmier
+A cadmiera

+E decimera
+S smicarde
ACDEIMS
  cadmies
  decimas
+E cadmiees
+H schiedam
+I decimais
+N candimes
+R smicarde
+T dictames
+Y mysidace
ACDEIMT
  decimat
  dictame
+I decimait
+N cadmient
  decimant
+S dictames
ACDEIMU
+X decimaux
  medicaux
ACDEIMX
+U decimaux
  medicaux
ACDEIMY
+S mysidace
ACDEIMZ
  cadmiez
+I cadmiiez
ACDEINN
+A canadien
+I incendia
+O deconnai
  denoncai
ACDEINO
  donacie
  encodai
+C concedai
  decoinca
+E oceanide
+F defoncai
  fecondai
+G congedia
+N deconnai
  denoncai
+R decornai
  encordai
+S donacies
  encodais
  secondai
+T codaient
  encodait
ACDEINP
+R pincarde
ACDEINR
  ceindra
+A deracina
  encadrai
+E decernai
  deracine
+I acridien
  ceindrai
  cnidaire
+O decornai
  encordai
+P pincarde

+R craindre
+S ceindras
   discerna
   rescinda
   scindera
+T decintra
   decriant
   dicentra
   tridacne
+Z candirez
ACDEINS
   candies
   canides
+A acadiens
+D candides
+H denichas
+L declinas
   scaldien
+M candimes
+O donacies
   encodais
   secondai
+R ceindras
   discerna
   rescinda
   scindera
+S candisse
+T candites
   distance
+Z scandiez
ACDEINT
+A decantai
+C accident
+D decidant
+E cedaient
+H chiadent
   denichat
   tchadien
+I actinide
   citadine
+L declinat
+M cadmient
   decimant
+O codaient
   encodait
+R decintra
   decriant
   dicentra
   tridacne
+S candites
   distance
+T edictant
ACDEINU
+E audience
ACDEINV
+A devancai
+E deviance
ACDEINZ
+R candirez
+S scandiez
ACDEIOP
+R procedai
+S diascope
+U decoupai
ACDEIOR
   coderai
   decorai

+D decordai
+F deforcai
+H dechoira
   derochai
+L cordelai
   cordiale
+N decornai
   encordai
+P procedai
+R corderai
   recordai
+S coderais
   croisade
   decorais
   decroisa
   isocarde
   sarcoide
+T carotide
   coderait
   decorait
+U couderai
   coudraie
   radoucie
ACDEIOS
   acidose
+D decodais
+N donacies
   encodais
   secondai
+P diascope
+R coderais
   croisade
   decorais
   decroisa
   isocarde
   sarcoide
+S acidoses
+U adoucies
+X oxacides
ACDEIOT
+D decodait
+L cotidale
+N codaient
   encodait
+R carotide
   coderait
   decorait
ACDEIOU
   adoucie
+L declouai
   decoulai
+P decoupai
+R couderai
   coudraie
   radoucie
+S adoucies
ACDEIOX
   oxacide
+S oxacides
ACDEIPR
   picarde
+E decrepai
   deprecia
   precedai
+N pincarde
+O procedai
+S decrispa

   picardes
+T predicat
ACDEIPS
   capside
   spadice
+A decapais
+E depecais
   dipsacee
+L placides
+O diascope
+R decrispa
   picardes
+S capsides
   spadices
ACDEIPT
+A decapait
   decapita
+E decapite
   depecait
+R predicat
ACDEIPU
+L decuplai
+O decoupai
ACDEIPZ
+E decapiez
ACDEIRR
   criarde
   decrira
+A cadrerai
   carderai
   recardai
+E decriera
+H richarde
+I decrirai
+N craindre
+O corderai
   recordai
+S criardes
   decriras
ACDEIRS
   decrias
   diacres
+A arcadies
   ascaride
+E cederais
   cedraies
   recedais
+G disgrace
+H dechiras
+I decriais
+M smicarde
+N ceindras
   discerna
   rescinda
   scindera
+O coderais
   croisade
   decorais
   decroisa
   isocarde
   sarcoide
+P decrispa
   picardes
+R criardes
   decriras
+T cardites
   creditas

   dicteras
ACDEIRT
   cardite
   credita
   decatir
   decriat
   dictera
+A decatira
+E cederait
   decretai
   edictera
   recedait
+H dechirat
   thridace
+I creditai
   decriait
   dicterai
   raticide
   triacide
+N decintra
   decriant
   dicentra
   tridacne
+O carotide
   coderait
   decorait
+P predicat
+S cardites
   creditas
   dicteras
+T creditat
ACDEIRU
+H chiadeur
+L radicule
+O couderai
   coudraie
   radoucie
+V decuivra
ACDEIRV
+A caviarde
+E decevrai
+I recidiva
+U decuivra
ACDEIRY
+H dyarchie
ACDEIRZ
   cadriez
   cardiez
+N candirez
ACDEISS
+A decaissa
+E decaisse
+H scheidas
+I ascidies
+L discales
+N candisse
+O acidoses
+P capsides
   spadices
+T dictasse
ACDEIST
   decatis
   edictas
+E decaties
+H scheidat
+I acidites
   edictais

   dicteras
+L delicats
+M dictames
+N candites
   distance
+R cardites
   creditas
   dicteras
+S dictasse
+T dictates
ACDEISU
+C succedai
+L acidules
   elucidas
+O adoucies
+V decuvais
ACDEISV
+E decevais
+U decuvais
ACDEISX
+E excedais
+O oxacides
ACDEISY
+M mysidace
ACDEISZ
+N scandiez
ACDEITT
   decatit
   edictat
+E detectai
+I edictait
+N edictant
+R creditat
+S dictates
ACDEITU
+C caducite
+F educatif
+L elucidat
+V decuvait
ACDEITV
+E decevait
+U decuvait
ACDEITX
+E excedait
ACDEIUV
   decuvai
+R decuivra
+S decuvais
+T decuvait
ACDEIUX /
+M decimaux
   medicaux
ACDEJNT
+A adjacent
ACDEJSU
+H dejuchas
ACDEJTU
+H dejuchat
ACDEKOS
+T destocka
ACDEKOT
+S destocka
ACDEKPR
+S spardeck
ACDEKPS
+R spardeck
ACDEKRS
+P spardeck

ACDEKST
+O destocka

ACDELLO
   decolla
+I decollai
+S decollas
+T decollat

ACDELLS
+E descella
+O decollas

ACDELLT
+O decollat

ACDELMO
+I madicole
+U mouclade

ACDELMR
+E declamer

ACDELMS
+A declamas
   demascla
+E declames
   demascle

ACDELMT
+A declamat

ACDELMU
+O mouclade

ACDELMY
+H chlamyde

ACDELMZ
+E declamez

ACDELNN
+E decennal

ACDELNO
   celadon
+S celadons
   decalons
   delacons

ACDELNR
+A calandre

ACDELNS
   clandes
+A candelas
   scandale
+E calendes
+I declinas
   scaldien
+O celadons
   decalons
   delacons

ACDELNT
+A decalant
   delacant
+E decalent
   decelent
   delacent
+I declinat

ACDELOO
+R decolora

ACDELOP
+U decoupla

ACDELOR
   cordela
+E decolera
+I cordelai
   cordiale
+O decolora
+S cordelas

ACDELOS
+L decollas
+N celadons
   decalons
   delacons
+R cordelas
+U declouas
   decoulas

ACDELOT
+I cotidale
+L decollat
+R cordelat
+U declouat
   decoulat

ACDELOU
   decloua
   decoula
+B deboucla
+I declouai
   decoulai
+M mouclade
+P decoupla
+R edulcora
+S declouas
   decoulas
+T declouat
   decoulat

ACDELPR
+A placarde
+E deplacer

ACDELPS
+A deplacas
+E deplaces
+I placides
+U decuplas

ACDELPT
+A deplacat
+U decuplat

ACDELPU
   decupla
+E depucela
+I decuplai
+O decoupla
+S decuplas
+T decuplat

ACDELPZ
+E deplacez

ACDELQU
+A decalqua
+E decalque

ACDELRR
+E declarer

ACDELRS
+A declaras
+B clebards
+E declares
+O cordelas

ACDELRT
+A declarat
+O cordelat

ACDELRU
+E reculade
+I radicule
+O edulcora

ACDELRZ
+E declarez

ACDELSS
   scaldes
+A declassa
+E declasse
+I discales

ACDELST
+E delectas
+I delicats
+Y dactyles

ACDELSU
   ducales
+A caudales
+I acidules
   elucidas
+O declouas
   decoulas
+P decuplas

ACDELSY
+T dactyles

ACDELTT
+E delectat

ACDELTU
+I elucidat
+O declouat
   decoulat
+P decuplat

ACDELTY
   dactyle
+S dactyles

ACDEMMN
+O commande

ACDEMMO
+N commande

ACDEMNO
+M commande
+N condamne
+R dormance
   mordance

ACDEMNR
+O dormance
   mordance

ACDEMNS
+I candimes

ACDEMNT
+I cadmient
   decimant

ACDEMOP
+T decompta

ACDEMOR
+H mordache
+N dormance
   mordance
+S cordames
+Y myocarde

ACDEMOS
   codames
+R cordames
+U coudames

ACDEMOT
+P decompta

ACDEMOU
+L mouclade
+S coudames

ACDEMOY
+R myocarde

ACDEMPR
+E decamper

ACDEMPS
+A decampas
+E decampes

ACDEMPT
+A decampat
+O decompta

ACDEMPZ
+E decampez

ACDEMRS
+A cadrames
   camardes
   cardames
+H drachmes
+I smicarde
+O cordames

ACDEMRY
+O myocarde

ACDEMSS
+U muscades

ACDEMST
+I dictames
+U muscadet

ACDEMSU
   muscade
+O coudames
+S muscades
+T muscadet

ACDEMSY
+I mysidace

ACDEMTU
+S muscadet

ACDEMUX
+I decimaux
   medicaux

ACDENNO
   deconna
   denonca
+I deconnai
   denoncai
+M condamne
+S condensa
   deconnas
   denoncas
+T deconnat
   denoncat
   encodant

ACDENNS
+O condensa
   deconnas
   denoncas

ACDENNT
+E tendance
+O deconnat
   denoncat
   encodant
+S scandent

ACDENOP
+S decapons

ACDENOR
   decorna
   encorda
+A caronade
+E androcee
   encodera
+F defronca
+H rondache
+I decornai
   encordai
+M dormance
   mordance
+S decornas
   encordas
   escadron
+T decorant
   decornat
   encordat

ACDENOS
   encodas
   seconda
+C accedons
   concedas
+F defoncas
   facondes
   fecondas
+I donacies
   encodais
   secondai
+L celadons
   decalons
   delacons
+N condensa
   deconnas
   denoncas
+P decapons
+R decornas
   encordas
   escadron
+S secondas
+T secondat

ACDENOT
   encodat
+C concedat
+D decodant
+E anecdote
+F defoncat
   fecondat
+I codaient
   encodait
+N deconnat
   denoncat
   encodant
+R decorant
   decornat
   encordat
+S secondat

ACDENPR
+I pincarde

ACDENPS
+O decapons

ACDENPT
+A decapant
+E decapent
   depecant

ACDENPU
+E peucedan

ACDENRR
   rencard
+A canarder
   rancarde
   rencarda

+E	encadrer	+E	devances		rocades	+C accordez		spadices
	rencarde		**ACDENSZ**	+C	accordes		**ACDEOSS**	**ACDEPSU**
+I	craindre		scandez		cocardes		codasse	+L decuplas
+S	rencards	+I	scandiez	+D	decordas	+I acidoses	+O decoupas
ACDENRS		**ACDENTT**		+F	deforcas	+N secondas	+R drupaces
	cerdans	+A	decantat	+G	cordages	+R cordasse	**ACDEPTU**
	scander	+I	edictant	+H	derochas		cossarde	+L decuplat
+A	canardes		**ACDENTU**	+I	coderais	+S codasses	+O decoupat
	dracenas	+V	decuvant		croisade	+U coudasse	**ACDEPTY**
	encadras		**ACDENTV**		decorais		**ACDEOST**	+R decrypta
	scandera	+A	devancat		decroisa		codates	**ACDEQSU**
+E	cedernas	+E	decevant		isocarde	+E estocade	+U aqueducs
	decernas	+U	decuvant		sarcoide	+H cathodes		caduques
	encadres		**ACDENTX**	+L	cordelas	+K destocka	**ACDEQUU**
+I	ceindras	+E	excedant	+M	cordames	+N secondat		aqueduc
	discerna		**ACDENTZ**	+N	decornas	+R cordates		caduque
	rescinda	+E	decantez		encordas		tocardes	+S aqueducs
	scindera		**ACDENUV**		escadron	+U coudates		caduques
+O	decornas	+T	decuvant	+P	procedas		**ACDEOSU**	**ACDERRR**
	encordas		**ACDENUX**	+R	corderas	+C accoudes	+E recarder
	escadron	+A	decanaux		recordas	+E escouade	**ACDERRS**
+R	rencards		**ACDENVZ**	+S	cordasse	+F foucades	+A cadreras
+U	candeurs	+E	devancez		cossarde	+I adoucies		carderas
ACDENRT		**ACDEOOR**		+T	cordates	+L declouas		recardas
	cadrent	+L	decolora		tocardes		decoulas	+E carderes
	cardent		**ACDEOPR**	+U	couardes	+M coudames		recardes
+A	encadrat		proceda		couderas	+P decoupas	+I criardes
+E	decanter	+H	pocharde		**ACDEORT**	+R couardes		decriras
	decentra	+I	procedai		decorat		couderas	+N rencards
	decernat	+S	procedas		tocarde		couderas	+O corderas
	recedant	+T	procedat	+D	decordat	+S coudasse		recordas
+I	decintra	+U	croupade	+E	decaedre	+T coudates	+U cadreurs
	decriant		**ACDEOPS**	+F	deforcat		**ACDEOSX**		cadreurs
	dicentra	+H	pochades	+H	derochat	+I oxacides	+V crevards
	tridacne	+I	diascope	+I	carotide		**ACDEOTT**	**ACDERRT**
+O	decorant	+N	decapons		coderait	+R decrotta	+A recardat
	decornat	+R	procedas	+L	cordelat		**ACDEOTU**	+O recordat
	encordat	+U	decoupas	+N	decorant	+L declouat	**ACDERRU**
ACDENRU		**ACDEOPT**			decornat		decoulat		cadreur
	candeur	+A	decapota		encordat	+P decoupat		cadreur
+S	candeurs	+E	decapote	+P	procedat	+S coudates	+O recoudra
ACDENRV		+M	decompta	+R	recordat		**ACDEOUX**	+S cadreurs
+E	devancer	+R	procedat	+S	cordates	+R cordeaux		cadreurs
ACDENRZ		+U	decoupat	+T	decrotta		**ACDEOUZ**	**ACDERRV**
+A	canardez		**ACDEOPU**		**ACDEORU**	+C accoudez		crevard
+E	encadrez		decoupa		cordeau		**ACDEPRS**	+S crevards
+I	candirez	+I	decoupai	+I	decrispa	+E decrepas	**ACDERRZ**
ACDENSS		+L	decoupla		couarde		precedas	+E cadrerez
	scandes	+R	croupade		coudera	+I decrispa		carderez
+E	scandees	+S	decoupas	+C	accouder		picardes		recardez
+I	candisse	+T	decoupat	+D	decoudra	+K spardeck	**ACDERSS**
+O	secondas		**ACDEORR**	+H	douchera	+O procedas	+A cadrasse
ACDENST			cordera	+I	couderai	+U drupaces		cardasse
	cedants		recorda		coudraie		**ACDEPRT**		decrassa
+A	decanats	+B	brocarde		radoucie	+E decrepat	+E decrasse
	decantas	+C	accorder	+L	edulcora		precedat		escadres
+E	cedantes		raccorde	+P	croupade	+I predicat	+O cordasse
	decantes	+E	decorera	+R	recoudra	+O procedat		cossarde
+I	candites	+I	corderai	+S	couardes	+Y decrypta	**ACDERST**
	distance		recordai		couderas		**ACDEPRU**		cedrats
+N	scandent	+S	corderas	+X	cordeaux		drupace	+A cadastre
+O	secondat		recordas		**ACDEORX**	+E drupacee		cadrates
ACDENSU		+T	recordat	+U	cordeaux	+O croupade		cadrates
+E	saduceen	+U	recoudra		**ACDEORY**	+S drupaces	+E decretas
+R	candeurs		**ACDEORS**	+M	myocarde		**ACDEPRY**	+I cardites
ACDENSV			coderas		**ACDEORZ**	+T decrypta		creditas
+A	devancas		decoras				**ACDEPSS**		dicteras
						+I capsides	

+O cordates	**ACDFHOS**	+A cardigan	**ACDHIOT**	+E rondache
tocardes	+U chadoufs	**ACDGINS**	+U douchait	+S chardons
ACDERSU	**ACDFHOU**	+N dancings	**ACDHIOU**	+U chaudron
+E cardeuse	chadouf	**ACDGIRS**	douchai	**ACDHNOS**
decreusa	+S chadoufs	+E disgrace	+S douchais	+I chiadons
+H rechauds	**ACDFHRU**	**ACDGNNS**	+T douchait	+R chardons
+N candeurs	+A fauchard	+I dancings	**ACDHIPR**	**ACDHNOT**
+O couardes	**ACDFHSU**	**ACDGNOS**	+L pilchard	+U douchant
couderas	+O chadoufs	+A cadogans	+N pinchard	**ACDHNOU**
+P drupaces	**ACDFIII**	**ACDGORS**	**ACDHIRR**	+M mandchou
+R cadreurs	+A acidifia	+E cordages	richard	+R chaudron
cardeurs	+E acidifie	**ACDGOSU**	+E richarde	+T douchant
ACDERSV	+O codifiai	+Z gazoducs	+S richards	**ACDHNPR**
+A cadavres	**ACDFIIL**	**ACDGOSZ**	**ACDHIRS**	+I pinchard
+E decevras	+U dulcifia	+U gazoducs	+E dechiras	**ACDHNRS**
+R crevards	**ACDFIIO**	**ACDGOUZ**	+R richards	+O chardons
ACDERTT	codifia	gazoduc	**ACDHIRT**	**ACDHNRU**
+E decretat	+I codifiai	+S gazoducs	+E dechirat	+B chadburn
+I creditat	+S codifias	**ACDGSUZ**	thridace	+O chaudron
+O decrotta	+T codifiat	+O gazoducs	**ACDHIRU**	**ACDHNSW**
ACDERTY	**ACDFIIS**	**ACDHIIN**	+C archiduc	+I sandwich
+P decrypta	+O codifias	+E denichai	+E chiadeur	**ACDHNTU**
ACDERUV	**ACDFIIT**	**ACDHIIR**	**ACDHIRY**	+O douchant
+E decuvera	+O codifiat	+E dechirai	+E dyarchie	**ACDHOPR**
+I decuivra	**ACDFIIU**	**ACDHIIS**	**ACDHISS**	pochard
ACDERUX	+L dulcifia	+A chiadais	+E scheidas	+E pocharde
+O cordeaux	**ACDFIJT**	+E scheidai	**ACDHIST**	+S pochards
ACDESSS	+E adjectif	**ACDHIIT**	+E scheidat	**ACDHOPS**
+E cedasses	**ACDFILU**	+A chiadait	**ACDHISU**	+E pochades
+O codasses	+I dulcifia	**ACDHIIZ**	+O douchais	+R pochards
+U ducasses	**ACDFINO**	+E chiadiez	**ACDHISW**	**ACDHORS**
ACDESST	+E defoncai	**ACDHIJU**	+N sandwich	+E derochas
+I dictasse	fecondai	+E dejuchai	**ACDHITU**	+N chardons
ACDESSU	**ACDFIOR**	**ACDHILN**	+O douchait	+P pochards
ducasse	+E deforcai	+A chandail	**ACDHJSU**	+T tchadors
+C succedas	**ACDFIOS**	**ACDHILP**	+E dejuchas	**ACDHORT**
+M muscades	+I codifias	+R pilchard	**ACDHJTU**	tchador
+O coudasse	**ACDFIOT**	**ACDHILR**	+E dejuchat	+E derochat
+S ducasses	+I codifiat	+P pilchard	**ACDHKOS**	+S tchadors
ACDESTT	**ACDFITU**	**ACDHIMN**	+D haddocks	**ACDHORU**
+E cadettes	+E educatif	+E dimanche	**ACDHLMY**	+E douchera
detectas	**ACDFNOR**	**ACDHIMS**	+E chlamyde	+M mouchard
+I dictates	+E defronca	+E schiedam	**ACDHLNS**	+N chaudron
ACDESTU	**ACDFNOS**	**ACDHINO**	+A chalands	**ACDHOST**
+C succedat	+E defoncas	+S chiadons	**ACDHLOR**	+E cathodes
+M muscadet	facondes	**ACDHINP**	+C clochard	+R tchadors
+O coudates	fecondas	+A handicap	**ACDHLPR**	**ACDHOSU**
ACDESTY	**ACDFNOT**	+R pinchard	+I pilchard	douchas
+L dactyles	+E defoncat	**ACDHINR**	**ACDHMNO**	+F chadoufs
ACDESUU	fecondat	+P pinchard	+U mandchou	+I douchais
+Q aqueducs	**ACDFORS**	**ACDHINS**	**ACDHMNR**	**ACDHOTU**
caduques	+E deforcas	+E denichas	+A marchand	douchat
ACDESUV	**ACDFORT**	+O chiadons	**ACDHMNU**	+I douchait
decuvas	+E deforcat	+W sandwich	+O mandchou	+N douchant
+I decuvais	**ACDFOSU**	**ACDHINT**	**ACDHMOR**	**ACDHPRS**
ACDETTT	+E foucades	+A chiadant	+E mordache	+O pochards
+E detectat	+H chadoufs	+E chiadent	+U mouchard	**ACDHRRS**
ACDETUV	**ACDFRSU**	denichat	**ACDHMOU**	+I richards
decuvat	+A faucards	tchadien	+N mandchou	**ACDHRST**
+I decuvait	**ACDGHIU**	**ACDHINW**	+R mouchard	+O tchadors
+N decuvant	+E degauchi	+S sandwich	**ACDHMRS**	**ACDHRSU**
ACDFFIO	**ACDGINN**	**ACDHIOR**	+E drachmes	+E rechauds
+E decoiffa	dancing	+E dechoira	**ACDHMRU**	**ACDHRSV**
ACDFFOR	+S dancings	derochai	+A chaumard	+A vachards
+E decoffra	**ACDGINO**	**ACDHIOS**	+O mouchard	**ACDIIIO**
ACDFHIR	+E congedia	+N chiadons	**ACDHNOR**	+F codifiai
+E defricha	**ACDGINR**	+U douchais	chardon	

ACDIIIS
+U suicidai
ACDIIIU
+S suicidai
ACDIILN
+E declinai
ACDIILU
+E elucidai
+F dulcifia
ACDIIMS
+A cadmiais
+E decimais
ACDIIMT
+A cadmiait
+E decimait
ACDIIMZ
+E cadmiiez
ACDIINN
indican
+E incendia
+S indicans
ACDIINO
+C coincida
ACDIINR
+A candirai
+E acridien
ceindrai
cnidaire
ACDIINS
scindai
+N indicans
+S scindais
+T citadins
scindait
ACDIINT
citadin
+E actinide
citadine
+S citadins
scindait
ACDIIOR
+U doucirai
+V divorcai
ACDIIOS
+F codifias
+S dissocia
ACDIIOT
+F codifiat
ACDIIOU
+R doucirai
ACDIIOV
+R divorcai
ACDIIRR
+E decrirai
+U durcirai
ACDIIRS
+E decriais
ACDIIRT
+E creditai
decriait
dicterai
raticide
triacide
+U trucidai
ACDIIRU
+O doucirai
+R durcirai

+T trucidai
ACDIIRV
+E recidiva
+O divorcai
ACDIISS
+E ascidies
+N scindais
+O dissocia
+U suicidas
ACDIIST
dictais
+E acidites
edictais
+N citadins
scindait
+U discutai
suicidat
ACDIISU
suicida
+I suicidai
+S suicidas
+T discutai
suicidat
ACDIITT
dictait
+E edictait
ACDIITU
+R trucidai
+S discutai
suicidat
ACDILLO
+E decollai
+O dialcool
+U caudillo
ACDILLU
+O caudillo
ACDILMO
+E madicole
ACDILMU
+A caladium
ACDILNO
+A diaconal
ACDILNR
+A cardinal
ACDILNS
+E declinas
scaldien
+Y syndical
ACDILNT
+E declinat
ACDILNY
+S syndical
ACDILOO
+L dialcool
ACDILOR
cordial
+E cordelai
cordiale
ACDILOT
cotidal
+E cotidale
ACDILOU
+E declouai
decoulai
+L caudillo

ACDILOZ
+A zodiacal
ACDILPR
+H pilchard
ACDILPS
+E placides
+U disculpa
ACDILPU
+E decuplai
+S disculpa
ACDILRU
+E radicule
ACDILRY
+N cylindra
ACDILSS
+E discales
ACDILST
+E delicats
ACDILSU
+E acidules
elucidas
+P disculpa
ACDILSY
+N syndical
ACDILTU
+E elucidat
ACDIMMS
+U cadmiums
ACDIMMU
cadmium
+S cadmiums
ACDIMNO
+S cadmions
+T comtadin
ACDIMNS
+E candimes
+O cadmions
+U muscadin
scandium
ACDIMNT
+A cadmiant
+E cadmient
decimant
+O comtadin
ACDIMNU
+S muscadin
scandium
ACDIMOR
+U moricaud
ACDIMOS
+N cadmions
ACDIMOT
+N comtadin
ACDIMOU
+R moricaud
ACDIMRS
smicard
+A camisard
+E smicarde
+S smicards
ACDIMRU
+O moricaud
ACDIMSS
+R smicards
ACDIMST
+E dictames
ACDIMSU

+M cadmiums
+N muscadin
scandium
+E mysidace
ACDIMUX
+E decimaux
medicaux
ACDINNO
+E deconnai
denoncai
ACDINNS
+G dancings
+I indicans
+T scindant
ACDINNT
+S scindant
ACDINOR
+E decornai
encordai
+S cadrions
cardions
+U conduira
corniaud
+Y dicaryon
ACDINOS
+E donacies
encodais
secondai
+H chiadons
+M cadmions
+R cadrions
cardions
ACDINOT
+A diaconat
+E codaient
encodait
+M comtadin
ACDINOU
+R conduira
corniaud
ACDINOY
+R dicaryon
ACDINPR
pincard
+A picardan
+E pincarde
+H pinchard
+S pincards
ACDINPS
+R pincards
ACDINRR
+A craindra
+E craindre
ACDINRS
+A candiras
+E ceindras
discerna
rescinda
scindera
+O cadrions
cardions
+P pincards
ACDINRT
+A cadratin
radicant
+E decintra

decriant
dicentra
tridacne
ACDINRU
+O conduira
corniaud
ACDINRY
+L cylindra
+O dicaryon
ACDINRZ
+E candirez
ACDINSS
scindas
+A scandais
+E candisse
+I scindais
ACDINST
scindat
+A distanca
scandait
+E candites
distance
+I citadins
scindait
+N scindant
+Y syndicat
ACDINSU
+M muscadin
scandium
ACDINSW
+H sandwich
ACDINSY
+L syndicat
+T syndicat
ACDINSZ
+E scandiez
ACDINTT
dictant
+E edictant
ACDINTY
+S syndicat
ACDIOOR
+R corrodai
ACDIOOU
+Y coudoyai
ACDIOOY
+U coudoyai
ACDIOPR
picador
+E procedai
+S picadors
ACDIOPS
+E diascope
+R picadors
ACDIOPU
+E decoupai
ACDIOQS
+U dacquois
ACDIOQU
+S dacquois
ACDIORR
corrida
+E corderai
recordai
+O corrodai
+S corridas
+U radoucir

ACDIORS	**ACDIOSX**	trucida	+E celadons	+E dormance
cordais	+E oxacides	+I trucidai	decalons	mordance
+E coderais	**ACDIOTU**	+O coudrait	delacons	**ACDMNOS**
croisade	adoucit	radoucit	**ACDLNRY**	+I cadmions
decorais	coudait	+S trucidas	+I cylindra	**ACDMNOT**
decroisa	+H douchait	+T trucidat	**ACDLNSY**	+I comtadin
isocarde	+R coudrait	**ACDIRTV**	+I syndical	**ACDMNOU**
sarcoide	radoucit	+O divorcat	**ACDLOOR**	+H mandchou
+N cadrions	+X cotidaux	**ACDIRUV**	+E decolora	**ACDMNSU**
cardions	**ACDIOTV**	+E decuivra	+T doctoral	+I muscadin
+P picadors	+R divorcat	**ACDIRUX**	**ACDLOOT**	scandium
+R corridas	**ACDIOTX**	+A radicaux	+R doctoral	**ACDMOOT**
+U coudrais	+U cotidaux	+O cordiaux	**ACDLOPU**	+M commodat
douciras	**ACDIOUX**	**ACDISST**	+E decoupla	**ACDMOPT**
radoucis	+R cordiaux	+E dictasse	**ACDLORS**	+E decompta
+V divorcas	+T cotidaux	+U discutas	+E cordelas	**ACDMORS**
ACDIORT	**ACDIOUY**	**ACDISSU**	**ACDLORT**	+E cordames
cordait	+O coudoyai	+I suicidas	+E cordelat	**ACDMORU**
+E carotide	**ACDIPRS**	+R cuissard	+O doctoral	+H mouchard
coderait	picards	+T discutas	**ACDLORU**	+I moricaud
decorait	+E decrispa	**ACDISTT**	+E edulcora	**ACDMORY**
+U coudrait	picardes	+E dictates	**ACDLOST**	+E myocarde
radoucit	+N pincards	+U discutat	+Y dactylos	**ACDMOSU**
+V divorcat	+O picadors	**ACDISTU**	**ACDLOSU**	+E codames
ACDIORU	**ACDIPRT**	discuta	+E declouas	**ACDMRSS**
adoucir	+E predicat	+I discutai	decoulas	+I smicards
coudrai	**ACDIPSS**	suicidat	**ACDLOSV**	**ACDMRUU**
doucira	+E capsides	+R trucidas	+A calvados	+L cumulard
radouci	spadices	+S discutas	**ACDLOSY**	**ACDMSSU**
+A adoucira	**ACDIPSU**	+T discutat	+T dactylos	+E muscades
+E couderai	+L disculpa	**ACDISTY**	**ACDLOTU**	**ACDMSTU**
coudraie	**ACDIQSU**	+N syndicat	+E declouat	+E muscadet
radoucie	+O dacquois	**ACDISUV**	decoulat	**ACDNNOO**
+I doucirai	**ACDIRRS**	viaducs	**ACDLOTY**	+R cordonna
+M moricaud	criards	+E decuvais	dactylo	**ACDNNOR**
+N conduira	+B briscard	**ACDISUX**	+S dactylos	+O cordonna
corniaud	+E criardes	discaux	**ACDLPRS**	**ACDNNOS**
+R radoucir	decriras	**ACDITTU**	+A placards	+E condensa
+S coudrais	+H richards	+R trucidat	**ACDLPSU**	deconnas
douciras	+O corridas	+S discutat	+E decuplas	denoncas
radoucis	+U durciras	**ACDITUV**	+I disculpa	+S scandons
+T coudrait	**ACDIRRU**	+E decuivai	**ACDLPTU**	**ACDNNOT**
radoucit	durcira	**ACDITUX**	+E decuplat	+E deconnat
+X cordiaux	+I durcirai	+O cotidaux	**ACDLRUU**	denoncat
ACDIORV	+O radoucir	**ACDJQRU**	+M cumulard	encodant
divorca	+S durciras	+A jacquard	**ACDLSTY**	**ACDNNSS**
+I divorcai	**ACDIRSS**	**ACDKOPS**	+E dactyles	+O scandons
+S divorcas	+M smicards	+D paddocks	+O dactylos	**ACDNNST**
+T divorcat	+U cuissard	**ACDKOST**	**ACDMMNO**	+A scandant
ACDIORX	**ACDIRST**	+E destocka	command	+E scandent
+U cordiaux	+E cardites	**ACDKPRS**	+A commanda	+I scindant
ACDIORY	creditas	+E spardeck	+E commande	**ACDNOOR**
+N dicaryon	dicteras	**ACDLLOO**	+O commando	+C concorda
ACDIOSS	+U trucidas	+I dialcool	**ACDMMOO**	+N cordonna
+E acidoses	**ACDIRSU**	**ACDLLOS**	+N commando	+U cordouan
+I dissocia	+O coudrais	+E decolls	+T commodat	**ACDNOOU**
ACDIOSU	douciras	**ACDLLOT**	**ACDMMOT**	+R cordouan
adoucis	radoucis	+E decollat	+O commodat	**ACDNOPS**
coudais	+R durciras	**ACDLLOU**	**ACDMMRU**	+E decapons
+E adoucies	+S cuissard	+I caudillo	+I cadmiums	**ACDNORR**
+H douchais	+T trucidas	**ACDLMOU**	**ACDMNNO**	cornard
+Q dacquois	**ACDIRSV**	+E mouclade	+A condamna	+S cornards
+R coudrais	+O divorcas	**ACDLMRU**	+E condamne	**ACDNORS**
douciras	**ACDIRTT**	+U cumulard	**ACDMNOO**	cadrons
radoucis	+E creditat	**ACDLMUU**	+M commodat	cardons
ACDIOSV	+U trucidat	+R cumulard	**ACDMNOR**	dacrons
+R divorcas	**ACDIRTU**	**ACDLNOS**	+A mordanca	+E decornas

encordas	**ACDOPRS**	+I divorcat	+I discutat	**ACEEEHP**
escadron	+E procedas	**ACDORUU**	**ACEEEEN**	+L cephalee
+H chardons	+H pochards	+T courtaud	+B ebenacee	+N epanchee
+I cadrions	+I picadors	**ACDORUX**	**ACEEEFF**	+P echappee
cardions	**ACDOPRT**	+E cordeaux	effacee	+R echarpee
+R cornards	+E procedat	+I cordiaux	+S effacees	rechapee
ACDNORT	**ACDOPRU**	**ACDOSSS**	+T affectee	**ACEEEHR**
cordant	+E croupade	+E codasses	**ACEEEFI**	+B herbacee
+E *decorant	**ACDOPSU**	+R cossards	+N faiencee	+L harcelee
decornat	+E decoupas	**ACDOSST**	+R cafeiere	relachee
encordat	**ACDOPTU**	+R costards	**ACEEEFN**	+M remachee
ACDNORU	+E decoupat	+U costauds	+I faiencee	+N echarnee
+H chaudron	**ACDOQRS**	**ACDOSSU**	**ACEEEFP**	+P echarpee
+I conduira	+U coquards	+E coudasse	+R preface	rechapee
corniaud	**ACDOQRU**	+T costauds	**ACEEEFR**	+T rachetee
+O cordouan	coquard	**ACDOSTU**	+I cafeiere	**ACEEEHS**
ACDNORY	+S coquards	costaud	+P preface	+N ensachee
+I dicaryon	**ACDOQSU**	+E coudates	**ACEEEFS**	+S assechee
ACDNOSS	+I dacquois	+S costauds	+F effacees	+T achetees
+E secondas	+R coquards	**ACDOSTY**	**ACEEEFT**	+V achevees
+N scandons	**ACDORRS**	+L dactylos	+F affectee	**ACEEEHT**
ACDNOST	+B brocards	**ACDOSUU**	+T facettee	achetee
+E secondat	+C raccords	+B boucauds	**ACEEEGH**	+C cachetee
ACDNOTU	+E corderas	**ACDOSUY**	+N echangee	+D detachee
coudant	recordas	+O coudoyas	**ACEEEGL**	+N echeante
+H douchant	+I corridas	**ACDOSUZ**	+D deglacee	entachee
ACDNPRS	+N cornards	+G gazoducs	+N elegance	etanchee
+I pincards	+O corrodas	**ACDOTUU**	**ACEEEGM**	+R rachetee
ACDNRRS	**ACDORRT**	+R courtaud	+R ecremage	+S achetees
+A rancards	+E recordat	**ACDOTUX**	**ACEEEGN**	+T tachetee
+E rencards	+O corrodat	+I cotidaux	agencee	**ACEEEHU**
+O cornards	**ACDORRU**	**ACDOTUY**	encagee	+B ebauchee
ACDNRSU	+E recoudra	+O coudoyat	+H echangee	+D echaudee
+E candeurs	+I radoucir	**ACDPRSU**	+L elegance	+V echeveau
ACDNSTY	**ACDORSS**	+A crapauds	+N engeance	**ACEEEHV**
+I syndicat	cossard	+E drupaces	+S agencees	achevee
ACDNTUV	+E cordasse	**ACDPRTY**	encagees	+L chevalee
+E decuvant	cossarde	+E decrypta	+U ecanguee	echevela
ACDOORR	+S cossards	**ACDQRSU**	**ACEEEGP**	+S achevees
corroda	+T costards	+O coquards	+D depecage	+U echeveau
+I corrodai	**ACDORST**	**ACDQSUU**	+R recepage	**ACEEEIL**
+S corrodas	costard	+E aqueducs	**ACEEEGR**	+L ecaillee
+T corrodat	tocards	caduques	+M ecremage	+M meliacee
ACDOORS	+E cordates	**ACDRRSU**	+P recepage	+R eclairee
+B cordobas	tocardes	+E cadreurs	**ACEEEGS**	**ACEEEIM**
+R corrodas	+H tchadors	cardeurs	+N agencees	emaciee
ACDOORT	+S costards	+I durciras	encagees	+L meliacee
+L doctoral	**ACDORSU**	**ACDRRSV**	**ACEEEGU**	+S emaciees
+R cordotat	couards	+E crevards	+N ecanguee	**ACEEEIN**
+T doctorat	coudras	**ACDRSSS**	**ACEEEHL**	+F faiencee
ACDOORU	cuadros	+O cossards	+L allechee	**ACEEEIP**
+N cordouan	+E couardes	**ACDRSST**	+P cephalee	+R rapiecee
ACDOOSU	couderas	+O costards	+R harcelee	**ACEEEIR**
+Y coudoyas	+I coudrais	**ACDRSSU**	+V chevalee	acieree
ACDOOSY	douciras	+I cuissard	echevela	+C ericacee
+U coudoyas	radoucis	**ACDRSTU**	**ACEEEHM**	+F cafeiere
ACDOOTT	+Q coquards	+I trucidas	+R remachee	+L eclairee
+R doctorat	**ACDORSV**	**ACDRTTU**	**ACEEEHN**	+P rapiecee
ACDOOTU	+I divorcas	+I trucidat	+C echeance	+S acierees
+Y coudoyat	**ACDORTT**	**ACDRTUU**	+G echangee	**ACEEEIS**
ACDOOTY	+E decrotta	+O courtaud	+P epanchee	+M emaciees
+U coudoyat	+O doctorat	**ACDSSSU**	+R echarnee	+R acierees
ACDOOUY	**ACDORTU**	+E ducasses	+S ensachee	**ACEEEJL**
coudoya	+I coudrait	**ACDSSTU**	+T echeante	+U ejaculee
+I coudoyai	radoucit	+I discutas	entachee	**ACEEEJR**
+S coudoyas	+U courtaud	+O costauds	etanchee	+T ejectera
+T coudoyat	**ACDORTV**	**ACDSTTU**		

ACEEEJT
+R ejectera
ACEEEJU
+L ejaculee
ACEEELL
+H allechee
+I ecaillee
+V clavelee
ACEEELM
+D declamee
+I meliacee
+N lemnacee
+R reclamee
+X exclamee
ACEEELN
 elancee
 enlacee
+G elegance
+M lemnacee
+N cannelee
+R relancee
+S elancees
 enlacees
+V enclavee
ACEEELO
 oleacee
+S oleacees
ACEEELP
 capelee
+D decapele
 deplacee
+H cephalee
+R replacee
+S capelees
ACEEELR
 cereale
 laceree
 recalee
+C accelere
+D decelera
 declaree
+H harcelee
 relachee
+I eclairee
+M reclamee
+N relancee
+P replacee
+R carrelee
 recelera
+S cereales
 lacerees
 recalees
+T ecartele
+Z ecalerez
ACEEELS
 ecalees
+D decalees
 delacees
+N elancees
 enlacees
+O oleacees
+P capelees
+R cereales
 lacerees
 recalees
+T eclatees
ACEEELT

 eclatee
+R ecartele
+S eclatees
+V clavetee
ACEEELU
+J ejaculee
ACEEELV
+H chevalee
 echevalee
+L clavelee
+N enclavee
+T clavetee
ACEEELX
+M exclamee
ACEEELZ
+R ecalerez
ACEEEMN
 menacee
+L lemnacee
+S menacees
ACEEEMP
+D decampee
ACEEEMR
 maceree
+G ecremage
+H remachee
+L reclamee
+R ecremera
+S macerees
ACEEEMS
+I emaciees
+N menacees
+R macerees
ACEEEMX
+L exclamee
ACEEENN
+G engeance
+L cannelee
ACEEENP
+H epanchee
+U encaquee
ACEEENR
 carenee
+A arenacee
+C carencee
+D encadree
+H echarnee
+L relancee
+S carenees
 casernee
 serancee
+T encartee
ACEEENS
+G agencees
 encagees
+H ensachee
+L elancees
 enlacees
+M menacees
+R carenees
 casernee
 serancee
+V encavees
ACEEENT
+D decantee
+H echeante

 entachee
 etanchee
+R encartee
ACEEENU
+G ecanguee
+Q encaquee
ACEEENV
 encavee
+D devancee
+L enclavee
+S encavees
ACEEEOS
+L oleacees
ACEEEPP
+H echappee
ACEEEPR
+D depecera
+F prefacee
+G recepage
+H echarpee
 rechapee
+I rapiecee
+L replacee
+R recepera
+S escarpee
 rescapee
+Z capeerez
ACEEEPS
 espacee
+D decapees
+L capelees
+R escarpee
 rescapee
+S espacees
ACEEEPT
+C acceptee
ACEEEPZ
+R capeerez
ACEEEQU
+N encaquee
ACEEERR
+D recedera
+L carrelee
 recelera
+M ecremera
+P recepera
+R recreera
+T ecretera
 retracee
+X execrera
 exercera
ACEEERS
 acerees
 ecrasee
 recasee
+I acierees
+L cereales
 lacerees
 recalees
+M macerees
+N carenees
 casernee
 serancee
+P escarpee
 rescapee
+S caressee

 ecrasees
 recasees
+T ecartees
ACEEERT
 ecartee
+C cretacee
+H rachetee
+J ejectera
+L ecartele
+N encartee
+R ecretera
 retracee
ACEEERZ
+L ecalerez
+P capeerez
ACEEESS
+B sebacee
+H assechee
+P espacees
+R caressee
 ecrasees
 recasees
+T setacees
+U caseeuse
ACEEEST
+H achetees
+L eclatees
+R ecartees
+S setacees
+T testacee
+U aceteuse
ACEEESU
+T aceteuse
+V evacuees
+X exaucees
ACEEESV
+D decavees
+H achevees
+N encavees
+U evacuees
+X excavees
ACEEESX
+U exaucees
+V evacuees
ACEEETT
+F facettee
+H tachetee
+S testacee
ACEEETU
+S aceteuse
ACEEETV
+L clavetee
ACEEEUV
 evacuee
+H echeveau
+S evacuees
ACEEEUX
 exaucee
+S exaucees

ACEEEVX
 excavee
+S excavees
ACEEFFH
+I affichee
+U chauffee
 echauffe
ACEEFFI
+C efficace
+H affichee
+Z effaciez
ACEEFFL
+S esclaffe
ACEEFFN
+T effacent
ACEEFFR
 effacer
+A effacera
+T affecter
ACEEFFS
 effaces
+E effacees
+L esclaffe
+T affectes
ACEEFFT
 affecte
+E affectee
+N effacent
+R affecter
+S affectes
+U effectua
+Z affectez
ACEEFFU
+H chauffee
 echauffe
+T effectua
ACEEFFZ
 effacez
+I effaciez
+T affectez
ACEEFGH
+L flechage
ACEEFGI
+L ficelage
ACEEFGL
+H flechage
+I ficelage
ACEEFHI
+F affichee
+R facherie
ACEEFHL
+G flechage
+R flechera
ACEEFHM
+R machefer
ACEEFHR
+I facherie
+L flechera
+M machefer
+Z facherez
ACEEFHS
 fachees
+U facheuse
 fauchees
ACEEFHU
 fauchee
+F chauffe

```
        echauffe            fecales        +F  affectes            echanges        +A  glacees
+S  facheuse          +F  esclaffe     +I  faceties        +R  chargees        +A  galeaces
    fauchees          ACEEFLT          +T  facettes        +S  sechages        +D  deglaces
ACEEFHZ               +A  calfatee     ACEEFSU             +U  gacheuse        +H  lechages
+R  facherez          ACEEFLU          +H  facheuse        ACEEGHT             +I  ciselage
ACEEFII               +R  feculera         fauchees        +T  gachette        +L  scellage
+P  pacifiee          ACEEFMN          +R  farceuse        ACEEGHU             +O  ecolages
+T  acetifie          +I  mefiance         surfacee        +I  aguichee        +U  eclusage
ACEEFIL               ACEEFMO          +T  cafteuse        +O  echouage            glaceuse
+D  deficela          +L  fecalome     ACEEFTT                 gouachee        ACEEGLU
+G  ficelage          ACEEFMR          +E  facettee        +R  gauchere        +O  coagulee
+M  malefice          +H  machefer     +R  facetter        +S  gacheuse        +P  pucelage
+O  foliacee          ACEEFMS          +S  facettes        ACEEGHZ             +S  eclusage
ACEEFIM               +I  cafeisme     +Z  facettez        +N  echangez        ACEEGLV
+L  malefice          ACEEFNN          ACEEFTU             +R  gacherez        +R  verglace
+N  mefiance              enfance      +F  effectua        ACEEGIL             +U  cuvelage
+S  cafeisme          +I  financee     +R  facturee        +D  decilage        ACEEGLZ
ACEEFIN               +O  faconnee     +S  cafteuse        +F  ficelage        +D  deglacez
    cafeine           +S  enfances     ACEEFTZ             +R  glaciere        +R  glacerez
    faience           ACEEFNO          +F  affectez            glaciera        ACEEGMR
    fiancee           +N  faconnee     +R  cafterez        +S  ciselage            cremage
+D  defiance          ACEEFNS          +T  facettez        ACEEGIM             +A  marecage
+E  faiencee          +I  cafeines     ACEEGHI             ecimage             +E  ecremage
+M  mefiance              faiences     +U  aguichee        +R  grimace         +I  grimacee
+N  financee              fascinee     ACEEGHL             +S  ecimages        +S  cremages
+S  cafeines              fiancees         lechage         ACEEGIN                 gercames
    faiences          +N  enfances     +F  flechage        +A  encageai        ACEEGMS
    fascinee          ACEEFNT          +S  lechages        +Z  agenciez        +H  mechages
    fiancees          +F  effacant     ACEEGHM                 encagiez        +I  ecimages
ACEEFIO               ACEEFPR              mechage         ACEEGIR             +R  cremages
+L  foliacee              preface      +S  mechages            graciee             gercames
ACEEFIP               +E  prefacee     ACEEGHN             +A  acierage        +U  ecumages
+I  pacifiee          +R  prefacer         changee             agacerie        ACEEGMU
ACEEFIR               +S  prefaces         echange         +L  glacerie            ecumage
    cafeier           +Z  prefacez     +A  echangea            glaciere        +S  ecumages
+E  cafeiere          ACEEFPS          +E  echangee        +M  grimacee        ACEEGNN
+H  facherie          +R  prefaces     +R  echanger        +R  gercerai        +E  engeance
+S  cafeiers          ACEEFPZ              grenache        +S  graciees        +T  agencent
+T  cafetier          +R  prefacez         rechange        ACEEGIS                 encagent
ACEEFIS               ACEEFRR          +S  changees        +L  ciselage            tangence
    fasciee           +P  prefacer         echanges        +M  ecimages        ACEEGNO
+M  cafeisme          +T  refracte     +Z  echangez        +R  graciees        +D  decagone
+N  cafeines          ACEEFRS          ACEEGHO             ACEEGIU                 encodage
    faiences          +I  cafeiers     +U  echouage        +H  aguichee        ACEEGNR
    fascinee          +P  prefaces         gouachee        ACEEGIZ                 agencer
    fiancees          +U  farceuse     ACEEGHP             +N  agenciez            crenage
+R  cafeiers              surfacee     +R  perchage            encagiez            encager
+S  fasciees          ACEEFRT          ACEEGHR             ACEEGLL                 encrage
    fascisee          +F  affecter         chargee         +S  scellage            gerance
+T  faceties          +I  cafetier     +D  decharge        ACEEGLN             +A  agencera
ACEEFIT               +T  facetter     +N  echanger        +E  elegance            carenage
    facetie           +U  facturee         grenache        ACEEGLO                 encagera
+I  acetifie          +Z  cafterez     +P  perchage            ecolage         +H  echanger
+R  cafetier          ACEEFRU          +R  recharge        +S  ecolages            grenache
+S  faceties          +L  feculera     +S  chargees        +U  coagulee            rechange
ACEEFIZ               +S  farceuse     +U  gauchere        ACEEGLP             +S  crenages
+F  effaciez              surfacee     ACEEGHS             +A  capelage            encrages
ACEEFLM               +T  facturee         gachees         +U  pucelage            gerances
+I  malefice          ACEEFRZ              sechage         ACEEGLR             +T  centrage
+O  fecalome          +H  facherez     +B  bechages        +A  recalage        +U  ecanguer
ACEEFLO               +P  prefacez     +L  lechages        +C  cerclage        ACEEGNS
+I  foliacee          +T  cafterez     +M  mechages        +D  deglacer            agences
+M  fecalome          ACEEFSS          +N  changees        +I  glacerie            encages
ACEEFLR               +I  fasciees                             glaciere        +A  encageas
+H  flechera              fascisee                         +V  verglace        +E  agencees
+U  feculera          ACEEFST                              +Z  glacerez
ACEEFLS                                                    ACEEGLS
```

encagees
+H changees
echanges
+R crenages
encrages
gerances
+U cagneuse
ecanguez

ACEEGNT
+A canetage
encageat
+N agencent
encagent
tangence
+R centrage

ACEEGNU
ecangue
+E ecanguer
+R ecanguer
+S cagneuse
ecangues
+V encuvage
+Z ecanguez

ACEEGNV
+U encuvage

ACEEGNZ
agencez
encagez
+H echangez
+I agenciez
encagiez
+U ecanguiez

ACEEGOR
+B bocagere
+C ecorcage
+R cogerera

ACEEGOS
+L ecolages

ACEEGOU
+B ecobuage
+H echouage
gouachee
+L coagulee

ACEEGPR
crepage
percage
+E recepage
+H perchage
+S crepages
percages

ACEEGPS
cepages
+A pacagees
+R crepages
percages

ACEEGPU
+L pucelage

ACEEGRR
gercera
+H recharge
+I gercerai
+O cogerera
+S gerceras
+U recurage

ACEEGRS
+H chargees
+I graciees

+M cremages
gercames
+N crenages
encrages
gerances
+P crepages
percages
+R gerceras
+S gercasse
+T gercates
+U carguees
creusage

ACEEGRT
+N centrage
+S gercates
+T garcette
+U curetage

ACEEGRU
carguee
+H gauchere
+N ecanguer
+R recurage
+S carguees
creusage
+T curetage

ACEEGRV
+L verglace

ACEEGRZ
+A agacerez
+H gacherez
+L glacerez

ACEEGSS
+H sechages
+R gercasse

ACEEGST
+R gercates

ACEEGSU
+H gacheuse
+L eclusage
glaceuse
+M ecumages
+N cagneuse
ecangues
+R carguees
creusage

ACEEGTT
+H gachette
+R garcette

ACEEGTU
+R curetage

ACEEGUV
+D decuvage
+L cuvelage
+N encuvage

ACEEGUZ
+N ecanguez

ACEEHHN
hanchee
+D dehanche
+S hanchees

ACEEHHR
+R herchera
+U hachuree
+Z hacherez

ACEEHHS
hachees
+N hanchees

ACEEHHT
+T hachette
+U chahutee

ACEEHHU
+R hachuree
+T chahutee

ACEEHHZ
+R hacherez

ACEEHIL
+L achillee
+R echalier
lecherai

ACEEHIM
+N achemine
machinee
+P empechai
+R mecherai

ACEEHIN
chainee
chenaie
+C chicanee
+D dechaine
+M achemine
machinee
+N enchaine
+R echinera
enarchie
+S chainees
chenaies
+V chevaine
inacheve

ACEEHIP
+D depechai
+M empechai
+R eparchie
pecherai
repechai

ACEEHIR
+B becherai
ebrechai
+F facherie
+L echalier
lecherai
+M mecherai
+N echinera
enarchie
+P eparchie
pecherai
repechai
+R charriee
+S sacherie
secherai
+T chatiere
+V archivee
chaviree
vacherie

ACEEHIS
+D chiadees
+N chainees
chenaies
+R sacherie
secherai
+T chatiees

ACEEHIT
chatiee
+R chatiere
+S chatiees

+Z achetiez

ACEEHIU
+G aguichee

ACEEHIV
+N chevaine
inacheve
+R archivee
chaviree
vacherie
+Z acheviez

ACEEHIX
+C cachexie

ACEEHIZ
+T achetiez
+V acheviez

ACEEHJR
jachere
+S jacheres

ACEEHJS
+R jacheres

ACEEHLL
alleche
+E alleche
+I achillee
+M chamelle
+P chapelle
+R allecher
archelle
harcelle
+S alleches
+Z allechez

ACEEHLM
+B bechamel
+L chamelle
+S lechames

ACEEHLN
+C chancele
+D chaldeen
+S senechal

ACEEHLO
+T echalote
talochee

ACEEHLP
+A acalephe
acephale
+E cephalee
+L chapelle
+S sphacele
+T chapelet

ACEEHLR
harcele
lechera
relache
+E harcelee
relachee
+F flechera
+I echalier
lecherai
+L allecher
archelle
harcelle
+R harceler
relacher
+S harceles
lecheras
relaches
+T halecret

+V chevaler
+Z harcelez
lacherez
relachez

ACEEHLS
lachees
+B chablees
+C caleches
+G lechages
+L alleches
+M lechames
+N senechal
+P sphacele
+R harceles
lecheras
relaches
+S lechasse
+T chelates
lachetes
+U chaulees
lacheuse
+V chevales

ACEEHLT
chelate
lachete
+O echalote
talochee
+P chapelet
+R halecret
+S chelates
lachetes
lachetes
+T chatelet
+V chevalet

ACEEHLU
chaulee
+S chaulees
lacheuse

ACEEHLV
chevale
+E chevalee
echevela
+R chevaler
+S chevales
+T chevalet
+Z chevalez

ACEEHLZ
+L allechez
+R harcelez
lacherez
relachez
+V chevalez

ACEEHMM
+N emmanche
+S mechames

ACEEHMN
+D demanche
+I achemine
machinee
+M emmanche
+T mechante

ACEEHMO
amochee
+S amochees

ACEEHMP
empecha

+C campeche
+I empechai
+R camphree
+S empechas
pechames
+T empechat

ACEEHMR

charmee
mechera
remache
+B chambree
+D demarche
+E remachee
+F machefer
+I mecherai
+P camphree
+R remacher
remarche
+S charmees
mecheras
remaches
+U chremeau
machuree
+Z macherez
remachez

ACEEHMS

machees
+B bechames
+G mechages
+L lechames
+M mechames
+O amochees
+P empechas
pechames
+R charmees
mecheras
remaches
+S mechasse
sechames
+T mechates
+U chaumees

ACEEHMT

+N mechante
+P empechat
+S mechates
+T machette

ACEEHMU

chaumee
+B embauche
maubeche
+D dechaume
+R chremeau
machuree
+S chaumees

ACEEHMZ

+R macherez
remachez

ACEEHNN

+I enchaine
+T enchante

ACEEHNP

epanche
+A panachee
+E epanchee
+R epancher
penchera
+S epanches
+Z epanchez

ACEEHNR

archeen
echarne
+A acharnee
+B bernache
branchee
ebranche
+C echancre
+D decharne
+E echarnee
+G echanger
grenache
rechange
+I echinera
enarchie
+P epancher
penchera
+R echarner
+S archeens
echarnes
ensacher
+T entacher
etancher
rechante
tracheen
tranchee
+V revanche
+Z echarnez

ACEEHNS

aeschne
ensache
+B banchees
+E ensachee
+G changees
echanges
+H hanchees
+I chainees
chenaies
+L senechal
+P epanches
+R archeens
echarnes
ensacher
+S aeschnes
chasseen
enchasse
ensaches
+T chantees
echeants
entaches
etanches
+Z ensachez

ACEEHNT

chantee
echeant
entache
etanche
+D dechante
+E echeante
entachee
etanchee
+M mechante
+N enchante
+R entacher
etancher
rechante
tracheen
tranchee
+S chantees
echeants
entaches
etanches
+T achetent
+V achevent
+Z entachez
etanchez

ACEEHNU

cheneau
+X cheneaux

ACEEHNV

+I chevaine
inacheve
+R revanche
+T achevent

ACEEHNX

+U cheneaux

ACEEHNZ

+G echangez
+P epanchez
+R echarnez
+S ensachez
+T entachez
etanchez

ACEEHOR

+U echouera

ACEEHOS

+M amochees
+T cahotees

ACEEHOT

cahotee
+L echalote
talochee
+S cahotees

ACEEHOU

+B abouchee
+G echouage
gouachee
+R echouera

ACEEHPP

echappe
+E echappee
+R echapper
rechappe
+S echappes
+Z echappez

ACEEHPR

echarpe
pechera
rechape
repecha
+E echarpee
rechapee
+G perchage
+I eparchie
pecherai
repechai
+M camphree
+N epancher
penchera
+P echapper
rechappe
+R echarper
perchera
prechera
rechaper
+S echarpes
pecheras
rechapes
repechas
+T repechat
+Z echarpez
rechapez

ACEEHPS

chapees
+D depechas
+L sphacele
+M empechas
pechames
+N epanches
+P echappes
+R echarpes
pecheras
rechapes
repechas
+S pechasse
+T pechates

ACEEHPT

+D depechat
+L chapelet
+M empechat
+R repechat
+S pechates
+Y typhacee

ACEEHPY

+T typhacee

ACEEHPZ

+N epanchez
+P echappez
+R echarpez
rechapez

ACEEHRR

+A arrachee
+C crechera
recrache
+G recharge
+H herchera
+I charriee
+L harceler
relacher
+M remacher
remarche
+N echarner
+P echarper
perchera
prechera
rechaper
+T racheter
+V revercha

ACEEHRS

sechera
+B becheras
ebrechas
herbaces
+C crachees
+D echardes
+G chargees
+I sacherie
secherai
+J jacheres
+L harceles
lecheras
relaches
+M charmees
mecheras
remaches
+N archeens
echarnes
ensacher
+P echarpes
pecheras
rechapes
repechas
+S assecher
rechasse
secheras
+T chatrees
hectares
rachetes
trachees
+U rauchees
+V vacheres

ACEEHRT

acheter
chatree
hectare
rachete
trachee
+A achetera
+B ebrechat
+C cacheter
ceterach
+D detacher
+E rachetee
+I chatiere
+L halecret
+N entacher
etancher
rechante
tracheen
tranchee
+P repechat
+R racheter
+S chatrees
hectares
rachetes
trachees
+T catheter
tacheter
+U acheteur
+Z rachetez
tacherez

ACEEHRU

rauchee
+B ebaucher
+D echauder
+G gauchere
+H hachuree
+M chremeau
machuree
+O echouera
+S rauchees
+T acheteur
+V chevreau

ACEEHRV

achever
vachere
+A achevera

+I archivee
   chaviree
   vacherie
+L chevaler
+N revanche
+R revercha
+S vacheres
+U chevreau
ACEEHRZ
+B bacherez
+C cacherez
+F facherez
+G gacherez
+H hacherez
+L harcelez
   lacherez
   relachez
+M macherez
   remachez
+N echarnez
+P echarpez
   rechapez
+T rachetez
   tacherez
ACEEHSS
   asseche
   chassee
   echasse
+B bechasse
+D dessecha
+E assechee
+G sechages
+L lechasse
+M mechasse
   sechames
+N aeschnes
   chasseen
   enchasse
   ensaches
+P pechasse
+R assecher
   rechasse
   secheras
+S asseches
   chassees
   echasses
   sechasse
+T sechates
+U chaussee
+Z assechez
ACEEHST
   achetes
   tachees
+B bechates
+C cachetes
+D detaches
+E echates
+I chatiees
+L chelates
   lachetes
   lechates
+M mechates
+N chantees
   echeants
   entaches
   etanches
+O cahotees

+P pechates
+R chatrees
   hectares
   rachetes
   trachees
+S sechates
+T chastete
   tachetes
ACEEHSU
+B ebauches
+D echaudes
+F facheuse
   faucheuse
+G gacheuse
+L chaulees
   lacheuse
+M chaumees
+R raucheuse
+S chaussee
ACEEHSV
   acheves
+E achevees
+L chevales
+R vacheres
ACEEHSZ
+N ensachez
+S assechez
ACEEHTT
   tachete
+A attachee
+C cachette
+E tachetee
+G gachette
+H hachette
+L chatelet
+M machette
+N achetent
+R catheter
   tacheter
+S chastete
   tacheteis
+T tachette
+V vachette
+Z tachetez
ACEEHTU
+H chahutee
+R acheteur
ACEEHTV
+L chevalet
+N achevent
+T vachette
ACEEHTY
+P typhacee
ACEEHTZ
   achetez
+C cachetez
+D detachez
+I achetiez
+N entachez
   etanchez
+R rachetez
   tachetez
+T tachetez
ACEEHUV
+E echeveau
+R chevreau
ACEEHUX

+N cheneaux
ACEEHUZ
+B ebauchez
+D echaudez
ACEEHVZ
   achevez
+I acheviez
+L chevalez
ACEEIIL
+L liliacee
+N laciniee
+S laicisee
+T tiliacee
ACEEIIM
+R ecimerai
+Z emaciiez
ACEEIIN
+L laciniee
ACEEIIP
+F pacifiee
+R epicerai
ACEEIIR
+D iridacee
+M ecimerai
+P epicerai
+R ecrierai
+S acieries
   cerisaie
+Z acieriez
ACEEIIS
+L laicisee
+R acieries
   cerisaie
ACEEIIT
+F acetifie
+L tiliacee
ACEEIIZ
+M emaciiez
+R acieriez
ACEEIJS
+T ejectais
ACEEIJT
   ejectai
+S ejectais
+T ejectait
ACEEILL
   caillee
   ecaille
+A alliacee
+E ecaillee
+H achillee
+I liliacee
+R ecailler
+S caillees
   ecailles
+X excellai
   lexicale
+Z ecaillez
ACEEILM
+C calcemie
+D camelide
   decimale
   medicale
+E meliacee
+F malefice
ACEEILN

   calinee
   linacee
+C calcinee
+I laciniee
+N lancinee
+P capeline
   epincela
+S calinees
   linacees
   selacien
+T celaient
   etincela
+U enucleai
   leucanie
+Z elanciez
   enlaciez
ACEEILO
+F foliacee
+P alopecie
+S coalisee
+V olivacee
   violacee
ACEEILP
+N capeline
   epincela
+O alopecie
+S speciale
+Z capeliez
ACEEILR
   celerai
   eclaire
   recelai
+A ecalerai
+B cablerie
   calibree
   celebrai
+D dilacere
+E eclairee
+G glacerie
+H echalier
   lecherai
+L ecailler
+N crenelai
+R eclairer
+S celerais
   ciselera
   eclaires
   escalier
   recelais
+T celerait
   recelait
+Z caleriez
   eclairez
   laceriez
   recaliez
ACEEILS
+C ecclesia
+D decelais
+G ciselage
+I laicisee
+L caillees
   ecailles
+N calinees
   linacees
   selacien

   calinee
   linacee
+O coalisee
+P speciale
+R celerais
   ciselera
   eclaires
   escalier
   recelais
+V vesicale
ACEEILT
+D decelait
   delectai
   delicate
   dialecte
+I tiliacee
+N celaient
   etincela
+R celerait
   recelait
+Z eclatiez
ACEEILU
+D acidulee
+N enucleai
   leucanie
ACEEILV
+O olivacee
   violacee
+S vesicale
ACEEILX
+L excellai
   lexicale
ACEEILZ
   ecaliez
+D delaciez
+L ecaillez
+N elanciez
   enlaciez
+P capeliez
+R caleriez
   eclairez
   laceriez
   recaliez
+T eclatiez
ACEEIMM
+S acmeisme
   ecimames
ACEEIMN
+F mefiance
+H achemine
   machinee
+P emancipe
+R carminee
   emincera
+S mecanise
+T cementai
   emacient
+Z menaciez
ACEEIMP
+H empechai
+N emancipe
+S epicemas
ACEEIMR
   ecimera
   ecremai
   emacier
+A emaciera
+D decimera

+G grimace
+H mecherai
+I ecimerai
+N carminee
eminicera
+R camerier
cremerai
remercia
+S ecimeras
ecremais
ecriames
+T ecremait
matricee
+U ecumerai
+Z cameriez
maceriez

ACEEIMS
emacies
+C micacees
+D cadmies
+E emaciees
+F cafeisme
+G ecimages
ecimames
+M acmeisme
ecimames
+N mecanise
+P epicames
+R ecimeras
ecremais
ecriames
+S ecimasse
+T ecimates

ACEEIMT
+N cementai
emacient
+R ecremait
matricee
+S ecimates

ACEEIMU
+R ecumerai

ACEEIMZ
emaciez
+I emaciiez
+N menaciez
+R cameriez
maceriez

ACEEINN
+F financee
+H enchaine
+L lancinee
+N ancienne
nanceien
+O oceanien
+R enracine
incarnee
+S encensai
+T centaine

ACEEINO
+D oceanide
+N oceanien

ACEEINP
pinacee
+L capeline
epincela
+M emancipe
+R epincera
+S capesien

pinacees
sapience
+T capetien
epinceta
patience

ACEEINR
+D decernai
deracine
+H echinera
enarchie
+L crenelai
+M carminee
emincera
+N enracine
incarnee
+P epincera
+R cernerai
cranerie
crenerai
encrerai
+S cesarien
recensai
+T acierent
centiare
certaine
creaient
creatine
ctenaire
nectaire
+U ceraunie
+V evincera
+Z caneriez
careniez

ACEEINS
caseine
+F cafeines
faiences
fascinee
fiancees
+H chainees
chenaies
+L calinees
linacees
selacien
+M mecanise
+N encensai
+P capesien
pinacees
sapience
+R cesarien
recensai
+S caseines
encaisse
+T cineaste
+U acineuse

ACEEINT
+D cedaient
+L celaient
etincela
+M cementai
emacient
+N centaine
+P capetien
epinceta
patience
+R acierent
centiare

certaine
creaient
creatine
ctenaire
+S cineaste
+T tenacite
+X inexacte

ACEEINU
+D audience
+L enucleai
leucanie
+R ceraunie
+S acineuse
+X inexauce

ACEEINV
+C vaccinee
+D deviance
+H chevaine
inacheve
+R evincera
+Z encaviez

ACEEINX
+T inexacte
+U inexauce

ACEEINZ
+G agenciez
encagiez
+L elanciez
enlaciez
+M menaciez
+R caneriez
careniez
+S caneriez
+V encaviez

ACEEIOP
opiacee
+L alopecie
+R ecoperai
+S opiacees

ACEEIOR
+P ecoperai
+U ecoeurai

ACEEIOS
+L coalisee
+P opiacees
+S associee

ACEEIOU
+R ecoeurai

ACEEIOV
+L olivacee
violacee

ACEEIPP
+R apprecie
epicarpe

ACEEIPR
epicera
pecaire
rapiece
recepai
+A capeerai
+D decrepai
deprecia
precedai
+E rapiecee
+H eparchie
pecherai
repechai

+I epicerai
+N epincera
+O ecoperai
+P apprecie
epicarpe
+R creperai
percerai
precaire
rapiecer
+S epiceras
rapieces
recepais
+T recepait
+U apieceur
epucerai
peaucier
+X excipera
+Z caperiez
rapiecez

ACEEIPS
epiceas
+D depecais
dipsacee
+L speciale
+M epicames
+N capesien
pinacees
sapience
+O opiacees
+R epiceras
rapieces
recepais
+S ecipasse
+T capitees
epicates
+Z espaciez

ACEEIPT
capitee
+D decapite
depecait
+N capetien
epinceta
patience
+R recepait
+S capitees
epicates
+V captivee
+X exceptai

ACEEIPU
+R apieceur
epucerai
peaucier

ACEEIPV
+T captivee

ACEEIPX
+R excipera
+T exceptai

ACEEIPY
+Z capeyiez

ACEEIPZ
capeiez
+D decapiez
+L capeliez
+R caperiez
rapiecez
+S espaciez
+Y capeyiez

ACEEIQR
+U acquiere

ACEEIQT
+U acetique

ACEEIQU
+R acquiere
+T acetique

ACEEIRR
acierer
creerai
ecriera
recreai
+A acierera
+B bercerai
bicarree
+C cercaire
+D decriera
+G gercerai
+H charriee
+I ecrierai
+L eclairer
+M camerier
cremerai
remercia
+N cernerai
cranerie
crenerai
encrerai
+P creperai
percerai
precaire
rapiecer
+R carriere
recriera
reecrira
+S creerais
ecrieras
recreais
+T creerait
recitera
recreait
retercai
tercerai
tiercera
+V creverai
recevrai
+Z carierez

ACEEIRS
acieres
cariees
+D cederais
cedraies
recedais
+E acierees
+F cafeiers
+G graciees
+H sacherie
secherai
+I acieries
cerisaie
+L celerais
ciselera
eclaires
escalier
recelais
+M ecimeras
ecremais

```
        ecriames              exercait      +P epicasse       +R ecartiez      ACEEJUZ
+N cesarien        +Z ecartiez          +R cesserai       ACEEIUV            +L ejaculez
        recensai       ACEEIRU                 ecriasse      +Z evacuiez       ACEEKRT
+P epiceras        +B rubiacee          ACEEIST           ACEEIUX            +T rackette
        rapieces       +M ecumerai       +D decaties       +N inexauce       ACEEKTT
        recepais       +N ceraunie       +F faceties       +T executai       +R rackette
+R creerais        +O ecoeurai       +H chatiees       +Z exauciez       ACEELLM
        ecrieras       +P apieceur       +J ejectais       ACEEIUZ                 camelle
        recreais              epucerai       +M ecimates       +V evacuiez       +H chamelle
+S cesserai              peaucier       +N cineaste       +X exauciez       +N mancelle
        ecriasse       +Q acquiere       +P capitees       ACEEIVX            +S camelles
+T ecretais        +S causerie               epicates      +Z excaviez       ACEELLN
        ecriates              sauciere       +R ecretais       ACEEIVZ                 nacelle
        secretai       +T ecriteau              ecriates      +H acheviez       +M mancelle
        sectaire       ACEEIRV                 secretai      +N encaviez       +N cannelle
+U causerie        +D decevrai              sectaire      +R caveriez       +O lanceole
        sauciere       +H archivee       +V activees       +U evacuiez       +S nacelles
+V eviscera              chaviree       ACEEISU           +X excaviez       ACEELLO
        recevais              vacherie       +N acineuse       ACEEIXZ            +N lanceole
+X excisera        +N evincera       +R causerie       +U exauciez       ACEELLP
        execrais       +R creverai              sauciere      +V excaviez              capelle
        exercais              recevrai       ACEEISV           ACEEIYZ            +H chapelle
+Z caseriez        +S eviscera       +D decevais       +P capeyiez       +R carpelle
        ecrasiez              recevais       +L vesicale       ACEEJLO                 parcelle
        recasiez       +T creative       +R eviscera              cajolee      +S capselle
ACEEIRT                 reactive              recevais      +S cajolees       ACEELLR
        ecretai              recevait       +T activees       ACEEJLR            +H allecher
+B bacterie              veracite       ACEEISX           +U ejaculer              archelle
        becterai       +Z caveriez       +D excedais       ACEEJLS                 harcelle
+C circaete        ACEEIRX            +R excisera       +O cajolees       +I ecailler
+D cederait              execrai              execrais      +U ejacules       +P carpelle
        decretai              exercai              exercais      ACEEJLU                 parcelle
        edictera       +P excipera       ACEEISZ                 ejacule      +R carrelle
        recedait       +S excisera       +P espaciez       +E ejaculee       +S sarcelle
+F cafetier              execrais       +R caseriez       +R ejacules              scellera
+H chatiere              exercais              ecrasiez      +S ejacules              sclerale
+L celerait        +T excitera              recasiez      +Z ejaculez       ACEELLS
        recelait              excretai       ACEEITT           ACEEJLZ            +D descella
+M ecremait              execrait       +D detectai       +U ejaculez       +G scellage
        matricee              exercait       +J ejectai        ACEEJNO            +H alleches
+N acierent        ACEEIRZ            +N tenacite       +C joncacee       +I caillees
        centiare              acierez       +R ecretait       ACEEJNT                 ecailles
        certaine       +I acieriez       ACEEITU           +T ejectant       +M camelles
        creaient       +L caleriez       +Q acetique       ACEEJOS            +N nacelles
        creatine              eclairez       +R ecriteau       +B jacobees       +P capselle
        ctenaire              laceriez       +X executai       +L cajolees       +R sarcelle
        nectaire              recaliez       ACEEITV           ACEEJRS                 scellera
+P recepait        +M cameriez              activee       +H jacheres              sclerale
+R creerait              maceriez       +D decevait       ACEEJRT            +T catelles
        recitera       +N caneriez       +P captivee       +E ejectera       +U calleuse
        recreait              careniez       +R creative       +Z jacterez       +V claveles
        retercai       +P caperiez              reactive      ACEEJRU            +X excellas
        tercerai              rapiecez              recevait      +L ejaculer       ACEELLT
        tiercera       +R carierez              veracite      ACEEJRZ                 catelle
+S ecretais        +S caseriez       +S activees       +T jacterez       +S catelles
        ecriates              ecrasiez       ACEEITX           ACEEJST            +U actuelle
        secretai              recasiez       +D excedait              ejectas      +X excellat
        sectaire       +T ecartiez       +N inexacte       +B abjectes       ACEELLU
+T ecretait        +V caveriez       +P exceptai       +I ejectais       +C calculee
+U ecriteau        ACEEISS            +R excitera       ACEEJSU            +S calleuse
+V creative        +D decaisse              excretai      +L ejacules       +T actuelle
        reactive       +F fasciees              execrait      ACEEJTT            ACEELLV
        recevait              fasciese       +U executai              ejectat              clavele
        veracite       +M ecimasse       ACEEITZ           +I ejectais       +E clavelee
+X excitera        +N caseines       +H achetiez       +N ejectant       +S claveles
        excretai              encaisse       +L eclatiez       ACEEJTZ
        execrait       +O associee                            +R jacterez
```

ACEELLX
excella
+I excellai
lexicale
+S excellas
+T excellat

ACEELLZ
+H allechez
+I ecaillez

ACEELMN
+E lemnacee
+L mancelle
+O amoncele
cameleon
+T lacement

ACEELMO
+F fecalome
+N amoncele
cameleon
+T camelote
colmatee

ACEELMP
+A palmacee
+R remplace

ACEELMR
reclame
+D declamer
+E reclamee
+P remplace
+R reclamer
+S reclames
+X exclamer
+Z calmerez
clamerez
maclerez
reclamez

ACEELMS
calmees
celames
clamees
maclees
+A ecalames
+B embacles
+D declames
demascle
+H lechames
+L camelles
+R reclames
+U emascule
maculees
ulmacees
+X exclames

ACEELMT
+N lacement
+O camelote
colmatee

ACEELMU
maculee
ulmacee
+S emascule
maculees
ulmacees

ACEELMV
+A malvacee

ACEELMX
exclame
+E exclamee
+R exclamer
+S exclames
+Z exclamez

ACEELMY
+A amylacee

ACEELMZ
+D declamez
+R calmerez
clamerez
maclerez
reclamez
+X exclamez

ACEELNN
cannele
+D decennal
+E cannelee
+I lancinee
+L cannelle
+S canneles
+T elancent
enlacent

ACEELNO
+L lanceole
+M amoncele
cameleon
+R lecanore
olecrane

ACEELNP
+I capeline
epincela
+T pentacle

ACEELNR
crenela
elancer
enlacer
relance
renacle
+A elancera
enlacera
+B bernacle
+C encercla
+E relancee
+I crenelai
+O lecanore
olecrane
+R relancer
renacler
+S crenelas
relances
renacles
+T calerent
centrale
crenelat
lacerent
recalent
recelant

ACEELNS
alcenes
elances
enlaces
lancees
scalene
+C cenacles
+D calendes
+E elancees
enlacees
+H senechal
+I calinees
linacees
selacien
+L nacelles
+N canneles
+R crenelas
relances
renacles
+S scalenes
+T latences
+U canulees
enucleas
lanceuse
valences

ACEELNT
ecalent
latence
+D decalent
decelant
delacent
+I celaient
etincela
+M lacement
+N elancent
enlacent
+P pentacle
+R calerent
centrale
crenelat
lacerent
recalent
recelant
+S latences
+T eclatent
lancette
+U enucleat

ACEELNU
canulee
enuclea
+I enucleai
leucanie
+S canulees
enucleas
lanceuse
+T enucleat

ACEELNV
enclave
valence
+E enclavee
+R enclaver
+S enclaves
valences
+Z enclavez

ACEELNZ
elancez
enlacez
+I elanciez
enlaciez
+R lancerez
relancez
renaclez
+V enclavez

ACEELOP
+I alopecie
+S escalope

ACEELOR
racolee
+D decolera
+N lecanore
olecrane
+R recolera
+S racolees
+T ecolatre
+U ecoulera
+Y caloyere

ACEELOS
+C accolees
coalesce
+E oleacees
+G ecolages
+I coalisee
+J cajolees
+P escalope
+R racolees
+V sacoleve

ACEELOT
+B clabotee
+H echalote
talochee
+M camelote
colmatee
+R ecolatre
+T calotte

ACEELOU
+G coagulee
+R ecoulera

ACEELOV
+B evocable
+I olivacee
violacee
+S sacoleve

ACEELOY
+R caloyere

ACEELPR
capeler
percale
replace
+D deplacer
+E replacee
+L carpelle
parcelle
+M remplace
+R replacer
+S percales
replaces
+Z placerez
replacez

ACEELPS
capeles
placees
scalpee
+D deplaces
+E capelees
+H sphacele
+I speciale
+L capelles
capselle
+O escalope
+R percales
replaces
+S scalpees
+T capelets
+U capsulee
placeuse

ACEELPT
capelet
+H chapelet
+N pentacle
+S capelets
+T placette
+U pultacee

ACEELPU
+D depucela
+G pucelage
+S capsulee
placeuse
+T pultacee

ACEELPZ
capelez
+D deplacez
+I capeliez
+R placerez
replacez

ACEELQR
+U craquele

ACEELQS
+U calquees
claquees

ACEELQT
+U claquete

ACEELQU
calquee
claquee
+D decalque
+R craquele
+S calquees
claquees
+T claquete

ACEELRR
carrele
lacerer
recaler
+A lacerera
recalera
+B cerebral
+C cerclera
recercla
+D declarer
+E carrelee
recelera
+H harceler
relacher
+I eclairer
+L carrelle
+M reclamer
+N relancer
renacler
+O recolera
+P replacer
+R carreler
+S carreles
+T carrelet
+U reculera
ulcerera
+Z carrelez
raclerez

ACEELRS
celeras
laceres
raclees
recales
recalas
sarclee
+A ecaleras
+B celebras
+D declares
+E cereales
   lacerees
   recalees
+H harceles
   lecheras
   relaches
+I celerais
   ciselera
   eclaires
   escalier
   recelais
+L sarcelle
   scellera
   sclerale
+M reclames
+N crenelas
   relances
   renacles
+O racolees
+P percales
   replaces
+R carreles
+S reclasse
   sarclees
+T rectales
   scelerat
+U eclusera
   racleuse
+V cervelas
+Y clayeres

ACEELRT
eclater
recelat
rectale
+A ecarlate
   ecartela
   eclatera
+B bracelet
   celebrat
+E ecartele
+H halecret
+I celerait
   recelait
+N calerent
   centrale
   crenelat
   lacerent
   recalent
   recelant
   scelerat
+O ecolatre
+R carrelet
+S rectales
   scelerat
+T raclette
+U eclateur
+V claveter
+Z calterez

ACEELRU
+A lauracee
+D reculade
+F feculera
+J ejaculer
+O ecoulera
+Q craquele
+R reculera
   ulcerera
+S eclusera
+T eclateur

ACEELRV
+G verglace
+H chevaler
+N enclaver
+S cervelas
+T claveter
+Z claverez

ACEELRX
+M exclamer

ACEELRY
clayere
+O caloyere
+S clayeres

ACEELRZ
calerez
lacerez
recalez
+B baclerez
   cablerez
+D declarez
+E ecalerez
+G glacerez
+H harcelez
   lacherez
+I caleriez
   eclairez
   laceriez
   recaliez
+M calmerez
   clamerez
   maclerez
   reclamez
+N lancerez
   relancez
   renaclez
+P placerez
   replacez
+R carrelez
   raclerez
+T calterez
+V claverez

ACEELSS
celasse
classee
escales
+A ecalasse
+B secables
+D declasse
+H lechasse
+N scalenes
+P scalpees
+R reclasse
   sarclees
+S celasses

classees
+T celestas
+U laceuses
+V esclaves

ACEELST
caltees
celates
eclates
lactees
+A ecalates
+D delectas
+E eclatees
+H chelates
   lachetes
   lechates
+L catelles
+N latences
+P capelets
+R rectales
   scelerat
+S celestas
+U cauteles
+V clavetes
+Y acetyles

ACEELSU
laceuse
+B basculee
+C acculees
+G eclusage
   glaceuse
+H chaulees
   lacheuse
+J ejacules
+L calleuse
+M emascule
   maculees
   ulmacees
+N canulees
   enuclees
   lanceuse
+P capsulee
   placeuse
+Q calquees
+R eclusera
   racleuse
+S laceuses
+T cauteles

ACEELSV
clavees
esclave
+A cavalees
+H chevales
+I vesicale
+L claveles
+N enclaves
   valences
+O sacoleve
+S esclaves
+T clavetes

ACEELSX
+L excellas
+M exclames

ACEELSY

+R clayeres
+T acetyles

ACEELTT
+D delectat
+H chatelet
+N eclatent
   lancette
+O calottee
+P placette
+R raclette
+V clavette
+Y clayette

ACEELTU
cautele
+A aculeate
+L actuelle
+N enucleat
+P pultacee
+Q claquete
+R eclateur
+S cauteles

ACEELTV
clavete
+E clavetee
+H chevalet
+R claveter
+S clavetes
+T clavette
+Z clavetez

ACEELTX
+L excellat

ACEELTY
acetyle
+S acetyles
+T clayette

ACEELTZ
eclatez
+I eclatiez
+R calterez
+V clavetez

ACEELUV
+G cuvelage

ACEELUZ
+J ejaculez

ACEELVZ
+H chevalez
+N enclavez
+R claverez
+T clavetez

ACEELXZ
+M exclamez

ACEEMMO
+T ammocete

ACEEMMR
+S cremames

ACEEMMS
+H mechames
+I acmeisme
   ecimames
+R cremames
+U ecumames

ACEEMMT
+O ammocete

ACEEMMU
+S ecumames

ACEEMNN
+O maconnee
+T menacent

ACEEMNO
+L amoncele
   cameleon
+N maconnee
+R romancee

ACEEMNP
+I emancipe

ACEEMNR
+A menacera
+I carminee
   emincera
+O romancee
+S cernames
   crenames
   encrames
+T camerent
   ecremant
   macerent
   mecreant

ACEEMNS
menaces
+E menacees
+I mecanise
+R cernames
   crenames
   encrames
+T cementas
   mecenats

ACEEMNT
cementa
mecenat
+H mechante
+I cementai
   emacient
+L lacement
+N menacent
+R camerent
   ecremant
   macerent
   mecreant
+S cementas
   mecenats
+T cementat
+U ecumante

ACEEMNU
+T ecumante

ACEEMNZ
menacez
+I menaciez

ACEEMOP
+R comparee
+S ecopames

ACEEMOR
amorcee
moracee
+N romancee
+P comparee
+S amorcees
   moracees

ACEEMOS
+H amochees
+P ecopames
+R amorcees

moracees
+T escamote
ACEEMOT
+L camelote
colmatee
+M ammocete
+S escamote
ACEEMPR
+D decamper
+H camphree
+L remplace
+O comparee
+S crepames
percames
+Z camperez
ACEEMPS
campees
+A capeames
+D decampes
+H empechas
pechames
+I epicames
+O ecopames
+R crepames
percames
+U campeuse
epucames
ACEEMPT
+H empechat
ACEEMPU
+S campeuse
epucames
ACEEMPZ
+D decampez
+R camperez
ACEEMRR
cremera
macerer
+A macerera
+E ecremera
+H remacher
remarche
+I camerier
cremerai
remercia
+L reclamer
+S cremeras
+Z cramerez
ACEEMRS
caremes
cerames
cramees
creames
ecremas
maceres
+B bercames
cambrees
+E macerees
+G cremages
gercames
+H charmees
mecheras
remaches
+I ecimeras
ecremais
ecriames
+L reclames

+M cremames
+N cernames
crenames
encrames
+O amorces
moracees
+P crepames
percames
+R cremeras
+S cremasse
+T cremates
tercames
+U ecumeras
macreuse
+V crevames
ACEEMRT
ecremat
+I ecremait
matrice
+N camerent
ecremant
macerent
mecreant
+S cremates
tercames
+Y myrtacee
ACEEMRU
ecumera
+H chremeau
machuree
+I ecumerai
+S ecumeras
macreuse
ACEEMRV
+S crevames
ACEEMRX
+L exclamer
ACEEMRY
+T myrtacee
ACEEMRZ
camerez
macerez
+H macherez
remachez
+I cameriez
maceriez
+L calmerez
clamerez
maclerez
reclamez
+P camperez
+R cramerez
ACEEMSS
+H mechasse
sechames
+I ecimasse
+R cremasse
+S cessames
+U ecumasse
musacees
ACEEMST
+A casemate
+B bectames
+H mechates
+I ecimates
+N cementas
mecenats

+O escamote
+R cremates
tercames
+U ecumates
ACEEMSU
musacee
+G ecumages
+H chaumees
+L emascule
maculees
+M ecumames
+P campeuse
epucames
+R ecumeras
macreuse
+S ecumasse
musacees
+T ecumates
ACEEMSV
+R crevames
ACEEMSX
+L exclames
ACEEMSZ
eczemas
ACEEMTT
+H machette
+N cementat
ACEEMTU
+N ecumante
+S ecumates
ACEEMTY
+R myrtacee
ACEEMXZ
+L exclamez
ACEENNN
+A cananeen
+I ancienne
nanceien
+O annoncee
canonnee
ACEENNO
+A annoncee
+F faconnee
+I oceanien
+M maconnee
+N annoncee
canonnee
+R arconnee
enoncera
ACEENNR
+I enracine
incarnee
+O arconnee
enoncera
+T canerent
carenent
+Z cannerez
ACEENNS
cannees
encensa
+F enfances
+I encensai
+L canneles
+S encensas
+T encensat
+U nuancees

ACEENNT
+D tendance
+G agencent
encagent
tangence
+H enchante
+I centaine
+L elancent
enlacent
+M menacent
+R canerent
carenent
+S encensat
+V encavent
ACEENNU
nuancee
+S nuancees
ACEENNV
+T encavent
ACEENNZ
+R cannerez
ACEENOR
+B carbonee
+C cornacee
+D androcee
encodera
+L lecanore
olecrane
+M romancee
+N arconnee
enoncera
+R ecornera
+T carotene
racontee
ACEENOS
oceanes
+T acetones
+Y cyanosee
ACEENOT
acetone
+D anecdote
+R carotene
racontee
+S acetones
ACEENOU
+B boucanee
ACEENOY
+S cyanosee
ACEENPR
+H epancher
penchera
+I epincera
+T caperent
percante
recepant
ACEENPS
+A panacees
+H epanches
+I capesien
pinacees
sapience
+T espacent
ACEENPT
capeent
+D decapent
depecant
+I capetien

epinceta
patience
+L pentacle
+R caperent
percante
recepant
+S espacent
+Y capeyent
ACEENPU
+D peucedan
ACEENPY
+T capeyent
ACEENPZ
+H epanchez
ACEENQR
+U encaquer
ACEENQS
+U encaques
ACEENQU
encaque
+E encaquee
+R encaquer
+S encaques
+Z encaquez
ACEENQZ
+U encaquez
ACEENRR
carener
cernera
crenera
encrera
errance
+A carenera
+C carencer
+D encadrer
rencarde
+H echarner
+I cernerai
cranerie
crenerai
encrerai
+L relancer
renacler
+O ecornera
+S caserner
cerneras
creneras
encreras
errances
sancerre
serancer
+T centrera
encarter
recreant
+Z ancrerez
cranerez
nacrerez
ACEENRS
ancrees
carenes
carnees
caserne
nacrees
recensa
serance
+A arenaces
+C carences

creances
+D cerdanes
decernas
encadres
+E carenees
casernee
serancee
+G crenages
encrages
gerances
+H archeens
echarnes
ensacher
+I cesarien
recensai
+L crenelas
relances
renacles
+M cernames
crenames
encrames
+R caserner
cerneras
creneras
encreras
errances
sancerre
serancer
+S casernes
cernasse
crenasse
encrasse
recensas
serances
+T ancetres
caserent
cernates
crantees
crenates
ecrasent
encartes
encastre
encrates
recasent
recensat
+U craneuse
+V cavernes
+Z casernez
serancez

ACEENRT
ancetre
crantee
encarte
+B bercante
cabernet
+D decanter
decentra
decernat
recedant
+E encartee
+G centrage
+H entacher
etancher
rechante
tracheen
tranchee
+I acierent

centiare
certaine
creaient
creatine
ctenaire
nectaire
+L calerent
centrale
crenelat
lacerent
recalent
recelant
+M camerent
ecremant
macerent
mecreant
+N canerent
carenent
+O carotene
racontee
+P caperent
percante
recepant
+R centrera
encarter
recreant
+S ancetres
caserent
cernates
crantees
crenates
ecrasent
encartes
encastre
encrates
recasent
recensat
+T ecartent
ecretant
entracte
+U centaure
+V caverent
crevante
recevant
+X excentra
execrant
exercant
+Z encartez
tancerez

ACEENRU
cerneau
creneau
+G ecanguer
+I ceraunie
+Q encaquer
+S craneuse
+T centaure
+V encuvera
+X cerneaux
creneaux
+Y cyanuree

ACEENRV
caverne
encaver
+A encavera
+D devancer
+H revanche

+I evincera
+L enclaver
+S cavernes
+T caverent
recevant
+U encuvera

ACEENRX
+T excentra
execrant
exercant
+U cerneaux
creneaux

ACEENRY
+U cyanuree

ACEENRZ
canerez
carenez
+C carencez
+D encadrez
+H echarnez
+I caneriez
careniez
+L lancerez
relancez
renaclez
+N cannerez
+R ancrerez
cranerez
nacrerez
+S casernez
serancez
+T encartez
tancerez

ACEENSS
seances
+B absences
+D scandees
+H aeschnes
chasseen
enchasse
ensaches
+I caseines
encaisse
+L scalenes
+N encensas
+R casernes
cernasse
crenasse
encrasse
recensas
serances
+T cessante
secantes

ACEENST
cetanes
secante
tancees
tenaces
+C acescent
+D cedantes
decantes
+H chantees
echeants
entaches
etanches
+I cineaste

+L latences
+M cementas
mecenats
+N encensat
+O acetones
+P espacent
+R ancetres
caserent
cernates
crantees
crenates
ecrasent
encartes
encastre
encrates
recasent
recensat
+S cessante
+T canettes
+U cutanees

ACEENSU
+D saduceen
+G cagneuse
ecangues
+I acineuse
+L canulees
enucleas
lanceuse
+N nuancees
+Q encaques
+R craneuse
+T cutanees

ACEENSV
encaves
+A avancees
+D devances
+E encavees
+L enclaves
valences
+R cavernes

ACEENSY
+O cyanosee

ACEENSZ
+H ensachez
+R casernez
serancez

ACEENTT
canette
+H achetent
+I tenacite
+J ejectant
+L eclatent
lancette
+M cementat
+R ecartent
ecretant
entracte
+S canettes

ACEENTU
cutanee
+C accentue
+L enucleat
+M ecumante
+R centaure
+S cutanees
+V evacuent

+X exaucent

ACEENTV
+D decevant
+H achevent
+N encavent
+R caverent
crevante
recevant
+U evacuent
+X excavent

ACEENTX
+D excedant
+I inexacte
+R excentra
execrant
exercant
+U exaucent
+V excavent

ACEENTY
+P capeyent

ACEENTZ
+D decantez
+H entachez
etanchez
+R encartez
tancerez

ACEENUV
+G encuvage
+R encuvera
+T evacuent

ACEENUX
+H cheneaux
+I inexauce
+R cerneaux
creneaux
+T exaucent

ACEENUY
+R cyanuree

ACEENUZ
+G ecanguez
+Q encaquez

ACEENVX
+T excavent

ACEENVZ
encavez
+D devancez
+I encaviez
+L enclavez

ACEEOOP
+P apocopee

ACEEOPP
+O apocopee

ACEEOPR
ecopera
+I ecoperai
+M comparee
+S ecoperas

ACEEOPS
+I opiacees
+L escalope
+M ecopames
+R ecopasse
+S ecopasse
+T ecopates

ACEEOPT
+D decapote
+S ecopates

ACEEORR
+C ecorcera
+D decorera
+G cogerera
+L recolera
+N ecornera
+T acrotere
+U ecrouera

ACEEORS
   rosacee
+L racolees
+M amorcees
   moracees
+P ecoporas
+S ecossera
   rosacees
+T rotacees
+U ecoueras
   secouera

ACEEORT
   rotacee
+B becotera
   crabotee
+D octaedre
+L ecolatre
+N carotene
   racontee
+R acrotere
+S rotacees
+T carottee
+U ecoeurat
   ecoutera
   reecouta

ACEEORU
   ecoeura
+B ecobuera
+H echouera
+I ecoeurai
+L ecoulera
+R ecrouera
+S ecoueras
   secouera
+T ecoeurat
   ecoutera
   reecouta

ACEEORY
+L caloyere

ACEEOSS
+B cabossee
+I associee
+P ecopasse
+R ecossera
   rosacees

ACEEOST
+C accostee
   accotees
+D estocade
+H cahotees
+M escamote
+N acetones
+P ecopates
+R rotacees

ACEEOSU
+D escouade
+R ecoeuras
   secouera

ACEEOSV

+L sacoleve

ACEEOSY
+N cyanosee

ACEEOTT
+L calottee
+R carottee
+V avocette

ACEEOTU
+R ecoeurat
   ecoutera
   reecouta

ACEEOTV
+T avocette

ACEEPPR
+H echapper
   rechappe
+I epicarpe

ACEEPPS
+H echappes

ACEEPPZ
+H echappez

ACEEPQS
+U pacquees
+S pacquees

ACEEPQU
   pacquee

ACEEPRR
   crepera
   percera
+E recepera
+F prefacer
+H echarper
   perchera
   prechera
   rechaper
+I creperai
   percerai
   precaire
   rapiecer
+L replacer
+S creperas
   perceras
+U recupera
+V percevra

ACEEPRS
   escarpe
   espacer
   recepas
   rescape
+A capeeras
   espacera
+D decrepas
   precedas
+E escarpee
   rescapee
+F prefaces
+G crepages
   percages
+H echarpes
   pecheras
   rechapes
   repechas
+I epiceras
   rapiecas
   recepais
+L percales

   replaces
+M crepames
   percames
+O ecoperas
+R creperas
   perceras
+S crepasse
   escarpes
   percasse
   rescapes
+T crepates
   esparcet
   percates
   respecta
+U apercues
   epuceras

ACEEPRT
   recepat
+C accepter
+D decrepat
   precedat
+H repechat
+I recepait
+N caperent
   percante
   recepant
+S crepates
   esparcet
   percates
+T carpette
+U capturee
+Z capterez

ACEEPRU
   apercue
   epucera
+D drupacee
+I apieceur
   epucerai
   peaucier
+R recupera
+S apercues
   epuceras
+T capturee

ACEEPRV
+R percevra

ACEEPRX
+I excipera

ACEEPRY
   capeyer
+A capeyera

ACEEPRZ
   caperez
+E capeerez
+F prefacez
+H echarpez
   rechapez
+I caperiez
   rapiecez
+L placerez
   replacez
+M camperez
+T capterez

ACEEPSS
   espaces
+A capeasse
+E espacees

+H pechasse
+I epicasse
+L scalpees
+O ecopasse
+R crepasse
   escarpes
   percasse
   rescapes
+U epucasse

ACEEPST
   captees
   epactes
+A capeates
+C acceptes
+H pechates
+I capitees
   epicates
+N espacent
+O ecopates
+R crepates
   esparcet
   percates
   respecta
+X exceptas

ACEEPSU
+L capsulee
   placeuse
+M campeuse
   epucames
+Q pacquees
+R apercues
   epuceras
+S epucasse
+T epucates

ACEEPSX
+T exceptas

ACEEPSY
   capeyes

ACEEPSZ
   espacez
+I espaciez

ACEEPTT
+L placette
+R carpette
+X exceptat

ACEEPTU
+L pultacee
+R capturee
+S epucates

ACEEPTV
+I captivee

ACEEPTX
   excepta
+I exceptai
+S exceptas
+T exceptat

ACEEPTY
+H typhacee
+N capeyent

ACEEPTZ
+C acceptez
+R capterez

ACEEPYZ
   capeyez
+I capeyiez

ACEEQRS
+U craquees

ACEEQRT
+U caqueter
   craquete

ACEEQRU
+I acquiere
+L acquele
+N encaquer
+S craquees
+T caqueter
   craquete
+Z acquerez
   caquerez

ACEEQRZ
+U acquerez
   caquerez

ACEEQSS
+U casquees
   sacquees

ACEEQSU
   caquees
   casquee
   sacquee
+L calquees
   claquees
+N encaques
+P pacquees
+R craquees
+S casquees
   sacquees

ACEEQTT
+U caquette

ACEEQTU
   caquete
+B becqueta
+I acetique
+L claquete
+R caqueter
   craquete
+T caquette
+Z caquetez

ACEEQTZ
+U caquetez

ACEEQUZ
+N encaquez
+R acquerez
   caquerez
+T caquetez

ACEERRR
+D recarder
+E recreera
+I carriere
   recriera
+L carreler
+T retracer
+U recurera
+Z carrerez

ACEERRS
   carrees
   creeras
   ecraser
   escarre
   recaser
   recreas

+A ecrasera
recasera
+B becarres
berceras
+D carderes
recardes
+G gerceras
+I creerais
ecrieras
recreais
+L carreles
+M cremeras
+N caserner
cerneras
creneras
encreras
errances
sancerre
serancer
+P creperas
perceras
+S caresser
escarres
+T crateres
retercas
retraces
terceras
+U creusera
ecraseur
recauser
recreusa
recusera
+V creveras
recevras
+Z sacrerez

ACEERRT
cratere
ecarter
recreat
reterca
retrace
tercera
+A ecartera
+E ecretera
retracee
+F refracte
+H racheter
+I creerait
recitera
recreait
retercai
tercerai
tiercera
+L carrelet
+N centrera
encarter
recreant
+O acrotere
+R retracer
+S crateres
retercas
retraces
terceras
+T retercat
retracte
traceret
+U createur

creature
ecarteur
eructera
reacteur
+Z retracez
tracerez

ACEERRU
+B carburee
+G recurage
+L reculera
ulcerera
+O ecrouera
+P recupera
+R recurera
+S creusera
ecraseur
recauser
recreusa
recusera
+T createur
creature
ecarteur
eructera
reacteur

ACEERRV
crevera
recevra
+H revercha
+I creverai
recevrai
+P percevra
+S creveras
recevras

ACEERRX
+E execrera
exercera

ACEERRZ
+B cabrerez
+D cadrerez
carderez
recardez
+I carierez
+L carrelez
raclerez
+M cramerez
+N ancrerez
cranerez
nacrerez
+R carrerez
+S sacrerez
+T retracez
tracerez

ACEERSS
caresse
cessera
creasse
ecrases
recases
sacrees
+B bercasse
+D decrasse
escadres
+E caressee
ecrasees
recasees
+G gercasse
+H assecher

rechasse
secheras
+I cesserai
ecriasse
+L reclasse
sarclees
+M cremasse
+N casernes
cernasse
crenasse
encrasse
recensas
serances
+O ecossera
rosacees
+P crepasse
escarpes
percasse
rescapes
+R caresser
escarres
+S caresses
cesseras
creasses
castrees
cerastes
secretas
tercasse
+U recauses
crevasse
+Z caressez
casserez

ACEERST
acretes
castree
ceraste
creates
ecartes
ecretas
secreta
tracees
+B becteras
bercates
bractees
+C cretaces
+D decretas
+E ecartees
+G gercates
+H chatrees
hectares
rachetes
trachees
+I ecretais
ecriates
secretai
sectaire
+L rectales
scelerat
+M cremates
tercames
+N ancetres
caserent
cernates
crantees
crenates
ecrasent
encartes

encastre
encrates
recasent
recensat
+O rotacees
+P crepates
esparcet
percates
respecta
recensas
+R crateres
retercas
retraces
terceras
+S castrees
cerastes
secretas
tercasse
tercates
tractees
+U cauteres
rutacees
secateur
traceuse
+V crevates
+X excretas

ACEERSU
recause
+D cardeuse
decreusa
+F farceuse
surfacee
+G carguees
+H rauchees
+I causerie
sauciere
+L eclusera
racleuse
+M ecumeras
macreuse
+N craneuse
ecoeuras
secouera
+P apercues
epuceras
+Q craquees
+R creusera
ecraseur
recauser
recreusa
recusera
+S recauses
rutacees
secateur
traceuse
+X excusera
+Y crayeuse
+Z causerez
recausez
saucerez

ACEERSV
+D decevras
+H vacheres
+I eviscera
recevais

+L cervelas
+M crevames
+N cavernes
+R creveras
recevras
+S crevasse
+T crevates

ACEERSX
execras
exercas
+I excisera
exercais
exercais
+T excretas
+U excusera

ACEERSY
+L clayeres
+U crayeuse

ACEERSZ
caserez
ecrasez
recasez
+I caseriez
ecrasiez
recasiez
+N casernez
serancez
+R sacrerez
+S casserez
casserez
+U causerez
recausez
saucerez

ACEERTT
ecretat
tractee
+D decretat
+F facetter
+G garcette
+H catheter
tacheter
+I ecretait
+K rackette
+L raclette
+N ecartent
ecretant
entracte
+O carottee
+P carpette
+R retercat
retracte
traceret
+S secretat
tercates
tractees
+X excretat

ACEERTU
cautere
rutacee
+F facturee
+G curetage
+H acheteur
+I ecriteau
+L eclateur
+N centaure
+O ecoeurat
ecoutera

reecouta
+P capturee
+Q caquete
craquete
+R createur
creature
ecarteur
eructera
reacteur
+S cauteres
rutacees
secateur
traceuse
+X exacteur
ACEERTV
+A cravatee
+I creative
reactive
recevait
veracite
+L claveter
+N caverent
crevante
recevant
+S crevates
ACEERTX
excreta
execrat
exercat
+I excitera
excretai
execrait
exercait
+N excentra
exercant
exercant
+S excretas
+T excretat
+U exacteur
ACEERTY
+M myrtacee
ACEERTZ
ecartez
+F cafterez
+H rachetez
tacherez
+I ecartiez
+J jacterez
+L calterez
+N encartez
tancerez
+P capterez
+R retracez
tracerez
ACEERUV
cerveau
evacuer
+A evacuera
+D decuvera
+H chevreau
+N encuvera
+X exacuera
ACEERUX
exaucer
+A exaucera
+B berceaux
+C cerceaux

+N cerneaux
creneaux
+S excusera
+T exacteur
+V cerveaux
ACEERUY
+N cyanuree
+S crayeuse
ACEERUZ
+Q acquerez
caqueriez
+S causerez
recausez
saucerez
ACEERVX
excaver
+A excavera
+U cerveaux
ACEERVZ
caverez
+I caveriez
+L claverez
ACEESSS
asceses
cassees
+B becasses
+D cedasses
+H asseches
chasses
echasses
sechasse
+L celasses
classees
+M cessames
+R caresses
cesseras
creasses
+S cessasse
+T cessates
ACEESST
ascetes
setaces
+B bectasse
+E setacees
+H sechates
+L celestas
+N cessante
secantes
+R castrees
cerastes
secretas
tercasse
+S cessates
+T cassette
testaces
ACEESSU
causees
saucees
+C accusees
+E caseeuse
+H chaussee
+L laceuses
+M ecumasse
musacees
+P epucasse
+Q casquees
sacquees

+R recauses
+U causeuse
ACEESSV
+L esclaves
+R crevasse
ACEESSZ
+H assechez
+R caressez
casseraz
ACEESTT
testace
+A acetates
+B bectates
+D cadettes
detectas
+E testacee
+F facettes
+H chastete
tachetes
+N canettes
+R secretat
tercates
tractees
+S testaces
+U causette
+Z cazettes
ACEESTU
+E aceteuse
+F cafteuse
+L cauteles
+M ecumates
+N cutanees
+P epucates
+R cauteres
rutacees
secateur
traceuse
+T causette
+X executas
ACEESTV
+I activees
+L clavetes
+R crevates
ACEESTX
exactes
+A taxacees
+P exceptas
+R excretas
+U executas
ACEESTY
+L acetyles
ACEESTZ
+T cazettes
ACEESUU
+S causeuse
ACEESUV
evacues
+E evacuees
ACEESUX
caseeux
+B buxacees
+E essacees
+R excusera
+T executas
ACEESUY

+R crayeuse
ACEESUZ
+R causerez
recausez
saucerez
ACEESVX
excaves
+E excavees
ACEETTT
+D detectat
+H tachette
ACEETTU
+Q caquette
+S causette
+X executat
ACEETTV
+H vachette
+L clavette
+O avocette
ACEETTX
+P exceptat
+R excretat
+U executat
ACEETTY
+L clayette
ACEETTZ
cazette
+F facettez
+H tachetez
+S cazettes
ACEETUV
+N evacuent
ACEETUX
aceteux
executa
+I executai
+N exaucent
+R exacteur
+S executas
+T executat
ACEETUZ
+Q caquetez
ACEETVX
+N excavent
ACEETVZ
+L clavetez
ACEEUVX
+R cerveaux
ACEEUVZ
evacuez
+I evacuiez
ACEEUXZ
exaucez
+I exauciez
ACEEVXZ
excavez
+I excaviez
ACEFFFI
+T affectif
ACEFFFT
+I affectif
ACEFFGO
+R coffrage
ACEFFGR
+O coffrage
ACEFFHI
affiche

+E affichee
+R afficher
+S affiches
+Z affichez
ACEFFHR
+I afficher
+U chauffer
ACEFFHS
+I affiches
+U chauffes
ACEFFHU
chauffe
+A echauffa
+E echauffee
echauffe
+R chauffer
+S chauffes
+Z chauffez
ACEFFHZ
+I affichez
+U chauffez
ACEFFIO
+D decoiffa
+R coiffera
efforcai
recoiffa
ACEFFIR
+H afficher
+O coiffera
efforcai
recoiffa
ACEFFIS
+A effacais
+H affiches
ACEFFIT
+A affectai
effacait
+F affectif
ACEFFIZ
+E effaciez
+H affichez
ACEFFLS
+A esclaffa
+E esclaffe
ACEFFNO
+S effacons
ACEFFNS
+O effacons
ACEFFNT
+A effacant
+E effacent
ACEFFOR
efforca
+D decoffra
+G coffrage
+I coiffera
efforcai
recoiffa
+R coffrera
+S efforcas
+T efforcat
ACEFFOS
+N effacons
+R effacons
ACEFFOT
+R efforcat

ACEFFRR
+O coffrera
ACEFFRS
+O efforcas
ACEFFRT
+E affecter
+O efforcat
ACEFFRU
+H chauffer
ACEFFST
affects
+A affectas
+E affectes
ACEFFSU
+H chauffes
ACEFFTT
+A affectat
ACEFFTU
+E effectua
ACEFFTZ
+E affectez
ACEFFUZ
+H chauffez
ACEFGHI
fichage
+S fichages
ACEFGHL
+E flechage
ACEFGHS
+I fichages
ACEFGHU
+A fauchage
ACEFGIL
+E ficelage
ACEFGIS
+H fichages
ACEFGIT
+U fugacite
ACEFGIU
+T fugacite
ACEFGKL
+O flockage
ACEFGKO
+L flockage
ACEFGLO
flocage
+K flockage
+S flocages
ACEFGLS
+O flocages
ACEFGNO
foncage
+S foncages
ACEFGNS
+O foncages
ACEFGOR
forcage
+F coffrage
+S forcages
ACEFGOS
+L flocages
+N foncages
+R forcages
ACEFGRS
+O forcages
ACEFGST
+A factages

ACEFGSU
fugaces
ACEFGTU
fugacite
ACEFHII
+R ficherai
ACEFHIL
flechai
+R flechira
+S flechais
+T flechait
ACEFHIM
+S fichames
ACEFHIN
+R franchie
+T fichante
ACEFHIR
fichera
fraiche
+A facherai
+D defricha
+E facherie
+F afficher
+I ficherai
+L flechira
+N franchie
+S ficheras
fraiches
ACEFHIS
+F affiches
+G fichages
+L flechais
+M fichames
+R ficheras
fraiches
+S fichasse
+T fichates
ACEFHIT
+L flechait
+N fichante
+S fichates
ACEFHIU
+Z fauchiez
ACEFHIZ
fachiez
+F affichez
ACEFHLN
flanche
+R flancher
+S flanches
+T flanchet
flechant
+Z flanchez
ACEFHLR
+E flechera
+I flechira
+N flancher
ACEFHLS
flaches
flechas
+I flechais
+N flanches
+U faluches
ACEFHLT
flechat
+I flechait

+N flanchet
flechant
ACEFHLU
faluche
+S faluches
+X flacheux
ACEFHLX
+U flacheux
ACEFHLZ
+N flanchez
ACEFHMR
+E machefer
ACEFHMS
+A fachames
+I fichames
ACEFHNO
+T fantoche
ACEFHNR
franche
+I franchie
+L flancher
+S franches
ACEFHNS
+L flanches
+R franches
ACEFHNT
fachent
+I fichante
+L flanchet
flechant
+O fantoche
+U fauchent
ACEFHNU
+T fauchent
ACEFHNZ
+L flanchez
ACEFHOR
+U farouche
ACEFHOT
+N fantoche
ACEFHOU
+R farouche
ACEFHRS
+A facheras
+I ficheras
fraiches
+N franches
ACEFHRU
faucher
+A fauchera
+F chauffer
+O farouche
+U faucheur
ACEFHRZ
+E facherez
ACEFHSS
+A fachasse
+I fichasse
ACEFHST
+A fachates
+I fichates
+U fauchets
ACEFHSU
fauches
+E facheuse
fauchees
+F chauffes

+L faluches
+T fauchets
ACEFHTU
fauchet
+N fauchent
+S fauchets
ACEFHUU
+R faucheur
+X faucheux
ACEFHUX
facheux
+L flacheux
+U faucheux
ACEFHUZ
fauchez
+F chauffez
+I fauchiez
ACEFIII
+D acidifie
ACEFIIK
+O cokefiai
ACEFIIL
ficelai
+C calcifie
+L filicale
+R clarifie
+S ficelais
+T facilite
felicita
ficelait
ACEFIIN
+T infectai
+Z fianciez
ACEFIIO
+K cokefiai
+P opacifie
ACEFIIP
pacifie
+E pacifiee
+O opacifie
+R pacifier
+S pacifies
specifia
+Z pacifiez
ACEFIIR
ficaire
+H ficherai
+L clarifie
+P pacifier
+S ficaires
sacrifie
scarifie
+T artifice
certifia
rectifia
ACEFIIS
+L ficelais
+P pacifies
specifia
+R ficaires
sacrifie
scarifie
ACEFIIT
+A acetifia
+E acetifie
+L facilite
felicita

ficelait
+N infectai
+R artifice
certifia
rectifia
ACEFIIZ
+N fianciez
+P pacifiez
ACEFIJT
+D adjectif
ACEFIKO
cokefia
+I cokefiai
+S cokefias
+T cokefiat
ACEFIKS
+O cokefias
ACEFIKT
+O cokefiat
ACEFILL
+I filicale
+U faucille
ACEFILM
+E malefice
ACEFILN
+T ficelant
ACEFILO
foliace
+B bifocale
+E foliacee
+S focalise
foliaces
ACEFILR
+H flechira
+I clarifie
ACEFILS
califes
faciles
ficelas
fiscale
+A faciales
+H flechais
+I ficelais
+O focalise
foliaces
+S fiscales
+U feculais
ACEFILT
+H flechait
+I facilite
felicita
ficelait
+N ficelant
+U feculait
ACEFILU
feculai
+L faucille
+S feculais
+T feculait
ACEFIMN
+E mefiance
ACEFIMR
+S farcimes
ACEFIMS
+E cafeisme
+H fichames

+R farcimes	foncerai	+M fascisme	flechant	**ACEFNNO**
+S fascisme	+R forcerai	+N fascines	+I ficelant	enfonca
ACEFINN	+V vocifera	+R farcisse	+U feculant	faconne
finance	**ACEFIOS**	fasciser	**ACEFLNU**	+E faconnee
+E financee	+K cokefias	fricasse	+T feculant	+I enfoncai
+O enfoncai	+L focalise	+S fascises	**ACEFLNZ**	+R faconner
+R financer	foliaces	+T fasciste	+H flanchez	renfonca
francien	**ACEFIOT**	+Z fascisez	**ACEFLOR**	+S enfoncas
+S finances	+K cokefiat	**ACEFIST**	+N forlance	faconnes
+T fiancent	**ACEFIOV**	+C factices	**ACEFLOS**	+T enfoncat
+Z financez	+R vocifera	+E faceties	focales	+Z faconnez
ACEFINO	**ACEFIPR**	+H fichates	+A afocales	**ACEFNNR**
+D defoncai	+A prefacai	+N infectas	+G flocages	+I financer
fecondai	+I pacifier	+R creatifs	+I focalise	francien
+N enfoncai	**ACEFIPS**	farcites	foliaces	+O faconner
+R conferai	+I pacifies	reactifs	**ACEFLOU**	renfonca
confiera	specifia	+S fasciste	+M camoufle	**ACEFNNS**
foncerai	**ACEFIPZ**	**ACEFISU**	**ACEFLRT**	+E enfances
ACEFINR	+I pacifiez	+A faisceau	+A calfater	+I finances
fiancer	**ACEFIRR**	+L feculais	fractale	+O enfoncas
+A farinace	+O forcerai	**ACEFISZ**	**ACEFLRU**	faconnes
fiancera	+Z farcirez	+N fascinez	+E feculera	**ACEFNNT**
+H franchie	**ACEFIRS**	+S fascisez	**ACEFLSS**	+I fiancent
+N financer	farcies	**ACEFITT**	+I fiscales	+O enfoncat
francien	fiacres	+A facettai	**ACEFLST**	**ACEFNNZ**
+O conferai	+E cafeiers	+N infectat	+A calfates	+I financez
confiera	+H ficheras	**ACEFITU**	+U factuels	+O faconnez
foncerai	fraiches	+D educatif	facultes	**ACEFNOR**
+S fasciner	+I ficaires	+G fugacite	**ACEFLSU**	confera
francise	sacrifie	+L feculait	facules	foncera
+T francite	scarifie	+R fautrice	feculas	+D defronca
ACEFINS	+M farcimes	+X factieux	fucales	+I conferai
fascine	+N fasciner	**ACEFITX**	+H faluches	confiera
fiances	francise	+U factieux	+I feculais	foncerai
+E cafeines	+S farcisse	**ACEFITZ**	+T factuels	+L forlance
faiences	fasciser	caftiez	facultes	+N faconner
fascinee	fricasse	**ACEFIUX**	**ACEFLTU**	renfonca
fiancees	+T creatifs	+T factieux	factuel	+R froncera
+N finances	farcites	**ACEFIUZ**	feculat	renforca
+R fasciner	reactifs	+H fauchiez	+I feculait	+S conferas
francise	**ACEFIRT**	**ACEFKLO**	+N feculant	fonceras
+S fascines	creatif	+G flockage	+S factuels	+T conferat
+T infectas	reactif	**ACEFKOS**	facultes	**ACEFNOS**
+Z fascinez	+A cafterai	+I cokefias	**ACEFLTZ**	+D defoncas
ACEFINT	+C factrice	**ACEFKOT**	+A calfatez	facondes
infecta	+E cafetier	+I cokefiat	**ACEFLLU**	fecondas
+H fichante	+I artifice	**ACEFLLU**	+I faucille	+F effacons
+I infectai	certifia	+I faucille	**ACEFLUX**	+G foncages
+L ficelant	rectifia	**ACEFLMN**	+H flacheux	+M foncames
+N fiancent	+N francite	+A flamenca	**ACEFMNO**	+N enfoncas
+R francite	+S creatifs	+O flamenco	+L flamenco	faconnes
+S infectas	farcites	**ACEFLMO**	+S foncames	+R conferas
+T infectat	reactifs	+E fecalome	**ACEFMNS**	fonceras
ACEFINZ	+U fautrice	+N flamenco	+O foncames	+S confessa
fiancez	**ACEFIRU**	+U camoufle	**ACEFMOR**	foncasse
+I fianciez	+T fautrice	**ACEFLMU**	+S forcames	+T foncates
+N financez	**ACEFIRV**	+O camoufle	**ACEFMOS**	**ACEFNOT**
+S fascinez	+O vocifera	**ACEFLNO**	+N foncames	+D defoncat
ACEFIOP	**ACEFIRZ**	+M flamenco	+R forcames	fecondat
+I opacifie	+R farcirez	+R forlance	**ACEFMOU**	+H fantoche
ACEFIOR	**ACEFISS**	**ACEFLNR**	+L camoufle	+N enfoncat
+D deforcai	fascies	+H flancher	**ACEFMRS**	+R conferat
+F coiffera	fascise	+O forlance	+I farcimes	+S foncates
efforcai	+E fasciees	**ACEFLNS**	+O forcames	**ACEFNOZ**
recoiffa	fascisee	+H flanches	**ACEFMSS**	+N faconnes
+N conferai	+H fichasse	**ACEFLNT**	+I fascisme	**ACEFNRR**
confiera	+L fiscales	+H flanchet	**ACEFMST**	+O froncera
			+A caftames	

renforca
ACEFNRS
+H franches
+I fasciner
francise
+O conferas
fonceras
ACEFNRT
+I francite
+O conferat
ACEFNSS
+I fascines
+O confessa
foncasse
ACEFNST
+A cafetans
+I infectas
+O foncates
ACEFNSZ
+I fascinez
ACEFNTT
caftent
+I infectat
ACEFNTU
+H fauchent
+L feculant
ACEFOPS
+T postface
ACEFOPT
+S postface
ACEFORR
forcera
+F coffrera
+I forcerai
+N froncera
renforca
+S forceras
+T forcates
ACEFORS
+D deforcas
+F efforcas
+G forcages
+M forcames
+N conferas
fonceras
+R forceras
+S forcasse
+T forcates
ACEFORT
+D deforcat
+F efforcat
+N conferat
+S forcates
ACEFORU
+H farouche
ACEFORV
+I vocifera
ACEFOSS
+N confessa
foncasse
+R forcasse
ACEFOST
+N foncates
+P postface
+R forcates
ACEFOSU
fouaces
+D foucades

ACEFPRR
+E prefacer
ACEFPRS
+A prefacas
+E prefaces
ACEFPRT
+A prefacat
ACEFPRZ
+E prefacez
ACEFPST
+O postface
ACEFRRS
+O forcers
+U farceurs
surfacer
ACEFRRT
+A refracta
+E refracte
+U facturer
fracture
ACEFRRU
+S farceurs
surfacer
+T facturer
fracture
ACEFRRZ
+I farcirez
ACEFRSS
+A fracasse
+I farcisse
fasciser
fricasse
+O forcasse
+U surfaces
ACEFRST
+A cafetras
+I creatifs
farcites
reactifs
+O forcates
+U cafteurs
facteurs
factures
ACEFRSU
faucres
surface
+E farceuse
surfacee
+R farceurs
surfacer
+S surfaces
+T cafteurs
facteurs
factures
+Z surfacez
ACEFRSZ
+U surfacez
ACEFRTT
+A artefact
+E facetter
ACEFRTU
cafteur
facteur
facture
+E facturee
+I fautrice

+R facturer
fracture
+S cafteurs
facteurs
factures
+Z facturez
ACEFRTZ
+E cafterez
+U facturez
ACEFRUU
+H faucheur
ACEFRUZ
+S surfacez
+T facturez
ACEFSSS
+I fascises
ACEFSST
+A caftasse
+I fasciste
ACEFSSU
+R surfaces
ACEFSSZ
+I fascisez
ACEFSTT
+A facettas
+E facettes
ACEFSTU
+E cafteuse
+H fauchets
+L factuels
facultes
+R cafteurs
facteurs
factures
ACEFSUZ
+R surfacez
ACEFTTT
+A facettat
ACEFTTZ
+E facettez
ACEFTUX
+I factieux
ACEFTUZ
+R facturez
ACEFUUX
+H faucheux
ACEGGHS
+A gachages
ACEGGLS
+A glacages
ACEGHHS
+A hachages
ACEGHIL
+C clichage
ACEGHIN
chinage
+A chainage
changeai
+N inchange
+R chagrine
rechigna
+S chinages
+Z changiez
ACEGHIO
+P piochage
ACEGHIP

+O piochage
ACEGHIR
+A chargeai
gacherai
+N chagrine
rechigna
+U aguicher
+Z chargiez
ACEGHIS
+F fichages
+N chinages
+U aguiches
gauchies
ACEGHIU
aguiche
gauchie
+D degauchi
+E gauchee
+R aguicher
+S aguiches
gauchies
+Z aguichez
ACEGHIZ
gachiez
+N changiez
+R chargiez
+U aguichez
ACEGHLM
+A malgache
ACEGHLN
+Y lynchage
ACEGHLO
galoche
+R chlorage
+S galoches
+U goulache
ACEGHLR
+O chlorage
ACEGHLS
+A lachages
+E lechages
+O galoches
+U schlague
ACEGHLU
+A chaulage
+O goulache
+S schlague
ACEGHLY
+N lynchage
ACEGHMO
chomage
+R chromage
+S chomages
+U mouchage
ACEGHMR
+O chromage
ACEGHMS
+A gachames
+E mechages
+O chomages
ACEGHMU
+A chaumage
+O mouchage
ACEGHNN
+I inchange
+T changent
ACEGHNO

+R charogne
ACEGHNR
changer
+A archange
changera
+E echanger
grenache
rechange
+I chagrine
rechigna
+O charogne
+T chargent
+U changeur
ACEGHNS
changes
+A changeas
ganaches
+E changees
echanges
+I chinages
ACEGHNT
+A changeat
chantage
+N changent
+R chargent
ACEGHNU
+R changeur
ACEGHNY
+L lynchage
ACEGHNZ
changez
+E echangez
+I changiez
ACEGHOP
+I piochage
ACEGHOR
rochage
+B brochage
+L chlorage
+M chromage
+N charogne
+S rochages
+U gouacher
+V gavroche
ACEGHOS
+L galoches
+M chomages
+R rochages
+U gouaches
ACEGHOU
gouache
+B bouchage
+C couchage
+E echouage
gouachee
+L goulache
+M mouchage
+R gouacher
+S gouaches
+Z gouachez
ACEGHOV
+R gavroche
ACEGHOZ
+U gouachez
ACEGHPR
+E perchage

ACEGHRR
charger
+A chargera
+E recharge
+U chargeur
ACEGHRS
charges
+A chargeas
gacheras
+E chargees
+O rochages
+U gacheurs
gauchers
ACEGHRT
chargez
+A chargeat
+N chargent
ACEGHRU
gacheur
gaucher
+A rauchage
+E gauchere
+I aguicher
+N changeur
+O gouacher
+R chargeur
+S gacheurs
gauchers
ACEGHRV
+O gavroche
ACEGHRZ
chargez
+E gacherez
+I chargiez
ACEGHSS
+A chassage
gachasse
+E sechages
ACEGHST
+A gachates
ACEGHSU
gauches
+E gaucheuse
+I aguiches
gauchies
+L schlague
+O gouaches
+R gacheurs
gauchers
ACEGHTT
+E gachette
ACEGHUZ
+I aguichez
+O gouachez
ACEGIIL
+N galicien
+R giclerai
ACEGIIM
+N magicien
ACEGIIN
+L galicien
+M magicien
+O negociai
+S ceignais
+T ceignait
ACEGIIO
+N negociai
ACEGIIR

+L giclerai
+S grecisai
+Z graciiez
ACEGIIS
+N ceignais
+R grecisai
ACEGIIT
+N ceignait
ACEGIIZ
+R graciiez
ACEGILL
+A caillage
glaciale
+O colligea
ACEGILM
+S giclames
+U mucilage
ACEGILN
+I galicien
+O congelai
+R cinglera
clearing
clignera
ACEGILO
+L colligea
+N congelai
+R agricole
+X coxalgie
ACEGILR
giclera
glacier
gracile
+A argilace
glacerai
+B criblage
+E glacerie
glaciere
+I giclerai
+N cinglera
clearing
clignera
+O agricole
+S gicleras
glaciers
graciles
ACEGILS
cigales
+E ciselage
+M giclames
+R gicleras
glaciers
graciles
+S giclasse
+T giclates
+V clivages
ACEGILT
+S giclates
ACEGILU
+M mucilage
ACEGILV
clivage
+S clivages
ACEGILX
+O coxalgie
ACEGILZ
glaciez
ACEGIMN

+I magicien
ACEGIMR
grimace
+E grimacee
+R grimacer
+S grimaces
+Z grimacez
ACEGIMS
+E ecimages
+L giclames
+R grimaces
ACEGIMU
+L mucilage
ACEGIMZ
+R grimacez
ACEGINN
+H inchange
+O engoncai
+T ceignant
ACEGINO
negocia
+C coincage
+D congedia
+I negociai
+L congelai
+N engoncai
+P copinage
+R cognerai
congreai
+S negocias
+T negociat
ACEGINP
pincage
+O copinage
+S pincages
ACEGINR
craigne
rincage
+H chagrine
rechigna
+L cinglera
clearing
clignera
+O cognerai
congreai
+R grincera
+S craignes
rincages
+T cintrage
gracient
+Z craignez
ACEGINS
+A agencais
+H chinages
+I ceignais
+O negocias
+P pincages
+R craignes
rincages
+Z zincages
ACEGINT
+A agencait
+I ceignait
+N ceignant
+O negociat
+R cintrage
gracient

ACEGINU
+A ecanguai
ACEGINZ
zincage
+E agenciez
encagiez
+H changiez
+R craignez
+S zincages
ACEGIOP
copiage
+H piochage
+N copinage
+S copiages
+T picotage
ACEGIOR
cogerai
+L agricole
+N cognerai
congreai
+R corrigea
+S cogerais
+T cogerait
cogitera
ACEGIOS
+N negocias
+P copiages
+R cogerais
ACEGIOT
+N negociat
+P picotage
+R cogerait
cogitera
ACEGIOX
+L coxalgie
ACEGIPS
picages
+N pincages
+O copiages
ACEGIPT
+O picotage
ACEGIPZ
+A pacagiez
ACEGIQR
+U grecquai
ACEGIQU
+R grecquai
ACEGIRR
gracier
+A gracieras
+E gercerai
+M grimacer
+N grincera
+O corrigea
ACEGIRS
cigares
cirages
gercais
gracies
+D disgrace
+E graciees
+I grecisai
+L gicleras
glaciers
graciles
+M grimaces

+N craignes
rincages
+O cogerais
+S grecisas
+T grecisat
ACEGIRT
gercait
+N cintrage
gracient
+O cogerait
cogitera
+S grecisat
ACEGIRU
+H aguicher
+Q grecquai
+V cuivrage
+X gracieux
+Z carguiez
ACEGIRV
+U cuivrage
ACEGIRX
+U gracieux
ACEGIRZ
graciez
+H chargiez
+I graciiez
+M grimacez
+N craignez
+U carguiez
ACEGISS
sciages
+L giclasse
+R grecisas
+U cuissage
ACEGIST
+A sagacite
+L giclates
+R grecisat
ACEGISU
+H aguiches
gauchies
+S cuissage
ACEGISV
+L clivages
ACEGISZ
+N zincages
ACEGITU
+F fugacite
ACEGIUV
+R cuivrage
ACEGIUX
+R gracieux
ACEGIUZ
+H aguichez
+R carguiez
ACEGKLO
+F flockage
ACEGKOS
cokages
+T stockage
ACEGKOT
+S stockage
ACEGKST
+O stockage
ACEGLLO
collage
+I colligea

+S collages	+E coagulee	**ACEGMNO**		cognera		rincages
ACEGLLS	+H goulache	+P compagne		congrea	+O cogneras
+E scellage	+M glaucome	+S cognames		congres
+O collages	+P couplage	**ACEGMNP**	+H charogne		cornages
ACEGLMO	+R coaguler	+A campagne	+I cognerai		**ACEGNRT**
+U glaucome	+S cagoules	+O compagne		cogneai		gercant
ACEGLMS		clouages	**ACEGMNS**	+N garconne	+E centrage
+A calmages		coagules	+O cognames		rencogna	+H chargent
	glacames		coulages	**ACEGMOP**	+S cogneras	+I cintrage
	maclages	+T cloutage	+N compagne		congres		gracient
+I giclames	+Z coagulez	+T comptage	**ACEGMOR**	+T cogerant	+O cogerant
ACEGLMU	**ACEGLOX**	**ACEGMOR**	+A amorcage		congreat		congreat
+A maculage	+I coxalgie	+A amorcage	+H chromage	+U gourance	+U carguent
+I mucilage	**ACEGLOZ**	+H chromage	**ACEGNOS**			**ACEGNRU**
+O glaucome	+U coagulez	**ACEGMOS**	**ACEGNOS**	+E ecanguer
ACEGLNO	**ACEGLPS**	+H chomages	+A aconages	+H changeur
	clonage	+A placages	+N cognames	+F foncages	+O gourance
	congela	**ACEGLPU**	**ACEGMOT**	+I negocias	+T carguent
+I congelai	+E pucelage	+P comptage	+L clonages	**ACEGNRZ**
+O colonage	+O couplage	**ACEGMOU**		congelas	+I craignez
+S clonages	**ACEGLQU**	+H mouchage	+M cognames	**ACEGNSS**
	congelas	+A calquage	+L glaucome	+N agencons	+O cognasse
+T congelat		claquage	**ACEGMPT**		engoncas	**ACEGNST**
ACEGLNR	**ACEGLRS**	+O comptage		gasconne	+O cognates
+I cinglera	+A glaceras	**ACEGMRR**	+P poncages		contages	**ACEGNSU**
	clearing		raclages	+I grimacer	+R cogneras		cangues
	clignera		sarclage	**ACEGMRS**		congres	+A ecanguas
ACEGLNS	+I gicleras	+E cremages		cornages	+E cagneuse
+A lancages		glaciers		gercames	+S cognasse		ecangues
+O clonages		graciles	+I grimaces	+T cognates	+P pugnaces
	congelas	+U glaceurs	**ACEGMRZ**		contages	**ACEGNSY**
ACEGLNT		glacures	+I grimacez	+Y congayes	+O congayes
	glacent	**ACEGLRU**	**ACEGMSU**	**ACEGNOT**	**ACEGNSZ**
+A glacante		glaceur	+E ecumages	+A canotage	+I zincages
+O congelat		glacure	**ACEGNNO**	+I negociat	**ACEGNTT**
ACEGLNY	**ACEGLRV**		engonca	+L congelat	+O cagnotte
+H lynchage	+O coaguler	+I engoncai	+N engoncat	**ACEGNTU**
ACEGLOO	+S glaceurs	+R garconne	+R cogerant	+A ecanguat
+N colonage		glacures		rencogna		congreat	+R carguent
ACEGLOP	**ACEGLRZ**	+S agencons	+S cognates	**ACEGNUV**
+U couplage	+E glacerez		engoncas		contages	+E encuvage
ACEGLOR	**ACEGLSS**		gasconne	+T cagnotte	**ACEGNUX**
+A racolage	+A glacasse	+T engoncat	**ACEGNOU**		cagneux
+H chlorage	+I giclasse	**ACEGNNR**	+O garconne	**ACEGNUZ**
+I agricole	**ACEGLST**	+O garconne		rencogna	+E ecanguez
+U coaguler	+A glacates		rencogna	**ACEGNOY**	**ACEGOPS**
ACEGLOS	+I giclates	**ACEGNNS**	+S congayes		copsage
+B blocages	**ACEGLSU**	+A cannages	**ACEGNPS**	+I copiages
+E ecolages	+E ecluse	+O agencons	+I pincages	+N poncages
+F flocages		glaceuse		engoncas	+O poncages	+S copsages
+H galoches	**ACEGLSU**		gasconne	+U pugnaces	+U coupages
+L collages	+H schlague	**ACEGNNT**	**ACEGNPT**	**ACEGOPT**
+N clonages	+O cagoules	+A agencant	+A pacagent	+A capotage
	congelas		clouages	+E agencent	**ACEGNPU**	+I picotage
+U cagoules		coagules		encagent		pugnace	+M comptage
	clouages		coulages		tangence	+S pugnaces	**ACEGOPU**
	coagules	+R glaceurs	+H changent	**ACEGNRR**		coupage
	coulages	**ACEGLSV**	+I ceignant	+I grincera	+L couplage
ACEGLOT	+I clivages	+O engoncat	**ACEGNRS**	+S coupages
+N congelat	**ACEGLTU**	**ACEGNOO**	+A ancrages	**ACEGORR**
+U cloutage	+O cloutage	+L colonage		carnages	+E cogerera
ACEGLOU	**ACEGLUV**	**ACEGNOP**		garances	+I corrigea
	cagoule	+E cuvelage		poncage	+E crenages	**ACEGORS**
	clouage	**ACEGLUZ**	+I copinage		encrages		cogeras
	coagule	+O coagulez	+M compagne		gerances		corsage
	coulage			+S poncages	+I craignes	+B bocagers
+B bouclage		**ACEGNOR**			

+D cordages	+A parcages	**ACEGRUV**	+N hanchent	+R hacheurs
+F forcages	+E crepages	+I cuivrage	+R herchant	hachures
+H rochages	percages	**ACEGRUX**	**ACEHHNZ**	+S huchasse
+I cogerais	**ACEGPSS**	+I gracieux	hanchez	+T chahutes
+N cogneras	+A capsages	**ACEGRUZ**	+I hanchiez	huchates
congreas	+O copsages	carguez	**ACEHHOR**	**ACEHHTT**
cornages	**ACEGPST**	+I carguiez	hochera	+E hachette
+S corsages	+A captages	**ACEGSSS**	**ACEHHOS**	**ACEHHTU**
+T escargot	**ACEGPSU**	+A cassages	+M hochames	+E chahutee
+U carouges	+N pugnaces	**ACEGSST**	+R hocheras	+R chahuter
courages	+O coupages	+U stucages	+S hochasse	+S chahutes
ACEGORT	**ACEGQRS**	**ACEGSSU**	+T hochates	huchates
cogerat	+U grecquas	+I cuissage	**ACEHHOT**	+Z chahutez
+I cogerait	**ACEGQRT**	+R sucrages	+S hochates	**ACEHHTZ**
cogitera	+U grecquat	+T stucages	**ACEHHRR**	+U chahutez
+N cogerant	**ACEGQRU**	**ACEGSTT**	+E herchera	**ACEHHUZ**
congreat	grecqua	+O cottages	+U hachurer	+R hachurez
+S escargot	+A craquage	**ACEGSTU**	**ACEHHRS**	+T chahutez
+U courtage	+I grecquai	stucage	herchas	**ACEHIIL**
ACEGORU	+S grecquas	+R trucages	herschas	+M alchimie
carouge	+T grecquat	+S stucages	+A hacheras	+R licherai
courage	**ACEGQSU**	**ACEGSUV**	+C cherchas	+Z chialiez
+H gouacher	+R grecquas	cuvages	+I herchais	**ACEHIIM**
+L coaguler	**ACEGQTU**	**ACEHHIN**	herschai	+L alchimie
+N gourance	+R grecquat	+Z hanchiez	+O hocheras	+N cheminai
+S carouges	**ACEGRRS**	**ACEHHIO**	+S herchais	+S chemisai
courages	+E gerceras	+R hocherai	+T herschat	**ACEHIIN**
+T courtage	**ACEGRRU**	**ACEHHIR**	+U hacheurs	echinai
ACEGORV	carguer	herchai	hachures	+D denichai
+H gavroche	+A carguera	+A hacherai	hucheras	+M cheminai
ACEGOSS	+E recurage	+C cherchai	**ACEHHRT**	+R chainier
+N cognasse	+H chargeur	+O hocherai	herchat	chinerai
+P copsages	**ACEGRSS**	+S herchais	+C cherchat	nicherai
+R corsages	+E gercasse	herschai	+I herchait	+S echinais
ACEGOST	**ACEGRST**	**ACEHHIT**	+N herchant	+T chiaient
cageots	+A tracages	+R herchait	+S herschat	echinait
cagotes	+E gercates	**ACEHHIU**	+U chahuter	entichai
+K stockage	+I grecisat	+R hucherai	**ACEHHRU**	+Z chainiez
+N cognates	+O escargot	**ACEHHIZ**	hacheur	**ACEHIIO**
contages	+U trucages	hachiez	hachure	+R choierai
+R escargot	**ACEGRSU**	+N hanchiez	huchera	**ACEHIIP**
+T cottages	cargues	**ACEHHMO**	+E hacheree	+R chiperai
ACEGOSU	curages	+S hochames	+I hucherai	**ACEHIIR**
+C cocuages	sucrage	**ACEHHMS**	+R hachurer	chierai
+H gouaches	+E cargues	+A hachames	+S hacheurs	+B bicherai
+L cagoules	creusage	+O hochames	hachures	+D dechirai
clouages	+H gacheurs	+U huchames	hucheras	+F ficherai
coagules	gauchers	**ACEHHMU**	+T chahuter	+L licherai
coulages	+L glaceurs	+S huchames	+Z hachurez	+N chainier
+P coupages	glacures	**ACEHHNN**	**ACEHHRZ**	chinerai
+R carouges	+O carouges	+T hanchent	+E hacherez	nicherai
courages	courages	**ACEHHNR**	+U hachurez	+O choierai
ACEGOSY	+Q grecquas	hancher	**ACEHHSS**	+P chiperai
+N congayes	+S sucrages	+A hanchera	+A hachasse	+R cherirai
ACEGOTT	+T trucages	harnache	+O hochasse	+S chaisier
cottage	**ACEGRTT**	+T herchant	+R herschas	chierais
+N cagnotte	+E garcette	**ACEHHNS**	+U huchasse	+T chierait
+S cottages	**ACEGRTU**	hanches	**ACEHHST**	**ACEHIIS**
ACEGOTU	trucage	+E hanchees	+A hachates	+D scheidai
+L cloutage	+E curetage	**ACEHHNT**	+O hochates	+M chemisai
+R courtage	+N carguent	hachent	+R herschat	+N echinais
ACEGOUZ	+O courtage		+U chahutes	+R chierais
+H gouachez	+Q grecquat		huchates	chierais
+L coagulez	+S trucages		**ACEHHSU**	**ACEHIIT**
ACEGPQU			+M huchames	+N chiaient
+A pacquage				
ACEGPRS				

echinait
entichai
+R chierait
+Z chatiiez
ACEHIIZ
+D chiadiez
+L chialiez
+N chainiez
+T chatiiez
ACEHIJN
+O jonchaie
+T jacinthe
ACEHIJO
+N jonchaie
ACEHIJR
+U jucherai
ACEHIJT
+N jacinthe
ACEHIJU
+D dejuchai
+R jucherai
ACEHILL
+A allechai
+E achillee
+V chevilla
ACEHILM
+I alchimie
+S lichames
ACEHILN
+B blanchie
+T chialent
+V chevalin
ACEHILP
+R archipel
+U epluchai
epluchai
ACEHILR
chialer
lichera
+A chialera
harcelai
lacherai
relachai
+C clichera
+E echalier
lecherai
+F flechira
+I licherai
+P archipel
+S licheras
+U chialeur
ACEHILS
chiales
laiches
lechais
+C caliches
+F flechais
+M lichames
+R licheras
+S lichasse
+T halictes
lichates
+Y achylies
ACEHILT
halicte
lechait
+F flechait

+N chialent
+S halictes
lichates
ACEHILU
+P epluchai
peluchai
+R chialeur
+V vehicula
+Z chauliez
ACEHILV
+A chevalai
+L chevilla
+N chevalin
+U vehicula
ACEHILY
achylie
+S achylies
ACEHILZ
chialez
lachiez
+B chabliez
+I chialiez
+U chauliez
ACEHIMM
+S machisme
ACEHIMN
chemina
machine
+A achemina
+D dimanche
+E achemine
machinee
+I cheminai
+R machiner
+S cheminas
chinames
machines
nichames
+T cheminat
+Z machinez
ACEHIMO
+P empochai
+R chomerai
machoire
+S chamoise
+Z amochiez
ACEHIMP
+E empechai
+O empochai
+R rechampi
+S chipames
ACEHIMR
+A macherai
remachai
+E mecherai
+N machiner
+O chomerai
machoire
+P rechampi
+S charisme
+Z charmiez
marchiez
ACEHIMS
chemisa
chiames
chiasme
mechais

+B bichames
+D schiedam
+F fichames
+I chemisai
+L lichames
+M machisme
+N cheminas
chinames
machines
nichames
+O chamoise
+P chipames
+R charisme
+S chemisas
chiasmes
+T chemisat
tachisme
ACEHIMT
mechait
+N cheminat
+S chemisat
tachisme
ACEHIMU
+U humectai
ACEHIMZ
machiez
+N machinez
+O amochiez
+R charmiez
marchiez
+U chaumiez
ACEHINN
+A enchaina
+E enchaine
+G inchange
+O chanoine
+T chainent
echinant
ACEHINO
+C encochai
+J jonchaie
+N chanoine
ACEHINP
+A epanchai
+S penchais
+T penchait
ACEHINR
archine
chainer
chinera
nichera
+A anarchie
chainera
echarnai
+C chicaner
crachine
+E echinera
enarchie
+F franchie
+G chagrine
rechigna
+I chainier
chinerai
nicherai

+M machiner
+R charnier
+S archines
chineras
nicheras
+T chantier
+U chaineur
+V vacherin
ACEHINS
chaines
echinas
+A achaines
ensachai
+C caniches
chicanes
+D denichas
+E chainees
chenaies
+G chinages
+I echinais
+M cheminas
chinames
machines
nichames
+P penchais
+R archines
chineras
nicheras
+S chinasse
nichasse
+T chiantes
chinates
entichas
nichates
ACEHINT
chiante
echinat
enticha
+A entachai
etanchai
+D chiadent
denichat
tchadien
+F fichante
+I chiaient
echinait
entichai
+J jacinthe
+L chialent
+M cheminat
+N chainent
echinant
+P penchait
+R chantier
+S chiantes
chinates
entichas
nichates
+T chatient
entichat
+Z chatinez
ACEHINU
+R chaineur
+V chauvine
ACEHINV
+E chevaine
inacheve

+L chevalin
+R vacherin
+U chauvine
ACEHINZ
chainez
+B banchiez
+C chicanez
+G changiez
+H hanchiez
+I chainiez
+M machinez
+T chantiez
ACEHIOP
+G piochage
+M empochai
+P echoppai
+R choperai
piochera
pocherai
ACEHIOR
choiera
echoira
+C cocherai
+D dechoira
derochai
+H hocherai
+I choierai
+M chomerai
machoire
+P choperai
piochera
pocherai
+R charroie
rocherai
+S choieras
+T chariote
coherita
ACEHIOS
+M chamoise
+R choieras
+T chatoies
+U echouais
ACEHIOT
chatoie
+B cohabite
+R chariote
coherita
+S chatoies
+U echouait
+Z cahotiez
ACEHIOU
echouai
+S echouais
+T echouait
ACEHIOZ
+M amochiez
+T cahotiez
ACEHIPP
+A echappai
+O echoppai
ACEHIPR
charpie
chipera
perchai
prechai
+A echarpai

```
        rechapai              chaires         +T  chuterai              scaphite    ACEHJRS
+E  eparchie                  chieras             rechutai         +R  charites    +E  jacheres
    pecherai          +B  bicheras            +Z  rauchiez             chistera    +U  jucheras
    repechai          +C  crechais        ACEHIRV                      cithares    ACEHJRU
+I  chiperai          +D  dechiras            archive              +T  tachiste    +I  jucherai
+L  archipel          +E  sacherie            chavire          ACEHISU             +S  jucheras
+M  rechampi              secherai        +E  archivee         +G  aguiches        ACEHJSS
+O  choperai          +F  ficheras            vacherie             gauchies        +U  juchasse
·   piochera              fraiches        +N  vacherin         +O  echouais        ACEHJST
    pocherai          +H  herchais        +R  archiver         ACEHISV             +U  juchates
+S  charpies              herschai            chavirer         +A  achevais        ACEHJSU
    chiperas          +I  chaisier        +S  archives             avachies        +D  dejuchas
    perchais              chierais            chavires         +C  viscache        +M  juchames
    prechais          +L  licheras        +Z  archivez         +R  archives        +R  jucheras
+T  chapitre          +M  charisme            chavirez             chavires        +S  juchasse
    perchait          +N  archines        ACEHIRY              ACEHISY             +T  juchates
    prechait              nicheras        +D  dyarchie         +L  achylies        ACEHJTU
ACEHIPS               +O  choieras        ACEHIRZ              ACEHISZ             +D  dejuchat
    pechais           +P  charpies        +C  crachiez             sachiez         +S  juchates
+M  chipames              chiperas        +G  chargiez         +S  chassiez        ACEHLLM
+N  penchais              perchais        +M  charmiez         ACEHITT             +E  chamelle
+R  charpies              prechais            marchiez         +A  achetait        ACEHLLP
    chiperas          +R  charries        +R  charriez             tachetai        +E  chapelle
    perchais          +T  charites        +T  chatriez         +N  chatient        ACEHLLR
    prechais              chistera        +U  rauchiez             entichat        +E  allecher
+S  chipasse              cithares        +V  archivez         +S  tachiste            archelle
+T  chipates          +V  archives            chavirez         ACEHITU                 harcelle
    pastiche              chavires        ACEHISS              +M  humectai        ACEHLLS
    pistache          ACEHIRT                 chaises          +O  echouait        +A  allaches
    scaphite              charite             chassie          +R  chuterai            allechas
ACEHIPT                   chatier             chiasse              rechutai        +E  alleches
    pechait               cithare             sechais          ACEHITV             ACEHLLT
+N  penchait          +A  chataire        +A  assechai         +A  achevait        +A  allechat
+R  chapitre              chatiera        +B  bichasse         ACEHITZ             ACEHLLV
    perchait              rachetai        +D  scheidas             chatiez         +I  chevilla
    prechait              tacherai        +F  fichasse             tachiez         ACEHLLZ
+S  chipates          +C  crechait        +L  lichasse         +E  achetiez        +E  allechez
    pastiche          +D  dechirat        +M  chemisas         +I  chaliez         ACEHLMO
    pistache              thridace            chiasmes         +N  chantiez        +B  chomable
    scaphite          +E  chatiere        +N  chinasse         +O  cahotiez        ACEHLMR
ACEHIPU               +H  herchait            nichasse         +R  chatriez        +A  marechal
+L  epluchai          +I  chierait        +P  chipases         ACEHIUV             ACEHLMS
    peluchai          +N  chantier        +S  chassies         +P  vehicula        +A  lachames
ACEHIQR               +O  chariote            chiasses         +N  chauvine        +E  lechames
+U  chiquera              coherita        +Z  chassiez         ACEHIUZ             +I  lichames
ACEHIQU               +P  chapitre        ACEHIST              +F  fauchiez        ACEHLMY
+B  bachique              perchait            chaties          +G  aguichez        +D  chlamyde
+R  chiquera              prechait            chiates          +L  chauliez        ACEHLNO
ACEHIRR               +R  trichera            sechait          +M  chaumiez            chalone
    charrie           +S  charites        +A  achetais         +R  rauchiez        +S  chalones
    cherira               chistera        +B  bichates         ACEHIVZ             ACEHLNP
+D  richarde              cithares        +D  scheidat         +E  acheviez            planche
+E  charriee          +U  chuterai        +E  chatiees         +R  archivez        +A  palanche
+I  cherirai              rechutai        +F  fichates             chavirez        +R  plancher
+N  charnier          +Z  chatriez        +L  halictes         ACEHJMS             +S  planches
+O  charroie          ACEHIRU                 lichates         +U  juchames        +Z  planchez
    rocherai          +B  bucherai        +M  chemisat         ACEHJMU             ACEHLNR
+R  charrier          +D  chiadeur            tachisme         +S  juchames            charnel
+S  charries          +G  aguicher        +N  chiantes         ACEHJNO             +F  flancher
    cheriras          +H  hucherai            chinates         +I  jonchaie        +P  plancher
+T  trichera          +J  jucherai            entichas         +R  jonchera        +S  charnels
+U  rucherai          +L  chialeur            nichates         ACEHJNR             +Y  lyncher
+V  archiver          +N  chaineur        +O  chatoies         +O  jonchera        ACEHLNS
    chavirer          +Q  chiquera        +P  chipates         ACEHJNT             +B  blanches
+Z  charriez          +R  rucherai            pastiche         +I  jacinthe        +C  chancels
ACEHIRS                                       pistache         ACEHJOR             +E  senechal
    cahiers                                                    +N  jonchera
```

+F flanches	
+O chalones	
+P planches	
+R charnels	
ACEHLNT	
lachent	
lechant	
+A chanlate	
+B blanchet	
chablent	
+F flanchet	
flechant	
+I chialent	
+U chaulent	
ACEHLNU	
+T chaulent	
ACEHLNV	
+I chevalin	
ACEHLNY	
+G lynchage	
+R lynchera	
ACEHLNZ	
+F flanchez	
+P planchez	
ACEHLOP	
+U chaloupe	
ACEHLOR	
cholera	
chorale	
+C clochera	
+G chlorage	
+S choleras	
chorales	
+T chlorate	
talocher	
+U louchera	
ACEHLOS	
+G galoches	
+N chalones	
+R choleras	
chorales	
+T taloches	
ACEHLOT	
taloche	
+E echalote	
talochee	
+R chlorate	
talocher	
+S taloches	
+Z talochez	
ACEHLOU	
+G goulache	
+P chaloupe	
+R louchera	
ACEHLOZ	
+T talochez	
ACEHLPR	
+I archipel	
+N plancher	
ACEHLPS	
+E sphacele	
+N planches	
+U epluchas	
paluches	
peluchas	
ACEHLPT	
+E chapelet	

+U epluchat	
peluchat	
ACEHLPU	
eplucha	
paluche	
pelucha	
+I epluchai	
peluchai	
+O chaloupe	
+S epluchas	
paluches	
peluchas	
+T epluchat	
peluchat	
ACEHLPZ	
+N planchez	
ACEHLRR	
+E harceler	
relacher	
ACEHLRS	
lachers	
+A charales	
harcelas	
lacheras	
relaches	
+I licheras	
+N charnels	
+O choleras	
chorales	
+U chaleurs	
lacheurs	
ACEHLRT	
+A harcelat	
relachat	
tracheal	
+E halecret	
+O chlorate	
talocher	
ACEHLRU	
chaleur	
chauler	
lacheur	
+A chaulera	
+I chialeur	
+O louchera	
+S chaleurs	
lacheurs	
ACEHLRV	
+E chevaler	
ACEHLRY	
+N lynchera	
ACEHLRZ	
+E harcelez	
lacherez	
relachez	
ACEHLSS	
+A lachasse	
+E lechasse	
+I lichasse	
ACEHLST	
chalets	
+A lachates	
+E chelates	
lachetes	

lechates	
+I halictes	
lichates	
+O taloches	
ACEHLSU	
chaules	
+B chasuble	
+E chaulees	
lacheuse	
+F faluches	
+G schlague	
+P epluchas	
paluches	
peluchas	
+R chaleurs	
lacheurs	
ACEHLSV	
+A chevalas	
+E chevales	
ACEHLSY	
+I achylies	
ACEHLSZ	
+A chalazes	
ACEHLTT	
+E chatelet	
ACEHLTU	
+N chaulent	
+P epluchat	
peluchat	
ACEHLTV	
+A chevalat	
+E chevalet	
ACEHLTZ	
+O talochez	
ACEHLUV	
+I vehicula	
ACEHLUX	
+F flacheux	
ACEHLUZ	
chaulez	
+I chauliez	
ACEHLVZ	
+E chevalez	
ACEHMMN	
+A emmancha	
+E emmanche	
ACEHMMO	
+S chomames	
ACEHMMS	
+A machames	
+E mechames	
+I machisme	
+O chomames	
ACEHMNN	
+O machonne	
ACEHMNO	
hamecon	
+N machonne	
+R romanche	
+S hamecons	
+T amochent	
manchote	
+U manouche	
ACEHMNP	
+R perchman	
ACEHMNR	
+I machiner	

+O romanche	
+P perchman	
+T charment	
marchent	
ACEHMNS	
manches	
+I cheminas	
chinames	
machines	
nichames	
+O hamecons	
+T mechants	
ACEHMNT	
machent	
mechant	
+E mechante	
+I cheminat	
+O amochent	
manchote	
+R charment	
marchent	
+S mechants	
+U chaument	
+Y yachtmen	
ACEHMNU	
+O manouche	
+T chaument	
ACEHMNY	
+T yachtmen	
ACEHMNZ	
+I machinez	
ACEHMOP	
empocha	
+I empochai	
+R rempocha	
+S chopames	
empochas	
pochames	
+T empochat	
ACEHMOR	
amocher	
chomera	
+A amochera	
+B embrocha	
+D mordache	
+G chromage	
+I chomerai	
machoire	
+N romanche	
+P rempocha	
+R chromera	
+S chomeras	
rochames	
+T chromate	
trachome	
+U mouchera	
ACEHMOS	
amoches	
+C cochames	
+E amochees	
+G chomages	
+H hochames	
+I chamoise	
+M chomames	
+N hamecons	
+P chopames	
empochas	

pochames	
+R chomeras	
rochames	
+S chomasse	
+T chomates	
+Y choyames	
ACEHMOT	
+N amochent	
manchote	
+P empochat	
+R chromate	
trachome	
+S chomates	
+T chamotte	
+U moucheta	
ACEHMOU	
+B emboucha	
+G mouchage	
+N manouche	
+R mouchera	
+T moucheta	
ACEHMOY	
+S choyames	
ACEHMOZ	
amochez	
+I amochiez	
ACEHMPR	
camphre	
+E camphree	
+I rechampi	
+N perchman	
+O rempocha	
+S camphres	
ACEHMPS	
+E empechas	
pechames	
+I chipames	
+O chopames	
empochas	
pochames	
+R camphres	
ACEHMPT	
+E empechat	
+O empochat	
ACEHMRR	
charmer	
marcher	
+A chamarre	
charmera	
marchera	
remarcha	
+B chambrer	
+E remacher	
remarche	
+O chromera	
+U charmeur	
machurer	
marcheur	
ACEHMRS	
charmes	
marches	
+A macheras	
remachas	
+B chambres	
+D drachmes	
+E charmees	
mecheras	

remaches	humectas	+T achetons	+R ranchers	chantes
+I charisme	**ACEHMSY**	+V achevons	+T chantres	sachent
+O chomeras	+O choyames	**ACEHNOT**	tranches	sechant
rochames	+T ecthymas	+C encochat	+U charnues	tanches
+P camphres	**ACEHMTT**	+F fantoche	+V chanvres	+A acanthes
+U machures	+E machette	+M amochent	**ACEHNRT**	ensachat
ruchames	+O chamotte	manchote	chanter	entachas
ACEHMRT	+U humectat	+R archonte	chantre	etanchas
+A remachat	**ACEHMTU**	tacheron	tranche	+E chantees
+N charment	humecta	+S achetons	+A chantera	echeants
marchent	+I humectai	+T cahotent	echarnat	entaches
+O chromate	+N chaument	+U echouant	rechanta	etanches
trachome	+O moucheta	**ACEHNOU**	+C crachent	+I chiantes
ACEHMRU	+S chutames	+M manouche	crechant	chinates
chaumer	humectas	+T echouant	+E entacher	entichas
machure	+T humectat	**ACEHNOV**	etancher	nichates
+A chaumera	**ACEHMTY**	+S achevons	rechante	+M mechants
+B rembucha	ecthyma	**ACEHNPR**	tracheen	+O achetons
+E chremeau	+N yachtmen	+A panacher	tranchee	+R chantres
machurea	+S ecthymas	+E epancher	+G chargent	tranches
+O mouchera	**ACEHMUX**	penchera	+H herchant	+S chassent
+R charmeur	+A chameaux	+L plancher	+I chantier	**ACEHNSU**
machurer	**ACEHMUZ**	+M perchman	+M charment	+R charnues
marcheur	chaumez	+O chaperon	marchent	**ACEHNSV**
+S machures	+I chaumiez	+T perchant	+O archonte	+O achevons
ruchames	+R machurez	prechant	tacheron	+R chanvres
+Z machurez	**ACEHNNO**	**ACEHNPS**	+P perchant	**ACEHNSZ**
ACEHMRZ	+C chaconne	penchas	prechant	+E ensachez
charmez	+I chanoine	+A epanchas	+R trancher	**ACEHNTT**
marchez	+M machonne	panaches	+S chantres	tachent
+B chambrez	+P chaponne	+E epanches	tranches	+A achetant
+E macherez	+S echanson	+I penchais	+T chatrent	entachat
remachez	**ACEHNNP**	+L planches	tranchet	etanchat
+I charmiez	+A chenapan	**ACEHNPT**	+U chanteur	+E achetent
marchiez	+O chaponne	pechant	rauchent	+I chatient
+U machurez	+T penchant	penchat	+Z tranchez	entichat
ACEHMSS	**ACEHNNS**	+A epanchat	**ACEHNRU**	+N chantent
sachems	channes	+I penchait	charnue	+O cahotent
schemas	+O echanson	+N penchant	+B branchue	+R chatrent
+A machasse	**ACEHNNT**	+R perchant	+G changeur	tranchet
+E mechasse	+A enchanta	prechant	+I chaineur	**ACEHNTU**
sechames	+B banchent	**ACEHNPZ**	+S charnues	+A chanteau
+I chemisas	+E enchante	+A panachez	+T chanteur	+F fauchent
chiasmes	+G changent	+E epanchez	rauchent	+L chaulent
+O chomasse	+H hanchent	+L planchez	**ACEHNRV**	+M chaument
ACEHMST	+I chainent	**ACEHNRR**	chanvre	+O echouant
matches	echinant	rancher	+E revanche	+R chanteur
mechtas	+P penchant	+A acharner	+I vacherin	rauchent
+A machates	+T chantent	+B brancher	+S chanvres	**ACEHNTV**
tachames	**ACEHNOP**	+E echarner	**ACEHNRY**	+A achevant
+E mechates	+N chaponne	+I charnier	+L lynchera	+E achevent
+I chemisat	+R chaperon	+S ranchers	**ACEHNRZ**	**ACEHNTY**
tachisme	**ACEHNOR**	+T trancher	+A acharnez	+M yachtmen
+N mechants	+D rondache	**ACEHNRS**	+B branchez	**ACEHNTZ**
+O chomates	+G charogne	ranches	+E echarnez	chantez
+U chutames	+J jonchera	+A acharnes	+T tranchez	+E entachez
humectas	+M romanche	echarnas	**ACEHNSS**	etanchez
+Y ecthymas	+P chaperon	+B branches	+A enchassa	+I chatiez
ACEHMSU	+T archonte	+C chancres	ensachas	+R tranchez
chaumes	tacheron	+E archeens	+E aeschnes	**ACEHNUV**
+B buchames	**ACEHNOS**	echarnes	chasseen	+I chauvine
+E chaumees	choanes	ensacher	enchasse	**ACEHNUX**
+H huchames	+C chacones	+F franches	+I chinasse	chenaux
+J juchames	+L chalones	+I archines	nichasse	+C chanceux
+R machures	+M hamecons	chineras	+T chassent	+E cheneaux
ruchames	+N echanson	nicheras	**ACEHNST**	**ACEHOPP**
+T chutames		+L charnels		achoppe

echoppa
+I echoppai
+R achopper
approche
+S achoppes
echoppas
+T echoppat
+Z achoppez
ACEHOPR
chopera
pochera
+D pocharde
+I choperai
piochera
pocherai
+M rempocha
+N chaperon
+P achopper
approche
+R reprocha
+S choperas
pocheras
ACEHOPS
+D pochades
+M chopames
empochas
pochames
+P achoppes
echoppas
+R choperas
pocheras
+S chopasse
pochasse
+T chopates
patoches
pochates
potaches
ACEHOPT
patoche
potache
+M empochat
+P echoppat
+S chopates
patoches
pochates
potaches
ACEHOPU
+L chaloupe
ACEHOPZ
+P achoppez
ACEHOQR
+U choquera
ACEHOQU
+R choquera
ACEHORR
arroche
rochera
+B brochera
+C crochera
+I charroie
rocherai
+M chromera
+P reprocha
+S arroches
rocheras
+T torchera
+Y charroye

ACEHORS
+C cocheras
ecorchas
+D derochas
+H hocheras
+I choieras
+L choleras
chorales
+M chomeras
rochames
+P choperas
pocheras
+R arroches
rocheras
+S rochasse
+T rochates
ACEHORT
cahoter
+A cahotera
+B bachoter
+C crachote
crocheta
+D derochat
+I chariote
coherita
+L chlorate
talocher
+M chromate
trachome
+N archonte
tacheron
+R torchera
+S rochates
+U retoucha
touchera
+V chevrota
+Y chatoyer
ACEHORU
+B aboucher
bouchera
reboucha
+C couchera
recoucha
+D douchera
+E echouera
+F farouche
+G gouacher
+L louchera
+M mouchera
+Q choquera
+T retoucha
touchera
ACEHORV
+G gavroche
+T chevrota
ACEHORY
+R charroye
+T chatoyer
ACEHOSS
+B basoches
+C cochasse
sacoches
+H hochasse
+M chomasse
+P chopasse

pochasse
+R rochasse
+U essoucha
+Y choyasse
ACEHOST
cahotes
+B bachotes
+C cochates
+D cathodes
+E cahotees
+H hochates
+I chatoies
+L taloches
+M chomates
+N achetons
+P chopates
patoches
pochates
potaches
+R rochates
+U soutache
+Y choyates
ACEHOSU
echouas
+B abouches
+G gouaches
+I echouais
+S essoucha
+T soutache
ACEHOSV
+N achevons
ACEHOSY
+M choyames
+S choyasse
+T choyates
ACEHOTT
+B bachotte
+M chamotte
+N cahotent
ACEHOTU
echouat
+I echouait
+M moucheta
+N echouant
+R retoucha
touchera
+S soutache
+U toucheau
+X cahoteux
ACEHOTV
+R chevrota
ACEHOTX
+U cahoteux
ACEHOTY
chatoye
+R chatoyer
+S choyates
+Z chatoyez
ACEHOTZ
cahotez
+B bachotez
+I cahotiez
+L talochez
+Y chatoyez
ACEHOUU
+T toucheau
ACEHOUX

+T cahoteux
ACEHOUZ
+B abouchez
+G gouachez
ACEHOYZ
+T chatoyez
ACEHPPR
+A rechappa
rechappe
+E echapper
rechappe
+O achopper
approche
ACEHPPS
schappe
+A echappas
+E echappes
+O achoppes
echoppas
+S schappes
ACEHPPT
+A echappat
+O echoppat
ACEHPPZ
+E echappez
+O achoppez
ACEHPRR
+E echarper
perchera
prechera
rechaper
+O reprocha
ACEHPRS
perchas
prechas
+A echarpas
rechapas
+E echarpes
pecheras
rechapes
repechas
+I charpies
chiperas
perchais
prechais
+M camphres
+O choperas
pocheras
+T parchets
ACEHPRT
parchet
perchat
prechat
+A echarpat
rechapat
+E repechat
+I chapitre
perchait
prechait
+N perchant
prechant
+S parchets
ACEHPRZ
+E echarpez
rechapez
ACEHPSS
+E pechasse
+I chipasse

+O chopasse
pochasse
+P schappes
ACEHPST
+A pataches
+E pechates
+I chipates
pastiche
pistache
scaphite
+O chopates
patoches
pochates
potaches
+R parchets
ACEHPSU
+C capuches
+L epluchas
paluches
peluchas
ACEHPTU
+L epluchat
peluchat
ACEHPTY
+E typhacee
ACEHPUX
+A chapeaux
ACEHQRU
+I chiquera
+O choquera
ACEHQSU
+U quechuas
ACEHQUU
quechua
+S quechuas
ACEHRRR
+A arracher
+I charrier
ACEHRRS
archers
+A arraches
+I charries
cheriras
+N ranchers
+O arroches
rocheras
+T charters
+U charrues
rucheras
ACEHRRT
charter
chatrer
+A catarrhe
chatrera
+E racheter
+I trichera
+N trancher
+O torchera
+S charters
ACEHRRU
charrue
raucher
ruchera
+A rauchera
+C cracheur
+G chargeur
+H hachurer

+I rucherai
+M charmeur
   machurer
   marcheur
+S charrues
   rucheras
+U raucheur
ACEHRRV
+E revercha
+I archiver
   chavirer
ACEHRRY
+O charroye
ACEHRRZ
+A arrachez
+I charriez
ACEHRSS
   chasser
+A chassera
   rechassa
+E assecher
   rechasse
   secheras
+H herschas
+O rochasse
+U chasseur
   chausser
   ruchasse
ACEHRST
   archets
   chartes
   chatres
+A cathares
   rachetas
   tacheras
+C scratche
+E chatrees
   hectares
   rachetes
   trachees
+H herschat
+I charites
   chistera
   cithares
+N chantres
   tranches
+O rochates
+P parchets
+R charters
+U chuteras
   rechutas
   ruchates
ACEHRSU
   rauches
+B bucheras
+D rechauds
+E rauchees
+G gacheurs
   gauchers
+H hacheurs
   hachures
   hucheras
+J jucheras
+L chaleurs
   lacheurs
+M machures
   ruchames

+N charnues
+R charrues
   rucheras
+S chasseur
   chausser
   ruchasse
+T chuteras
   rechutas
   ruchates
ACEHRSV
   vachers
   varechs
+A havresac
+E vacheres
+I archives
   chavires
+N chanvres
ACEHRTT
+A attacher
   rachetat
   rattache
+E catheter
   tacheter
+N chatrent
   tranchet
+U rechutat
+Y trachyte
ACEHRTU
   chutera
   rechuta
+B trebucha
+C catcheur
   charcute
+E acheteur
+H chahuter
+I chuterai
   rechutai
+N chanteur
   rauchent
+O retoucha
   touchera
+S chuteras
   rechutas
   ruchates
+T rechutat
+U autruche
ACEHRTV
+O chevrota
ACEHRTX
+A exarchat
ACEHRTY
+O chatoyer
+T trachyte
ACEHRTZ
   chatrez
+E rachetez
   tacherez
+I chatriez
+N tranchez
ACEHRUU
+F faucheur
+R raucheur
+T autruche
ACEHRUV
+E chevreau
ACEHRUZ
   rauchez

+H hachurez
+I rauchiez
+M machurez
ACEHRVZ
+I archivez
   chavirez
ACEHSSS
   chasses
+A assechas
+E asseches
   chassees
   echasses
   sechasse
+I chassies
   chiasses
+U chausses
ACEHSST
   chastes
+A assechat
   tachasse
+E sechates
+N chassent
+U chutasse
ACEHSSU
   chausse
+B buchasse
+E chaussee
+H huchasse
+J juchasse
+O essoucha
+R chasseur
   chausser
   ruchasse
+S chausses
+T chutasse
+Z chaussez
ACEHSSY
+O choyasse
ACEHSSZ
   chassez
+E assechez
+I chassiez
+U chaussez
ACEHSTT
   chattes
+A attaches
   tachates
   tachetes
+E chastete
   tachetes
+I tachiste
+U chutates
ACEHSTU
   cahutes
+B buchates
+F fauchets
+H chahutes
   huchates
+J juchates
+M chutames
   humectas
+O soutache
+R chuteras
   rechutas
   ruchates
+S chutasse
+T chutates

ACEHSTY
+M ecthymas
+O choyates
ACEHSUU
+Q quechuas
ACEHSUV
   chauves
ACEHSUZ
+S chaussez
ACEHTTT
+A tachetat
+E tachette
ACEHTTU
+M humectat
+R rechutat
+S chutates
ACEHTTV
+E vachette
ACEHTTY
+R trachyte
ACEHTTZ
+A attachez
+E tachetez
ACEHTUU
+O toucheau
+R autruche
ACEHTUX
+A chateaux
+O cahoteux
ACEHTUZ
+H chahutez
ACEHTYZ
+O chatoyez
ACEHUUX
+F faucheux
ACEHUVX
   chevaux
ACEIIIL
+R ciliaire
ACEIIIR
+L ciliaire
+V vicierai
ACEIIIV
+R vicierai
ACEIIJN
+T injectai
ACEIIJT
+N injectai
ACEIIKL
+N nickelai
ACEIIKN
+L nickelai
ACEIIKO
+F cokefiai
ACEIILL
+A ecaillai
+E liliacee
+F filicale
+R cillerai
   criaille
+S cisaille
+Z cailliez
ACEIILM
+H alchimie
+S laicisme
ACEIILN
   lacinie

+C licencia
+D declinai
+E laciniee
+G galicien
+K nickelai
+S lacinies
+V vicinale
+Z caliniez
ACEIILP
+S eclipsai
ACEIILR
+A eclairai
+C eclairci
+F clarifie
+G giclerai
+H licherai
+I ciliaire
+L cillerai
   criaille
+S laiciser
+T licitera
+V cliverai
ACEIILS
   ciselai
   laicise
+E laicisee
+F ficelais
+L cisaille
+M laicisme
+N lacinies
+P eclipsai
+R laiciser
+S ciselais
   eclissai
   laicises
+T ciselait
   laiciste
   laicites
   silicate
+Z laicisez
ACEIILT
   laicite
+E tiliacee
+F facilite
   felicita
   ficelait
+R licitera
+S ciselait
   laiciste
   laicites
   silicate
+V calvitie
ACEIILU
+D elucidai
ACEIILV
+B viciable
+N vicinale
+R cliverai
+T calvitie
ACEIILZ
+H chialiez
+L cailliez
+N caliniez
+S laicisez
ACEIIMN
   amincie
   emincai

+G magicien
+H cheminai
+S amincies
   emincais
+T cimentai
   emincait
+X mexicain
ACEIIMR
+E ecimerai
+S escrimai
ACEIIMS
   cimaise
   ecimais
+A emaciais
+D decimais
+H chemisai
+L laicisme
+N amincies
   emincais
+R escrimai
+S cimaises
+V civaisme
   viciames
ACEIIMT
   ecimait
+A emaciait
+D decimait
+N cimentai
   emincait
ACEIIMV
+S civaisme
   viciames
ACEIIMX
+N mexicain
ACEIIMZ
+D cadmiiez
+E emaciiez
ACEIINN
+D incendia
+R incinera
   racinien
ACEIINO
+G negociai
ACEIINP
   epincai
+R pincerai
+S epincais
+T anticipe
   epincait
ACEIINR
   icarien
   ricaine
+D acridien
   ceindrai
   cnidaire
+H chainier
   chinerai
   nicherai
+N incinera
   racinien
+P pincerai
+R rincerai
+S icariens
   incisera
   ricaines
+T ciraient
   criaient

   incitera
+V ecrivain
+Z ricaniez
ACEIINS
+B biscaien
+C accisien
+G ceignais
+H echinais
+L lacinies
+M amincies
   emincais
+P epincais
+R icariens
   incisera
   ricaines
+T actinies
   canities
   sciaient
+V evincais
ACEIINT
   actinie
   canitie
+D actinide
+F infectai
+G ceignait
+H chiaient
   echinait
   entichai
+J injectai
+M cimentai
   emincait
+P anticipe
   epincait
+R ciraient
   criaient
   incitera
+S actinies
   canities
   sciaient
+T citaient
+V evincait
   inactive
   vaticine
ACEIINV
   evincai
+L vicinale
+R ecrivain
+S evincais
+T evincait
   inactive
   vaticine
ACEIINX
+M mexicain
ACEIINZ
+F fianciez
+H chainiez
+L caliniez
+R ricaniez
ACEIIOP
+F opacifie
+R copierai
   recopiai
ACEIIOR
+H choierai
+P copierai
   recopiai

+X excoriai
ACEIIOX
+R excoriai
ACEIIPR
+A rapiecai
+E epicerai
+F pacifier
+H chiperai
+N pincerai
+O copierai
   recopiai
+R crepirai
+S precisai
+T crepitai
ACEIIPS
   epicais
+F pacifies
   specifia
+L eclipsai
+N epincais
+R precisai
+X excipais
ACEIIPT
   epicait
+N anticipe
   epincait
+R crepitai
+X excipait
ACEIIPX
   excipai
+S excipais
+T excipait
ACEIIPZ
+F pacifiez
ACEIIQR
+U icaquier
ACEIIQU
+R icaquier
ACEIIRR
   cirerai
   crierai
   ecrirai
   recriai
+A carierai
+D decrirai
+E ecrierai
+H cherirai
+N rincerai
+P crepirai
+R cirerais
   crierais
   ecrirais
   recriais
+T cirerait
   crierait
   ecrirait
   recriait
+U recuirai
ACEIIRS
   ecrirai
   scierai
   sicaire
+A acierais
+D decriais
+E acieries
   cerisaie

+F ficaires
   sacrifie
   scarifie
+G grecisai
+H chaisier
   chierais
+L laiciser
+M escrimai
+N icariens
   incisera
   ricaines
+P precisai
+R cirerais
   crierais
   ecrirais
   recriais
+S caissier
   scierais
   sicaires
+T citerais
   recitais
   scierait
   tiercais
+V ecrivais
   vicaires
   vicieras
ACEIIRT
   citerai
   ecriait
   recitai
   tiercai
+A acierait
+D creditai
   decriait
   dicterai
   raticide
   triacide
+F artifice
   certifia
   rectifia
+H chierait
+L licitera
+N ciraient
   criaient
   incitera
+P crepitai
+R cirerait
   ecrirait
   recriait
+S citerais
   recitais
   scierait
   tiercais
+T citerait
   recitait
   tiercait
+U cuiterai
+V ecrivait
ACEIIRU
+Q icaquier
+R recuirai
+T cuiterai
ACEIIRV
   vicaire
   viciera
+D recidiva

+I vicierai
+L cliverai
+N ecrivain
+S ecrivais
   vicaires
   vicieras
ACEIIRX
+O excoriai
ACEIIRZ
   cariiez
+E acieriez
+G graciiez
+N ricaniez
ACEIISS
+D ascidies
+L ciselais
   eclissai
   laicises
+M cimaises
+R caissier
   scierais
   sicaires
+U ecuissai
+V viciasse
+X excisais
ACEIIST
+B basicite
+D acidites
   edictais
+L ciselait
   laiciste
   laicites
   silicate
+N actinies
   canities
   sciaient
+R citerais
   recitais
   scierait
   tiercais
+V viciates
+X excisais
   excitais
ACEIISU
+S ecuissai
ACEIISV
+M civaisme
   viciames
+N evincais
+R ecrivais
   vicaires
   vicieras
+S viciasse
+T viciates
ACEIISX
   excisai
+P excipais
+S excisais
+T excisait
   excitais
ACEIISZ
+L laicisai
ACEIITT
+D edictait
+N citaient
+R citerait

recitait	jaciste	scellai	maclerai	lionceau
tiercait	+E ejectais	+A alliaces	reclamai	**ACEILNP**
+V activite	+N injectas	ecaillas	+O morcelai	calepin
+X excisait	+S jacistes	+B bacilles	+S carlisme	pelican
ACEIITU	**ACEIJTT**	+E caillees	miracles	pinacle
+R cuiterai	+E ejectait	ecailles	+U miracule	+E capeline
ACEIITV	+N injectat	+I cisaille	+Z calmirez	epincela
+L calvitie	**ACEIJTZ**	+M cillames	**ACEILMS**	+S calepins
+N evincait	jactiez	+O localise	limaces	pelicans
inactive	**ACEIKLN**	+R cilleras	malices	pinacles
vaticine	nickela	crailles	+A amicales	+U panicule
+R ecrivait	+I nickelai	+S cillasse	camelias	**ACEILNQ**
+S viciates	+S nickelas	scellais	+G giclames	+U clanique
+T activite	+T nickelat	+T cillates	+H lichames	**ACEILNR**
+V vivacite	**ACEIKLS**	scellait	+I laicisme	caliner
+Z activiez	+N nickelas	+V vacilles	+L cillames	carline
ACEIITX	**ACEIKLT**	+Y salicyle	+M calmimes	clarine
excitait	+N nickelat	**ACEILLT**	+N manicles	lancier
+P excipait	**ACEIKNS**	+A ecaillat	meniscal	+A calinera
+S excisait	+L nickelas	+N caillent	+O camisole	lancerai
excitais	**ACEIKNT**	+O colletai	+R carlisme	relancai
+T excitait	+L nickelat	localite	miracles	renaclai
ACEIITZ	**ACEIKOS**	teocalli	+S calmisse	+C calciner
+H chatiiez	+F cokefias	+S cillates	+T calmites	+E crenelai
+V vivaciez	**ACEIKOT**	scellait	+U musicale	+G cinglera
ACEIIVV	+F cokefiat	**ACEILLU**	+V clivames	clearing
+T vivacite	**ACEILLL**	+C calicule	+Z calmsiez	clignera
ACEIIVZ	+V calville	+F faucille	**ACEILMT**	+N lanciner
+T activiez	**ACEILLM**	**ACEILLV**	+A calamite	+O clonerai
ACEIJLO	+S cillames	vacille	+S calmites	enclorai
+Z cajoliez	**ACEILLN**	+B clivable	**ACEILMU**	+S carlines
ACEIJLU	+A alcaline	+H chevilla	+G mucilage	clarines
+A ejaculai	alliance	+L calville	+M immacule	lanciers
ACEIJLZ	canaille	+R vaciller	+R miracule	**ACEILNS**
+O cajoliez	+O encollai	+S vacilles	+S musicale	calines
ACEIJNO	+T caillent	+Z vacillez	+Z maculiez	sanicle
+B jacobine	**ACEILLO**	**ACEILLX**	**ACEILMV**	+A alsacien
+H jonchaie	+D decollai	lexical	+S clivames	canalise
ACEIJNR	+G colligea	+E excellai	**ACEILMX**	elancais
+R jerrican	+N encollai	lexicale	+A exclamai	enlacais
ACEIJNS	+R collerai	**ACEILLY**	**ACEILMZ**	+C calcines
+T injectas	recollai	+B beylical	calmiez	+D declinas
ACEIJNT	rocaille	+S salicyle	clamiez	scaldien
injecta	+S localise	**ACEILLZ**	macliez	+E calinees
+H jacinthe	+T colletai	caillez	+R calmirez	linacees
+I injectai	localite	+E ecaillez	+S clamsiez	selacien
+S injectas	teocalli	+I cailliez	+U maculiez	+I lacinies
+T injectat	**ACEILLR**	+R craillez	**ACEILNN**	+K nickelas
ACEIJOT	cailler	+V vacillez	lancine	+M manicles
+B jacobite	cillera	**ACEILMM**	+E lancinee	meniscal
objectai	craille	+S calmimes	+R lanciner	+N lancines
ACEIJOZ	+A caillera	+U immacule	+S lancines	+O ancolies
+L cajoliez	racaille	**ACEILMN**	+T calinent	ecalions
ACEIJQR	+C clerical	manicle	+V vicennal	onciales
+U jacquier	+E ecailler	+A calamine	+Z lancinez	+P calepins
ACEIJQU	+I cillerai	+O calomnie	**ACEILNO**	pelicans
+R jacquier	criaille	+S manicles	ancolie	pinacles
ACEIJRR	+O collerai	meniscal	onciale	+R clarines
+N jerrican	recollai	**ACEILMO**	+G congelai	lanciers
ACEIJRT	rocaille	+D madicole	+L encollai	+S sanicles
+A jacterai	+R crailler	+N calomnie	+M calomnie	+T ciselant
ACEIJRU	+S cilleras	+R morcelai	+R clonerai	+U sanicule
+H jucherai	crailles	+S camisole	enclorai	**ACEILNT**
+Q jacquier	+V vaciller	**ACEILMR**	+S ancolies	+A alicante
ACEIJSS	+Z craillez	miracle	ecalions	calaient
+T jacistes	**ACEILLS**	+A calmerai	onciales	elancait
ACEIJST	cailles	clamerai	+U enclouai	

enlacait
lacaient
laitance
+D declinat
+E celaient
etincela
+F ficelant
+H chialent
+K nickelat
+L caillent
+N calinent
+S ciselant
+U culaient
inactuel

ACEILNU
+C canicule
+E enucleai
leucaine
+O enclouai
lionceau
+P panicule
+Q clanique
+S sanicule
+T culaient
inactuel
+V navicule
+Z canuliez

ACEILNV
+A enclavai
+C clavecin
+H chevalin
+I vicinale
+N vicennal
+U navicule

ACEILNZ
calinez
lanciez
+C calcinez
+E elanciez
enlaciez
+I caliniez
+N lancinez
+U canuliez

ACEILOP
apicole
+E alopecie
+R picolera
+S apicoles
+T capitole
peclotai

ACEILOQ
+U aquicole

ACEILOR
calorie
recolai
+B cabriole
+D cordelai
cordiale
+G agricole
+L collerai
recollai
rocaille
+M morcelai
+N clonerai
enclorai
+P picolera
+R carriole

correlai
+S calories
coaliser
recolais
scolaire
+T eclorait
recolait
recoltai
+U clouerai
coulerai
ecroulai
oculaire
reclouai
+V violacer
+Z racoliez

ACEILOS
coalise
sociale
+A asociale
+B sociable
+E coalise
+F focalise
+L localise
+M camisole
+N ancolies
ecalions
onciales
+P apicoles
+R calories
coaliser
recolais
scolaire
+S coalises
sociales
+T teocalis
+U ecoulais
+V avicoles
olivaces
violaces
vocalise
+Z coalisez

ACEILOT
teocali
+D cotidale
+L colletai
localite
teocalli
+P capitole
peclotai
+R eclorait
recolait
recoltai
+S teocalis
+U ecoulait
+V locative

ACEILOU
ecoulai
+D declouai
decoulai
+N enclouai
lionceau
+Q aquicole
+R clouerai
coulerai
ecroulai

oculaire
reclouai
+S ecoulais
+T ecoulait

ACEILOV
avicole
olivace
violace
+E olivacee
violacee
+R violacer
+S avicoles
olivaces
violaces
+T locative
+Z violacez

ACEILOX
+A coaxiale
+G coxalgie
+S saxicole

ACEILOZ
+C accoliez
+J cajoliez
+R racoliez
+S coalisez
+V violacez

ACEILPP
+Z clappiez

ACEILPR
clapier
picarel
placier
+A placerai
replacai
+H archipel
+O picolera
+S clapiers
picarels
placiers
spiracle
+T triplace

ACEILPS
eclipsa
special
+A apicales
capelais
+B biplaces
+D placides
+E speciale
+I eclipsai
+N calepins
pelicans
+O apicoles
+R clapiers
picarels
placiers
spiracle

peclotai
+R triplace
+S eclipsat
+U capitule

ACEILPU
+D decuplai
+H epluchai
peluchai
+N panicule
+S speculai
+T capitule

ACEILPZ
placiez
+E capeliez
+P clappiez
+S scalpiez

ACEILQS
+U quiscale

ACEILQT
+U cliqueta
lactique

ACEILQU
+A alcaique
+C calcique
+N clanique
+O aquicule
+S quiscale
+T cliqueta
lactique
+Z calquiez
claquiez

ACEILQZ
+U calquiez
claquiez

ACEILRR
+A carrelai
raclerai
+B calibrer
criblera
+E eclairer
+L crailler
+O carriole
correlai

ACEILRS
caliers
claires
eclairs
+A calerais
eclairais
lacerais
raciales
recalais
scalaire
+B cabliers
calibres
+C cerclais
+E celerais
ciselera
eclaires
escalier
recelais
+G gicleras
glaciers
graciles
+H licheras
+I laiciser
+L cilleras

crailles
+M carlisme
miracles
+N carlines
clarines
lanciers
+O calories
coaliser
recolais
scolaire
+P clapiers
picarels
placiers
spiracle
+S clarisse
clissera
+T articles
carliste
clairets
recitals
+U culerais
curiales
reculais
ulcerais
+V claviers
cliveras
visceral
+Z sarcliez

ACEILRT
article
clairet
recital
+A alacrite
calerait
calterai
eclairat
lacerait
lactaire
recalait
+C cerclait
+E celerait
recelait
+I licitera
+O eclorait
recolait
recoltai
+P triplace
+S articles
carliste
clairets
recitals
+U articule
culerait
reculait
ulcerait
urticale
+V vertical

ACEILRU
culerai
curiale
reculai
ulcerai
+C cruciale
+D radicule
+H chialeur
+M miracule
+O clouerai

coulerai
ecroulai
oculaire
reclouai
+S culerais
curiales
reculais
ulcerais
+T article
culerait
reculait
ulcerait
urticale
+U auricule
+X exclurai
ACEILRV
clavier
clivera
+A calvaire
cavalier
clavaire
claverai
+C cervical
+I cliverai
+L vaciller
+O violacer
+S claviers
cliveras
visceral
+T vertical
ACEILRW
+Z crawliez
ACEILRX
+U exclurai
ACEILRY
+C recyclai
ACEILRZ
racliez
+B calibrez
+E caleriez
eclairez
laceriez
recaliez
+L craillez
+M calmirez
+O racoliez
+S sarcliez
+W crawliez
ACEILSS
ciselas
eclissa
+B sciables
+D discales
+F fiscales
+G giclasse
+H lichasse
+I ciselais
eclissai
laicisas
+L cillasse
scellais
+M calmisse
+N sanicles
+O coalises
sociales
+P eclipsas
+R clarisse

clissera
+S eclissas
+T eclissat
+U eclusais
+V clivasse
lascives
+Z classiez
ACEILST
ciselat
+A eclatais
salacite
+B cabliste
celibats
+C calcites
+D delicats
+G giclates
+H halictes
lichates
+I ciselait
laiciste
laicites
silicate
+L cillates
scellait
+M calmites
+N ciselant
+O teocalis
+P eclipsat
+R articles
carliste
clairets
recitals
+S eclissat
+T tactiles
+U alucites
eclusait
+V claviste
clivates
ACEILSU
eclusai
+C accueils
+D acidules
elucidas
+F feculais
+M musicale
+N sanicule
+O ecoulais
+P speculai
+Q quiscale
+R culerais
curiales
reculais
ulcerais
+S eclusais
+T alucites
eclusait
+V cuvelais
+X excluais
ACEILSV
lascive
vesical
+E vesicale
+G clivages
+L vacilles
+M clivames
+O avicoles
olivaces

violaces
vocalise
+R claviers
cliveras
visceral
+S clivasse
lascives
+T claviste
clivates
+U cuvelais
ACEILSX
+O saxicole
+U excluais
ACEILSY
+H achylies
+L salicyle
ACEILSZ
+I laicisez
+M clamsiez
+O coalisez
+P scalpiez
+R sarcliez
+S classiez
ACEILTT
tactile
+A eclatait
+S tactiles
ACEILTU
alucite
+B cubitale
+D elucidat
+F feculait
+N culaient
inactuel
+O ecoulait
+P capitule
+Q cliqueta
lactique
+R articule
culerait
reculait
ulcerait
urticale
+S alucites
eclusait
+V claviste
+X excluait
ACEILTV
+A clavetai
+I calvitie
+O locative
+R vertical
+S claviste
clivates
+U cuvelait
ACEILTX
+U excluait
ACEILTY
+B beylicat
ACEILTZ
caltiez
+E eclatiez
ACEILUU
+R auricule
ACEILUV
cuvelai
+H vehicula

+N navicule
+S cuvelais
+T cuvelait
ACEILUX
+R exclurai
+S excluais
+T excluait
+X lexicaux
ACEILUZ
+C acculiez
+H chauliez
+M maculiez
+N canuliez
+Q calquiez
claquiez
ACEILVZ
claviez
+A cavaliez
+L vacillez
+O violacez
ACEILWZ
+R crawliez
ACEILXX
+U lexicaux
ACEIMMN
+P pemmican
ACEIMMO
+R commerai
ACEIMMR
+O commerai
ACEIMMS
+E acmeisme
ecimames
+H machisme
+L calmimes
ACEIMMU
+L immacule
ACEIMNN
+O camionne
+T emincant
ACEIMNO
+L calomnie
+N camionne
+S emacions
semoncai
ACEIMNP
+A emancipa
+E emancipe
+M pemmican
+S pincames
ACEIMNR
carmine
+A cinerama
+B cambrien
+E carmine
emincera
+H machiner
+S carmines
rancimes
+T mercanti
ACEIMNS
cinemas
emincas
mancies

+A mecanisa
menacais
+D candimes
+E mecanise
+H cheminas
chinames
machines
nichames
+I amincies
emincais
+L manicles
meniscal
+O emacions
semoncai
+P pincames
+R carmines
rancimes
+T cimentas
ACEIMNT
cimenta
ecimant
emincat
+A camaient
emaciant
menacait
+D cadmient
decimant
+E cementai
emacient
+H cheminat
+I cimentai
emincait
+N emincant
+R mercanti
+S cimentas
+T cimentat
ACEIMNX
+I mexicain
ACEIMNZ
+E menaciez
+H machinez
ACEIMOP
+H empochai
+S copiames
ACEIMOR
+H chomerai
machoire
+L morcelai
+M commerai
+Z amorciez
ACEIMOS
+C cacosmie
+H chamoise
+L camisole
+N emacions
semoncai
+P copiames
+U acousmie
ACEIMOU
+S acousmie
ACEIMOZ
+H amochiez
+R amorciez
ACEIMPR
+A camperai
+H rechampi

ACEIMPS
+E epicames
+H chipames
+N pincames
+O copiames
ACEIMPZ
  campiez
ACEIMQR
+U cramique
ACEIMQS
+U acquimes
ACEIMQU
+R cramique
+S acquimes
ACEIMRR
+A cramerai
+E camerier
  cremerai
  remercia
+G grimacer
+T matricer
ACEIMRS
  cirames
  cremais
  criames
  escrima
  racisme
+A camerais
  cariames
  macerais
+D smicarde
+E ecimeras
  ecremais
  ecriames
+F farcimes
+G grimaces
+H charisme
+I escrimai
+L carlisme
  miracles
+N carmines
  rancimes
  rincames
+S escrimas
  racismes
+T escrimat
  matrices
ACEIMRT
  cremait
  matrice
+A camerait
  macerait
+E ecremait
  matricee
+N mercanti
+R matricer
+S escrimat
  matrices
+Z matricez
ACEIMRU
+E ecumerai
+L miracule
+Q cramique
ACEIMRZ
  cramiez
+B cambriez
+E cameriez

  maceriez
+G grimacez
+H charmiez
  marchiez
+L calmirez
+O amorciez
+T matricez
ACEIMSS
  sciames
+E ecimasse
+F fascisme
+H chemisas
  chiasmes
+I cimaises
+L calmisse
+R escrimas
  racisms
+U caesiums
+Y cymaises
ACEIMST
  citames
+B cambiste
+D dictames
+E ecimates
+H chemisat
  tachisme
+L calmites
+N cimentas
+R escrimat
  matrices
+T tactisme
+U cuitames
ACEIMSU
  caesium
  ecumais
+A camaieus
+L musicale
+O acousmie
+Q acquimes
+S caesiums
+T cuitames
ACEIMSV
+I civaisme
  viciames
+L clivames
ACEIMSY
  cymaise
+D mysidace
+S cymaises
ACEIMSZ
+L clamsiez
ACEIMTT
+N cimentat
+S tactisme
ACEIMTU
  ecumait
+H humectai
+S cuitames
ACEIMTZ
+R matricez
ACEIMUX
+A camaieus
+D decimaux
  medicaux
ACEIMUZ
+H chaumiez
+L maculiez

ACEINNN
+E ancienne
  nanceien
ACEINNO
  enoncai
+D deconnai
  denoncai
+E oceanien
+F enfoncai
+G engoncai
+H chanoine
+M camionne
+R encornai
  renoncai
+S canonise
  enoncais
+T actionne
ACEINNP
+T epincant
ACEINNR
  cranien
  incarne
+A cannerai
  enracina
+E incarnee
+F financer
  francien
+I incinera
  racinien
+L lanciner
+O encornai
  renoncai
+R incarner
+S craniens
  incarnes
+T ricanent
+U nuancier
+Z incarnez
ACEINNS
  anciens
  canines
+A caennais
+E encensai
+F finances
+L lancines
+O canonise
  enoncais
+R craniens
  incarnes
+S cannisse
+T cantines
  instance
+U nuisance
ACEINNT
  cantine
+A canaient
+E centaine
+F fiancent
+G ceignant
+H chainent
  echinant
+L calinent
+M emincant
+O actionne
  enoncait

+P epincant
+R ricanent
+S cantines
  instance
+V evincant
ACEINNU
+R nuancier
+S nuisance
+Z nuancier
ACEINNV
+L vicennal
+T evincant
ACEINNZ
  canniez
+F financez
+L lancinez
+R incarnez
+U nuanciez
ACEINOP
+G copinage
+R copinera
  pioncera
  poncerai
  procaine
  raiponce
+S capeions
ACEINOQ
+U acoquine
ACEINOR
  aconier
  ecornai
+C acconier
  coincera
+D decornai
  encordai
+F conferai
  confiera
  foncerai
+G cognerai
  congreai
+L clonerai
  enclorai
+N encornai
  renoncai
+P copinera
  pioncera
  poncerai
  procaine
  raiponce
+R cornerai
  racornie
+S acierons
  aconiers
  ecornais
  necrosai
  scenario
+T canotier
  conterai
  creation
  ecornait
  ocraient
  reaction
+U couinera
ACEINOS
+C cocaines
+D donacies

  encodais
  secondai
+G negocias
+L ancolies
  ecalions
  onciales
+M emacions
  semoncai
+N canonise
  enoncais
+P capeions
+R acierons
  aconiers
  ecornais
  necrosai
  scenario
ACEINOT
+B cabotine
+C accointe
  occitane
+D codaient
  encodait
+G negociat
+N actionne
  enoncait
+R canotier
  conterai
  creation
  ecornait
  ocraient
  reaction
+T actinote
  cotaient
+X exaction
+Z canotiez
ACEINOU
+L enclouai
  lionceau
+Q acoquine
+R couinera
ACEINOV
+R conviera
ACEINOX
+T exaction
ACEINOZ
+T canotiez
ACEINPR
  caprine
  carpien
  pincera
+D pincarde
+E epincera
+I pincerai
+O copinera
  pioncera
  poncerai
  procaine
  raiponce
+S caprines
  carpiens
  escarpin
  pinceras
+U inapercu
ACEINPS
  capsien
  epincas
+E capesien

pinacees	+J jerrican	craintes	+H chaineur	+F infectas
sapience	+N incarner	criantes	+N nuancier	+H chiantes
+G pincages	+O cornerai	rancites	+O couinera	chinates
+H penchais	racornie	rincates	+P inapercu	entichas
+I epincais	+S carniers	+U censurai	+R ricaneur	nichates
+L calepins	rinceras	**ACEINRT**	+S censurai	+I actinies
pelicans	+T cintrera	carient	+T ceintura	canities
pinacles	recriant	cernait	curaient	sciaient
+M pincames	+U ricaneur	certain	**ACEINRV**	+J injectas
+O capeions	+Z rancirez	crainte	vaincre	+L ciselant
+R caprines	**ACEINRS**	crenait	+A variance	+M cimentas
carpiens	arsenic	criante	+C vacciner	+N cantines
escarpin	cernais	ecriant	+E evincera	instance
pinceras	crenais	encrait	+H vacherin	+P inspecta
+S capsiens	encrais	+A acierant	+I ecrivain	pincates
pincasse	racines	canerait	+O conviera	+R centrais
+T inspecta	ricanes	carenait	+T navicert	certains
pincates	sarcine	carinate	+Z vaincrez	craintes
pitances	+A acariens	encartai	**ACEINRZ**	criantes
ACEINPT	canerais	tancerai	ancriez	rancites
epicant	carenais	+D decintra	craniez	rincates
epincat	casanier	decriant	nacriez	+S cassetin
pitance	casernai	dicentra	ricanez	castines
+A capaient	serancai	tridacne	+D candirez	+T intactes
+E capetien	+B cinabres	+E acierent	+E caneriez	+U cuisante
epinceta	+D ceindras	centiare	careniez	sucaient
patience	discerna	creaient	+G craignez	+V vesicant
+H penchait	rescinda	creatine	+I ricaniez	+X excisant
+I anticipe	scindera	ctenaire	+N incarnez	inexacts
epincait	+E cesarien	nectaire	+R rancirez	+Z zincates
+N epincant	recensai	+F francite	+T crantiez	**ACEINSU**
+S inspecta	+F fasciner	+G cintrage	+V vaincrez	+B cubaines
pincates	francise	gracient	**ACEINSS**	+E acineuse
pitances	+G craignes	+H chantier	canisse	+L sanicule
+X excipant	rincages	+I ciraient	+A aisances	+N nuisance
ACEINPU	+H archines	criaient	encaissa	+R censurai
pinceau	chineras	incitera	+D candisse	+T cuisante
+C capucine	nicheras	+M mercanti	+E caseines	sucaient
+L panicule	+I icariens	+N ricanent	encaisse	+V encuvais
+R inapercu	incisera	+O canotier	+F fascines	vaincues
+X pinceaux	ricaines	conterai	+H chinasse	**ACEINSV**
ACEINPX	+L carlines	creation	nichasse	evincas
+T excipant	clarines	ecornait	+L sanicles	+A encavais
+U pinceaux	lanciers	ocraient	+N cannisse	+C vaccines
ACEINQT	+M carmines	reaction	+P capsiens	+I evincais
+U cantique	rancimes	+R cintrera	pincasse	+T vesicant
ACEINQU	rincames	recriant	+R arsenics	+U encuvais
+A encaquai	+N craniens	+S centrais	narcisse	vaincues
+L clanique	incarnes	certains	rancisse	**ACEINSX**
+O acoquine	+O acierons	craintes	rincasse	+T excisant
+T cantique	aconiers	criantes	sarcines	inexacts
ACEINRR	ecornais	rancites	+S canisses	**ACEINSY**
carnier	necrosai	rincates	+T cassetin	+B biscayen
ricaner	scenario	+T centrait	castines	**ACEINSZ**
rincera	+P caprines	recitant	**ACEINST**	+D scandiez
+A ancrerai	carpiens	tiercant	castine	+F fascinez
cranerai	escarpin	+U ceintura	natices	+G zincages
nacrerai	pinceras	curaient	+A casaient	+T zincates
ricanera	+R carniers	+V ecrivant	estancia	**ACEINTT**
+D craindre	rinceras	navicert	+B cabinets	intacte
+E cernerai	+S arsenics	+Z crantiez	+D candites	+D edictant
cranerie	narcisse	**ACEINRU**	distance	+E tenacite
crenerai	rancisse	rinceau	+E cineaste	+F infectat
encrerai	rincasse	+B incubera		+H chatient
+G grincera	sarcines	+E ceraunie		entichat
+H charnier	+T centrais			+I citaient
+I rincerai	certains			

+J injectat
+M cimentat
+O actinote
   cotaient
+R centrait
   recitant
   tiercant
+S intactes
+V activent
+X excitant

ACEINTU
+B cubaient
+L culaient
   inactuel
+Q cantique
+R ceintura
   curaient
+S cuisante
   sucaient
+V cuvaient
   encuvait

ACEINTV
   evincat
+A cavaient
   cavatine
   encavait
   vaticane
+I evincait
   inactive
   vaticine
+N evincant
+R ecrivant
   navicert
+S vesicant
+T activent
+U cuvaient
   encuvait

ACEINTX
   inexact
+E inexacte
+O exaction
+P excipant
+S excisant
   inexacts
+T excitant

ACEINTZ
   tanciez
   zincate
+H chantiez
+O canotiez
+R crantiez
+S zincates

ACEINUV
   encuvai
   vaincue
+A caniveau
+H chauvine
+L navicule
+S encuvais
   vaincues
+T cuvaient
   encuvait

ACEINUX
+E inexauce
+P pinceaux
+R rinceaux

ACEINUZ

+L canuliez
+N nuanciez

ACEINVZ
+A avanciez
+C vacciniez
+E encaviez
+R vaincrez

ACEIOOP
+R cooperai

ACEIOOR
+P cooperai
+T cotoiera

ACEIOOT
+R cotoiera

ACEIOPP
+H echoppai

ACEIOPR
   copaier
   copiera
   recopia
+D procedai
+E ecoperai
+H choperai
   piochera
   pocherai
+I copierai
   recopiai
+L picolera
+N copinera
   pioncera
   poncerai
   raiponce
+O cooperai
+R picorera
   procreai
+S apercois
   copaiers
   copieras
   recopias
+T apercoit
   picotera
   recopiat
+U couperai
   recoupai

ACEIOPS
   ecopais
   opiaces
+D diascope
+E opiacees
+G copiages
+L apicoles
+M copiames
+N capeions
+R apercois
   copaiers
   copieras
   recopias
+S copiasse
+T copiates
   opacites

ACEIOPT
   ecopait
   opacite
+G picotage
+L capitole
   peclotai

+R apercoit
   picotera
   recopiat
+S copiates
   opacites
+Z capotiez

ACEIOPU
+D decoupai
+R couperai
   recoupai

ACEIOPZ
+T capotiez

ACEIOQU
+L aquicole
+N acoquine

ACEIORR
   carroie
   ocrerai
+C accroire
+D corderai
   recordai
+F forcerai
+G corrigea
+H charroie
   rocherai
+L carriole
   correlai
+N cornerai
   racornie
+P picorera
   procreai
+S carroies
   corsaire
   corserai
   ocrerais
+T ocrerait
+U ecrouira

ACEIORS
+A acariose
+C coriaces
   ecorcais
   scoriace
+D coderais
   croisade
   decorais
   decroisa
   isocarde
   sarcoide
+G cogerais
+H choieras
+L calories
   coaliser
   recolais
   scolaire
+N acierons
   aconiers
   ecornais
   necrosai
   scenario
+P apercois
   copaiers
   copieras
   recopias
+R carroies
   corsaire
   corserai

   croisera
   ocrerais
+S associer
   cosserai
+T cairotes
   corsetai
   coterais
   cotisera
   escortai
+U ecrouais
   souciera
+X exorcisa

ACEIORT
   cairote
   coterai
+B abricote
+C ecorcait
+D carotide
   coderait
   decorait
+G cogerait
   cogitera
+H chariote
   coherita
+L eclorait
   recolait
   recoltai
+N canotier
   conterai
   creation
   ecornait
   ocraient
   reaction
+O cotoiera
+P apercoit
   picotera
   recopiat
+R ocrerait
+S cairotes
   corsetai
   coterais
   cotisera
   escortai
+T atrocite
   coterait
+U couterai
   ecourtai
   ecrouait
   ecroutai
+V octavier
   voracite
+X excoriat

ACEIORU
   ecrouai
+D couderai
   coudraie
   radoucie
+E ecoeurai
+L clouerai
   coulerai
   ecroulai
   oculaire
   reclouai
+N couinera
+P couperai
   recoupai

+R ecrouira
+S ecrouais
   souciera
+T couterai
   ecourtai
   ecrouait
   ecroutai
+V couverai

ACEIORV
+F vocifera
+L violacer
+N conviera
+T octavier
   voracite
+U couverai

ACEIORX
   excoria
+I excoriai
+S excorias
   exorcisa
+T excoriat

ACEIORZ
+L racoliez
+M amorciez

ACEIOSS
   associe
   ecossai
+D acidoses
+E associee
+L coalises
   sociales
+P copiasse
+R associer
   cosserai
+S associes
   ecossais
+T ecossait
+U secouais
+Z associez
   coassiez

ACEIOST
+B becotais
+H chatoies
+L teocalis
+P copiates
   opacites
+R cairotes
   corsetai
   coterais
   cotisera
   escortai
+S ecossait
+T asticote
+U ecoutais
   secouait
+V octavies
+X coexista

ACEIOSU
   secouai
+B ecobuais
+D adoucies
+H echouais
+L ecoulais
+M acousmie
+R ecrouais
   souciera
+S secouais

+T ecoutais
  secouait
ACEIOSV
+L avicoles
  olivaces
  violaces
  vocalise
+T octavies
ACEIOSX
+D oxacides
+L saxicole
+R excorias
  exorcisa
+T coexista
ACEIOSZ
+L coalisez
+S associez
  coassiez
ACEIOTT
+B becotait
+N actinote
  cotaient
+R atrocite
  coterait
+S asticote
+U ecoutait
ACEIOTU
  ecoutai
+B ecobuait
+H echouait
+L ecoulait
+R couterai
  ecourtai
  ecrouait
  ecroutai
+S ecoutais
  secouait
+T ecoutait
ACEIOTV
  octavie
+L locative
+R octavier
  voracite
+S octavies
+Z octaviez
ACEIOTX
+N exaction
+R excoriat
+S coexista
ACEIOTZ
+B cabotiez
+C accotiez
+H cahotiez
+N canotiez
+P capotiez
+V octaviez
ACEIOUV
+R couverai
ACEIOVZ
+L violacez
+T octaviez
ACEIPPR
+A apprecia
+E apprecie
  epicarpe
ACEIPPZ
+L clappiez

ACEIPQU
+Z pacquiez
ACEIPQZ
+U pacquiez
ACEIPRR
  caprier
  crepira
+E creperai
  percerai
  precaire
  rapiecer
+I crepirai
+O picorera
  procreai
+S capriers
  crepiras
  crispera
ACEIPRS
  crepais
  pecaris
  percais
  precisa
+A caperais
  rapiecas
+C caprices
+D decrispa
  picardes
+E epiceras
  rapieces
  recepais
+H charpies
  chiperas
  perchais
  prechais
+I precisai
+L clapiers
  picarels
  placiers
  spiracle
+N caprines
  carpiens
  escarpin
  pinceras
+O apercois
  copaiers
  copieras
  recopias
+R capriers
  crepiras
  crispera
+S precisas
+T crepitas
  pactiser
  patrices
  picrates
  precisat
  teraspic
ACEIPRT
  crepait
  crepita
  patrice
  percait
  picrate
+A caperait
  capterai
  rapacite
  rapiecat

+D predicat
+E recepait
+H chapitre
  perchait
  prechait
+I crepitai
+L triplace
+O apercoit
  picotera
  recopiat
+S crepitas
  pactiser
  patrices
  picrates
  precisat
  teraspic
+U percutai
+V captiver
ACEIPRU
+E apieceur
  epucerai
  peaucier
+N inapercu
+O couperai
  recoupai
+T percutai
ACEIPRV
+T captiver
ACEIPRX
+E excipera
ACEIPRZ
+E capriez
  rapiecez
ACEIPSS
+A espacais
+D capsides
  spadices
+E epicasse
+H chipasse
+L eclipsas
+N capsiens
  pincasse
+O copiasse
+R precisas
+T pactises
+U auspices
ACEIPST
  capites
  pactise
+A espacait
+E capitees
  epicates
+H chipates
  pastiche
  pistache
  scaphite
+L eclipsat
+N inspecta
  pincates
  pitances
+O copiates
  opacites
+R crepitas
  pactiser
  patrices
  picrates

  precisat
  teraspic
+S pactises
+V captives
+Z pactisez
ACEIPSU
  epucais
+L speculai
+S auspices
+X spaciaux
  speciaux
ACEIPSV
+T captives
ACEIPSX
  excipas
+I excipais
+U spacieux
  speciaux
ACEIPSY
  cipayes
+A capeyais
ACEIPSZ
+E espaciez
+L scalpiez
+T pactisez
ACEIPTT
+R crepitat
ACEIPTU
  epucait
+L capitule
+R percutai
+X capiteux
ACEIPTV
  captive
+E captivee
+R captiver
+S captives
+Z captivez
ACEIPTX
  excipat
+E exceptai
+I excipait
+N excipant
+U capiteux
  captiveux
ACEIPTY
+A capeyait
ACEIPTZ
  captiez
+O capotiez
+S pactisez
+V captivez
ACEIPUX
+N pinceaux
+S spaciaux
  speciaux
ACEIPUZ
+Q pacquiez
ACEIPVZ
+T captivez
ACEIPYZ
+E capeyiez
ACEIQRR
+U acquerir

ACEIQRS
+U acquiers
ACEIQRT
+U acquiert
ACEIQRU
+A caquerai
+E acquiere
+G grecquai
+H chiquera
+I icaquier
+J jacquier
+M cramique
+R acquerir
+S acquiers
+T acquiert
  arctique
ACEIQRZ
+U craquiez
ACEIQSS
+U acquisse
ACEIQST
+U acquites
ACEIQSU
  acquise
  caiques
  icaques
+C caciques
+L quiscale
+M acquimes
+R acquiers
+S acquisse
  acquisse
+T acquites
+Z casquiez
ACEIQSZ
+U casquiez
  sacquiez
ACEIQTT
+U acquitte
  tactique
ACEIQTU
+A caquetai
+E acetique
+L cliqueta
  lactique
+N cantique
+R acquiert
  arctique
+S acquites
+T acquitte
  tactique
ACEIQUZ
  caquiez
+L calquiez
  claquiez
+P pacquiez
+R craquiez
+S casquiez
  sacquiez
ACEIRRR
  carrier
  recrira
+A carrerai

+E carriere	+U curerait	+S cassiers	precisat	cliveras
recriera	recrutai	cirasses	teraspic	visceral
reecrira	recurait	criasses	+R cartiers	+U cuverais
+H charrier	**ACEIRRU**	+T caristes	+S caristes	**ACEIRSX**
+I recrirai	curerai	racistes	racistes	+E excisera
+S carriers	recuira	+U creusais	+T citrates	execrais
recriras	recurai	cuirasse	+U creusait	exercais
ACEIRRS	+H rucherai	recusais	cuiteras	+O excorias
cireras	+I recuirai	sauciers	curetais	exorcisa
crieras	+N ricaneur	securisa	eructais	+U scarieux
ecriras	+O ecrouira	sucerais	raucites	**ACEIRSZ**
recrias	+Q acquerir	**ACEIRST**	recusait	sacriez
+A carieras	+S curerais	cariste	sucerait	+E caseriez
sacrerai	recuiras	cirates	suricate	ecrasiez
+B bicarres	recurais	citeras	+Z castriez	recasiez
crabiers	sucrerai	criates	**ACEIRSU**	+L sarcliez
+D criardes	+T curerait	raciste	creusai	+T castriez
decriras	recrutai	recitas	recusai	**ACEIRTT**
+E creerais	recurait	tercais	saucier	citrate
ecrieras	+V cuivrera	tiercas	sucerai	recitat
recreais	**ACEIRRV**	+A caraites	+A causerai	tercait
+H charries	+E creverai	cariates	recausai	+A ecartait
cheriras	recevrai	caserait	saucerai	+D creditat
+I cirerais	+H archiver	cataires	+B cuberais	+E ecretait
crierais	chavirer	ecartais	+E causerie	+I citerait
ecrirais	+U cuivrera	ecrasait	sauciere	recitait
recriais	**ACEIRRZ**	recasait	+L culerais	tiercait
+N carniers	carriez	+C actrices	curiales	+N centrait
rinceras	+E carierez	+D cardites	reculais	recitant
+O carroies	+F farcirez	creditas	ulcerais	tiercant
corsaire	+H charriez	dicteras	+N censurai	+O atrocite
corserai	+N rancirez	+E ecretais	+O ecrouais	coterait
croisera	**ACEIRSS**	ecriates	souciera	+P crepitat
ocrerais	casiers	secretai	+Q acquiers	+S citrates
+P capriers	cassier	sectaire	+R curerais	+U curetait
crepiras	cirasse	+F creatifs	recuiras	eructait
crispera	criasse	farcites	recurais	+V tractive
+R carriers	scieras	reactifs	sucrerai	+Z tractiez
recriras	+A caressai	+G grecisat	+S creusais	**ACEIRTU**
+S crassier	cariasse	+H charites	cuirasse	cuitera
crissera	caserais	chistera	recusais	curetai
+T cartiers	casserai	cithares	sauciers	eructai
+U curerais	ecrasais	+I citerais	securisa	raucite
recuiras	recasais	recitais	sucerais	+A actuaire
recurais	+E cesserai	scierait	+T creusait	autarcie
sucrerai	ecriasse	tiercais	cuiteras	+B cuberait
ACEIRRT	+F farcisse	+L articles	curetais	+E ecriteau
cartier	fasciser	carliste	eructais	+F fautrice
recriat	fricasse	clairets	raucites	+H chuterai
+A retracai	+G grecisas	recitals	recusait	rechutai
tracerai	+I caisser	+M escrimat	sucerait	+I cuiterai
+E creerait	scierais	matrices	suricate	+L articule
recitera	sicaires	+N centrais	+V cuverais	culerait
recreait	+L clarisse	certains	+X scarieux	reculait
retercai	clissera	craintes	**ACEIRSV**	ulcerait
tercera	+M escrimas	criantes	crevais	urticale
tiercera	racismes	rancites	varices	+N ceintura
+H trichera	+N arsenics	rincates	+A avarices	curaient
+I cirerait	narcisse	+O cairotes	caverais	+O couterai
crierait	rancisse	corsetai	+E eviscera	ecourtai
ecrirait	rincasse	coterais	recevais	ecrouait
recriait	sarcines	cotisera	+H archives	ecroutai
+M matricer	+O associer	escortai	chavires	+P percutai
+N cintrera	cosserai	+P crepitas	+I ecrivais	+Q acquiert
recriant	+P precisas	pactiser	vicaires	arctique
+O ocrerait	+R crassier	patrices	vicieras	+R curerait
+S cartiers	crissera	picrates	+L claviers	

```
        recrutai
        recurait
+S   creusait
        cuiteras
        curetais
        eructais
        raucites
        recusait
        sucerait
        suricate
+T   curetait
        eructait
+V   activeur
        curative
        cuverait
ACEIRTV
        activer
        crevait
+A   activera
        caverait
        reactiva
+E   creative
        reactive
        recevait
        veracite
+I   ecrivait
+L   vertical
+N   navicert
+O   octavier
        voracite
+P   captiver
+T   tractive
+U   activeur
        curative
        cuverait
ACEIRTX
+E   excitera
        excretai
        execrait
        exercait
+O   excoriat
ACEIRTZ
        traciez
+E   ecartiez
+H   chatriez
+M   matricez
+N   crantiez
+S   castriez
+T   tractiez
ACEIRUU
+L   auricule
ACEIRUV
        cuverai
+D   decuivra
+G   cuivrage
+O   couverai
+R   cuivrera
+S   cuverais
+T   activeur
        curative
        cuverait
ACEIRUX
+G   gracieux
+L   exclurai
+N   rinceaux
+S   scarieux
```


```
ACEIRUZ
+G   carguiez
+H   rauchiez
+Q   craquiez
ACEIRVZ
+E   caveriez
+H   archivez
+N   vaincrez
ACEIRWZ
+L   crawliez
ACEISSS
        caisses
        cassies
        cessais
        sciasse
+B   abscisse
+F   fascisse
+H   chassies
        chiasses
+L   eclissas
+N   canisses
+O   associes
        ecossais
+R   cassiers
        cirasses
        criasses
+S   sciasses
+T   citasses
+U   ecuissas
        saucisse
ACEISST
        ascites
        cessait
        citasse
        sciates
+C   accessit
+D   dictasse
+F   fasciste
+J   jacistes
+L   eclissat
+N   cassetin
        castines
+O   ecossait
+P   pactises
+R   caristes
        racistes
+S   citasses
+T   statices
+U   casuiste
        cuitasse
        ecuissat
+V   cavistes
ACEISSU
        ecuissa
+G   cuissage
+I   ecuissai
+L   eclusais
+M   caesiums
+O   secouais
+P   auspices
+Q   acquises
        acquisse
+R   creusais
        cuirasse
        recusais
        sauciers
```


```
        securisa
        sucerais
+S   ecuissas
        saucisse
+T   casuiste
        cuitasse
        ecuissat
+U   cuisseau
+X   excusais
ACEISSV
+I   viciates
+L   clivasse
        lascives
+T   cavistes
ACEISSX
        excisas
+I   excisais
+U   excusais
ACEISSY
+M   cymaises
ACEISSZ
        cassiez
+F   fascisez
+H   chassiez
+L   classiez
+O   associez
        coassiez
ACEISTT
        citates
        statice
        tacites
+D   dictates
+H   tachiste
+L   tactiles
+M   tactisme
+N   intactes
+O   asticote
+R   citrates
+S   statices
+U   cuitates
ACEISTU
        acuites
+L   alucites
        eclusait
+M   cuitames
+N   cuisante
        sucaient
+O   ecoutais
        secouait
+Q   acquites
+R   creusait
        cuiteras
        curetais
        eructais
        raucites
        recusait
        sucerait
        suricate
+S   casuiste
        cuitasse
        ecuissat
+V   vacuites
+X   excusait
ACEISTV
        actives
        caviste
```


```
        cavites
+E   activees
+I   viciates
+L   claviste
        clivates
+N   vesicant
+O   octavies
+P   captives
+S   cavistes
+U   vacuites
ACEISTX
        excisat
        excitas
+I   excisait
        excitais
+N   excisant
        inexacts
+O   coexista
+U   excusait
ACEISTZ
+N   zincates
+P   pactisez
+R   castriez
ACEISUU
+S   cuisseau
ACEISUV
+A   evacuais
+D   decuvais
+L   cuvelais
+N   encuvais
+R   cuverais
+T   vacuites
+X   vesicaux
ACEISUX
        ciseaux
        excusai
+A   exaucais
+B   scabieux
+L   excluais
+P   spacieux
        speciaux
+R   scarieux
+S   excusais
+T   excusait
+V   vesicaux
ACEISUZ
        causiez
        sauciez
+C   accusiez
+Q   casquiez
        sacquiez
ACEISVV
        vivaces
ACEISVX
+A   excavais
+U   vesicaux
ACEITTU
+O   ecoutait
+Q   acquitte
        tactique
+R   curetait
        eructait
+S   cuitates
ACEITTV
+I   activite
+N   activent
```


```
+R   tractive
ACEITTX
        excitat
+I   excitait
+N   excitant
ACEITTZ
+R   tractiez
ACEITUV
        vacuite
+A   evacuait
+D   decuvait
+L   cuvelait
+N   cuvaient
        encuvait
+R   activeur
        curative
        cuverait
+S   vacuites
ACEITUX
+A   exaucait
+E   executai
+F   factieux
+L   excluait
+P   capiteux
        captieux
+S   excusait
ACEITVV
+I   vivacite
ACEITVX
+A   excavait
ACEITVZ
        activez
+I   activiez
+O   octaviez
+P   captivez
ACEIUVX
+S   vesicaux
ACEIUVZ
+E   evacuiez
ACEIUXX
+L   lexicaux
ACEIUXZ
+E   exauciez
ACEIVXZ
+E   excaviez
ACEJLNO
+T   cajolent
ACEJLNT
+O   cajolent
ACEJLOR
        cajoler
+A   cajolera
+U   cajoleur
ACEJLOS
        cajoles
+E   cajolees
ACEJLOT
+B   objectal
+N   cajolent
ACEJLOU
+R   cajoleur
ACEJLOZ
        cajolez
+I   cajoliez
ACEJLRU
+E   ejaculer
+O   cajoleur
```

ACEJLSU
+A ejaculas
+E ejacules
ACEJLTU
+A ejaculat
ACEJLUZ
+E ejaculez
ACEJMST
+A jactames
ACEJMSU
+H juchames
ACEJNOR
+H jonchera
ACEJNOT
+L cajolent
ACEJNRR
+I jerrican
ACEJNST
+I injectas
ACEJNTT
jactent
+E ejectant
+I injectat
ACEJORU
+L cajoleur
ACEJOST
+B objectas
ACEJOTT
+B objectat
ACEJPST
+U cajeputs
ACEJPSU
+T cajeputs
ACEJPTU
cajeput
+S cajeputs
ACEJQRU
+I jacquier
ACEJQST
+U jacquets
ACEJQSU
jacques
+T jacquets
ACEJQTU
jacquet
+S jacquets
ACEJRSS
+A jacasser
ACEJRST
+A jacteras
ACEJRSU
+H jucheras
ACEJRTZ
+E jacterez
ACEJSSS
+A jacasses
ACEJSST
+A jactasse
+I jacistes
ACEJSSU
+H juchasse
ACEJSSZ
+A jacassez
ACEJSTT
+A jactates
ACEJSTU
+H juchates

+P cajeputs
+Q jacquets
ACEKLNS
+I nickelas
ACEKLNT
+I nickelat
ACEKORS
+T stockera
ACEKORT
+S stockera
ACEKOST
+D destocka
+G stockage
+R stockera
ACEKPRS
+D spardeck
ACEKRRS
+C crackers
ACEKRST
+O stockera
ACEKRTT
+A racketta
+E rackette
ACELLLV
+I calville
ACELLMN
+E mancelle
ACELLMO
calomel
+S calomels
collames
ACELLMS
+E camelles
+I cillames
+O calomels
collames
ACELLNN
+E cannelle
ACELLNO
encolla
+E lanceole
+I encollai
+O neolocal
+S encollas
+T collante
encollat
ACELLNS
+E nacelles
+O encollas
+T scellant
ACELLNT
+I caillent
+O collante
collante
+S scellant
ACELLOO
alcoole
+N neolocal
+S alcooles
ACELLOR
collera
recolla
+I collerai
recollai
rocaille
+S colleras

recollas
+T recollat
ACELLOS
locales
+A alcalose
+D decollas
+G collages
+I localise
+M calomels
collames
+N encollas
+O alcooles
+R colleras
recollas
+S collasse
+T collates
colletas
+Y alcoyles
ACELLOT
colleta
+C collecta
+D decollat
+I colletai
localite
teocalli
+N collante
encollat
+R recollat
+S collates
colletas
+T colletat
ACELLOY
alcoyle
+S alcoyles
ACELLPR
+E carpelle
parcelle
ACELLPS
scalpel
+E capelles
capselle
+S scalpels
ACELLRR
+E carrelle
+I crailler
ACELLRS
scleral
+E sarcelle
scellera
sclerale
+I cilleras
crailles
+O colleras
recollas
ACELLRT
+O recollat
ACELLRU
+B brucella
+C calculer
ACELLRV
+I vaciller
ACELLRZ
+I craillez
ACELLSS
scellas
+I cillasse
scellais

+O collasse
+P scalpels
ACELLST
sceliat
+E catelles
+I cillates
scellait
+N scellant
+O collates
colletas
ACELLSU
+C calcules
+E calleuse
ACELLSV
+E claveles
+I vacilles
ACELLSX
+E excellas
ACELLSY
+I salicyle
+O alcoyles
ACELLTT
+O colletat
ACELLTU
+E actuelle
ACELLTX
+E excellat
ACELLUX
calleux
ACELLUZ
+C calculez
ACELLVZ
+I vacillez
ACELMMS
+A calmames
clamames
maclames
+I calmimes
ACELMMU
+I immacule
ACELMNO
+A amoncela
monacale
+E amoncele
cameleon
+F flamenco
+I calomnie
+S clonames
ACELMNS
+A lancames
+I manicles
meniscal
+O clonames
+T clamsent
ACELMNT
calment
clament
maclent
+A calmante
+E lacement
+S clamsent
+U maculent
ACELMNU
+T maculent
ACELMNY
+C cyclamen
ACELMOP

+R proclame
+T completa
+X complexa
ACELMOR
morcela
+B comblera
+I morcelai
+P proclame
+S morcelas
+T colmater
morcelat
ACELMOS
+I camisole
+L calomels
collames
+N clonames
+R morcelas
+T camelots
colmates
comtales
+U clouames
coulames
ACELMOT
camelot
colmate
comtale
+E camelote
colmatee
+P completa
+R colmater
morcelat
+S camelots
colmates
comtales
+Z colmatez
ACELMOU
+D mouclade
+F camoufle
+G glaucome
+S clouames
coulames
ACELMOX
+P complexa
ACELMOZ
+T colmatez
ACELMPR
+A remplaca
+E remplace
+O proclame
ACELMPS
+A placames
ACELMPT
+O completa
ACELMPX
+O complexa
ACELMRR
+E reclamer
ACELMRS
clamser
+A calmeras
caramels
clameras
clamsera
macleras
raclames
reclamas
+E reclames

```
+I  carlisme      +I  clamsiez        laceront     ACELNPR            recalent
    miracles      ACELMTU             racolent     +H  plancher       recelant
+O  morcelas        calumet           recolant     ACELNPS         +O caleront
+U  clameurs      +S  calumets      ACELNOS        +A  capelans          laceront
    musclera      ACELMTX           +C  calecons   +H  planches          racolent
ACELMRT           +A  exclamat      +D  celadons   +I  calepins          recolant
+A  reclamat      ACELMTZ               decalons       pelicans      +S sarclent
+O  colmater      +O  colmatez          delacons       pinacles      +U reculant
    morcelat      ACELMUU           +G  clonages   +O  capelons          ulcerant
ACELMRU           +C  accumule      +H  chalones   +T  scalpent      +W crawlent
    clameur       +R  cumulera      +I  ancolies   ACELNPT           ACELNRU
    maculer       ACELMUZ               ecalions       placent           canuler
+A  maculera          maculez           onciales   +A  capelant          lanceur
+I  miracule      +I  maculiez      +L  encollas       placenta          lucarne
+S  clameurs      ACELMXZ           +M  clonames   +E  pentacle      +A canulera
    musclera      +E  exclamez      +N  elancons   +P  clappent      +S lanceurs
+U  cumulera      ACELNNO               enlacons   +S  scalpent          lucarnes
ACELMRX           +S  elancons      +P  capelons   +U  centupla      +T reculant
+E  exclamer          enlacons      +R  calerons   ACELNPU               ulcerant
ACELMRZ           +Y  clayonne          cloneras   +I  panicule      ACELNRV
+E  calmerez      ACELNNR               encloras   +T  centupla      +E enclaver
    clamerez      +I  lanciner          lacerons   ACELNPZ           ACELNRW
    maclerez      ACELNNS               recalons   +H  planchez      +T crawlent
    reclamez      +E  canneles      +S  clonasse   ACELNQT           ACELNRY
+I  calmirez      +I  lancines          eclatons   +U  calquent      +H lynchera
ACELMSS           +O  elancons          eclosant       claquent      ACELNRZ
    clamses           enlacons          lactones   ACELNQU           +E lancerez
+A  calmasse      ACELNNT           +T  clonates   +A  calanque          relancez
    clamasse          lancent           eclatons   +I  clanique          renaclez
    maclasse      +A  elancant          eclosant   +O  caquelon      ACELNSS
+I  calmisse          enlacant          lactones   +T  enclouat      +A lancasse
ACELMST           +E  elancent      +V  esclavon       claquent      +E scalenes
+A  calmates          enlacent      ACELNOT        ACELNRR           +I sanicles
    caltames      +I  calinent          lactone    +E  relancer      +O clonasse
    clamates      +U  canulent      +C  accolent       renacler      +T classent
    lactames      ACELNNU           +G  congelat   ACELNRS           ACELNST
    maclates      +T  canulent      +J  cajolent       lancers       +A lancates
+I  calmites      ACELNNV           +L  collante   +A  lanceras          scalante
+N  clamsent      +I  vicennal          encollat       relancas      +E latences
+O  camelots      ACELNNY           +R  caleront       renaclas      +I ciselant
    colmates      +O  clayonne          laceront   +E  crenelas      +L scellant
    comtales      ACELNNZ               racolent       relances      +M clamsent
+U  calumets      +I  lancinez          recolant       renacles      +O clonates
ACELMSU           ACELNOO           +S  clonates   +H  charnels          eclatons
    culames       +G  colonage          eclatons   +I  carlines          eclosant
    macules       +L  neolocal          eclosant       clarines          lactones
+A  emascula      +R  coronale          lactones       lanciers      +P scalpent
+E  emascule      ACELNOP           +U  coulante   +O  calerons      +R sarclent
    maculees      +S  capelons          ecoulant       cloneras      +S classent
    ulmacees      ACELNOQ               enclouat       encloras      +U eclusant
+I  musicale      +U  caquelon      ACELNOU            lacerons      ACELNSU
+O  clouames      ACELNOR               encloua        recalons          canules
    coulames          clonera       +B  encoubla   +T  sarclent          lacunes
+R  clameurs          enclora       +I  enclouai   +U  lanceurs          lucanes
    musclera      +E  lecanore          lionceau       lucarnes          nucales
+T  calumets          olecrane      +Q  caquelon   ACELNRT           +E canulees
ACELMSV           +F  forlance      +S  enclouas       central           enucleas
+A  clavames      +I  clonerai      +T  coulante       raclent           lanceuse
+I  clivames          enclorai          ecoulant   +A  lacerant      +I sanicule
ACELMSX           +O  coronale          enclouat       recalant      +O enclouas
+A  exclamas      +S  calerons      ACELNOV            relancat      +R lanceurs
+E  exclames          cloneras      +C  conclave       renaclat          lucarnes
ACELMSY               encloras      +S  esclavon   +C  cerclant      +T eclusant
+A  amylaces          lacerons      ACELNOY        +E  calerent      ACELNSV
+B  cymbales          recalons      +N  clayonne       centrale      +A enclavas
ACELMSZ           +T  caleront      ACELNPP            crenelat      +E enclaves
    clamsez                         +T  clappent       lacerent          valences
```

+O esclavon

ACELNSY
alcynes
+C cyclanes

ACELNSZ
zancles

ACELNTT
caltent
+A eclatant
+E eclatent
lancette

ACELNTU
+C acculent
+E enucleat
+F feculant
+H chaulent
+I culaient
inactuel
+M maculent
+N canulent
+O coulante
ecoulant
enclouat
+P centupla
+Q calquent
claquent
+R reculant
ulcerant
+S eclusant
+V cuvelant
+X excluant

ACELNTV
clavent
+A cavalent
enclavat
+U cuvelant

ACELNTW
+R crawlent

ACELNTX
+U excluant

ACELNUU
+X lacuneux

ACELNUV
+I navicule
+T cuvelant

ACELNUX
+T excluant
+U lacuneux

ACELNUZ
canulez
+I canuliez

ACELNVY
+A valencay

ACELNVZ
+E enclavez

ACELOOP
+R acropole

ACELOOR
+D decolora
+N coronale
+P acropole
+R colorera

ACELOOS
+C colocase
+L alcooles

ACELOPP
+U populace

ACELOPR
+I picolera
+M proclame
+O acropole
+T clapoter
pectoral
+U copulera
couplera

ACELOPS
+B placebos
+E escalope
+I apicoles
+N capelons
+T clapotes
pactoles
peclotas

ACELOPT
clapote
pactole
peclota
+I capitole
peclotai
+M completa
+R clapoter
pectoral
+S clapotes
pactoles
peclotas
+T peclotat
+Z clapotez

ACELOPU
+B coupable
+C accouple
+D decoupla
+G couplage
+H chaloupe
+P populace
+R copulera
couplera

ACELOPX
+M complexa

ACELOPZ
+T clapotez

ACELOQR
+U cloquera

ACELOQS
+U cloaques
loquaces

ACELOQU
cloaque
loquace
+A aquacole
+I aquicole
+N caquelon
+R cloquera
+S cloaques
loquaces

ACELORR
correla
racoler
+A racolera
+E recolera
+I carriole
correlai
+O colorera
+S correlas
+T correlat
rectoral
+U croulera

ACELORS
oracles
racoles
recolas
scarole
+D cordelas
+E racolees
+H choleras
chorales
+I calories
coaliser
recolais
scolaire
+L colleras
recollas
+M morcelas
+N calerons
cloneras
encloras
lacerons
recalons
+R correlas
+S scaroles
sclerosa
+T crotales
recoltas
scrotale
+U cloueras
couleras
ecroulas
reclouas
+Y caloyers

ACELORT
crotale
recolat
recolta
+B claboter
+D cordelat
+E ecolatre
chlorate
talocher
+I eclorait
recolait
recoltai
+L recollat
+M colmater
morcelat
+N caleront
laceront
racolent
recalont
+P clapoter
pectoral
+R correlat
rectoral
+S crotales
recoltas
scrotale
+T calotter
lectorat
recoltat
+U cloutera
ecroulat
reclouat

ACELORU
clouera
coulera
ecroula
recloua
+B bouclera
+D edulcora
+E ecoulera
+G coaguler
+H louchera
+I clouerai
coulerai
ecroulai
oculaire
reclouai
+J cajoleur
+P copulera
couplera
+Q cloquera
+R croulera
racoleur
+S cloueras
couleras
ecroulas
reclouas
+T cloutera
ecroulat
reclouat

ACELORV
+I violacer

ACELORY
caloyer
+B croyable
+E ecaloyere
+S caloyers

ACELORZ
racolez
+I racoliez

ACELOSS
+I coalises
sociales
+L collasse
+N clonasse
+R scaroles
sclerosa
+T costales
lactoses
scatoles
+U clouasse
coulasse

ACELOST
costale
lactose
octales
scatole
+B clabotes
obstacle
+C cacolets
+H taloches
+I teocalis
+L collates
colletas
+M camelots
colmates
comtales
+N clonates
eclatons
eclosant
lactones
+P clapotes
pactoles
peclotas
+R crotales
recoltas
scrotale
+S costales
lactoses
+T alcotest
calottes
+U clouates
coulates
coutelas
+Y acolytes

ACELOSU
closeau
ecoulas
+D declouas
decoulas
+G cagoules
clouages
coagules
coulages
+I ecoulais
+M clouames
coulames
+N enclouas
+Q cloaques
loquaces
+R cloueras
couleras
ecroulas
reclouas
+S clouasse
coulasse
+T clouates
coulates
coutelas
+V vacuoles
+X closeaux

ACELOSV
alcoves
vocales
+A sacoleva
+B vocables
+E sacoleve
+I avicoles
olivaces
violaces
vocalise
+N esclavon
+U vacuoles

ACELOSX
coxales
+I saxicole
+U closeaux

ACELOSY
+L alcoyles
+R caloyers
+T acolytes

ACELOSZ
+I coalisez

ACELOTT

+E calottee	picarels	placeurs	+E carreler	**ACELRSU**
+L colletat	placiers	placures	**ACELRRS**	culeras
+P peclotat	spiracle	surplace	sarcler	laceurs
+R calotter	+T spectral	+S capsules	+A carrelas	reculas
lectorat	+U capsuler	speculas	racleras	ulceras
recoltat	crapules	+T capulets	sarclera	+B basculer
+S alcotest	placeurs	peculats	+E carreles	cableurs
calottes	placures	pultaces	+O correlas	+E eclusera
+Z calottez	surplace	speculat	+U crurales	racleuse
ACELOTU	**ACELPRT**	tapeculs	racleurs	+G glaceurs
ecoulat	+A paraclet	+Z capsulez	raclures	glacures
+D declouat	replacat	**ACELPSZ**	**ACELRRT**	+H chaleurs
decoulat	+I triplace	scalpez	+A carrelat	lacheurs
+G cloutage	+O clapoter	+I scalpiez	+E carrelet	+I culerais
+I ecoulait	pectoral	+U capsulez	+O correlat	curiales
+N coulante	+S spectral	**ACELPTT**	rectoral	reculais
ecoulant	**ACELPRU**	+E placette	**ACELRRU**	ulcerais
enclouat	crapule	+O peclotat	crurale	+M clameurs
+R cloutera	placeur	**ACELPTU**	racleur	musclera
ecroulat	placure	capulet	raclure	+N lanceurs
reclouat	+O copulera	peculat	+E reculera	lucarnes
+S clouates	couplera	pultace	ulcerera	+O cloueras
coulates	+S capsuler	tapecul	+O croulera	couleras
coutelas	crapules	+D decuplat	racoleur	ecroulas
ACELOTV	placeurs	+E pultacee	+S crurales	reclouas
+I locative	placures	+H epluchat	racleurs	+P capsuler
ACELOTY	surplace	peluchat	raclures	crapules
acolyte	**ACELPRZ**	+I capitule	+W crawleur	placeurs
+S acolytes	+E placerez	+N centupla	**ACELRRW**	placures
ACELOTZ	replacez	+S capulets	crawler	surplace
+B clabotez	**ACELPSS**	peculats	+A crawlera	+R crurales
+H talochez	scalpes	pultaces	+U crawleur	racleurs
+M colmatez	+A pascales	speculat	**ACELRRZ**	raclures
+P clapotez	placasse	tapeculs	+E carrelez	+S classeur
+T calottez	+E scalpees	**ACELPTZ**	raclerez	+T claustre
ACELOUV	+I eclipsas	+O clapotez	**ACELRSS**	lacustre
vacuole	+L scalpels	**ACELPUZ**	classer	+X excluras
+S vacuoles	+U capsules	+S capsulez	sarcles	scleraux
ACELOUX	speculas	**ACELQRU**	+A raclasse	**ACELRSV**
+S closeaux	**ACELPST**	calquer	reclassa	+A claveras
ACELOUZ	clapets	claquer	sacrales	+E cervelas
+G coagulez	placets	+A calquera	+E reclasse	+I claviers
ACELOVZ	+A placates	claquera	+I clarisse	cliveras
+I violacez	+E capelets	craquela	clissera	visceral
ACELPPR	+I eclipsat	+E craquele	+O scaroles	**ACELRSW**
clapper	+N scalpent	+O cloquera	sclerosa	crawles
+A clappera	+O clapotes	**ACELQSU**	+U classeur	**ACELRSX**
ACELPPS	pactoles	calques	**ACELRST**	+U excluras
clappes	peclotas	claques	cartels	scleraux
ACELPPT	+R spectral	+E calquees	clartes	**ACELRSY**
+N clappent	+U capulets	+I quiscale	+A calteras	+C recyclas
ACELPPU	peculats	+O cloaques	raclates	+E clayeres
+O populace	pultaces	loquaces	+E rectales	+O caloyers
ACELPPZ	speculat	**ACELQTU**	scelerat	**ACELRSZ**
clappez	tapeculs	+A claqueta	+I articles	sarclez
+I clappiez	**ACELPSU**	+E claquete	carliste	+I sarcliez
ACELPRR	capsule	+I cliqueta	clairets	**ACELRTT**
+E replacer	specula	lactique	recitals	+E raclette
ACELPRS	+D decuplas	+N calquent	+N sarclent	+O calotter
placers	+E capsulee	claquent	+O crotales	lectorat
scalper	placeuse	**ACELQUZ**	recoltas	recoltat
+A placeras	+H epluchas	calquez	scrotale	**ACELRTU**
replacas	paluches	claquez	+P spectral	reculat
scalpera	peluchas	+I calquiez	+U claustre	ulcerat
+E percales	+I speculai	claquiez	lacustre	+E eclateur
replaces	+R capsuler	**ACELRRR**		+I articule
+I clapiers	crapules			

culerait	+P capsules	+E clavette	+S maconnes	semoncat
reculait	speculas	**ACELTTY**	menacons	**ACEMNOU**
ulcerait	+R classeur	+A cattleya	+Z maconnez	monceau
urticale	+S culasses	+E clayette	**ACEMNNR**	+H manouche
+N reculant	**ACELSSV**	**ACELTTZ**	+O maconner	+V mouvance
ulcerant	+A clavasse	+O calottez	**ACEMNNS**	+X monceaux
+O cloutera	+E esclaves	**ACELTUU**	+A cannames	**ACEMNOV**
ecroulat	+I clivasse	+S ausculte	+O maconnes	+U mouvance
reclouat	lascives	**ACELTUV**	menacons	**ACEMNOX**
+S claustre	**ACELSSZ**	cuvelat	**ACEMNNT**	+U monceaux
lacustre	classez	+I cuvelait	+A menacant	**ACEMNOY**
ACELRTV	+I classiez	+N cuvelant	+E menacent	+R acronyme
+E claveter	**ACELSTT**	**ACELTUX**	+I emincant	**ACEMNOZ**
+I vertical	+A caltates	+I excluait	**ACEMNNZ**	+N maconnez
ACELRTW	lactates	+N excluant	+O maconnez	+R romancez
+N crawlent	+I tactiles	**ACELTVZ**	**ACEMNOO**	**ACEMNPR**
ACELRTY	+O alcotest	+E clavetez	+T economat	+H perchman
+C recyclat	calottes	**ACELUUX**	**ACEMNOP**	**ACEMNPS**
ACELRTZ	**ACELSTU**	+N lacuneux	+G compagne	+I pincames
+E calterez	actuels	**ACELUVX**	+S compensa	+O compensa
ACELRUU	culates	+A claveaux	poncames	poncames
+I auricule	eclusat	**ACELUXX**	**ACEMNOR**	**ACEMNPT**
+M cumulera	+E cauteles	+I lexicaux	maceron	campent
ACELRUV	+F factuels	**ACEMMNO**	romance	**ACEMNRR**
+A cavaleur	facultes	+C commenca	+B encombra	+O romancer
ACELRUW	+I alucites	+D commande	+D dormance	**ACEMNRS**
+R crawleur	eclusait	+T commenta	mordance	+A ancrames
ACELRUX	+M calumets	**ACEMMNP**	+E romancee	cranames
exclura	+N eclusant	+I pemmican	+H romanche	nacrames
+I exclurai	+O clouates	**ACEMMNT**	+N maconner	+E cernames
+S excluras	coulates	+O commenta	+R romancer	crenames
scleraux	coutelas	**ACEMMOR**	+S camerons	encrames
ACELRVZ	+P capulets	commera	cornames	+I carmines
+E claverez	peculats	+C commerca	romances	rancimes
ACELRWZ	pultaces	+I commerai	+T amorcent	rincames
crawlez	speculat	+S commeras	cameront	+O camerons
+I crawliez	tapeculs	+T commeras	+Y acronyme	cornames
ACELSSS	+R claustre	+U commuera	+Z romancez	macerons
classes	lacustre	**ACEMMOS**	**ACEMNOS**	romances
+A calasses	+U ausculte	+H chomames	mecanos	+T cremants
lacasses	**ACELSTV**	+R commeras	semonca	**ACEMNRT**
+E celasses	+A clavates	**ACEMMOT**	+F foncames	crament
classees	clavetas	+E ammocete	+G cognames	cremant
+I eclisses	+E clavates	+N commenta	+H hamecons	+A macerant
+U culasses	+I claviste	+R commerat	+I emacions	+B cambrent
ACELSST	clivates	**ACEMMOU**	semoncai	+E camerent
castels	**ACELSTY**	+R commuera	+L clonames	ecrement
+A caltasse	+A catalyse	**ACEMMPS**	+N maconnes	macerent
lactases	+D dactyles	+A campames	menacons	mecreant
+E celestas	+E acetyles	**ACEMMRS**	+P compensa	+H charment
+I eclissat	+O acolytes	+A cramames	poncames	marchent
+N classent	**ACELSUU**	macrames	+R camerons	+I mercanti
+O costales	+T ausculte	+E cremames	cornames	+O amorcent
lactoses	**ACELSUV**	+O commeras	macerons	cameront
scatoles	cuvelas	**ACEMMRT**	romances	+S cremants
ACELSSU	+I cuvelais	+O commerat	+S semoncas	**ACEMNRU**
casuels	+O vacuoles	**ACEMMRU**	+T contames	+U manucure
clauses	**ACELSUX**	+O commuera	semoncat	**ACEMNRY**
culasse	+I excluais	**ACEMMSU**	**ACEMNOT**	+O acronyme
eclusas	+O closeaux	+E ecumames	+H amochent	**ACEMNRZ**
+A causales	+R excluras	**ACEMNNO**	manchote	+O romancez
+B bascules	scleraux	maconne	+M commenta	**ACEMNSS**
+C saccules	**ACELSUZ**	+D condamne	+O economat	+O semoncas
+E laceuses	+B basculez	+E maconnee	+R amorcent	**ACEMNST**
+I eclusais	+P capsulez	+H machonne	cameront	+A tancames
+O clouasse	**ACELTTV**	+I camionne	+S contames	+E cementas
coulasse	+A clavetat	+R maconner		mecenats

+H mechants
+I cimentas
+L clamsent
+O contames
   semoncat
+R cremants
+U ecumants
ACEMNSU
   muances
+T ecumants
ACEMNTT
+E cementat
+I cimentat
ACEMNTU
   ecumant
+E ecumante
+H chaument
+L maculent
+S ecumants
ACEMNTY
+H yachtmen
ACEMNUU
+R manucure
ACEMNUV
+O mouvance
ACEMNUX
+A manceaux
+O monceaux
ACEMOOT
+N economat
ACEMOPR
   compare
+E comparee
+H rempocha
+L proclame
+R comparer
+S compares
   comparse
+T comptera
   recompta
+Z comparez
ACEMOPS
+E ecopames
+H chopames
   empochas
   pochames
+I copiames
+N compensa
   poncames
+R compares
   comparse
+S compasse
+T acomptes
   escompta
+U coupames
ACEMOPT
   acompte
+C compacte
+D decompta
+G comptage
+H empochat
+L completa
+R comptera
   recompta
+S acomptes
   escompta
ACEMOPU

+S coupames
ACEMOPX
+L complexa
ACEMOPZ
+R comparez
ACEMOQR
+U coquemar
ACEMOQU
+R coquemar
ACEMORR
   amorcer
+A amorcera
+H chromera
+N romancer
+P comparer
+U macroure
ACEMORS
   amorces
   ocrames
   sarcome
+D cordames
+E amorcees
   moracees
+F forcames
+H chomeras
   rochames
+L morcelas
+M commeras
+N camerons
   cornames
   macerons
   romances
+P compares
+S corsames
   sarcomes
ACEMORT
+H chromate
   trachome
+L colmater
   morcelat
+M commerat
+N amorcent
   cameront
+P comptera
   recompta
+T marcotte
ACEMORU
   morceau
+H mouchera
+M commuera
+Q coquemar
+R macroure
+X morceaux
ACEMORX
+U morceaux
ACEMORY
+D myocarde
+N acronyme
ACEMORZ
   amorcez
+I amorciez
+N romancez
+P comparez
ACEMOSS
+H chomasse
+N semoncas

+P compasse
+R corsames
   sarcomes
+S cossames
+T estomacs
ACEMOST
   cotames
   estomac
+A escamota
+E escamote
+H chomates
+L camelots
   colmates
   comtales
+N contames
   semoncat
+P acomptes
   escompta
+S estomacs
+T mascotte
+U coutames
ACEMOSU
+D coudames
+I acousmie
+L clouames
   coulames
+P coupames
+T coutames
+V couvames
   vacuames
ACEMOSV
+U couvames
   vacuomes
ACEMOSY
+H choyames
ACEMOTT
+B combatte
+H chamotte
+R marcotte
+S mascott
ACEMOTU
+H moucheta
+S coutames
+X comateux
ACEMOTX
+U comateux
ACEMOTZ
+L colmatez
ACEMOUV
   vacuome
+N mouvance
+S couvames
   vacuomes
ACEMOUX
+N monceaux
+R morceaux
+T comateux
ACEMPRR
+O comparer
ACEMPRS
   crampes
+A camperas
+E crepames
   percames
+H camphres
+O compares
   comparse

+U campeurs
ACEMPRT
+O comptera
   recompta
ACEMPRU
   campeur
+S campeurs
ACEMPRZ
+E camperez
+O comparez
ACEMPSS
+A campasse
+O compasse
ACEMPST
+A campates
   captames
ACEMPSU
+E campeuse
   epucames
+O coupames
+R campeurs
ACEMQRU
+I cramique
+O coquemar
ACEMQSU
+A caquames
   macaques
+I acquimes
ACEMRRS
+A carrames
   crameras
ACEMRRT
+I matricer
ACEMRRU
+B cambrure
+H charmeur
   machurer
   marcheur
ACEMRRZ
+E cramerez
ACEMRSS
+A cramasse
   massacre
   sacrames
   sarcasme
+I escrimas
   racismes
+O corsames
   sarcomes
+U sucrames
ACEMRST
+A cramates
   mascaret
   tracames
+E cremates
   tercames
+I escrimat
   matrices
+N cremants
ACEMRSU
   curames
+C accrumes

+E ecumeras
   macreuse
+H machures
   ruchames
+L clameurs
   musclera
+P campeurs
+S sucrames
ACEMRSV
+A vacarmes
+E crevames
ACEMRTT
+O marcotte
ACEMRTY
+E myrtacee
ACEMRTZ
+I matricez
ACEMRUU
+L cumulera
+N manucure
ACEMRUX
+A macareux
+O morceaux
ACEMRUZ
+H machurez
ACEMRXY
+B cerambyx
ACEMSSS
+A camasses
   cassames
+E cessames
+O cossames
ACEMSST
+O estomacs
ACEMSSU
   camuses
   sucames
+A causames
   saucames
+B cambuses
+D muscades
+E ecumasse
   musacees
+I caesiums
+R sucrames
ACEMSSY
+I cymaises
ACEMSTT
+I tactisme
+O mascotte
ACEMSTU
+D muscadet
+E ecumates
+H chutames
   humectas
+I cuitames
+L calumets
+N ecumants
ACEMSTY
+H ecthymas
ACEMSUV
   cuvames
+O couvames
   vacuomes
ACEMTTU
+H humectat

ACEMTUX
+O comateux

ACENNNO
annonce
canonne
+E annoncee
+R annoncer
ranconne
+S annonces
canonnes
+T cantonne
enoncant
+Z annoncez
canonnez

ACENNNR
+O annoncer
canonner
ranconne

ACENNNS
+O annonces
canonnes

ACENNNT
cannent
+O cantonne
enoncant
+U nuancent

ACENNNU
+T nuancent

ACENNNZ
+O annoncez
canonnez

ACENNOP
caponne
+H chaponne
+S caponnes

ACENNOR
arconne
encorna
renonca
+B braconne
+C concerna
+E arconnee
enoncera
+F faconner
renfonca
+G garconne
rencogna
+I encornai
renoncai
+M maconner
+N annoncer
canonner
ranconne
+R arconner
+S arconnes
canerons
carenons
encornas
renoncas
+T caneront
cartonne
ecornant
encornat
renoncat
+Y crayonne

+Z arconnez

ACENNOS
enoncas
+D condensa
deconnas
denoncas
+F enfoncas
faconnes
+G agencons
engoncas
gasconne
+H echanson
+I canonise
enoncais
+L elancons
enlacons
+M maconnes
menacons
+N annonces
canonnes
+P caponnes
+R arconnes
canerons
carenons
encornas
renoncas

ACENNOT
caneton
enoncat
etancon
+C connecta
+D deconnat
encodant
+F enfoncat
+G engoncat
+I actionne
enoncait
+N cantonne
enoncant
+R caneront
cartonne
ecornant
encornat
renoncat
+S canetons
etancons
+T canotent
contenta
+V covenant

ACENNOU
+A caouanne

ACENNOV
+S encavons
+T covenant

ACENNOY
+L clayonne
+R crayonne

ACENNOZ
canzone
+F faconnez
+M maconnez
+N annoncez

canonnez
+R arconnez
+S canzones

ACENNPS
+O caponnes

ACENNPT
+H penchant
+I epincant

ACENNRR
+I incarner
+O arconner

ACENNRS
scanner
+A canneras
+I craniens
incarnes
+O arconnes
canerons
carenons
encornas
renoncas
+S scanners
+U rancunes

ACENNRT
ancrent
cernant
cranent
crenant
encrant
nacrent
+A carenant
+E canerent
carenent
+I ricanent
+O caneront
cartonne
centrant
crantent

ACENNRU
nuancer
rancune
+A nuancera
+I nuancier
+S rancunes

ACENNRY
+O crayonne

ACENNRZ
+E cannerez
+I incarnez
+O arconnez

ACENNSS
+A cannasse
+E encensas
+I cannisse
+R scanners

ACENNST
+A cannates
+D scandent
+E encensat
+I cantines
instance
+O canetons
etancons

ACENNSU

nuances
+E nuancees
+I nuisance
+R rancunes

ACENNSV
+O encavons

ACENNSZ
+O canzones

ACENNTT
tancent
+H chantent
+O canotent
contenta
+R centrant
crantent

ACENNTU
+L canulent
+N nuancent
+V encuvant

ACENNTV
+A avancent
encavant
+E encavent
+I evincant
+O covenant
+U encuvant

ACENNUV
+T encuvant

ACENNUZ
nuancez
+I nuanciez

ACENOOR
+L coronale

ACENOOS
+T taconeos

ACENOOT
+M economat
+S taconeos

ACENOPR
poncera
+H chaperon
+I copinera
pioncera
poncerai
procaine
raiponce
+S caperons
ponceras
+T caperont
portance

ACENOPS
canopes
capeons
+A saponace
+D decapons
+G poncages
+I capeions
+L capelons
+M compensa
poncames
+N caponnes
+R caperons
ponceras
+S espacons
poncasse
+T poncates
+Y capeyons

ACENOPT
ecopant
+R caperont
portance
+S poncates
+T capotent
+U coupante

ACENOPU
ponceau
+T coupante
+X ponceaux

ACENOPX
+U ponceaux

ACENOPY
+S capeyons

ACENOQU
+I acoquine
+L caquelon

ACENORR
cornera
+E ecornera
+F froncera
renforca
+I cornerai
racornie
+M romancer
+N arconner
+S corneras
+T contrera
raconter
+U encourra
rancoeur

ACENORS
ecornas
narcose
necrosa
+B carbones
+C consacre
+D decornas
encordas
escadron
+F conferas
fonceras
+G cogneras
congeras
cornages
+I acierons
aconiers
ecornais
necrosai
scenario
+L calerons
cloneras
encloras
lacerons
recalons
+M camerons
cornames
macerons
romances
+N arconnes
canerons
carenons
encornas
renoncas
+P caperons
ponceras

+R corneras
+S caserons
cornasse
ecrasons
narcoses
necrosas
recasons
+T caseront
censorat
conteras
cornates
ecartons
necrosat
racontes
+U naucores
+V caverons
conserva
conversa
+Y cyanoser

ACENORU
naucore
+B boucaner
+G gourance
+I couinera
+R encourra
rancoeur
+S naucores
+T canoteur
courante
ecrouant
encrouta
outrance

ACENORV
+C concevra
+I conviera
+S caverons
conserva
conversa
+T caveront

ACENORY
+C croyance
+M acronyme
+N crayonne
+S cyanoser
+T croyante

ACENORZ
+M romancez
+N arconnez
+T racontez

ACENOSS
+B absconse
+C concasse
+D secondas
+F confessa
foncasse
+G cognasse
+L clonasse
+M semoncas
+P espacons
poncasse
+R caserons
cornasse
ecrasons
narcoses
necrosas
recasons
+T coassent

ACENORT
canoter
contera
ecornat
raconte
+A canotera
+B brocante
+C concerta
ecorcant
+D decorant
decornat
encordat
+E carotene
racontee
+F conferat
+G cogerant
congreat
+H archonte
tacheron
+I canotier
conterai
creation
ecornait
ocraient
reaction
+L caleront
laceront
racolent
recolant
+M amorcent
cameront
+N caneront
cartonne
ecornant
encornat
renoncat
+P caperont
portance
+R contrera
raconter
+S caseront
censorat
conteras
cornates
ecartons
necrosat
racontes
+U canoteur

courante
ecrouant
encrouta
outrance
+V caveront
+Y croyante
+Z racontez

contages
+H achetons
+L clonates
eclatons
eclosant
lactones
+M semoncat
+N canetons
+O taconeos
+P poncates
+R caseront
censorat
cornates
ecartons
necrosat
racontes
+S coassent
contasse
ecossant
toscanes
+T constate
contates
contesta
tocantes
+U secouant
+V centavos

ACENOSU
+B boucanes
cebuanos
+L enclouas
+R naucores
+T secouant
+V evacuons
+X exaucons

ACENOSV
+C cavecons
concaves
+H achevons
+L esclavon
+N encavons
+R caverons
conserva
conversa
+T centavos
+U evacuons
+X excavons
+Y voyances

ACENOSX
+U exaucons
+V evacuons

ACENOSY
+E cyanosee
+G congayes
+P capeyons
+R cyanoser
+S cyanoses
+V voyances
+Z cyanosez

ACENOSZ
+N canzones
+Y cyanosez

ACENOTT
octante

tocante
+B becotant
cabotent
+C accotent
contacte
+G cagnotte
+H cahotent
+I actinote
cotaient
+N canotent
contenta
+P capotent
+S constate
contates
contesta
tocantes
+U coutante
ecoutant

ACENOTU
+B ecobuant
+H echouant
+L coulante
ecoulant
enclouat
+P coupante
+R canoteur
courante
ecrouant
encrouta
+S secouant
+T coutante
ecoutant

ACENOTV
centavo
+N covenant
+R caveront
+S centavos

ACENOTX
+I exaction

ACENOTY
+R croyante

ACENOTZ
canotez
+I canotiez
+R racontez

ACENOUV
+M mouvance
+S evacuons

ACENOUX
+M monceaux
+P ponceaux
+S exaucons

ACENOUZ
+B boucanez

ACENOVX
+S excavons

ACENOVY
voyance
+S voyances

ACENOYZ
+S cyanosez

ACENPPT
+L clappent

ACENPQT
+U pacquent

ACENPQU

+T pacquent

ACENPRS
+A pancreas
+I caprines
carpiens
escarpin
pinceras
+O caperons
ponceras
+T percants

ACENPRT
crepant
percant
+A pancarte
partance
+E caperent
percante
recepant
+H perchant
prechant
+O caperont
portance
+S percants

ACENPRU
+I inapercu

ACENPSS
+I capsiens
pincasse
+O espacons
poncasse

ACENPST
+A espacant
+E espacent
+I inspecta
pincates
pitances
+L scalpent
+O poncates
+R percants

ACENPSU
+G pugnaces

ACENPSY
+O capeyons

ACENPTT
captent
+O capotent

ACENPTU
epucant
+L centupla
+O coupante
+Q pacquent

ACENPTX
+I excipant

ACENPTY
+A capeyant
+E capeyent

ACENPUX
+I pinceaux
+O ponceaux

ACENQRT
+U craquent

ACENQRU
+E encaquer
+T craquent

ACENQST
+U casquent
sacquent

ACENQSU
+A canaques
   encaquas
+E encaques
+T casquent
   sacquent
ACENQTU
   caquent
+A encaquat
+I cantique
+L calquent
   claquent
+P pacquent
+R craquent
+S casquent
   sacquent
ACENQUZ
+E encaquez
ACENRRS
+A ancreras
   craneras
   nacreras
+D rencards
+E caserner
   cerneras
   creneras
   encreras
   errances
   sancerre
   serancer
+H ranchers
+I carniers
   rinceras
+O corneras
+U craneurs
ACENRRT
   carrent
   cranter
+A crantera
+E centrera
   encarter
   recreant
+H trancher
+I cintrera
   recriant
+O contrera
   raconter
+U recurant
ACENRRU
   craneur
+I ricaneur
+O encourra
   rancoeur
+S craneurs
+T recurant
+Y cyanurer
ACENRRY
+U cyanurer
ACENRRZ
+E ancrerez
   cranerez
   nacrerez
+I rancirez
ACENRSS
+A ancrasse
   casernas
   cranasse

crassane
encrassa
nacrasse
rasances
serancas
+E casernes
   cernasse
   crenasse
   encrasse
   recensas
   serances
+I arsenics
   narcisse
   rancisse
   rincasse
   sarcines
+N scanners
+O caserons
   cornasse
   ecrasons
   narcoses
   necrosas
+U censuras
ACENRST
   canters
   carnets
   centras
   crantes
   encarts
+A ancrates
   casernat
   cranates
   ecrasant
   encartas
   encastra
   nacrates
   recasant
   serancat
   tanceras
+E ancetres
   caserent
   cernates
   crantees
   crenates
   ecrasent
   encartes
   encastre
   encrates
   recasent
   recensat
+H chantres
   tranches
+I centrais
   certains
   craintes
   criantes
   rancites
   rincates
+L sarclent
+M cremants
+O caseront
   censorat
   conteras

cornates
ecartons
necrosat
racontes
+P percants
+T castrent
+U censurat
   creusant
   recusant
   sucrante
+V crevants
ACENRSU
   censura
+A anacruse
+B bucranes
+D candeurs
+E craneuse
+H charnues
+I censurai
+L lanceurs
   lucarnes
+N rancunes
+O naucores
+R craneurs
+S censuras
+T censurat
   creusant
   recusant
   sucrante
+Y cyanures
ACENRSY
+O cyanoser
+U cyanures
ACENRSZ
+E casernez
   serancez
ACENRTT
   centrat
   tercant
   tracent
+A ecartant
   encartat
   tracante
+E ecartent
   ecretant
   entracte
+H chatrent
   tranchet
+I centrait
   recitant
   tiercant
+N centrant
   crantent
+S castrent
+T tractent
+U curetant
   eructant
ACENRTU
+E centaure
+G carguent

+H chanteur
   rauchent
+I ceintura
   curaient
+L reculant
   ulcerant
+O canoteur
   courante
   ecrouant
   encrouta
   outrance
+Q craquent
+R recurant
+S censurat
   creusant
   recusant
   sucrante
+T curetant
   eructant
+X centraux
ACENRTV
   crevant
+E caverent
   crevante
? recevant
+I ecrivant
   navicert
+O caveront
+S crevants
ACENRTW
+L crawlent
ACENRTX
+E excentra
   execrant
   exercant
+U centraux
ACENRTY
+O croyante
ACENRTZ
   crantez
+E encartez
   tancerez
+H tranchez
+I crantiez
+O racontez
ACENRUU
+M manucure
ACENRUV
+E encuvera
ACENRUX
+A carneaux
+E cerneaux
   creneaux
+I rinceaux
+T centraux
ACENRUY
   cyanure
+E cyanuree
+R cyanurer
+S cyanures
+Z cyanurez
ACENRUZ
+Y cyanurez
ACENRVZ
+I vaincrez
ACENRYZ
+U cyanurez

ACENSSS
+A canasses
+I canisses
+T cessants
ACENSST
   cassent
   cessant
   secants
   stances
+A cassante
   tancasse
+E cessante
   secantes
+H chassent
+I cassetin
   castines
+L classent
+O coassent
   contasse
   ecossant
   toscanes
+S cessants
ACENSSU
   canuses
   usances
+R censuras
ACENSSY
+O cyanoses
ACENSTT
+A cantates
   tancates
+E canettes
+I intactes
+O constate
   contates
   contesta
   tocantes
+R castrent
ACENSTU
   causent
   cutanes
   saucent
+A causante
+C accusent
+E cutanees
+I cuisante
   sucaient
+L eclusant
+M ecumants
+O secouant
+Q casquent
   sacquent
+R censurat
   creusant
   recusant
   sucrante
+X excusant
ACENSTV
+A vacantes
+I vesicant
+O centavos
+R crevants
ACENSTX
+I excisant
   inexacts
+U excusant

ACENSTZ
+I zincates
ACENSUU
  aucunes
ACENSUV
  encuvas
+I encuvais
  vaincues
+O evacuons
ACENSUX
+O exaucons
+T excusant
ACENSUY
+R cyanures
ACENSVX
+O excavons
ACENSVY
+O voyances
ACENSYZ
+O cyanosez
ACENTTT
+R tractent
ACENTTU
+O coutante
  ecoutant
+R curetant
  eructant
ACENTTV
+I activent
ACENTTX
+I excitant
ACENTUV
  encuvat
+A evacuant
+D decuvant
+E evacuant
+I cuvaient
  encuvait
+L cuvelant
+N encuvant
ACENTUX
+A exaucant
+E exaucent
+L excluant
+R centraux
+S excusant
ACENTVX
+A excavant
+E excavent
ACENUUX
+L lacuneux
ACENUYZ
+R cyanurez
ACEOOPP
  apocope
+E apocopee
+S apocopes
ACEOOPR
  coopera
+I cooperai
+L acropole
+S cooperas
+T cooperat
  cooptera
ACEOOPS
+P apocopes
+R cooperas

ACEOOPT
+R cooperat
  cooptera
ACEOORR
+L colorera
+U rocouera
ACEOORS
+P cooperas
+T creosota
ACEOORT
+I cotoiera
+P cooperat
  cooptera
+S creosota
ACEOORU
+R rocouera
ACEOOST
+N taconeos
+R creosota
ACEOPPR
+H achopper
  approche
ACEOPPS
+H achoppes
  echoppas
+O apocopes
ACEOPPT
+H echoppat
ACEOPPU
+L populace
ACEOPPZ
+H achoppez
ACEOPRR
  procrea
+H reprocha
+I picorera
  procreai
+M comparer
+S procreas
+T procreat
+U parcoure
ACEOPRS
+D procedas
+E ecoperas
+H choperas
  pocheras
+I apercois
  copaiers
  copieras
  recopias
+M compares
  comparse
+N caperons
  ponceras
+O cooperas
+R procreas
+T sarcopte
+U couperas
  recoupas
+Y caryopse
  copayers
ACEOPRT
  capoter
+A capotera
+D procedat
+I apercoit
  picotera

  recopiat
+L clapoter
+M comptera
  recompta
+N caperont
  portance
+O cooperat
  cooptera
+R procreat
+S sarcopte
+U coapteur
  recoupat
ACEOPRU
  coupera
  recoupa
+C occupera
  reoccupa
+D croupade
+I couperai
  recoupai
+L copulera
  couplera
+R parcoure
+S couperas
+T coapteur
+U pourceau
ACEOPRY
  copayer
+S caryopse
  copayers
ACEOPRZ
+M comparez
ACEOPSS
+E ecopass
+G copsages
+H chopasse
  pochasse
+I copiasse
+M compasse
+N espacons
  poncasse
+U coupasse
ACEOPST
  capotes
+E ecopates
+F postface
+H chopates
  patoches
  pochates
  potaches
+I copiates
  opacites
+L clapotes
  pactoles
  peclotas
+M acomptes
  escompta
+N poncates
+R sarcopte
+U coupates
ACEOPSU
+D decoupas
+G coupages
+M coupames

+R couperas
  recoupas
+S coupasse
+T coupates
ACEOPSY
+N capeyons
+R caryopse
  copayers
ACEOPTT
+L peclotat
+N capotent
ACEOPTU
+D decoupat
+N coupante
+R coapteur
  recoupat
+S coupates
ACEOPTZ
  capotez
+I capotiez
+L clapotez
ACEOPUU
+B beaucoup
+R pourceau
ACEOPUX
  copeaux
+N ponceaux
ACEOQRR
+U croquera
ACEOQRS
+U escroqua
ACEOQRU
+H choquera
+L cloquera
+M coquemar
+R croquera
+S escroqua
ACEOQSS
+U cosaques
ACEOQSU
  cosaque
+L cloaques
  loquaces
+R escroqua
+S cosaques
ACEORRR
+U recourra
+Y carroyer
ACEORRS
  corsera
  ocreras
+D corderas
  recordas
+F forceras
+H arroches
  rocheras
+I carroies
  corsaire
  corserai
  croisera
  ocrerais
+L correlas
+N corneras
+P procreas
+S carrosse
  corseras
  croasser

  crossera
+U coursera
  secourra
ACEORRT
+B craboter
+D recordat
+E acrotere
+H torchera
+I ocrerait
+L correlat
  rectoral
+N contrera
  raconter
+P procreat
+T carotter
  crottera
  rectorat
+U croutera
ACEORRU
+B courbera
  recourba
+D recoudra
+E ecrouera
+I ecrouira
+L croulera
  racoleur
+M macroure
+N encourra
  rancoeur
+O rocouera
+P parcoure
+Q croquera
+R recourra
+S coursera
  secourra
+T coursera
+V recouvra
ACEORRV
+U recouvra
ACEORRY
  carroye
+H charroye
+R carroyer
+Z carroyez
ACEORRZ
+Y carroyez
ACEORSS
  coasser
  cossera
  croasse
  ocrasse
  rosaces
+A coassera
+B cabosser
+D cordasse
  cossarde
+E ecossera
  rosacees
+F forcasse
+G corsages
+H rochasse
+I associer
  cosserai
+L scaroles
  sclerosa
+M corsames
  sarcomes

+N caserons
cornasse
ecrasons
narcoses
necrosas
recasons
+R carrosse
corseras
croasser
crossera
+S corsasse
cosseras
croasses
ocrasses
+T corsates
corsetas
escortas
+Z croassez

ACEORST
atroces
corseta
coteras
croates
escorta
ocrates
rotaces
+B crabotes
escarbot
+C accortes
accoster
+D cordates
tocardes
+E rotacees
+F forcates
+G escargot
+H rochates
+I cairotes
corsetai
coterais
cotisera
escortai
+K stockera
+L crotales
recoltas
scrotale
+N caseront
censorat
conteras
cornates
ecartons
necrosat
racontes
+O creosota
+P sarcopte
+S corsates
corsetas
escortas
+T carottes
corsetat
escortat
+U couteras
ecourtas
ecroutas
sucotera

ACEORSU
ecrouas
+B caroubes
+C accoures
+D couardes
couderas
+E ecoeuras
secouera
+G carouges
courages
+I ecrouais
souciera
+L cloueras
couleras
ecroulas
reclouas
+N naucores
+P couperas
recoupas
+Q escroqua
+R coursera
secourra
+T couteras
ecourtas
ecroutas
sucotera
+V couveras

ACEORSV
voraces
+N caverons
conserva
conversa
+U couveras

ACEORSX
+I excorias
exorcisa

ACEORSY
+L caloyers
+N cyanoser
+P caryopse
copayers

ACEORSZ
+S croassez

ACEORTT
carotte
+D decrotta
+E carottee
+I atrocite
coterait
+L calotter
lectorat
recoltat
+M marcotte
+R carotter
crottera
rectorat
+S carottes
corsetat
escortat
+U ecourtat
ecroutat
+Z carottez

ACEORTU
coutera
ecourta
ecrouat
ecrouta
+E ecoutera
reecouta
+G courtage
+H retoucha
touchera
+I couterai
ecourtai
ecrouait
ecroutai
+L cloutera
ecroulat
reclouat
+N canoteur
courante
ecrouant
encrouta
outrance
+P coapteur
recoupat
+R croutera
+S couteras
ecourtas
ecroutas
sucotera
+T ecourtat
ecroutat
+U coauteur

ACEORTV
+H chevrota
+I octavier
voracite
+N caveront

ACEORTX
+I excoriat

ACEORTY
+H chatoyer
+N croyante

ACEORTZ
+B crabotez
+N racontez
+T carottez

ACEORUU
+C accourue
+P pourceau
+T coauteur

ACEORUV
couvera
+I couverai
+R recouvra
+S couveras

ACEORUX
+B corbeaux
+D cordeaux
+M morceaux

ACEORUZ
+C accourez

ACEORYZ
+R carroyez

ACEOSSS
coasses
ecossas
+B cabosses
+C cocasses
+D codasses
+I associes
ecossais
+M cossames
+R corsasse
cosseras
croasses
ocrasses
+S cossasse
+T cossates
cotasses

ACEOSST
cotasse
ecossat
+C accostes
+I ecossait
+L costales
lactoses
scatoles
+M estomacs
+N coassent
contasse
ecossant
toscanes
+R corsates
corsetas
+S cossates
cotasses
+U coutasse

ACEOSSU
secouas
+D coudasse
+H essoucha
+I secouais
+L clouasse
coulasse
+P coupasse
+Q cosaques
+T coutasse
+V couvasse

ACEOSSV
+U couvasse

ACEOSSY
+H choyasse
+N cyanoses

ACEOSSZ
coassez
+B cabossez
+I associez
coassiez
+R croassez

ACEOSTT
cotates
+G cottages
+I asticote
alcotest
calottes
+M mascotte
+N constate
contates
contesta
tocantes
+R carottes
corsetat
escortat
+U coutates

ACEOSTU
ecoutas
secouat
+D coudates
+H soutache
+I ecoutais
secouait
+L clouates
coulates
coutelas
+M coutames
+N secouant
+P coupates
+R couteras
ecourtas
ecroutas
sucotera
+S coutasse
+T coutates
+V couvates

ACEOSTV
octaves
+A avocates
+I octavies
+N centavos
+U couvates

ACEOSTX
+I coexista

ACEOSTY
+H choyates
+L acolytes

ACEOSTZ
+C accostez

ACEOSUV
+L vacuoles
+M couvames
vacuomes
+N evacuons
+R couveras
+S couvasse
+T couvates

ACEOSUX
+L closeaux
+N exaucons

ACEOSVY
+N voyances

ACEOSYZ
+N cyanosez

ACEOTTU
ecoutat
+I ecoutait
+N coutante
ecoutant
+R ecourtat
ecroutat
+S coutates

ACEOTTV
+E avocette

ACEOTTZ
+L calottez
+R carottez

ACEOTUU
couteau
+H toucheau
+R coauteur
+X couteaux

ACEOTUV
+S couvates

ACEOTUX
coteaux
+H cahoteux
+M comateux
+U couteaux
ACEOTVZ
+I octaviez
ACEOTYZ
+H chatoyez
ACEOUUX
+T couteaux
ACEPPSS
+H schappes
ACEPQRU
pacquer
+A pacquera
ACEPQSU
pacques
+E pacquees
ACEPQTU
+N pacquent
ACEPRRS
scraper
+E creperas
perceras
+I capriers
crepiras
crispera
+O procreas
+S scrapers
ACEPRRT
+O procreat
+U capturer
ACEPRRU
+E recupera
+O parcoure
+T capturer
ACEPRRV
+E percevra
ACEPRSS
parsecs
+E crepasse
escarpes
percasse
rescapes
+I precisas
+R scrapers
ACEPRST
+A capteras
+E crepates
esparcet
percates
respecta
+H parchets
+I crepitas
pactiser
patrices
picrates
precisat
teraspic
+L spectral
+N percants
+O sarcopte
+U capteurs

captures
percutas
ACEPRSU
apercus
+D drupaces
+E apercues
epuceras
+L capsuler
crapules
placeurs
placures
surplace
+M campeurs
+O couperas
recoupas
+T capteurs
captures
percutas
ACEPRSY
+O caryopse
copayers
ACEPRTT
+E carpette
+I crepitat
+U percutat
ACEPRTU
apercut
capteur
capture
percuta
+E capturee
+I percutai
+O coapteur
recoupat
+R capturer
+S capteurs
captures
percutas
+T percutat
+Z capturez
ACEPRTV
+I captiver
ACEPRTY
+D decrypta
ACEPRTZ
+E capterez
+U capturez
ACEPRUU
+O pourceau
ACEPRUX
+A carpeaux
ACEPRUZ
+T capturez
ACEPSSS
+A capasses
ACEPSST
aspects
+A captasse
+I pactises
+U suspecta
ACEPSSU
+E epucasse
+I auspices
+L capsules
speculas
+O coupasse
+T suspecta

ACEPSTT
+A captates
ACEPSTU
+E epucates
+J cajeputs
+L capulets
peculats
pultaces
speculat
tapeculs
+O coupates
+R capteurs •
captures
percutas
+S suspecta
ACEPSTV
+I captives
ACEPSTX
+E exceptas
ACEPSTZ
+I pactisez
ACEPSUX
+I spacieux
speciaux
ACEPSUZ
+L capsulez
ACEPTTU
+R percutat
ACEPTTX
+E exceptat
ACEPTUX
+I capiteux
captieux
ACEPTUZ
+R capturez
ACEPTVZ
+I captivez
ACEPUUX
puceaux
ACEQRRU
craquer
+A acquerra
craquera
+I acquerir
+O croquera
+U craqueur
ACEQRSU
casquer
craques
sacquer
+A caqueras
caraques
casquera
sacquera
+E craquees
+G grecquas
+I acquiers
+O escroqua
ACEQRTU
+A craqueta
+E caqueter
craquete
+G grecquat
+I acquiert
arctique
+N craquent
ACEQRUU

+R craqueur
ACEQRUZ
craquez
+E acquerez
caquerez
+I craquiez
ACEQSSU
casques
sacques
+A caquasse
+E casquees
sacquees
+I acquises
acquisse
+O cosaques
ACEQSTU
acquets
caquets
+A caquates
caquetas
+I acquites
+J jacquets
+N casquent
sacquent
ACEQSUU
+D aqueducs
caduques
+H quechuas
ACEQSUZ
casquez
sacquez
+I casquiez
sacquiez
ACEQTTU
+A caquetat
+E caquette
+I acquitte
tactique
ACEQTUZ
+E caquetez
ACERRRS
+A carraras
carreras
+I carriers
recriras
+U carrures
ACERRRT
+E retracer
ACERRRU
carrure
+B carburer
+E recurera
+O recourra
+S carrures
ACERRRY
+O carroyer
ACERRRZ
+E carrerez
ACERRSS
+A carrasse
sacreras
+E caresser
escarres
+I crassier
crissera
+O carrosse

corseras
croasser
crossera
+P scrapers
+U sucreras
ACERRST
carters
castrer
+A carrates
castrera
retracas
traceras
+E crateres
retercas
retraces
terceras
+H charters
+I cartiers
+U recrutas
scrutera
traceurs
ACERRSU
arcures
curares
cureras
recuras
sucrera
+B carbures
+D cadreurs
cardeurs
+E creusera
ecraseur
recauser
recreusa
recusera
+F farceurs
surfacer
+H charrues
rucheras
+I curerais
recuiras
recurais
sucrerai
+L crurales
racleurs
raclures
+N craneurs
+O coursera
secourra
+R carrures
+S sucreras
+T recrutas
scrutera
traceurs
ACERRSV
+D crevards
+E creveras
recevras
ACERRSZ
+E sacrerez
ACERRTT
tracter
+A retracat
retracta
tractera
+E retercat
retracte

```
    traceret
+O  carotter
    crottera
    rectorat
+U  recrutat
    tracteur
ACERRTU
    recruta
    recurat
    traceur
+A  arcature
+E  createur
    creature
    ecarteur
    eructera
    reacteur
+F  facturer
    fracture
+I  curerait
    recrutai
    recurait
+N  recurant
+O  croutera
+P  capturer
+S  recrutas
    scrutera
    traceurs
+T  recrutat
    tracteur
+U  curateur
ACERRTV
+A  cravater
ACERRTZ
+E  retracez
    tracerez
ACERRUU
+H  raucheur
+Q  craqueur
+T  curateur
ACERRUV
+I  cuivrera
+O  recouvra
ACERRUW
+L  crawleur
ACERRUX
+A  carreaux
ACERRUY
+N  cyanurer
ACERRUZ
+B  carburez
ACERRYZ
+O  carroyez
ACERSSS
    crasses
    ressacs
+A  carasses
    caressas
    casseras
    rascasse
    sacrasse
+E  caresses
    cesseras
    creasses
+I  cassiers
    cirasses
    criasses
+O  corsasse

    cosseras
    croasses
    ocrasses
+U  casseurs
    cassures
    curasses
    sucrases
    sucrasse
ACERSST
    castres
    sacrets
+A  caressat
    sacrates
    tracasse
+E  castrees
    cerastes
    secretas
    tercasse
+I  caristes
    racistes
+O  corsates
    corsetas
    escortas
+U  sucrates
ACERSSU
    casseur
    cassure
    creusas
    curasse
    recusas
    suceras
    sucrase
+A  causeras
    euscaras
    recausas
    sauceras
+C  accrusse
+E  recauses
+F  surfaces
+G  sucrages
+H  chasseur
    chausser
    ruchasse
+I  creusais
    cuirasse
    recusais
    sauciers
    securisa
    sucerais
+L  classeur
+M  sucrames
+N  censuras
+R  sucreras
+S  casseurs
    cassures
    curasses
    sucrases
    sucrasse
+T  sucrates
+U  causeurs
+X  crasseux
ACERSSV
+A  crevassa
+E  crevasse
ACERSSX
+U  crasseux
ACERSSZ

+E  caressez
    casserez
+O  croassez
ACERSTT
    tractes
+A  tracates
+E  secretat
    tercates
    tractees
ACERSTU
    acteurs
    creusat
    curates
    eructas
    recusat
+A  recausat
+C  accrutes
    crustace
+E  cauteres
    rutacees
    secateur
    traceuse
+F  cafteurs
+G  trucages
+H  chuteras
    rechutas
    ruchates
+I  creusait
    cuiteras
    curetais
    eructais
    raucites
    recusait
    sucerait
    suricate
+L  claustre
    lacustre
+N  censurat
    creusant
    recusant
    sucrante
+O  couteras
    ecourtas
    ecroutas
    sucotera
+P  capteurs
    captures
    percutas
+R  recrutas
    scrutera
    traceurs
+S  sucrates
+U  cruautes
ACERSTV
+A  cravates
+E  crevates
+N  crevants
ACERSTX
+E  excretas

ACERSTZ
    castrez
+I  castriez
ACERSUU
    causeur
+S  causeurs
+T  cruautes
ACERSUV
    cuveras
+I  cuverais
+O  couveras
ACERSUX
+B  scabreux
+E  excusera
+I  scarieux
+L  excluras
+S  crasseux
ACERSUY
+E  crayeuse
+N  cyanures
ACERSUZ
+E  causerez
    recausez
    saucerez
+F  surfacez
ACERTTT
+N  tractent
ACERTTU
    curetat
    eructat
+H  rechutat
+I  curetait
    eructait
+N  curetant
    eructant
+O  ecourtat
    ecroutat
+P  percutat
+R  recrutat
    tracteur
ACERTTV
+I  tractive
ACERTTX
+E  excretat
ACERTTY
+H  trachyte
ACERTTZ
    tractez
+I  tractiez
+O  carottez
ACERTUU
    cruaute
+B  cubature
+H  autruche
+O  coauteur
+R  curateur
+S  cruautes
ACERTUV
+I  activeur
    curative
    cuverait
ACERTUX
    rectaux
+E  exacteur
+N  centraux
ACERTUZ

+F  facturez
+P  capturez
ACERTVZ
+A  cravatez
ACERUVX
+E  cerveaux
ACERUXY
    crayeux
ACERUYZ
+N  cyanurez
ACESSSS
+A  casasses
    cassasse
+E  cessasse
+I  sciasses
+O  cossasse
+U  sucasses
ACESSST
+A  cassates
+E  cessates
+I  citasses
+N  cessants
+O  cossates
    cotasses
ACESSSU
    causses
    sucasse
+A  causasse
    saucasse
+B  cubasses
+D  ducasses
+H  chausses
+I  ecuisses
    saucisse
+L  culasses
+R  casseurs
    cassures
    curasses
    sucrases
    sucrasse
+S  sucasses
+V  cuvasses
ACESSSV
+A  cavasses
+U  cuvasses
ACESSTT
+E  cassette
    testaces
+I  statices
ACESSTU
    astuces
    cuestas
    sucates
+A  causates
    saucates
+G  stucages
+H  chutasse
+I  casuiste
    cuitasse
    ecuissat
+O  coutasse
+P  suspecta
+R  sucrates
ACESSTV
+I  cavistes
ACESSUU
+E  causeuse
```

+I cuisseau
+R causeurs
ACESSUV
　cuvasse
+O couvasse
+S cuvasses
ACESSUX
　excusas
+A casseaux
+I excusais
+R crasseux
ACESSUZ
+H chaussez
ACESTTU
+E causette
+H chutates
+I cuitates
+O coutates
ACESTTZ
+E cazettes
ACESTUU
+L ausculte
+R cruautes
ACESTUV
　cuvates
+I vacuites
+O couvates
ACESTUX
　excusat
+E executas
+I excusait
+N excusant
ACESUVX
+I vesicaux
ACETTUX
+E executat
ACETUUX
+O couteaux
ACEUUVX
　cuveaux
ACFFFIT
+E affectif
ACFFGOR
+E coffrage
ACFFHII
+A affichai
+R chiffrai
ACFFHIR
　chiffra
+E afficher
+I chiffrai
+S chiffras
+T chiffrat
ACFFHIS
+A affichas
+E affiches
+R chiffras
ACFFHIT
+A affichat
+R chiffrat
ACFFHIU
+A chauffai
ACFFHIZ
+E affichez
ACFFHRS
+I chiffras
ACFFHRT

+I chiffrat
ACFFHRU
+E chauffer
ACFFHSU
+A chauffas
+E chauffes
ACFFHTU
+A chauffat
ACFFHUZ
+E chauffez
ACFFIII
+O officiai
ACFFIIL
+O official
ACFFIIO
　coiffai
　officia
+I officiai
+L official
+S coiffais
　officias
+T coiffait
　officiat
ACFFIIR
+H chiffrai
+T fricatif
ACFFIIS
+O coiffais
　officias
ACFFIIT
+O coiffait
　officiat
+R fricatif
+T factitif
ACFFILO
+I official
+T olfactif
ACFFILT
+O olfactif
ACFFINO
+T coiffant
ACFFINT
+O coiffant
ACFFIOR
　coffrai
+E coiffera
　efforcai
　recoiffa
+S coffrais
+T coffrais
ACFFIOS
　coiffas
+I coiffais
　officias
+R coffrais
ACFFIOT
　coiffat
+I coiffait
　officiat
+L olfactif
+N coiffant
+R coffrait
ACFFIRS
+H chiffras
+O coffrais
ACFFIRT
+H chiffrat

+I fricatif
+O coffrait
ACFFITT
+I factitif
ACFFLOT
+I olfactif
ACFFNOR
+T coffrant
ACFFNOS
+E effacons
ACFFNOT
+I coiffant
+R coffrant
ACFFNRT
+O coffrant
ACFFORR
+E coffrera
ACFFORS
　coffras
+E efforcas
+I coffris
ACFFORT
　coffrat
+E efforcat
+I coffrait
+N coffrant
ACFGHIS
+E fichages
ACFGITU
+E fugacite
ACFGKLO
+E flockage
ACFGLOS
+E flocages
ACFGNOS
+E foncages
ACFGORS
+E forcages
ACFHIIO
+S chosifia
ACFHIIR
　fraichi
+E ficherai
+F chiffrai
+R fraichir
+S fraichis
+T fraichit
ACFHIIS
　fichais
+O chosifia
+R fraichis
ACFHIIT
　fichait
+R fraichit
ACFHILN
+A flanchai
ACFHILR
+E flechira
ACFHILS
+E flechais
ACFHILT
+E flechait
ACFHIMS
+E fichames
ACFHINO
+S fachions
+U chafouin

ACFHINR
　franchi
+E franchie
+R franchir
+S franchis
+T franchit
ACFHINS
+O fachions
+R franchis
+T fichants
ACFHINT
　fichant
+E fichante
+R franchit
+S fichants
ACFHINU
+O chafouin
ACFHIOR
+U fourchai
ACFHIOS
+I chosifia
+N fachions
ACFHIOU
+N chafouin
+R fourchai
ACFHIRR
+I fraichir
+N franchir
ACFHIRS
+E ficheras
　fraiches
+F chiffras
+I fraichis
+N franchis
ACFHIRT
+F chiffrat
+I fraichit
+N franchit
ACFHIRU
+O fourchai
ACFHISS
+E fichasse
+U fuchsias
ACFHIST
+E fichates
+N fichants
ACFHISU
　fuchsia
+A fauchais
+S fuchsias
ACFHITU
+A fauchait
ACFHIUZ
+E fauchiez
ACFHLNR
+E flancher
ACFHLNS
+A flanchas
+E flanches
ACFHLNT
+A flanchat
+E flanchet
　flanchant
ACFHLNZ
+E flanchez
ACFHLSU
+E faluches

ACFHLUX
+E flacheux
ACFHNOS
　fachons
+I fachions
+U fauchons
ACFHNOT
+E fantoche
ACFHNOU
+I chafouin
+S fauchons
ACFHNRR
+I franchir
ACFHNRS
+E franches
+I franchis
ACFHNRT
+I franchit
ACFHNST
+I fichants
ACFHNSU
+O fauchons
ACFHNTU
+A fauchant
+E fauchent
ACFHORS
+U farouchs
　fourchas
ACFHORT
+U fouchtra
　fourchat
ACFHORU
　farouch
　fourcha
+E farouche
+I fourchai
+S farouchs
+T fouchtra
　fourchat
ACFHOSU
+D chadoufs
+N fauchons
+R farouchs
　fourchas
ACFHOTU
+R fouchtra
　fourchat
ACFHOUU
+R chaufour
ACFHRSU
+O farouchs
　fourchas
ACFHRTU
+O fouchtra
　fourchat
ACFHRUU
+E faucheur
+O chaufour
ACFHSSU
+I fuchsias
ACFHSTU
+E fauchets
ACFHUUX
+E faucheux

ACFIIIO
+D codifiai
+F officiai
ACFIIIP
+A pacifiai
ACFIIKO
+E cokefiai
ACFIILL
+E filicale
ACFIILO
+F official
ACFIILR
+A clarifia
+E clarifie
ACFIILS
+E ficelais
ACFIILT
+A facilita
+E facilite
   felicita
   ficelait
ACFIILU
+D dulcifia
ACFIINN
+A financai
+O confinai
ACFIINO
   confiai
+N confinai
+R confirai
+S confiais
+T confiait
ACFIINR
+A africain
+O confirai
+T craintif
ACFIINS
+A fascinai
   fiancais
+O confiais
+T inactifs
ACFIINT
   inactif
+A fiancait
+E infectai
+O confiait
+R craintif
+S inactifs
ACFIINZ
+E fianciez
ACFIIOP
+A opacifia
+E opacifie
ACFIIOR
+N confirai
+R forcirai
+T fricotai
ACFIIOS
+D codifias
+F coiffais
   officias
+H chosifia
+N confiais
ACFIIOT
+D codifiat
+F coiffait
   officiat

+N confiait
+R fricotai
ACFIIOU
+C cocufiai
ACFIIPR
+E pacifier
ACFIIPS
+A pacifias
+E pacifies
   specifia
ACFIIPT
+A pacifiat
ACFIIPZ
+E pacifiez
ACFIIRR
+A farcirai
+H fraichir
+O forcirai
ACFIIRS
+A sacrifia
   scarifia
+E ficaires
   sacrifie
   scarifie
+H fraichis
ACFIIRT
+E artifice
   certifia
   rectifia
+F fricatif
+H fraichit
+N craintif
+O fricotai
ACFIIRU
+C crucifia
ACFIISS
+A fascisai
ACFIIST
+C siccatif
+N inactifs
ACFIITT
+F factitif
ACFIKOS
+E cokefias
ACFIKOT
+E cokefiat
ACFILLO
+U floculai
ACFILLU
+E faucille
+O floculai
ACFILNO
+U confluai
ACFILNT
+E ficelant
ACFILNRU
+O confluai
ACFILOS
+A focalisa
+E focalise
   foliaces
+T locatifs
ACFILOT
   locatif
+F olfactif
+S locatifs
ACFILOU

+L floculai
+N confluai
ACFILRT
+U lucratif
ACFILRU
+T lucratif
ACFILSS
   lascifs
+E fiscales
ACFILST
+A califats
+O locatifs
ACFILSU
+E feculais
ACFILTU
+E feculait
+R lucratif
+U fluctuai
ACFILUU
+T fluctuai
ACFIMNO
+R confirma
ACFIMNR
+O confirma
+U francium
ACFIMNU
+R francium
ACFIMOR
   formica
+N confirma
+S formicas
ACFIMOS
+R formicas
ACFIMOT
+B combatif
ACFIMRS
+E farcimes
+O formicas
ACFIMRU
+N francium
ACFIMSS
+E. fascisme
ACFINNO
   confina
+A faconnai
+E enfoncai
+I confinai
+S confinas
   fiancons
+T confiant
   confinat
ACFINNR
+E financer
   francien
ACFINNS
+A financas
+E finances
+O confinas
   fiancons
ACFINNT
+A fiancant
   financat
+E fiancent
+O confiant
   confinat
ACFINNZ
+E financez

ACFINOR
   confira
   froncai
+E conferai
   confiera
   foncerai
+I confirai
+M confirma
+S confiras
   froncais
+T fraction
   froncait
ACFINOS
   confias
   foncais
+H fachions
+I confiais
+N confinas
   fiancons
+R confiras
   froncais
+T caftions
   factions
ACFINOT
   confiat
   faction
   foncait
+F coiffant
+I confiait
+N confiant
   confinat
+R fraction
   froncait
+S caftions
   factions
ACFINOU
+H chafouin
+L confluai
ACFINRR
+H franchir
ACFINRS
   farcins
+A francais
   francisa
+E fasciner
   francise
+H franchis
+O confiras
   froncais
ACFINRT
+E francite
+H franchit
+I craintif
+O fraction
   froncait
+M francium
ACFINSS
+A fascinas
+E fascines
ACFINST
+A fascinat
+E infectas
+H fichants
+I inactifs
+O caftions
   factions

ACFINSZ
+E fascinez
ACFINTT
+E infectat
ACFIORR
   forcira
+E forcerai
+I forciras
+S forciras
ACFIORS
   forcais
+F coffrais
+M formicas
+N confiras
   froncais
+R forciras
+T fricotas
ACFIORT
   forcira
   fricota
+F coffrait
+I fricotai
+N fraction
   froncait
+S fricotas
+T fricotat
ACFIORU
+H fourchai
ACFIORV
+E vocifera
ACFIOSS
   fiascos
ACFIOST
+L locatifs
+N caftions
   factions
ACFIOSU
+C cocufias
ACFIOSV
+T vocatifs
ACFIOTT
+R fricotat
ACFIOTU
+C cocufiat
ACFIOTV
   vocatif
+S vocatifs
ACFIOUX
+B bifocaux
ACFIPST
   captifs
ACFIPTT
+A captatif
ACFIRRS
+A farciras
+O forciras
ACFIRRZ
+E farcirez
ACFIRSS
+A fricassa
+E farcisse
   fasciser
   fricasse
ACFIRST
   trafics

+E creatifs
farcites
reactifs
+O fricotas
+T tractifs
+U curatifs
ACFIRSU
+A surfacai
+T curatifs
ACFIRTT
tractif
+O fricotat
+S tractifs
ACFIRTU
curatif
+A facturai
+E fautrice
+L lucratif
+S curatifs
ACFISSS
+A fascisas
+E fascises
ACFISST
+A fascisat
+E fasciste
ACFISSU
+H fuchsias
ACFISSZ
+E fascisez
ACFISTT
+R tractifs
ACFISTU
+A causatif
+R curatifs
ACFISTV
+O vocatifs
ACFISUX
fiscaux
ACFITUU
+L fluctuai
ACFITUX
+E factieux
ACFLLOS
+U floculas
ACFLLOT
+U floculat
ACFLLOU
flocula
+I floculai
+S floculas
+T floculat
ACFLLSU
+O floculas
ACFLLTU
+O floculat
ACFLMNO
+A malfacon
+E flamenco
ACFLMOU
+A camoufla
+E camoufle
ACFLNNO
+O floconna
ACFLNOO
+N floconna
ACFLNOR
+A forlanca

+E forlance
ACFLNOS
flacons
+U confluas
ACFLNOT
+U confluat
ACFLNOU
conflua
+I confluai
+S confluas
+T confluat
ACFLNSU
+O confluas
ACFLNTU
+E feculant
+O confluat
ACFLOST
+I locatifs
ACFLOSU
+L floculas
+N confluas
ACFLOTU
+L floculat
+N confluat
ACFLRST
+A fractals
ACFLRTU
+I lucratif
ACFLSTU
+E factuels
facultes
ACFLSUU
+T fluctuas
ACFLTTU
+U fluctuat
ACFLTUU
fluctua
+I fluctuai
+S fluctuas
+T fluctuat
ACFMNOO
+R conforma
ACFMNOR
+I confirma
+O conforma
ACFMNOS
+E foncames
ACFMNRU
+I francium
ACFMOOR
+N conforma
ACFMORS
+E forcames
+I formicas
ACFMOTT
+U factotum
ACFMOTU
+T factotum
ACFMSTU
factums
ACFMTTU
+O factotum
ACFNNOO
+L floconna
ACFNNOR
+E faconner

renfonca
+T froncant
ACFNNOS
+A faconnas
+E enfoncas
faconnes
+I confinas
fiancons
ACFNNOT
foncant
+E faconnat
+E enfoncat
+I confiant
confinat
+R froncant
ACFNNOZ
+E faconnez
ACFNNRT
+O froncant
ACFNOOR
+M conforma
+T conforta
ACFNOOT
+R conforta
ACFNORR
+E froncera
renforca
ACFNORS
froncas
+A carafons
+E conferas
fonceras
+I confiras
froncais
ACFNORT
forcant
froncat
+E conferat
+F coffrant
+I fraction
froncait
+N froncant
+O conforta
ACFNOSS
+E confessa
foncasse
ACFNOST
caftons
+E foncates
+I caftions
factions
ACFNOSU
faucons
+H fauchons
+L confluas
ACFNOTU
+L confluat
ACFOORT
+N conforta
ACFOPST
+E postface
ACFORRS
+E forceras
+I forciras
ACFORSS
+E forcasse
ACFORST

forcats
+E forcates
+I fricotas
ACFORSU
+H farouchs
fourchas
ACFORTT
+I fricotat
ACFORTU
+H fouchtra
fourchat
ACFORUU
+H chaufour
ACFOSTV
+I vocatifs
ACFOTTU
+M factotum
ACFRRSU
+E farceurs
surfacer
ACFRRTU
+A fractura
+E facturer
fracture
ACFRSSU
+A surfacas
+E surfaces
ACFRSTT
+I tractifs
ACFRSTU
+A facturas
surfacat
+E cafteurs
facteurs
factures
+I curatifs
ACFRSUZ
+E surfacez
ACFRTTU
+A facturat
ACFRTUZ
+E facturez
ACFSTUU
+L fluctuas
ACFTTUU
+L fluctuat
ACGGLNO
+U glucagon
ACGGLNU
+O glucagon
ACGGLOU
+N glucagon
ACGGNOU
+L glucagon
ACGHIIN
+U guinchai
ACGHIIU
+A aguichai
+N guinchai
ACGHINN
+E inchange
ACGHINO
+P pignocha
+S gachions
ACGHINP
+O pignocha
ACGHINR

chagrin
+A chagrina
+E chagrine
rechigna
+S chagrins
+U churinga
ACGHINS
+A achigans
+E chinages
+O gachions
+R chagrins
+U guinchas
ACGHINT
+U guinchat
+Y yachting
ACGHINU
guincha
+I guinchai
+R churinga
+S guinchas
+T guinchat
ACGHINY
+T yachting
ACGHINZ
+E changiez
ACGHIOP
+E piochage
+N pignocha
ACGHIOS
+N gachions
ACGHIOU
+A gouachai
ACGHIRS
+N chagrins
ACGHIRU
gauchir
+A gauchira
+E gauchier
+N churinga
ACGHIRZ
+E chargiez
ACGHISU
gauchis
+A aguichas
+E aguiches
gauchies
+N guinchas
ACGHITU
gauchit
+A aguichat
+N guinchat
ACGHITY
+N yachting
ACGHIUZ
+E aguichez
ACGHLNY
+E lynchage
ACGHLOR
+E chlorage
ACGHLOS
+E galoches
+U goulasch
ACGHLOU
+E goulache
+S goulasch
ACGHLSU
+E schlague

+O goulasch
ACGHLTU
+A galuchat
ACGHMOR
+E chromage
ACGHMOS
+E chomages
ACGHMOU
+E mouchage
ACGHNNT
+E changent
ACGHNOP
+I pignocha
ACGHNOR
+E charogne
ACGHNOS
  gachons
+I gachions
ACGHNRS
+I chagrins
ACGHNRT
+E chargent
ACGHNRU
+E changeur
+I churinga
ACGHNSU
+I guinchas
ACGHNTU
+I guinchat
ACGHNTY
+I yachting
ACGHOPS
+A gaspacho
ACGHORS
+E rochages
ACGHORU
+E gouacher
ACGHORV
+E gavroche
ACGHOSU
  gauchos
+A gouachas
+E gouaches
+L goulasch
ACGHOTU
+A gouachat
ACGHOUZ
+E gouachez
ACGHRRU
+E chargeur
ACGHRSU
+E gacheurs
  gauchers
ACGIILN
  cinglai
  clignai
+E galicien
+S cinglais
  clignais
+T cinglait
  clignait
ACGIILR
+E giclerai
ACGIILS
  giclais
+N cinglais
  clignais

ACGIILT
  giclait
+N cinglait
  clignait
ACGIIMN
+E magicien
ACGIIMR
+A grimacai
ACGIINO
+E negociai
ACGIINR
  grincai
+S craignis
  grincais
+T craignit
  grincait
ACGIINS
+E ceignais
+L cinglais
  clignais
+R craignis
  grincais
ACGIINT
+E ceignait
+L cinglait
  clignait
+R craignit
  grincait
ACGIINU
+H guinchai
ACGIIOS
+T cogitais
ACGIIOT
  cogitai
+S cogitais
+T cogitait
ACGIIRS
+A graciais
+E grecisai
+N craignis
  grincais
ACGIIRT
+A graciait
+N craignit
  grincait
ACGIIRZ
+E graciiez
ACGIIST
+O cogitais
ACGIITT
+O cogitait
ACGIKNR
+C cracking
ACGILLN
+A gallican
ACGILLO
+E colligea
ACGILLS
+A glacials
ACGILMS
+E giclames
ACGILMU
+E mucilage
ACGILNN
+A anglican
+T cinglant
  clignant

ACGILNO
+E congelai
+S glacions
+T clignota
ACGILNR
+E cinglera
  clearing
  clignera
ACGILNS
  cinglas
  clignas
+I cinglais
  clignais
+O glacions
ACGILNT
  cinglat
  clignat
  giclant
+I cinglait
  clignait
+N cinglant
  clignant
+O clignota
ACGILOR
+E agricole
ACGILOS
+A gaiacols
+N glacions
ACGILOT
+N clignota
ACGILOU
+A coagulai
ACGILOX
+E coxalgie
ACGILRS
+E gicleras
  glaciers
  graciles
ACGILSS
+E giclasse
ACGILST
+E giclates
ACGILSV
+E clivages
ACGILUX
+A glaciaux
ACGIMNP
  camping
+S campings
ACGIMNS
+P campings
ACGIMPS
+N campings
ACGIMRR
+E grimacer
ACGIMRS
+A grimacas
+E grimaces
ACGIMRT
+A grimacat
ACGIMRZ
+E grimacez
ACGINNO
+E engoncai
+S consigna
ACGINNR
+T grincant

ACGINNS
+D dancings
+O consigna
ACGINNT
+E ceignant
+L cinglant
  clignant
+R grincant
ACGINOP
+E copinage
+H pignocha
ACGINOR
+E cognerai
  congreai
+S gracions
ACGINOS
  cognais
  congais
+A agacions
+E negocias
+H gachions
+L glacions
+N consigna
+R gracions
+T cotingas
ACGINOT
  cognait
  cotinga
+C cotignac
+E negociat
+S cotingas
+T cogitant
ACGINPS
+E pincages
+M campings
ACGINRR
+E grincera
ACGINRS
  grincas
  rincages
+H chagrins
+I craignis
  grincais
+O gracions
ACGINRT
  grincat
+A graciant
+E cintrage
  gracient
+I craignit
  grincait
+N grincant
ACGINRU
+H churinga
ACGINRZ
+E craignez
ACGINSS
  casings
ACGINST
+O cotingas
ACGINSU
+H guinchas
ACGINSZ
+E zincages
ACGINTT

+O cogitant
ACGINTU
+H guinchat
ACGINTY
+H yachting
ACGIOOR
+S gracioso
ACGIOOS
+R gracioso
ACGIOPS
+E copiages
ACGIOPT
+E picotage
ACGIORR
+E corrigea
ACGIORS
+E cogerais
+N gracions
+O gracioso
ACGIORT
+E cogerait
  cogitera
ACGIOST
  cogitas
+I cogitais
+N cotingas
ACGIOTT
  cogitat
+I cogitait
+N cogitant
ACGIQRU
+E grecquai
ACGIRSS
+E grecisas
ACGIRST
+E grecisat
ACGIRSU
+A carguais
ACGIRTU
+A carguait
ACGIRUV
+E cuivrage
ACGIRUX
+E gracieux
ACGIRUZ
+E carguiez
ACGISSU
+E cuissage
ACGJLNO
+U conjugal
ACGJLNU
+O conjugal
ACGJLOU
+N conjugal
ACGJNOU
+L conjugal
+U conjugua
ACGJNUU
+O conjugua
ACGJOUU
+N conjugua
ACGKOST
+E stockage
ACGLLOS
+E collages
ACGLMOU
+E glaucome

+U coagulum
ACGLMUU
+O coagulum
ACGLNNT
+I cinglant
 clignant
ACGLNOO
+E colonage
ACGLNOS
 glacons
+E clonages
 congelas
+I glacions
ACGLNOT
+E congelat
+I clignota
ACGLNOU
+G glucagon
+J conjugal
ACGLNST
+A glacants
ACGLOPU
+E couplage
ACGLORU
+E coaguler
ACGLOSU
+A coagulas
+E cagoules
 clouages
 coagules
 coulages
+H goulasch
ACGLOTU
+A coagulat
+E cloutage
ACGLOUU
+M coagulum
ACGLOUZ
+E coagulez
ACGLRSU
+E glaceurs
 glacures
ACGMNOP
+E compagne
ACGMNOS
+E cognames
ACGMNPS
+I campings
ACGMOPT
+E comptage
ACGMOUU
+L coagulum
ACGNNOR
+E garconne
 rencogna
ACGNNOS
+E agencons
 engoncas
 gasconne
+I consigna
ACGNNOT
 cognant
+E engoncat
ACGNNRT
+I grincant
ACGNOPS
+E poncages

ACGNORS
 garcons
+E cogneras
 congreas
 cornages
+I gracions
+U carguons
ACGNORT
+E cogerant
 congreat
ACGNORU
+E gourance
+S carguons
ACGNOSS
 gascons
+E cognasse
ACGNOST
 cognats
+A catogans
+E cognates
 contages
+I cotingas
ACGNOSU
+A guanacos
+R carguons
ACGNOSY
+E congayes
ACGNOTT
+E cagnotte
+I cogitant
ACGNOUU
+J conjugua
ACGNPSU
+E pugnaces
ACGNRSU
+O carguons
ACGNRTU
+A carguant
+E carguent
ACGOORS
+I gracioso
ACGOORU
+U cougouar
ACGOOUU
+R cougouar
ACGOPSS
+E copsages
ACGOPSU
+E coupages
ACGORSS
+E corsages
ACGORST
+E escargot
ACGORSU
+E carouges
 courages
+N carguons
ACGORTU
+E courtage
ACGORUU
+O cougouar
ACGOSTT
+E cottages
ACGOSUZ
+D gazoducs
ACGQRSU
+E grecquas

ACGQRTU
+E grecquat
ACGRSSU
+E sucrages
ACGRSTU
+E trucages
ACGSSTU
+E stucages
ACGSTTU
 catguts
ACHHHIS
+C hachisch
 haschich
ACHHINO
+S hachions
ACHHINS
+A hanchais
+O hachions
ACHHINT
+A hanchait
ACHHINZ
+E hanchiez
ACHHIOR
 hachoir
+E hocherai
+S hachoirs
ACHHIOS
 hochais
+N hachions
+R hachoirs
ACHHIOT
 hochait
ACHHIRS
+E herchais
 herschai
+O hachoirs
ACHHIRT
+E herchait
ACHHIRU
+A hachurai
+E hucherai
ACHHISU
 huchais
ACHHITU
 huchait
+A chahutai
ACHHMOS
+E hochames
ACHHMSU
+E huchames
ACHHNNO
+S hanchons
ACHHNNS
+O hanchons
ACHHNNT
+A hanchant
+E hanchent
ACHHNOS
 hachons
+I hachions
+N hanchons
ACHHNOT
 hochant
ACHHNRT
+E herchant
ACHHNTU
 huchant

ACHHORS
+E hocheras
+I hachoirs
ACHHOSS
+E hochasse
ACHHOST
+E hochates
ACHHOSU
+C chaouchs
ACHHOTU
+C chuchota
ACHHRRU
+E hachurer
ACHHRSS
+E herschas
ACHHRST
+E herschat
ACHHRSU
+A hachuras
+E hacheurs
 hachures
 hucheras
ACHHRTU
+A hachurat
+E chahuter
ACHHRUZ
+E hachurez
ACHHSSU
+E huchasse
ACHHSTU
 chahuts
+A chahutas
+E chahutes
 huchates
ACHHTTU
+A chahutat
ACHHTUZ
+E chahutez
ACHIIKM
 kamichi
+S kamichis
ACHIIKS
+M kamichis
ACHIILM
+E alchimie
ACHIILR
+E licherai
ACHIILS
 lichais
+A chialais
+C clichais
ACHIILT
 lichait
+A chialait
+C clichait
ACHIILZ
+E chialiez
ACHIIMN
+A machinai
+E cheminai
ACHIIMS
+E chemisai
+K kamichis
ACHIINO
+S chinoisa
ACHIINR
+E chainier

 chinerai
 nicherai
ACHIINS
 chinais
 nichais
+E chainais
+E echinais
+O chinoisa
+T chiantis
ACHIINT
 chianti
 chinait
 nichait
+A chainait
+E chiaient
 echinait
 entichai
+S chiantis
+U chuintai
ACHIINU
+G guinchai
+T chuintai
ACHIINZ
+E chainiez
ACHIIOP
 piochai
+S piochais
+T chipotai
 piochait
ACHIIOR
 choirai
+C ricochai
+E choierai
+S choirais
 choisira
+T choirait
ACHIIOS
+F chosifia
+N chinoisa
+P piochais
+R choisira
 choisira
ACHIIOT
+C chicotai
+P chipotai
 piochait
+R choirait
ACHIIPR
+E chiperai
ACHIIPS
 chipais
+O piochais
ACHIIPT
 chipait
+O chipotai
 piochait
ACHIIQS
+U chiquais
ACHIIQT
+U chiquait
ACHIIQU
 chiquai
+S chiquais
+T chiquait
ACHIIRR
+A charriai
+E cherirai

+F fraichir
ACHIIRS
+E chaisier
  chierais
+F fraichis
+O choirais
  choisira
+T trichais
ACHIIRT
  trichai
+E chierait
+F fraichit
+O choirait
+S trichais
+T trichait
ACHIIRV
+A archivai
  chavirai
ACHIIST
+A chatiais
+N chiantis
+R trichais
ACHIISU
+Q chiquais
ACHIITT
+A chatiait
+R trichait
ACHIITU
+N chuintai
+Q chiquait
ACHIITZ
+E chatiiez
ACHIJNO
  jonchai
+E jonchaie
+S jonchais
+T jonchait
ACHIJNS
+O jonchais
ACHIJNT
+E jacinthe
+O jonchait
ACHIJOS
+N jonchais
ACHIJOT
+N jonchait
ACHIJRU
+E jucherai
ACHIJSU
  juchais
ACHIJTU
  juchait
ACHIKLP
+A pachalik
ACHIKMS
+I kamichis
ACHIKNT
+A katchina
ACHILLV
+E chevilla
ACHILMN
+A machinal
ACHILMS
+E lichames
ACHILNO
+P palichon
+S chialons

  lachions
ACHILNP
+A planchai
+O palichon
ACHILNR
+B blanchir
ACHILNS
+B blanchis
+O chialons
  lachions
+Y lynchais
ACHILNT
  lichant
+A chialant
+B blanchit
+C clichant
+E chialent
+Y lynchait
ACHILNV
+E chevalin
ACHILNY
  lynchai
+S lynchais
+T lynchait
ACHILOP
+N palichon
ACHILOR
  chaloir
ACHILOS
+C clochais
+N chialons
  lachions
+U louchais
ACHILOT
+A talochai
+C clochait
+U louchait
ACHILOU
  louchai
+S louchais
+T louchait
ACHILPR
+D pilchard
+E archipel
ACHILPU
+E epluchai
  peluchai
ACHILRS
+E licheras
ACHILRU
+E chialeur
ACHILSS
+E lichasse
ACHILST
  chalits
+E halictes
  lichates
+T schlitta
ACHILSU
+A chaulais
+O louchais
ACHILSY
+E achylies
+N lynchais
ACHILTT
+S schlitta
ACHILTU

+A chaulait
+O louchait
ACHILTY
+N lynchait
ACHILUV
+E vehicula
ACHILUZ
+E chauliez
ACHIMMS
+E machisme
ACHIMNO
+P champion
+S machions
ACHIMNP
+O champion
ACHIMNR
+E machiner
ACHIMNS
  chamsin
  machins
+A machinas
+E cheminas
  chinames
  machines
  nichames
+O machions
+S chamsins
ACHIMNT
+A machinat
+E cheminat
ACHIMNZ
+E machinez
ACHIMOP
+E empochai
+N champion
ACHIMOR
  chromai
+E chomerai
  machoire
+S chromais
  chromisa
+T chromait
  trichoma
ACHIMOS
  chamois
  chomais
+A amochais
  chamoisa
+E chamoise
+N machions
+R chromais
  chromisa
+U mouchais
ACHIMOT
  chomait
+A amochait
+R chromait
  trichoma
+U mouchait
ACHIMOU
  mouchai
+S mouchais
+T mouchait
ACHIMOZ
+E amochiez
ACHIMPR
+E rechampi

ACHIMPS
+E chipames
ACHIMRS
+A charmais
  marchais
+E charisme
+O chromais
  chromisa
ACHIMRT
+A charmait
  marchait
+O chromait
  trichoma
ACHIMRU
+A machurai
ACHIMRZ
+E charmiez
  marchiez
ACHIMSS
+A chiasmas
+E chemisas
  chiasmes
+N chamsins
ACHIMST
+E chemisat
  tachisme
ACHIMSU
+A chaumais
+O mouchais
ACHIMTU
+A chaumait
+E humectai
+O mouchait
ACHIMUZ
+E chaumiez
ACHINNO
  chainon
+B bichonna
+E chanoine
+S chainons
ACHINNS
+O chainons
ACHINNT
  chinant
  nichant
+A chainant
+E chainent
  echinant
ACHINOP
+G pignocha
+L palichon
+M champion
+R prochain
+T piochant
ACHINOR
+B bronchai
+P prochain
+U chourina
ACHINOS
  anchois
+B bachions
+C cachions
  chicanos
+D chiadons
+F fachions
+G gachions
+H hachions

+I chinoisa
+J jonchais
+L chialons
  lachions
+M machions
+N chainons
+S sachions
+T chations
  tachions
ACHINOT
+J jonchait
+P piochant
+S chations
  tachions
ACHINOU
+B bouchain
+F chafouin
+R chourina
ACHINPR
+D pinchard
+O prochain
ACHINPS
+E penchais
ACHINPT
  chipant
+E penchait
+O piochant
ACHINQT
+U chiquant
ACHINQU
+T chiquant
ACHINRR
+F charnier
+F franchir
ACHINRS
+C crachins
+E archines
  chineras
  nicheras
+F franchis
+G chagrins
ACHINRT
+A antichar
  tranchai
+E chantier
+F franchit
+T trichant
ACHINRU
+E chaineur
+G churinga
+O chourina
ACHINRV
+E vacherin
ACHINSS
+E chinasse
  nichasse
+M chamsins
+O sachions
ACHINST
  chiants
+A chantais
  chatains
  tachinas
+E chiantes
  chinates
  entichas
  nichates

+F fichants	choquai	+D douchais	+D richards	**ACHISTT**
+I chiantis	+S choquais	+E echouais	+E charries	+E tachiste
+O chations	+T choquait	+L louchais	cheriras	+L schlitta
tachions	**ACHIORR**	+M mouchais	+O charrois	**ACHISTU**
+U chuintas	charroi	+Q choquais	**ACHIRRT**	chutais
ACHINSU	+C crachoir	+T touchais	+A charriat	+N chuintas
+G guinchas	+E charroie	**ACHIOSY**	+E trichera	+O touchais
+T chuintas	rocherai	choyais	**ACHIRRU**	**ACHISUV**
+V chauvins	+S charrois	**ACHIOTT**	+E rocherai	+N chauvins
ACHINSV	**ACHIORS**	+A cahotait	**ACHIRRV**	**ACHITTU**
+U chauvins	choiras	+C chicotat	+E archiver	chutait
ACHINSW	rochais	+P chipotat	chavirer	+N chuintat
+D sandwich	+C crochais	+R torchait	**ACHIRRZ**	+O touchait
ACHINSY	ricochas	+U touchait	+E charriez	**ACHJMSU**
+L lynchais	+E choieras	**ACHIOTU**	**ACHIRSS**	+E juchames
ACHINTT	+H hachoirs	touchai	+O chassoir	**ACHJNNO**
+A chantait	+I choirais	+B bouchait	**ACHIRST**	+T jonchant
chatiant	choisira	+C couchait	trichas	**ACHJNNT**
+E chatient	+M chromais	+D douchait	+A chatrais	+O jonchant
entichat	chromisa	+E echouait	+E charites	**ACHJNOR**
+R trichant	+R charrois	+L louchait	chistera	+E jonchera
+U chuintat	+S chassoir	+M mouchait	cithares	**ACHJNOS**
ACHINTU	+T chariots	+Q choquait	+I trichais	jonchas
chuinta	haricots	+S touchais	+O chariots	+I jonchais
+G guinchat	torchais	+T touchait	haricots	**ACHJNOT**
+I chuintai	**ACHIORT**	**ACHIOTY**	torchais	jonchat
+Q chiquant	chariot	choyait	**ACHIRSU**	+I jonchait
+S chuintas	haricot	+A chatoyai	ruchais	+N jonchant
+T chuintat	rochait	**ACHIOTZ**	+A rauchais	**ACHJNTU**
ACHINTY	torchai	+E cahotiez	**ACHIRSV**	juchant
+G yachting	+A chariota	**ACHIPRS**	+A archivas	**ACHJRSU**
+L lynchait	+B brochait	+E charpies	chaviras	+E jucheras
ACHINTZ	+C crochait	chiperas	+E archives	**ACHJSSU**
+E chantiez	ricochat	perchais	chavires	+E juchasse
ACHINUV	+E chariote	prechais	**ACHIRTT**	**ACHJSTU**
chauvin	coherita	**ACHIPRT**	trichat	+E juchates
+E chauvine	+I choirait	+A chapitra	+A chatrait	**ACHKNNU**
+S chauvins	+M chromait	+E chapitre	+I trichait	+U nunchaku
ACHIOPP	trichoma	perchait	+N trichant	**ACHKNUU**
+A achoppai	+S chariots	prechait	+O torchait	+N nunchaku
+E echoppai	haricots	**ACHIPSS**	**ACHIRTU**	**ACHKPSS**
ACHIOPR	torchais	+E chipasse	ruchait	+A chapskas
+E choperai	+T torchait	**ACHIPST**	+A rauchait	**ACHLLOR**
piochera	**ACHIORU**	+A pasticha	+E chuterai	chloral
pocherai	+F fourchai	+E chipates	rechutai	+S chlorals
+N prochain	+N chourina	pastiche	**ACHIRTV**	**ACHLLOS**
ACHIOPS	**ACHIOSS**	pistache	+A archivat	+R chlorals
chopais	+N sachions	scaphite	chavirat	**ACHLLRS**
piochas	+R chassoir	+O chipotas	**ACHIRTZ**	+O chlorals
pochais	**ACHIOST**	**ACHIPTT**	+E chatriez	**ACHLMMS**
+I piochais	+A cahotais	+O chipotat	**ACHIRUZ**	schlamm
+T chipotas	+C chicotas	**ACHIQRU**	+E rauchiez	+S schlamms
ACHIOPT	scotchai	+E chiquera	**ACHIRVZ**	**ACHLMOS**
chipota	+E chatoies	**ACHIQSU**	+E archivez	+A chloasma
chopait	+N chations	chiquas	chavirez	**ACHLMSS**
piochat	tachions	+I chiquais	**ACHISSS**	+M schlamms
pochait	+P chipotas	+O choquais	chassis	**ACHLNNT**
+I chipotai	+R chariots	**ACHIQTU**	+A chassais	+Y lynchant
piochait	haricots	chiquat	+E chassies	**ACHLNNY**
+N piochant	torchais	+I chiquait	chiasses	+T lynchant
+S chipotas	+U touchais	+N chiquant	**ACHISST**	**ACHLNOP**
+T chipotat	**ACHIOSU**	+O choquait	+A chassait	+I palichon
ACHIOQS	chouias	**ACHIRRR**	**ACHISSU**	**ACHLNOS**
+U choquais	+B bouchais	+E charrier	+A chaussai	lachons
ACHIOQT	+C cauchois	**ACHIRRS**	+F fuchsias	+B chablons
+U choquait	couchais	+A arrachis	**ACHISSZ**	+E chalones
ACHIOQU		charrias	+E chassiez	+I chialons

lachions
+U chaulons
ACHLNOT
+C clochant
+U louchant
ACHLNOU
+B baluchon
+S chaulons
+T louchant
ACHLNPR
+E plancher
ACHLNPS
+A planchas
+E planches
ACHLNPT
+A planchat
ACHLNPZ
+E planchez
ACHLNRS
+E charnels
ACHLNRY
+E lynchera
ACHLNSU
+O chaulons
ACHLNSY
lynchas
+I lynchais
ACHLNTU
+A chaulant
+E chaulent
+O louchant
ACHLNTY
lynchat
+I lynchait
+N lynchant
ACHLOOT
+C chocolat
ACHLOOU
+B boulocha
ACHLOPT
+T potlatch
ACHLOPU
+A chaloupa
+E chaloupe
ACHLORR
+U chlorura
ACHLORS
chorals
+E choleras
chorales
+L chlorals
ACHLORT
+E chlorate
talocher
ACHLORU
+E louchera
+R chlorura
ACHLOST
+A talochas
+E taloches
ACHLOSU
louchas
+G goulasch
+I louchais
+N chaulons
ACHLOTT
+A talochat

+P potlatch
ACHLOTU
louchat
+I louchait
+N louchant
ACHLOTZ
+E talochez
ACHLPSU
paluches
peluchas
ACHLPTT
+O potlatch
ACHLPTU
+E epluchat
peluchat
ACHLRRU
+O chlorura
ACHLRSU
+E chaleurs
lacheurs
ACHLSTT
+I schlitta
ACHLSTU
chaluts
ACHLSTZ
+A szlachta
ACHMMOS
+E chomames
ACHMMSS
+L schlamms
ACHMNNO
manchon
+A machonna
+E machonne
+S manchons
ACHMNNS
+O manchons
ACHMNOO
+S amochons
ACHMNOP
+I champion
ACHMNOR
+E romanche
+S charmons
marchons
+T chromant
ACHMNOS
machons
+A machaons
+E hamecons
+I machions
+N manchons
+O amochons
+R charmons
marchons
+T manchots
+U chaumons
ACHMNOT
chomant
manchot
+A amochant
+E amochent
manchote
+R chromant
+S manchots
+U mouchant

+D mandchou
+E manouche
+S chaumons
+T mouchant
ACHMNPR
+E perchman
ACHMNRS
+O charmons
marchons
ACHMNRT
+A charmant
marchant
+E charment
marchent
+O chromant
ACHMNSS
+I chamsins
ACHMNST
+E mechants
+O manchots
ACHMNSU
+O chaumons
ACHMNTU
+A chaumant
+E chaumant
+O mouchant
ACHMNTY
+A yachtman
+E yachtmen
ACHMOOS
+N amochons
ACHMOPR
+E rempocha
ACHMOPS
+E chopames
empochas
pochames
ACHMOPT
+E empochat
ACHMORR
+E chromera
ACHMORS
chromas
+E chomeras
rochames
+I chromais
chromisa
+N charmons
marchons
ACHMORT
chromat
+A achromat
+E chromate
trachome
+I chromait
trichoma
+N chromant
ACHMORU
+D mouchard
+E mouchera
ACHMOSS
+E chomasse
ACHMOST
+E chomates
+N manchots
ACHMOSU

mouchas
+I mouchais
+N chaumons
ACHMOSY
+E choyames
ACHMOTT
+E chamotte
ACHMOTU
mouchat
+E moucheta
+I mouchait
+N mouchant
ACHMPRS
+E camphres
ACHMPRT
+A champart
ACHMRRU
+E charmeur
machurer
marcheur
ACHMRSU
+A machuras
+E machures
ruchames
ACHMRTU
+A machurat
ACHMRUZ
+E machurez
ACHMSTU
+E chutames
humectas
ACHMSTY
+E ecthymas
ACHMTTU
+E humectat
ACHNNOO
+C cochonna
ACHNNOP
+A chaponna
+E chaponne
ACHNNOS
chanson
+B banchons
+E echanson
+H hanchons
+I chainons
+M manchons
+S chansons
+T chantons
ACHNNOT
+J jonchant
+S chantons
ACHNNPT
+E penchant
ACHNNSS
+O chansons
ACHNNST
+O chantons
ACHNNTT
+A chantant
+E chantent
ACHNNTY
+L lynchant
ACHNNUU
+K nunchaku
ACHNOOS
+M amochons

+T cahotons
ACHNOOT
+S cahotons
ACHNOPR
+I prochain
ACHNOPS
chapons
ACHNOPT
chopant
pochant
+A patachon
+I piochant
ACHNOPU
+C capuchon
ACHNOQT
+U choquant
ACHNOQU
+T choquant
ACHNORR
charron
+S charrons
ACHNORS
+B bronchas
charbons
+C crachons
+D chardons
+M charmons
marchons
+R charrons
+T chatrons
+U rauchons
ACHNORT
rochant
+B brochant
bronchat
+C crochant
+E archonte
+M chromant
+S chatrons
+T torchant
ACHNORU
+D chaudron
+I chourina
+S rauchons
ACHNOSS
sachons
+I sachions
+N chansons
+S chassons
+U chausson
ACHNOST
chatons
tachons
+E achetons
+I chations
tachions
+M manchots
+N chantons
+O cahotons
+R chatrons
+Y tachyons
ACHNOSU
chouans
+F fauchons
+L chaulons

+M chaumons	+A chassant	rocheras	+I touchait	licitai
+R rauchons	+E chassent	+I charrois	+N touchant	+S licitais
+S chausson	**ACHNSSU**	+N charrons	**ACHOTTY**	+T licitait
ACHNOSV	+O chausson	**ACHORRT**	+A chatoyat	**ACIIILV**
+E achevons	**ACHNSTU**	+E torchera	**ACHOTUU**	+S civilisa
ACHNOSY	+I chuintas	**ACHORRU**	touchau	**ACIIIMM**
+T tachyons	**ACHNSTY**	+L chlorura	+E toucheau	+S immiscai
ACHNOTU	+O tachyons	**ACHORRY**	+X touchaux	**ACIIIMN**
+A cahotant	**ACHNSUV**	+A charroya	**ACHOTUX**	+R mincirai
+E cahotent	+I chauvins	+E charroye	+E cahoteux	+T catimini
+R torchant	**ACHNTTU**	**ACHORSS**	+U touchaux	**ACIIIMR**
+U touchant	chutant	+E rochasse	**ACHOTYZ**	+N mincirai
ACHNOTU	+I chuintat	+I chassoir	+E chatoyez	**ACIIIMS**
+B bouchant	+O touchant	**ACHORST**	**ACHOUUX**	+M immiscai
+C couchant	**ACHOOST**	torchas	+T touchaux	**ACIIIMT**
+D douchant	+N cahotons	+D tchadors	**ACHPPSS**	+N catimini
+E echouant	**ACHOPPR**	+E rochates	+E schappes	**ACIIINN**
+L louchant	+A approcha	+I chariots	**ACHPRST**	+L inclinai
+M mouchant	+E achopper	haricots	+E parchets	**ACIIINR**
+Q choquant	approche	torchais	**ACHPRSY**	+M mincirai
+T touchant	**ACHOPPS**	+N chatrons	+O hypocras	**ACIIINS**
ACHNOTY	+A achoppas	**ACHORSU**	**ACHQSUU**	incisai
choyant	+E achoppes	aurochs	+E quechuas	+S incisais
tachyon	echoppas	+F farouchs	**ACHRRST**	+T incisait
+S tachyons	**ACHOPPT**	fourchas	+E charters	incitais
ACHNPRT	+A achoppat	+N rauchons	**ACHRRSU**	+U cuisinai
+E perchant	+E echoppat	**ACHORSY**	+E charrues	**ACIIINT**
prechant	**ACHOPPZ**	+P hypocras	rucheras	+M catimini
ACHNPSS	+E achoppez	**ACHORTT**	**ACHRRUU**	+S incisait
schnaps	**ACHOPRR**	torchat	+E raucheur	incitais
ACHNQTU	+E reprocha	+I torchait	**ACHRSST**	+T incitait
+I chiquant	**ACHOPRS**	+N torchant	+C scratchs	**ACIIINU**
+O choquant	coprahs	**ACHORTU**	**ACHRSSU**	+S cuisinai
ACHNRRS	+D pochards	+B tarbouch	+E chasseur	**ACIIIRV**
+E ranchers	+E choperas	+E retoucha	chausser	+E vicierai
+O charrons	pocheras	touchera	ruchasse	**ACIIISS**
ACHNRRT	+Y hypocras	+F fouchtra	**ACHRSTU**	+N incisais
+E trancher	**ACHOPRY**	fourchat	+E chuteras	**ACIIIST**
ACHNRST	+S hypocras	**ACHORTV**	rechutas	+L licitais
+A tranchas	**ACHOPSS**	+E chevrota	ruchates	+N incisait
+E chantres	+E chopasse	**ACHORTY**	**ACHRTTU**	incitais
tranches	pochasse	+E chatoyer	+E rechutat	**ACIIISU**
+O chatrons	**ACHOPST**	**ACHORUV**	**ACHRTTY**	+D suicidai
ACHNRSU	pachtos	+F chaufour	+E trachyte	+N cuisinai
charnus	+E chopates	**ACHORUX**	**ACHRTUU**	**ACIIISV**
+B branchus	patoches	choraux	+E autruche	viciais
+E charnues	pochates	**ACHOSSS**	**ACHSSSU**	+L civilisa
+O rauchons	potaches	+N chassons	+A chaussas	**ACIIITT**
ACHNRSV	+I chipotas	**ACHOSST**	**ACHSSTU**	+L licitait
+E chanvres	**ACHOPSU**	+C scotchas	+A chaussat	+N incitait
ACHNRTT	copahus	**ACHOSSU**	+E chutasse	**ACIIITV**
+A chatrant	**ACHOPSY**	+E essoucha	**ACHSSUZ**	viciait
tranchat	+R hypocras	+N chausson	+E chaussez	**ACIIJNT**
+E chatrent	**ACHOPTT**	**ACHOSSY**	**ACHSTTU**	+E injectai
tranchet	+I chipotat	+E choyasse	+E chutates	**ACIIKLN**
+I trichant	+L potlatch	**ACHOSTT**	**ACHTUUX**	+E nickelai
+O torchant	**ACHOQRU**	+C scotchat	+O touchaux	**ACIIKMS**
ACHNRTU	+E choquera	**ACHOSTU**	**ACIIILN**	+H kamichis
ruchant	**ACHOQSU**	touchas	+N inclinai	**ACIILLO**
+A rauchant	choquas	+E soutache	**ACIIILR**	+S oscillai
+E chanteur	+I choquais	+I touchais	+E ciliaire	**ACIILLR**
rauchent	**ACHOQTU**	**ACHOSTY**	**ACIIILS**	+A craillai
ACHNRTZ	choquat	+A chatoyas	+A laicisai	criailla
+E tranchez	+I choquait	+E choyates	+T licitais	+E cillerai
ACHNSSS	+N choquant	+N tachyons	+V civilisa	criaille
+O chassons	**ACHORRS**	**ACHOTTU**	**ACIIILT**	
ACHNSST	+E arroches	touchat		

ACIILLS	+R inclurai	laiciste	+R cramoisi	+P copinait
cillais	+S incluais	laicites	**ACIIMOT**	pioncait
+A caillais	+T incluait	silicate	+L comitial	+T citation
cisailla	**ACIILNV**	+I licitais	**ACIIMRS**	+U couinait
+E cisaille	vicinal	+S clissait	+E escrimai	+V conviait
+O oscillai	+E vicinale	**ACIILSU**	+N minciras	noviciat
ACIILLT	**ACIILNZ**	+N incluais	+O cramoisi	**ACIINOU**
cillait	+E caliniez	**ACIILSV**	**ACIIMRT**	couinai
+A caillait	**ACIILOO**	clivais	+A matricai	+L inoculai
ACIILLV	+R coloriai	+I civilisa	**ACIIMSS**	+S couinais
+A vacillai	**ACIILOP**	**ACIILSY**	+M immiscas	cousinai
ACIILLZ	picolai	+C cyclisai	**ACIIMST**	+T couinait
+E cailliez	+M compilai	**ACIILSZ**	+M immiscat	**ACIINOV**
ACIILMN	+N clopinai	+E laicisez	**ACIIMSV**	conviai
+A inamical	+S picolais	**ACIILTT**	+E civaisme	+S conviais
+U culminai	+T picolait	licitat	viciames	+T conviait
ACIILMO	**ACIILOR**	+I licitait	**ACIIMTU**	noviciat
+P compilai	+B bricolai	+N licitant	+N actinium	**ACIINPR**
+T comitial	+O coloriai	**ACIILTU**	**ACIINNO**	+E pincerai
ACIILMP	+T cloitrai	+N incluait	+F confinai	**ACIINPS**
+O compilai	**ACIILOS**	+V cultivai	+T inaction	pincais
ACIILMR	+A coalisai	**ACIILTV**	**ACIINNR**	+E epincais
+A calmirai	+L oscillai	clivait	+A incarnai	+L cisalpin
ACIILMS	+P picolais	+E calvitie	+E incinera	+O copinais
+E laicisme	**ACIILOT**	+U cultivai	racinien	pioncais
ACIILMT	+M comitial	**ACIILUV**	**ACIINNS**	**ACIINPT**
+O comitial	+N coltinai	+T cultivai	+D indicans	pincait
ACIILMU	+P picolait	**ACIIMMS**	+L inclinas	+A anticipa
+N culminai	+R cloitrai	immisca	+T incisant	+E anticipe
ACIILNN	**ACIILOU**	+I immisca	**ACIINNT**	epincait
inclina	+N inoculai	+S immiscas	+L inclinat	+O copinait
+A lancinai	**ACIILOV**	+T immiscat	+O inaction	pioncait
+I inclinai	+A violacai	**ACIIMMT**	+S incisant	**ACIINPU**
+S inclinas	**ACIILPS**	+S immiscat	+T incitant	+L inculpai
+T inclinat	+E eclipsai	**ACIIMNO**	**ACIINNU**	**ACIINRR**
ACIILNO	+N cisalpin	+B combinai	+V invaincu	+A rancirai
+C concilia	+O picolais	incombai	**ACIINNV**	+E rincerai
+P clopinai	**ACIILPT**	**ACIIMNR**	+U invaincu	+O noircira
+T coltinai	+O picolait	amincir	**ACIINOP**	+S inscrira
+U inoculai	**ACIILPU**	mincira	copinai	**ACIINRS**
ACIILNP	+N inculpai	minicar	pioncai	ricains
+O clopinai	**ACIILRS**	+A amincira	+L clopinai	rincais
+S cisalpin	+B criblais	+I mincirai	+S copinais	+A ricanais
+U inculpai	+E laiciser	+S minciras	pioncais	+E icariens
ACIILNR	**ACIILRT**	minicars	+T copinait	incisera
+U inclurai	+B criblait	**ACIIMNS**	pioncait	ricaines
ACIILNS	+E licitera	amincis	**ACIINOR**	+G craignis
+A calinais	+O cloitrai	+E amincies	+F confirai	grincais
+E lacinies	**ACIILRU**	eminacis	+R noircira	+M minciras
+G cinglais	+C circulai	+R minciras	+S cairions	minicars
clignais	+N inclurai	minicars	+S inscrira	+O cariions
+N inclinas	**ACIILRV**	**ACIIMNT**	**ACIINOS**	+R inscrira
+P cisalpin	+A vicarial	amincit	+C coincais	+T cintrais
+U incluais	+E cliverai	+E cimentai	+F confiais	**ACIINRT**
ACIILNT	**ACIILSS**	emincait	+H chinoisa	cintrai
+A calinait	clissai	+I catimini	+P copinais	rincait
+C clinicat	+A laicisas	+U actinium	pioncais	+A ricanait
+G cinglait	+B basilics	**ACIIMNU**	+R cariions	+E ciraient
clignait	+E ciselais	+L culminai	+U couinais	criaient
+N inclinat	eclissai	+T actinium	cousinai	incitera
+O coltinai	laicises	**ACIIMNX**	+V conviais	+F craintif
+T licitant	+S clissais	+E mexicain	**ACIINOT**	+G craignit
+U incluait	+T clissait	**ACIIMOP**	+C coincait	grincait
ACIILNU	**ACIILST**	+L compilai	+F confiait	+S cintrais
+M culminai	licitas	**ACIIMOR**	+L coltinai	+T cintrait
+O inoculai	+A laicisat	+S cramoisi	+N inaction	**ACIINRU**
+P inculpai	+E ciselait	**ACIIMOS**		+L inclurai

+V incurvai	**ACIINUX**	+D dissocia	**ACIIQTU**	+O victoria
ACIINRV	+V vicinaux	+R croisais	+H chiquait	+U cuivrait
+A vaincrai	**ACIINVX**	+T cotisais	+R critiqua	**ACIIRUV**
+E ecrivain	+U vicinaux	+U souciais	**ACIIRRR**	cuivrai
+U incurvai	**ACIIOOR**	**ACIIOST**	+E recrirai	+N incurvai
ACIINRZ	+L coloriai	cotisai	**ACIIRRS**	+S cuivrais
+E ricaniez	**ACIIOPR**	+G cogitais	+E cirerais	+T cuivrait
ACIINSS	picorai	+P picotais	crierais	**ACIISSS**
incisas	+E copierai	+R croisait	ecrirais	+L clissais
+D scindais	recopiai	+S cotisais	recriais	+R crissais
+I incisais	+S picorais	+T cotisait	+N inscrira	**ACIISST**
+U cuisinas	+T picorait	+U souciait	+O croirais	+L clissait
ACIINST	**ACIIOPS**	**ACIIOSU**	**ACIIRRT**	+O cotisais
incisat	copiais	souciai	+E cirerait	+R crissait
incitas	+H piochais	+N couinais	crierait	sacristi
+D citadins	+L picolais	cousinai	ecrirait	+U suscitai
scindait	+N copinais	+S souciais	recriait	**ACIISSU**
+E actinies	pioncais	+T souciait	+O croirait	cuissai
canities	+R picorais	**ACIIOSV**	croitrai	+D suicidas
sciaient	+T picotais	+N conviais	**ACIIRRU**	+E ecuissai
+F inactifs	**ACIIOPT**	**ACIIOTT**	+D durcirai	+N cuisinas
+H chiantis	copiait	+G cogitait	+E recuirai	+O souciais
+I incisait	picotai	+N citation	**ACIIRSS**	+T suscitai
incitais	+H chipotai	+P picotait	crissai	**ACIISSV**
+N incisant	piochait	+R tricotai	+E caissier	+E viciasse
+R cintrais	+L picolait	+S cotisait	scierais	**ACIISSX**
+U cuisinat	+N copinait	**ACIIOTU**	sicaires	+E excisais
ACIINSU	pioncait	+N couinait	+O croisais	**ACIISTT**
cuisina	+R picorait	+S souciait	+P crispais	+O cotisait
+B incubais	+S picotais	**ACIIOTV**	+S crissais	**ACIISTU**
+I cuisinai	+T picotait	+A octaviai	+T crissait	cuisait
+L incluais	**ACIIORR**	+N conviait	sacristi	cuitais
+O couinais	croirai	noviciat	**ACIIRST**	+B biscuita
cousinai	+F forcirai	+R victoria	+E citerais	+D discutai
+S cuisinas	+N noircira	**ACIIPRR**	recitais	suicidat
+T cuisinat	+S croirais	+E crepirai	scierait	+N cuisinat
ACIINSV	+T croirait	**ACIIPRS**	tiercais	+O suscitai
+E evincais	croitrai	crispai	+H trichais	+S suscitai
+O conviais	**ACIIORS**	+E precisai	+N cintrais	**ACIISTV**
ACIINTT	croisai	+O picorais	+O croisait	+A activais
incitat	+H choirais	+S crispais	+P crispait	+E viciates
+E citaient	choisira	+T crispait	+S crissait	**ACIISTX**
+I incitait	+M cramoisi	**ACIIPRT**	sacristi	+E excisait
+L licitant	+N cariions	+E crepitai	**ACIIRSU**	excitais
+N incitant	+P picorais	+O picorait	cuirais	**ACIISUV**
+O citation	+R croirais	+S crispait	+V cuivrais	+R cuivrais
+R cintrait	+S croisais	**ACIIPSS**	**ACIIRSV**	**ACIITTU**
ACIINTU	+T croisait	+R crispais	+E ecrivais	cuitait
+B incubait	**ACIIORT**	**ACIIPST**	vicaires	**ACIITTV**
+H chuintai	+F fricotai	+A pactisai	vicieras	+A activait
+L incluait	+H choirait	+O picotais	+U cuivrais	+E activite
+M actinium	+L cloitrai	+R crispait	**ACIIRTT**	**ACIITTX**
+O couinait	+P picorait	**ACIIPSX**	+E citerait	+E excitait
+S cuisinat	+R croirait	+E excipais	recitait	**ACIITUV**
ACIINTV	croitrai	**ACIIPTT**	+H trichait	+L cultivai
viciant	+S croisait	+O picotait	+N cintrait	+R cuivrait
+A inactiva	+T tricotai	**ACIIPTV**	+O tricotai	**ACIITVV**
vaticina	+V victoria	+A captivai	**ACIIRTU**	+E vivacite
+E evincait	**ACIIORU**	**ACIIPTX**	cuirait	**ACIITVZ**
inactive	+D doucirai	+E excipait	+D trucidai	+E activiez
vaticino	**ACIIORV**	**ACIIQRT**	+E cuiterai	**ACIIUVX**
+O conviait	+D divorcai	+U critiqua	+Q critiqua	+N vicinaux
noviciat	+T victoria	**ACIIQRU**	+V cuivrait	**ACIJLOS**
ACIINUV	**ACIIORX**	+E icaquier	**ACIIRTV**	+A cajolais
+N invaincu	+E excoriai	+T critiqua	+A vicariat	**ACIJLOT**
+R incurvai	**ACIIOSS**	**ACIIQSU**	+E ecrivait	+A cajolait
+X vicinaux	+A associai	+H chiquais		

ACIJLOZ
+E cajoliez
ACIJNOR
+U conjurai
ACIJNOS
+B jacobins
+H jonchais
+T jactions
ACIJNOT
+H jonchait
+S jactions
ACIJNOU
+R conjurai
ACIJNRR
+E jerrican
ACIJNRS
+U cisjuran
ACIJNRU
+O conjurai
+S cisjuran
ACIJNST
+E injectas
+O jactions
ACIJNSU
+R cisjuran
ACIJNTT
+E injectat
ACIJORU
+N conjurai
ACIJOST
+N jactions
ACIJQRU
+E jacquier
ACIJRSU
+N cisjuran
ACIJSST
+E jacistes
ACIKLNS
+E nickelas
ACIKLNT
+E nickelat
ACIKLOT
+C cocktail
ACIKOSS
+T stockais
ACIKOST
   stockai
+S stockais
+T stockait
ACIKOTT
+S stockait
ACIKRRS
+C carricks
ACIKSST
+O stockais
ACIKSTT
+O stockait
ACILLLV
+E calville
ACILLMS
+E cillames
ACILLNO
+E encollai
+O colonial
+R carillon
   corallin
+S caillons

ACILLNR
+O carillon
   corallin
ACILLNS
+A alcalins
+O caillons
ACILLNT
   cillant
+A caillant
+E caillent
ACILLOO
+D dialcool
+N colonial
ACILLOQ
+U coquilla
ACILLOR
+E collerai
   recollai
   rocaille
+N carillon
   corallin
ACILLOS
   collais
   oscilla
+A localisa
+E localise
+I oscillai
+N caillons
+S oscillas
+T caillots
   oscillat
ACILLOT
   caillot
   collait
+B cabillot
+E colletai
   localite
   teocalli
+S caillots
   oscillat
ACILLOU
   caillou
+D caudillo
+F floculai
+Q coquilla
+X cailloux
ACILLOX
+U cailloux
ACILLQU
+O coquilla
ACILLRR
+E crailler
ACILLRS
+A craillas
+E cilleras
   crailles
ACILLRT
+A craillat
ACILLRV
+E vaciller
ACILLRZ
+E craillez
ACILLSS
+E cillasse
   scellais
+O oscillas
ACILLST

   tillacs
+E cillates
   scellait
+O caillots
   oscillat
ACILLSV
+A vacillas
+E vacilles
ACILLSY
+E salicyle
ACILLTV
+A vacillat
ACILLUX
+O cailloux
ACILLVZ
+E vacillez
ACILMMS
+E calmimes
ACILMMU
+E immacule
ACILMNO
   limacon
+A calomnia
+E calomnie
+S calmions
   clamions
   limacons
   maclions
ACILMNS
+E manicles
   meniscal
+O calmions
   clamions
   limacons
   maclions
+U culminas
   masculin
ACILMNT
+U culminat
ACILMNU
   culmina
+I culminai
+S culminas
   masculin
+T culminat
ACILMOP
   compila
+C accompli
+I compilai
+S compilas
+T compilat
   complat
ACILMOR
+E morcelai
ACILMOS
+B comblais
+E camisole
+N calmions
   clamions
   limacons
   maclions
+P compilas
   complais
ACILMOT
+A colmatai
+B comblait

+I comitial
+P compilat
+V vicomtal
ACILMOV
+T vicomtal
ACILMPS
+O compilas
   complais
ACILMPT
+O compilat
   complait
ACILMRS
+A calmiras
+E carlisme
   miracles
ACILMRU
+E miracule
ACILMRZ
+E calmirez
ACILMSS
+A clamsais
+E calmisse
+U musclais
ACILMST
   climats
+A clamsait
+E calmites
+U musclait
ACILMSU
   musclai
   musical
+A maculais
+C calciums
+E musicale
+N culminas
   masculin
+S musclais
+T musclait
+U cumulais
ACILMSV
+E clivames
ACILMSZ
+E clamsiez
ACILMTU
+A maculait
+N culminat
+S musclait
+U cumulait
ACILMTV
+O vicomtal
ACILMUU
   cumulai
+S cumulais
+T cumulait
ACILMUZ
+E maculiez
ACILNNO
+A canonial
+S calinons
   lancions
ACILNNR
+E lanciner
ACILNNS
+A lancinas
+E lancines
+I inclinas

+O calinons
   lancions
ACILNNT
+A calinant
   lancinat
+E calinent
+G cinglant
   clignant
+I inclinat
+U incluant
ACILNNU
+T incluant
ACILNNV
+E vicennal
ACILNNZ
+E lancinez
ACILNOO
+L colonial
+S colonisa
   consolai
+T location
+V convolai
ACILNOP
   clopina
+H palichon
+I clopinai
+S clopinas
   placions
+T clopinat
   picolant
ACILNOR
   clairon
+E clonerai
   enclorai
+L carillon
   corallin
+S clairons
   raclions
ACILNOS
   calions
   clonais
   lacions
+A calaison
+B baclions
+E ancolies
   ecalions
   onciales
+G glacions
+H chialons
   lachions
+L caillons
+M calmions
   clamions
   limacons
   maclions
+N calinons
   lancions
+O colonisa
   consolai
+P clopinas
   placions
+R clairons
   raclions
+S calisson
+T calotins
   caltions

coltinas
+U inoculas
+V clavions
ACILNOT
calotin
clonait
coltina
+G clignota
+I coltinai
+O location
+P clopinat
picolant
+S calotins
caltions
coltinas
+T coltinat
+U inoculat
ACILNOU
inocula
+E enclouai
lionceau
+F confluai
+I inoculai
+S inoculas
+T inoculat
ACILNOV
+O convolai
+S clavions
ACILNPS
+E calepins
pelicans
pinacles
+I cisalpin
+O clopinas
placions
+U inculpas
insculpa
ACILNPT
+O clopinat
picolant
+U inculpat
ACILNPU
inculpa
+E panicule
+I inculpai
+S inculpas
insculpa
+T inculpat
ACILNQU
+E clanique
+U inculqua
ACILNRS
carlins
larcins
+A clarains
+E carlines
clarines
lanciers
+O clairons
raclions
+U incluras
ACILNRT
+B criblant
ACILNRU
inclura
+I inclurai
+S incluras

ACILNRY
+D cylindra
ACILNSS
+E sanicles
+O calisson
+T clissant
ACILNST
tincals
+E ciselant
+O calotins
caltions
coltinas
+S clissant
ACILNSU
+A canulais
+E sanicule
+I incluais
+M culminas
masculin
+O inoculas
+P inculpas
+R incluras
+V vulcains
ACILNSV
+O clavions
+U vulcains
ACILNSY
+D syndical
+H lynchais
ACILNTT
+I licitant
+O coltinat
ACILNTU
+A canulait
+E culaient
inactuel
+I incluait
+M culminat
+N incluant
+O inoculat
+P inculpat
ACILNTV
clivant
ACILNTY
+H lynchait
ACILNUU
+Q inculqua
ACILNUV
vulcain
+E navicule
+S vulcains
ACILNUZ
+E canuliez
ACILOOR
colorai
coloria
+I coloriai
+S colorais
colorias
+T colorait
coloriat
ACILOOS
+N colonisa
consolai
+R colorais
colorias

ACILOOT
+N location
+R colorait
coloriat
ACILOOV
+N convolai
ACILOPR
+E picolera
+T tropical
ACILOPS
picolas
+E apicoles
+I picolais
+M compilas
complais
+N clopinas
placions
+T clapotis
+U copulais
couplais
ACILOPT
picolat
+A clapotai
+E capitole
peclotai
+I picolait
+M compilat
complait
+N clopinat
picolant
+R tropical
+S clapotis
+U capitoul
copulait
couplait
octuplai
ACILOPU
copulai
couplai
+S copulais
couplais
+T capitoul
copulait
couplait
octuplai
ACILOQR
+U claquoir
ACILOQS
+U cloquais
ACILOQT
+U cloquait
ACILOQU
cloquai
+E aquicole
+L coquilla
+R claquoir
+S cloquais
+T cloquait
ACILORR
racloir
+E carriole
correlai
+S racloirs
sarcloir
ACILORS
clorais
+A racolais

+B bricolas
+E calories
coaliser
recolais
scolaire
+N clairons
raclions
+O colorais
colorias
+R racloirs
sarcloir
+T cloitras
+U croulais
ACILORT
cloitra
clorait
+A racolait
+B bricolat
+C cortical
+E eclorait
recolait
recoltai
+I cloitrai
+O colorait
coloriat
+P tropical
+S cloitras
+T cloitrat
+U cloturai
croulait
ACILORU
croulai
+C occlurai
+E clouerai
coulerai
ecroulai
oculaire
reclouai
+Q claquoir
+S croulais
+T cloturai
croulait
ACILORV
+E violacer
ACILORZ
+E racoliez
ACILOSS
+A coalisas
+E coalises
sociales
+L oscillas
+N calisson
+U coulissa
ACILOST
+A coalisat
+C calicots
+E teocalis
+F locatifs
+L caillots
oscillat
+N calotins
caltions
coltinas
+P clapotis
+R cloitras
+U cloutais
ACILOSU

clouais
coulais
+B bouclais
+C occluais
+E ecoulais
+H louchais
+N inoculas
+P copulais
couplais
+Q cloquais
+R croulais
+S coulissa
+T cloutais
ACILOSV
+A violacas
vocalisa
+E avicoles
olivaces
violaces
vocalise
+N clavions
ACILOSX
+E saxicole
ACILOSZ
+E coalisez
ACILOTT
+A calottai
+N coltinat
+R cloitrat
+U cloutait
culottai
ACILOTU
clouait
cloutai
coulait
+B bouclait
+C occluait
occultai
+E ecoulait
+H louchait
+N inoculat
+P capitoul
copulait
couplait
octuplai
+Q cloquait
+R cloturai
croulait
+S cloutais
+T cloutait
culottai
ACILOTV
+A violacat
+E locative
+M vicomtal
ACILOUX
+L cailloux
ACILOVZ
+E violacez
ACILPPS
+A clappais
ACILPPT
+A clappait
ACILPPZ
+E clappiez
ACILPRS
+E clapiers

picarels
placiers
spiracle
ACILPRT
+E triplace
+O tropical
+U pictural
ACILPRU
+T pictural
ACILPSS
+A scalpais
+E eclipsas
+T plastics
ACILPST
 plastic
+A scalpait
+E eclipsat
+O clapotis
+S plastics
+U sculptai
ACILPSU
+A capsulai
+D disculpa
+E speculai
+N inculpas
 insculpa
+O copulais
 couplais
+T sculptai
ACILPSZ
+E scalpiez
ACILPTU
+A capitula
+E capitule
+N inculpat
+O capitoul
 copulait
 couplait
 octuplai
+R pictural
+S sculptai
ACILQRU
+O claquoir
ACILQSU
+A calquais
 claquais
+E quiscale
+O cloquais
ACILQTU
+A calquait
 claquait
+E cliqueta
 lactique
+O cloquait
ACILQUU
+N inculqua
ACILQUZ
+E calquiez
 claquiez
ACILRRS
+O racloirs
 sarcloir
ACILRSS
+A sarclais
+E clarisse
 clissera
ACILRST

cristal
+A sarclait
+E articles
 carliste
 clairets
 recitals
+O cloitras
ACILRSU
+C circulas
+E culerais
 curiales
 reculais
 ulcerais
+N incluras
+O croulais
ACILRSV
+E claviers
 cliveras
 visceral
ACILRSW
+A crawlais
ACILRSZ
+E sarcliez
ACILRTT
+O cloitrat
ACILRTU
+A articula
+C circulat
+E articule
 culerait
 reculait
 ulcerait
 urticale
+F lucratif
+O cloturai
 croulait
+P pictural
+V cultivar
ACILRTV
+E vertical
+U cultivar
ACILRTW
+A crawlait
ACILRUU
+E auricule
ACILRUV
+T cultivar
ACILRUX
+E exclurai
ACILRWZ
+E crawliez
ACILSSS
 clissas
+A classais
+E eclissas
+I clissais
ACILSST
 clissat
+A classait
+E eclissat
+I clissait
+N clissant
+P plastics
ACILSSU
+E eclusais
+M musclais
+O coulissa

ACILSSV
+E clivasse
 lascives
ACILSSY
+C cyclisas
ACILSSZ
+E classiez
ACILSTT
+E tactiles
+H schlitta
ACILSTU
+E alucites
 eclusait
+M musclait
+O cloutais
+P sculptai
+V cultivas
ACILSTV
+E claviste
 clivates
+U cultivas
ACILSTY
+C cyclisat
ACILSUU
+M cumulais
ACILSUV
+E cuvelais
+N vulcains
+T cultivas
ACILSUX
+E excluais
ACILTTU
+O cloutait
 culottai
+V cultivat
ACILTTV
+U cultivat
ACILTUU
+B culbutai
+F fluctuai
+M cumulait
ACILTUV
 cultiva
+E cuvelait
+I cultivai
+R cultivar
+S cultivas
+T cultivat
ACILTUX
+E excluait
ACILUXX
+E lexicaux
ACIMMNO
+A ammoniac
+U communia
ACIMMNP
+E pemmican
ACIMMNU
+O communia
ACIMMOP
+R comprima
ACIMMOR
+E commerai
+P comprima
ACIMMOS
+U commuais
ACIMMOT

+U commuait
 commutai
ACIMMOU
 commuai
+N communia
+S commuais
+T commuait
 commutai
ACIMMPR
+O comprima
ACIMMSS
ACIMMST
+I immiscas
ACIMMST
+I immiscat
ACIMMSU
+B cambiums
+D cadmiums
+O commuais
ACIMMTU
+O commuait
 commutai
ACIMNNO
+A camionna
 maconnai
+E camionne
ACIMNNT
+E emincant
ACIMNOO
+R acromion
ACIMNOP
+H champion
+S campions
ACIMNOR
+A macaroni
 marocain
 romancai
+F confirma
+O acromion
+S cramions
 marconis
ACIMNOS
 camions
 maniocs
+B combinas
+D cadmions
+E emacions
 semoncai
+H machions
+L calmions
 clamions
 limacons
 maclions
+P campions
+R cramions
 marconis
+S mocassin
+U consumai
ACIMNOT
+B combinat
 incombat
+D comtadin
ACIMNOU
+M communia
+S consumai
ACIMNPS

+E pincames
+G campings
+O campions
+U panicums
ACIMNPU
 panicum
+S panicums
ACIMNRS
 carmins
+E carmines
 rancimes
 rincames
+I minciras
 minicars
+O cramions
ACIMNRT
+E mercanti
ACIMNRU
+F francium
ACIMNSS
+H chamsins
+O mocassin
ACIMNST
+E cimentas
ACIMNSU
+D muscadin
 scandium
+L culmines
 masculin
+O consumai
+P panicums
ACIMNTT
+E cimentat
ACIMNTU
+I actinium
+L culminat
ACIMOOP
+S composai
ACIMOOR
+N acromion
+R amorcoir
ACIMOOS
+P composai
ACIMOPR
+A comparai
+M comprima
+T compatir
ACIMOPS
+E copiames
+L compilas
 complais
+N campions
+O composai
+T compatis
 comptais
 tampicos
ACIMOPT
 compati
 comptai
 tampico
+L compilat
 complait
+R compatir
+S compatis
 comptais
 tampicos

+T compatit
  comptait
ACIMORR
+O amorcoir
ACIMORS
+A amorcais
+F formicas
+H chromais
  chromisa
+I cramoisi
+N cramions
  marconis
ACIMORT
+A amorcait
+H chromait
  trichoma
+P compatir
ACIMORU
+D moricaud
ACIMORZ
+E amorciez
ACIMOSS
+N mocassin
+T massicot
ACIMOST
+P compatis
  comptais
  tampicos
+S massicot
+U costumai
ACIMOSU
+B cambouis
+E acousmie
+H mouchais
+M commuais
+N consumai
+T costumai
ACIMOTT
+P compatit
  comptait
ACIMOTU
+H mouchait
+M commuait
  commutai
+S costumai
ACIMOTV
+L vicomtal
ACIMPRT
+O compatir
ACIMPST
  impacts
+O compatis
  comptais
  tampicos
ACIMPSU
+N panicums
ACIMPTT
+O compatit
  comptait
ACIMQRU
+E cramique
ACIMQSU
+E acquimes
ACIMRRT
+E matricer
ACIMRSS
+D smicards

+E escrimas
  racismes
+U muscaris
ACIMRST
+A matricas
+E escrimat
  matrices
ACIMRSU
  muscari
+S muscaris
ACIMRTT
+A matricat
ACIMRTZ
+E matricez
ACIMSST
  mastics
+O massicot
ACIMSSU
+E caesiums
+L musclais
+R muscaris
ACIMSSY
+E cymaises
ACIMSTT
+E tactisme
ACIMSTU
+E cuitames
+L musclait
+O costumai
ACIMSUU
+L cumulais
+X musicaux
ACIMSUX
+U musicaux
ACIMTUU
+L cumulait
ACIMUUX
+S musicaux
ACINNNO
+A annonçai
  canonnai
+S cannions
ACINNNS
+O cannions
ACINNOO
+T connotai
  cotonnai
ACINNOP
+T copinant
  pioncant
ACINNOR
+A arçonnai
+E encornai
  renonçai
+S ancrions
  cranions
  nacrions
  ricanons
ACINNOS
  canions
  connais
+A canonais
+E canonise
  enoncais
+F confinas
  fiançons
+G consigna

+H chainons
+L calinons
  lancions
+N cannions
+R ancrions
  cranions
  nacrions
  ricanons
+S scansion
+T sanction
  tancions
ACINNOT
  connait
+A actionna
+C coincant
+E actionne
  enoncait
+F confiant
  confinat
+I inaction
+O connotai
  cotonnai
+P copinant
  pioncant
+S sanction
  tancions
+U continua
  couinant
+V conviant
ACINNOU
+T continua
  couinant
ACINNOV
+C convainc
+T conviant
ACINNOZ
  canzoni
ACINNPT
  pincant
+E epincant
+O copinant
  pioncant
ACINNRR
+E incarner
ACINNRS
+A incarnas
+E craniens
  incarnes
+O ancrions
  cranions
  nacrions
  ricanons
ACINNRT
  rincant
+A incarnat
  ricanant
+E ricanent
+G grincant
+T cintrant
ACINNRU
+E nuancier
ACINNRZ
+E incarnez
ACINNSS
+E cannisse
+O scansion
ACINNST

+D scindant
+E cantines
  instance
+I incisant
+O sanction
  tancions
ACINNSU
+A nuancais
+E nuisance
ACINNTT
+I incitant
+R cintrant
ACINNTU
+A nuancait
+B incubant
+L incluant
+O continua
  couinant
ACINNTV
+E evincant
+O conviant
ACINNUV
+I invaincu
ACINNUZ
+E nuanciez
ACINOOR
+M acromion
ACINOOS
+C occasion
+L colonisa
  consolai
ACINOOT
+L location
+N connotai
  cotonnai
+T cotation
+V convoita
  vocation
ACINOOV
+L convolai
+T convoita
  vocation
+Y convoyai
ACINOOY
+V convoyai
ACINOPR
+E copinera
  pioncera
  poncerai
  procaine
  raiponce
+H prochain
+S conspira
+T picorant
ACINOPS
  capions
  copains
  copinas
  pioncas
  poncais
+E capeions
+I copinais
  pioncais
+L clopinas
  placions
+M campions
+R conspira

+T capitons
  captions
  constipa
+U conspuai
ACINOPT
  capiton
  copiant
  copinat
  pioncat
  poncait
+H piochant
+I copinait
  pioncait
+L clopinat
  picolant
+N copinant
  pioncant
+R picorant
+S capitons
  captions
  constipa
+T picotant
+U ponctuai
ACINOPU
+S conspuai
+T ponctuai
ACINOQS
+U caquions
ACINOQU
+A acoquina
+E acoquine
+S caquions
ACINORR
  racorni
+E cornerai
  racornie
+I noircira
+R racornir
+S carrions
  racornis
+T racornit
ACINORS
  carions
  cornais
  rancios
+A ocarinas
+B cabrions
+D cadrions
  cardions
+E acierons
  aconiers
  ecornais
  necrosai
  scenario
+F confiras
  froncais
+G gracions
+I cariions
+L clairons
  raclions
+M cramions
  marconis
+N ancrions
  cranions
  nacrions
  ricanons
+P conspira

+R carrions	+N sanction	+A vacation	**ACINQUU**	+N cintrant
racornis	tancions	+I conviait	+L inculqua	+O contrait
+S sacrions	+P capitons	noviciat	**ACINRRR**	+U urticant
+T contrais	captions	+N conviant	+O racornir	**ACINRTU**
croisant	constipa	+O convoita	**ACINRRS**	+E ceintura
tracions	+R contrais	vocation	+A ranciras	curaient
ACINORT	croisant	+S activons	+E carniers	+S incrusta
contrai	tracions	**ACINOTX**	rinceras	+T urticant
cornait	+S consista	+E exaction	+I inscrira	+V cuivrant
+A racontai	+T cotisant	**ACINOTZ**	+O carrions	incurvat
+E canotier	+U cautions	+E canotiez	racornis	**ACINRTV**
conterai	cousinat	**ACINOUV**	**ACINRRT**	+E ecrivant
creation	souciant	couvain	+E cintrera	navicert
ecornait	+V activons	+S couvains	recriant	+U cuivrant
ocraient	**ACINOSU**	cuvaison	+O racornit	incurvat
reaction	couinas	**ACINOUX**	**ACINRRU**	**ACINRTZ**
+F fraction	cousina	onciaux	+E ricaneur	+E crantiez
froncait	+I couinais	**ACINOVY**	**ACINRRZ**	**ACINRUV**
+P picorant	cousinai	+O convoyai	+E rancirez	incurva
+R racornit	+L inoculas	**ACINPRS**	**ACINRSS**	+I incurvai
+S contrais	+M consumai	caprins	+A carassin	+S incurvas
croisant	+P conspuai	+D pincards	+B scribans	+T cuivrant
tracions	+Q caquions	+E caprines	+E arsenics	incurvat
+T contrait	+S causions	carpiens	narcisse	**ACINRUX**
traction	cousinas	escarpin	rancisse	+A racinaux
ACINORU	saucions	pinceras	rincasse	+E rinceaux
+D conduira	+T cautions	+O conspira	sarcines	**ACINRUY**
corniaud	cousinat	+T crispant	+O sacrions	+A cyanurai
+E couinera	souciant	**ACINPRT**	crissant	**ACINRVZ**
+H chourina	+V couvains	+O picorant	sanscrit	+E vaincrez
+J conjurai	cuvaison	+S crispant	**ACINRST**	**ACINSSS**
ACINORV	**ACINOSV**	**ACINPRU**	cintras	+E canisses
+E conviera	cavions	+E inapercu	craints	+O caissons
ACINORY	convias	**ACINPSS**	criants	cassions
+D dicaryon	+I conviais	+E capsiens	+A crantais	**ACINSST**
ACINOSS	+L clavions	pincasse	+E centrais	+E cassetin
caisson	+T activons	**ACINPST**	certains	castines
casinos	+U couvains	+A capitans	craintes	+L clissant
casions	cuvaison	+E inspecta	criantes	+O consista
+H sachions	**ACINOSY**	pincates	rancites	+R crissant
+L calisson	+A cyanosai	pitances	rincates	sanscrit
+M mocassin	**ACINOTT**	+O capitons	+I cintrais	+U cuisants
+N scansion	contait	captions	+O contrais	**ACINSSU**
+R sacrions	+A canotait	constipa	croisant	+I cuisinas
+S caissons	+E actinote	+R crispant	tracions	+O causions
cassions	cotaient	**ACINPSU**	+P crispant	cousinas
+T consista	+G cogitant	+C capucins	+S crissant	saucions
+U causions	+I citation	+L inculpas	sanscrit	+T cuisants
cousinas	+L coltinat	insculpa	+U incrusta	**ACINSTT**
saucions	+O cotation	+M panicums	**ACINRSU**	intacts
ACINOST	+P picotant	+O conspuai	+B rubicans	+E intactes
aconits	+R contrait	**ACINPTT**	+E censurai	+O cotisant
actions	traction	+O picotant	+J cisjuran	**ACINSTU**
cations	+S cotisant	**ACINPTU**	+L incluras	cuisant
contais	**ACINOTU**	+A panicaut	+T incrusta	+E cuisante
+A canotais	caution	+L inculpat	+V incurvas	sucaient
+B cabotins	couinat	+O ponctuai	**ACINRSV**	+H chuintas
+C occitans	+I couinait	**ACINPTX**	+A vaincras	+I cuisinat
+F caftions	+L inoculat	+E excipant	+U incurvas	+O cautions
factions	+N continua	**ACINPUX**	**ACINRTT**	cousinat
+G cotingas	couinant	+E pinceaux	cintrat	souciant
+H chations	+P ponctuai	**ACINQSU**	+A crantait	+R incrusta
tachions	+S cautions	+A casaquin	+E centrait	+S cuisants
+J jactions	cousinat	+O caquions	recitant	**ACINSTV**
+L calotins	souciant	**ACINQTU**	tiercant	+E vesicant
caltions	**ACINOTV**	+E cantique	+H trichant	+O activons
coltinas	conviat	+H chiquant	+I cintrait	

ACINSTX	**ACIOOSU**	constipa	tracoirs	courais
+E excisant	+R rocouais	+O cooptais	+U courrais	coursai
inexacts	**ACIOOSY**	**ACIOPSU**	**ACIORRT**	+B caribous
ACINSTY	+T cotoyais	coupais	croitra	courbais
+D syndicat	**ACIOOTT**	+C occupais	tracoir	+D coudrais
ACINSTZ	+N cotation	+L copulais	+E ocrerait	douciras
+E zincates	+P cooptait	couplais	+I croirait	radoucis
ACINSUV	+Y cotoyait	+N conspuai	croitrai	+E ecrouais
vaincus	**ACIOOTU**	**ACIOPTT**	+N racornit	souciera
+E encuvais	+R rocouait	picotat	+S croitras	+L croulais
vaincues	**ACIOOTV**	+A capotait	tracoirs	+O rocouais
+H chauvins	+N convoita	+H chipotat	+U courrait	+Q carquois
+L vulcains	vocation	+I picotait	**ACIORRU**	croquais
+O couvains	**ACIOOTY**	+M compatit	courrai	+R courrais
cuvaison	cotoyai	comptait	+C accourir	+S coursais
+R incurvas	+R octroyai	+N picotant	+D radoucir	+T coursait
ACINTTU	+S cotoyais	+O cooptait	+E ecrouira	courtisa
cuitant	+T cotoyait	**ACIOPTU**	+P croupira	croutais
+H chuintat	**ACIOOUY**	coupait	procurai	+V couvrais
+R urticant	+D coudoyai	+C occupait	+S courrais	**ACIORSV**
ACINTTV	**ACIOOVY**	+L capitoul	+T courrait	+D divorcas
+A activant	+N convoyai	copulait	+V couvrira	+U couvrais
+E activent	**ACIOPRR**	couplait	**ACIORRV**	**ACIORSX**
ACINTTX	+E picorera	octuplai	+U couvrira	+E excorias
+E excitant	procreai	+N ponctuai	**ACIORRY**	exorcisa
ACINTUV	+U croupira	**ACIOPTZ**	+A carroyai	**ACIORSY**
+E cuvaient	procurai	+E capotiez	+O corroyai	croyais
encuvait	**ACIOPRS**	**ACIOQRS**	**ACIORSS**	**ACIORTT**
+R cuivrant	picoras	+U carquois	corsais	crottai
incurvat	+D picadors	croquais	croisas	tricota
ACINUVX	+E apercois	**ACIOQRT**	crossai	+A carottai
+I vicinaux	copaiers	+U croquait	+A croassai	+E atrocite
ACIOOPR	copieras	**ACIOQRU**	+E associer	coterait
+E cooperai	recopias	croquai	cosserai	+F fricotat
ACIOOPS	+I picorais	+L claquoir	+H chassoir	+H torchait
+M composai	+N conspira	+S carquois	+I croisais	+I tricotai
+T cooptais	**ACIOPRT**	croquais	+N sacrions	+L cloitrat
ACIOOPT	picorat	+T croquais	+S crossais	+N contrait
cooptai	+E apercoit	**ACIOQSU**	+T crossait	traction
+S cooptais	picotera	+D dacquois	+U coursais	+S crottais
+T cooptait	recopiat	+H choquais	**ACIORST**	tricotas
ACIOORR	+I picorait	+L cloquais	corsait	+T crottait
+D corrodai	+L tropical	+N caquions	coterais	tricotat
+M amorcoir	+M compatir	+R carquois	cotisera	+U croutait
+Y corroyai	+N picorant	croquais	escortai	**ACIORTU**
ACIOORS	**ACIOPRU**	**ACIOQTU**	+F fricotas	courait
+G gracioso	+C accroupi	+H choquait	+H chariots	croutai
+L colorais	+E couperai	+L cloquait	haricots	+B courbait
colorias	recoupai	+R croquait	torchais	+D coudrait
+U rocouais	+R croupira	**ACIORRN**	+I croisait	radoucit
ACIOORT	procurai	+N racornir	+L cloitras	+E couterai
+C accotoir	**ACIOPSS**	**ACIORRS**	+N contrais	ecourtai
+E cotoiera	+E copiasse	croiras	croisant	ecrouait
+L colorait	**ACIOPST**	+D corridas	+S crossait 	ecroutai
coloriat	picotas	+E carroies	+R croitras	+L cloturai
+U rocouait	+A capotais	corsaire	tracoirs	croulait
+Y octroyai	tapiocas	corserai	+S crossait	+O rocouait
ACIOORU	+E copiates	croisera	+T crottais	+Q croquait
rocouai	opacites	+F forciras	tricotas	+R courrait
+S rocouais	+H chipotas	+H charrois	+U coursait	+S coursait
+T rocouait	+I picotais	+I croirais	courtisa	courtisa
ACIOORY	+L clapotis	+L racloirs	croutais	croutais
+R corroyai	+M compatis	sarcloir	**ACIORSU**	+T croutait
+T octroyai	comptais	+N carrions		+V couvrait
ACIOOST	tampicos	racornis		**ACIORTV**
+P cooptais	+N capitons	+T croitras		+D divorcat
+Y cotoyais	captions			+E octavier

voracite
+I victoria
+U couvrait
ACIORTX
+E excoriat
ACIORTY
croyait
+O octroyai
ACIORUV
+E couverai
+R couvrira
+S couvrais
+T couvrait
ACIORUX
+D cordiaux
ACIOSSS
cossais
+A associas
coassais
+E associes
ecossais
+N caissons
cassions
+R crossais
ACIOSST
cossait
cotisas
+A associat
coassait
+E ecossait
+I cotisais
+K stockais
+M massicot
+N consista
+R crossait
+T asticots
+U sucotais
ACIOSSU
cousais
soucias
+E secouais
+I souciais
+L coulissa
+N causions
cousinas
saucions
+R coursais
+T sucotais
ACIOSSZ
+E associez
coassiez
ACIOSTT
asticot
cotisat
+A asticota
+E asticote
+I cotisait
+K stockait
+N cotisant
+R crottais
tricotas
+S asticots
+U sucotait
ACIOSTU
cousait
coutais
souciat

sucotai
+E ecoutais
secouait
+H touchais
+I souciait
+L cloutais
+M costumai
+N cautions
cousinat
souciant
+R coursait
courtisa
croutais
+S sucotais
+T sucotait
ACIOSTV
+A octavias
+E octavies
+F vocatifs
+N activons
ACIOSTX
+E coexista
ACIOSTY
+O cotoyais
ACIOSUV
couvais
+B bivouacs
+N couvains
cuvaison
+R couvrais
ACIOSUX
sociaux
+A asociaux
ACIOTTT
+R crottait
tricotat
ACIOTTU
coutait
+E ecoutait
+H touchait
+L cloutait
culottai
+R croutait
+S sucotait
ACIOTTV
+A octaviat
ACIOTTY
+O cotoyait
ACIOTUV
couvait
+R couvrait
ACIOTUX
+D cotidaux
ACIOTVZ
+E octaviez
ACIOUXX
+A coaxiaux
ACIPQSU
+A pacquais
ACIPQTU
+A pacquait
ACIPQUZ
+E pacquiez
ACIPRRS
+E capriers
crepiras
crispera

ACIPRRU
+O croupira
procurai
ACIPRSS
crispas
+E precisas
+I crispais
ACIPRST
crispat
+E crepitas
pactiser
patrices
picrates
precisat
terapsic
+I crispait
+N crispant
ACIPRTT
+E crepitat
ACIPRTU
+A capturai
+E percutai
+L pictural
ACIPRTV
+E captiver
ACIPSST
+A pactisas
+E pactises
+L plastics
ACIPSSU
+E auspices
ACIPSTT
+A pactisat
ACIPSTU
+L sculptai
ACIPSTV
+A captivas
+E captives
ACIPSTZ
+E pactisez
ACIPSUX
+E spacieux
speciaux
ACIPTTV
+A captivat
ACIPTUX
+A capitaux
+E capiteux
captieux
ACIPTVZ
+E captivez
ACIQRRU
+E acquerir
ACIQRSU
+A craquais
+E acquiers
+O carquois
croquais
ACIQRTU
+A craquait
+E acquiert
arctique
+I critiqua
+O croquait
ACIQRUZ
+E craquiez
ACIQSSU

+A casquais
sacquais
+E acquises
acquisse
ACIQSTU
acquits
+A casquait
sacquait
+E acquites
ACIQSUZ
+E casquiez
sacquiez
ACIQTTU
+A acquitta
+E acquitte
tactique
ACIRRRS
+E carriers
recriras
ACIRRSS
+E crassier
crissera
ACIRRST
+E cartiers
+O croitras
tracoirs
ACIRRSU
+D durciras
+E curerais
recuiras
sucrerai
+O courrais
ACIRRTT
+C trictrac
ACIRRTU
+E curerait
recrutai
recurait
+O courrait
ACIRRUV
+E cuivrera
+O couvrira
ACIRSSS
crissas
+E cassiers
cirasses
criasses
+I crissais
+O crossais
ACIRSST
crissat
+A castrais
+E caristes
racistes
+I crissait
sacristi
+N crissant
sanscrit
+O crossait
+U scrutais
ACIRSSU
sucrais
+A cuirassa
+D cuissard
+E creusais
cuirasse

recusais
sauciers
securisa
sucerais
+M muscaris
+O coursais
+T scrutais
ACIRSTT
+A castrait
tractais
+E citrates
+F tractifs
+O crottais
tricotas
+U scrutait
ACIRSTU
scrutai
sucrait
+D trucidas
+E creusait
cuiteras
curetais
eructais
raucites
recusait
sucerait
suricate
+F curatifs
+N incrusta
+O coursait
courtisa
croutais
+S scrutais
+T scrutait
+X cristaux
ACIRSTX
+U cristaux
ACIRSTZ
+E castriez
ACIRSUV
cuivras
+E cuverais
+I cuivrais
+N incurvas
+O couvrais
ACIRSUX
+E scarieux
+T cristaux
ACIRTTT
+A tractait
+O crottait
tricotat
ACIRTTU
+D trucidat
+E curetait
eructait
+N urticant
+O croutait
+S scrutait
ACIRTTV
+E tractive
ACIRTTZ
+E tractiez
ACIRTUV
cuivrat
+E activeur
curative

cuverait
+I cuivrait
+L cultivar
+N cuivrant
  incurvat
+O couvrait
ACIRTUX
+S cristaux
ACIRUUX
  curiaux
+C cruciaux
ACISSSS
+E sciasses
ACISSST
+E citasses
+U suscitas
ACISSSU
+E ecuissas
  saucisse
+T suscitas
ACISSTT
+E statices
+O asticots
+U suscitat
ACISSTU
  suscita
+D discutas
+E casuiste
  cuitasse
  ecuissat
+I suscitai
+N cuisants
+O sucotais
+R scrutais
+S suscitas
+T suscitat
ACISSTV
+E cavistes
ACISSUU
+E cuisseau
ACISSUX
+E excusais
ACISTTU
+D discutat
+E cuitates
+O sucotait
+R scrutait
+S suscitat
ACISTUV
+E vacuites
+L cultivas
ACISTUX
+E excusait
+R cristaux
ACISUUX
+M musicaux
ACISUVX
+E vesicaux
ACITTUV
+L cultivat
ACITUUX
+B cubitaux
ACJLNOO
+S cajolons
ACJLNOS
+O cajolons
ACJLNOT

+A cajolant
+E cajolent
ACJLNOU
+G conjugal
ACJLOOS
+N cajolons
ACJLORU
+E cajoleur
ACJMNST
+U muntjacs
ACJMNSU
+T muntjacs
ACJMNTU
  muntjac
+S muntjacs
ACJMSTU
+N muntjacs
ACJNNOR
+U jurancon
ACJNNOT
+H jonchant
ACJNNOU
+R jurancon
ACJNNRU
+O jurancon
ACJNOOS
+L cajolons
ACJNORS
+U conjuras
ACJNORT
+U conjurat
ACJNORU
  conjura
+I conjurai
+N jurancon
+S conjuras
+T conjurat
ACJNOST
  jactons
+I jactions
ACJNOSU
+R conjuras
ACJNOTU
+R conjurat
ACJNOUU
+G conjugua
ACJNRSU
+I cisjuran
+O conjuras
ACJNRTU
+O conjurat
ACJNSTU
+M muntjacs
ACJORSU
+N conjuras
ACJORTU
+N conjurat
ACJPSTU
+E cajeputs
ACJQSTU
+E jacquets
ACKLPST
+A talpacks
ACKNNUU
+H nunchaku
ACKNOST
+T stockant

ACKNOTT
+S stockant
ACKNSTT
+O stockant
ACKORST
+E stockera
ACKOSST
  stockas
+I stockais
ACKOSTT
  stockat
+I stockait
+N stockant
ACLLMOS
+E calomels
ACLLMRY
+A lacrymal
ACLLNOO
+E neolocal
+I colonial
ACLLNOR
+I carillon
  corallin
ACLLNOS
+E encollas
+I caillons
+T collants
ACLLNOT
  collant
+E collante
  encollat
+S collants
ACLLNOY
+C cyclonal
ACLLNST
+E scellant
+O collants
ACLLOOQ
+U colloqua
ACLLOOS
  alcools
+B collabos
+E alcooles
+S colossal
ACLLOOT
+A alcoolat
ACLLOOU
+Q colloqua
ACLLOQU
+I coquilla
+O colloqua
ACLLORS
+E colleras
  recollas
+H chlorals
ACLLORT
+E recollat
ACLLOSS
+E collasse
+I oscillas
+O colossal
ACLLOST
+E collates
  colletas
+I caillots
  oscillat

+N collants
ACLLOSU
+F floculas
ACLLOSY
+E alcoyles
ACLLOTT
+E colletat
ACLLOTU
+F floculat
ACLLOUX
+I cailloux
ACLLPSS
+E scalpels
ACLLRTU
+U cultural
ACLLRUU
+T cultural
ACLLTUU
+R cultural
ACLMMNO
+U communal
ACLMMNU
+O communal
ACLMMOU
+N communal
ACLMMSS
+H schlamms
ACLMMUY
+B cymbalum
ACLMNOP
+T complant
ACLMNOS
  calmons
  clamons
  maclons
+E clonames
+I calmions
  clamions
  limacons
  maclions
+S clamsons
+U maculons
ACLMNOT
+B comblant
+P complant
ACLMNOU
+M communal
+S maculons
ACLMNPT
+O complant
ACLMNSS
+O clamsons
ACLMNST
+A calmants
  clamsant
+E clamsent
+U musclant
ACLMNSU
+I culmines
  masculin
+O maculons
+T musclant
ACLMNTU
+A maculant
+E maculent
+I culminat
+S musclant

+U cumulant
ACLMNUU
+T cumulant
ACLMOOP
+T complota
ACLMOOT
+P complota
ACLMOPR
+A proclama
+E proclame
ACLMOPS
+I compilas
  complais
+U compulsa
ACLMOPT
+E completa
+I compilat
  complait
+N complant
+O complota
ACLMOPU
+S compulsa
ACLMOPX
+E complexa
ACLMORS
+E morcelas
ACLMORT
+E colmater
  morcelat
ACLMOSS
+N clamsons
ACLMOST
+A colmatas
  stomacal
+E camelots
  colmates
  comtales
ACLMOSU
+E clouames
  coulames
+N maculons
+P compulsa
ACLMOTT
+A colmatat
ACLMOTV
+I vicomtal
ACLMOTZ
+E colmatez
ACLMOUU
+G coagulum
ACLMPSU
+O compulsa
ACLMRSU
+E clameurs
  musclera
ACLMRUU
+D cumulard
+E cumulera
ACLMSSU
  musclas
+I musclais
ACLMSTU
  musclat
+E calumets
+I musclait
+N musclant

ACLMSUU
  cumulas
+I cumulais
ACLMTUU
  cumulat
+I cumulait
+N cumulant
ACLNNOD
+F floconna
ACLNNOP
  plancon
+A palancon
+S plancons
+T plancton
ACLNNOS
  lancons
+E elancons
  enlacons
+I calinons
  lancions
+P plancons
+U canulons
ACLNNOT
  clonant
+A cantonal
+P plancton
ACLNNOU
+S cannulons
ACLNNOY
+A clayonna
+E clayonne
ACLNNPS
+O plancons
ACLNNPT
+O plancton
ACLNNSU
+O canulons
ACLNNTU
+A canulant
+E canulent
+I incluant
ACLNNTY
+H lynchant
ACLNOOR
  coronal
+E coronale
+S racolons
+T colorant
  controla
ACLNOOS
  consola
+C accolons
+I colonisa
  consolai
+J cajolons
+R racolons
+S consolas
+T colonats
  consolat
+V convolas
ACLNOOT
  colonat
+I location
+R colorant
  controla
+S colonats
  consolat

+V convolat
ACLNOOV
  convola
+I convolai
+S convolas
+T convolat
ACLNOPP
+S clappons
ACLNOPS
  placons
+E capelons
+I clopinas
  placions
+N plancons
+P clappons
+S scalpons
+Y syncopal
ACLNOPT
+I clopinat
  picolant
+M complant
+N plancton
+U copulant
  couplant
ACLNOPU
+T copulant
  couplant
ACLNOPY
+S syncopal
ACLNOQS
+U calquons
ACLNOQT
+U cloquant
ACLNOQU
+E caquelon
+S calquons
  claquons
+T cloquant
ACLNORS
  raclons
+E calerons
  cloneras
  encloras
  lacerons
  recalons
+I clairons
  raclions
+O racolons
+S sarclons
+W crawlons
ACLNORT
+A racolant
+E caleront
  laceront
  racolent
  recolant
+O colorant
  controla
+U croulant
ACLNORU
+C conclura
+T croulant
ACLNORW
+S crawlons
ACLNOSS
+E clonasse

+I calisson
+M clamsons
+O consolas
+P scalpons
+R sarclons
+S classons
ACLNOST
  caltons
  closant
+E clonates
  eclatons
  eclosant
  lactones
+I calotins
  caltions
  coltinas
+L collants
+O colonats
  consolat
+U consulat
  consulta
  coulants
ACLNOSU
+C acculons
+E enclouas
+F confluas
+H chaulons
+I inoculas
+M maculons
+N canulons
+Q calquons
  claquons
+T consulat
  consulta
  coulants
+V convulsa
ACLNOSV
  clavons
  volcans
+A cavalons
+E esclavon
+I clavions
+O convolas
+U convulsa
ACLNOSW
+R crawlons
ACLNOSY
  alcyons
  clayons
  lycaons
+P syncopal
ACLNOTT
+I coltinat
+U cloutant
ACLNOTU
  clouant
  coulant
+A cantalou
+B bouclant
+C occluant
+E coulante
  ecoulant
  enclouat
+F confluat
+H louchant
+I inoculat
+P copulant

  couplant
+Q cloquant
+R croulant
+S consulat
  consulta
  coulants
+T cloutant
ACLNOTV
+O convolat
ACLNOUV
+S convulsa
ACLNPPS
+O clappons
ACLNPPT
+A clappant
+E clappent
ACLNPSS
+O scalpons
ACLNPST
+A scalpant
+E scalpent
ACLNPSU
+I inculpas
  insculpa
ACLNPSY
+O syncopal
ACLNPTU
+E centupla
+I inculpat
+O copulant
  couplant
ACLNQSU
+O calquons
  claquons
ACLNQTU
+A calquant
  claquant
+E calquent
  claquent
+O cloquant
ACLNQUU
+I inculqua
ACLNRSS
+O sarclons
ACLNRST
+A sarclant
+E sarclent
ACLNRSU
+A canulars
+E lanceurs
  lucarnes
+I incluras
ACLNRSW
+O crawlons
ACLNRTU
+E reculant
  ulcerant
+O croulant
ACLNRTW
+A crawlant
+E crawlent
ACLNSSS
+O classons
ACLNSST
+A classant
  scalants
+E classent

+I clissant
ACLNSTU
+E eclusant
+M musclant
+O consulat
  consulta
  coulants
ACLNSUV
+I vulcains
+O convulsa
ACLNTTU
+O cloutant
ACLNTUU
+M cumulant
ACLNTUV
+E cuvelant
ACLNTUX
+E excluant
ACLNUUX
+E lacuneux
ACLOOPR
+E acropole
+R corporal
+T colporta
ACLOOPT
+M complota
+R colporta
ACLOOQU
+L colloqua
ACLOORR
+E colorera
+P corporal
ACLOORS
  coloras
+I colorais
  colorias
+N racolons
ACLOORT
  colorat
+C colcotar
+D doctoral
+I colorait
  coloriat
+N colorant
  controla
+P colporta
ACLOORU
+U roucoula
ACLOOSS
+L colossal
+N consolas
ACLOOST
+N colonats
  consolat
ACLOOSV
+N convolas
ACLOOTU
+B caboulot
ACLOOTV
+N convolat
ACLOOUU
+R roucoula
ACLOPPS
+N clappons
ACLOPPU
+E populace

ACLOPRR
+O corporal
ACLOPRT
+E clapoter
  pectoral
+I tropical
+O colporta
ACLOPRU
+E copulera
  couplera
ACLOPSS
+N scalpons
+Y calypsos
ACLOPST
+A clapotas
+E clapotes
  pactoles
  peclotas
+I clapotis
+U octuplas
ACLOPSU
  copulas
  couplas
+I copulais
  couplais
+M compulsa
+T octuplas
ACLOPSY
  calypso
+N syncopal
+S calypsos
ACLOPTT
+A clapotat
+E peclotat
+H potlatch
+U octuplat
ACLOPTU
  copulat
  couplat
  octupla
+I capitoul
  copulait
  couplait
  octuplai
+N copulant
  couplant
+S octuplas
+T octuplat
ACLOPTZ
+E clapotez
ACLOQRU
+E cloquera
+I claquoir
ACLOQSU
  cloquas
+E cloaques
  loquaces
+I cloquais
+N calquons
  claquons
ACLOQTU
  cloquat
+I cloquait
+N cloquant
ACLORRS
  corrals
+E correlas

+I racloirs
  sarcloir
ACLORRT
+E correlat
  rectoral
ACLORRU
+B carburol
+E croulera
  racoleur
+H chlorura
ACLORSS
+E scaroles
  sclerosa
+N sarclons
ACLORST
  scrotal
+A coaltars
+E crotales
  recoltas
  scrotale
+I cloitras
+U cloturas
ACLORSU
  carolus
  croulas
+C occluras
+E cloueras
  couleras
  ecroulas
  reclouas
+I croulais
+T cloturas
ACLORSW
+N crawlons
ACLORSY
+E caloyers
ACLORTT
+E calotter
  lectorat
  recoltat
+I cloitrat
+U cloturat
ACLORTU
  clotura
  croulat
+E cloutera
  ecroulat
  reclouat
+I cloturai
  croulait
+N croulant
+S cloturas
+T cloturat
ACLORUU
+O roucoula
ACLOSSS
+N classons
ACLOSST
  scatols
+E costales
  lactoses
  scatoles
ACLOSSU
+E clouasse
  coulasse
+I coulissa
ACLOSSY

+P calypsos
ACLOSTT
+A calottas
+E alcotest
  calottes
+U culottas
ACLOSTU
  cloutas
+C occultas
+E clouates
  coulates
  coutelas
+I cloutais
+N consulat
  consulta
  coulants
+P octuplas
+R cloturas
+T culottas
ACLOSTY
+D dactylos
+E acolytes
ACLOSUU
+B bouscula
ACLOSUV
+E vacuoles
+N convulsa
ACLOSUX
+E closeaux
ACLOTTT
+A calottat
+U culottat
ACLOTTU
  cloutat
  culotta
+C occultat
+I cloutait
  culottai
+N cloutant
+P octuplat
+R cloturat
+S culottas
+T culottat
ACLOTTY
+A acolytat
ACLOTTZ
+E calottez
ACLPRST
+E spectral
ACLPRSU
+E capsuler
  crapules
  placeurs
  placures
  surplace
ACLPRTU
+I pictural
ACLPSST
+I plastics
+U sculptas
ACLPSSU
+A capsulas
+E capsules
  speculas
+T sculptas
ACLPSSY
+O calypsos

ACLPSTT
+U sculptat
ACLPSTU
  sculpta
+A capsulat
+E capulets
  peculats
  pultaces
  speculat
  tapeculs
+I sculptai
+O octuplas
+S sculptas
+T sculptat
ACLPSUZ
+E capsulez
ACLPTTU
+O octuplat
+S sculptat
ACLRRSU
+E crurales
  racleurs
  raclures
ACLRRUW
+E crawleur
ACLRSSU
+E classeur
ACLRSTU
+A claustra
+E claustre
  lacustre
+O cloturas
ACLRSUX
+E excluras
  scleraux
ACLRTTU
+O cloturat
ACLRTUU
+L cultural
ACLRTUV
+I cultivar
ACLSSSU
ACLSSTU
+E culasses
ACLSSTY
+P sculptas
ACLSTTU
+O culottas
+P sculptat
ACLSTUU
+A ausculta
+B culbutas
+E ausculte
+F fluctuas
+I cultivas
ACLTTUY
+O culottat
ACLTTUU
+B culbutat
+F fluctuat
ACLTTUV
+I cultivat
ACMMNOO
+D commando
+S consomma
ACMMNOS
+O consomma

ACMMNOT
+E commenta
+U commuant
ACMMNOU
+I communia
+L communal
+T communat
ACMMNTU
+O commuant
ACMMOOS
+N consomma
ACMMOOT
+D commodat
ACMMOPR
+I comprima
ACMMORS
+E commeras
ACMMORT
+E commerat
ACMMORU
+E commuera
ACMMOST
+U commotas
ACMMOSU
  commuas
+I commuais
+T commutas
ACMMOTT
+U commutat
ACMMOTU
  commuat
  commuta
+I commuait
  commutai
+N commuant
+S commutas
+T commutat
ACMMSTU
+O commutas
ACMMTTU
+O commutat
ACMNNOR
+E maconner
ACMNNOS
+A maconnas
+E maconnes
  menacons
+H manchons
ACMNNOT
+A maconnat
ACMNNOZ
+E maconnez
ACMNOOR
+F conforma
+I acromion
+R cormoran
+S amorcons
ACMNOOS
+H amochons
+M consomma
+R amorcons
ACMNOOT
+E economat
ACMNOPR
  crampon
+S crampons

ACMNOPS
campons
+E compensa
poncames
+I campions
+R crampons
ACMNOPT
+L complant
+T comptant
ACMNORR
+E romancer
+O cormoran
ACMNORS
cramons
+A macarons
mascaron
romancas
+B cambrons
+E camerons
cornames
macerons
romances
+H charmons
marchons
+I cramions
marconis
+O amorcons
+P crampons
ACMNORT
+A amorcant
romancat
+E amorcent
cameront
+H chromant
ACMNORY
+E acronyme
ACMNORZ
+E romancez
ACMNOSS
+E semonces
+I mocassin
+L clamsons
+U consumas
ACMNOST
+E contames
semoncat
+H manchots
+U consumat
ACMNOSU
consuma
+H chaumons
+I consumai
+L maculons
+S consumas
+T consumat
ACMNOTT
+P comptant
ACMNOTU
+H mouchant
+M commuant
+S consumat
+X contumax
ACMNOTX
+U contumax
ACMNOUV
+E mouvance
ACMNOUX
+A monacaux
+E monceaux
+T contumax
ACMNPRS
+O crampons
ACMNPSU
+I panicums
ACMNPTT
+O comptant
ACMNRST
+E cremants
ACMNRUU
+A manucura
+E manucure
ACMNSSU
+O consumas
ACMNSTU
+E ecumants
+J muntjacs
+L musclant
+O consumat
ACMNTUU
+L cumulant
ACMNTUX
+O contumax
ACMOOPR
+T comporta
ACMOOPS
composa
+I composai
+S composas
+T composat
composta
ACMOOPT
+L complota
+R comporta
+S composat
composta
ACMOORR
+I amorcoir
+N cormoran
ACMOORS
+N amorcons
ACMOORT
+P comporta
ACMOOSS
+P composas
ACMOOST
+P composat
composta
ACMOPRR
+E comparer
ACMOPRS
+A comparas
+E comparse
+N crampons
+U comparus
ACMOPRT
+A comparat
+E comptera
recompta
+I compatir
+O comporta
+U comparut
ACMOPRU
comparu
+S comparus
+T comparut
ACMOPRZ
+E comparez
ACMOPSS
+A compassa
+E compasse
+O composas
ACMOPST
comptas
+C compacts
+E acomptes
escompta
+I compatis
comptais
tampicos
+O composat
composta
ACMOPSU
+E coupames
+L compulsa
+R comparus
ACMOPTT
comptat
+I compatit
comptait
+N comptant
ACMOPTU
+R comparut
ACMOQRU
+E coquemar
ACMORRU
+E macroure
ACMORSS
+E corsames
sarcomes
ACMORSU
+P comparus
ACMORTT
+A marcotta
+E marcotte
ACMORTU
+P comparut
ACMORUX
+E morceaux
ACMOSSS
+E cossames
ACMOSST
+E estomacs
+I massicot
+U costumas
ACMOSSU
+N consumas
+T costumas
ACMOSTT
comtats
+E mascotte
+U costumat
ACMOSTU
costuma
+E coutames
+I costumai
+M commutas
+N consumat
+S costumas
+T costumat
ACMOSUV
+E couvames
vacuomes
ACMOTTU
+B combattu
+F factotum
+M commutat
+S costumat
ACMOTUX
comtaux
+E comateux
+N contumax
ACMPRSU
+E campeurs
+O comparus
ACMPRTU
+O comparut
ACMRSSU
sacrums
+E sucrames
+I muscaris
ACMRSUU
+C curcumas
ACMSSTU
muscats
+O costumas
ACMSTTU
+O costumat
ACMSUUX
+I musicaux
ACNNNOR
+A ranconna
+E annoncer
canonner
ranconne
ACNNNOS
+A annoncas
canonnas
+E annonces
+I cannions
+U nuancons
ACNNNOT
+A annoncat
canonnat
+E cantonne
enoncant
ACNNNOU
+S nuancons
ACNNNOZ
+E annoncez
canonnez
ACNNNSU
+O nuancons
ACNNNTU
+A nuancant
+E nuancent
ACNNOOP
+R prononca
ACNNOOR
+D cordonna
+P prononca
+U couronna
ACNNOOS
+T canotons
connotas
cotonnas
ACNNOOT
connota
cotonna
+I connotai
cotonnai
+S canotons
connotas
cotonnas
+T connotat
cotonnat
ACNNOOU
+R couronna
ACNNOPR
+O prononca
ACNNOPS
+E caponnes
+L plancons
ACNNOPT
poncant
+I copinant
pioncant
+L plancton
ACNNORR
+E arconner
ACNNORS
ancrons
cranons
nacrons
rancons
+A arcanson
arconnas
+E arconnes
canerons
carenons
+I ancrions
cranions
nacrions
ricanons
+T crantons
ACNNORT
cornant
+A arconnat
cartonna
+E caneront
cartonne
ecornant
encornat
+F froncant
+S crantons
+T contrant
ACNNORU
+J jurancon
+O couronna
ACNNORY
+A crayonna
+E crayonne
ACNNORZ
+E arconnez
ACNNOSS
+A canasson
+D scandons
+H chansons
+I scansion

ACNNOST
  cantons
  tancons
+E canetons
  etancons
+H chantons
+I sanction
  tancions
+O canotons
  connotas
  cotonnas
+R crantons
+T constant
ACNNOSU
+L canulons
+N nuancons
ACNNOSV
+A avancons
+E encavons
ACNNORX
  canyons
ACNNOSZ
+E canzones
ACNNOTT
  contant
+A canotant
+E canotent
  contenta
+O connotat
  cotonnat
+R contrant
+S constant
ACNNOTU
+I continua
  couinant
ACNNOTV
+E covenant
+I conviant
ACNNRSS
+E scanners
ACNNRSU
+O crantons
ACNNRSU
+E rancunes
ACNNRTT
+A crantant
+E centrant
  crantent
+I cintrant
+O contrant
ACNNSTT
+O constant
ACNNTUV
+E encuvant
ACNOOPR
+N prononca
ACNOOPS
+T capotons
ACNOOPT
+S capotons
+T cooptant
ACNOOQU
+V convoqua
ACNOOQV
+U convoqua
ACNOORR
+M cormoran

ACNOORS
  racoons
+L racolons
+M amorcons
+T cartoons
  ostracon
ACNOORT
  cartoon
+F conforta
+L colorant
  controla
+S cartoons
  ostracon
+U rocouant
ACNOORU
+D cordouan
+N couronna
+T rocouant
+X coronaux
ACNOORX
+U coronaux
ACNOOSS
+L consolas
+S coassons
ACNOOST
+B cabotons
+C accotons
+E taconeos
+H cahotons
+L colonats
  consolat
+N canotons
  connotas
  cotonnas
+P capotons
+R cartoons
  ostracon
ACNOOSV
+L convolas
+Y convoyas
ACNOOSY
+V convoyas
ACNOOTT
+I cotation
+N connotat
  cotonnat
+P cooptant
+Y cotoyant
ACNOOTU
+R rocouant
ACNOOTV
+I convoita
  vocation
+L convolat
+Y convoyat
ACNOOTY
+T cotoyant
+V convoyat
ACNOOUV
+Q convoqua
ACNOOUX
+R coronaux
ACNOOVV
  convoya
+I convoyai
+S convoyas
+T convoyat

ACNOPPS
+L clappons
ACNOPQS
+U pacquons
ACNOPQU
+S pacquons
ACNOPRS
  caprons
+E caperons
  ponceras
+I conspira
+M crampons
ACNOPRT
+E caperont
  portance
+I picorant
ACNOPSS
  pacsons
+E espacons
  poncasse
+L scalpons
+U conspuas
ACNOPST
  captons
+E poncates
+I capitons
  captions
  constipa
+O capotons
+U conspuat
  coupants
  ponctas
ACNOPSU
  conspua
+I conspuai
+Q pacquons
+S conspuas
+T conspuat
  coupants
  ponctuas
ACNOPSY
+E capeyons
+L syncopal
ACNOPTT
+A capotant
+E capotent
+I picotant
+M comptant
+O cooptant
+U conctuat
ACNOPTU
  coupant
  ponctua
+C occupant
+E coupante
+I ponctuai
+L copulant
  couplant
+S conspuat
  coupants
  ponctuas
+T ponctuat
ACNOPUX
+E ponceaux
ACNOQRS
+U craquons
ACNOQRT

+U croquant
ACNOQRU
+S craquons
+T croquant
ACNOQSS
+U casquons
  sacquons
ACNOQSU
  caquons
+I caquions
+L calquons
  claquons
+P pacquons
+R craquons
  sacquons
ACNOQTU
+H choquant
+L cloquant
+R croquant
ACNOQUV
+O convoqua
ACNORRR
+I racornir
ACNORRS
  carrons
+D cornards
+E corneras
+H charrons
+I carrions
  racornis
ACNORRT
+A racontar
+E contrera
  raconter
+I racornit
ACNORRU
+E encourra
  rancoeur
ACNORSS
  sacrons
+E caserons
  cornasse
  ecrasons
  necrosas
  recasons
+I sacrions
+L sarclons
+T castrons
  crossant
ACNORST
  cartons
  contras
  corsant
  cratons
  tracons
+A racontas
+E caseront
  censorat
  conteras
  cornates
  ecartons
  necrosat
  racontes
+H chatrons
+I contrais

  croisant
  tracions
+N crantons
+O cartoons
  ostracon
+S castrons
  crossant
ACNORSU
+E naucores
+G carguons
+H rauchons
+J conjuras
+Q craquons
+T courants
  coursant
+Y croyants
ACNORSV
+E caverons
  conserva
  conversa
+L crawlons
ACNORSW
  crayons
+E cyanoser
+T croyants
ACNORSY
  crayons
+E cyanoser
+T croyants
ACNORTT
  contrat
+A racontat
+H torchant
+I contrait
  traction
+N contrant
+S contrats
  tractons
+T crottant
+U croutant
ACNORTU
  courant
+B courbant
+E canoteur
  courante
  ecrouant
  encrouta
  outrance
+J conjurat
+L croulant
+O rocouant
+Q croquant
+S courants
  coursant
+T croutant
+V couvrant
ACNORTV
+E caveront
+U couvrant
ACNORTY
  croyant
+E croyante
+S croyants
ACNORTZ
+E racontez

ACNORUV
+T couvrant
ACNORUX
+O coronaux
ACNOSSS
cassons
+H chassons
+I caissons
cassions
+L classons
+O coassons
ACNOSST
cossant
toscans
+A coassant
+E coassent
contasse
ecossant
toscanes
+I consista
+R castrons
crossant
+T constats
ACNOSSU
causons
saucons
+C accusons
+H chausson
+I causions
cousinas
saucions
+M consumas
+P conspuas
+Q casquons
sacquons
ACNOSSY
+A cyanosas
+E cyanoses
ACNOSTT
constat
octants
+A constata
+C contacts
+E constate
contates
contesta
tocantes
+I cotisant
+K stockant
+N constant
+R contrats
tractons
+S constats
+U coutants
sucotant
ACNOSTU
cousant
toucans
+E secouant
+I cautions
cousinat
souciant
+L consulat
consulta
coulants
+M consumat
+P conspuat

coupants
ponctuas
+R courants
coursant
+T coutants
sucotant
ACNOSTV
+E centavos
+I activons
ACNOSTY
+A cyanosat
+H tachyons
+R croyants
ACNOSUV
+E evacuons
+I couvains
cuvaison
+L convulsa
ACNOSUX
+E exaucons
ACNOSVX
+E excavons
ACNOSVY
+E voyances
+O convoyas
ACNOSYZ
+E cyanosez
ACNOTTT
+R crottant
ACNOTTU
coutant
+E coutante
ecoutant
+H touchant
+L cloutant
+P ponctuat
+R croutant
+S coutants
sucotant
ACNOTTY
+O cotoyant
ACNOTUV
couvant
+R couvrant
ACNOTUX
+M contumax
ACNOTVY
+O convoyat
ACNPQSU
+O pacquons
ACNPQTU
+A pacquant
+E pacquent
ACNPRST
+E percants
+I crispant
ACNPSSU
+O conspuas
ACNPSTU
+O conspuat
coupants
ponctuas
ACNPTTU
+O ponctuat
ACNQRSU
+O craquons
ACNQRTU

+A craquant
+E craquent
+O croquant
ACNQSSU
+O casquons
sacquons
ACNQSTU
+A casquant
sacquant
+E casquent
sacquent
ACNRRST
+A rancarts
ACNRRSU
+E craneurs
ACNRRTU
+E recurant
+R sucrants
ACNRRUY
+E cyanurer
ACNRSST
+I crissant
sanscrit
+O castrons
crossant
+U sucrants
ACNRSSU
+E censuras
+T sucrants
ACNRSTT
+A castrant
tracants
+E castrent
+O contrats
tractons
+U scrutant
ACNRSTU
sucrant
+E censurat
creusant
recusant
sucrante
+I incrusta
+O courants
coursant
+S sucrants
+T scrutant
ACNRSTV
+E crevants
ACNRSTY
+O croyants
ACNRSUV
+I incurvas
ACNRSUY
+A cyanuras
+E cyanures
ACNRTTT
+A tractant
+E tractent
+O crottant
ACNRTTU
+E curetant
eructant
+I urticant
+O croutant
+S scrutant
ACNRTUV
+I cuivrant

incurvat
+O couvrant
ACNRTUX
+E centraux
ACNRTUY
+A cyanurat
ACNRUYZ
+E cyanurez
ACNSSST
+A cassants
+E cessants
ACNSSTT
+O constas
ACNSSTU
sanctus
+A causants
+I cuisants
+R sucrants
ACNSTTU
+O coutants
sucotant
+R scrutant
ACNSTUX
+E excusant
ACOOPPS
+E apocopes
ACOOPRR
+L corporal
ACOOPRS
+E cooperas
ACOOPRT
+E cooperat
cooptera
+L colporta
+M comporta
ACOOPSS
+M composas
ACOOPST
cooptas
+I cooptais
+M composat
composta
+N capotons
ACOOPTT
cooptat
+I cooptait
+N cooptant
ACOOQUV
+N convoqua
ACOORRS
+D corrodas
+Y corroyas
ACOORRT
+D corrodat
+Y corroyat
ACOORRU
+E rocouera
ACOORRY
corroya
+I corroyai
+S corroyas
+T corroyat
ACOORST
+E creosota
+N cartoons
ostracon
+Y octroyas

ACOORSU
rocouas
+I rocouais
ACOORSY
+R corroyas
+T octroyas
ACOORTT
+D doctorat
+Y octroyat
ACOORTU
rocouat
+I rocouait
+N rocouant
ACOORTY
octroya
+I octroyai
+R corroyat
+S octroyas
+T octroyat
ACOORUU
+G cougouar
+L roucoula
ACOORUX
+N coronaux
ACOOSSS
+N coassons
ACOOSTY
cotoyas
+I cotoyais
+R octroyas
ACOOSUY
+D coudoyas
ACOOSVY
+N convoyas
ACOOTTU
+A autocoat
ACOOTTY
cotoyat
+B boycotta
+I cotoyait
+N cotoyant
+R octroyat
ACOOTUY
+D coudoyat
ACOOTVY
+N convoyat
ACOPQSU
+N pacquons
ACOPRRS
+E procreas
+U parcours
procuras
ACOPRRT
+E procreat
+U parcourt
procurat
ACOPRRU
procura
+E parcoure
+I croupira
procurai
+S parcours
procuras
+T parcourt
procurat
+U parcouru

ACOPRST
+E sarcopte
ACOPRSU
+E couperas
 recoupas
+M comparus
+R parcours
 procuras
+U surcoupa
ACOPRSY
+E caryopse
 copayers
+H hypocras
ACOPRTU
+E coapteur
 recoupat
+M comparut
+R parcourt
 procurat
ACOPRUU
+E pourceau
+R parcouru
+S surcoupa
ACOPRUX
+A caporaux
ACOPSSU
+E coupasse
+N conspuas
ACOPSSY
+L calypsos
ACOPSTU
+E coupates
+L octuplas
+N conspuat
 coupants
 ponctuas
ACOPSUU
+R surcoupa
ACOPTTU
+L octuplat
+N ponctuat
ACOQRRU
+E croquera
ACOQRST
+U coquarts
ACOQRSU
 croquas
+D coquards
+E escroqua
+I carquois
 croquais
+N craquons
+T coquarts
ACOQRTU
 coquart
 croquat
+I croquait
+N croquant
+S croquais
ACOQSSU
+E cosaques
+N casquons
 sacquons
ACOQSTU
+R coquarts
ACORRRU
+E recourra

ACORRRY
+E carroyer
ACORRSS
+A carrossa
+E carrosse
 corseras
 croasser
 crossera
ACORRST
+B brocarts
+I croitras
 tracoirs
+T trocarts
ACORRSU
 courras
+E coursera
 secourra
+I courrais
+P parcours
 procuras
ACORRSY
+A carroyas
+O corroyas
ACORRTT
 trocart
+E carotter
 crottera
 rectorat
+S trocarts
ACORRTU
+E croutera
+I courrait
+P parcourt
 procurat
ACORRTY
+A carroyat
+O corroyat
ACORRUU
+P parcouru
ACORRUV
+E recouvra
+I couvrira
ACORRYZ
+E carroyez
ACORSSS
 crossas
+A croassas
+D cossards
+E corsaras
 corseras
 croasses
 ocrasses
+I crossais
ACORSST
 castors
 crossat
+A croassat
+D costards
+E corsates
 corsetas
 escortas
+I crossait
+N castrons
 crossant
ACORSSU
 coursas
+I coursais

ACORSSZ
+E croassez
ACORSTT
 crottas
+A carottas
+E carottes
 corsetat
+I crottais
 tricotas
+N contrats
 tractons
+R trocarts
+Y cryostat
ACORSTU
 coursat
 croutas
+A autocars
+E couteras
 ecourtas
 ecroutas
 sucotera
+I coursait
 courtisa
 croutais
+L cloturas
+N courants
 coursant
+Q coquarts
+X scrotaux
ACORSTX
+U scrotaux
ACORSTY
+N croyants
+O octroyas
+T cryostat
ACORSUU
+C accourus
+P surcoupa
ACORSUV
+E couveras
+I couvrais
ACORSUX
+T scrotaux
ACORSYZ
 coryzas
ACORTTT
 crottat
+A carottat
+I crottait
 tricotat
+N crottant
ACORTTU
 croutat
+E ecourtat
 ecroutat
+I croutait
+L cloturat
+N croutant
ACORTTY
+O octroyat
+S cryostat
ACORTTZ
+E carottez
ACORTUU
+B courbatu
+C accourut

+D courtaud
+E coauteur
ACORTUV
+I couvrait
+N couvrant
ACORTUX
+S scrotaux
ACOSSSS
+E cossasse
ACOSSST
+E cossates
 cotasses
ACOSSTT
+I asticots
+N constats
ACOSSTU
 sucotas
+D costauds
+E coutasse
+I sucotais
+M costumas
ACOSSUV
+E couvasse
ACOSTTU
 sucotat
+E coutates
+I sucotait
+L culottas
+M costumat
+N coutants
 sucotant
ACOSTTY
+R cryostat
ACOSTUU
+B boucauts
ACOSTUV
+E couvates
ACOSTUX
 costaux
+R scrotaux
ACOTTTU
+L culottat
ACOTUUX
+E couteaux
+H touchaux
ACPRRSS
+E scrapers
ACPRRSU
+O parcours
 procuras
ACPRRTU
+E capturer
+O parcourt
 procurat
ACPRRUU
+O parcouru
ACPRSTU
+A capturas
+E capteurs
 captures
 percutas
ACPRSUU
+O surcoupa
ACPRTTU
+A capturat
+E percutat
ACPRTUZ

+E capturez
ACPSSTU
+E suspecta
+L sculptas
ACPSTTU
+L sculptat
ACQRRUU
+E craqueur
ACQRSTU
+O coquarts
ACRRRSU
+E carrures
ACRRSSU
+E sucreras
ACRRSTT
+O trocarts
ACRRSTU
+E recrutas
 scrutera
 traceurs
ACRRTTU
+E recrutat
 tracteur
ACRRTUU
+E curateur
ACRRUUX
 cruraux
ACRSSSU
+E casseurs
 cassures
 curasses
 sucrases
 sucrasse
ACRSSTT
+A castrats
ACRSSTU
 scrutas
+E sucrates
+I scrutais
+N sucrants
ACRSSUU
+E causeurs
ACRSSUX
+E crasseux
ACRSTTU
 scrutat
 tractus
+I scrutait
+N scrutant
ACRSTTY
+O cryostat
ACRSTUU
+E cruautes
ACRSTUX
+I cristaux
+O scrotaux
ACSSSSU
+E sucasses
ACSSSTU
+I suscitas
ACSSSUV
+E cuvasses
ACSSTTU
+I suscitat
ADDEEEG
+R degradee

ADDEEEM
+N demandee
ADDEEEN
+B debandee
+M demandee
ADDEEER
+B debardee
+C decadree
decaedre
decedera
+G degradee
ADDEEFN
+R defendra
ADDEEFR
+N defendra
ADDEEGI
+N dedaigne
+V devidage
ADDEEGN
+I dedaigne
ADDEEGO
+C decodage
ADDEEGR
degrade
+E degradee
+R degrader
+S degrades
+Z degradez
ADDEEGS
+R degrades
ADDEEGV
+I devidage
ADDEEGZ
+R degradez
ADDEEHL
+Y aldehyde
ADDEEHY
+L aldehyde
ADDEEII
+R dedierai
ADDEEIM
diademe
+R demerdai
+S dediames
diademes
ADDEEIN
+G dedaigne
+N dandinee
+O adenoide
ADDEEIO
+N adenoide
ADDEEIR
dediera
+C decidera
+I dedierai
+M demerdai
+R deridera
+S dedieras
+V devidera
+Z deradiez
ADDEEIS
+C decedais
+M dediames
diademes
+R dedieras
+S dediasse
+T dediates

ADDEEIT
+C decedait
+S dediates
ADDEEIV
+G devidage
+R devidera
ADDEEIZ
+R deradiez
ADDEELS
dedales
ADDEELY
+H aldehyde
ADDEEMN
demande
+E demandee
+R demander
+S demandes
+Z demandez
ADDEEMO
+R demodera
ADDEEMR
demerda
+I demerdai
+N demander
+O demodera
+S demerdas
+T demerdat
ADDEEMS
+I dediames
diademes
+N demandes
+R demerdas
ADDEEMT
+R demerdat
ADDEEMZ
+N demandez
ADDEENN
+I dandinee
ADDEENO
+I adenoide
+U dedouane
ADDEENP
+R dependra
pendarde
ADDEENR
+B debander
+F defendra
+M demander
+P dependra
pendarde
+T deradent
detendra
etendard
+U denudera
ADDEENS
+B debandes
+M demandes
ADDEENT
+C decadent
decedant
+R deradent
detendra
ADDEENU
+O dedouane
+R denudera
ADDEENZ

+B debandez
+M demandez
ADDEEOP
+C decapode
ADDEEOR
+B derobade
+C decodera
+M demodera
+R dedorera
derodera
ADDEEOU
+N dedouane
ADDEEPR
+N dependra
pendarde
ADDEERR
derader
+A deradera
+B debarder
+C decadrer
+G degrader
+I deridera
+O dedorera
derodera
+Z darderez
ADDEERS
dardees
derades
+B debardes
+C decadres
+G degrades
+I dedieras
+M demerdas
ADDEERT
+M demerdat
+N deradent
detendra
etendard
ADDEERU
+N denudera
ADDEERV
+I devidera
ADDEERZ
deradez
+B debardez
+C decadrez
+G degradez
+R darderez
ADDEESS
+I dediasse
ADDEEST
+I dediates
ADDEFIN
+Y feddayin
ADDEFIY
+N feddayin
ADDEFNR
+E defendra
ADDEFNY
+I feddayin
ADDEGIN
+A dedaigna
+E dedaigne
ADDEGIR
+A degradai
ADDEGIS

gadides
ADDEGIV
+E devidage
ADDEGLP
+U puddlage
ADDEGLU
+P puddlage
ADDEGPU
+L puddlage
ADDEGRR
+E degrader
ADDEGRS
+A degradas
+E degrades
ADDEGRT
+A degradat
ADDEGRZ
+E degradez
ADDEHIT
+Y hydatide
ADDEHIY
+T hydatide
ADDEHLY
+E aldehyde
ADDEHRS
+C cheddars
ADDEHTY
+I hydatide
ADDEIIL
+P dilapide
ADDEIIM
diamide
+S diamides
ADDEIIP
+L dilapide
ADDEIIR
dedirai
deridai
+B debridai
+E dedierai
+S dedirais
deridais
+T dedirait
deridait
+U deduirai
ADDEIIS
dediais
+C decidais
diacides
+M diamides
+R dedirais
deridais
+S dedisais
+T dedisait
+V dedivais
ADDEIIT
dediait
+C decidait
+R dedirait
deridait
+S dedisait
+V additive
devidait
ADDEIIU
+R deduirai
ADDEIIV
devidai

+S devidais
+T additive
devidait
ADDEILN
+O dodelina
ADDEILO
+N dodelina
ADDEILP
+I dilapide
ADDEILS
+A alidades
ADDEIMN
+A demandai
ADDEIMO
demodai
+S demodais
+T demodait
ADDEIMR
demiard
+E demerdai
+S demiards
ADDEIMS
+A dadaisme
+E dediames
+I diamides
+O demodais
+R demiards
ADDEIMT
+O demodait
ADDEINN
dandine
+E dandinee
+O dondaine
+R dandiner
+S dandines
+Z dandinez
ADDEINO
+B debondai
+E adenoide
+L dodelina
+N dondaine
+R androide
ADDEINR
+N dandiner
+O androide
+T deridant
ADDEINS
dedains
+A danaides
+C candides
+N dandines
+T dedisant
+U denudais
ADDEINT
dediant
+C decidant
+R deridant
+S dedisant
+U denudait
+V devidant
ADDEINU
denudai
+S denudais
+T denudait
ADDEINV
+T devidant

ADDEINY	+E dediasse	+R demordra	+E deradent	+I dyadique
+F feddayin	+I dedisais	**ADDEMOS**	detendra	**ADDERRS**
ADDEINZ	+U dissuade	demodas	etendard	+A darderas
+N dandinez	**ADDEIST**	+I demodais	+I deridant	**ADDERRT**
ADDEIOQ	+A dadaiste	**ADDEMOT**	+O dedorant	+O detordra
+U diadoque	+E dediates	demodat	derodant	**ADDERRZ**
ADDEIOR	+I dedisait	+I demodait	**ADDENRU**	+E darderez
dedorai	+N dedisant	+N demodant	+E denudera	**ADDERSS**
derodai	**ADDEISU**	**ADDEMOU**	**ADDENST**	+A dardasse
+B debordai	+N denudais	+L demodula	+I dedisant	**ADDERST**
+C decordai	+R deduiras	**ADDEMRR**	**ADDENSU**	+A dardates
+N androide	+S dissuade	+O demordra	denudas	**ADDERSU**
+S dedorais	**ADDEISV**	**ADDEMRS**	+I denudais	+A daurades
derodais	devidas	+A dardames	**ADDENSY**	+I deduiras
+T dedorait	+I devidais	+E demerdas	+M dandysme	**ADDERSY**
derodait	**ADDEITU**	+I demiards	**ADDENTU**	dryades
ADDEIOS	+N denudait	**ADDEMRT**	denudat	**ADDESSU**
+C decodais	**ADDEITV**	+E demerdat	+I denudant	+I dissuade
+M demodais	devidat	**ADDEMSY**	+N denudant	+O dessouda
+R dedorais	+I additive	+N dandysme	**ADDENTV**	**ADDESXY**
derodais	devidait	**ADDENNO**	+I devidant	+O desoxyda
ADDEIOT	+N devidant	+I dondaine	**ADDEOOR**	**ADDFIIS**
+C decodait	**ADDEITY**	**ADDENNR**	+L eldorado	+T additifs
+M demodait	+H hydatide	+I dandiner	**ADDEOQU**	**ADDFIIT**
+R dedorait	**ADDEIUY**	**ADDENNS**	+I diadoque	additif
derodait	+Q dyadique	+I dandines	**ADDEORR**	+S additifs
ADDEIOU	**ADDELMO**	**ADDENNT**	+E dedorera	**ADDFINY**
+Q diadoque	+U demodula	+U denudant	derodera	+E feddayin
ADDEIQU	**ADDELMU**	**ADDENNU**	+M demordra	**ADDFIST**
+O diadoque	+O demodula	+T denudant	+T detordra	+I additifs
+Y dyadique	**ADDELNO**	**ADDENNZ**	**ADDEORS**	**ADDGLPU**
ADDEIQY	+I dodelina	+I dandinez	dedoras	+E puddlage
+U dyadique	+U duodenal	**ADDENOR**	derodas	**ADDHIJS**
ADDEIRR	**ADDELNU**	rondade	dorades	djihads
+A darderai	+O duodenal	+I androide	+B debordas	**ADDHITY**
+E deridera	**ADDELOO**	+S dedarons	+C decordas	+E hydatide
ADDEIRS	+R eldorado	rondades	+I dedorais	**ADDHJJS**
dediras	**ADDELOR**	+T dedorant	derodais	hadjdjs
deridas	+O eldorado	derodant	+N deradons	**ADDHKOS**
+A deradais	**ADDELOU**	**ADDENOU**	rondades	+C haddocks
+B debridas	+B dedoubla	+A dedouana	**ADDEORT**	**ADDHOSU**
+E dedieras	+M demodula	+E dedouane	dedorat	+B bouddhas
+I dedirais	+N duodenal	+L duodenal	+B debordat	**ADDIILP**
deridais	**ADDELPR**	**ADDENPR**	+C decordat	+A dilapida
+M demiards	+U puddlera	pendard	+I dedorait	+E dilapide
+O dedorais	**ADDELPU**	+E dependra	derodait	**ADDIIMS**
derodais	+G puddlage	pendarde	+N dedorant	+E diamides
+U deduiras	+R puddlera	+S pendards	derodant	**ADDIINN**
ADDEIRT	**ADDELRU**	**ADDENPS**	+R detordra	+A dandinai
deridat	+P puddlera	+R pendards	**ADDEORU**	**ADDIINO**
+A deradait	**ADDEMNO**	**ADDENRS**	+C decoudra	+T addition
+B debridat	+T demodant	+O deradons	**ADDEOSS**	**ADDIINT**
+I dedirait	**ADDEMNR**	rondades	+U dessouda	+O addition
deridait	+E demander	+P pendards	**ADDEOSU**	**ADDIIOT**
+N deridant	**ADDEMNS**	**ADDENRT**	+S dessouda	+N addition
+O dedorait	+A demandas	dardent	**ADDEOSX**	**ADDIIRS**
derodait	+E demandes	+A deradant	+Y desoxyda	+E dedirais
ADDEIRU	+Y dandysme	**ADDEMNT**	**ADDEOSY**	deridais
deduira	**ADDEMNT**	+A demandat	+X desoxyda	**ADDIIRT**
+I deduirai	+A demandat	+O demodant	**ADDEOXY**	+E dedirait
+S deduiras	+O demodant	**ADDEMNY**	+S desoxyda	deridait
ADDEIRV	**ADDEMNY**	+S dandysme	**ADDEPRS**	**ADDIIRU**
+E devidera	+S dandysme	**ADDEMNZ**	+N pendards	+E deduirai
ADDEIRZ	**ADDEMNZ**	+E demandez	**ADDEPRU**	**ADDIISS**
dardiez	+E demandez	**ADDEMOR**	+L puddlera	+E dedisais
+E deradiez	**ADDEMOR**	+E demodera	**ADDEQUY**	**ADDIIST**
ADDEISS	+E demodera	+A deradant		+E dedisait

+F additifs
ADDIISV
+E devidais
ADDIITV
+E additive
    devidait
ADDILNO
+E dodelina
ADDILPS
+U puddlais
ADDILPT
+U puddlait
ADDILPU
    puddlai
+S puddlais
+T puddlait
ADDILSU
+P puddlais
ADDILTU
+P puddlait
ADDIMOS
+E demodais
ADDIMOT
+E demodait
ADDIMRS
+E demiards
ADDINNO
+E dondaine
+R ordinand
ADDINNR
+E dandiner
+O ordinand
ADDINNS
    dandins
+A dandinas
+E dandines
ADDINNT
+A dandinat
ADDINNZ
+E dandinez
ADDINOR
+E androide
+N ordinand
+S dardions
ADDINOS
+R dardions
ADDINOT
+I addition
ADDINRS
+O dardions
ADDINRT
+E deridant
ADDINST
+E dedisant
ADDINSU
+E denudais
ADDINTU
+E denudait
ADDINTV
+E devidait
ADDIOQU
+E diadoque
ADDIORS
+E dedorais
    dedorais
+N dardions
ADDIORT

+E dedorait
    derodait
ADDIPSU
+L puddlais
ADDIPTU
+L puddlait
ADDIQUY
+E dyadique
ADDIRSU
+E deduiras
ADDISSU
+A dissuada
+E dissuade
ADDJNTU
+A adjudant
ADDKOPS
+C paddocks
ADDLMOU
+E demodula
ADDLNOU
+E duodenal
ADDLNPT
+U puddlant
ADDLNPU
+T puddlant
ADDLNTU
+P puddlant
ADDLOOR
+E eldorado
ADDLORU
+U lourdaud
ADDLOUU
+R lourdaud
ADDLPRU
+E puddlera
ADDLPSU
    puddlas
+I puddlais
ADDLPTU
    puddlat
+I puddlait
+N puddlant
ADDLRUU
+O lourdaud
ADDMNOT
+E demodant
ADDMNSY
+E dandysme
ADDMORR
+E demordra
ADDNNOR
+I ordinand
ADDNNTU
+E denudant
ADDNORS
    dardons
+E deradons
    rondades
+I dardions
ADDNORT
+E dedorant
    derodant
ADDNPRS
+E pendards
ADDNPTU
+L puddlant
ADDNRST

+A standard
ADDORRT
+E detordra
ADDORSS
    dossard
+S dossards
+U soudards
ADDORSU
    soudard
+S soudards
ADDORUU
+L lourdaud
ADDOSSS
+R dossards
ADDOSSU
+E dessouda
+R soudards
ADDOSXY
+E desoxyda
ADDRSSS
+O dossards
ADDRSSU
+O soudards
ADEEEER
+S desaeree
ADEEEES
+R desaeree
ADEEEFG
+R degrafee
ADEEEFL
+R federale
ADEEEFR
+G degrafee
+L federale
+R deferera
    federera
    redefera
+Y defraye
ADEEEFY
+R defrayee
ADEEEGG
    degagee
+S degagees
ADEEEGI
+N degainee
    deneigea
ADEEEGL
+C deglacee
+M degelera
+R degelera
+T detelage
ADEEEGM
+L demelage
+N demenage
ADEEEGN
+I degainee
    deneigea
+M demenage
+R degenera
    derangee
+T degantee
    etendage
ADEEEGP
+C depecage
ADEEEGR
+D degradee
+F degrafee

+L degelera
+N degenera
    derangee
+R degreera
    regardee
+T detergea
ADEEEGS
+G degagees
+Z degazees
ADEEEGT
+L detelage
+N degantee
    etendage
+R detergea
ADEEEGZ
    degazee
+S degazees
ADEEEHL
    dehalee
+S dehalees
ADEEEHP
+S dephasee
ADEEEHR
+X exhereda
    hexaedre
ADEEEHS
+L dehalees
+P dephasee
ADEEEHT
+C detachee
ADEEEHU
+C echaudee
ADEEEHX
+R exhereda
    hexaedre
ADEEEIL
+N delainee
+T delaitee
ADEEEIM
+R demariee
ADEEEIN
+G degainee
    deneigea
+L delainee
ADEEEIP
+R depariee
ADEEEIR
+M demariee
+P depariee
ADEEEIT
+L delaitee
ADEEEJN
+T dejantee
ADEEEJT
+N dejantee
ADEEELL
+B deballee
ADEEELM
+C declamee
+G demelage
+R demelera
ADEEELN
+I delainee
ADEEELP
+C decapele
    deplacee
ADEEELR

+B delabree
+C decelera
    declaree
+F federale
+G degelera
+M demelera
+Z lezardee
ADEEELS
+C decalees
    delacees
+H dehalees
+S delassee
    dessalee
+V delavees
    devalees
+Y delayees
ADEEELT
+G detelage
+I delaitee
ADEEELU
+V devaluee
ADEEELV
    delavee
    devalee
+S delavees
    devalees
+U devaluee
ADEEELY
    delayee
+B deblayee
+S delayees
ADEEELZ
+R lezardee
ADEEEMN
    amendee
+D demandee
+G demenage
+R demenera
    ramendee
+S amendees
ADEEEMR
+C decampee
ADEEEMR
+B embardee
+I demariee
+L demelera
+N demenera
    ramendee
+R demarree
+S desarmee
+U emeraude
ADEEEMS
+N amendees
+R desarmee
+T dematees
ADEEEMT
    dematee
+S dematees
ADEEEMU
+R emeraude
ADEEENN
    enneade
+P depannee
+S enneades
ADEEENP
+N depannee

ADEEENR
+C encadree
+G degenera
   derangee
+M demenera
   ramendee
+S serenade
+T edentera
ADEEENS
+M amendees
+N enneades
+R serenade
ADEEENT
+C decantee
+G degantee
   etendage
+J dejantee
+R edentera
ADEEENV
+C devancee
ADEEEPR
   deparee
+C depecera
+I depariee
+S deparees
+V depravees
ADEEEPS
+C depacees
+H dephasee
+R deparees
+S depassee
+V depavees
+Y depaysee
ADEEEPV
   depavee
+R depravee
+S depavees
ADEEEPY
+S depaysee
ADEEERR
+C recardee
   recedera
+F deferera
   federera
   redefera
+G degreera
   regardee
+M demarree
+T retardee
ADEEERS
   derasee
   desaere
+E desaeree
+M desarmee
+N serenade
+P deparees
+S adressee
   derasees
   desaeres
+T deratees
+Y derayees
ADEEERT
   deratee
+G detergea
+N edentera
+R retardee
+S deratees

+X adextree
   extradee
ADEEERU
+M emeraude
ADEEERV
+P depravee
+Z evaderez
ADEEERX
+C excedera
+H exhereda
   hexaedre
+T adextree
   extradee
ADEEERY
   derayee
+B debrayee
+F defrayee
+S derayees
ADEEERZ
+V evaderez
ADEEESS
+L delassee
   dessalee
+P depassee
+R adressee
   derasees
   desaeres
+X desaxees
ADEEEST
+M dematees
+R deratees
+V devastee
+X detaxees
ADEEESV
   evadees
+C decavees
+L delavees
   devalees
+P depavees
+T devastee
ADEEESX
   desaxee
+S desaxees
+T detaxees
ADEEESY
+L delayees
+P depaysee
+R derayees
ADEEESZ
+G degazees
ADEEETT
+W dewattee
ADEEETV
+S devastee
ADEEETW
+T dewattee
ADEEETX
   detaxee
+R adextree
   extradee
+S detaxees
ADEEEUV
+L devaluee
ADEEEVZ
+R evaderez
ADEEFFI

   affidee
+M diffamee
+S affidees
ADEEFFM
+I diffamee
ADEEFFS
+I affidees
ADEEFGI
+L defilage
ADEEFGL
+I defilage
+R deflagre
ADEEFGN
   fendage
+S fendages
ADEEFGR
   degrafe
+E degrafee
+L deflagre
+R degrafer
+S degrafes
+Z degrafez
ADEEFGS
+N fendages
+R degrafes
ADEEFGZ
+R degrafez
ADEEFII
+R defierai
   deifiera
   edifiera
   reedifia
ADEEFIL
+C deficela
+G defilage
+L defaille
+N enfilade
+R deferlai
   defilera
ADEEFIM
+F diffamee
+S defiames
ADEEFIN
+C defiance
+L enfilade
+R fredaine
+T defiante
ADEEFIQ
+U defequai
ADEEFIR
   defaire
   deferai
   defiera
   defraie
   federai
+I defierai
   deifiera
   edifiera
   reedifia
+L deferlai
   defilera
+N fredaine
+R deferrai
+S deferais
   defieras
   defraies
   federais

   redefais
+T deferait
   federait
   redefait
ADEEFIS
+F affidees
+M defiames
+R deferais
   defieras
   defraies
   federais
   redefais
+S defiasse
+T defaites
   defiates
ADEEFIT
   defaite
+N defiante
+R deferait
   federait
   redefait
+S defaites
   defiates
ADEEFIU
+Q defequai
ADEEFLL
+I defaille
ADEEFLN
+I enfilade
+S desenfla
ADEEFLO
   feodale
+S feodales
ADEEFLQ
+U defalque
ADEEFLR
   deferla
   federal
+E federale
+G deflagre
+I deferlai
   defilera
+S deferlas
+T deferlat
ADEEFLS
+N desenfla
+O feodales
+R deferlas
ADEEFLT
+R deferlat
ADEEFLU
+Q defalque
ADEEFMS
+I defiames
ADEEFNR
+D defendra
+I fredaine
+R refendra
+T deferant
   federant
ADEEFNS
+G fendages
+L desenfla
ADEEFNT
+I defiante
+R deferant
   federant

+T deferait
ADEEFOS
+L feodales
ADEEFQS
+U defequas
ADEEFQT
+U defequat
ADEEFQU
   defequa
+I defequai
+L defalque
+S defequas
+T defequat
ADEEFRR
   deferra
   ferrade
+E deferera
   federera
   redefera
+G degrafer
+I deferrai
+N refendra
+S deferras
   ferrades
+T deferrat
+Y defrayer
+Z farderez
ADEEFRS
   deferas
   fardees
   federas
+A sefarade
+G degrafes
+I deferais
   defieras
   defraies
   federais
   redefais
+R deferras
   ferrades
+U fraudees
+Y defrayes
ADEEFRT
   deferat
   federat
+I deferait
   federait
   redefait
+L deferlat
+N deferant
   federant
+R deferrat
ADEEFRU
   fraudee
+S fraudees
+V defaveur
+X federaux
ADEEFRV
+U defaveur
ADEEFRX
+U federaux
ADEEFRY
   defraye
+E defrayee
+R defrayer
+S defrayes
+Z defrayez

ADEEFRZ
+G degrafez
+R farderez
+Y defrayez
ADEEFSS
  defasse
+I defiasse
+S defasses
+U defausse
ADEEFST
+I defaites
  defiates
ADEEFSU
+Q defequas
+R fraudees
+S defausse
ADEEFSY
+R defrayes
ADEEFTU
+Q defequat
ADEEFUV
+R defaveur
ADEEFUX
+R federaux
ADEEFYZ
+R defrayez
ADEEGGI
+A degageai
+Z degagiez
ADEEGGN
+T degagent
ADEEGGO
+R degorgea
ADEEGGR
  degager
+A degagera
+O degorgea
ADEEGGS
  degages
+A degageas
+E degagees
ADEEGGT
+A degageat
+N degagent
ADEEGGZ
  degagez
+A degazage
+I degagiez
ADEEGHR
+C decharge
ADEEGII
+R redigeai
ADEEGIJ
+U dejugeai
ADEEGIL
  degelai
+C decilage
+F defilage
+N legendai
+O delogeai
+P depilage
  depliage
+R dereglai
+S degelais
+T degelait
  delitage
+U deleguai

ADEEGIM
+N deminage
+R degermai
ADEEGIN
  dedaigne
+D dedaigne
+E degainee
+N deneigea
+L legendai
+M deminage
+P depeigna
+R degainer
  degarnie
+S degaines
+V vidangee
+X indexage
+Z degainez
ADEEGIO
+L delogeai
+R derogeai
ADEEGIP
+L depilage
  depliage
+N depeigna
ADEEGIR
  degreai
  redigea
+A derageai
+I redigeai
+L dereglai
+M degermai
+N degainer
  degarnie
+O derogeai
+R digerera
  garderie
  redigera
+S degreais
  redigeas
+T degreait
  redigeat
  tragedie
+V degrevai
  divergea
+Z deragiez
ADEEGIS
+L degelais
+N degaines
+R degreais
  redigeas
+V devisage
  evidages
ADEEGIT
+B debitage
+L degelait
  delitage
+R degreait
  redigeat
  tragedie
ADEEGIU
+J dejugeai
+L deleguai
ADEEGIV
  evidage
+D devidage
+N vidangee
+R degrevai

  divergea
+S devisage
ADEEGIX
+N indexage
ADEEGIZ
+G degagiez
+N degainez
+R deragiez
+Z degaziez
ADEEGJL
+A galejade
ADEEGJR
+U dejauger
  dejugera
ADEEGJS
+U adjugees
  dejauges
  dejugees
ADEEGJT
+U dejugeat
ADEEGJU
  adjugee
  dejauge
  dejugea
+A dejaugea
+I dejugeai
+R dejauger
  dejugera
+S adjugees
  dejauges
  dejugees
+T dejugeat
+Z dejaugez
ADEEGJZ
+U dejaugez
ADEEGLM
+E demelage
+O modelage
ADEEGLN
  glandee
  legenda
+I legendai
+S glandees
  legendas
+T degelant
  legendat
ADEEGLO
  delogea
+I delogeai
+M modelage
+P lagopede
+R delogera
+S delogeas
+T delogeat
ADEEGLP
+A pedalage
+I depilage
  depliage
+O lagopede
ADEEGLR
  deregla
+A regalade
+C deglacer
+E deglera
+F deflagre
+I dereglai

+O delogera
+S deregras
+T dereglat
+U degluera
ADEEGLS
  degelas
+C deglaces
+I degelais
+N glandees
  legendas
+O delogeas
+R dereglas
+U deleguas
ADEEGLT
  detelage
+E detelage
+I degelait
  delitage
+N degelant
  legendat
+O delogeat
+R dereglat
+U deleguat
  delutage
ADEEGLU
  delegua
+I deleguai
+R degluera
+S deleguas
+T deleguat
  delutage
+U degueula
ADEEGLV
+A delavage
ADEEGLY
+A delavage
ADEEGLZ
+C deglacez
ADEEGMN
  demange
+A demangea
+E demenage
+I deminage
+O emondage
  endogame
+R demanger
  gendarme
+S demanges
+Z demangez
ADEEGMO
+L modelage
+N emondage
  endogame
+P megapode
ADEEGMP
+O megapode
ADEEGMR
  degerma
  megarde
+I degermai
+N demanger
  gendarme
+S degermas
+T degermat
ADEEGMS
+N demanges
+R degermas

ADEEGMT
+A dematage
+R degermat
ADEEGMZ
+N demangez
ADEEGNN
+R engendra
+V vendange
ADEEGNO
+C decagone
  encodage
+M emondage
  endogame
+Y denoyage
ADEEGNP
  pendage
+A epandage
+I depeigna
+S pendages
ADEEGNR
  derange
  grenade
+A derangea
+E degenera
  derangee
+I degainer
  degarnie
+M demanger
  gendarme
+N engendra
+R deranger
+S deranges
  grenades
+T deganter
  degreant
  deragent
+Z derangez
ADEEGNS
+F fendages
+I degaines
+L glandees
  legendas
+M demanges
+P pendages
+R deranges
  grenades
+T degantes
ADEEGNT
  degante
+E degantee
  etendage
+G degagent
+L degelant
  legendat
+R deganter
  degreant
  deragent
+S degantes
+Z degantez
ADEEGNV
+I vidangee
+N vendange
ADEEGNX
+I indexage
ADEEGNY
+O denoyage

ADEEGNZ
+I degainez
+M demangez
+R derangez
+T degantez
degazent
ADEEGOP
+L lagopede
+M megapode
+T depotage
ADEEGOR
derogea
+G degorgea
+I derogeai
+L delogera
+R derogera
+S derogeas
+T degotera
derogeat
ADEEGOS
+L delogeas
+R derogeas
ADEEGOT
+L delogeat
+P depotage
+R degotera
derogeat
ADEEGOY
+N denoyage
ADEEGPR
+A derapage
ADEEGPS
+N pendages
ADEEGPT
+O depotage
ADEEGPV
+A depavage
ADEEGRR
derager
regarde
+A deragera
+D degrader
+E degreera
regarde
+F degrafer
+I digerera
garderie
redigera
+N deranger
+O derogera
+R regarder
+S regardes
+Z garderez
regardez
ADEEGRS
degreas
derages
dragees
gardees
gradees
+A derageas
+B bedegars
+D degrades
+F degrafes
+I degreais
redigeas
+L dereglas

+M degermas
+N deranges
+O derogeas
+R regardes
+S dressage
+U draguees
gardeuse
graduees
ADEEGRT
+A deragea
+E detergea
redigeat
+L dereglat
+M degermat
+N deganter
degreant
deragent
+O degotera
derogeat
+V degrevat
ADEEGRU
draguee
graduee
+J dejauger
dejugera
+S draguees
gardeuse
graduees
ADEEGRV
degreva
+I degrevai
divergea
+S degrevas
+T degrevat
ADEEGRZ
degazer
deragez
+A degazera
+D degradez
+F degrafez
+I deragiez
+N derangez
+R garderez
regardez
ADEEGSS
+R dressage
ADEEGST
+N degantes
ADEEGSU
+J dejauges
dejugeas
+L deleguas
+R draguees
graduees
ADEEGSV
+I devisage
+R degrevas
ADEEGSZ

degazes
+E degazees
ADEEGTU
+J dejugeat
+L deleguat
delutage
ADEEGTV
+R degrevat
ADEEGTZ
+N degantez
degazent
ADEEGUU
+L degueula
ADEEGUW
+C decuvage
ADEEGUZ
+J dejaugez
ADEEGZZ
degazez
+I degaziez
ADEEHHN
+C dehanche
ADEEHIL
+Z dehaliez
ADEEHIN
+C dechaine
+R enhardie
ADEEHIP
+C depechai
+S diphasee
ADEEHIR
+N enhardie
+R diarrhee
+Z adheriez
ADEEHIS
+C chiadees
+P diphasee
+V adhesive
ADEEHIT
+B thebaide
ADEEHIV
+S adhesive
ADEEHIZ
+L dehaliez
+R adheriez
ADEEHLN
+C chaldeen
+T dehalent
ADEEHLR
dehaler
+A dehalera
ADEEHLS
dehales
+E dehalees
ADEEHLT
+N dehalent
ADEEHLV
+D aldehyde
ADEEHLZ
dehalez
+I dehalez
ADEEHMN
+C demanche
+O dahomeen
ADEEHMO
+N dahomeen
ADEEHMR

+C demarche
ADEEHMU
+C dechaume
ADEEHNO
+M dahomeen
ADEEHNR
+C decharne
+I enhardie
+T adherent
ADEEHNT
+C dechante
+L dehalent
+R adherent
ADEEHOP
+X hexapode
ADEEHOX
+P hexapode
ADEEHPR
ephedra
+S dephaser
ephedras
ADEEHPS
dephase
+C depechas
+E dephasee
+I diphasee
+R dephaser
ephedras
+S dephases
+Z dephasez
ADEEHPT
+C depechat
ADEEHPX
+O hexapode
ADEEHPZ
+S dephasez
ADEEHRR
adherer
+A adherera
+I diarrhee
+Z harderez
ADEEHRS
adheres
hardees
+A hasardee
+B desherba
+C echardes
+P dephaser
ephedras
+T thesarde
ADEEHRT
+C detacher
+N adherent
+S thesarde
+Y hydratee
ADEEHRU
+C echauder
ADEEHRX
+E exhereda
hexaedre
ADEEHRY
+T hydratee
ADEEHRZ
adherer
+I adheriez
+R harderez
ADEEHSS

+C dessecha
+P dephases
ADEEHST
+C detaches
+R thesarde
ADEEHSU
+C echaudes
ADEEHSV
+I adhesive
ADEEHSZ
+P dephasez
ADEEHTY
+R hydratee
ADEEHTZ
+C detachez
ADEEHUZ
+C echaudez
ADEEIIL
+N enlaidie
+R delierai
eliderai
+S idealise
+T idealite
ADEEIIM
+R remediai
ADEEIIN
+L enlaidie
+R denierai
+S deniaise
ADEEIIP
+X expedia
ADEEIIR
+C iridacee
+D dedierai
+F defierai
deifiera
edifiera
reedifia
+G redigeai
+L delierai
eliderai
+M remediai
+N denierai
+R irradiee
+S dieserai
+T editerai
reeditai
+V devierai
+Z aideriez
ADEEIIS
+L idealise
+N deniaise
+R dieserai
ADEEIIT
+L idealite
+R editerai
reeditai
+T attiedie
ADEEIIV
+R devierai
eviderai
ADEEIIX
+P expediai
ADEEIIZ
+R aideriez

ADEEIJN
+R jardinee
+U dejeunai
ADEEIJR
+N jardinee
ADEEIJS
+T dejetais
   jadeites
+U judaisee
ADEEIJT
   dejetai
   jadeite
+S dejetais
   jadeites
+T dejetait
ADEEIJU
+G dejugeai
+N dejeunai
+S judaisee
ADEEILL
+F defaille
+M demaille
   demiella
   medaille
+O oeillade
+P depaille
+R deraille
+T detaille
ADEEILM
   demelai
   mediale
+C camelide
   decimale
   medicale
+L demaille
   demiella
   medaille
+P pelamide
+S deliames
   demelas
   elidames
   mediales
+T demelait
+V medieval
ADEEILN
   delaine
+B endiable
+E delainee
+F enfilade
+G legendai
+I enlaidie
+N annelide
+R delainer
+S delaines
+T delaient
   dentelai
+V denivela
+Z delainez
ADEEILO
+G delogeai
+L oeillade
ADEEILP
   lapidee
   peliade
   plaidee
   pleiade
+G depilage

   depliage
+L depaille
+M pelamide
+R depilera
   deplaire
   depliera
   pedalier
+S deplaise
   lapidees
   peliades
   plaidees
   pleiades
ADEEILR
   deliera
   elidera
+A airedale
   delaiera
+B delibera
+C dilacere
+F deferlai
   defilera
+G dereglai
+I delierai
   eliderai
+L deraille
+N delainer
+P depilera
   deplaire
   depliera
   pedalier
+R delirera
   ladrerie
+S delieras
   elideras
   siderale
+T delaiter
   delitera
+U eluderai
ADEEILS
   delaies
   ideales
+B deblaies
+C decelais
+G degelais
+I idealise
+M deliames
   demelais
   elidames
   mediales
+N delaines
+P deplaise
   lapidees
   peliades
   plaidees
   pleiades
+R delieras
   elideras
   siderale
+S delaisse
   deliasse
   elidasse
+T delaites
   delestai
   deliates
   detelais
   dilatees

   elidates
+V devalise
   validees
+Y dialysee
ADEEILT
   delaite
   detelai
   dilatee
+C decelait
   delectai
   delicate
   dialecte
+E delaitee
+G degelait
   delitage
+I idealite
+L detaille
+M demelait
+N delaient
   dentelai
+R delaiter
   delitera
+S delaites
   delestai
   deliates
   detelais
   dilatees
   elidates
+T detelait
+Z delaitez
   detaliez
ADEEILU
+C acidulee
+G deleguai
+R eluderai
ADEEILV
   validee
+M medieval
+N denivela
+S devalise
   validees
+Z devaliez
ADEEILY
+S dialysee
+Z delayiez
ADEEILZ
+C decaliez
   delaciez
+H dehaliez
+N delainez
+P pedaliez
+T delaitez
+V devaliez
   devaliez
+Y delayiez
ADEEIMM
+R emmerdai
ADEEIMN
   demenai
   mediane
+G deminage
+P pandemie
+R deminera
   deminera
   mendiera

+S demenais
   deniames
   medianes
+T demenait
   mediante
+Z amendiez
ADEEIMO
   amodiee
+S amodiees
+T diatomee
ADEEIMP
+L pelamide
+N pandemie
ADEEIMR
   admiree
   demarie
   remedia
+C decimera
+D demerdai
+E demeraie
+G degermai
+I remediai
+M emmerdai
+N adermine
   deminera
   mendiera
+R merderai
+S admirees
   demaries
   readmise
   remedias
+T demerita
   diametre
   meditera
   remediat
+U demeurai
+Z dameriez
   demariez
ADEEIMS
+C cadmiees
+D dediames
   diademes
+F defiames
+L deliames
   demelais
   elidames
   mediales
+N demenais
   deniames
   medianes
+O amodiees
+R admirees
   demaries
   readmise
   remedias
+S diesames
+T editames
   mediates
+V deviames
   evidames
ADEEIMT
   mediate
+L demelait
+N demenait
   mediante
+O diatomee

+R demerita
   diametre
   meditera
   remediat
+S editames
   mediates
+Z dematiez
ADEEIMU
+R demeurai
ADEEIMV
+L medieval
+S deviames
   evidames
ADEEIMZ
+N amendiez
+R dameriez
   demariez
+T dematiez
ADEEINN
   adenine
+D dandinee
+L annelide
+S adenines
+T denantie
   endentai
+V advienne
ADEEINO
+C oceanide
+D adenoide
+R aneroide
   denoiera
+S anodisee
ADEEINP
+G depeigna
+M pandemie
+R peinarde
+S depensai
+Z epandiez
ADEEINR
   deniera
   drainee
+A araneide
+B debinera
+C decernai
   deracine
+F fredaine
+G degainer
   degarnie
+H enhardie
+I denierai
+J jardinee
+L delainer
+M adermine
   deminera
   mendiera
+O aneroide
   denoiera
+P peinarde
+S denieras
   drainees
   radinees
+T aiderent
   dentaire
   deraient
   entraide
   eteindra

etendrai
+V devinera
veinarde
+X indexera

ADEEINS
+B bedaines
+G degaines
+I deniaise
+L delaines
+M demenais
deniames
medianes
+N adenines
+O anodisee
+P depensai
+R denieras
drainees
radinees
+S deniasse
+T adenites
andesite
deniates
detenais
edentais
etendais
+V devenais
viandees

ADEEINT
adenite
edentai
+C cedaient
+F defiante
+L delaient
dentelai
+M demenait
mediante
+N denantie
endantai
+R aiderent
dentaire
deraient
entraide
eteindra
etendrai
+S adenites
andesite
deniates
detenais
edentais
etendais
+T detenait
edentait
endettai
etendait
+V devaient
devenait
deviante

ADEEINU
+C audience
+J dejeunai

ADEEINV
viandee
+C deviance
+G vidangee
+L denivela
+N advienne
+R devinera

veinarde
+S devenais
viandees
+T devaient
devenait
deviante

ADEEINX
+G indexage
+R indexera

ADEEINZ
+G degainez
+L delainez
+M amendiez
+P epandiez

ADEEIOP
+R parodiee

ADEEIOR
aroidee
+G derogeai
+N aneroide
denoiera
+P parodiee
+R eroderai
+S ardoisee
aroidees
+V devoiera

ADEEIOS
+M amodiees
+N anodisee
+R ardoisee
aroidees

ADEEIOT
+M diatomee

ADEEIOV
+R devoiera

ADEEIPP
+R piperade

ADEEIPR
deparie
diapree
+C decrepai
deprecia
precedai
+E depariee
+L depilera
deplaire
depliera
pedalier
+N peinarde
+O parodiee
+P piperade
+R deparier
deperira
draperie
drapiere
+S deparies
diaprees
+T departie
depetrai
depitera
pediatre
+Z depariez
derapiez

ADEEIPS
+C depecais
dipsacee
+H diphasee

+L deplaise
lapidees
peliades
plaidees
pleiades
+N depensai
+R reparies
diaprees
+U adipeuse
+X expedias

ADEEIPT
+C decapite
depecait
+R departie
depetrai
depitera
pediatre
+U depiaute
redigeas

ADEEIPU
+S adipeuse
+T depiaute

ADEEIPV
+Z depaviez

ADEEIPX
expedia
+I expediai
+S expedias
+T expediat

ADEEIPZ
+C decapiez
+L pedaliez
+N epandiez
+R depariez
derapiez
+V depaviez

ADEEIQU
+B abdiquee
+F defequai

ADEEIRR
+A deraiera
+B braderie
+C decriera
+D deridera
+F deferrai
+G digerera
garderie
redigera
+H diarrhee
+I irradiee
+L delirera
ladrerie
+M demarier
merderai
+O eroderai
+P deparier
deperira
draperie
drapiere
+S desirera
siderera
+T deterrai
detirera
devirera
redevrai

+Z draierez
raderiez
radriez

ADEEIRS
deraies
diesera
diseras
radiees
+B debraies
+C cederais
cedraies
recedais
+D dedieras
+F deferais
defieras
defraies
federais
redefais
+G degreais
redigeas
+I dieserai
+L delieras
elideras
siderale
+M admirees
demaries
readmise
remedias
+N denieras
drainees
radinees
+O ardoisee
aroidees
+P deparies
diaprees
+R desirera
residera
siderera
+S dieseras
+T asteride
dateries
deratise
desarti
editeras
reeditas
+U radieuse
+V deversai
devieras
devisera
evideras
redevais
+Z derasiez

ADEEIRT
daterie
editera
reedita
+B debitera
+C cederait
decretai
edictera
recedait
+F deferait
redefait
+G degreait
redigeat
tragedie
+I editerai

reeditai
+L delaiter
delitera
+M demerita
diametre
meditera
remediat
+N aiderent
dentaire
deraient
entraide
eteindra
etendrai
+P departie
depetrai
depitera
pediatre
+R deterrai
detirera
+S asteride
dateries
deratise
desarti
editeras
reeditas
+T reeditat
+U etudiera
reetudia
+V devetira
redevait
+Z dateriez

ADEEIRU
+B daubiere
+L eluderai
+M demeurai
+S radieuse
+T etudiera
reetudia

ADEEIRV
deviera
evidera
+A evaderai
+C decevrai
+D devidera
+G degrevai
divergea
+I devierai
eviderai
+N devinera
veinarde
+O devoiera
+R deriverai
devirera
redevira
redevrai
+S deversai
devieras
devisera
evideras
redevais
+T devetira
redevait

ADEEIRX
+N indexera

ADEEIRY
+Z derayiez

ADEEIRZ
aiderez

```
+D deradiez
+G deragiez
+H adheriez
+I aideriez
+M dameriez
   demariez
+P depariez
   derapiez
+R draierez
   raderiez
   radierez
+S derasiez
+T dateriez
+Y derayiez
ADEEISS
+C decaisse
+D dediasse
+F defiasse
+L delaisse
   deliasse
   elidasse
+M diesames
+N deniasse
+R dieseras
+S diesasse
+T diesates
   tiedasse
+V deviasse
   evidasse
ADEEIST
+B debaties
   diabetes
+C decaties
+D dediates
+F defaites
   defiates
+J dejetais
   jadeites
+L delaites
   delestai
   deliates
   detelais
   dilatees
   elidates
+M editames
   mediates
+N adenites
   andesite
   deniates
   detenais
   edentais
   etendais
+R asteride
   dateries
   deratise
   desertai
   editeras
   reeditas
+S diesates
   editasse
   tiedasse
+T detestai
   editates
+V devetais
   deviates
   evidates
```


```
   sedative
ADEEISU
+J judaisee
+P adipeuse
+R radieuse
ADEEISV
+C decevais
+G devisage
   evidages
+H adhesive
+L devalise
   validees
+M deviames
   evidames
+N devenais
   viandees
+R deversai
   devieras
   devisera
   evideras
   redevais
+S deviasse
+T devetais
   deviates
   evidates
   sedative
ADEEISX
+C excedais
+P expedias
+Z desaxiez
ADEEISY
+L dialysee
ADEEISZ
+R derasiez
+X desaxiez
ADEEITT
+C detectai
+I attiedie
+J dejetait
+L detelait
   edentait
   endettai
   etendait
+R reeditat
+S detestai
   editates
+V devetait
ADEEITX
+C excedait
```


```
+P expediat
+Z detaxiez
ADEEITZ
+L delaitez
   detaliez
+M dematiez
+R dateriez
+X datexiez
ADEEIVZ
   evadiez
+L delaviez
   devaliez
   devaliez
+P depaviez
ADEEIXZ
+S desaxiez
+T detaxiez
ADEEIYZ
+L delayiez
+R derayiez
ADEEIZZ
+G degaziez
ADEEJMR
+U mudejare
ADEEJMU
+R mudejare
ADEEJNR
+I jardinee
+T dejanter
ADEEJNS
+T dejantes
+U dejeunas
ADEEJNT
   dejante
+E dejantee
+R dejanter
+S dejantes
+T dejetant
+U dejeunat
+Z dejantez
ADEEJNU
   dejeuna
+I dejeunai
+S dejeunas
+T dejeunas
ADEEJNZ
+T dejantez
ADEEJOR
+U dejouera
ADEEJOU
+R dejouera
ADEEJRS
+U adjurees
ADEEJRT
+N dejanter
ADEEJRU
   adjuree
+G dejauger
   dejauger
+M mudejare
+O dejouera
+S adjurees
ADEEJST
   dejetas
+I dejetais
   jadeites
+N dejantes
ADEEJSU
```


```
+G adjugees
   dejauges
   dejugeas
+I judaisee
+N dejeunas
+R adjurees
ADEEJTT
   dejetat
+I dejetait
+N dejetant
ADEEJTU
+G dejugeat
+N dejeunat
ADEEJTZ
+N dejantez
ADEEJUZ
+G dejaugez
ADEELLM
+I demaille
   demiella
   medaille
ADEELLO
+I oeillade
+Y deloyale
ADEELLP
+I depaille
ADEELLR
+B deballer
+I deraille
+Z dallerez
ADEELLS
   dallees
+B deballes
+C descella
+S dessella
ADEELLT
+I detaille
ADEELLY
+O deloyale
ADEELLZ
+B deballez
+R dallerez
ADEELMN
+R aldermen
+T demelant
ADEELMO
+G modelage
+R modelera
   remodela
ADEELMP
+I pelamide
+Y pelamyde
ADEELMR
+C declamer
+E demelera
+N aldermen
+O modelera
   remodela
ADEELMS
   demelas
+C declames
   demascle
+I deliames
   demelais
   elidames
   mediales
+U demusela
```


```
   eludames
ADEELMT
+I demelait
+N demelant
ADEELMU
+B deambule
   demeubla
+S demusela
   eludames
ADEELMV
+I medieval
ADEELMY
+P pelamyde
ADEELMZ
+C declamez
ADEELNN
+C decennal
+I annelide
ADEELNO
+R leonarde
ADEELNP
+B pendable
+T deplante
   pedalent
+U paludeen
ADEELNR
+I delainer
+M aldermen
+O leonarde
ADEELNS
+C calendes
+F desenfla
+G glandees
   legendas
+I delaines
+T dentales
   dentelas
ADEELNT
   dentale
   dentela
+C decalent
   decelant
   delacent
+G degelant
   legendat
+H dehalent
+I delaient
   dentelai
+M demelant
+P deplante
   pedalent
+S dentales
+T dentelat
   detalent
   detelant
+V delavent
   devalent
+Y delayent
ADEELNU
+B denebula
+P paludeen
ADEELNV
+B vendable
+I denivela
+T delavent
```

devalent
ADEELNY
+T delayent
ADEELNZ
+I delainez
ADEELOP
+G lagopede
+R leoparde
ADEELOR
+C decolera
+G delogera
+M modelera
remodela
+N leonarde
+P leoparde
+S desolera
+U aleurode
ADEELOS
+F feodales
+G delogeas
+R desolera
ADEELOT
+G delogeat
ADEELOU
+R aleurode
ADEELOY
+L deloyale
ADEELPP
+U depeupla
peuplade
ADEELPR
pedaler
+A pedalera
+B perdable
+C deplacer
+I depilera
deplaire
depliera
pedalier
+O leoparde
+T deplatre
+U pedaleur
ADEELPS
pedales
pelades
+C deplaces
+I deplaise
lapidees
peliades
plaidees
pleiades
ADEELPT
+N deplante
pedalent
+R deplatre
ADEELPU
+C depucela
+N paludeen
+P depeupla
peuplade
+R depaleur
ADEELPY
+M pelamyde
ADEELPZ
pedalez
+C deplacez
+I pedaliez

ADEELQU
+C decalque
+F defalque
ADEELRR
+B delabrer
+C declarer
+I delirera
ladrerie
+U ruderale
+Z larderez
lezarder
ADEELRS
dealers
lardees
leaders
+B delabres
+C declares
+F deferlas
+G dereglas
+I delieras
elideras
siderale
+O desolera
+S delasser
dessaler
+U eluderas
+Z lezardes
ADEELRT
detaler
+A detalera
+F deferlat
+G dereglat
+I delaiter
delitera
+P deplatre
+U adultere
delateur
deleteur
delutera
ADEELRU
eludera
+C reculade
+G degluera
+I eluderai
+O aleurode
+P pedaleur
+R ruderale
+S eluderas
+T adultere
delateur
deleteur
delutera
+V devaluer
+Z adulerez
ADEELRV
delaver
devaler
+A delavera
devalera
+B deverbal
+U devaluer
ADEELRY
delayer
+A delayera
+B deblayer
ADEELRZ
lezarde

+B delabrez
+C declarez
+E lezardee
+L dallerez
+R larderez
lezarder
+S lezardes
+U adulerez
+Z lezardez
ADEELSS
delasse
dessale
+B dessable
+C declasse
+E delassee
dessalee
+I delaisse
deliasse
+L dessella
+R delasser
dessaler
+S delasses
dessales
+T delestas
+U eludasse
+Z delassez
dessalez
ADEELST
delesta
detales
detelas
+C delectas
+I delaites
delestai
deliates
detelais
dilatees
elidates
+N dentales
dentelas
+S delestas
+T delestat
+U eludates
ADEELSU
adulees
+G deleguas
+M demusela
eludames
+R eluderas
+S eludasse
+T eludates
+V devalues
ADEELSV
delaves
devales
+E delavees
devalees
+I devalise
validees
+U devalues
ADEELSY
delayes
+B deblayes
+E delayees
+I dialysee
ADEELSZ

+R lezardes
+S delassez
dessalez
ADEELTT
+C delectat
+I detelait
+N dentelat
detalent
detelant
+S delestat
ADEELTU
+G deleguat
delutage
+R adultere
delateur
deleteur
delutera
+S eludates
ADEELTV
+N delavent
devalent
ADEELTY
+N delayent
ADEELTZ
detalent
+I delaitez
detaliez
ADEELUU
+G degueula
ADEELUV
devalue
+E devaluee
+R devaluer
+S devalues
+Z devaluez
ADEELUZ
+R adulerez
+V devaluez
ADEELVZ
delavez
devalez
+I devaliez
+U devaluez
ADEELYZ
delayez
+B deblayez
+I delayiez
ADEELZZ
+R lezardez
ADEEMMO
+P pommadee
ADEEMMP
+O pommadee
ADEEMMR
emmerda
+B demembra
+I emmerdai
+S emmerdas
merdames
+T emmerdat
ADEEMMS
+R emmerdas
merdames
+S mesdames
ADEEMMT

+R emmerdat
ADEEMNN
mandeen
+S mandeens
+T amendent
demenant
ADEEMNO
adenome
+G emondage
endogame
+H dahomeen
+R emondera
+S adenomes
+T nematode
ADEEMNP
+I pandemie
ADEEMNQ
+U quemande
ADEEMNR
amender
meandre
ramende
+A amendera
+D demander
+E demenera
ramendee
+G demanger
gendarme
+I adermine
deminera
mendiera
+L aldermen
+O emondera
+R ramender
+S meandres
ramendes
+T damerent
+Z dannerez
manderez
ramendez
ADEEMNS
amendes
damnees
demenas
mandees
menades
+D demandes
+E amendees
+G demanges
+I demenais
deniames
medianes
+N mandeens
+O adenomes
+R meandres
ramendes
+Z mazdeens
ADEEMNT
demenat
+A mandatee
+I demenait
mediante
+L demelant
+N amendent
demenant
+O nematode
+R damerent

+T dematent
ADEEMNU
+Q quemande
ADEEMNZ
  amendez
  mazdeen
+D demandez
+G demangez
+I amendiez
+R damnerez
  manderez
  ramendez
+S mazdeens
ADEEMOP
+G megapode
+M pommadee
ADEEMOR
+D demodera
+L modelera
  remodela
+N emondera
+R moderera
+S erodames
ADEEMOS
+I amodiees
+N adenomes
+R erodames
+Y samoyede
ADEEMOT
+I diatomee
+N nematode
ADEEMOU
+A amadouee
ADEEMOY
+S samoyede
ADEEMPR
+C decamper
+T detrempa
ADEEMPS
+C decampes
ADEEMPT
+R detrempa
ADEEMPY
+L pelamyde
ADEEMPZ
+C decampez
ADEEMQR
+U demarque
ADEEMQS
+U demasque
  desquame
ADEEMQU
+N quemande
+R demarque
+S demasque
  desquame
ADEEMRR
  demarre
  merdera
+E demarree
+I demarier
  merderai
+N ramender
+O moderera
+R demarrer
+S demarres
  desarmer

  merderas
+Z demarrez
ADEEMRS
  desarme
  maderes
  madrees
  medersa
+D demerdas
+E desarmee
+G degermas
+I admirees
  demaries
  readmise
  remedias
+M emmerdas
+N meandres
  ramendes
+O erodames
+R demarres
  desarmer
  merderas
+S desarmes
  medersas
  merdasse
+T merdates
  readmets
+U demeuras
  medusera
+Z desarmez
ADEEMRT
  demater
  readmet
+A dematera
+D demerdat
+G degermat
+I demerita
  diametre
  meditera
  remediat
+M emmerdat
+N damerent
+P detrempa
+S merdates
  readmets
+T admettre
  demettra
+U demeurat
ADEEMRU
  demeura
+E emeraude
+I demeurai
+J mudejare
+Q demarque
+S demeuras
  medusera
+T demeurat
ADEEMRZ
  damerez
+I damieriez
  demariez
+N damnerez
  manderez
  ramendez
+R demarrez
+S desarmez
ADEEMSS

+A damassee
+I diesames
+M mesdames
+R desarmes
+T endentas
+U dameuses
ADEEMST
  demates
+E dematees
+I editames
  mediates
+R merdates
  readmets
+T admettes
ADEEMSU
+L demusela
  eludames
+Q demasque
  desquame
+R demeuras
  medusera
+S dameuses
ADEEMSV
+A evadames
+I eviames
  evidames
ADEEMSY
+O samoyede
ADEEMSZ
+N mazdeens
+R desarmez
ADEEMTT
  admette
+N dematent
+R admettre
  demettra
+S admettes
+Z admettez
ADEEMTU
+R demeurat
ADEEMTZ
  dematez
+I dematiez
+T admettez
ADEENNO
  adonnee
+S adonnees
ADEENNP
  depanne
+E depannee
+R depanner
+S depannes
+T epandent
  pendante
+Z depannez
ADEENNR
  andrene
+G engendra
+P depanner
+S andrenes
+T entendra
ADEENNS
  endeans
+E enneades
+I adenines

+M mandeens
+O adonnees
+P depannes
+R andrenes
+T endentas
ADEENNT
  endenta
+C tendance
+I denantie
  endentai
+M amendent
  demenant
+P epandent
  pendante
+R entendra
+S endentas
+T detenant
  edentant
  endentat
+V devenant
ADEENNV
+G vendange
+I advienne
+T devenant
ADEENNZ
+P depannez
ADEENOP
+R operande
ADEENOR
+C androcee
  encodera
+I aneroide
  denoiera
+L leonarde
+M emondera
+P operande
+T denotera
  detonera
+U demeuras
+Y aerodyne
ADEENOS
+I anodisee
+M adenomes
+N adonnees
ADEENOT
+C anecdote
+M nematode
+R denotera
  detonera
ADEENOU
+D dedouane
+R denouera
ADEENOY
+G denoyage
+R aerodyne
ADEENPP
  appende
+R appendre
+S appendes
+U appendue
+Z appendez
ADEENPR
  epandre
  repande
+D dependra
  pendarde

+I peinarde
+N depanner
+O operande
+P appendre
+R eprendra
  repandre
+S repandes
+T deparent
  derapent
  perdante
+U epandeur
  repandue
+Z epandrez
  repandez
ADEENPS
  depensa
+G pendages
+I depensai
+N depannes
+P appendes
+R repandes
+S depensas
+T depensat
  pedantes
+U epandues
  penaudes
ADEENPT
  pedante
+C decapent
  depecant
+L deplante
  pedalent
+N epandent
  pendante
+R deparent
  derapent
  perdante
+S depensat
+V depavent
ADEENPU
  epandue
  penaude
+C peucedan
+L paludeen
+P appendue
+R epandeur
  repandue
+S epandues
  penaudes
ADEENPV
+T depavent
ADEENPZ
  epandez
+I epandiez
+N depannez
+P appendez
+R epandrez
  repandez
ADEENQU
+M quemande
ADEENRR
  renarde
+C encadrer
  rencarde
+F refendra

+G deranger	etendras	+T attendes	+T devetant	+T erodates
+M ramender	+T attendre	endettas	vendetta	torsadee
+P eprendra	daterent	+X desaxent	**ADEENTX**	**ADEEORT**
repandre	+U denature	+Y asyndete	+C excedant	+C octaedre
+S renardes	truandee	**ADEENSU**	+S desaxent	+G degotera
+T raderent	+V redevant	+C saduceen	+T detaxent	derogeat
retendra	+Y derayent	+J dejeunas	**ADEENTY**	+N denotera
+U endurera	**ADEENRU**	+P epandues	+L delayent	detonera
renauder	renaude	penaudes	+R derayent	+P depotera
+V revendra	+D denudera	+R renaudes	+S asyndete	+S erodates
ADEENRS	+O denouera	+S danseuse	**ADEENTZ**	torsadee
+B badernes	+P epandeur	+V advenues	+C decantez	**ADEEORU**
benardes	repandue	**ADEENSV**	+G degantez	+B radoubee
+C cerdanes	+R endurera	+C devances	degazent	+J dejouera
decernas	renauder	+I devenais	+J dejantez	+L aleurode
encadres	+S renaudes	viandees	+T attendez	+N denouera
+E serenade	+T denature	+U advenues	**ADEENUV**	+V devouera
+G deranges	truandee	**ADEENSX**	advenue	**ADEEORV**
grenades	+Z renaudez	+T desaxent	+S advenues	+I devoiera
+I denieras	**ADEENRV**	**ADEENSY**	**ADEENUZ**	+R devorera
drainees	+C devancer	+T asyndete	+R renaudez	+U devouera
radinees	+I devinera	**ADEENSZ**	**ADEENVZ**	**ADEEORY**
+M meandres	veinarde	+M mazdeens	+C devancez	+N aerodyne
ramendes	+R revendra	+R danserez	**ADEEOPR**	**ADEEORZ**
+N andrenes	+T redevant	**ADEENTT**	+I parodiee	+R adorerez
+P repandes	**ADEENRX**	attende	+L leoparde	**ADEEOSS**
+R renardes	+I indexera	edentat	+N operande	adossee
+T ardentes	**ADEENRY**	endetta	+S deposera	+R erodasse
derasent	+O aerodyne	+I detenait	+T depotera	+S adossees
etendras	+T derayent	edentait	**ADEEOPS**	**ADEEOST**
+U renaudes	**ADEENRZ**	endettai	+R deposera	+C estocade
+Z danserez	+B banderez	etendait	+T adoptees	+P adoptees
ADEENRT	+C encadrez	+J dejetant	**ADEEOPT**	+R torsadee
ardente	+G derangez	+L dentelat	adoptee	**ADEEOSU**
etendra	+M damnerez	detalent	+C decapote	+B adoubees
+C decanter	manderez	detelant	+G depotage	+C escouade
decentra	ramendez	+M dematent	+R depotera	+V desavoue
decernat	+P epandrez	+N detenant	+S adoptees	**ADEEOSV**
recedant	repandez	edentant	**ADEEOPX**	+U desavoue
+D deradent	+S danserez	endentat	+H hexapode	**ADEEOSY**
detendra	+U renaudez	etendant	**ADEEORR**	+M samoyede
etendard	**ADEENSS**	+R attendre	erodera	**ADEEOUV**
+E edentera	dansees	daterent	+B derobera	+R devouera
+F deferant	+C scandees	+S attendes	+C decorera	+S desavoue
federant	+I deniasse	endettas	+D dedorera	**ADEEPPR**
+G deganter	+P depensas	+T endettat	derodera	+I piperade
degreant	+U danseuse	+U attendue	+G derogera	+N appendre
deragent	**ADEENST**	+V devetant	+I eroderai	**ADEEPPS**
+H adherent	edentas	vendetta	+M moderera	+N appendes
+I aiderent	+C cedantes	+X detaxent	+R redorera	**ADEEPPU**
dentaire	decantes	+Z attendez	+S eroderas	+L depeupla
deraient	+G degantes	**ADEENTU**	+V devorera	peuplade
entraide	+I adenites	+J dejeunat	+Z adorerez	+N appendue
eteindra	andesite	+R denature	**ADEEORS**	**ADEEPPZ**
etendrai	deniates	truandee	adorees	+N appendez
+J dejanter	detenais	+T attendue	+B abordees	**ADEEPRR**
+M damerent	edentais	**ADEENTV**	adsorbee	deparer
+N entendra	etendais	evadent	obsedera	deraper
+O denotera	+J dejantes	+C decevant	sabordee	paredre
detonera	+L dentales	+I devaient	+G derogeas	+A deparera
+P deparent	dentelas	devenait	+I ardoisee	derapera
derapent	+N endentas	deviante	aroidees	+I deparier
perdante	+P depensat	+L delavent	+L desolera	deperira
+R raderent	pedantes	devalent	+M erodames	draperie
retendra	+R ardentes	+N devenant	+P deposera	drapiere
+S ardentes	derasent	+P depavent	+R eroderas	+N eprendra
derasent	etendras	+R redevant	+S erodasse	

```
    repandre
+R  reperdra
+S  paredres
+U  depurera
    perdreau
+V  depraver
+Z  draperez
ADEEPRS
    depares
    derapes
    drapees
    saperde
+C  decrepas
    precedas
+E  deparees
+H  dephaser
    ephedras
+I  deparies
    diaprees
+N  repandes
+O  deposera
+R  paredres
+S  depasser
    saperdes
+T  departes
    depetras
+U  persuade
+V  depraves
+Y  depayser
ADEEPRT
    departe
    depetra
+A  petarade
    readapte
+C  decrepat
    precedat
+I  departie
    depetrai
    depitera
    pediatre
+L  deplatre
+M  detrempa
+N  deparent
    derapent
    perdante
+O  depotera
+S  departes
    depetras
+T  depetrat
+U  deputera
+Z  departez
ADEEPRU
+C  drupacee
+L  pedaleur
+N  epandeur
    repandue
+R  depurera
    perdreau
+S  persuade
+T  deputera
ADEEPRV
    depaver
    deprave
+A  depravee
+E  depravee
+R  depraver
+S  depraves

+Z  depravez
ADEEPRY
+S  depayser
ADEEPRZ
    deparez
    derapez
+I  depariez
+N  epandrez
    repandez
+R  draperez
+T  departez
+V  depravez
ADEEPSS
    depasse
    pesades
+E  depasses
+H  dephases
+N  depensas
+R  depasser
    saperdes
+S  depasses
+Y  depayses
+Z  depassez
ADEEPST
    adeptes
+A  adaptees
+N  depensat
    pedantes
+O  adoptees
+R  departes
    depetras
ADEEPSU
+I  adipeuse
+N  epandues
    penaudes
+R  persuade
ADEEPSV
    depaves
+E  depavees
+R  depraves
ADEEPSX
+I  expedias
ADEEPSY
    depayse
+E  depayses
+R  depayser
+S  depayses
+Z  depaysez
ADEEPSZ
+H  dephasez
+S  depassez
+Y  depaysez
ADEEPTT
+R  depetrat
ADEEPTU
+I  depiaute
+R  deputera
ADEEPTV
+N  depavent
ADEEPTX
+I  expediat
ADEEPTZ
+R  departez
ADEEPVZ
    depavez
+I  depaviez

+R  depravez
ADEEPYZ
+S  depaysez
ADEEQRT
+U  detraque
ADEEQRU
+B  debarque
+M  demarque
+T  detraque
+U  eduquera
    reeduqua
ADEEQSU
+F  defequas
+M  demasque
    desquame
ADEEQTU
+A  adequate
+F  defequat
+R  detraque
ADEEQUU
+R  eduquera
    reeduqua
ADEERRR
+C  recarder
+G  regarder
+M  demarrer
+O  redorera
+P  reperdra
+T  retarder
ADEERRS
    deraser
+A  derasera
+C  carderes
    recardes
+F  deferras
    ferrades
+G  regardes
+I  desirera
    residera
    siderera
+M  demarres
    desarmer
    merderas
+N  renardes
+O  eroderas
+P  paredres
+S  adresser
    desserra
    dressera
    redressa
+T  deterras
    retardes
+V  redevras
ADEERRT
    deterra
    retarde
+E  retardee
+F  deferrat
+I  deterrai
    detirera
+N  raderent
    retendra
+R  retarder
+S  deterras
    retardes
+T  detartre
    deterrat

+V  verdatre
+X  extrader
+Z  retardez
    tarderez
ADEERRU
+L  ruderale
+N  endurera
    renauder
+P  depurera
    perdreau
+Y  derayure
ADEERRV
    redevra
+I  derivera
    devirera
    redevrai
+N  revendra
+O  redorera
+P  depraver
+S  redevras
+T  verdatre
ADEERRX
+T  extrader
ADEERRY
    derayer
+A  derayera
+B  debrayer
+F  defrayer
+U  derayure
+Z  drayerez
ADEERRZ
    raderez
+B  barderez
    braderez
+C  cadrerez
    carderez
    recardez
+D  darderez
+F  farderez
+G  garderez
    regardez
+H  harderez
+I  draierez
    raderiez
    radierez
+L  larderez
    lezarder
+M  demarrez
+O  adorerez
+P  draperez
+T  retardez
    tarderez
+Y  drayerez
ADEERSS
    adresse
    derases
    resedas
+C  decrasse
    escadres
+E  adressee
    derasees
    desaeres
+G  dressage
+I  dieseras
+L  delasser
    dessaler
+M  desarmes

    medersas
    merdasse
+O  erodasse
+P  depasser
    saperdes
+R  adresser
    desserra
    dressera
    redressa
+S  adresses
+T  desastre
    desertas
    estrades
+V  adverses
    deversas
+Z  adressez
ADEERST
    derates
    deserta
    estrade
+B  debaters
+C  decretas
+E  deratees
+H  thesarde
+I  asteride
    dateries
    deratise
    desertai
    editeras
    reeditas
+M  merdates
    readmets
+N  ardentes
    derasent
    etendras
+O  erodates
    torsadee
+P  departes
    depetras
+R  deterras
    retardes
+S  desastre
    desertas
    estrades
+T  desertat
    tetrades
+V  devaster
    deversat
+X  adextres
    extrades
ADEERSU
    serdeau
+B  bradeuse
+C  cardeuse
    decreusa
+F  fraudees
+G  draguees
    gardeuse
    graduees
+I  radieuse
+J  adjurees
+L  eluderas
+M  demeuras
    medusera
+N  renaudes
+P  persuade
+X  exsudera
```

```
        serdeaux      +P deputera    +L delasses    +Z devastez    ADEFFII
ADEERSV               +Q detraque       dessales    ADEESTW        +R differai
        adverse       ADEERTV        +O adossees    +T dewattes    ADEFFIM
        deversa       +G degrevat    +P depasses    ADEESTX           diffame
+A evaderas           +I devetira    +R adresses       detaxes     +E diffamee
+B adverbes              redevait    ADEESST        +E detaxees    +R diffamer
+C decevras           +N redevant    +I diesates    +N desaxent    +S diffames
+G degrevas           +R verdatre       editasse    +R adextres    +Z diffamez
+I deversai           +S devaster       tiedasse       extrades    ADEFFIO
   devieras              deversat    +L delestas    ADEESTY        +C decoiffa
   devisera           ADEERTX        +R desastre    +N asyndete    ADEFFIR
   evideras              adextre        desertas    ADEESTZ           differa
   redevais              detaxer        estrades    +V devastez    +G griffade
+P depraves           +A detaxera    +T detestas    ADEESUV        +I differai
+R redevras           +E adextree    +V evidasse       desaveu     +M diffamer
+S adverses              extradee    ADEESSU        +L devalues    +S differas
   deversas           +R extrader    +B desabuse    +N advenues    +T differat
+T devaster           +S adextres    +F defausse    +O desavoue    ADEFFIS
   deversat              extrades    +L eludasse    +X desavoue       affides
ADEERSX               +Z extradez    +M dameuses    ADEESUX        +A affadies
        desaxer       ADEERTY        +N danseuse    +R exsudera    +E affidees
+A desaxera           +H hydratee    ADEESSV           serdeaux    +M diffames
+T adextres           +N derayent    +A evadasse    ADEESVX        +R differas
   extrades           ADEERTZ        +I deviasse    +U desaveux    ADEFFIT
+U exsudera              daterez        evidasse    ADEESVZ        +R differat
   serdeaux           +I dateriez    +R adverses    +T devastez    ADEFFIZ
ADEERSY               +P departez       deversas    ADEESXZ        +M diffamez
        derayes       +R retardez    +T devastes       desaxez     ADEFFMR
        drayees          tarderez    ADEESSX        +I desaxiez    +I diffamer
+B debrayes           +X extradez    +E desaxees    ADEESYZ        ADEFFMS
+E derayees           ADEERUU        ADEESSY        +P depaysez    +I diffames
+F defrayes           +Q eduquera    +P depayses    ADEETTT        ADEFFMZ
+P depayser              reeduqua    ADEESSZ        +C detectat    +I diffamez
ADEERSZ               ADEERUV        +L delassez    +N endettat    ADEFFNO
        derasez       +A ravaudee       dessalez    +S detestat    +R effondra
+I derasiez           +C decuvera    +P depassez    ADEETTU           offrande
+L lezardes           +F defaveur    +R adressez    +B debattue    ADEFFNR
+M desarmez           +L devaluer    ADEESTT        +N attendue    +O effondra
+N danserez           +O devouera       detesta     ADEETTV           offrande
+S adressez           ADEERUX        +B debattes    +I devetait    ADEFFOR
ADEERTT               +F federaux    +C cadettes    +N devetant    +C decoffra
        tetrade       +S exsudera       detectas       vendetta    +N effondra
+A attardee              serdeaux    +I detestai    ADEETTW           offrande
+B debattre           ADEERUY           editastes      dewatte     ADEFFRS
+C decretat           +R derayure    +L delestat    +E dewattee    +I differas
+I reeditat           ADEERUZ        +M admettes    +S dewattes    ADEFFRT
+M admettre           +B dauberez    +N attendes    ADEETTX        +A farfadet
   demettre           +L adulerez       endettas    +N detaxent    +I differat
+N attendre           +N renaudez    +R desertat    ADEETTZ        ADEFGIL
   daterent           ADEERVZ           tetrades    +B debattez    +E defilage
+P depetrat           +E evaderez    +S detestas    +M admettez    ADEFGIR
+R detartre           +P depravez    +T detestat    +N attendez    +A degrafai
   deterrat           ADEERXZ        +W dewattes    ADEETVZ        +F griffade
+S desertat           +T extradez    ADEESTU        +S devastez    +U defigura
   tetrades           ADEERYZ        +L eludates    ADEETXZ        ADEFGIU
ADEERTU                  derayez     ADEESTV           detaxez     +R defigura
+A taraudee           +B debrayez       devaste     +I detaxiez    ADEFGLN
+B debutera           +F defrayez    +A evadates    +R extradez    +O degonfla
+I etudiera           +I derayiez    +E devastee    ADEEUVX        ADEFGLO
   reetudia           +R drayerez    +I devetais    +S desaveux    +N degonfla
+L adultere           ADEERZZ           deviates    ADEEUVZ        ADEFGLR
   delateur           +L lezardez       evidates    +L devaluez    +A deflagra
   deleateur          ADEESSS           sedative    ADEFFGI        +E deflagre
   delutera           +C cedasses    +R devaster    +R griffade    ADEFGNO
+M demeurat           +F defasses       deversat    ADEFFGR        +L degonfla
+N denature           +I diesasse    +S devastes    +I griffade    ADEFGNS
   truandee                                                        +E fendages
```

ADEFGRR	**ADEFIIT**	friande	+S fardiers	+R flemmard
+E degrafer	defiat	+E fredaine	**ADEFIRS**	**ADEFLMN**
ADEFGRS	deifiat	+I definira	defrisa	+A flamande
+A degrafas	edifiat	feindrai	sefardi	**ADEFLMR**
fardages	+I deifiait	+L filandre	+B defibras	+M flemmard
+E degrafes	edifiait	+O fonderai	+E deferais	**ADEFLNO**
ADEFGRT	+L defailit	+S feindras	defieras	+G degonfla
+A degrafat	+N deifiant	fendrais	defraies	**ADEFLNR**
ADEFGRU	edifiant	friandes	federais	flandre
+I defigura	**ADEFIJT**	+T fendrait	redefais	+I filandre
ADEFGRZ	+C adjectif	**ADEFINS**	+F differas	+S flandres
+E degrafez	**ADEFILL**	fendais	+M sefardim	**ADEFLNS**
ADEFHIR	+E defaille	+A faisande	+N feindras	+E desenfla
+C defricha	+I defailli	+I densifia	fendrais	+R flandres
ADEFHIS	+N fendilla	+O infeodas	friandes	**ADEFLNT**
adhesif	**ADEFILN**	+R feindras	+P defripas	+I defilant
+S adhesifs	+E enfilade	fendrais	+R fardiers	**ADEFLOR**
ADEFHSS	+L fendilla	friandes	+S defrisas	deflora
+I adhesifs	+R filandre	+T defiants	sefardis	+I deflorai
ADEFIII	+T defilant	+U finaudes	+T defrisat	+S defloras
deifiai	**ADEFILO**	**ADEFINT**	**ADEFIRT**	+T deflorat
edifiai	defolia	defiant	+B defibrat	+U falourde
+C acidifie	+I defoliai	fendait	+E deferait	**ADEFLOS**
+S deifiais	+R deflorai	+E defiante	federait	+E feodales
edifiais	+S defolias	+I defiant	redefait	+I defolias
+T deifiait	+T defoliat	edifiant	+F differat	+R defloras
edifiait	+U defoulai	+L defilant	+N fendrait	+U defoulas
ADEFIIL	**ADEFILR**	+O infeodat	+P defripat	**ADEFLOT**
defilai	+E deferlai	+R fendrait	+S defrisat	+I defoliat
+L defailli	defilera	+S defiants	+U defruita	+R deflorat
+O defoliai	+N filandre	+V adventif	**ADEFIRU**	+U defoulat
+S defilais	+O deflorai	**ADEFINU**	+G defigura	**ADEFLOU**
fidelisa	**ADEFILS**	finaude	+T defruita	defoula
+T defilait	defilas	+S finaudes	+Z fraudiez	+I defoulai
ADEFIIN	+I defilais	**ADEFINV**	**ADEFIRY**	+R falourde
+O infeodai	fidelisa	+T adventif	+A defrayai	+S defoulas
+R definira	+O defolias	**ADEFINY**	**ADEFIRZ**	+T defoulat
feindrai	**ADEFILT**	fedayin	fardiez	**ADEFLQU**
+S densifia	defilat	+D feddayin	+U fraudiez	+A defalqua
+T deifiant	+I defilait	**ADEFIOR**	**ADEFISS**	+E defalque
edifiant	+N defilant	+C deforcai	+A fadaises	**ADEFLRS**
ADEFIIO	+O defoliat	+L deflorai	+E defiasse	+E deferlas
+L defoliai	**ADEFILU**	+M deformai	+H adhesifs	+N flandres
+N infeodai	+O defoulai	+N fonderai	+R defrisas	+O defloras
ADEFIIP	**ADEFIMO**	**ADEFIOS**	sefardis	**ADEFLRT**
+R defripai	+R deformai	+L defolias	+T sedatifs	+E deferlat
ADEFIIR	**ADEFIMR**	+N infeodas	**ADEFIST**	+O deflorat
+B defibrai	+F diffamer	**ADEFIOT**	defaits	**ADEFLRU**
+E defierai	+O deformai	+L defoliat	sedatif	+O falourde
deifiera	+S sefardim	+N infeodat	+E defaites	**ADEFLSU**
edifiera	**ADEFIMS**	**ADEFIOU**	defiates	+O defoulas
reedifia	+E defiames	+L defoulai	+N defiants	**ADEFLTU**
+F differai	+F diffames	**ADEFIPR**	+R defrisat	+O defoulat
+N definira	+R sefardim	defripa	+S sedatifs	**ADEFMMR**
feindrai	**ADEFIMZ**	+I defripai	**ADEFISU**	+L flemmard
+P defripai	+F diffamez	+S defripas	+N finaudes	**ADEFMNO**
+S defrisai	**ADEFINO**	+T defripat	**ADEFITU**	+S fondames
ADEFIIS	infeoda	**ADEFIPS**	+C educatif	**ADEFMNS**
defiais	+C defoncai	+R defripas	+R defruita	+O fondames
deifias	fecondai	**ADEFIPT**	**ADEFIUZ**	**ADEFMOR**
edifias	+I infeodai	+R defripat	+R fraudiez	deforma
+I deifiais	+R fonderai	**ADEFIQU**	**ADEFLLN**	+I deformai
edifiais	+S infeodas	+E defequai	+I fendilla	+S deformas
+L defilais	+T infeodat	**ADEFIRR**	**ADEFLMM**	+T deformat
fidelisa	**ADEFINR**	fardier		**ADEFMOS**
+N densifia	feindra	+A farderai		+N fondames
+R defrisai	fendrai	+E deferrai		+R deformas

ADEFMOT
+R deformat
ADEFMRS
+A fardames
+I sefardim
+O deformas
ADEFMRT
+O deformat
ADEFNNO
+R fredonna
+T fondante
ADEFNNR
+O fredonna
ADEFNNS
+T fendants
ADEFNNT
fendant
+O fondante
+S fendants
ADEFNOP
+R parfonde
ADEFNOR
fondera
+C defronca
+F effondra
offrande
+I fonderai
+N fredonna
+P parfonde
+R frondera
refondra
+S fonderas
+U defourna
ADEFNOS
+C defoncas
facondes
fecondas
+I infeodas
+M fondames
+R defouras
+S fondasse
+T fondates
ADEFNOT
+C defoncat
fecondat
+I infeodat
+N fondante
+S fondates
ADEFNOU
+R defourna
ADEFNPR
+O parfonde
ADEFNRR
+E refendra
+O frondera
refondra
ADEFNRS
fendras
+I feindras
fendrais
friandes
+L flandres
+O fonderas
ADEFNRT
fardent
+E deferant
federant

+I fendrait
+U fraudent
ADEFNRU
+O defourna
+T fraudent
ADEFNSS
+O fondasse
ADEFNST
+I defiants
+N fendants
+O fondates
ADEFNSU
+I finaudes
ADEFNSZ
+A fazendas
ADEFNTU
+R fraudent
ADEFNTV
+I adventif
ADEFOPR
+N parfonde
ADEFOQR
+U defroqua
ADEFOQU
+R defroqua
ADEFORR
+N frondera
refondra
ADEFORS
+C deforcas
+L defloras
+M deformas
+N fonderas
ADEFORT
+C deforcat
+L deflorat
+M deformat
ADEFORU
+L falourde
+N defourna
+Q defroqua
ADEFOSS
+N fondasse
ADEFOST
+N fondates
ADEFOSU
+C foucades
+L defoulas
ADEFOTU
+A autodafe
+L defoulat
ADEFOUX
feodaux
ADEFPRS
+I defripas
ADEFPRT
+I defripat
ADEFORU
+O defroqua
ADEFOSU
+E defequas
ADEFOTU
+E defequat
ADEFRRS
+A farderas
+E deferras
ferrades

+I fardiers
ADEFRRT
+E deferrat
ADEFRRU
frauder
+A fraudera
+U fraudeur
ADEFRRY
+E defrayer
ADEFRRZ
+E farderez
ADEFRSS
+A fardasse
+I defrisas
sefardis
ADEFRST
fetards
+A fardates
+I defrisat
ADEFRSU
fadeurs
fraudes
+A faraudes
+E fraudees
ADEFRSY
+A defrayas
+E defrayes
ADEFRTU
+I defruita
+N fraudent
ADEFRTY
+A defrayat
ADEFRUU
+R fraudeur
ADEFRUV
+E defaveur
ADEFRUX
+A fardeaux
+E federaux
ADEFRUZ
fraudez
+I fraudiez
ADEFRYZ
+E defrayez
ADEFSSS
+A fadasses
+E defasses
ADEFSST
+I sedatifs
ADEFSSU
+A defaussa
+E defausse
ADEFSTU
defauts

ADEGGLN
+A glandage
ADEGGNR
+I geignard
ADEGGNT
+E degagent
ADEGGNU
+I guindage
ADEGGOR
+E degorgea
ADEGGOS
godages
ADEGGRS
+A dragages
ADEGGST
gadgets
ADEGGSU
+I guidages
ADEGHIU
+C degauchi
ADEGHOR
+U hourdage
ADEGHOU
+R hourdage
ADEGHRS
+A hagardes
ADEGHRU
+O hourdage
ADEGIII
+R dirigeai
ADEGIIL
galidie
+S galidies
+T algidite
digitale
ADEGIIM
+R demaigri
ADEGIIN
+A degainai
+R denigrai
geindrai
+S designai
+U endiguai
+Z daigniez
ADEGIIO
+S degoisai
ADEGIIR
digerai
dirigea
+B bridgeai
+E redigeai
+I dirigeai
+M demaigri
+N denigrai
geindrai
+R dirigera
+S degrisai
digerais
dirigeas
+T digerait
dirigeat
+U guiderai
+V degivrai
ADEGIIS
+L galidies
+N designai
+O degoisai

+R degrisai
digerais
dirigeas
+U deguisai
ADEGIIT
+L algidite
digitale
+R digerait
dirigeat
ADEGIIU
+N endiguai
+R guiderai
+S deguisai
ADEGIIV
+R degivrai
ADEGIIZ
+N daigniez
ADEGIJN
+O adjoigne
ADEGIJO
+N adjoigne
ADEGIJU
+A adjugeai
+E dejugeai
+Z adjugiez
ADEGIJZ
+U adjugiez
ADEGILL
+O godaille
+R grillade
ADEGILN
+B blindage
+E legendai
+R dragline
+Z glandiez
ADEGILO
+E delogeai
+L godaille
+R rigolade
+U dialogue
ADEGILP
+E depilage
depliage
ADEGILR
+E dereglai
+L grillade
+N dragline
+O rigolade
ADEGILS
algides
+E degelais
+I galidies
+S glissade
+U degluais
ADEGILT
+E degelait
delitage
+I algidite
digitale
+U degluait
ADEGILU
degluai
+E deleguai
+O dialogue
+S degluais
+T degluait

ADEGILZ
+N glandiez
ADEGIMM
+O degommai
+R digramme
ADEGIMN
+E deminage
+R mignarde
ADEGIMO
+M degommai
ADEGIMR
+E degermai
+I demaigri
+M digramme
+N mignarde
ADEGIMS
+U guidames
ADEGIMU
+S guidames
ADEGINN
+R grenadin
+T daignent
ADEGINO
ganoide
+B badigeon
+C congedia
+J adjoigne
+R argonide
+S diagnose
ganoides
+T godaient
ADEGINP
pignade
+E depeigna
+S pignades
ADEGINR
daigner
degarni
denigra
gardien
geindra
grandie
+A agrandie
daignera
drainage
gardenia
+E degainer
degarnie
+G geignard
+I denigrai
geindrai
+L dragline
+M mignarde
+N grenadin
+O argonide
+R degarnir
ringarde
+S degarnis
denigras
gardiens
geindras
grandies
+T degarnit
denigrat
digerant
gradient
+U guindera

+V vidanger
ADEGINS
daignes
designa
+A degainas
+E degaines
+I designai
+O diagnose
ganoides
+P pignades
+R degarnis
denigras
gardiens
geindras
grandies
+S designas
+T designat
+U endiguas
nigaudes
+V vidanges
ADEGINT
+A degainat
degantai
+N daignent
+O godaient
+R degarnit
denigrat
digerant
gradient
+S designat
+U endiguat
ADEGINU
endigua
nigaude
+G guindage
+I endiguai
+R guindera
+S endiguas
nigaudes
+T endiguat
+U guindeau
ADEGINV
vidange
+A vidangea
+E vidangee
+R vidanger
+S vidanges
+Z vidangez
ADEGINX
+E indexage
ADEGINZ
daignez
+E degainez
+I daigniez
+L glandiez
+V vidangez
ADEGIOR
goderai
+E derogeai
+L rigolade
+N argonide
+R drageoir
+S goderais
+T doigtera
goderait
ADEGIOS
degoisa

+I degoisai
+N diagnose
ganoides
+R goderais
+S degoisas
+T degoisat
degotais
ADEGIOT
degotai
+N godaient
+R doigtera
goderait
+S degoisat
degotais
+T degotait
degottai
+U degoutai
ADEGIOU
+L dialogue
+T degoutai
+V godiveau
ADEGIOV
+U godiveau
ADEGIPS
+N pignades
ADEGIQR
+U quadrige
ADEGIQU
+R quadrige
ADEGIRR
+A garderai
regardai
+B bridgera
+E digerera
garderie
redigera
+I dirigera
+N degarnir
ringarde
+O drageoir
ADEGIRS
degrisa
digeras
ridages
+B bridgeas
brigades
+C disgrace
+E degreais
redigeas
+I degrisai
digerais
dirigeas
+N degarnis
denigras
gardiens
geindras
grandies
+O goderais
+S degrisas
+T degrisat
+U guideras
+V degivras
gravides
ADEGIRT
digerat
+B bridgeat
+E degreait

redigeat
tragedie
+I digerait
dirigeat
+N degarnit
denigrat
digerant
gradient
+O doigtera
goderait
+S degrisat
+V degivrat
ADEGIRU
guidera
+F defigura
+I guiderai
+N guindera
+Q quadrige
+S guideras
+V divaguer
+Z draguiez
graduiez
ADEGIRV
degivra
gravide
+E degrevai
divergea
+I degivrai
+N vidanger
+S degivras
gravides
+T degivrat
+U divaguer
ADEGIRZ
gardiez
+E deragiez
+U draguiez
graduiez
ADEGISS
+L glissade
+N designas
+O degoisas
+R degrisas
+U deguisas
guidasse
ADEGIST
+N designat
+O degoisat
degotais
+R degrisat
+U deguisat
degustai
guidates
ADEGISU
deguisa
+G guidages
+I deguisai
+L degluais
+M guidames
+N endiguas
nigaudes
+R guideras
+S deguisas
guidasse
+T deguisat
degustai
guidates

+V divagues
ADEGISV
vidages
+E devisage
+N vidanges
+R degivras
gravides
+U divagues
ADEGISZ
+A degazais
ADEGITT
+O degotait
degottai
ADEGITU
+L degluait
+N endiguat
+O degoutai
+S deguisat
degustai
guidates
ADEGITV
+R degivrat
ADEGITZ
+A degazait
ADEGIUU
guideau
+N guindeau
+X guideaux
ADEGIUV
divague
+O godiveau
+R divaguer
+S divagues
+Z divaguez
ADEGIUX
+U guideaux
ADEGIUZ
+J adjugiez
+R draguiez
graduiez
+V divaguez
ADEGIVZ
+N vidanges
+U divaguez
ADEGIZZ
+E degaziez
ADEGJNO
+I adjoigne
ADEGJNT
+U adjugent
ADEGJNU
+T adjugent
ADEGJRU
adjuger
+A adjugera
+E dejauger
dejugera
ADEGJSU
adjuges
+A adjugeas
+E adjugees
dejauges
dejugeas
ADEGJTU
+A adjugeat
+E dejugeat

+N adjugent	+S graduels	+I guidames	gradient	**ADEGORS**
ADEGJUZ	+U gueulard	**ADEGNNO**	+S grandets	dorages
adjugez	**ADEGLSS**	+R dragonne	+U draguent	goderas
+E dejaugez	+I glissade	**ADEGNNR**	graduent	rodages
+I adjugiez	**ADEGLSU**	+E engendra	**ADEGNRU**	+B bordages
ADEGLLO	degluas	+I grenadin	+I guindera	+C cordages
+I godaille	+E deleguas	+O dragonne	+L glandeur	+E derogeas
ADEGLLR	+I degluais	**ADEGNNT**	+R grandeur	+I goderais
+I grillade	+R graduels	+I daignent	+T draguent	+N drageons
ADEGLLS	**ADEGLTU**	+L glandent	graduent	+P podagres
+A dallages	degluat	**ADEGNNV**	**ADEGNRV**	+T tordages
ADEGLMO	+E deleguat	+E vendange	+I vidanger	**ADEGORT**
+E modelage	delutage	**ADEGNOR**	**ADEGNRZ**	tordage
ADEGLMY	+I degluait	drageon	+E derangez	+A radotage
+A amygdale	+N degluant	+I argonide	**ADEGNSS**	+E degotera
ADEGLNN	**ADEGLUU**	+N dragonne	+I designas	derogeat
+T glandent	+E degueula	+R grondera	+O sondages	+I doigtera
ADEGLNO	+R gueulard	+S drageons	**ADEGNST**	goderait
goeland	**ADEGLUV**	**ADEGNOS**	+A degantas	+S tordages
+F degonfla	+A galvaude	gonades	+E degantes	**ADEGORU**
+S goelands	**ADEGMMO**	sondage	+I designat	+B bourgade
ADEGLNR	degomma	+I diagnose	+O tondages	+H hourdage
glander	dommage	ganoides	+R grandets	+P degroupa
+A glandera	+I degommai	+L goelands	**ADEGNSU**	+R droguera
+I dragline	+S degommas	+R drageons	+I endiguas	+U rougeaud
+U glandeur	dommages	+S sondages	nigaudes	**ADEGOSS**
ADEGLNS	+T degommat	+T tondages	**ADEGNSV**	dosages
glandes	**ADEGMMR**	+Z degazons	+I vidanges	godasse
+E glandees	+I digramme	**ADEGNOT**	**ADEGNSZ**	+I degoisas
legendes	**ADEGMMS**	tondage	+O degazons	+N sondages
+O goelands	+O degommas	+I godaient	**ADEGNTT**	+S godasses
ADEGLNT	dommages	+S tondages	+A degantat	+U soudages
+E degelant	**ADEGMMT**	+T degotant	+O degotant	**ADEGOST**
legendat	+O degommat	**ADEGNOY**	**ADEGNTU**	degotas
+N glandent	**ADEGMNO**	+E denoyage	+I endiguat	godates
+U degluant	+E emondage	**ADEGNOZ**	+J adjugent	+I degoisat
ADEGLNU	endogame	+S degazons	+L degluant	degotais
+R glandeur	**ADEGMNR**	**ADEGNPS**	+R draguent	+N tondages
+T degluant	+A gendarma	+E pendages	graduent	+R tordages
ADEGLNZ	+E demanger	+I pignades	**ADEGNTZ**	+T degottas
glandez	gendarme	**ADEGNRR**	+A degazant	+U degoutas
+I glandiez	+I mignarde	+E deranger	+E degantez	**ADEGOSU**
ADEGLOP	**ADEGMNS**	+I degarnir	degazent	gadoues
+A galopade	+E demanges	ringarde	**ADEGNUU**	soudage
+E lagopede	**ADEGMNZ**	+O grondera	+I guindeau	+S soudages
ADEGLOR	+E demangez	+U grandeur	**ADEGNVZ**	+T degoutas
+E delogera	**ADEGMOP**	**ADEGNRS**	+I vidangez	**ADEGOSZ**
+I rigolade	+E megapode	dangers	**ADEGOPR**	+N degazons
ADEGLOS	+T domptage	grandes	podagre	**ADEGOTT**
+E delogeas	**ADEGMOS**	+E deranges	+S podagres	degotat
+N goelands	godames	grenades	+U degroupa	degotta
ADEGLOT	+M degommas	+I degarnis	poudrage	+I degotait
+E delogeat	dommages	denigras	**ADEGOPS**	degottai
ADEGLOU	**ADEGMOT**	gardiens	dopages	+N degotant
+B doublage	+M degommat	geindras	pagodes	+S degottas
+I dialogue	+P domptage	+R podagres	+T degottat
ADEGLPU	**ADEGMPT**	+O drageons	**ADEGOPT**	+U degoutat
+D puddlage	+O domptage	+T grandets	+E depotage	degoutta
ADEGLRS	**ADEGMRS**	**ADEGNRT**	+M domptage	**ADEGOTU**
+E deregias	+A gardames	gardent	**ADEGOPU**	degouta
+U graduels	+E degermas	+E grandet	+R degroupa	+I degoutai
ADEGLRT	**ADEGMRT**	+E deganter	poudrage	+S degoutas
+E dereglat	+E degermat	degreant	**ADEGORR**	+T degoutat
ADEGLRU	**ADEGMRU**	deragent	+E derogera	degoutta
graduel	+A madrague	+I degarnit	+I drageoir	**ADEGOUU**
+E degluera	margaude	denigrat	+N grondera	+R rougeaud
+N glandeur	**ADEGMSU**	digerant	+U droguera	

ADEGOUV
+I godiveau
ADEGPRS
+O podagres
+U guepards
ADEGPRU
guepard
+O degroupa
poudrage
+S guepards
ADEGPSU
+R guepards
ADEGQRU
+I quadrige
ADEGRRR
+E regarder
ADEGRRS
regards
regardas
+A garderas
+E regardes
+T dragster
+U gardeurs
ADEGRRT
+A regardat
+S dragster
ADEGRRU
draguer
gardeur
graduer
+A draguera
graduera
+N grandeur
+O droguera
+S gardeurs
+U draguer
ADEGRRZ
+E garderez
regardez
ADEGRSS
+A gardasse
+E dressage
+I degrisas
ADEGRST
+A gardates
+I degrisat
+N grandets
+O tordages
+R dragster
ADEGRSU
dragues
gradues
+E draguees
gardeuse
graduees
+I guideras
+L graduels
+P guepards
+R gardeurs
ADEGRSV
+E degrevas
+I degivras
gravides
ADEGRTU
+N draguent
graduent
ADEGRTV

+E degrevat
+I degivrat
ADEGRUU
+L gueulard
+O rougeaud
+R dragueur
ADEGRUV
+I divaguer
ADEGRUZ
draguez
graduez
+I draguiez
graduiez
ADEGSSS
+O godasses
ADEGSST
+U degustas
ADEGSSU
+I deguisas
guidasse
+O soudages
+T degustas
ADEGSTT
+O degottas
+U degustat
ADEGSTU
daguets
degusta
+I deguisat
degustai
guidates
+O degoutas
+S degustas
+T degustat
ADEGSUV
+I divagues
ADEGTTT
+O degottat
ADEGTTU
+O degoutat
degoutta
+S degustat
ADEGUUX
+I guideaux
ADEGUVZ
+I divaguez
ADEHIIN
+C denichai
+P aphidien
ADEHIIP
+N aphidien
ADEHIIR
+C dechirai
ADEHIIS
+C scheidai
ADEHIIZ
+C chiadiez
ADEHIJU
+C dejuchai
ADEHIKL
+V khedival
ADEHIKN
+S skinhead
ADEHIKS
+N skinhead
ADEHIKT
+V khedivat

ADEHIKV
+L khedival
+T khedivat
ADEHILO
+L hyaloide
+P haploide
+Y hyaloide
ADEHILP
+A hapalide
+O haploide
ADEHILS
+A dehalais
+U deshuila
ADEHILT
+A dehalait
ADEHILU
+S deshuila
ADEHILV
+K khedival
ADEHILY
+O hyaloide
ADEHILZ
+E dehaliez
ADEHIMM
+S mahdisme
ADEHIMN
+C dimanche
ADEHIMP
+S phasmide
ADEHIMS
+C schiedam
+M mahdisme
+P phasmide
+T mahdiste
ADEHIMT
+S mahdiste
ADEHINO
+S adhesion
ADEHINP
daphnie
+A diaphane
+I aphidien
+S daphnies
+U dauphine
ADEHINR
enhardi
+E enhardie
+R enhardir
+S enhardis
+T enhardit
ADEHINS
+C denichas
+K skinhead
+O adhesion
+P daphnies
+R enhardis
ADEHINT
+C chiadent
denichat
tchadien
+R enhardit
ADEHINU
+P dauphine
ADEHIOP
+L haploide
ADEHIOR
+C dechoira
derochai

ADEHIOS
+N adhesion
ADEHIOY
+L hyaloide
ADEHIPS
diphase
+A dephasai
+E diphasee
+M phasmide
+N daphnies
+S diphases
+Y diaphyse
ADEHIPU
+N dauphine
ADEHIPY
+S diaphyse
ADEHIRR
+A harderai
+C richarde
+E diarrhee
+N enhardir
+Y hydraire
ADEHIRS
hardies
+A adherais
+C dechiras
+N enhardis
ADEHIRT
+A adherait
+C dechirat
+N enhardit
ADEHIRU
+C chiadeur
ADEHIRY
+C dyarchie
+R hydraire
ADEHIRZ
hardiez
+E adheriez
ADEHISS
+C scheidas
+F adhesifs
+P diphases
ADEHIST
+C scheidat
+M mahdiste
+Y thyiades
ADEHISU
+L deshuila
ADEHISV
+E adhesive
ADEHISY
+P diaphyse
+T thyiades
ADEHITU
+B habitude
thibaude
ADEHITV
+K khedivat
ADEHITY
thyiade
+D hydatide
+S thyiades
ADEHJSU
+C dejuchas
ADEHJTU
+C dejuchat

+C dejuchat
ADEHKLV
+I khedival
ADEHKNS
+I skinhead
ADEHKTV
+I khedivat
ADEHLLN
+O hollande
ADEHLLO
+N hollande
ADEHLLP
+Y phyllade
ADEHLLY
+P phyllade
ADEHLMY
+C chlamyde
ADEHLNO
+L hollande
+S dehalons
ADEHLNR
+W landwehr
ADEHLNS
+O dehalons
+T shetland
ADEHLNT
+A dehalant
+E dehalent
+S shetland
ADEHLNW
+R landwehr
ADEHLOP
pholade
+I haploide
+S pholades
ADEHLOS
+N dehalons
+P pholades
ADEHLOY
+I hyaloide
ADEHLPS
+O pholades
ADEHLPY
+L phyllade
ADEHLRU
+Y hydraule
ADEHLRW
+N landwehr
ADEHLRY
+U hydraule
ADEHLST
+N shetland
ADEHLSU
+I deshuila
ADEHLUY
+R hydraule
ADEHMMS
+I mahdisme
ADEHMNO
+E dahomeen
ADEHMOR
+C mordache
ADEHMPS
+I phasmide
ADEHMRS
+A hardames
+C drachmes

ADEHMST
+I mahdiste
ADEHNOR
+C rondache
+S adherons
ADEHNOS
+I adhesion
+L dehalons
+R adherons
ADEHNPS
daphnes
+I daphnies
ADEHNPU
+I dauphine
ADEHNRR
+I enhardir
ADEHNRS
+I enhardis
+O adherons
+Y anhydres
ADEHNRT
hardent
+A adherant
+E adherent
+I enhardit
ADEHNRW
+L landwehr
ADEHNRY
anhydre
+S anhydres
ADEHNST
+L shetland
ADEHNSY
+R anhydres
ADEHOPR
+C pocharde
+S rhapsode
ADEHOPS
+C pochades
+L pholades
+R rhapsode
ADEHOPX
+E hexapode
ADEHORR
+U hourdera
ADEHORS
+C derochas
+N adherons
+P rhapsode
ADEHORT
+C derochat
ADEHORU
+C douchera
+G hourdage
+R hourdera
ADEHOST
+C cathodes
ADEHPRS
+E dephaser
ephedras
+O rhapsode
ADEHPSS
+A dephasas
+E dephases
+I diphases
ADEHPST
+A dephasat

ADEHPSY
+I diaphyse
ADEHPSZ
+E dephasez
ADEHRRS
+A harderas
hasarder
ADEHRRT
+Y hydrater
ADEHRRU
+O hourdera
ADEHRRW
+A hardware
ADEHRRY
+I hydraire
+T hydrater
ADEHRRZ
+E harderez
ADEHRSS
+A hardasse
hasardes
+T thesards
+U hussarde
ADEHRST
thesard
+A hardates
+E thesarde
+S thesards
+Y hydrates
ADEHRSU
+C rechauds
+S hussarde
ADEHRSY
+N anhydres
+T hydrates
ADEHRSZ
+A hasardez
ADEHRTY
hydrate
+E hydratee
+R hydrater
+S hydrates
+Z hydratez
ADEHRTZ
+Y hydratez
ADEHRUY
+L hydraule
ADEHRYZ
+T hydratez
ADEHSST
+R thesards
ADEHSSU
+R hussarde
ADEHSTY
+I thyiades
+R hydrates
ADEHTYZ
+R hydratez
ADEIIIR
+G dirigeai
+T tiedirai
ADEIIIS
+F deifiais
edifiais
ADEIIIT
+F deifiait
edifiait

+R tiedirai
ADEIILL
+F defailli
ADEIILM
+T delimita
ADEIILN
enlaidi
+A delainai
+C declinai
+E enlaidie
+R enlaidir
+S enlaidis
+T enlaidit
+V invalide
ADEIILO
+F defoliai
+R iodlerai
+V devoilai
ADEIILP
depilai
depliai
+D dilapide
+S depliais
+T depilait
depliait
+Z lapidiez
plaidiez
ADEIILR
delirai
+E delierai
eliderai
+N enlaidir
+O iodlerai
+S delirais
+T delirait
+U diluerai
+V delivrai
ADEIILS
deliais
elidais
+A idealisa
+E idealise
+F defilais
fidelisa
+G galidies
+N enlaidis
+P depilais
depliais
+R delirais
+T delitais
ADEIILT
deliait
delitai
elidait
+A delaitai
+B debilita
+E idealite
+F defilait
+G algidite
digitale
+M delimita
+N enlaidit
+P depilait
depliait
+R delirait
+S delitais

+T delitait
+V validite
+Z dilatiez
ADEIILU
+C elucidai
+R diluerai
ADEIILV
+N invalide
+O devoilai
+R delivrai
+T validite
+Z validiez
ADEIILZ
+P lapidiez
+T dilatiez
+V validiez
ADEIIMM
+T immediat
ADEIIMN
deminai
diamine
mendiai
+S deminais
diamines
mendiais
+T deminait
mendiait
ADEIIMO
+B amiboide
+Z amodiiez
ADEIIMP
+R deprimai
+V impavide
ADEIIMR
medirai
+A demariai
+E remediai
+G demaigri
+P deprimai
+S medirais
raidimes
+T medirait
+Z admiriez
ADEIIMS
+C decimais
+D diamides
+N deminais
diamines
mendiais
+R medirais
raidimes
+S medisais
+T medisait
meditais
ADEIIMT
meditai
+C decimait
+L delimita
+M immediat
+N deminait
mendiait
+R medirait
+S medisait
meditais
+T meditait
ADEIIMV

+P impavide
ADEIIMZ
+C cadmiiez
+O amodiiez
+R admiriez
ADEIINN
+C incendia
+T dinaient
ADEIINO
+F infeodia
+T ideation
iodaient
ADEIINP
+H aphidien
+R peindrai
ADEIINR
dinerai
+C acridien
ceindrai
cnidaire
+E denierai
+F definira
feindrai
+G denigrai
geindrai
+L enlaidir
+P peindrai
+S dinerais
draisine
+T dinerait
diraient
ridaient
teindrai
tiendrai
+U enduirai
+V renvidai
viendrai
+Z drainiez
radiniez
ADEIINS
deniais
+A deniaisa
+B debinais
+E deniaise
+F densifia
+G designai
+L enlaidis
+M deminais
diamines
mendiais
+R dinerais
draisine
+S dessinai
+T destinai
disaient
+V devinais
+X indexais
+Z dizaines
ADEIINT
deniait
+A aidaient
+B debinait
+C actinide
citadine
+F deifiant
edifiant
+L enlaidit

+M deminait
mendiait
+N dinaient
+O ideation
iodaient
+R dinerait
diraient
ridaient
teindrai
tiendrai
+S destinai
disaient
+V devinrai
vidaient
+X indexait
ADEIINU
+G endiguai
+R enduirai
ADEIINV
devinrai
+L invalide
+R renvidai
viendrai
+S devinais
+T devinait
vidaient
+Z viandiez
ADEIINX
indexai
+S indexais
+T indexait
ADEIINZ
dizaine
+B badiniez
+G daigniez
+R drainiez
radiniez
+S dizaines
+V viandiez
ADEIIOR
ioderai
+L iodlerai
+S ioderais
+T ioderait
ADEIIOS
+B deboisai
+G degoisai
+R ioderais
ADEIIOT
+B deboitai
+N ideation
iodaient
+R ioderait
ADEIIOV
+L devoilai
ADEIIOZ
+M amodiiez
ADEIIPQ
+U depiquai
ADEIIPR
+A depariai
+F defripai
+M deprimai
+N peindrai
+R predirai
+S presidai
+T rapidite

trepidai
+U repudiai
+Z diapriez
ADEIIPS
+L depilais
depliais
+R presidai
+T depistai
depitais
sapidite
ADEIIPT
depitai
+L depilait
depliait
+R rapidite
trepidai
+S depistai
depitais
sapidite
+T depitait
ADEIIPU
+Q depiquai
+R repudiai
ADEIIPV
+M impavide
ADEIIPX
+E expediai
ADEIIPZ
+L lapidiez
plaidiez
+R diapriez
ADEIIQU
+P depiquai
ADEIIRR
irradie
redirai
riderai
+A draierai
radierai
+B briderai
+C decrirai
+E irradiee
+G dirigera
+P predirai
+R irradier
+S irradies
redirais
riderais
+T redirait
riderait
+U reduirai
+V driverai
verdirai
+Z irradiez
raidirez
ADEIIRS
desirai
raidies
residai
siderai
+A aiderais
+C decrirais
+D dedirais
deridais
+E dieserai
+F defrisai
+G degrisai

digerais
dirigeas
+L delirais
+M medirais
raidimes
+N dinerais
draisine
+O ioderais
+P presidai
+R irradies
redirais
riderais
+S desirais
raidisse
redisais
residais
siderais
+T aridites
desirait
detirais
distraie
raidites
redisait
residait
siderait
tiediras
+U seduirai
+V derivais
devirais
divisera
viderais
ADEIIRT
aridite
detirai
tiedira
+A aiderait
+B diatribe
+C creditai
decriait
dicterai
raticide
triacide
+D dedirait
deridait
+E editerai
reeditai
+G digerait
dirigeat
+I tiedirai
+L delirait
+M medirait
+N dinerait
diraient
ridaient
teindrai
tiendrai
+O ioderait
+P rapidite
trepidai
+R redirait
riderait
+S aridites
desirait
detirais
distraie
raidites
redisait

residait
siderait
tiediras
+T attiedir
detirait
+V derivait
devirait
viderait
ADEIIRU
+D deduirai
+G guiderai
+L diluerai
+N enduirai
+P repudiai
+R reduirai
+S seduirai
ADEIIRV
derivai
devirai
viderai
+C recidiva
+E devierai
eviderai
+G degivrai
+L delivrai
+N renvidai
viendrai
+R driverai
verdirai
+S derivais
devirais
divisera
viderais
+T derivait
devirait
viderait
ADEIIRZ
radiiez
+E aideriez
+M admiriez
+N drainiez
radiniez
+P diapriez
+R irradiez
raidirez
ADEIISS
diesais
+C ascidies
+D dedisais
+M medisais
+N dessinai
+R desirais
raidisse
redisais
residais
siderais
+S dessaisi
+T desistai
+V devisais
devissai
ADEIIST
diesait
editais
+B debitais
+C acidites
edictais
+D dedisait

+L delitais
+M medisait
meditais
+N destinai
disaient
+P depistai
depitais
sapidite
+R aridites
desirait
detirais
distraie
raidites
redisait
residait
siderait
tiediras
+S desistai
+T attiedis
+U etudiais
+V avidites
devisait
ADEIISU
+G deguisai
+R seduirai
+T etudiais
ADEIISV
deviais
devisai
evidais
+D devidais
+N devinais
+R derivais
devirais
divisera
viderais
+S devisais
devissai
+T avidites
devisait
ADEIISX
+N indexais
ADEIISZ
+N dizaines
ADEIITT
attiedi
editait
+B debitait
+C edictait
+E attiedie
+L delitait
+M meditait
+P depitait
+R attiedir
detirait
+S attiedis
+T attiedit
+U etudiait
ADEIITU
etudiai
+S etudiais
+T etudiait
+V auditive
ADEIITV
avidite
deviait
evidait

ADEIITX (col. 1)

+D additive
   devidait
+L validite
+N devinait
   vidaient
+R derivait
   devirait
   viderait
+S avidites
   devisait
+U auditive
ADEIITX
+N indexait
ADEIITZ
+L dilatiez
ADEIIUV
+T auditive
ADEIIVZ
+L validiez
+N viandiez
ADEIJLO
+R jodlerai
ADEIJLR
+O jodlerai
ADEIJMS
+U judaisme
ADEIJMU
+S judaisme
ADEIJNO
+G adjoigne
+T adjointe
ADEIJNR
   jardine
+E jardinee
+R jardiner
+S jardines
+T jardinet
+Z jardinez
ADEIJNS
+R jardines
ADEIJNT
+A dejantai
+O adjointe
+R jardinet
ADEIJNU
+E dejeunai
ADEIJNZ
+R jardinez
ADEIJOR
+L jodlerai
ADEIJOS
+U dejouais
ADEIJOT
+N adjointe
+U dejouait
ADEIJOU
   dejouai
+S dejouais
+T dejouait
ADEIJQU
+U judaique
ADEIJRR
+N jardiner
ADEIJRS
+N jardines
+U judaiser
ADEIJRT

+N jardinet
ADEIJRU
+S judaiser
+Z adjuriez
ADEIJRZ
+N jardinez
+U adjuriez
ADEIJSS
+U judaises
ADEIJST
+E dejetais
   jadeites
ADEIJSU
   judaise
+E judaisee
+M judaisme
+O dejouais
+R judaiser
+S judaises
+Z judaisez
ADEIJSZ
+U judaisez
ADEIJTT
+E dejetait
ADEIJTU
+O dejouait
ADEIJUU
+Q judaique
ADEIJUZ
+G adjugiez
+R adjuriez
+S judaisez
ADEIKKN
+A akkadien
ADEIKLV
+H khedival
ADEIKNP
+P kidnappe
ADEIKNS
+H skinhead
ADEIKPP
+N kidnappe
ADEIKTV
+H khedivat
ADEILLM
+A demailla
+E demaille
   demiella
   medaille
ADEILLN
+F fendilla
+P pendilla
ADEILLO
+C decollai
+E oeillade
+G godaille
+R rodaille
ADEILLP
+A depailla
+E depaille
+N pendilla
+R pillarde
ADEILLR
   draille
   rallide
+A dallerai
   derailla

+E deraille
+G grillade
+O rodaille
+P pillarde
+S drailles
   rallides
ADEILLS
+A aillades
+R drailles
   rallides
+S dessilla
+Y dyslalie
ADEILLT
+A detailla
   taillade
+E detaille
ADEILLY
+S dyslalie
ADEILLZ
   dalliez
ADEILMN
   limande
+O limonade
   mondiale
+S limandes
ADEILMO
   modelai
+C madicole
+N limonade
   mondiale
+R demolira
+S iodlames
   modelais
   modelisa
+T modalite
+U demoulai
+Y amyloide
ADEILMP
+E pelamide
+S plasmide
+U deplumai
   impalude
ADEILMR
+O demolira
ADEILMS
+A maladies
+E deliames
   demelais
   elidames
   mediales
+N limandes
+O iodlames
   modelais
   modelisa
+P plasmide
+U diluames
   dualisme
ADEILMT
+E demelait
+I delimita
+O modalite
   modelait
ADEILMU
+O demoulai
+P deplumai
   impalude

+S diluames
   dualisme
ADEILMV
+A maladive
+E medieval
ADEILMY
+O amyloide
ADEILNN
+E annelide
ADEILNO
+D dodelina
+M limonade
   mondiale
+R laideron
   ordinale
+T delation
ADEILNP
+L pendilla
+R plaindre
+T depilant
   depliant
   lapident
   plaident
+U paludine
   pendulai
ADEILNR
   landier
+B blindera
+E delainer
+F filandre
+G dragline
+I enlaidir
+O laideron
   ordinale
+P plaindre
+S landiers
+T delirant
ADEILNS
   aldines
+A delainas
   landaise
+C declinas
   scaldien
+E delaines
+I enlaidis
+M limandes
+R landiers
ADEILNT
   deliant
   elidant
+A delainat
+C declinat
+E delaient
   dentelai
+F defilant
+I enlaidit
+O delation
+P depilant
   depliant
   lapident
   plaident
+R delirant
+T delitant
+V divalent
   valident
ADEILNU

+P paludine
   pendulai
ADEILNV
+E denivela
+I invalide
+T divalent
   valident
ADEILNZ
+E delainez
+G glandiez
ADEILOO
+V ovoidale
ADEILOP
+H haploide
+R deplorai
   depolira
+Y deployai
ADEILOR
   iodlerai
   ordalie
+C cordelai
   cordiale
+F deflorai
+G rigolade
+I iodlerai
+J jodlerai
+L rodaille
+M demolira
+N laideron
   ordinale
+P deplorai
   depolira
+R lardoire
+S iodleras
   ordalies
   solderai
+T idolatre
+U alourdie
   deroulai
+V devaloir
ADEILOS
   desolai
+F defolias
+M iodlames
   modelais
   modelisa
+R iodleras
   ordalies
   solderai
+S desolais
   dessolai
   iodlasse
+T desolait
   diastole
   iodlates
+V devoilas
+X oxalides
ADEILOT
+C cotidale
+F defoliat
+M modalite
   modelait
+N delation
+R idolatre
+S desolait
   diastole
   iodlates

+T dotalite
+V devoilat
ADEILOU
+B deboulai
+C declouai
decoulai
+F defoulai
+G dialogue
+M demoulai
+R alourdie
deroulai
ADEILOV
devoila
+I devoilai
+O ovoidale
+R devaloir
+S devoilas
+T devoilat
ADEILOX
oxalide
+S oxalides
ADEILOY
+H hyaloide
+M amyloide
+P deployai
ADEILPP
+U depulpai
ADEILPR
lapider
plaider
+A deplaira
lapidera
plaidera
+E depilera
deplaire
depliera
pedalier
+L pillarde
+N plaindre
+O deplorai
depolira
+U epidural
paludier
plaideur
preludai
ADEILPS
depilas
deplais
deplias
lapides
plaides
+A pedalais
+C placides
+E deplaise
lapidees
peliades
plaidees
pleiades
+I depilais
depliais
+M plasmide
+S deplissa
ADEILPT
depilat
deplait
depliat
+A pedalait

+I depilait
depliait
+N depilant
depliant
lapident
plaident
ADEILPU
+C decuplai
+M deplumai
impalude
+N paludine
pendulai
+P depulpai
+R epidural
paludier
plaideur
preludai
+X duplexai
ADEILPX
+U duplexai
ADEILPY
+O deployai
ADEILPZ
lapidez
plaidez
+E pedaliez
+I lapidiez
plaidiez
ADEILRR
+A larderai
+E delirera
ladrerie
+O lardoire
ADEILRS
deliras
sideral
+A radiales
saladier
+E delieras
elideras
siderale
+I delirais
+L drailles
rallides
+N landiers
+O iodleras
ordalies
solderai
+U dilueras
laideurs
+V delivras
+X rixdales
+Y dialyser
ADEILRT
delirat
dilater
+A dilatera
+E delaiter
delitera
+I delirait
+N delirant
+O idolatre
+V delivrat
ADEILRU
diluera
laideur
+A adulaire

adulerai
+C radicule
+E eluderai
+I dilurerai
+O alourdie
deroulai
+P epidural
paludier
plaideur
preludai
+S dilueras
laideurs
ADEILRV
delivra
valider
+A validera
+I delivrai
+O devaloir
+S delivras
+T delivrat
ADEILRX
rixdale
+S rixdales
ADEILRY
+S dialyser
ADEILRZ
lardiez
+A lezardai
ADEILSS
+A delaissa
delassai
dessalai
+C discales
+E delaisse
deliasse
elidasse
+G glissade
+L dessilla
+O desolai
dessolai
iodlasse
+P deplissa
+U diluasse
+Y dialyses
ADEILST
delitas
details
dilates
+A delaitas
detalais
+C delicats
+E delaites
delestai
deliates
detelais
dilatees
elidates
+I delitais
+O desolait
diastole
iodlates
+U delutais
diluates
dualiste
dualites
ADEILSU
diaules

eludais
+B audibles
+C acidules
elucidas
+G degluais
+H deshuila
+M diluames
dualisme
+R dilueras
laideurs
+S diluasse
+T delutais
diluates
dualiste
dualites
ADEILSV
valides
+A delavais
devalisa
+E devalise
validees
+O devoilas
+R delivras
ADEILSX
+O oxalides
+R rixdales
ADEILSY
dialyse
+A delayais
+E dialysee
+L dyslalie
+R dialyser
+S dialyses
+Z dialysez
ADEILSZ
+Y dialysez
ADEILTT
delitat
+A delaitat
detalait
+E detelait
+I delitait
+N delitant
dilatent
+O dotalite
+U altitude
delutait
latitude
ADEILTU
delutai
dualite
eludait
+C elucidat
+G degluait
+S delutais
diluates
dualiste
dualites
+T altitude
delutait
latitude
ADEILTV
+A delavait
devalait
+I validite
+N divalent

valident
+O devoilat
+R delivrat
ADEILTY
+A delayait
ADEILTZ
dilatez
+E delaitez
detaliez
+I dilatiez
ADEILUV
+A devaluai
ADEILUX
+P duplexai
ADEILUZ
aduliez
ADEILVZ
validez
+E delaviez
devaliez
+I validez
ADEILYZ
+E delayiez
+S dialysez
ADEIMMN
+O denommai
ADEIMMO
+G degommai
+N denommai
ADEIMMR
+E emmerdai
+G digramme
ADEIMMS
admimes
+A adamisme
+H mahdisme
+U maudimes
ADEIMMT
+I immediat
ADEIMMU
+S maudimes
ADEIMNN
+A amandine
+O amidonne
mondaine
+R mandrine
+T deminant
mendiant
ADEIMNO
domaine
emondai
+L limonade
mondiale
+M mondiale
+N amidonne
mondaine
+P dopamine
+R dominera
monderai
+S domaines
emondais
nomadise
+T amodient
demontai
emondait
ADEIMNP
+E pandemie

+O dopamine
ADEIMNR
+A amandier
  damnerai
  manderai
  marinade
  ramendai
+E adermine
  deminera
  mendiera
+G mignarde
+N mandrine
+O dominera
  monderai
+T admirent
+U demunira
  minauder
ADEIMNS
  deminas
  dinames
  medians
  medinas
  mendias
+A adamiens
  amendais
+C candimes
+E demenais
  deniames
  medianes
+I deminais
  diamines
  mendiais
+L limandes
+O domaines
  emondais
  nomadise
+T medisant
+U minaudes
+Y dynamise
ADEIMNT
  deminat
  mendiat
+A amendait
  damaient
  diamante
+C cadmient
  decimant
+E demenait
  mediante
+I deminait
  mendiait
+N deminant
  mendiant
+O amodient
  demontai
  emondait
+R admirent
+S medisant
+T meditant
+Y dynamite
ADEIMNU
  minaude
+R demunira
  minauder
+S minaudes
+Z minaudez
ADEIMNY

+A adynamie
+S dynamise
+T dynamite
ADEIMNZ
  damniez
  mandiez
+E amendiez
+U minaudez
ADEIMOP
+N dopamine
ADEIMOR
  amodier
  moderai
+A amodiera
+F deformai
+L demolira
+N dominera
  monderai
+S moderais
+T mediator
  moderait
ADEIMOS
  amodies
  iodames
+D demodais
+E amodiees
+L iodlames
  modelais
  modelisa
+N domaines
  emondais
  nomadise
+R moderais
+T mastoide
ADEIMOT
+D demodait
+E diatomee
+L modalite
  modelait
+N amodient
  demontai
  emondait
+R mediator
  moderait
+S mastoide
ADEIMOU
+L demoulai
ADEIMOV
+L amyloide
ADEIMOZ
  amodiez
+I amodiiez
ADEIMPR
  deprima
+I deprimai
+S deprimas
+T deprimat
+Y pyramide
ADEIMPS
+H phasmide
+L plasmide
+R deprimas
ADEIMPT
+R deprimat
ADEIMPU
+L deplumai
  impalude

ADEIMPV
+I impavide
ADEIMPY
+R pyramide
ADEIMPZ
+A diazepam
ADEIMQU
+A adamique
ADEIMRR
  admirer
  madrier
+A admirera
  *demarrai
+E demarier
  merderai
+S madriers
ADEIMRS
  admires
  damiers
  mediras
  merdais
  readmis
  ridames
+A aramides
  damerais
  demarias
  desarmai
  disamare
  radiames
+B bridames
  brimades
+C smicarde
+D demiards
+E admirees
  demaries
  readmise
+F sefardim
+I medirais
  raidimes
+O moderais
+P deprimas
+R madriers
+V drivames
+Y mydriase
  myriades
ADEIMRT
  merdait
  readmit
+A damerait
  demariat
+E demerita
  diametre
  meditera
  remediat
+I medirait
+N admirent
+O mediator
  moderait
+P deprimat
ADEIMRU
  maudire
+E demeurai
+N demunira
  minauder
+Z maudirez
ADEIMRV

+S drivames
ADEIMRY
+P pyramide
+S mydriase
  myriades
ADEIMRZ
  admirez
+E dameriez
  demariez
+U maudirez
ADEIMSS
  admises
  admisse
  sadisme
  samedis
+E diesames
+I medisais
+S admisses
  sadismes
+U maudisse
  medusais
ADEIMST
  admites
  mediats
  meditas
+A adamites
  dematais
+C dictames
+E editames
  mediates
+H mahdiste
+I medisait
  meditais
+N medisant
+O mastoide
+U demutisa
  maudites
  medusait
ADEIMSU
  medusai
+G guidames
+J judaisme
+L diluames
  dualisme
+M maudimes
+N minaudes
+S maudisse
  medusais
+T demutisa
  maudites
  medusait
ADEIMSV
  vidames
+E deviames
  evidames
+R drivames
ADEIMSY
+C mysidace
+N dynamise
+R mydriase
  myriades
ADEIMTT
  meditat
+A dematait
+I meditait

+N meditant
ADEIMTU
+S demutisa
  maudites
  medusait
ADEIMTY
+N dynamite
ADEIMTZ
+E dematiez
ADEIMUX
+C decimaux
  medicaux
ADEIMUZ
+N minaudez
+R maudirez
ADEINNO
  anodine
+B bedonnai
+C deconnai
+D dondaine
+M amidonne
  mondaine
+R donnerai
  inondera
  redonnai
+S anodines
+T detonnai
+U audonien
+Z adonniez
ADEINNP
+A depannai
ADEINNR
+D dandiner
+G grenadin
+M mandrine
+O donnerai
  inondera
  redonnai
+T denantir
  draient
  radinent
ADEINNS
  andines
+D dandines
+E adenines
+O anodines
+T denantis
ADEINNT
  denanti
  deniant
+B badinent
+E denantie
  endentai
+G daignent
+I dinaient
+M deminant
  mendiant
+O detonnai
+R denantir
  draient
  radinent
+S denantis
+T denantit
+V devinant

viandent
+X indexant
ADEINNU
+B danubien
+O audonien
ADEINNV
+E advienne
+T devinant
   viandent
ADEINNX
+T indexant
ADEINNZ
+D dandinez
+O adonniez
ADEINOO
+R ondoiera
ADEINOP
+M dopamine
+R ponderai
+T antipode
   depointa
   dopaient
ADEINOQ
+U anodique
ADEINOR
+C decornai
   encordai
+D androide
+E aneroide
   denoiera
+F fonderai
+G argonide
+L laideron
   ordinale
+M dominera
   monderai
+N donnerai
   inondera
   redonnai
+O ondoiera
+P ponderai
+R arrondie
+S aiderons
   anodiser
   deraison
   sardoine
   sonderai
+T aideront
   detronai
   doraient
   rodaient
+U douanier
   noiraude
ADEINOS
   anodise
   danoise
+C donacies
   encodais
   secondai
+E anodisee
+F infeodas
+G diagnose
   ganoides
+H adhesion
+M domaines
   emondais
   nomadise

+N anodines
+R aiderons
   anodiser
   deraison
   sardoine
   sonderai
+S anodises
   danoises
   endossai
+T denotais
   detonais
   dosaient
   sedation
+U denouais
   saoudien
   soudaine
+V evadions
   vandoise
+Y denoyais
+Z anodisez
ADEINOT
   denotai
   detonai
+C codaient
   encodait
+F infeodat
+G godaient
+I ideation
   iodaient
+J adjointe
+L delation
+M amodient
   demontai
   emondait
+N detonnai
+P antipode
   depointa
   dopaient
+R aideront
   detronai
   doraient
   rodaient
+S denotais
   detonais
   dosaient
   sedation
+T antidote
   denotait
   detonait
   dotaient
+U denouait
   douaient
+Y denoyait
ADEINOU
   denouai
+N audonien
+Q anodique
+R douanier
   noiraude
+S denouais
   saoudien
   soudaine
+T denouait
+Z douzaine
ADEINOV
+S evadions

   vandoise
ADEINOY
+S denoyais
+T denoyait
ADEINOZ
+B abondiez
+N adonniez
+S anodisez
+U douzaine
ADEINPP
+K kidnappe
+S appendis
+T appendit
ADEINPR
   epinard
   peinard
   peindra
   pendrai
+A epandrai
+C pincarde
+E peinarde
+I peindrai
+L plaindre
+O ponderai
+R prendrai
+S epinards
   peinards
   peindras
   pendrais
+T diaprent
   pendrait
   repandit
ADEINPS
   epandis
   pendais
+A epandais
+E depensai
+G pignades
+H daphnies
+P appendis
+R epinards
   peinards
   peindras
   pendrais
   repandis
+S dispensa
+T pintades
ADEINPT
   epandit
   pendait
   pintade
+A epandait
   inadapte
+L depilant
   depliant
   lapident
   plaident
+O antipode
   depointa
   dopaient
+P appendit
+R diaprent
   pendrait
   repandit
+S pintades

+T depitant
+U dupaient
ADEINPU
+H dauphine
+L paludine
   pendulai
+T dupaient
ADEINPZ
+E epandiez
ADEINQU
+O anodique
+U quinaude
ADEINRR
   drainer
   radiner
   rendrai
+A drainera
   radinera
+C craindre
+G degarnir
   ringarde
+H enhardir
+J jardiner
+O arrondie
+P prendrai
+S rendrais
+T rendrait
+U indurera
ADEINRS
   dineras
   draines
   radines
   ranides
   rendais
   sardine
+A danserai
+B brandies
+C ceindras
   discerna
   rescinda
   scindera
+E denieras
   drainees
   radinees
+F feindras
   fendrais
   friandes
+G degarnis
   denigras
   gardiens
   geindras
   grandies
+H enhardis
+I dinerais
   draisine
+J jardines
+L landiers
+O aiderons
   anodiser
   deraison
   sardoine
   sonderai
+P epinards
   peinards
   peindras
   pendrais
   repandis

+R rendrais
+S sardines
+T desirant
   redisant
   residant
   siderant
   teindras
   tendrais
   tiendras
+U desunira
   enduiras
   endurais
+V renvidas
   veinards
   vendrais
   viendras
ADEINRT
   diantre
   draient
   radient
   rendait
   teindra
   tendrai
   tiendra
+A radaient
   radiante
+C decintra
   decriant
   dicentra
   tridacne
+D deridant
+E aiderent
   dentaire
   deraient
   entraide
   eteindra
   etendrai
+F fendrait
+G degarnit
   denigrat
   digerant
   gradient
+H enhardit
+I dinerait
   diraient
   ridaient
   teindrai
   tiendrai
+J jardinet
+L delirant
+M admirent
+N denantir
   drainent
   radinent
+O aideront
   detronai
   doraient
   rodaient
+P diaprent
   pendrait
   repandit
+R rendrait
+S desirant
   redisant
   residant
   siderant
   teindras

tendrais
tiendras
+T attendri
  detirant
  tendrait
+U duraient
  endurait
+V devirant
  devirant
  renvidat
  vendrait

ADEINRU
enduira
endurai
+A renaudai
+G guindera
+I enduirai
+M demunira
  minauder
+O douanier
  noiraude
+R indurera
+S desunira
  enduiras
  endurais
+T duraient
  endurait

ADEINRV
advenir
renvida
veinard
vendrai
viander
viendra
+A viandera
+E devinera
  veinarde
+G vidanger
+I renvidai
  viendrai
+S renvidas
  veinards
  vendrais
  viendras
+T derivant
  devirant
  renvidat
  vendrait

ADEINRX
+E indexera

ADEINRZ
drainez
radinez
+C candirez
+I drainiez
  radiniez
+J jardinez

ADEINSS
dessina
dinasse
+C candisse
+E deniasse
+G designas
+I dessinai
+O anodises
  danoises
  endossai

+P dispensa
+R sardines
+S dessinas
  dinasses
+T dessinat
  destinas

ADEINST
destina
diesant
dinates
tendais
+A anatides
+C candites
  distance
+D dedisant
+E adenites
  andesite
  deniates
  detenais
  edentais
  etendais
+F defiants
+G designat
+I destinai
  disaient
+M medisant
+N denantis
+O denotais
  detonais
  dosaient
  sedation
+P pintades
+R desirant
  redisant
  residant
  siderant
  teindras
  tendrais
  tiendras
+S dessinat
  destinas
+T attendis
  destinat
  distante
+V deviants
+Y dynastie

ADEINSU
+D denudais
+F finaudes
+G endiguas
  nigaudes
+M minaudes
+O denouais
  saoudien
  soudaine
+R desunira
  enduiras
  endurais

ADEINSV
devinas
vendais
viandes
+E devenais
  viandees
+G vidanges
+I devinais

+O evadions
  vandoise
+R renvidas
  veinards
  vendrais
  viendras
+T deviants
  devisant

ADEINSX
indexas
+I indexais

ADEINSY
+M dynamise
+O denoyais
+T dynastie

ADEINSZ
dansiez
+C scandiez
+I dizaines
+O anodisez

ADEINTT
editant
tendait
+A antidate
  dataient
+B debitant
+C edictant
+E detenait
  edentait
  endettai
  etendait
+L delitant
  dilatant
+M meditant
+N denantit
+O antidote
  denotait
  detonait
  dotaient
+P depitant
+R attendri
  detirant
  tendrait
+S attendis
  destinat
  distante
+T attendit
+U etudiant

ADEINTU
+D denudait
+G endiguat
+O denouait
  douaient
+P dupaient
+R duraient
  endurait
+T etudiant

ADEINTV
advient
deviant
devinat
evidant
vendait
+A advenait
+D devidant
+E devaient
  devenait

deviante
+F adventif
+I devinait
  vidaient
+L divalent
  valident
+N devinant
  viandent
+R derivant
  devirant
  renvidat
  vendrait
+S deviants
  devisant

ADEINTX
indexat
+I indexait
+N indexant

ADEINTY
+M dynamite
+O denoyait
+S dynastie

ADEINUU
+G guindeau
+Q quinaude

ADEINUZ
+M minaudez
+O douzaine

ADEINVZ
viandez
+G vidangez
+I viandiez

ADEIOOR
+N ondoiera

ADEIOOV
+L ovoidale

ADEIOPR
doperai
parodie
podaire
+C procedai
+E parodiee
+L deplorai
  depolira
+N ponderai
+R parodier
+S doperais
  parodies
  podaires
  rapsodie
  doperait
  parotide
+V poivrade
+Z parodiez

ADEIOPS
adipose
deposai
+C diascope
+R doperais
  parodies
  podaires
  rapsodie
+S adiposes
  deposais
  possedai
+T deposait

depotais

ADEIOPT
depotai
+N antipode
  depointa
  dopaient
+R deportai
  doperait
  parotide
+S deposait
  depotais
+T depotait
+V adoptive
+Z adoptiez

ADEIOPU
+C decoupai

ADEIOPV
+R poivrade
+T adoptive

ADEIOPY
+L deployai

ADEIOPZ
+R parodiez
+T adoptiez

ADEIOQU
+D diadoque
+N anodique
+Z zodiaque

ADEIOOZ
+U zodiaque

ADEIORR
dorerai
redorai
roderai
+A adorerai
+B borderai
  broderai
  rebordai
+C corderai
  recordai
+E eroderai
+G drageoir
+L lardoire
+N arrondie
+P parodier
+S desarroi
  dorerais
  redorais
  roderais
+T dorerait
  redorait
  roderait
+U rudoiera
+Y drayoire

ADEIORS
ardoise
doserai
erodais
ioderas
+B derobais
+C coderais
  croisade
  decorais
  decroisa
  isocarde
  sarcoide
+D dedorais

derodais	+V devorait	iodates	+J dejouait	deperira
+E ardoisee	+Z radotiez	+B deboisat	+N denouait	draperie
aroidees	**ADEIORU**	deboitas	douaient	drapiere
+G goderais	douaire	obsedait	+R deroutai	+I predirai
+I ioderais	douerai	+G degoisat	detourai	+N prendrai
+L iodleras	+B baudroie	degotais	douerait	+O parodier
ordalies	bouderai	+L desolait	douterai	+S drapiers
solderais	+C couderai	diastole	redoutai	perdrais
+M moderais	coudraie	iodlates	+S saoudite	prediras
+N aiderons	radoucie	+M mastoide	+V devouait	+T departir
anodiser	+L alourdie	+N denotais	**ADEIOTV**	perdrait
deraison	deroulai	detonais	+L devoilat	+U diaprure
sardoine	+N douanier	dosaient	+P adoptive	perdurai
sonderai	noiraude	sedation	+R devorait	**ADEIPRS**
+P doperais	+R rudoiera	+P deposait	+U devouait	diapres
parodies	+S douaires	depotais	+Y devoyait	parides
podaires	douerais	+R adroites	**ADEIOTY**	perdais
rapsodie	souderai	doserait	+N denoyait	presida
+R desarroi	+T deroutai	doterais	+V devoyait	rapides
dorerais	detourai	+U saoudite	**ADEIOTZ**	sparide
redorais	douerait	**ADEIOSU**	+P adoptiez	+A deparais
roderais	douterai	audoise	+R radotiez	deparias
+S ardoises	redoutai	+C adoucies	**ADEIOUV**	derapais
doserait	**ADEIORV**	+J dejouais	devouai	pariades
doterais	avodire	+N denouais	+G godiveau	+C decrispa
+T adroites	devorai	saoudien	+S devouais	picardes
doserait	+E devoiera	soudaine	vaudoise	+E deparies
doterais	+L devaloir	+R douaires	+T devouait	diaprees
+U douaires	+P poivrade	douerais	**ADEIOUZ**	+F defripas
douerais	+S avodires	souderai	+B adoubiez	+I presidai
souderai	devorais	+S audoises	+N douzaine	+M deprimas
+V avodires	+T devorait	+T saoudite	+Q zodiaque	+N epinards
devorais	+Y verdoyai	+V devouais	**ADEIOVY**	peinards
ADEIORT	**ADEIORX**	vaudoise	devoyai	peindras
adroite	+Y oxyderai	**ADEIOSV**	+R verdoyai	pendrais
doterai	**ADEIORY**	+L devoilas	+S devoyais	repandis
erodait	+R drayoire	+N evadions	+T devoyait	+O doperais
+B derobait	+V verdoyai	vandoise	**ADEIOXY**	parodies
+C carotide	+X oxyderai	+R avodires	+R oxyderai	podaires
coderait	**ADEIORZ**	devorais	**ADEIPPR**	rapsodie
decorait	adoriez	+U devouais	+E piperade	+R drapiers
+D dedorait	+B abordiez	vaudoise	**ADEIPPS**	perdrais
derodait	+P parodiez	+Y devoyais	+N appendis	prediras
+G doigtera	+T radotiez	**ADEIOSX**	**ADEIPPT**	+S dispersa
goderait	**ADEIOSS**	+C oxacides	+N appendit	presidas
+I ioderait	iodasse	+L oxalides	**ADEIPPU**	sparides
+L idolatre	+B badoises	**ADEIOSY**	+L depulpai	+T departis
+M mediator	deboisas	+N denoyais	**ADEIPQR**	presidat
moderait	obsedais	+V devoyais	+U prediqua	trepidas
+N aideront	+C acidoses	**ADEIOSZ**	**ADEIPQS**	+U depurais
detronai	+G degoisas	+N anodisez	+U depiquas	disparue
doraient	+L desolais	+S adossiez	**ADEIPQT**	duperais
rodaient	dessolai	**ADEIOTT**	+U depiquat	repudias
+P deportai	iodlasse	+B deboitat	**ADEIPQU**	**ADEIPRT**
doperait	+N anodises	debottai	depiqua	departi
parotide	danoises	+G degotait	+I depiquai	perdait
+R dorerait	endossai	degottai	+R prediqua	trepida
redorait	+P adiposes	+L dotalite	+S depiquas	+A apatride
roderait	deposais	+N antidote	+T depiquat	deparait
+S adroites	possedai	denotait	**ADEIPRR**	depariat
doserait	+R ardoises	detonait	diaprer	derapait
doterais	doserais	dotaient	drapier	+C predicat
+T doterait	+S desossai	+P depotait	perdrai	+E departie
+U deroutai	iodasses	+R doterait	predira	depetrai
detourai	+U audoises	**ADEIOTU**	+A diaprera	depitera
douerait	+Z adossiez	+B deboutai	draperai	pediatre
redoutai	**ADEIOST**	+G degoutai	+E deparier	+F defripat

+I rapidite
trepidai
+M deprimat
+N diaprent
pendrait
repandit
+O deportai
doperait
parotide
+R departir
perdrait
+S departis
presidat
trepidas
+T departit
trepidat
+U depurait
duperait
repudiat

ADEIPRU
depurai
duperai
pardieu
repudia
+I repudiai
+L epidural
paludier
plaideur
preludia
+Q prediqua
+R diaprure
perdurai
+S depurais
disparue
duperais
repudias
+T depurait
duperait
repudiat

ADEIPRV
+A depravai
+O poivrade

ADEIPRY
+M pyramide

ADEIPRZ
diaprez
drapiez
+A paradiez
+E depariez
derapiez
+I diapriez
+O parodiez

ADEIPSS
apsides
sapides
+A depassai
+C capsides
spadices
+H diphases
+L deplissa
+N dispensa
+O adiposes
deposais
possedai
+R dispersa
presidas
sparides

+T depistas

ADEIPST
depista
depitas
+I depistai
depitais
sapidite
+N pintades
+O deposait
depotais
+R departis
presidat
trepidas
+S depistas
+T depistat
+U deputais

ADEIPSU
+A diapause
+E adipeuse
+Q depiquas
+R depurais
disparue
duperais
repudias
+T deputais

ADEIPSV
+A depavais

ADEIPSX
+E expedias

ADEIPSY
+A depaysai
+H diaphyse

ADEIPTT
depitat
+I depitait
+N depitant
+O depotait
+R departit
trepidat
+S depistat
+U aptitude
deputait

ADEIPTU
deputai
+A depiauta
+E depiaute
+N dupaient
+Q depiquat
+R depurait
duperait
repudiat
+S deputais
+T aptitude
deputait

ADEIPTV
+A depavait
+O adoptive

ADEIPTX
+E expediat

ADEIPTZ
+A adaptiez
+O adoptiez

ADEIPUX
adipeux
+L duplexai

ADEIPVZ
+E depaviez

ADEIQRS
+U dariques

ADEIQRU
darique
+B abdiquer
+G quadrige
+P prediqua
+S dariques

ADEIQSS
+U dissequa
sadiques

ADEIQSU
sadique
+B abdiques
+P depiquas
+R dariques
+S dissequa
sadiques
+U eduquais

ADEIQTU
+P depiquat
+U eduquait

ADEIQUU
eduquai
+J judaique
+N quinaude
+S eduquais
+T eduquait

ADEIQUY
+D dyadique

ADEIQUZ
+B abdiquez
+O zodiaque

ADEIRRR
+I irradier

ADEIRRS
radiers
rediras
rideras
+A draieras
raderais
radieras
+B briardes
brideras
+C criardes
decriras
+E desirera
residera
siderera
+F fardiers
+I irradies
redirais
riderais
+M madriers
+N rendrais
+O desarroi
dorerais
redorais
roderais
+P drapiers
perdrais
prediras
+U durerais
raideurs
reduiras
+V driveras
verdiras

ADEIRRT
+A raderait
retardai
tarderai
+E deterrai
detirera
+I redirait
riderait
+N rendrait
+O dorerait
redorait
roderait
+P departir
perdrait
+U detruira
durerait
traduire

ADEIRRU
durerai
raideur
reduira
+B baudrier
+I reduirai
+N indurera
+O rudoiera
+P diaprure
perdurai
+S durerais
raideurs
reduiras
+T detruira
durerait
traduire

ADEIRRV
drivera
verdira
+E derivera
devirera
redevrai
+I driverai
verdirai
+S driveras
verdiras

ADEIRRY
+A drayerai
+H hydraire
+O drayoire

ADEIRRZ
+E draierez
raderiez
radierez
+I irradiez
raidirez

ADEIRSS
desiras
dressai
rassied
residas
ridasse
sideras
+A adressai
daraises
derasais
radiasse
+B bridasse
+E dieseras
+F defrisas

sefardis
+G degrisas
+I desirais
raidisse
redisais
residais
siderais
+N sardines
+O ardoises
doserais
+P dispersa
presidas
sparides
+S dressais
rassieds
ridasses
+T disserta
dressait
+U seduiras
+V drivasse

ADEIRST
desirat
detiras
residat
ridates
siderat
tirades
triades
+A daterais
derasait
deratisa
radiates
+B bridates
+C cardites
creditas
dicteras
+E asteride
dateries
deratise
desertai
editeras
reedites
+F defrisat
+G degrisat
+I aridites
desirait
detirais
distraie
raidites
redisait
residait
siderait
tiediras
+N desirant
redisant
residant
siderant
teindras
tendrais
tiendras
+O adroites
doserait
doterais
+P departis
presidat
trepidas
+S disserta

        dressait
+T dattiers
+U traduise
+V drivates
   tardives

ADEIRSU
   seduira
+B ribaudes
+D deduiras
+E radieuse
+G guideras
+I seduirai
+J judaiser
+L dilueras
   laideurs
+N desunira
   endureras
   endurais
+O douaires
   douerais
   souderai
+P depurais
   disparue
   duperais
   repudias
+Q dariques
+R durerais
   raideurs
   reduiras
+S seduiras
+T traduise
+X sideraux

ADEIRSV
   daviers
   derivas
   deviras
   devrais
   videras
+E deversai
   devieras
   devisera
   evideras
   redevais
+G degivras
   gravides
+I derivais
   devirais
   divisera
   viderais
+L delivras
+M drivames
+N renvidas
   veinards
   vendrais
   viendras
+O avodires
   devorais
+R driveras
   verdiras
+S drivasse
+T drivates
   tardives

ADEIRSX
+L rixdales
+U sideraux

ADEIRSY
+A derayais

+L dialyser
+M mydriase
   myriades

ADEIRSZ
+E derasiez

ADEIRTT
   dattier
   detirat
+A daterait
+C creditat
+E reeditat
+I attiedir
   detirait
+N attendri
   detirant
   tendrait
+O doterait
+P departit
   trepidat
+S dattiers
+U traduite

ADEIRTU
+E etudiera
   reetudia
+F defruita
+N duraient
   endurait
+O deroutai
   detourai
   douerait
   douterai
   redoutai
+P depurait
   duperait
   repudiat
+R detruira
   durerait
   traduire
+S traduise
+T traduite
+U auditeur
+V durative
+X extrudai

ADEIRTV
   derivat
   devirat
   devrait
   tardive
+E devetira
   redevait
+G degivrat
+I derivait
   devirait
   viderait
+L delivrat
+N derivant
   devirant
   renvidat
   vendrait
+O devorait
+S drivates
+U durative

ADEIRTX
+A extradai
+U extrudai

ADEIRTY

+A derayait

ADEIRTZ
+E dateriez
+O radotiez

ADEIRUU
+T auditeur

ADEIRUV
+C decuivra
+G divaguer
+T durative
+Z vaudriez

ADEIRUX
   radieux
   rideaux
+S sideraux
+T extrudai

ADEIRUZ
+F fraudiez
+G draguiez
   graduiez
+J adjuriez
+M maudirez
+V vaudriez

ADEIRVY
+O verdoyai

ADEIRVZ
+U vaudriez

ADEIRXY
+O oxyderai

ADEIRYZ
   drayiez
+E derayiez

ADEISSS
   assieds
+A aidasses
+B bidasses
+E diesasse
+I dessaisi
+M admisses
   sadismes
+N dessinas
   dinasses
+O desossai
   iodasses
+R dressais
   rassieds
   ridasses
+T desistas
+U assidues
+V devissas
   vidasses

ADEISST
   desista
+A diastase
+B bastides
+C dictasse
+E diesates
   editasse
   tiedasse
+F sedatifs
+I desistai
+N dessinat
   destinas
+P depistas
+R disserta
   dressait

+S desistas
+T desistat
+V devissat

ADEISSU
   assidue
+D dissuade
+G deguisas
   guidasse
+J judaises
+L diluasse
+M maudissa
   medusais
+O audoises
+Q dissequa
   sadiques
+R seduiras
+S assidues
+X exsudais

ADEISSV
   devisas
   devissa
   vidasse
+E deviasse
   evidasse
+I devisais
   devissai
+R drivasse
+S devissas
+T devissat

ADEISSX
+A desaxais
+U exsudais

ADEISSY
+L dialyses

ADEISSZ
+O adossiez

ADEISTT
+B debattis
+C dictates
+E detestai
   editates
+I attiedis
+N attendis
   destinat
   distante
+P depistat
+R dattiers
+S desistat
+U destitua

ADEISTU
   etudias
+B debutais
+G deguisat
   degustai
   guidates
+I etudiais
+L delutais
   diluates
   dualiste
   dualites
+M demutisa
   maudites
   medusait
+O saoudite
+P deputais
+R traduise

+T destitua
+V duvetais
+X exsudait

ADEISTV
   devisat
   vidates
+A devastai
+E devetais
   deviates
   evidates
   sedative
+I avidites
   devisait
+N deviants
   devisant
+R drivates
   tardives
+S devissat
+U duvetais

ADEISTX
+A desaxait
   detaxais
+U exsudait

ADEISTY
+H thyiades
+N dynastie

ADEISUU
+Q eduquais

ADEISUV
+C decuvais
+G divagues
+O devouais
   vaudoise
+T duvetais

ADEISUX
   exsudai
+R sideraux
+S exsudais
+T exsudait

ADEISUZ
+J judaisez

ADEISVY
+O devoyais

ADEISXZ
+E desaxiez

ADEISYZ
+L dialysez

ADEITTT
+B debattit
+I attiedit
+N attendit
+U attitude

ADEITTU
   etudiat
+B debutait
+I etudiait
+L altitude
   delutait
   latitude
+N etudiant
+P aptitude
   deputait
+R traduite
+S destitua
+T attitude
+V duvetait

ADEITTV	+T dejouant	+I judaises	**ADELMNO**	+T deplumat
+E devetait	**ADEJNRR**	**ADEJSUZ**	+I limonade	**ADELMPY**
+U duvetait	+I jardiner	+I judaisez	mondiale	+E pelamyde
ADEITTX	**ADEJNRS**	**ADEKNPP**	+N maldonne	**ADELMRS**
+A detaxait	+I jardines	+I kidnappe	+R mandorle	+A lardames
ADEITUU	+U jurandes	**ADEKOST**	+T modelant	+U mulardes
+Q eduquait	**ADEJNRT**	+C destocka	**ADELMNR**	**ADELMRU**
+R auditeur	+E dejanter	**ADEKPRS**	+A alderman	mularde
ADEITUV	+I jardinet	+C spardeck	malandre	+O modulera
duvetai	+U adjurent	**ADELLMN**	+E aldermen	+S mulardes
+C decuvait	**ADEJNRU**	+A allemand	+O mandorle	**ADELMSS**
+I auditive	jurande	**ADELLMS**	**ADELMNS**	+O soldames
+O devouait	+O journade	+A dallames	+I limnandes	**ADELMST**
+R durative	+S jurandes	**ADELLNO**	**ADELMNT**	+A dalmates
+S duvetais	+T adjurent	+H hollande	+E demelant	**ADELMSU**
+T duvetait	**ADEJNRZ**	**ADELLNP**	+O modelant	+E demusela
ADEITUX	+I jardinez	+I pendilla	**ADELMOP**	eludames
+R extrudai	**ADEJNST**	**ADELLNR**	+B deplomba	+I diluames
+S exsudrait	+A dejantas	+U nullarde	+S plasmode	dualisme
ADEITVY	+E dejantes	**ADELLNT**	**ADELMOR**	+O demoulas
+O devoyait	**ADEJNSU**	dallent	+B lombarde	+P deplumas
ADEITXZ	+E dejeunas	**ADELLNU**	+E modelera	+R mulardes
+E detaxiez	+R jurandes	+R nullarde	remodela	**ADELMSV**
ADEIUUX	**ADEJNTT**	**ADELLOP**	+I demolira	+O moldaves
+G guideaux	+A dejantat	+U depollua	+N mandorle	**ADELMTU**
ADEIUVZ	+E dejetant	**ADELLOR**	+U modulera	+O demoulat
+G divaguez	**ADEJNTU**	+I rodaille	**ADELMOS**	+P deplumat
+R vaudriez	+E dejeunat	**ADELLOS**	modales	**ADELNNO**
ADEJLMO	+G adjugent	+C decollas	modales	+M maldonne
+S jodlames	+O dejouant	**ADELLOT**	+I iodlames	**ADELNNT**
ADEJLMS	+R adjurent	+C decollat	modelais	+G glandent
+O jodlames	**ADEJNTZ**	**ADELLOU**	modelisa	**ADELNOP**
ADEJLOR	+E dejantez	+P depollua	+J jodlames	+R ponderal
jodlera	**ADEJORS**	**ADELLOY**	+P plasmode	+S pedalons
+I jodlerai	+B jobardes	deloyal	+S soldames	**ADELNOR**
+S jodleras	+L jodleras	+E deloyale	+U demoulas	leonard
ADEJLOS	**ADEJORU**	**ADELLPR**	+V moldaves	+E leonarde
+M jodlames	+E dejouera	+I pillarde	**ADELMOT**	+I laideron
+R jodleras	+N journade	**ADELLPU**	modelat	ordinale
+S jodlasse	**ADEJOSS**	+O depollua	+I modalite	+M mandorle
+T jodlates	+L jodlasse	**ADELLPY**	modelait	+P ponderal
ADEJLOT	**ADEJOST**	+H phyllade	+N modelant	+S leonards
+S jodlates	+L jodlates	**ADELLRS**	+U demoulat	+U ondulera
ADEJLRS	**ADEJOSU**	+A dalleras	**ADELMOU**	**ADELNOS**
+O jodlers	dejouas	+I drailles	demoula	nodales
ADEJLSS	+I dejouais	rallides	+C mouclade	+C celadons
+O jodlasse	**ADEJOTU**	+U dalleurs	+D demodula	decalons
ADEJLST	dejouat	**ADELLRU**	+I demoulai	delacons
+O jodlates	+I dejouait	dalleur	+R modulera	+G goelands
ADEJMOS	+N dejouant	+N nullarde	+S demoulas	+H dehalons
+L jodlames	**ADEJQUU**	+S dalleurs	+T demoulat	+P pedalons
ADEJMRS	+I judaique	**ADELLRZ**	**ADELMOV**	+R leonards
+U mudejars	**ADEJRRU**	+E dallerez	moldave	+T desolant
ADEJMRU	adjurer	**ADELLSS**	+S moldaves	detalons
mudejar	+A adjurera	+A dallasse	**ADELMOY**	+V delavons
+E mudejare	**ADEJRSU**	+E dessella	+I amyloide	devalons
+S mudejars	adjures	+I dessilla	**ADELMPS**	+Y delayons
ADEJMSU	+E adjurees	**ADELLST**	+I plasmide	synodale
+I judaisme	+I judaiser	+A dallates	+O plasmode	**ADELNOT**
+R mudejars	+M mudejars	**ADELLSU**	+U deplumas	+I delation
ADEJNOR	+N jurandes	+R dalleurs	**ADELMPT**	+M modelant
+U journade	**ADEJRTU**	**ADELLSY**	+U deplumat	+S desolant
ADEJNOT	+N adjurent	+I dyslalie	**ADELMPU**	detalons
+I adjointe	**ADEJRUZ**	**ADELMMR**	depluma	**ADELNOU**
+U dejouant	adjurez	+F flemmard	+I deplumai	+D duodenal
ADEJNOU	+I adjuriez	**ADELMNN**	impalude	+R ondulera
+R journade	**ADEJSSU**	+O maldonne	+S deplumas	

ADELNOV
+S delavons
   devalons
ADELNOY
+S delavons
   synodale
ADELNPR
+I plaindre
+O ponderal
ADELNPS
+O pedalons
+U pendulas
ADELNPT
+A deplanta
   pedalant
+E deplante
   pedalent
+I depilant
   depliant
   lapident
   plaident
+U pendulat
ADELNPU
   pendula
+E paludeen
+I paludine
   pendulai
+S pendulas
+T pendulat
ADELNRS
+F flandres
+I landiers
+O leonards
ADELNRT
   lardent
+I delirant
ADELNRU
+G glandeur
+L nullarde
+O ondulera
ADELNRW
+H landwehr
ADELNSS
+A sandales
ADELNST
+E dentales
   dentelas
+H shetland
+O desolant
   detalons
ADELNSU
+P pendulas
ADELNSV
+A lavandes
   vandales
+O deslavons
   devalons
ADELNSY
+O delayons
   synodale
ADELNTT
+A detalant
+E dentelat
   detalent
   detelant
+I delitant
   dilatent

+U delutant
ADELNTU
   adulent
   eludant
+G degluant
+P pendulat
+T delutant
ADELNTV
+A delavant
   devalant
+E delavent
   devalent
+I divalent
   valident
ADELNTY
+A delayant
+E delayent
ADELOOR
+C decolora
+D eldorado
ADELOOV
+I ovoidale
ADELOPR
   deplora
   leopard
   polarde
+E leoparde
+I deplorai
   depolira
+N ponderal
+S deploras
   leopards
   polardes
+T deplorat
+U palourde
ADELOPS
   pedalos
+H pholades
+M plasmode
+N pedalons
+R deploras
   leopards
   polardes
+T platodes
+Y deployas
ADELOPT
   platode
+R deplorat
+S platodes
+Y deployat
ADELOPU
+C decoupla
+L depollua
+R palourde
   poularde
ADELOPY
   deploya
+I deployai
+S deployas
+T deployat
ADELOQU
+B debloqua
ADELORR
+I lardoire
+U lourdera
ADELORS

   dorsale
   loaders
   soldera
+A saladero
+C cordelas
+E desolera
+F defloras
+I iodleras
   ordalies
   solderai
+J jodleras
+N leonards
+P deploras
   leopards
   polardes
+S dorsales
   solderas
+T tolardes
+U deroulas
   roulades
   soularde
   sudorale
ADELORT
   tolarde
+C cordelat
+F deflorat
+I idolatre
+P deplorat
+S tolardes
+U deroulat
ADELORV
+I devaloir
ADELOSS
   aldoses
   desolas
   dessola
+B dosables
+I desolais
   dessolai
   iodlasse
+J jodlasse
+M soldames
+R dorsales
   solderas
+S dessolas
   soldasse

+T dessolat
   soldates
+U dessoula
ADELOST
   desolat
   dotales
   soldate
+I desolait
   diastole
   iodlates
+J jodlates
+N desolant
   detalons
+P platodes
+R tolardes
+S dessolat
   soldates
ADELOSU
+B deb003as
+B deboulas
   soudable
+C declouas
   decoulas
+F defoulas
+M demoulas
+R deroulas
   roulades
   soularde
   sudorale
+S dessoula
+U soulaude
ADELOSV
+I devoilas
+M moldaves
+N delavons
   devalons
ADELOSX
+I oxalides
ADELOSY
+N delavons
   synodale
+P deployas
ADELOTT
+I dotalite
ADELOTU
+B deboulat
+C declouat
   decoulat
+F defoulat
+M demoulat
+R deroulat
ADELOTV
+I devoilat
ADELOTY
+P deployat
ADELOUU
+B doubleau
+S soulaude
ADELOUX
+Y deloyaux
ADELOUY
+X deloyaux
ADELOXY
+B oxydable
+U deloyaux
ADELPPR
+A papelard
ADELPPS

+U depulpas
ADELPPT
+U depulpat
ADELPPU
+E depeupla
   peuplade
+I depulpai
+S depulpas
+T depulpat
ADELPRR
+U pleurard
ADELPRS
   pelards
+O deploras
   leopards
   polardes
+U preludas
ADELPRT
+A deplatra
+E deplatre
+O deplorat
+U preludat
ADELPRU
   preluda
+A epaulard
+D puddlera
+E pedaleur
+I epidural
   paludier
   plaideur
   preludai
+O palourde
   poularde
+R pleurard
+S preludas
+T preludat
ADELPSS
+I deplissa
ADELPST
+O platodes
ADELPSU
+C decuplas
+M deplumas
+N pendulas
+P depulpas
+R preludas
+X duplexas
ADELPSX
+U duplexas
ADELPSY
+O deployas
ADELPTU
+C decuplat
+M deplumat
+N pendulat
+P depulpat
+R preludat
+X duplexat
ADELPTX
+U duplexat
ADELPTY
+O deployat
ADELPUX
   duplexa
+I duplexai
+S duplexas

+O demontat
ADEMNTU
+S medusant
ADEMNTY
+I dynamite
ADEMNTZ
+A mandatez
ADEMNUZ
+I minaudez
ADEMOOR
+T moderato
ADEMOOT
+R moderato
ADEMOPR
+M pommader
+T detrompa
   domptera
ADEMOPS
   dopames
+L plasmode
+M pommades
ADEMOPT
+C decompta
+G domptage
+R detrompa
   domptera
ADEMOPZ
+M pommadez
ADEMORR
+D demordra
+E moderera
ADEMORS
   dorames
   moderas
   radomes
   rodames
+A adorames
+B bordames
   brodames
+C cordames
+E erodames
+F deformas
+I moderais
+N damerons
   mandores
   monderas
   romandes
ADEMORT
   moderat
+F deformat
+I mediator
   moderait
+N dameront
   demontra
   dormante
   moderant
   mordante
+O moderato
+P detrompa
   domptera
+U moutarde
ADEMORU
+A amadouer
+L modulera
+T moutarde
ADEMORY
+C myocarde

ADEMOSS
   dosames
+L soldames
+N mondasse
   sondames
+U soudames
ADEMOST
   dotames
+I mastoide
+N dematons
   demontas
   mondates
+U doutames
ADEMOSU
   douames
+A amadoues
+B boudames
+C coudames
+S soudames
+T doutames
ADEMOSV
+L moldaves
ADEMOSX
+Y oxydames
ADEMOSY
+E samoyede
+X oxydames
ADEMOTT
+N demontat
ADEMOTU
+L demoulat
+R moutarde
+S doutames
ADEMOUZ
+A amadouez
ADEMOXY
+S oxydames
ADEMPRS
   dampers
+A drapames
+I deprimas
ADEMPRT
+E detrempa
+I deprimat
+O detrompa
   domptera
ADEMPRY
+I pyramide
ADEMPSU
   dupames
+L deplumas
ADEMPTU
+L deplumat
ADEMQRU
+A demarqua
+E demarque
ADEMQSU
+A demasqua
   desquama
+E demasque
   desquame
ADEMRRR
+E demarrer
ADEMRRS
+A demarras
+E demarres

   desarmer
   merderas
+I madriers
+U madrures
   madrurer
ADEMRRT
+A demarrat
ADEMRRU
   madrure
+A marauder
+S madrures
   musarder
ADEMRRZ
+E demarrez
ADEMRSS
+A damasser
   desarmas
+E desarmes
   medersas
+U musardes
ADEMRST
+A desarmat
   tardames
+E merdates
   readmets
ADEMRSU
   dameurs
   durames
   musarde
+A maraudes
+B bermudas
+E demeuras
   medusera
+J mudejars
+L mulardes
+R madrures
   musarder
+S musardes
+Z musardez
ADEMRSV
+I drivames
ADEMRSY
+A drayames
+B darbymes
+I mydriase
   myriades
ADEMRSZ
+E desarmez
+U musardez
ADEMRTT
+A admettra
+E admettre
   demettra
ADEMRTU
+E demeurat
+O moutarde
ADEMRUZ
+A maraudez
+I maudirez
+S musardez
ADEMSSS
+A damasses
+I admisses
   sadismes
ADEMSSU
   medusas

+A maussade
+C muscades
+E dameuses
+I maudisse
   medusais
+O soudames
+R musardes
ADEMSSZ
+A damassez
ADEMSTT
+E admettes
ADEMSTU
   medusat
+C muscadet
+I demutisa
   maudites
+N medusant
+O doutames
ADEMSUZ
+R musardez
ADEMSXY
+O oxydames
ADEMTTZ
+E admettez
ADENNNO
+T adonnent
ADENNNT
+O adonnent
ADENNOO
+T anodonte?
ADENNOP
+R pardonne
+S epandons
ADENNOR
   adonner
   donnera
   redonna
+A adonnera
+F fredonna
+G dragonne
+I donnerai
   inondera
+M normande
+P pardonne
+S donneras
   redonnas
+T redonnat
ADENNOS
   adonnes
+B bedonnas
+C condensa
   deconnas
   denoncas
+E adonnees
+I anodines
+M amendons
   donnames
+P epandons
+R donneras
   redonnas
+S donnasse
+T detonnas
   donnates
ADENNOT
   detonna

+B abondent
   bedonnat
+C deconnat
   denoncat
   encodant
+F fondante
+I detonnai
+M emondant
+N adonnent
+O anodonte
+R redonnat
+S detonnas
   donnates
+T denotant
   detonant
   detonnat
+U denouant
+Y denoyant
ADENNOU
+I audonien
+T denouant
ADENNOY
+T denoyant
ADENNOZ
+I adonniez
ADENNPR
+E depanner
+O pardonne
ADENNPS
+A depannas
+E depannes
+O epandons
+T pendants
ADENNPT
   pendant
+A depannat
   epandant
+E depandent
   pendante
+S pendants
ADENNPZ
+E depannez
ADENNRS
+E andrenes
+O donneras
   redonnas
ADENNRT
   rendant
+E entendra
+I denantir
   drainent
   radinent
+O redonnat
+U endurant
ADENNRU
+T endurant
ADENNSS
+O donnasse
ADENNST
   dansent
+A andantes
   dansante
+C scandent
+E endentas
+F fendants
+I denantis

+O detonnas
donnates
+P pendants
ADENNTT
tendant
+E detenant
edentant
endentat
etendant
+I denantit
+O denotant
detonant
detonnat
ADENNTU
+D denudant
+O denouant
+R endurant
ADENNTV
vendant
+A advenant
+E devenant
+I devinant
viandent
ADENNTX
+I indexant
ADENNTY
+O denoyant
ADENOOR
+I ondoiera
+T odorante
ADENOOS
+T odonates
ADENOOT
odonate
+N anodonte
+R odorante
+S odonates
ADENOPR
pandore
pondera
+E operande
+F parfonde
+I ponderai
+L ponderal
+N pardonne
+R repondra
+S deparons
derapons
pandores
ponderas
+T ponderat
ADENOPS
espadon
+C decapons
+L pedalons
+N epandons
+R deparons
derapons
pandores
ponderas
+S espadons
+T deposant
dopantes
+V depavons
ADENOPT
dopante
+I antipode

depointa
dopaient
+R ponderat
+S deposant
dopantes
+T adoptent
depotant
ADENOPV
+S depavons
ADENOQU
+I anodique
ADENORR
+F frondera
refondra
+G grondera
+I arrondie
+P repondra
+S raderons
+T raderont
redorant
ADENORS
sondera
+C decornas
encordas
escadron
rondades
+D deradons
+F fonderas
+G drageons
+H adherons
+I aiderons
anodiser
deraison
sardoine
sonderai
+L leonards
+M damerons
mandores
monderas
romandes
+N donneras
redonnas
+P deparons
derapons
pandores
ponderas
+R raderons
+S derasons
+T daterons
detronas
tadornes
tornades
+Y derayons
ADENORT
adorent
detrona
erodant
tadorne
tornade
+B abordent
+C decorant
decornat
encordat
+D dedorant
derodant

+E denotera
detonera
+I aideront
detronai
doraient
rodaient
+M dameront
demontra
dormante
moderant
mordante
+N redonnat
+O odorante
+P ponderat
+R raderont
redorant
+S daterons
detronas
tadornes
tornades
+T dateront
detronat
radotent
tordante
+U detourna
donateur
+V devorant
ADENORU
rondeau
+E denouera
+F defourna
+I douanier
noiraude
+J journade
+L ondulera
+T detourna
donateur
+X rondeaux
ADENORV
+T devorant
ADENORX
+U rondeaux
ADENORY
+E aerodyne
+S derayons
ADENOSS
endossa
+C secondas
+F fondasse
+G sondages
+I anodises
danoises
endossai
+M mondasse
sondames
+N donnasse
+P espadons
+R derasons
sonderas
+S endossas
sondasse
+T adossent
endossat
sondates
+X desaxons
ADENOST
denotas

detonas
+B obsedant
+C secondat
+F fondates
+G tondages
+I denotais
detonais
dosaient
sedation
+L desolant
detalons
+M dematons
demontas
+N detonnas
donnates
+O odonates
+P deposant
dopantes
+R daterons
detronas
tadornes
tornades
+S adossent
endossat
sondates
+U soudante
+X detaxons
ADENOSU
denouas
douanes
+I denouais
saoudien
soudaine
+T soudante
ADENOSV
evadons
+I evadions
vandoise
+L delavons
devalons
+P depavons
ADENOSX
+S desaxons
+T detaxons
ADENOSY
denoyas
noyades
+I denoyais
+L delayons
synodale
+R derayons
ADENOSZ
+G degazons
+I anodisez
ADENOTT
denotat
detonat
+G degotant
+I antidote
denotait
detonait
dotaient
+M demontat
+N detonant
detonnat

+P adoptent
depotant
+R dateront
detronat
radotent
tordante
ADENOTU
denouat
+B adoubent
+I denouait
douaient
+J dejouant
+N denouant
+R detourna
donateur
+S soudante
+V devouant
ADENOTV
+R devorant
+U devouant
+Y devoyant
ADENOTX
+S detaxons
+Y oxydante
ADENOTY
denoyat
+I denoyait
+N denoyant
+V devoyant
+X oxydante
ADENOUV
+T devouant
ADENOUX
+R rondeaux
ADENOUZ
+I douzaine
ADENOVY
+T devoyant
ADENOXY
+T oxydante
ADENPPR
apprend
+A appendra
+E appendre
+R rapprend
+S apprends
ADENPPS
appends
+E appendes
+I appendis
+R appends
+U appendus
ADENPPT
+I appendit
ADENPPU
appendu
+E appendue
+S appendus
ADENPPZ
+E appendez
ADENPRR
prendra
+A repandra
+E eprendra
repandre
+I prendrai
+O repondra

+P rapprend
+S prendras
ADENPRS
    pendras
    repands
+A epandras
    panardes
+D pendards
+E repandes
+I epinards
    peinards
    peindras
    pendrais
    repandis
+O deparons
    deparons
    pandores
    ponderas
+P apprends
+R prendras
+T perdants
+U repandus
ADENPRT
    drapent
    perdant
+A deparant
    derapant
    paradent
+E deparent
    derapent
    perdante
+I diaprent
    pendrait
    repandit
+O ponderat
+S perdants
+U depurant
ADENPRU
    repandu
+E epandeur
    repandue
+S repandus
+T depurant
ADENPRZ
+E epandrez
    repandez
ADENPSS
+E depensas
+I dispensa
+O espadons
ADENPST
    pedants
+E depensat
    pedantes
+I pintades
+N pendants
+O deposant
    dopantes
+R perdants
ADENPSU
    epandus
    penauds
+E epandues
    penaudes
+L pendulas
+P appendus
+R repandus

ADENPSV
+O depavons
ADENPTT
+A adaptent
+I depitant
+O adoptent
    depotant
+U deputant
ADENPTU
+I dupaient
+L pendulat
+R depurant
+T deputant
ADENPTV
+A depavant
+E depavent
ADENQTU
+U eduquant
ADENQUU
+I quinaude
+T eduquant
ADENRRS
    renards
    rendras
+C rencards
+E renardes
+I rendrais
+O raderons
+P prendras
ADENRRT
+E raderent
    retendra
+I rendrait
+O raderont
    redorant
+U truander
ADENRRU
+E endurera
    renauder
+G grandeur
+I indurera
+T truander
ADENRRV
+E revendra
ADENRSS
    sandres
+A danseras
    sardanes
+I sardines
+O derasons
    sonderas
+T dressant
+U danseurs
ADENRST
    ardents
    tendras
+A derasant
+E ardentes
    derasent
    etendras
+G grandets
+I desirant
    redisant
    residant
    siderant
    teindras
    tendrais

    tiendras
+O daterons
    detronas
    tadornes
    tornades
+P perdants
+S dressant
+U truandes
ADENRSU
    danseur
    enduras
+A renaudas
+C candeurs
+E renaudes
+I desunira
    enduiras
    endurais
+J jurandes
+P repandus
+S danseurs
+T truandes
ADENRSV
    vendras
+A verandas
+I renvidas
    veinards
    vendrais
    viendras
ADENRSZ
+E danserez
ADENRTT
    tardent
+A attendra
+E attendre
    daterent
+I attendri
    detirant
    tendrait
+O dateront
    detronat
    radotent
    tordante
ADENRTU
    endurat
    truande
+A denatura
    renaudat
+E denature
    truandee
+F fraudent
+G draguent
    graduent
+I duraient
    endurait
+J adjurent
+N endurant
+O detourna
    donateur
+P depurant
+R truander
+S truandes
+Z truandez
ADENRTV
+A vantarde

+E redevant
+I derivant
    devirant
    renvidat
    vendrait
+O devorant
ADENRTY
    drayent
+A derayant
+E derayent
ADENRTZ
+U truandez
ADENRUX
+O rondeaux
ADENRUZ
+E renaudez
+T truandez
ADENSSS
+A dansasse
+I dessinas
    dinasses
+O endossas
    sondasse
ADENSST
+A dansates
+I dessinat
    destinas
+O adossent
    endossat
    sondates
+R dressant
+Y dynastes
ADENSSU
+E danseuse
+R danseurs
ADENSSX
+O desaxons
ADENSSY
+T dynastes
ADENSTT
    attends
+E attendes
    endettas
+I attendis
    destinat
    distante
+U attendus
ADENSTU
+M medusant
+O soudante
+R truandes
+T attendus
+X exsudant
ADENSTV
    devants
+I deviants
    devisant
ADENSTX
+A desaxant
+E desaxent
+O detaxons
+U exsudant
ADENSTY
    dynaste
+E asyndete
+I dynastie
+S dynastes

ADENSUV
    advenus
+E advenues
ADENSUX
+T exsudant
ADENTTT
+E endettat
+I attendit
ADENTTU
    attendu
+B debutant
+E attendue
+I etudiant
+L delutant
+P deputant
+S attendus
+V duvetant
ADENTTV
+E devetant
    vendetta
+U duvetant
ADENTTX
+A detaxant
+E detaxent
ADENTTZ
+E attendez
ADENTUU
+Q eduquant
ADENTUV
+C decuvant
+O devouant
+T duvetant
ADENTUX
    dentaux
+S exsudant
ADENTUZ
+R truandez
ADENTVY
+O devoyant
ADENTXY
+O oxydante
ADEOOPS
    apodose
+S apodoses
ADEOORR
+T toreador
ADEOORT
+M moderato
+N odorante
+R toreador
ADEOOSS
+P apodoses
ADEOOST
+N odonates
ADEOPPR
+A parapode
+U pouparde
ADEOPPU
+R pouparde
ADEOPRR
+I parodier
+N repondra
+U poudrera
ADEOPRS
    doperas
+C procedas
+E deposera

+G	podagres	+N	deposant	+N	raderons		rodasses	**ADEORSX**
+H	rhapsode		dopantes	+S	droseras	+T	torsades	+T extrados
+I	doperais	+R	deportas		drossera	+U	ressouda	+Y oxyderas
	parodies	+S	possedat	+T	dartrose		souderas	**ADEORSY**
	podaires	+T	despotat		roadster	**ADEORST**		+N derayons
	rapsodie		podestat		torsader		dorates	+V verdoyas
+L	deploras		postdate	+U	resoudra		doteras	+X oxyderas
	leopards	**ADEOPSU**		**ADEORRT**			radotes	**ADEORSZ**
	polardes	+C	decoupas		radoter		rodates	+B adsorbez
+N	deparons	**ADEOPSV**			redorat		torsade		sabordez
	derapons	+N	depavons	+A	radotera	+A	adorates	+T torsadez
	pandores	**ADEOPSY**		+B	rebordat	+B	bordates	**ADEORTT**
	ponderas	+L	deployas	+C	recordat	+C	brodates	+C decrotta
+T	deportas	**ADEOPTT**		+D	detordra		cordates	+I doterait
ADEOPRT			depotat	+I	dorerait		tocardes	+N dateront
	adopter	+I	depotait		redorait	+E	erodates		detronat
	deporta	+N	adoptent		roderait		torsadee		radotent
+A	adoptera		depotant	+N	raderont	+G	tordages		tordante
+C	procedat	+R	deportat		redorant	+I	adroites	+P deportat
+E	depotera	+S	despotat	+O	toreador		doserait	+U deroutat
+I	deportai		podestat	+R	retordra		doterais		detourat
	doperait		postdate	+S	dartrose	+L	tolardes		redoutat
	parotide	**ADEOPTU**			roadster	+N	dateroas	**ADEORTU**
+L	deplorat	+C	decoupat		torsader		detronas		derouta
+M	detrompa	**ADEOPTV**		+U	radoteur		tadornes		detoura
	domptera	+I	adoptive	**ADEORRU**			tornades		doutera
+N	ponderat	**ADEOPTY**		+B	bourrade	+P	deportas		outarde
+S	deportas	+L	deployat		debourra	+R	dartrose		redouta
+T	deportat	**ADEOPTZ**			radouber		roadster	+I deroutai
ADEOPRU			adoptez	+C	recoudra		torsader		detourai
+C	croupade	+I	adoptiez	+G	droguera	+S	torsades		douerait
+G	degroupa	**ADEOPXY**		+H	hourdera	+U	deroutas		douterai
	poudrage	+R	peroxyda	+I	rudoiera		detouras		redoutai
+L	palourde	**ADEOPXY**		+L	lourdera		douteras	+L deroulat
	poularde	+F	defroqua	+P	poudrera		outardes	+M moutarde
+P	pouparde	**ADEOQST**		+S	resoudra		redoutas	+N detourna
+R	poudrera	+U	toquades	+T	radoteur	+X	extrados	+R radoteur
ADEOPRV		**ADEOQSU**		**ADEORRV**		+Z	torsadez	+S deroutas
+I	poivrade	+T	toquades	+E	devorera	**ADEORSU**			detouras
ADEOPRX		**ADEOQTU**		**ADEORRY**			doueras		douteras
+A	paradoxe		toquade	+I	drayoire		soudera		outardes
+Y	peroxyda	+S	toquades	**ADEORRZ**		+B	absoudre		redoutas
ADEOPRY		**ADEOQUU**		+E	adorerez		bouderas	+T deroutat
+X	peroxyda	+B	debouqua	**ADEORSS**			deboursa		detourat
ADEOPRZ		**ADEOQUZ**			adosser		radoubes		redoutat
+I	parodiez	+I	zodiaque		dorasse	+C	couardes	**ADEORTV**
ADEOPSS		**ADEORRR**			doseras	+I	douaires		devorat
	deposas	+E	redorera		rodasse		douerais	+I devorait
	dopasse	+T	retordra		sarodes		souderai	+N devorant
	posseda	**ADEORRS**		+A	adorasse	+L	deroulas	+Y verdoyat
+I	adiposes		doreras		adossera		roulades	**ADEORTX**
	deposais		drosera	+B	adsorbes		soularde	+S extrados
	possedai		redoras		bordasse		sudorale	**ADEORTY**
+N	espadons		roderas		brodasse	+R	resoudra	+V verdoyat
+O	apodoses	+A	adoreras		sabordes	+S	ressouda	**ADEORTZ**
+S	dopasses	+B	adsorber	+C	cordasse		souderas		radotez
	possedas		borderas		cossarde	+T	deroutas	+I radotiez
+T	possedat		broderas	+E	erodasse		detouras	+S torsadez
ADEOPST			rebordas	+I	ardoises		douteras	**ADEORUU**
	adoptes		saborder		doserais		outardes	+G rougeaud
	deposat	+C	corderas	+L	dorsales		redoutas	**ADEORUV**
	depotas		recordas		solderas	**ADEORSV**		+E devouera
	dopates	+E	eroderas	+N	derasons		devoras	**ADEORUX**
+E	adoptees	+I	desarroi		sonderas	+I	avodires	+B bordeaux
+I	deposait		dorerais	+R	droseras		devorais	+C cordeaux
	depotais		redorais		drossera	+Y	verdoyas	+N rondeaux
+L	platodes		roderais	+S	dorasses			

ADEORUZ
+B radoubez
ADEORVY
  verdoya
+I verdoyai
+S verdoyas
+T verdoyat
ADEORXY
  oxydera
+I oxyderai
+P peroxyda
+S oxyderas
ADEOSSS
  adosses
  desossa
  dosasse
+C codasses
+E adossees
+G godasses
+I desossai
  iodasses
+L dessolas
  soldasse
+N endossas
  sondasse
+P dopasses
  possedas
+R dorasses
  rodasses
+S desossas
  dosasses
+T desossat
  dotasses
+U douasses
  soudasse
ADEOSST
  dosates
  dotasse
+L dessolat
  soldates
+N adossent
  endossat
  sondates
+P possedat
+R torsades
+S desossat
  dotasses
+U doutasse
  soudates
ADEOSSU
  douasse
+B boudasse
+C coudasse
+D dessouda
+G soudages
+I audoises
+L dessoula
+M soudames
+R ressouda
  souderas
+S douasses
  soudasse
+T doutasse
  soudates
ADEOSSX
+N desaxons
+Y oxydases
  oxydasse
ADEOSSY
+X oxydases
  oxydasse
ADEOSSZ
  adossez
+I adossiez
ADEOSTT
  dotates
+B debottas
+G degottas
+P despotat
  podestat
  postdate
+U doutates
ADEOSTU
  douates
+B batoudes
  boudates
  boutades
  deboutas
+C coudates
+G degoutas
+I saoudite
+M doutames
+N soudante
+Q toquades
+R deroutas
  detouras
  douteras
  outardes
  redoutas
+S doutasse
  soudates
+T doutates
ADEOSTX
+N detaxons
+R extrados
+Y oxydates
ADEOSTY
+X oxydates
ADEOSTZ
+R torsadez
ADEOSUU
+L soulaude
ADEOSUV
  devouas
+A desavoua
+E desavoue
+I devouais
  vaudoise
ADEOSVY
  devoyas
+I devoyais
+R verdoyas
ADEOSXY
  oxydase
+D desoxyda
+M oxydames
+R oxyderas
+S oxydases
  oxydasse
+T oxydates
ADEOTTT
+B debottat
+G degottat
ADEOTTU
+B deboutat
+G degoutat
  degoutta
+R deroutat
  detourat
  redoutat
+S doutates
ADEOTUV
  devouat
+I devouait
+N devouant
ADEOTVY
  devoyat
+I devoyait
+N devoyant
+R verdoyat
ADEOTXY
+N oxydante
+S oxydates
ADEOUXY
+L deloyaux
ADEPPRR
+N rapprend
ADEPPRS
+N apprends
ADEPPRU
+O pouparde
ADEPPSU
+L depulpas
+N appendus
ADEPPTU
+L depulpat
ADEPQRU
+I prediqua
ADEPQSU
+I depiquas
ADEPQTU
+I depiquat
ADEPRRR
+E reperdra
ADEPRRS
+A draperas
  perdras
+E paredres
+I drapiers
  perdrais
  prediras
+N prendras
+U perduras
ADEPRRT
+I departir
  perdrait
+U perdurat
ADEPRRU
  perdura
+A paradeur
+E depurera
  perdreau
+I diaprure
  perdurai
+L pleurard
+O poudrard
+S perduras
+T perdurat
ADEPRRV
+E depraver
ADEPRRZ
+E draperez
ADEPRSS
+A drapasse
+E depasser
  saperdes
+I dispersa
  presidas
  sparides
ADEPRST
  departs
  petards
+A drapates
+E departes
  depetras
+I departis
  presidat
  trepidas
+N perdants
+O deportas
ADEPRSU
  depuras
  duperas
+A persuada
+C drupaces
+E persuade
+G guepards
+I depurais
  disparue
  duperais
  repudias
+L preludas
+N repandus
+R perduras
ADEPRSV
+A depravas
+E depraves
ADEPRSY
+B bradypes
+E depayser
ADEPRTT
+E depetrat
+I departit
  trepidat
+O deportat
ADEPRTU
  depurat
+E deputera
+I depurait
  duperait
  repudiat
+L preludat
+N depurant
+R perdurat
ADEPRTV
+A depravat
ADEPRTY
+C decrypta
ADEPRTZ
+E departez
ADEPRUX
+A drapeaux
ADEPRVZ
+E depravez
ADEPRXY
+O peroxyda
ADEPSSS
+A depassas
  passades
+E depasses
+O dopasses
  possedas
+U dupasses
ADEPSST
+A depassat
+I depistas
+O possedat
ADEPSSU
  dupasse
+S dupasses
ADEPSSY
+A depaysas
+E depayses
ADEPSSZ
+E depassez
ADEPSTT
+I depistat
+O despotat
  podestat
  postdate
ADEPSTU
  deputas
  dupates
+A pataudes
+I deputais
ADEPSTY
+A depaysat
ADEPSUX
+L duplexas
ADEPSYZ
+E depaysez
ADEPTTU
+I aptitude
  deputait
+N deputant
ADEPTUX
+L duplexat
ADEQRSU
+I dariques
ADEQRTU
+A detraqua
+E detraque
ADEQRUU
+E eduquera
  reeduqua
ADEQSSU
+I dissequa
  sadiques
ADEQSTU
+A adequats
+O toquades
ADEQSUU
  eduquas
+B debusqua
+C aqueducs
  caduques
+I eduquais
ADEQTUU
  eduquat
+I eduquait
+N eduquant
ADERRRT
+E retarder
+O retordra

ADERRSS	+X ruderaux	+A taraudes	extruda	**ADESTTU**
+E adresser	**ADERRUV**	+B tubardes	+I extrudai	+B debattus
desserra	+A ravauder	+I traduise	+R dartreux	+G degustat
dressera	revaudra	+L delustra	+S extrudas	+I destitua
redressa	**ADERRUX**	+N truandes	+T extrudat	+N attendus
+O. droseras	+T dartreux	+O deroutas	**ADERTUZ**	+O doutates
drossera	+U ruderaux	detouras	+A taraudez	**ADESTTV**
ADERRST	**ADERRUY**	douteras	+N truandez	+A devastat
dartres	+E derayure	redoutas	**ADERTVY**	**ADESTTW**
retards	**ADERRYZ**	outardes	+O verdoyat	+E dewattes
+A retardas	+E drayerez	+U rustaude	**ADERTXZ**	**ADESTUU**
tarderas	**ADERSSS**	+X extrudas	+E extradez	+R rustaude
+E deterras	dressas	**ADERSTV**	**ADERTYZ**	**ADESTUV**
retardes	+A adressas	+E devaster	+H hydratez	duvetas
+G dragster	radasses	deversat	**ADERUUX**	+I duvetais
+O dartrose	+E adresses	+I drivates	+R ruderaux	**ADESTUX**
roadster	+I dressais	tardives	**ADERUVZ**	exsudat
torsader	rassieds	**ADERSTW**	vaudrez	+I exsudait
ADERRSU	ridasses	steward	+A ravaudez	+N exsudant
ardeurs	+O dorasses	+S stewards	+I vaudriez	+R extrudas
dureras	rodasses	**ADERSTX**	**ADESSSX**	+S exsudats
+B bradeurs	+U durasses	+A extradas	+O desossas	**ADESTVZ**
+C cadreurs	**ADERSST**	+E adextres	dosasses	+E devastez
cardeurs	dressat	extrades	**ADESSST**	**ADESTXY**
+G gardeurs	+A adressat	+O extrados	+A datasses	+O oxydates
+I durerais	tardasse	+U extrudas	+I desistas	**ADESUVX**
raideurs	+E desastre	**ADERSTY**	+O desossat	+E desaveux
reduiras	desertas	+A drayates	dotasses	**ADETTTU**
+M madrures	estrades	+B darbyste	**ADESSSU**	+I attitude
musarder	+H thesards	+H hydrates	+C ducasses	**ADETTUV**
+O resoudra	+I disserta	**ADERSTZ**	+I assidues	duvetat
+P perduras	dressait	+O torsadez	+O douasses	+I duvetait
ADERRSV	+N dressant	**ADERSUU**	soudasse	+N duvetant
+C crevards	+O torsades	+T rustaude	+P dupasses	**ADETTUX**
+E redevras	+W stewards	**ADERSUV**	+R durasses	+R extrudat
+I driveras	**ADERSSU**	+A ravaudes	**ADESSSV**	**ADFFGIR**
verdiras	durasse	**ADERSUX**	+I devissas	+E griffade
ADERRSY	+B absurdes	+E exsudera	vidasses	**ADFFIIM**
+A drayeras	+H hussarde	serdeaux	**ADESSTT**	+A diffamai
ADERRTT	+I seduiras	+I sideraux	+E detestas	**ADFFIIR**
+A attarder	+M musardes	+T extrudas	+I desistat	+E differai
detartra	+N danseurs	**ADERSUY**	**ADESSTU**	**ADFFIIS**
retardat	+O ressouda	dasyure	+G degustas	+U diffusai
+E detartre	souderas	+S dasyures	+O doutasse	**ADFFIIU**
deterrat	+S durasses	**ADERSUZ**	soudates	+S diffusai
ADERRTU	+Y dasyures	+M musardez	+X exsudats	**ADFFIMR**
+A tarauder	**ADERSSV**	**ADERSVY**	**ADESSTY**	+E diffamer
+I detruira	+E adverses	+O verdoyas	+N dynastes	**ADFFIMS**
durerait	deversas	**ADERSXY**	**ADESSUX**	+A diffamas
traduire	+I drivasse	+O oxyderas	exsudas	+E diffames
+N truander	**ADERSSW**	**ADERTTU**	+I exsudais	**ADFFIMT**
+O radoteur	+T stewards	+I traduite	+T exsudats	+A diffamat
+P perdurat	**ADERSSY**	+O deroutat	**ADESSUY**	**ADFFIMZ**
+X dartreux	+A drayasse	detourat	+R dasyures	+E diffamez
ADERRTV	+U dasyures	redoutat	**ADESSXY**	**ADFFIOR**
+E verdatre	**ADERSSZ**	+X extrudat	+O oxydases	+S soiffard
ADERRTX	+E adressez	**ADERTTX**	oxydasse	**ADFFIOS**
+E extrader	**ADERSTT**	+A extradat	**ADESTTT**	+R soiffard
+U dartreux	tetards	+U extrudat	+E detestat	**ADFFIRS**
ADERRTY	+A attardes	**ADERTTZ**		+E differas
+H hydrater	tardates	+A attardez		+O soiffard
ADERRTZ	+E desertat	**ADERTUU**		**ADFFIRT**
+E retardez	tetrades	+I auditeur		+E differat
tarderez	+I dattiers	+S rustaude		**ADFFISS**
ADERRUU	**ADERSTU**	**ADERTUV**		+U diffusas
+F fraudeur	dateurs	+I durative		**ADFFIST**
+G dragueur	durates	**ADERTUX**		+U diffusat

ADFFISU	**+O** modifiat	**+L** manifold	frondait	**ADFLORU**
diffusa	**ADFIINO**	**ADFIMOR**	**ADFIORU**	foulard
+I diffusai	**+E** infeodai	**+E** deformai	**+N** fouinard	**+E** falourde
+S diffusas	**ADFIINR**	**ADFIMOS**	**ADFIOST**	**+S** foulards
+T diffusat	**+E** definira	**+I** modifias	**+P** adoptifs	**ADFLOSU**
ADFFITU	feindrai	**ADFIMOT**	**ADFIPRS**	**+E** defoulas
+S diffusat	**ADFIINS**	**+I** modifiat	**+E** defripas	**+R** foulards
ADFFNOR	**+E** densifia	**ADFIMRS**	**ADFIPRT**	**ADFLOTT**
+E effondra	**+I** nidifias	**+E** sefardim	**+E** defripat	**+R** flottard
offrande	**ADFIINT**	**ADFINNR**	**ADFIPST**	**ADFLOTU**
ADFFORS	**+E** deifiant	**+L** flandrin	**+O** adoptifs	**+E** defoulat
+I soiffard	edifiant	**ADFINOR**	**ADFIRRS**	**ADFLRRS**
ADFFSSU	**+I** nidifiat	fondrai	**+E** fardiers	**+I** riflards
+I diffusas	**ADFIIOS**	frondai	**+L** riflards	**ADFLRSU**
ADFFSTU	**+C** codifias	**+E** fonderai	**ADFIRRU**	**+O** foulards
+I diffusat	**+M** modifias	**+S** fardions	**+B** furibard	**ADFLRTT**
ADFGINS	**ADFIIOT**	fondrais	**ADFIRSS**	**+O** flottard
fadings	**+C** codifiat	fondrais	**+E** defrisas	**ADFMNOS**
ADFGIRU	**+M** modifiat	**+T** fondrait	sefardis	**+E** fondames
+E defigura	**ADFIIPR**	frondait	**ADFIRST**	**ADFMORS**
ADFGLNO	**+E** defripai	**+U** fouinard	tardifs	**+E** deformas
+E degonfla	**ADFIIRS**	**ADFINOS**	**+E** defrisat	**ADFMORT**
ADFGNNO	**+E** defrisai	fondais	**+U** duratifs	**+E** deformat
+A fandango	**ADFIIRT**	**+E** infeodas	**ADFIRSU**	**ADFNNOR**
ADFHISS	**+A** radiatif	**+R** fardions	**+A** fraudais	**+E** redonna
+E adhesifs	**ADFIIST**	fondrais	**+T** duratifs	**+T** frondant
ADFHOSU	**+D** additifs	frondais	**ADFIRTU**	**ADFNNOS**
+C chadoufs	**+U** auditifs	**ADFINOT**	duratif	**+T** fondants
ADFIIII	**ADFIISU**	fondrai	**+A** faudrait	**ADFNNOT**
+N nidifiai	**+F** diffusai	**+E** infeodat	fraudait	fondant
ADFIIIM	**+T** auditifs	**+R** fondrait	**+E** defruita	**+E** fondante
+O modifiai	**ADFIITU**	frondait	**+S** duratifs	**+R** frondant
ADFIIIN	auditif	**ADFINOU**	**ADFIRUZ**	**+S** fondants
nidifia	**+S** auditifs	**+R** fouinard	**+E** fraudiez	**ADFNNRT**
+I nidifiai	**ADFILLN**	**ADFINRS**	**ADFISST**	**+O** frondant
+S nidifias	**+E** fendilla	friands	**+E** sedatifs	**ADFNNST**
+T nidifiat	**ADFILMN**	**+E** feindras	**ADFISSU**	**+E** fendants
ADFIIIO	**+O** manifold	fendrais	**+F** diffusas	**+O** fondants
+C codifiai	**ADFILMO**	friandes	**ADFISTU**	**ADFNOPR**
+M modifiai	**+N** manifold	**+O** fardions	**+F** diffusat	parfond
ADFIIIS	**ADFILMS**	fondrais	**+I** auditifs	**+E** fonde
+E deifiais	**+A** maladifs	frondais	**+R** duratifs	**+S** parfonds
edifiais	**ADFILNN**	**ADFINRT**	**ADFLMMR**	**+U** parfondu
+N nidifias	**+R** flandrin	**+E** fendrait	**+E** flemmard	**ADFNOPS**
ADFIIIT	**ADFILNO**	**+O** fondrait	**ADFLMNO**	**+L** plafonds
+E deifiait	**+M** manifold	frondait	manifold	**+R** parfonds
edifiait	**ADFILNR**	**ADFINRU**	**+I** manifold	**ADFNOPU**
+N nidifiat	**+E** filandre	**+O** fouinard	**ADFLMNS**	**+R** parfondu
ADFIILL	**+N** flandrin	**ADFINST**	**+A** flamands	**ADFNORR**
+E defailli	**ADFILNT**	**+E** defiants	**ADFLNNR**	**+E** frondera
ADFIILO	**+E** defilant	**ADFINSU**	**+I** flandrin	refondra
+E defoliai	**ADFILOR**	finauds	**ADFLNOP**	**ADFNORS**
ADFIILS	**+E** deflorai	**+E** finaudes	plafond	fardons
+E defilais	**ADFILOS**	**ADFINTV**	**+S** plafonds	fondras
fidelisa	**+E** defolias	**+E** adventif	**ADFLNOS**	frondas
ADFIILT	**ADFILOT**	**ADFIOPS**	**+P** plafonds	**+E** fonderas
+E defilait	**+E** defoliat	**+T** adoptifs	**ADFLNPS**	**+I** fardions
ADFIILU	**ADFILOU**	**ADFIOPT**	**+O** plafonds	fondrais
+C dulcifia	**+E** defoulai	adoptif	**ADFLNRS**	frondais
ADFIIMO	**ADFILRD**	**+S** adoptifs	**+E** flandres	**+P** parfonds
modifia	riflard	**ADFIORS**	**ADFLOPS**	**+U** fraudons
+I modifiai	**+S** riflards	**+F** soiffard	**+N** plafonds	**ADFNORT**
+S modifias	**ADFILRS**	**+N** fardions	**ADFLORS**	frondat
+T modifiat	**+R** riflards	fondrais	**+E** defloras	**+I** fondrai
ADFIIMS	**ADFILTU**	frondais	**+U** foulards	frondait
+O modifias	**+A** laudatif	**ADFIORT**	**ADFLORT**	**+N** frondant
ADFIIMT	**ADFIMNO**	**+N** fondrait	**+E** deflorat	
			+T flottard	

ADFNORU
+E defourna
+I fouinard
+P parfondu
+S fraudons
ADFNOSS
+E fondasse
ADFNOST
+E fondates
+N fondants
ADFNOSU
+R fraudons
ADFNPRS
+O parfonds
ADFNPRU
+O parfondu
ADFNRSU
+O fraudons
ADFNRTU
+A fraudant
+E fraudent
ADFOORU
+Y foudroya
ADFOORY
+U foudroya
ADFOOUY
+R foudroya
ADFOPRS
+N parfonds
ADFOPRU
+N parfondu
ADFOPST
+I adoptifs
ADFOQRU
+E defroqua
ADFORSU
+L foulards
+N fraudons
ADFORSY
foyards
ADFORTT
+L flottard
ADFORUY
+O foudroya
ADFRRUU
+E fraudeur
ADFRSTU
+I duratifs
ADFRSUY
fuyards
ADGGINR
+E geignard
+U guignard
ADGGINU
+E guindage
+R guignard
ADGGIRU
+N guignard
ADGGISU
+E guidages
ADGGNOR
+R grognard
ADGGNRR
+O grognard
ADGGNRU
+I guignard
ADGGORR
+N grognard
ADGHILO
hidalgo
+S hidalgos
ADGHILS
+O hidalgos
ADGHIOS
+L hidalgos
ADGHLOS
+I hidalgos
ADGHORU
+E hourdage
ADGIIIN
+N indignai
ADGIIIR
+E dirigeai
ADGIILL
+O godillai
ADGIILO
+L godillai
ADGIILS
+A galidias
+E galidies
ADGIILT
digital
+E algidite
digitale
ADGIIMR
+E demaigri
ADGIINN
indigna
+I indignai
+S indignas
+T indignat
ADGIINR
+E denigrai
geindrai
ADGIINS
+A daignais
+E designai
+N indignas
+U guindais
ADGIINT
+A daignait
+N indignat
+U guindait
ADGIINU
guindai
+E endiguai
+S guindais
+T guindait
ADGIINZ
+E daigniez
ADGIIOS
+E degoisai
+T doigtais
ADGIIOT
doigtai
+S doigtais
+T doigtais
ADGIIRR
+E dirigera
ADGIIRS
+E degrisai
digerais
dirigeas
ADGIIRT
+E digerait
dirigeat
ADGIIRU
+E guiderai
ADGIIRV
+E degivrai
ADGIIST
+O doigtais
ADGIISU
guidais
+E deguisai
+N guindais
ADGIITT
+O doigtait
ADGIITU
guidait
+N guindait
+X digitaux
ADGIITX
+U digitaux
ADGIIUV
+A divaguai
ADGIIUX
+T digitaux
ADGIJNO
+E adjoigne
ADGIJUZ
+E adjugiez
ADGILLO
godilla
+A godailla
+E godaille
+I godillai
+S godillas
+T godillat
ADGILLR
+A gaillard
+E grillade
ADGILLS
+O godillas
ADGILLT
+O godillat
ADGILMR
+A madrigal
ADGILNO
+A diagonal
+O gondolai
ADGILNR
+E dragline
ADGILNS
ligands
+A glandais
ADGILNT
+A glandat
ADGILNZ
+E glandiez
ADGILOO
+N gondolai
+S solidago
ADGILOR
+E rigolade
+R rigolard
ADGILOS
+H hidalgos
+L godillas
+O solidago
ADGILOT
+L godillat
ADGILOU
+A dialogua
+E dialogue
ADGILRR
+O rigolard
ADGILSS
+E glissade
ADGILSU
+A saligaud
+E degluais
ADGILTU
+E degluait
ADGILUU
+V divulgua
ADGILUV
+U divulgua
ADGIMMO
+E degommai
ADGIMMR
+E digramme
ADGIMNR
mignard
+E mignarde
+S mignards
ADGIMNS
+R mignards
ADGIMRS
+N mignards
+U grimauds
ADGIMRU
grimaud
+S grimauds
ADGIMSU
+E guidames
+R grimauds
ADGINNO
+R ragondin
+S daignons
ADGINNR
+E grenadin
+O ragondin
ADGINNS
gandins
+C dancings
+I indignas
+O daignons
+T standing
ADGINNT
+A daignant
+E daignent
+I indignat
+S standing
+U guindant
ADGINNU
+T guindant
ADGINOO
+L gondolai
ADGINOP
+R poignard
ADGINOR
grondai
organdi
+E argonide
+N ragondin
+P poignard
+S gardions
grondais
organdis
+T grondait
+U rigaudon
ADGINOS
+E diagnose
ganoides
+N daignons
+R gardions
grondais
organdis
ADGINOT
+E godaient
+R grondait
+T doigtant
ADGINOU
+R rigaudon
ADGINPR
+O poignard
ADGINPS
+E pignades
ADGINRR
grandir
ringard
+A agrandir
grandira
+E degarnir
ringarde
+S ringards
ADGINRS
gradins
grandis
+A agrandis
+B brigands
+E degarnis
denigras
gardiens
geindras
grandies
+M mignards
+O gardions
grondais
organdis
+R ringards
ADGINRT
grandit
+A agrandit
+E degarnit
denigrat
digerant
gradient
+O grondait
ADGINRU
+E guindera
+G guignard
+O rigaudon
ADGINRV
+E vidanger
ADGINSS
+E designas
ADGINST
+E designat
+N standing
ADGINSU
guindas
nigauds

+E endiguas	+E quadrige	+T gondolat	**ADGNOOS**	**ADGORRU**
nigaudes	**ADGIRRS**	**ADGLNOS**	+L gondolas	+E droguera
+I guindais	grisard	+E goelands	**ADGNOOT**	**ADGORST**
ADGINSV	+N ringards	+N glandons	+L gondolat	+E tordages
+E vidanges	+S grisards	+O gondolas	**ADGNOPR**	**ADGORSU**
ADGINTT	**ADGIRSS**	**ADGLNOT**	+I poignard	droguas
+O doigtant	+E degrisas	+O gondolat	**ADGNORR**	+I droguais
ADGINTU	+R grisards	**ADGLNRU**	+E grondera	+N draguons
guidant	**ADGIRST**	+E glandeur	+G grognard	graduons
guindat	+E degrisat	**ADGLNST**	**ADGNORS**	**ADGORTU**
+E endiguat	**ADGIRSU**	+A landtags	dragons	droguat
+I guindait	+A draguais	**ADGLNTU**	gardons	+I droguait
+N guindant	graduais	+E degluant	grondas	+N droguant
ADGINUU	+E guideras	**ADGLOOS**	+E drageons	**ADGORUU**
+E guindeau	+M grimauds	+I solidago	+I gardions	+E rougeaud
ADGINVZ	+O droguais	+N gondolas	grondais	**ADGOSSS**
+E vidangez	**ADGIRSV**	**ADGLOOT**	organdis	+E godasses
ADGIOOS	**ADGIRTU**	+N gondolat	+M drogmans	**ADGOSSU**
+L solidago	+A draguait	**ADGLORR**	+U draguons	+E soudages
ADGIOPR	graduait	+I rigolard	graduons	**ADGOSTT**
+N poignard	+O droguait	**ADGLRSU**	**ADGNORT**	+E degottas
+U prodigua	**ADGIRTV**	+E graduels	grondat	**ADGOSTU**
ADGIOPU	+E degrivat	**ADGLRUU**	+I grondait	+E degoutas
+R prodigua	**ADGIRUV**	+E gueulard	+N grondant	**ADGOSUZ**
ADGIORR	+E divaguer	**ADGLUUV**	+U droguant	+C gazoducs
+E drageoir	**ADGIRUZ**	+I divulgua	**ADGNORU**	**ADGOTTT**
+L rigolard	+E draguiez	**ADGMMOS**	+A gandoura	+E degottat
ADGIORS	graduiez	+E degommas	+I rigaudon	**ADGOTTU**
+E goderais	**ADGISSU**	dommages	+M gourmand	+E degoutat
+N gardions	+E deguisas	**ADGMMOT**	+S draguons	degoutta
grondais	guidasse	+E degommat	graduons	**ADGPRSU**
organdis	**ADGISTU**	**ADGMNOR**	+T droguant	+E guepards
+U droguais	+E deguisat	drogman	**ADGNOSS**	**ADGRRSS**
ADGIORT	degustai	+S drogmans	+E sondages	+I grisards
+E doigtera	guidates	+U gourmand	**ADGNOST**	**ADGRRST**
goderait	**ADGISUV**	**ADGMNOS**	+E tondages	+E dragster
+N grondait	+A divaguas	+R drogmans	**ADGNOSU**	**ADGRRSU**
+U droguait	+E divaguas	**ADGMNOU**	+R draguons	+E gardeurs
ADGIORU	**ADGITUV**	+R gourmand	graduons	**ADGRRUU**
droguai	+A divaguat	**ADGMNRS**	**ADGNOSZ**	+E dragueur
+N rigaudon	**ADGITUX**	+I mignards	+E degazons	**ADGRSTU**
+P prodigua	+I digitaux	+O drogmans	**ADGNOTT**	+A graduats
+S droguais	**ADGIUUV**	**ADGMNRU**	+E degotant	**ADGSSTU**
+T droguait	+L divulgua	+O gourmand	+I doigtant	+E degustas
ADGIOSS	**ADGIUUX**	**ADGMOPT**	**ADGNOTU**	**ADGSTTU**
+E degoisas	+E guideaux	+E domptage	+R droguant	+E degustat
ADGIOST	**ADGIUVZ**	**ADGMORS**	**ADGNRRS**	**ADHHIST**
doigtas	+E divaguez	+N drogmans	+I ringards	hadiths
+E degoisat	**ADGJNTU**	**ADGMORU**	**ADGNRRU**	**ADHIINP**
degotais	+E adjugent	+N gourmand	+E grandeur	+E aphidien
+I doigtais	**ADGLLOS**	**ADGMRSU**	**ADGNRST**	**ADHIIRY**
ADGIOSU	+I godillas	+I grimauds	+E grandets	+B hybridai
+R droguais	**ADGLLOT**	**ADGNNOR**	**ADGNRSU**	**ADHIKLV**
ADGIOTT	+I godillat	+E dragonne	+O draguons	+E khedival
doigtat	**ADGLNNO**	+I ragondin	graduons	**ADHIKNS**
+E degotait	+S glandons	+T grondant	**ADGNRTU**	+E skinhead
degottai	**ADGLNNS**	**ADGNNOS**	+A draguant	**ADHIKTV**
+I doigtait	+O glandons	+I daignons	graduant	+E khedivat
+N doigtant	**ADGLNNT**	+L glandons	+E draguent	**ADHILOP**
ADGIOTU	+A glandant	**ADGNNOT**	graduent	+E haploide
+E degoutai	+E glandent	+R grondant	+O droguant	**ADHILOS**
+R droguait	**ADGLNOO**	**ADGNNRT**	**ADGOPRS**	+G hidalgos
ADGIOUV	gondola	+O grondant	+E podagres	**ADHILOY**
+E godiveau	+I gondolai	**ADGNNST**	**ADGOPRU**	+E hyaloide
ADGIPRU	+S gondolas	+I standing	+E degroupa	**ADHILPR**
+O prodigua		**ADGNNTU**	poudrage	+C pilchard
ADGIQRU		+I guindant	+I prodigua	

ADHILSU
+E deshuila
ADHIMMS
+E mahdisme
ADHIMPS
+E phasmide
ADHIMRS
  dirhams
  midrash
+S midrashs
ADHIMSS
+R midrashs
ADHIMST
+E mahdiste
ADHINOR
+S hardions
ADHINOS
+C chiadons
+E adhesion
+R hardions
ADHINPR
+C pinchard
ADHINPS
+E daphnies
+U dauphins
ADHINPU
  dauphin
+E dauphine
+S dauphins
ADHINRR
+E enhardir
ADHINRS
+E enhardis
+O hardions
ADHINRT
+E enhardit
ADHINSU
+P dauphins
ADHINSW
+C sandwich
ADHIORS
+N hardions
+U hourdais
ADHIORT
+U hourdait
ADHIORU
  hourdai
+S hourdais
+T hourdait
ADHIOSU
+C douchais
+R hourdais
ADHIOTU
+C douchait
+R hourdait
ADHIPSS
+E diphases
ADHIPSU
+N dauphins
ADHIPSY
+E diaphyse
ADHIRRS
+C richards
ADHIRRY
+E hydraire
ADHIRSS
+M midrashs

ADHIRSU
+O hourdais
ADHIRSY
+B hybridas
ADHIRTU
+O hourdait
ADHIRTY
+A hydratai
+B hybridat
ADHISTY
+E thyiades
ADHLLNO
+E hollande
ADHLLPY
+E phyllade
ADHLNOS
+E dehalons
ADHLNRW
+E landwehr
ADHLNST
+E shetland
ADHLOPS
+E pholades
ADHLORT
+Y hydrolat
ADHLORY
+T hydrolat
ADHLOTY
+R hydrolat
ADHLRTY
+O hydrolat
ADHLRUY
+E hydraule
ADHMNOU
+C mandchou
ADHMORS
  homards
ADHMORU
+C mouchard
ADHMRSS
+I midrashs
ADHMRSU
  durhams
ADHNORS
  hadrons
  hardons
+C chardons
+E adherons
+I hardions
ADHNORT
+U hourdant
ADHNORU
+C chaudron
+T hourdant
ADHNOSU
  houdans
ADHNOTU
+C douchant
+R hourdant
ADHNPSU
+I dauphins
ADHNRSY
+E anhydres
ADHNRTU
+O hourdant
ADHOOPR
+S hospodar

ADHOOPS
+R hospodar
ADHOORS
+P hospodar
ADHOPRS
+C pochards
+E rhapsode
+O hospodar
ADHORRU
+E hourdera
ADHORST
+C tchadors
ADHORSU
  hourdas
+I hourdais
ADHORTU
  hourdat
+I hourdait
+N hourdant
ADHORTY
+L hydrolat
ADHRRTY
+E hydrater
ADHRSSS
+U hussards
ADHRSST
+E thesards
ADHRSSU
  hussard
+E hussarde
+S hussards
ADHRSTY
+A hydratas
+E hydrates
ADHRTTY
+A hydratat
ADHRTYZ
+E hydratez
ADHSSSU
+R hussards
ADIIIIN
+F nidifiai
ADIIILQ
+U liquidai
ADIIILU
+Q liquidai
ADIIIMN
+T intimida
+U diminuai
ADIIIMO
+F modifiai
ADIIIMT
+N intimida
ADIIIMU
+N diminuai
ADIIINN
+G indignai
ADIIINQ
+U indiquai
ADIIINR
+U induirai
ADIIINS
+F nidifias
+V divinisa
ADIIINT
+F nidifiat
+M intimida

ADIIINU
+M diminuai
+Q indiquai
+R induirai
ADIIINV
+S divinisa
ADIIIPS
+S dissipai
ADIIIQU
+L liquidai
+N indiquai
ADIIIRR
+A irradiai
  raidirai
ADIIIRT
+E tiedirai
ADIIIRU
+N induirai
ADIIISS
+P dissipai
+V divisais
ADIIIST
+V divisait
ADIIISU
+C suicidai
ADIIISV
  divisai
+N divinisa
+S divisais
+T divisait
ADIIITV
+S divisait
ADIIJNO
+R joindrai
ADIIJNR
+A jardinai
+O joindrai
ADIIJOR
+N joindrai
ADIIJSU
+A judaisai
ADIIKOS
  aikidos
ADIILLM
+R milliard
ADIILLO
+G godillai
ADIILLR
+M milliard
ADIILLS
+T distilla
ADIILLT
+S distilla
ADIILMR
+L milliard
ADIILMT
+E delimita
ADIILNR
+E enlaidir
ADIILNS
+B blindais
+E enlaidis
ADIILNT
+B blindait
+E enlaidit
ADIILNV
+A invalida

+E invalide
ADIILOR
+E iodlerai
ADIILOS
  iodlais
ADIILOT
  iodlait
ADIILOV
+E devoilai
ADIILPS
+A lapidais
  plaidais
+E depilais
  depliais
ADIILPT
+A lapidait
  plaidait
+E depilait
  depliait
ADIILPZ
+E lapidiez
  plaidiez
ADIILQS
+U liquidas
ADIILQT
+U liquidat
ADIILQU
  liquida
+I liquidai
+S liquidas
+T liquidat
ADIILRS
+E delirais
ADIILRT
+E delirait
ADIILRU
+E diluerai
ADIILRV
+E delivrai
ADIILST
+A dilatais
+E delitais
+L distilla
ADIILSU
  diluais
+Q liquidas
ADIILSV
+A validais
ADIILSY
+A dialysai
ADIILTT
+A dilatait
+E delitait
ADIILTU
  diluait
+Q liquidat
ADIILTV
+A validait
+E validite
ADIILTZ
+E dilatiez
ADIILVZ
+E validiez
ADIIMMT
+E immediat
ADIIMNO
  dominai

+R amoindri
+S dominais
+T dominait
ADIIMNR
+O amoindri
+T dirimant
ADIIMNS
+E deminais
  diamines
  mendiais
+O dominais
+U diminuas
ADIIMNT
+E deminait
  mendiait
+I intimida
+O dominait
+R dirimant
+U diminuat
ADIIMNU
  diminua
+A minaudai
+I diminuai
+S diminuas
+T diminuat
ADIIMOR
+N amoindri
+R dormirai
ADIIMOS
+A amodiais
+F modifias
+N dominais
ADIIMOT
+A amodiait
+F modifiat
+N dominait
ADIIMOZ
+E amodiiez
ADIIMPR
+E deprimai
ADIIMPV
+E impavide
ADIIMRR
+O dormirai
ADIIMRS
+A admirais
+E medirais
  raidimes
ADIIMRT
+A admirait
+E medirait
+N dirimant
ADIIMRU
+A maudirai
ADIIMRZ
+E admiriez
ADIIMSS
+E medisais
ADIIMST
+E medisait
  meditais
ADIIMSU
+N diminuas
ADIIMTT
+E meditait
ADIIMTU
+N diminuat

ADIINNO
  inondai
+B bidonnai
+S inondais
+T inondait
  nidation
ADIINNS
+C indicans
+G indignas
+O inondais
ADIINNT
+E dinaient
+G indignat
+O inondait
  nidation
ADIINOR
+B bondirai
+J joindrai
+M amoindri
+R nordirai
+S radiions
ADIINOS
+A anodisai
+M dominais
+N inondais
+R radiions
+S dissonai
ADIINOT
+D addition
+E ideation
  iodaient
+M dominait
+N inondait
  nidation
+U audition
ADIINOU
+B boudinai
+T audition
ADIINPR
+E peindrai
ADIINQS
+U indiquas
ADIINQT
+U indiquat
ADIINQU
  indiqua
+I indiquai
+S indiquas
+T indiquat
ADIINRR
+O nordirai
ADIINRS
+A drainais
  radinais
+E dinerais
  draisine
+O radiions
+U induiras
  indurais
ADIINRT
+A drainait
  radinait
+E dinerait
  diraient
  ridaient
  teindrai
  tiendrai
+M dirimant
+U indurait
ADIINRU
  induira
  indurai
+E enduirai
+I indurai
+S induiras
  indurais
+T indurait
ADIINRV
+E renvidai
  viendrai
ADIINRZ
+E drainiez
  radiniez
ADIINSS
+C scindais
+E dessinai
+O dissonai
ADIINST
+C citadins
  scindait
+E destinai
  disaient
+V divisant
ADIINSU
+G guindais
+M diminuas
+Q indiquas
+R induiras
  indurais
ADIINSV
+A viandais
+E devinais
+I divinisa
+T divisant
ADIINSX
+E indexais
ADIINSZ
  dizains
+E dizaines
ADIINTU
+G guindait
+M diminuat
+O audition
+Q indiquat
+R indurait
ADIINTV
+A viandait
+E devinait
  vidaient
+S divisant
ADIINTX
+E indexait
ADIINVZ
+E viandiez
ADIIOPR
+A parodiai
ADIIOPS
+S disposai
ADIIORR
+M dormirai
+N nordirai
+U ourdirai
ADIIORS
+E ioderais
+N radiions
ADIIORT
+E ioderait
ADIIORU
+C doucirai
+R ourdirai
ADIIORV
+C divorcai
ADIIOSS
+C dissocia
+N dissonai
+P disposai
ADIIOST
+G doigtais
ADIIOTT
+G doigtait
ADIIOTU
+N audition
ADIIPQU
+E depiquai
ADIIPRR
+E predirai
ADIIPRS
  diapirs
+A diaprais
+E presidai
ADIIPRT
+A diaprait
+E rapidite
  trepidai
ADIIPRU
+E repudiai
ADIIPRZ
+E diapriez
ADIIPSS
  dissipa
+I dissipai
+O disposai
+S dissipas
+T dissipat
ADIIPST
+E depistai
  depitais
  sapidite
+S dissipat
+U disputai
ADIIPSU
+T disputai
ADIIPTT
+E depitait
ADIIPTU
+S disputai
ADIIQSU
+L liquidas
+N indiquas
ADIIQTU
+L liquidat
+N indiquat
ADIIRRR
+E irradier
ADIIRRS
+A irradias
  raidiras
+E irradies
  redirais
  riderais
ADIIRRT
+A irradiat
+E riderait
ADIIRRU
+C durcirai
+E reduirai
+O ourdirai
ADIIRRV
+E driverai
  verdirai
ADIIRRZ
+E irradiez
  raidirez
ADIIRSS
+E desirais
  raidisse
  redisais
  residais
  siderais
+T distrais
ADIIRST
+E aridites
  desirait
  detirais
  distraie
  raidites
  redisait
  residait
  siderait
  tiediras
+S distrais
+T distrait
ADIIRSU
+E seduirai
+N induiras
  indurais
ADIIRSV
  drivais
+E derivais
  devirais
  divisera
  viderais
ADIIRTT
+E attiedir
  detirait
+S distrait
ADIIRTU
+C trucidai
+N indurait
ADIIRTV
  drivait
+E derivait
  devirait
  viderait
ADIISSS
+E dessaisi
+P dissipas
ADIISST
+E desistai
+P dissipat
+R distrais
ADIISSU
+C suicidas
ADIISSV
  divisas
+E devisais

```
        devissai      ADIJOTU       +S pillards    ADILNOP        +O validons
+I  divisais        +E dejouait    ADILLPS        +S lapidons    ADILNSY
ADIISTT             ADIJQUU        +R pillards       plaidons    +C syndical
+E  attiedis        +E judaique    ADILLPU        ADILNOR        ADILNTT
+R  distrait        ADIJRSU        +M pallidum       ordinal     +A dilatant
ADIISTU             +A adjurais    ADILLRS        +B blondira    +E delitant
+C  discutai        +E judaiser    +B billards     +E laideron      dilatent
    suicidat        ADIJRTU        +E drailles       ordinale    ADILNTU
+E  etudiais        +A adjurait       rallides     +L ardillon      diluant
+F  auditifs        ADIJRUZ        +P pillards     +S lardions    +O ondulait
+P  disputai        +E adjuriez    ADILLSS        ADILNOS        +S diluants
ADIISTV             ADIJSSU        +E dessilla       ladinos     ADILNTV
    divisat         +A judaisas    ADILLST        +L dallions    +A validant
+E  avidites        +E judaises    +I distilla     +P lapidons    +E divalent
    devisait        ADIJSTU        ADILLSY           plaidons        valident
+I  divisais        +A judaisat    +E dyslexie     +R lardions    ADILOOP
+N  divisant        ADIJSUZ        ADILMNN        +T dilatons    +R polaroid
ADIITTT             +E judaisez    +A almandin     +U adulions    ADILOOR
+E  attiedit        ADIKMOS        ADILMNO           mondial     +V validons    +P polaroid
ADIITTU               mikados         mondial     ADILNOT        +T dorlotai
+E  etudiait        ADIKNPP        +A domanial       iodlant        toroidal
ADIITUV             +A kidnappa    +E limonade     +E delation    ADILOOS
+E  auditive        +E kidnappe       mondiale    +S dilatons    +B diabolos
ADIITUX             ADIKSTT        +F manifold     +U ondulait    +G solidago
+G  digitaux          diktats     ADILMNR        ADILNOU        ADILOOT
ADIJKST             ADILLLO        +L mandrill       ondulai      +R dorlotai
    tadjiks         +A allodial    ADILMNS           ondulais        toroidal
ADIJLOR             ADILLMN        +E limandes     +S adulions    ADILOOV
+E  jodlerai        +R mandrill    ADILMOR           ondulais    +E ovoidale
ADIJLOS             ADILLMO        +E demolira     +T ondulait    +E ovoidale
    jodlais         +R mordilla    +L mordilla    ADILNOV        ADILOPR
ADIJLOT             ADILLMP        ADILMOS        +S validons    +E deplorai
    jodlait         +U pallidum    +E iodlames    ADILNPR           depolira
ADIJMSU             ADILLMR          modelais     +A plaindra    +O polaroid
+E  judaisme        +I milliard      modelisa       prandial     ADILOPS
ADIJNOR             +N mandrill    +U modulais     +E plaindre    +N lapidons
    joindra         +O mordilla    ADILMOT        ADILNPS           plaidons
+I  joindrai        ADILLMU        +E modalite     +A paladins    ADILOPY
+S  joindras        +P pallidum    +E modelait     +O lapidons    +E deployai
ADIJNOS             ADILLNO          modelait         plaidons    ADILOQS
    adjoins         +R ardillon    +U modulait    ADILNPT        +U disloqua
+R  joindras        +S dallions    ADILMOU        +A laippant     ADILOQU
+T  adjoints        ADILLNP          modulai      +E pendulai    +S disloqua
ADIJNOT             +E pendilla    +E demoulai       plaidant     ADILORR
    adjoint         ADILLNR        +S modelais    +E depilant    +E lardoire
+E  adjointe        +M mandrill    +T modulait       depliant    +G rigolard
+S  adjoints        +O ardillon    ADILMOY          lapident     +U alourdir
ADIJNRR             ADILLNS        +E amyloide       plaident     ADILORS
+E  jardiner        +O dallions    ADILMPS        ADILNPU        +E iodleras
ADIJNRS             ADILLOO        +E plasmide     +E pendulai       ordalies
    jardins         +C dialcool    ADILMPU           pendulai    +N lardions
+A  jardinas        ADILLOR        +E deplumai    ADILNRS        +U alourdis
+E  jardines        +A rodailla       impalude     +E landiers       lourdais
+O  joindras        +E rodaille    +L pallidum     +O lardions    ADILORT
ADIJNRT             +M mordilla    ADILMSU        ADILNRT        +A idolatra
+A  jardinat        +N ardillon    +E diluames     +E delirant    +E idolatre
+E  jardinet        ADILLOS          dualisme     ADILNRU        +O dorlotai
ADIJNRZ             +G godillas    +O modulais       diurnal         toroidal
+E  jardinez        +N dallions    ADILMTU        ADILNRY        +U alourdit
ADIJNST             ADILLOT        +O modulait     +C cylindra       lourdait
+O  adjoints        +G godillat    ADILNNR        ADILNST        ADILORU
ADIJORS             ADILLOU        +F flandrin     +O dilatons       alourdi
+N  joindras        +C caudillo    ADILNNT        +U diluants       lourdais
ADIJOST             ADILLPR        +B blindant    ADILNSU        +E alourdie
+N  adjoints          pillard      ADILNNV        +O adulions        deroulai
ADIJOSU             +A paillard    +A lavandin       ondulais     +R alourdir
+E  dejouais        +E pillarde    ADILNOO        +T diluants    ADILNSV
```

+S alourdis	**ADILQTU**	+T dominant	+A diamants	+O sodomisa
lourdais	+I liquidat	**ADIMNNR**	+E medisant	**ADIMOST**
+T alourdit	**ADILQUU**	mandrin	**ADIMNSU**	+E mastoide
lourdait	+P dupliqua	+A mandarin	+A minaudas	+P domptais
ADILORV	**ADILRRS**	mandrina	+C muscadin	**ADIMOSU**
+E devaloir	+F riflards	+E mandrine	scandium	+L modulais
ADILOSS	**ADILRRU**	+S mandrins	+E minaudes	+R moudrais
soldais	+O alourdir	**ADIMNNS**	+I diminuas	**ADIMOTT**
+E desolais	**ADILRST**	+O damnions	**ADIMNSY**	+P domptait
dessolai	+U stridula	mandions	+A dynamisa	**ADIMOTU**
iodlasse	**ADILRSU**	mondains	+E dynamise	+L modulait
ADILOST	+E dilueras	+R mandrins	**ADIMNTT**	+R moudrait
soldait	laideurs	**ADIMNNT**	+E meditant	+X taxodium
+B tabloids	+O alourdis	+E deminant	**ADIMNTU**	**ADIMOTX**
+E desolait	lourdais	mendiant	+A adiantum	+U taxodium
diastole	+T stridula	+O dominant	minaudat	**ADIMOUX**
iodlates	**ADILRSV**	**ADIMNOO**	+I diminuat	+N mondiaux
+N dilatons	+E delivras	+S amodions	**ADIMNTY**	+T taxodium
ADILOSU	**ADILRSX**	**ADIMNOP**	+A dynamita	**ADIMPRS**
+B doublais	+E rixdales	+E dopamine	+E dynamite	+E deprimas
+M modulais	**ADILRSY**	**ADIMNOR**	**ADIMNUV**	**ADIMPRT**
+N adulions	+E dialyser	+E dominera	+A vanadium	+E deprimat
ondulais	**ADILRTU**	+I amoindri	**ADIMNUX**	**ADIMPRY**
+Q disloqua	+O alourdit	+S admirons	+O mondiaux	+E pyramide
+R alourdis	lourdait	**ADIMNOS**	**ADIMNUZ**	**ADIMPST**
lourdais	+S stridula	amidons	+E minaudez	+O domptais
ADILOSV	**ADILRTV**	damions	**ADIMOOS**	**ADIMPTT**
+E devoilas	+E delivrat	dominas	+N amodions	+O domptait
+N validons	**ADILRZZ**	mondais	+S sodomisa	**ADIMQSU**
ADILOSX	+B blizzard	+A nomadisa	**ADIMOPS**	quidams
+E oxalides	**ADILSSU**	+C cadmions	+T domptais	**ADIMRRS**
ADILOTT	+E diluasse	+E domaines	**ADIMOPT**	+E madriers
+E dotalite	**ADILSSY**	emondais	domptai	+O dormiras
ADILOTU	+A dialysas	nomadise	+S domptais	miradors
+B doublait	+E dialyses	+I dominais	+T domptait	mordrais
+M modulait	**ADILSTU**	+N damnions	**ADIMORR**	+T trimards
+N ondulait	+E delutais	mandions	dormira	**ADIMRRT**
+R alourdit	diluates	mondains	mirador	trimard
lourdait	dualiste	+O amodions	mordrai	+O mordrait
ADILOTV	dualites	+R admirons	+I dormirai	+S trimards
+E devoilat	+N diluants	**ADIMNOT**	+S dormiras	**ADIMRSS**
ADILPPU	+R stridula	dominat	miradors	+C smicards
+A applaudi	**ADILSTY**	mondait	mordrais	+H midrashs
+E depulpai	+A dialysat	+A amodiant	+T mordrais	**ADIMRST**
ADILPQU	**ADILSYZ**	+C comtadin	**ADIMORS**	mitards
+U dupliqua	+E dialysez	+E amodient	dormais	+R trimards
ADILPRS	**ADILTTU**	demontai	mordais	**ADIMRSU**
+L pillards	+E altitude	emondait	+A dioramas	radiums
ADILPRU	delutait	+I dominait	+E moderais	+A maudiras
+E epidural	latitude	+N admiront	+N admirons	musardai
paludier	**ADILUUV**	**ADIMNOU**	+R dormiras	+G grimauds
plaideur	+G divulgua	+X mondiaux	miradors	+O moudrais
preludai	**ADIMMNO**	**ADIMNOX**	mordrais	**ADIMRSV**
ADILPSS	+E denommai	+U mondiaux	+U mordrais	+E drivames
+E deplissa	**ADIMMOP**	**ADIMNRS**	**ADIMORT**	**ADIMRSY**
ADILPSU	+A pommadai	+G mignards	dormait	+E mydriase
+C disculpa	**ADIMMSU**	+N mandrins	mordait	myriades
+D puddlais	+C cadmiums	+O admirons	+E mediator	**ADIMRTU**
ADILPTU	+E maudimes	**ADIMNRT**	moderait	+O moudrait
+D puddlait	**ADIMNNO**	+A admirant	+R mordrait	**ADIMRUZ**
ADILPUU	mondain	+E admirent	+U moudrait	+E moudirez
+Q dupliqua	+A amidonna	+I dirimant	**ADIMORU**	**ADIMSSS**
ADILPUX	+E amidonne	**ADIMNRU**	moudrai	+E admisses
+E duplexai	mondaine	+E demunira	+C moricaud	sadismes
ADILQSU	+S damnions	minauder	+S moudrais	**ADIMSSU**
+I liquidas	mandions	**ADIMNST**	+T moudrait	+E maudisse
+O disloqua	mondains		**ADIMOSS**	medusais

```
ADIMSTU              +A drainant        +E antipode        +P pondrait        +E evadions
   maudits              radinant           depointa        +R arrondit           vandoise
+E demutisa          +E denantir           dopaient        +S intrados        +L validons
   maudites             drainent        +O adoption           tardions        +N viandons
   medusait             radinent        +R pondrait           tondrais        +U douvains
ADIMSTZ              +O ordinant        ADINOQU            +T tondrait        ADINOSX
+A samizdat          +U indurant        +E anodique        ADINORU            +U saindoux
ADIMTUX              ADINNRU            ADINORR               noiraud         ADINOSY
+O taxodium          +T indurant           anordir         +C conduira        +E denoyais
ADINNNO              ADINNSS               arrondi            corniaud        +O ondoyais
+T inondant          +O dansions           nordira         +E douanier        +R drayions
ADINNNT              ADINNST            +A anordira            noiraude        ADINOSZ
+O inondant          +C scindant        +E arrondie        +F fouinard        +E anodisez
ADINNOO              +E denantis        +I nordirai        +G rigaudon        +U douzains
+R ordonnai          +G standing        +R arrondir        +S noirauds        ADINOTT
+T donation          ADINNSV            +S arrondis        +X ordinaux           tondait
ADINNOR              +O viandons        +T arrondit        ADINORX            +A datation
+D ordinand          ADINNTT            ADINORS            +U ordinaux        +E antidote
+E donnerai          +E denantit           anordis         ADINORY               denotait
   inondera          ADINNTU               radions         +C dicaryon           detonait
   redonnai          +G guindant        +B bardions        +S drayions           dotaient
+G ragondin          +R indurant           bondiras        ADINOSS            +G doigtant
+O ordonnai          ADINNTV               bradions           dissona         +O dotation
+S drainons          +A viandant        +C cadrions           sondais         +R tondrait
   radinons          +E devinant           cardions        +A anodisas        ADINOTU
+T ordinant             viandent        +D dardions        +E anodises        +B boudinat
ADINNOS              ADINNTX            +E aiderons           danoises        +E denouait
   anodins           +E indexant           anodiser           endossai           douaient
   donnais           ADINOOP               deraison        +I dissonai        +I audition
   inondas           +T adoption           sardoine        +N dansions        +L ondulait
+A adonnais          ADINOOR               sonderai        +P spondias        +S sudation
+B badinons          +E ondoiera        +F fardions        +S dissonas        ADINOTY
   bandions          +N ordonnai           fondrais        +T dissonat        +E denoyait
   bidonnas          +S adorions           frondais        +U soudains        +O ondoyait
+E anodines          ADINOOS            +G gardions        ADINOST            ADINOUV
+G daignons          +M amodions           grondais           dations            douvain
+I inondais          +R adorions           organdis           sondait         +S douvains
+M damnions          +Y ondovais        +H hardions           tondais         ADINOUX
   mandions          ADINOOT            +I radiions        +A anodisat        +M mondiaux
   mondains          +N donation        +J joindras        +B bastidon        +R ordinaux
+R drainons          +P adoption        +L lardions        +E denotais        +S saindoux
   radinons          +T dotation        +M admirons           detonais        ADINOUZ
+S dansions          +Y ondoyait        +N drainons           dosaient           douzain
+V viandons          ADINOOY               radinons           sedation        +E douzaine
ADINNOT                 ondoyai         +O adorions        +J adjoints        +S douzains
   donnait           +S ondoyais        +P diaprons        +L dilatons        ADINPPS
   inondat           +T ondoyait           drapions        +R intrados        +E appendis
+A adonnait          ADINOPR               pondrais           tardions        ADINPPT
+B bidonnat             poindra        +R arrondis           tondrais        +E appendit
+E detonnai             pondrai           nordiras        +S dissonat        ADINPRR
+I inondait          +E ponderai        +T intrados        +U sudation        +E prendrai
   nidation          +G poignard           tardions        ADINOSU            ADINPRS
+M dominant          +S diaprons           tondrais           soudain            pinards
+N inondant             drapions        +U noirauds        +B boudinas        +C pincards
+O donation             pondrais        +Y drayions           daubions        +E epinards
+R ordinant          +T pondrait        ADINORT            +E denouais           peinards
ADINNOU              ADINOPS               anordit            saoudien           peindras
+E audonien             pondais            tondrai            soudaine           pendrais
ADINNOV              +A diapason        +E aideront        +L adulions           repandis
+S viandons          +L lapidons           detronai           ondulais        +O diaprons
ADINNOZ                 plaidons           doraient        +R noirauds           drapions
+E adonniez          +R diaprons           rodaient        +S soudains           pondrais
ADINNRS                 drapions        +F fondrait        +T sudation        ADINPRT
+M mandrins             pondrais           frondait        +V douvains        +A diaprant
+O drainons          +S spondias        +G grondait        +X saindoux        +E diaprent
   radinons          ADINOPT            +N ordinant        +Z douzains           pendrait
ADINNRT                 pondait         ADINOSV                                   repandit
```

+O pondrait
ADINPSS
+E dispensa
+O spondias
ADINPST
    pandits
+E pintades
ADINPSU
+H dauphins
ADINPTT
+E depitant
ADINPTU
+E dupaient
ADINQSU
+I indiquas
+U quinauds
+Y syndiqua
ADINQSY
+U syndiqua
ADINQTU
+I indiquat
ADINQUU
    quinaud
+E quinaude
+S quinauds
ADINQUY
+S syndiqua
ADINRRR
+O arrondir
ADINRRS
+E rendrais
+G ringards
+O arrondis
    nordiras
ADINRRT
+A trainard
+E rendrait
+O arrondit
ADINRRU
+E indurera
ADINRSS
+E sardines
ADINRST
+A radiants
+E desirant
    redisant
    resaidant
    siderant
    teindras
    tendrais
    tiendras
+O intrados
    tardions
    tondrais
ADINRSU
    durains
    induras
+E desunira
    enduras
    endurais
+I induiras
    indurais
+O noirauds
ADINRSV
+E renvidas
    veinards
    vendrais

    viendras
ADINRSY
+O drayions
ADINRTT
+E attendri
    detirant
    tendrait
+O tondrait
ADINRTU
    indurat
+A truandai
+E duraient
    endurait
+I indurait
+N indurant
ADINRTV
    drivant
+E derivant
    devirant
    renvidat
    vendrait
ADINRUU
+X diurnaux
ADINRUX
+O ordinaux
+U diurnaux
ADINSSS
+E dessinas
    dinasses
+O dissonas
ADINSST
+E dessinat
    destinas
+O dissonat
+T distants
ADINSSU
+O soudains
ADINSTT
    distant
+E attendis
    destinat
    distante
+S distants
ADINSTU
+L diluants
+O sudation
ADINSTV
+E deviants
    devisant
+I divisant
ADINSTY
+C syndicat
+E dynastie
ADINSUU
+Q quinauds
ADINSUV
+O douvains
ADINSUX
+O saindoux
ADINSUY
+Q syndiqua
ADINSUZ
+O douzains
ADINTTT
+E attendit
ADINTTU
+E etudiant

+R diurnaux
ADIOOPR
+L polaroid
ADIOOPT
+N adoption
ADIOORR
+C corrodai
ADIOORS
+N adorions
ADIOORT
+L dorlotai
    toroidal
ADIOOSS
+M sodomisa
ADIOOSU
+Y soudoyai
ADIOOSY
+N ondoyais
+U soudoyai
ADIOOTT
+N dotation
ADIOOTY
+N ondoyait
ADIOOUV
+X ovoidaux
ADIOOUX
+V ovoidaux
ADIOOUY
+C coudoyai
+S soudoyai
ADIOOVX
+U ovoidaux
ADIOPRR
+E parodier
+U produira
ADIOPRS
+A diaspora
    parodias
+C picadors
+E doperais
    parodies
    podaires
    rapsodie
+N diaprons
    drapions
    pondrais
+S poissard
+U poudrais
ADIOPRT
+A parodiat
+E deportai
    doperait
    parotide
+N pondrait
+U poudrait
ADIOPRU
    poudrai
+G prodigua
+R produira
+S poudrais
+T poudrait
ADIOPRV
+E poivrade
ADIOPRZ
+E parodiez
ADIOPSS

    disposa
+E adiposes
    deposais
    possedai
+I disposai
+N spondias
+R poissard
+S disposas
+T disposat
ADIOPST
+A adoptais
+E deposait
    depotais
+F adoptifs
+M domptais
+S disposat
ADIOPSU
+R poudrais
ADIOPTT
+A adoptait
+E depotait
+M domptait
ADIOPTU
+R poudrait
ADIOPTV
+E adoptive
ADIOPTZ
+E adoptiez
ADIOQSU
+C dacquois
+L disloqua
ADIOQUZ
+E zodiaque
ADIORRR
+N arrondir
ADIORRS
+C corridas
+E desarroi
    dorerais
    redorais
    roderais
+M dormiras
    miradors
    mordrais
+N arrondis
    nordiras
+T tordrais
+U ourdiras
ADIORRT
    tordrai
+E dorerait
    redorait
    roderait
+M mordrait
+N arrondit
+S tordrais
+T tordrait
ADIORRU
    ourdira
+C radoucir
+E rudoiera
+I ourdirai
+L alourdir
+P produira
+S ourdiras
ADIORRY
+E drayoire

ADIORSS
    drossai
+E ardoises
    doserais
ADIORST
    adroits
    dartois
+A radotais
    torsadai
+E adroites
    doserait
    doterais
+N intrados
    tardions
    tondrais
+R tordrais
+S drossait
+T stradiot
+U sourdait
ADIORSU
+C coudrais
    douciras
    radoucis
+E douaires
    doueras
    souderai
+G droguais
+H hourdais
+L alourdis
    lourdais
+M moudrais
+N noirauds
+P poudrais
+R ourdiras
+S assourdi
+T sourdait
+V voudrais
+Y rudoyais
ADIORSV
+C divorcas
+E avodires
    devorais
+U voudrais
ADIORSY
+N drayions
+U rudoyais
ADIORTT
    tordait
+A radotait
+E doterait
+N tondrait
+R tordrait
+S stradiot
ADIORTU
+C coudrait
    radoucit
+E deroutai
    detourai
    douerait
    douterai
    redoutai
+G droguait

+H hourdait
+L alourdit
   lourdait
+M moudrait
+P poudrait
+S sourdait
+V voudrait
+Y rudoyait
ADIORTV
+C divorcat
+E devorait
+U voudrait
ADIORTY
+U rudoyait
ADIORTZ
+E radotiez
ADIORUV
   voudrai
+S voudrais
+T voudrait
ADIORUX
+C cordiaux
+N ordinaux
ADIORUY
   rudoyai
+S rudoyais
+T rudoyait
ADIORVY
+E verdoyai
ADIORXY
+E oxyderai
ADIOSSS
+A adossais
+E desossai
   iodasses
+N dissonas
+P disposas
+R drossais
ADIOSST
+A adossait
+N dissonat
+P disposat
+R drossait
ADIOSSU
   soudais
+E audoises
+N soudains
+R assourdi
ADIOSSZ
+E adossiez
ADIOSTT
+R stradiot
ADIOSTU
   doutais
   soudait
+E saoudite
+N sudation
+R sourdait
ADIOSUV
   vaudois
+E devouais
   vaudoise
+N douvains
+R voudrais
ADIOSUX
+N saindoux
ADIOSUY

+O soudoyai
+R rudoyais
ADIOSUZ
+N douzains
ADIOSVY
+E devoyais
ADIOSXY
   oxydais
ADIOTTU
   doutait
ADIOTUV
+E devouait
+R voudrait
ADIOTUX
+C cotidaux
+M taxodium
ADIOTUY
+R rudoyait
ADIOTVY
+E devoyait
ADIOTXY
   oxydait
ADIOUVX
+O ovoidaux
ADIPQRU
+E prediqua
ADIPQSU
+E depiquas
ADIPQTU
+E depiquat
ADIPQUU
+L dupliqua
ADIPRRS
+E drapiers
   perdrais
ADIPRRT
+E departir
   perdrait
ADIPRRU
+E diaprure
   perdurai
+O produira
ADIPRSS
+E dispersa
   presidas
   sparides
+O poissard
+T pistards
+U disparus
   puisards
ADIPRST
   pistard
+E departis
   presidat
   trepidas
+S pistards
+U disparut
ADIPRSU
   disparu
   puisard
+E depurais
   disparue
   duperais
   repudias
+O poudrais
+S disparus

   puisards
ADIPRTT
+E departit
   trepidat
ADIPRTU
+E depurait
   duperait
   repudiat
+O poudrait
+S disparut
ADIPSSS
+I dissipas
+O disposas
ADIPSST
+E depistas
+I dissipat
+O disposat
+R pistards
+U disputas
ADIPSSU
+R disparus
   puisards
+T disputas
ADIPSTT
+E depistat
+U disputat
ADIPSTU
   disputa
+E deputais
+I disputai
+R disparut
+S disputas
+T disputat
ADIPTTU
+E aptitude
   deputait
+S disputat
ADIQRSU
+E dariques
ADIQSSU
+E dissequa
   sadiques
ADIQSUU
+E eduquais
+N quinauds
ADIQSUY
+N syndiqua
ADIQTUU
+E eduquait
ADIRRSS
   sirdars
+G grisards
ADIRRST
+M trimards
+O tordrais
ADIRRSU
+C durciras
+E durerais
   raideurs
   reduiras
+O ourdiras
ADIRRSV
+E driveras
ADIRRTT
+O tordrait

ADIRRTU
+A traduira
+E detruira
   durerait
   traduire
ADIRSSS
+E dressais
   rassieds
   ridasses
+O drossais
ADIRSST
+E disserta
   dressait
+I distrais
+O drossait
+P pistards
ADIRSSU
+C cuissard
+E seduiras
+O assourdi
+P disparus
   puisards
ADIRSSV
+E drivasse
ADIRSTT
+E dattiers
+I distrait
+O stradiot
+U traduits
ADIRSTU
   traduis
+C trucidas
+E traduise
+F duratifs
+L stridula
+O sourdait
+P disparut
+T traduits
ADIRSTV
+E drivates
   tardives
ADIRSUV
+A vaudrais
+O voudrais
ADIRSUX
+E sideraux
ADIRSUY
+O rudoyais
ADIRTTU
   traduit
+C trucidat
+E traduite
+S traduits
ADIRTUU
+E auditeur
ADIRTUV
+A vaudrait
+E durative
+O voudrait
ADIRTUX
+E extrudai
ADIRTUY
+O rudoyait
ADIRUUX
+N diurnaux
ADIRUVZ
+E vaudriez

ADISSST
+E desistas
ADISSSU
   assidus
+E assidues
ADISSSV
+E devissas
   vidasses
ADISSTT
+E desistat
+N distants
ADISSTU
+C discutas
+P disputas
ADISSTV
+E devissat
ADISSUX
+E exsudais
ADISTTU
+C discutat
+E destitua
+P disputat
+R traduits
ADISTUV
+E duvetais
ADISTUX
+E exsudait
ADITTTU
+E attitude
ADITTUV
+E duvetait
ADJKLNR
+A kandjlar
ADJKNRS
+A kandjars
ADJKNSS
+A sandjaks
ADJKOSU
   judokas
ADJLMOS
+E jodlames
ADJLNOT
   jodlant
ADJLORS
+E jodleras
ADJLOSS
+E jodlasse
ADJLOST
+E jodlates
ADJMRSU
+E mudejars
ADJNORS
   jardons
+I joindras
+U adjurons
ADJNORU
+E journade
+S adjurons
ADJNOST
+I adjoints
ADJNOSU
+R adjurons
ADJNOTU
+E dejouant
ADJNRSU
+E jurandes
+O adjurons

ADJNRTU
+A adjurant
+E adjurent
ADJNTUV
+A adjuvant
ADJORSU
+N adjurons
ADJSTUV
+A adjuvats
ADKKRRS
+A drakkars
ADLLLOR
lollard
+S lollards
ADLLLOS
+R lollards
ADLLLRS
+O lollards
ADLLMNR
+I mandrill
ADLLMOR
+I mordilla
ADLLMPU
+I pallidum
ADLLNOR
+I ardillon
ADLLNOS
dallons
+I dallions
ADLLNRS
+U nullards
ADLLNRU
nullard
+E nullarde
+S nullards
ADLLNSU
+R nullards
ADLLOPU
+E depollua
ADLLORS
dollars
+B bollards
+L lollards
ADLLPRS
+I pillards
ADLLRSU
+E dalleurs
+N nullards
ADLMNNO
+E maldonne
ADLMNOR
+E mandorle
ADLMNOS
dolmans
ADLMNOT
+E modelant
+U modulant
ADLMNOU
+T modulant
ADLMNRY
+A maryland
ADLMNSU
+A ladanums
ADLMNTU
+O modulant
ADLMNUU
+A laudanum

ADLMOPS
+E plasmode
ADLMORS
+B lombards
ADLMORU
+E modulera
ADLMOSS
+E soldames
ADLMOSU
modulas
+E demoulas
+I modulais
ADLMOSV
+E moldaves
ADLMOTU
modulat
+E demoulat
+I modulait
+N modulant
ADLMPRS
+U plumards
ADLMPRU
plumard
+S plumards
ADLMPSU
+E deplumas
+R plumards
ADLMPTU
+E deplumat
ADLMRSU
mulards
+E mulardes
+P plumards
ADLMRUU
+C cumulard
ADLNNOS
+G glandons
ADLNNOT
+U ondulant
ADLNNOU
+T ondulant
ADLNNTU
+O ondulant
ADLNOOS
+G gondolas
ADLNOOT
+G gondolat
ADLNOPR
+E ponderal
+T portland
ADLNOPS
+E pedalons
+F plafonds
+I lapidons
plaidons
ADLNOPT
+R portland
ADLNORS
dralons
lardons
+E leonards
+I lardions
ADLNORT
+P portland
+U lourdant
ADLNORU
+E ondulera

+T lourdant
ADLNOST
soldant
+E desolant
detalons
+I dilatons
ADLNOSU
adulons
+A andalou
+I adulions
ondulas
ADLNOSV
+E delavons
devalons
+I validons
ADLNOSY
synodal
+E delayons
synodale
ADLNOTU
ondulat
+B doublant
+I ondulait
+M modulant
+N ondulant
+R lourdant
ADLNPRT
+A plantard
+O portland
ADLNPSU
+E pendulas
ADLNPTU
+D puddlant
+E pendulat
ADLNRSU
+L nullards
ADLNRTU
+O lourdant
ADLNSTU
+I diluants
ADLNTTU
+E delutant
ADLOOPR
+I polaroid
ADLOORS
+T dorlotas
ADLOORT
dorlota
+C doctoral
+I dorlotai
toroidal
+S dorlotas
+T dorlotat
ADLOOST
+R dorlotas
ADLOOTT
+R dorlotat
ADLOPRS
polards
+A salopard
+E deploras
leopards
polardes
ADLOPRT
+E deplorat
+N portland

ADLOPRU
+E palourde
poularde
ADLOPST
+E platodes
ADLOPSY
+E deployas
ADLOPTY
+E deployat
ADLOQSU
+I disloqua
ADLORRU
+B roublard
+E lourdera
+I alourdir
ADLORSS
+E dorsales
solderas
+U soulards
ADLORST
tolards
+E tolardes
+O dorlotas
ADLORSU
lourdas
soulard
sudoral
+B balourds
loubards
+E deroulas
roulades
soularde
sudorale
+F foulards
+I alourdis
lourdais
+S soulards
ADLORTT
+F flottard
+O dorlotat
ADLORTU
lourdat
+E deroulat
+I alourdit
lourdait
+N lourdant
ADLORTY
+H hydrolat
ADLORUU
+D lourdaud
ADLOSSS
+E dessolas
soldasse
ADLOSST
soldats
+E dessolat
soldates
ADLOSSU
+E dessoula
+R soulards
+U soulauds
ADLOSTY
+C dactylos
ADLOSUU
soulaud
+E soulaude
+S soulauds

ADLOUXY
+E deloyaux
ADLPPSU
+E depulpas
ADLPPTU
+E depulpat
ADLPQUU
+I dupliqua
ADLPRRU
+E pleurard
ADLPRSU
+E preludas
+M plumards
ADLPRTU
+E preludat
ADLPSUX
+E duplexas
ADLPTUX
+E duplexat
ADLRSSU
+O soulards
ADLRSTU
+A taulards
+E delustra
+I stridula
ADLSSUU
+O soulauds
ADMMNOO
+C commando
ADMMNOS
+E denommas
mondames
ADMMNOT
+E denommat
ADMMOOT
+C commodat
ADMMOPR
pommard
+E pommader
+S pommards
ADMMOPS
+A pommadas
+E pommades
+R pommards
ADMMOPT
+A pommadat
ADMMOPZ
+E pommadez
ADMMORS
+P pommards
ADMMPRS
+O pommards
ADMNNOR
normand
+E normande
+S normands
ADMNNOS
damnons
mandons
+E amendons
donnames
+I damnions
mandions
mondains
+R normands
ADMNNOT
mondant

+E emondant	domptera	+S ordonnas	+I indurant	**ADNOPST**
+I dominant	**ADMOPST**	+T ordonnat	**ADNNSST**	dopants
ADMNNRS	domptas	**ADNNOOS**	+A dansants	+A adaptons
+I mandrins	+I domptais	+B abondons	**ADNNOOPS**	+E deposant
+O normands	**ADMOPTT**	+N adonnons	+T adoptons	dopantes
ADMNNST	domptat	+R ordonnas	**ADNOOPT**	+O adoptons
+A mandants	+I domptait	**ADNNOOT**	+I adoption	**ADNOPSV**
ADMNOOS	+N domptant	+E anodonte	+S adoptons	+E depavons
+I amodions	**ADMORRS**	+I donation	**ADNOORS**	**ADNOPTT**
ADMNOPT	mordras	+R ordonnat	adorons	+A adoptant
+T domptant	+I dormiras	+Y ondoyant	+B abordons	+E adoptent
ADMNORS	miradors	**ADNNOOY**	+I adorions	depotant
romands	mordrais	+T ondoyant	+N ordonnas	+M domptant
+E damerons	**ADMORRT**	**ADNNOPR**	+T odorants	**ADNOPTU**
mandores	+I mordrait	+A pardonna	radotons	+R poudrant
monderas	**ADMORST**	+E pardonne	**ADNOORT**	**ADNORRR**
romandes	motards	**ADNNOPS**	odorant	+I arrondir
+G drogmans	+A matadors	+E epandons	+E odorante	**ADNORRS**
+I admirons	+N dormants	**ADNNOPT**	+N ordonnat	+C cornards
+N normands	mordants	pondant	+S odorants	+E raderons
+T dormants	+U moutards	**ADNNORR**	radotons	+I arrondis
mordants	**ADMORSU**	+A andorran	**ADNOORU**	nordiras
ADMNORT	moudras	**ADNNORS**	**ADNOOSS**	**ADNORRT**
dormant	+I moudrais	+B brandons	+S adossons	+E raderont
mordant	+T moutards	+E donneras	**ADNOOST**	redorant
+E dameront	**ADMORTU**	redonnas	+E odonates	+I arrondit
demontra	moutard	+I drainons	+P adoptons	**ADNORSS**
dormante	+E moutarde	radinons	+R odorants	+E derasons
moderant	+I moudrait	+M normands	radotons	sonderas
mordante	+S moutards	+O ordonnas	**ADNOOSU**	+T drossant
+S dormants	**ADMOSSU**	**ADNNORT**	+B adoubons	**ADNORST**
ADMNORU	+E soudames	+E redonnat	**ADNOOSY**	tardons
+G gourmand	**ADMOSTU**	+F frondant	ondoyas	tondras
ADMNOSS	+E doutames	+G grondant	+I ondoyais	+A ondatras
+E mondasse	+R moutards	+I ordinant	**ADNOOTT**	+E daterons
sondames	**ADMOSXY**	+O ordonnat	+I dotation	detronas
ADMNOST	+E oxydames	**ADNNOSS**	**ADNOOTY**	tadornes
+E dematons	**ADMOTUX**	dansons	ondoyat	tornades
demontas	+I taxodium	+C scandons	+I ondoyait	+I intrados
mondates	**ADMPRSU**	+E dannasse	+N ondoyant	tardions
+R dormants	+E donnasse	+I dansions	**ADNOPRR**	tondrais
mordants	+L plumards	**ADNNOST**	+E repondra	+M dormants
ADMNOSY	**ADMRRST**	sondant	**ADNOPRS**	mordants
dynamos	+I trimards	+E detonnas	drapons	+O odorants
ADMNOTT	**ADMRRSU**	donnates	pardons	radotons
+E demontat	+E madrures	+F fondants	pondras	+S drossant
+P domptant	musarder	**ADNNOSU**	+A paradons	+T tordants
ADMNOTU	**ADMRSSU**	nandous	+E deparons	+U toundras
+L modulant	+A musardas	**ADNNOSV**	deparons	**ADNORSU**
ADMNOUX	+E musardes	+I viandons	pandores	+F fraudons
+I mondiaux	**ADMRSTU**	**ADNNOTT**	ponderas	+G draguons
ADMNPTT	+A musardat	tondant	+F parfonds	graduons
+O domptant	+O moutards	+E denotant	+I diaprons	+I noirauds
ADMNRST	**ADMRSUZ**	detonant	drapions	+J adjurons
+O dormants	+E musardez	detonnat	pondrais	+T toundras
mordants	**ADNNNOO**	**ADNNOTU**	**ADNOPRT**	+V vaudrons
ADMNSTU	+S adonnons	+E denouant	+E ponderat	**ADNORSV**
+E medusant	**ADNNNOS**	+L ondulant	+I pondrait	+U vaudrons
ADMOORT	+O adonnons	**ADNNOTY**	+L portland	**ADNORSY**
+E moderato	**ADNNNOT**	+E denoyant	+U poudrant	drayons
ADMOOSS	donnant	+O ondoyant	**ADNOPRU**	+E derayons
+I sodomisa	+A adonnant	**ADNNPST**	+F parfondu	+I drayions
ADMOPRS	+E adonnent	+E pendants	+T poudrant	**ADNORSZ**
+M pommards	+I inondant	**ADNNPSU**	**ADNOPSS**	zonards
ADMOPRT	**ADNNOOR**	+A pandanus	+E espadons	**ADNORTT**
+E detrompa	ordonna	**ADNNRTU**	+I spondias	tordant
	+C cordonna	+E endurant		+A radotant
	+I ordonnai			

+E dateront
detronat
radotent
tordante
+I tondrait
+S tordants
ADNORTU
toundra
+E detourna
donateur
+G droguant
+H hourdant
+L lourdant
+P poudrant
+S toundras
+V vaudront
+Y rudoyant
ADNORTV
+E devorant
+U vaudront
ADNORTY
+U rudoyant
ADNORUV
+S vaudrons
+T vaudront
ADNORUX
+E rondeaux
+I ordinaux
ADNORUY
+T rudoyant
ADNOSSS
+E endossas
sondasse
+I dissonas
+O adossons
ADNOSST
+A adossant
+E adossent
endossat
sondates
+I dissonat
+R drossant
+U soudants
ADNOSSU
+I soudains
+T soudants
ADNOSSW
sandows
ADNOSSX
+E desaxons
ADNOSTT
+R tordants
ADNOSTU
soudant
+E soudante
+I sudation
+R toundras
+S soudants
ADNOSTX
+E detaxons
+Y oxydants
ADNOSTY
+X oxydants
ADNOSUV
+I douvains
+R vaudrons
ADNOSUX

+I saindoux
+Y synodaux
ADNOSUY
+X synodaux
ADNOSUZ
+I douzains
ADNOSXY
+T oxydants
+U synodaux
ADNOTTU
doutant
ADNOTUV
+E devouant
+R vaudront
ADNOTUY
+R rudoyant
ADNOTVY
+E devoyant
ADNOTXY
oxydant
+E oxydante
+S oxydants
ADNOUXY
+S synodaux
ADNPPRR
+E rapprend
ADNPPRS
+E apprends
ADNPPSU
+E appendus
ADNPRRS
+E prendras
ADNPRST
+E perdants
ADNPRSU
+E repandus
ADNPRTU
+E depurant
+O poudrant
ADNPTTU
+E deputant
ADNQRTU
+A quadrant
ADNQSUU
+I quinauds
ADNQSUY
+I syndiqua
ADNQTUU
+E eduquant
ADNRRTU
+E truander
ADNRSST
+E dressant
+O drossant
ADNRSSU
+E danseurs
ADNRSTT
+O tordants
ADNRSTU
truands
+A truandas
+E truandes
+O toundras
ADNRSTV
+A vantards
ADNRSUV
+O vaudrons

ADNRTTU
+A truandat
+O vaudront
ADNRTUV
+O rudoyant
ADNRTUZ
+E truandez
ADNRUUX
+I diurnaux
ADNSSTT
+I distants
ADNSSTU
+O soudants
ADNSSTY
+E dynastes
ADNSTTU
+E attendus
ADNSTUX
+E exsudant
ADNSTXY
+O oxydants
ADNSUXY
+O synodaux
ADNTTUV
+E duvetant
ADOOPRS
+H hospodar
ADOOPRU
+Y poudroya
ADOOPRY
+U poudroya
ADOOPSS
+E apodoses
ADOOPST
+N adoptons
ADOOPUY
+R poudroya
ADOORRS
+C corrodas
ADOORRT
+C corrodat
+E toreador
ADOORST
odorats
+L dorlotas
+N odorants
radotons
ADOORSU
+B subodora
ADOORTT
+C doctorat
+L dorlotat
ADOORUY
+F foudroya
+P poudroya
ADOOSSS
+N adossons
ADOOSSU
+Y soudoyas
ADOOSSY
+U soudoyas
ADOOSTU
+Y soudoyat
ADOOSTY
+U soudoyat
ADOOSUY

soudoya
+C coudoyas
+I soudoyat
+S soudoyas
+T soudoyat
ADOOTUY
+C coudoyat
+S soudoyat
ADOOUVX
+I ovoidaux
ADOPPRS
+U poupards
ADOPPRU
poupard
+E pouparde
+S poupards
ADOPPSU
+R poupards
ADOPRRU
+E poudrera
+I produira
ADOPRSS
+I poissard
ADOPRST
potards
+E deportas
ADOPRSU
poudras
+I poudrais
+P poupards
ADOPRTT
+E deportat
ADOPRTU
poudrat
+I poudrait
+N poudrant
ADOPRUY
+O poudroya
ADOPRXY
+E peroxyda
ADOPSSS
+E dopasses
possedas
+I disposas
ADOPSST
+E possedat
+I disposat
ADOPSTT
+A postdata
+E despotat
podestat
postdate
ADOQRST
+U toquards
ADOQRSU
+C coquards
+T toquards
ADOQRTU
toquard
+S toquards
ADOQSTU
+E toquades
+R toquards
ADORRRT
+E retordra
ADORRSS
rossard

+E droseras
drossera
+S rossards
ADORRST
tordras
+E dartrose
roadster
torsader
+I tordrais
+U routards
ADORRSU
+E resoudra
+I ourdiras
+T routards
ADORRTT
+I tordrait
ADORRTU
routard
+B broutard
+E radoteur
+S routards
ADORSSS
drossas
+C cossards
+D dossards
+E dorasses
rodasses
+I drossais
+R rossards
ADORSST
drossat
+A torsadas
+C costards
+E torsades
+I drossait
+N drossant
ADORSSU
+D soudards
+E ressouda
souderas
+I assourdi
+L soulards
ADORSTT
+A torsadat
+I stradiot
+N tordants
ADORSTU
+E deroutas
detouras
douteras
outardes
redoutas
+I sourdait
+M moutards
+N toundras
+Q toquards
+R routards
ADORSTX
+E extrados
ADORSTZ
+E torsadez
ADORSUU
+X sudoraux
ADORSUV
voudras
+I voudrais
+N vaudrons

ADORSUX
  dorsaux
+U sudoraux
ADORSUY
  rudoyas
+I rudoyais
ADORSVY
+A savoyard
+E verdoyas
ADORSXY
+E oxyderas
ADORTTU
+E deroutat
  detourat
  redoutat
ADORTUU
+C courtaud
ADORTUV
+I voudrait
+N vaudront
ADORTUY
  rudoyat
+I rudoyait
+N rudoyant
ADORTVY
+E verdoyat
ADORUUX
+S sudoraux
ADOSSSS
+E desossas
  dosasses
ADOSSST
+E desossat
  dotasses
ADOSSSU
+E douasses
  soudasse
ADOSSTU
+C costauds
+E doutasse
  soudates
+N soudants
ADOSSUU
+L soulauds
ADOSSUY
+O soudoyas
ADOSSXY
+E oxydasses
  oxydasse
ADOSTTU
+E doutates
ADOSTUY
+O soudoyat
ADOSTXY
+E oxydates
+N oxydants
ADOSUUV
  vaudous
ADOSUUX
+R sudoraux
ADOSUXY
+N synodaux
ADPPRSU
+O poupards
ADPRRSU
+E perduras
ADPRRTU

+E perdurat
ADPRSST
+I pistards
ADPRSSU
+I disparus
  puisards
ADPRSTU
+I disparut
ADPSSSU
+E dupasses
ADPSSTU
+I disputas
ADPSTTU
+I disputat
ADQRSTU
+O toquards
ADRRSSS
+O rossards
ADRRSTU
+O routards
ADRRTUX
+E dartreux
ADRRUUX
+E ruderaux
ADRSSSU
+E durasses
+H hussards
ADRSSTU
+U rustauds
ADRSSTW
+E stewards
ADRSSUU
+T rustauds
ADRSSUY
+E dasyures
ADRSTTU
+I traduits
ADRSTUU
  rustaud
+E rustaude
+S rustauds
ADRSTUX
+E extrudas
ADRSUUX
+O sudoraux
ADRTTUX
+E extrudat
ADSSTUU
+R rustauds
ADSSTUX
+E exsudats
AEEEEGR
+X exageree
AEEEEGX
+R exageree
AEEEELR
+S realesee
AEEEELS
+R realesee
AEEEERS
+D desaeree
+L realesee
AEEEERX
+G exageree
AEEEFFG
+A affeagee
AEEEFFM

+R affermee
AEEEFFN
  effanee
+S effanees
AEEEFFR
  effaree
+M affermee
+S effarees
+T affretee
+Y effrayee
AEEEFFS
+C effacees
+N effanees
+R effarees
AEEEFFT
+C affectee
+R affretee
AEEEFFY
+R effrayee
AEEEFGR
+D degrafee
AEEEFIN
+C faiencee
+T enfaitee
AEEEFIR
+C cafeiere
+R aerifere
  rarefiee
AEEEFIT
+N enfaitee
AEEEFLR
  eraflee
+D federale
+S eraflees
+T frelatee
AEEEFLS
+R eraflees
AEEEFLT
+R frelatee
AEEEFMR
+F affermee
AEEEFNN
+T enfantee
AEEEFNS
+F effanees
AEEEFNT
+I enfaitee
+N enfantee
AEEEFPR
+C prefacee
+U epaufree
AEEEFPU
+R epaufree
AEEEFRR
+D deferera
  federera
  redefera
+R referera
AEEEFRS
+F effarees
+L eraflees
AEEEFRT
+F affretee
+L frelatee
AEEEFRU

+P epaufree
AEEEFRY
+D defrayee
+F effrayee
+C facettee
AEEEGGI
  agnelee
+P piegeage
AEEEGGN
  engagee
+R egrenage
  reengage
  regagnee
  rengagee
+S engagees
AEEEGGP
+I piegeage
AEEEGGR
  agregee
+N egrenage
  reengage
  regagnee
  rengagee
+S agregees
AEEEGGS
+D degagees
+N engagees
+R agregees
AEEEGHN
+C echangee
AEEEGHR
+B hebergea
  herbagee
AEEEGIL
+L egaillee
+N inegalee
+S egalisee
AEEEGIM
+R emergeai
AEEEGIN
+D degainee
  deneigea
+L inegalee
+N engainee
  enneigea
+R egrainee
  reneigea
+S agenesie
+V eveinage
AEEEGIP
+G piegeage
AEEEGIR
+M emergeai
+N egrainee
  reneigea
+Z egaierez
AEEEGIS
+L egalisee
+N agenesie
+S assiegee
AEEEGIV
+N eveinage
AEEEGIZ
+R egaierez
AEEEGLL
  allegee
+I egaillee

+S allegees
+U alleguee
AEEEGLM
+D demelage
+N melangee
AEEEGLN
  agnelee
+C elegance
+I inegalee
+M melangee
+R generale
+S agnelees
+T elegante
+V enlevage
AEEEGLR
  regalee
+D degelera
+N generale
+R regelera
+S regalees
+V relevage
+Z egalerez
AEEEGLS
  egalees
+I egalisee
+L allegees
+N agnelees
+R regalees
+U elaguees
+V elevages
AEEEGLT
+A etalagee
+D detelage
+N elegante
+V vegetale
AEEEGLU
  elaguee
+L alleguee
+S elaguees
+V aveuglee
AEEEGLV
  elevage
+N enlevage
+R relevage
+S elevages
+T vegetale
+U aveuglee
AEEEGLZ
+R egalerez
AEEEGMM
+N emmenage
AEEEGMN
  engamee
  menagee
+A amenagee
+D demenage
+L melangee
+M emmenage
+R menagere
  remangee
+S engamees
  menagees
AEEEGMP
+S empesage
AEEEGMR
  emargee
  emergea

+C ecremage	**AEEEGNV**	exagere	+C remachee	+S alienees
+I emergeai	+I eveinage	+E exageree	+S meharees	+V alevinee
+N menagere	+L enlevage	+R exagerer	**AEEEHMS**	**AEEEILR**
remangee	+R engravee	+S exageres	+R meharees	+C eclairee
+R emergera	**AEEEGPP**	+Z exagerez	**AEEEHNP**	+L eraillee
+S emargees	+R egrappee	**AEEEGRY**	+C epanchee	+S realisee
emergeas	**AEEEGPR**	+Z egayerez	**AEEEHNQ**	+T etaliere
+T emergeat	arpegee	**AEEEGRZ**	+U haquenee	+V eleverai
+U maugreee	+C recepage	+I egaierez	**AEEEHNR**	**AEEEILS**
AEEEGMS	+N epargnee	+L egalerez	+C echarnee	+G egalisee
+N engamees	+P egrappee	+R agreerez	**AEEEHNS**	+N alienees
menagees	+R reperage	egarerez	+C ensachee	+R realisee
+P empesage	+S arpegees	+T etagerez	+T athenees	**AEEEILT**
+R emargees	aspergee	+X exagerez	**AEEEHNT**	+D delaitee
emergeas	presagee	+Y egayerez	+C echeante	+R etaliere
AEEEGMT	**AEEEGPS**	**AEEEGSS**	entachee	**AEEEILV**
+R emergeat	+M empesage	+I assiegee	entachee	+N alevinee
AEEEGMU	+R arpegees	+R agressee	+S athenees	+R eleverai
+R maugreee	aspergee	**AEEEGST**	**AEEEHNU**	**AEEEIMN**
AEEEGNN	presagee	etagees	+Q haquenee	anemiee
+C engeance	**AEEEGRR**	+R etageres	**AEEEHPP**	+R manieree
+I engainee	ragreee	+T etetages	+C echappee	reanimee
enneigea	+D degreera	**AEEEGSU**	**AEEEHPR**	remaniee
+U ennuagee	regardee	+L elaguees	+C echarpee	+S anemiees
AEEEGNP	+L regelera	**AEEEGSV**	rechapee	+X examinee
+R epargnee	+M emergera	+L elevages	+S apherese	**AEEEIMR**
AEEEGNR	+N egrenera	**AEEEGSX**	**AEEEHPS**	+D demariee
enragee	generera	+R exageres	+D dephasee	+G emergeai
+D degenera	regenera	**AEEEGSY**	+R apherese	+N manieree
derangee	+P reperage	egayees	**AEEEHQU**	reanimee
+G egrenage	+R regreera	+B begayees	+N haquenee	remaniee
reengage	+S ragreees	**AEEEGSZ**	**AEEEHRS**	+R remariee
regagnee	+X exagerer	+D degazees	+M meharees	**AEEEIMS**
rengagee	+Z agreerez	**AEEEGTT**	+P apherese	+C emaciee
+I egrainee	egarerez	etetage	**AEEEHRT**	+N anemiees
reneigea	**AEEEGRS**	+S etetages	+B hebetera	**AEEEIMX**
+L generale	agreees	**AEEEGTU**	+C rachetee	+N examinee
+M menagere	egarees	+N eugenate	**AEEEHRX**	**AEEEINN**
remangee	+B abregees	**AEEEGTV**	+D exhereda	+G engainee
+P epargnee	+G agregees	+L vegetale	hexaedre	enneigea
+R egrenera	+L regalees	+R vegetera	**AEEEHSS**	+R aerienne
generera	+M emargees	**AEEEGTZ**	+C assechee	**AEEEINR**
regenera	emergeas	+R etagerez	**AEEEHST**	+G egrainee
+S enragees	+N enragees	**AEEEGUV**	+C achetees	reneigea
+T argentee	+P arpegees	+L aveuglee	+N athenees	+M manieree
renegate	aspergee	**AEEEGXZ**	**AEEEHSV**	reanimee
+V engravee	presagee	+R exagerez	+C achevees	remaniee
AEEEGNS	+R ragreees	**AEEEGYZ**	**AEEEHSX**	+N aerienne
+C agencees	+S agressee	+R egayerez	+L exhalees	+S arseniee
encagees	+T etagerez	**AEEEHLL**	**AEEEHTT**	**AEEEINS**
+G engagees	+X exageres	+C allechee	+C tachetee	+G agenesie
+I agenesie	**AEEEGRT**	**AEEEHLP**	**AEEEHUV**	+L alienees
+L agnelees	etagere	+C cephalee	+C echeveau	+M anemiees
+M engamees	+D detergea	**AEEEHLR**	**AEEEILL**	+R arseniee
menagees	+M emergeat	+C harcelee	+C ecaillee	**AEEEINT**
+R enragees	+N argentee	relachee	+G egaillee	+F enfaitee
AEEEGNT	renegate	**AEEEHLS**	+M emaillee	**AEEEINV**
+D degantee	+S etageres	+D dehalees	+R eraillee	+G eveinage
etendage	+V vegetera	+X exhalees	**AEEEILM**	+L alevinee
+L elegante	+Z etagerez	**AEEEHLV**	+C meliacee	**AEEEINX**
+R argentee	**AEEEGRU**	+C chevalee	+L emaillee	+M examinee
renegate	+M maugreee	echevela	**AEEEILN**	**AEEEIPR**
+U eugenate	**AEEEGRV**	**AEEEHLX**	alienee	+C rapiecee
AEEEGNU	+L relevage	+S exhalees	+B baleinee	+D depariee
+C ecanguee	+N engravee	**AEEEHMR**	+D delainee	**AEEEIRR**
+N ennuagee	+T vegetera	meharee	+G inegalee	+F aerifere
+T eugenate	**AEEEGRX**			rarefiee

+M remariee
+R arrieree
+Z aereriez
AEEEIRS
+C acierees
+L realisee
+N arseniee
+S reessaie
AEEEIRT
+L etaliere
+T eteterai
+Z etaierez
AEEEIRV
+L eleverai
AEEEIRZ
+G egaierez
+R aereriez
+T etaierez
AEEEISS
+G assiegee
+R reessaie
AEEEIST
+T etatisee
  saiettee
+X extasiee
AEEEISX
+T extasiee
AEEEITT
+R eteterai
+S etatisee
  saiettee
AEEEITX
+S extasiee
AEEEITZ
+R etaierez
AEEEJLN
+V enjavele
AEEEJLS
+V javelees
AEEEJLU
+C ejaculee
AEEEJLV
  javelee
+N enjavele
+S javelees
AEEEJMN
+B enjambee
AEEEJNT
+D dejantee
AEEEJNV
+L enjavele
AEEEJRR
+T jarretee
AEEEJRT
+C ejectera
+R jarretee
AEEEJSV
+L javelees
AEEEKKP
+S keepsake
AEEEKKS
+P keepsake
AEEEKPS
+K keepsake
AEEELLL
+M lamellee
AEEELLM

+B emballee
+I emaillee
+L lamellee
AEEELLO
+V alveolee
AEEELLP
+R epellera
AEEELLR
+I eraillee
+P epellera
AEEELLS
+G allegees
AEEELLU
+G alleguee
AEEELLV
+C clavelee
+O alveolee
AEEELMM
+N malmenee
+R emmelera
AEEELMN
+C lemnacee
+G melangee
+M malmenee
+T lamentee
  mantelee
AEEELMP
  empalee
+R peramele
+S empalees
  epelames
AEEELMR
+C reclamee
+D demelera
+M emmelera
+P peramele
+T martelee
AEEELMS
+P empalees
  epelames
AEEELMT
+N lamentee
  mantelee
+R martelee
AEEELMV
+B emblavee
+S elevames
AEEELMX
+C exclamee
AEEELNN
  annelee
+C cannelee
+P epannele
+S annelees
AEEELNP
+N epannele
AEEELNR
+B ebranlee
+C relancee
+G generale
+T alternee
+V enlevera
AEEELNS
+B ensablee
+C elancees
  enlacees

+G agnelees
+I alienees
+N annelees
AEEELNT
+M lamentee
  mantelee
+R alternee
AEEELNV
+C enclavee
+G enlevage
+I alevinee
+J enjavele*
+R enlevera
AEEELOR
+B elaboree
+U aureolee
AEEELOS
+C oleacees
AEEELOU
+R aureolee
AEEELOV
+L alveolee
AEEELPP
  appelee
+R rappelee
+S appelees
AEEELPR
+C replacee
+L epellera
+M peramele
+P rappelee
AEEELPS
+C capelees
+M empalees
  epelames
+P appelees
+S epelasse
+T epelates
+U epaulees
AEEELPT
+S epelates
AEEELPU
  epaulee
+S epaulees
AEEELRR
+C carrelee
  recelera
+G regelera
+S realeser
+V relevera
AEEELRS
  realese
  resalee
+C cereales
  lacerees
  recalees
+E realesee
+F eraflees
+G regalees
+I realisee
+R realeser
+S resalees
+T alertees
  alterees

  ratelees
  relatees
+V eleveras
  relavees
+X relaxees
+Y relayees
+Z aleserez
  realesez
AEEELRT
  alertee
  alteree
  ratelee
  relatee
+C ecartele
+F frelatee
+I etaliere
+M martelee
+N alternee
+S alertees
  alterees
  ratelees
  relatees
+X telexera
+Z etalerez
AEEELRU
+O aureolee
+V reevalue
AEEELRV
  elevera
  relavee
+G relevage
+I eleverai
+N enlevera
+R relevera
  revelera
+S eleveras
  relavees
+U reevalue
AEEELRX
  relaxee
+S relaxees
+T telexera
AEEELRY
  relayee
+S relayees
AEEELRZ
+C ecalerez
+D lezardee
+G egalerez
+S aleserez
  realesez
+T etalerez
AEEELSS
  alesees
+D delassee
  dessalee
+P epelasse
+R realeses
  resalees
+U aleseuse
+V elevasse
AEEELST
  eleates
  etalees
+C eclatees
+P epelates
+R alertees

  alterees
  ratelees
  relatees
+T attelees
+V elevates
  tavelees
+X exaltees
AEEELSU
  elavees
+D delavees
  devalees
+G elevages
+J javelees
+M elevames
+R eleveras
  relavees
+S elevasse
+T elevates
  tavelees
+U evaluees
AEEELSX
+H exhalees
+R relaxees
+T exaltees
AEEELSY
+D delayees
+R relayees
AEEELSZ
+R aleserez
  realesez
AEEELTT
  attelee
+S attelees
AEEELTV
  tavelee
+C clavetee
+G vegetale
+S elevates
  tavelees
AEEELTX
  exaltee
+R telexera
+S exaltees
AEEELTZ
+R etalerez
AEEELUV
  evaluee
+D devaluee
+G aveuglee
+R reevalue
+S evaluees
AEEEMMN
+G emmenage
+L malmenee
+R emmenera
AEEEMMP
+U empaumee
AEEEMMR
+L emmelera
+N emmenera
+T metamere

AEEEMMT	empatee	**AEEEMTT**	+M maternee	+L appelees
+R metamere	etampee	+S etetames	rentamee	**AEEEPPT**
AEEEMMU	+S empatees	**AEEEMTU**	+P arpentee	+R appretee
+B embaumee	estampee	ameutee	trepanee	**AEEEPRR**
+P empaumee	estampees	+R rameutee	+R aererent	reparee
AEEEMNN	**AEEEMPU**	+S ameutees	+T entetera	+C recepera
+P empannee	+M empaumee	**AEEEMTY**	+V entravee	+G reperage
AEEEMNP	**AEEEMRR**	+R metayere	eventera	+P preparee
+N empannee	rearmee	**AEEEMTZ**	**AEEENRV**	+R reperera
AEEEMNR	+B embarree	+R etamerez	+G engravee	+S esperera
ramenee	+C ecremera	**AEEENNP**	+L enlevera	reparees
+D demenera	+D demarree	+D depannee	+R enervera	+T repetera
ramendee	+G emergera	+L epannele	venerera	**AEEEPRS**
+G menagere	+I remariee	+M empannee	+T entravee	separee
remangee	+S rearmees	**AEEENNR**	eventera	+C escarpee
+I manieree	**AEEEMRS**	+I aerienne	**AEEENRX**	rescapee
reaniree	+B embrasee	+R enrenera	+M reexamen	+D deparees
remaniee	+C macerees	**AEEENNS**	**AEEENRY**	+G aspergee
+M emmenera	+D desarmee	+B sabeenne	enrayee	presagee
+S ramenees	+G emargees	+D enneades	+S enrayees	+H apherese
+T maternee	emergeas	+L annelees	**AEEENRZ**	+M emparees
rentamee	+H meharees	+X annexees	+M amenerez	empesera
+X reexamen	+N ramenees	**AEEENNT**	emanerez	parsemee
+Z amenerez	+P emparees	+F enfantee	**AEEENSS**	+R esperera
amenerez	empesera	**AEEENNU**	assenee	**AEEEPSS**
AEEEMNS	parsemee	+G ennuagee	+S assenees	+S repassee
amenees	+R rearmees	**AEEENNX**	+T entassee	+T retapees
+C menacees	+T retamees	annexee	+V envasees	+U apeurees
+D amendees	**AEEEMRT**	+S annexees	**AEEENST**	+V apeavees
+G engamees	retamee	**AEEENPR**	+B absentee	+X exaspere
menagees	+B embetera	+G epargnee	+H atheenes	+Y repayees
+I anemiees	+G emergeat	+T arpentee	+M entamees	**AEEEPRT**
+R ramenees	+L martelee	trepanee	+S entasse	retapee
+T entamees	+M metamere	**AEEENPS**	**AEEENSV**	+N arpentee
AEEEMNT	+N maternee	+X expansee	envasee	trepanee
entamee	rentamee	**AEEENPT**	+C encavees	+P appretee
+L lamentee	+S retamees	+R arpentee	+S envasees	+R repetera
mantelee	+U rameutee	trepanee	**AEEENSX**	+S retapees
+R maternee	+Y metayere	+T patentee	+N annexees	+U epeautre
rentamee	+Z etamerez	**AEEENPX**	+P expansee	+Z epaterez
+S entamees	**AEEEMRU**	+S expansee	**AEEENSY**	**AEEEPRU**
AEEEMNX	+D emeraude	**AEEENQU**	+R enrayees	apeuree
+I examinee	+G maugreee	+C encaquee	**AEEENTT**	+F epaufree
+R reexamen	+T rameutee	+H haquenee	+P patentee	+S apeurees
AEEEMNZ	**AEEEMRX**	**AEEENRR**	+R entetera	+T epeautre
+R amenerez	+N reexamen	+G egrenera	+U attenuee	**AEEEPRV**
emanerez	**AEEEMRY**	generera	**AEEENTU**	repavee
AEEEMPP	+B embrayee	regenera	+G eugenate	+D depravee
+R epampree	+T metayere	+N enrenera	+T attenuee	+O evaporee
AEEEMPR	**AEEEMRZ**	+T aererent	**AEEENTV**	+S repavees
emparee	+N amenerez	+V enervera	+R entravee	**AEEEPRX**
+L peramele	emanerez	venerera	eventera	+S exaspere
+P epampree	+T etamerez	**AEEENRS**	**AEEEOPR**	**AEEEPRY**
+S emparees	**AEEEMST**	+C carenees	+V evaporee	repayee
empesera	etamees	casernee	**AEEEOPV**	+S repayees
parsemee	+D dematees	serancee	+R evaporee	**AEEEPRZ**
AEEEMPS	+N entamees	+D serenade	**AEEEORU**	+C capeeree
+G epesage	+P empatees	+G enragees	+L aureolee	+T epaterez
+L empalees	estampee	+I arseniee	**AEEEORV**	**AEEEPSS**
epelames	estampees	+M ramenees	+P evaporee	+C espacees
+R emparees	+R retamees	+Y enrayees	**AEEEPPR**	+D depassee
empesera	+T etetames	**AEEENRT**	+G egrappee	+L epelasse
parsemee	+U ameutees	+C encartee	+L rappelee	+R repassee
+T empatees	**AEEEMSU**	+D edentee	+M epampree	separees
estampee	+T ameutees	+G argentee	+R preparee	
etampees	**AEEEMSV**	renegate	+T appretee	
AEEEMPT	+L elevames	+L alternee	**AEEEPPS**	

AEEEPST
epatees
+L epelates
+M empatees
estampee
etampees
+R retapees

AEEEPSU
+L epaulees
+R apeurees

AEEEPSV
+D depavees
+R repavees

AEEEPSX
+N expansee
+R exaspere

AEEEPSY
+D depaysee
+R repayees

AEEEPTT
+N patentee

AEEEPTU
+R epeautre

AEEEPTZ
+R epaterez

AEEEQRT
+U etarquee

AEEEQRU
+T etarquee

AEEEQTU
+R etarquee

AEEERRR
+C recreera
+F referera
+G regreera
+I arrieree
+P reperera
+V reverera

AEEERRS
+G ragreees
+L realeser
+M rearmees
+P esperera
reparees
+T arretees

AEEERRT
arretee
+C ecretera
retracee
+D retardee
+J jarretee
+N aererent
+P repetera
+S arretees
+T atterree
+Y retrayee

AEEERRV
+L relevera
revelera
+N enervera
venerera
+R reverera
+Z avererez

AEEERRX
+C execrera
exercera
+G exagerer

AEEERRY
+T retrayee

AEEERRZ
aererez
+G agreerez
egarerez
+I aereriez
+V avererez

AEEERSS
+B ebrasees
+C caressee
ecrasees
recasees

AEEERSS
+D adressee
derasees
desaeres
+G agressee
+I reessaie
+L realeses
resalees
+P repassee
separees
+T essartee
esterase
+Y reessaye
ressayee

AEEERST
+C ecartees
+D deratees
+G etageres
+L alertees
alterees
ratelees
relatees
+M retamees
+P retapees
+R arretees
+S essartee
esterase
+T eteteras
retatees

AEEERSU
+P apeurees

AEEERSV
averees
+L eleveras
relavees
+P repavees
+Z evaserez

AEEERSX
+G exageres
+L relaxees
+P exaspere

AEEERSY
+D derayees
+L relayees
+N enrayees
+P repayees
+S reessaye
ressayee

AEEERSZ
+L aleserez
realesez
+V evaserez

AEEERTT
etetera
retatee
+I eteterai
+N entetera
+R atterree
+S eteteras

AEEERTU
+M rameutee
+P epeautre
+Q etarquee

AEEERTV
+G vegetera
+N entravee
eventera

AEEERTX
+D adextree
extradee
+L telexera

AEEERTY
+M metayere
+R retrayee
+Z etayerez

AEEERTZ
+G etagerez
+I etaierez
+L etalerez
+M etamerez
+P epaterez
+Y etayerez

AEEERUV
+B abreuvee
ebavuree
+L reevalue

AEEERVZ
+D evaderez
+R avererez
+S evaserez

AEEERXZ
+G exagerez

AEEERYZ
+G egayerez
+T etayerez

AEEESSS
+N assenees
+Y essayees

AEEESST
+C setacees
+N entassee
+R essartee
esterase
+T etetasse

AEEESSU
+C caseeuse
+L aleseuse
+X asexuees

AEEESSV
evasees
+L elevasse
+N envasees

AEEESSX
+D desaxees
+U asexuees

AEEESSY
essayee
+R reessaye
ressayee
+S essayees

AEEESTT
+C testacee
+G etetages
+I etatisee
saiettee
+L attelees
+M etetames
+R eteteras
retatees
+S etetasse
etetates

AEEESTU
+C aceteuse
+M ameutees

AEEESTV
+D devastee
+L elevates

AEEESTX
+D detaxees
+I extasiee
+L exaltees

AEEESTY
etayees

AEEESUV
+C evacuees
+L evaluees

AEEESUX
asexuee
+C exaucees
+S asexuees

AEEESVX
+C excavees

AEEESVZ
+R evaserez

AEEETTT
+S attestee
etetates

AEEETTU
+N attenuee

AEEETTW
+D dewattee

AEEETYZ
+R etayerez

AEEFFGG
+R greffage

AEEFFGI
+L affligee
effilage
+R agriffee

AEEFFGL
+I affligee
effilage

AEEFFGN
+A affenage
+R effrange

AEEFFGR
+A affeager
+G greffage
+I agriffee
+N effrange
+R greffera
regreffa
+Z gafferez

AEEFFGS
gaffees
+A affeages
+U gaffeuse

AEEFFGU
+S gaffeuse

AEEFFGZ
+A affeagez
+R gafferez

AEEFFHI
+C affichee

AEEFFHU
+C chauffee
echauffe

AEEFFIL
affilee
+G affligee
effilage
+I affiliee
+R effilera
+S affilees
+U efaufile
faufilee

AEEFFIM
+D diffamee
+N effemina
+R affermie
affirmee

AEEFFIN
affinee
+M effemina
+R raffinee
+S affinees
+Z effaniez

AEEFFIR
effraie
+A affairee
+G agriffee
+L effilera
+M affermie
affirmee
+N raffinee
+S effraies
+Z effariez

AEEFFIS
+D affidees
+L affilees
+N affinees
+R effraies
+X affixees

AEEFFIU
+L efaufile
faufilee

AEEFFIX
affixee
+S affixees

AEEFFIZ
+C effaciez
+N effaniez
+R effariez

AEEFFLO
affolee
+S affolees
+U auloffee

AEEFFLR
+I effilera
+U affleure
effleura

farfelue	effares	+O forgeage	**AEEFGNS**	+C flechera
AEEFFLS	+E effarees	**AEEFGHL**	+D fendages	**AEEFHMR**
+A affalees	+I effraies	+C flechage	+R frangees	+C machefer
+C esclaffe	+M affermes	**AEEFGII**	+U fangeuse	**AEEFHRZ**
+I affilees	+T affretes	+Z gazeifie	**AEEFGNT**	+C facherez
+O affolees	+U affreuse	**AEEFGIL**	+U enfutage	**AEEFHSU**
AEEFFLU	+Y effrayes	+C ficelage	**AEEFGNU**	+C facheuse
+B affublee	**AEEFFRT**	+D defilage	+M enfumage	fauchees
+I efaufile	affrete	+F affligee	+S fangeuse	**AEEFIIL**
faufilee	+C affecter	effilage	+T enfutage	+F affiliee
+O auloffee	+E affretee	+N enfilage	**AEEFGOR**	+M lamifiee
+R affleure	+N afferent	+R legifera	+G forgeage	+S salifiee
effleura	efferant	+T filetage	**AEEFGOS**	**AEEFIIM**
farfelue	+O etoffera	**AEEFGIM**	+T fagotees	+L lamifiee
AEEFFMN	+R affreter	+S figeames	**AEEFGOT**	+R mefierai
+I effemina	+S affretes	**AEEFGIN**	fagotee	ramifiee
AEEFFMR	+U raffutee	+L enfilage	+S fagotees	**AEEFIIN**
afferme	+Z affretez	+R freinage	**AEEFGRR**	+P panifiee
+E affermee	**AEEFFRU**	**AEEFGIR**	ferrage	**AEEFIIP**
+I affermie	+L affleure	+F agriffee	+D ferrera	+C pacifiee
affirmee	effleura	+L legifera	+F greffera	+N panifiee
+R affermer	farfelue	+N freinage	regreffa	**AEEFIIR**
+S affermes	+S affreuse	**AEEFGIS**	+S ferrages	+D defierai
+Z affermez	+T raffutee	+M figeames	**AEEFGRS**	deifiera
AEEFFMS	**AEEFFRY**	+S figeasse	+A agrafees	edifiera
+A affamees	effraye	+T figeates	+D degrafes	reedifia
+R affermes	+E effrayee	**AEEFGIT**	+M fermages	+M mefierai
AEEFFMZ	+R effrayer	+L filetage	+N frangees	ramifiee
+R affermez	+S effrayes	+S figeates	+R ferrages	+R reifiera
AEEFFNN	+Z effrayez	+U fatiguee	+T fregates	+T faitiere
+T effanant	**AEEFFRZ**	**AEEFGIU**	+U gaufrees	ratifiee
AEEFFNR	effarez	+T fatiguee	**AEEFGRT**	+U aurifiee
effaner	+G gafferez	**AEEFGIZ**	fregate	**AEEFIIS**
+A effanera	+I effariez	+I gazeifie	+S fregates	+L salifiee
+G effrange	+M affermez	**AEEFGLL**	+T frettage	**AEEFIIT**
+I raffinee	+T affretez	+L flagelle	+U feutrage	+B beatifie
+T afferent	+Y effrayez	+O flageole	furetage	+C acetifie
efferant	**AEEFFSS**	**AEEFGLN**	**AEEFGRU**	+R faitiere
AEEFFNS	+T staffees	+I enfilage	gaufree	ratifiee
effanes	**AEEFFST**	**AEEFGLO**	+L fleurage	**AEEFIIU**
+E effanees	staffee	+L flageole	+S gaufrees	+R aurifiee
+I affinees	+C affectes	**AEEFGLR**	+T feutrage	**AEEFIIZ**
AEEFFNT	+R affretes	+D deflagre	furetage	+G gazeifie
+C effacant	+S staffees	+I legifera	**AEEFGRZ**	**AEEFILL**
+N enfanant	+U affutees	+U fleurage	+D degrafez	+D defaille
+R afferent	**AEEFFSU**	**AEEFGLS**	+F gafferez	+S faillees
efferant	+G gaffeuse	+U fuselage	**AEEFGSS**	faseille
AEEFFNZ	+R affreuse	**AEEFGLT**	+I figeasse	**AEEFILM**
effanez	+T affutees	+I filetage	**AEEFGST**	+C malefice
+I effaniez	**AEEFFSX**	**AEEFGLU**	+I figeates	+I lamifiee
AEEFFOR	+I affixees	+R fleurage	+O fagotees	**AEEFILN**
+T etoffera	**AEEFFSY**	+S fuselage	+R fregates	+D enfilade
AEEFFOS	+R effrayes	**AEEFGMN**	**AEEFGSU**	+G enfilage
+L affolees	**AEEFFTU**	+U enfumage	+F gaffeuse	+R enfilera
AEEFFOT	+C effectua	**AEEFGMR**	+L fuselage	enflerai
+R etoffera	+R raffutee	fermage	+N fangeuse	flanerie
AEEFFOU	+S affutees	+S fermages	+R gaufrees	lanifere
+L auloffee	**AEEFFTZ**	**AEEFGMS**	**AEEFGTT**	+T felaient
AEEFFRR	+C affectez	+I figeames	+R frettage	**AEEFILO**
effarer	+R affretez	+R fermages	**AEEFGTU**	+C foliacee
+A effarera	**AEEFFYZ**	**AEEFGMU**	+I fatiguee	**AEEFILP**
+G greffera	+R effrayez	+N enfumage	+N enfutage	+R parfilee
regreffa	**AEEFGGO**	**AEEFGNR**	+R feutrage	**AEEFILR**
+M affermer	+R forgeage	frangee	furetage	alifere
+T affreter	**AEEFGGR**	+F effrange	**AEEFHIR**	felerai
+Y effrayer	+F greffage	+I freinage	+C facherie	feriale
AEEFFRS		+S frangees	**AEEFHLR**	

```
        flairee       +M mefiames    +P peaufine           fraisees     +S faiseuse
+D deferlai     +R mefieras    +T infatuee     +T estafier     AEEFISX
        defilera      +S mefiasse    AEEFINV              feterais     +F affixees
+F effilera     +T mefiates    +R enfievra          refaites     AEEFISY
+G legifera     AEEFIMT        AEEFINX              tarifees     +Z faseyiez
+N enfilera     +N mefiante    +T antefixe     AEEFIRT         AEEFISZ
        enflerai      +S mefiates    AEEFINZ              feterai      +Y faseyiez
        flanerie      AEEFINN        +F effaniez          refaite      AEEFITT
        lanifere            feniane   +R faneriez          tarifee            attife
+P parfilee     +C financee    +T enfaitez     +C cafetier     +N fetaient
+R ferlerai     +R enfarine    AEEFIPR         +D deferait     +R feterait
        refilera      +S fenianes    +L parfilee          federait     +S attifees
+S aliferes     AEEFINP        +R preferai          redefait     AEEFITU
        felerais      +I panifiee    AEEFIPU         +I faitiere     +G fatiguee
        feralies      +U peaufine    +N peaufine          ratifiee     +N infatuee
        feriales      AEEFINR        AEEFIQR         +L felerait     AEEFITX
        flairees            farinee   +U aquifere          filetera     +N antefixe
        salifere            frenaie   AEEFIQU              refletai     AEEFITZ
+T felerait     +D fredaine    +D defequai     +N enfaiter     +N enfaitez
        filetera      +F raffinee    +R aquifere          feintera     AEEFIUV
        refletai      +G freinage    AEEFIRR              fenetrai     +R fauverie
+U feulerai     +L enfilera         rarefie              feraient     AEEFIYZ
+Z erafliez           enflerai        refaire              fientera     +S faseyiez
AEEFILS               flanerie        referai       +R freterai     AEEFLLL
+F affilees           lanifere   +D deferrai          referait     +G flagelle
+I salifiee     +M enfermai    +E aerifere     +S estafier     +N flanelle
+L faillees     +N enfarine         racefiee             feterais     AEEFLLN
        faseille      +R enferrai    +I reifiera          refaites     +L flanelle
+R aliferes           freinera   +L ferlerai          tarifees     AEEFLLO
        felerais            inferera   +M fermerai     +T feterait     +G flageole
        feralies            refrenai        refermai     AEEFIRU         AEEFLLS
        feriales      +S farinees    +N enferrai     +I aurifiee     +I faillees
        flairees      +T enfaiter         freinera     +L feulerai           faseille
        salifere            feintera        inferera     +Q aquifere     AEEFLMM
AEEFILT               fenetrai        refrenai     +R aurifere          flammee
+G filetage           feraient   +P preferai     +V fauverie     +A malfamee
+N felaient           fientera   +R ferrerai     AEEFIRV         +N enflamme
+R felerait     +V enfievra         rarefier     +N enfievra     +S flammees
        filetera      +Z faneriez    +S rarefies     +U fauverie     AEEFLMN
        refletai      AEEFINS             referais     AEEFIRZ         +M enflamme
AEEFILU         +C cafeines    +T freterai     +F effariez     +S enflames
+F efaufile           faiences        referait     +L erafliez     AEEFLMO
        faufilee            fascinee   +U aurifere     +N faneriez     +C fecalome
+R feulerai           fiancees   +Z rarefiez     +R fraierez     +R femorale
AEEFILZ         +F affinees    AEEFIRS              rarefiez     AEEFLMR
+R erafliez     +N fenianes         fraisee     AEEFISS         +O femorale
AEEFIMM         +R farinees    +C cafeiers     +C fasciees     +S ferlames
+S mefiames           frenaies   +D deferais          fascisee     AEEFLMS
AEEFIMN         +T enfaites         defieras     +D defiasse          felames
+C mefiance     AEEFINT             defraies     +G figeasse     +B flambees
+F effemina           enfaite         federais     +M mefiasse     +M flammees
+R enfermai     +D defiante         redefais     +R fesserai     +N enflames
+T mefiante     +E enfaitee    +F effraies          fraisees     +R ferlames
AEEFIMR         +L felaient    +L aliferes     +U faiseuse     +U feulames
        mefiera       +M mefiante         felerais     AEEFIST         AEEFLMU
+F affermie     +R enfaiter         feriales     +C faceties     +S feulames
        affirmee            feintera        flairees     +D defaites     AEEFLNQ
+I mefierai           fenetrai        salifere     +G figeates     +U flanquee
        ramifiee            feraient   +M mefieras     +M mefiates     AEEFLNR
+N enfermai           fientera   +N farinees     +N enfaites          enflera
+R fermerai     +S enfaites         frenaies     +R estafier          falerne
        refermai      +T fetaient    +R rarefies          feterais     +I enfilera
+S mefiames     +U infatuee         referais     +N enfaites          enflerai
AEEFIMS         +X antefixe    +S fesserai          refaites          flanerie
+C cafeisme     +Z faneriez                         tarifees          lanifere
+D defiames     AEEFINU                        +T attifees     +R renflera
+G figeames                                    AEEFISU         +S enfleras
```

```
        falernes
        enflera
+T      eraflent
+U      enfleura
+Z      flanerez
AEEFLNS
+D      desenfla
+M      enflames
+R      enfleras
        falernes
+S      enflasse
+T      enflates
+U      falunees
        flaneuse
AEEFLNT
+I      felaient
+R      eraflent
+S      enflates
AEEFLNU
        falunee
+Q      flanquee
+R      enfleura
+S      falunees
        flaneuse
AEEFLNZ
+R      flanerez
AEEFLOR
+M      femorale
AEEFLOS
+D      feodales
+F      affolees
+T      foetales
AEEFLOT
        foetale
+S      foetales
AEEFLOU
+F      auloffee
AEEFLPR
+I      parfilee
AEEFLQU
+D      defalque
+N      flanquee
AEEFLRR
        erafler
        ferlera
+A      eraflera
+I      ferlerai
        refilera
+N      renflera
+S      ferleras
+T      frelater
+U      eraflure
        fleurera
        refluera
+Z      raflerez
AEEFLRS
        erafles
        feleras
        raflees
+D      deferlas
+E      eraflees
+I      aliferes
        felerais
        feralies
        feriales
        flairees
        salifere
+M      ferlames
```


```
+N      enfleras
        falernes
+R      ferleras
+S      ferlasse
+T      ferlates
        frelates
        refletas
+U      feuleras
AEEFLRT
        frelate
+D      deferlat
+E      frelatee
+I      felerait
        filetera
        refletai
+N      eraflent
+R      frelater
+S      ferlates
        frelates
        refletas
+T      refletat
+Z      frelatez
AEEFLRU
        feulera
+C      feculera
+F      affleure
        effleura
        farfelue
+G      fleurage
+I      feulerai
+N      enfleura
+R      eraflure
        fleurera
        refluera
+S      feuleras
AEEFLRZ
        eraflez
+I      erafliez
+N      flanerez
+R      raflerez
+T      frelatez
AEEFLSS
        felasse
+N      enflasse
+R      ferlasse
+S      ferlasses
+U      feulasse
AEEFLST
        felates
+N      enflates
+O      foetales
+R      ferlates
        frelates
        refletas
+T      flattees
+U      feulates
        sulfatee
AEEFLSU
+G      fuselage
+M      feulames
+N      falunees
        flaneuse
+R      feuleras
+S      feulasse
+T      feulates
        sulfatee
```


```
AEEFLTT
        flattee
+R      refletat
+S      flattees
AEEFLTU
+S      feulates
        sulfatee
AEEFLTZ
+P      parfumee
AEEFMMN
+L      enflamme
AEEFMMR
+S      fermames
AEEFMMS
+I      mefiames
+L      flammees
+R      femmees
AEEFMNR
        enferma
+I      enfermai
+R      enferma
+S      enfermas
+T      enfermat
        fermenta
+U      enfumera
AEEFMNS
+L      enflames
+R      enfermas
AEEFMNT
+I      mefiante
+R      enfermat
        fermenta
AEEFMNU
+G      enfumage
+R      enfumera
AEEFMOR
+L      femorale
AEEFMPR
+U      parfumee
AEEFMPU
+R      parfumee
AEEFMRR
        fermera
        referma
+F      affermer
+I      fermerai
        refermai
+N      renferma
+S      fermeras
        ferrames
+T      refermat
AEEFMRS
        framees
+F      affermes
+G      fermages
+I      mefieras
+L      ferlames
+M      fermames
+N      enfermas
+R      fermeras
        refermas
+S      fermasse
+T      fermates
        fretames
AEEFMRT
```


```
+N      enfermat
        fermenta
+R      refermat
+S      fermates
        fretames
AEEFMRU
+N      enfumera
+P      parfumee
AEEFMRZ
+F      affermez
AEEFMSS
+I      mefiasse
+R      fermasse
+S      fessames
+U      fameuses
AEEFMST
        fetames
+I      mefiates
+R      fermates
        fretames
AEEFMSU
        fameuse
+L      feulames
+S      fameuses
AEEFNNO
+C      faconnee
AEEFNNR
+I      enfarine
+T      enfanter
        fanerent
AEEFNNS
+C      enfances
+I      feniames
+T      enfantes
AEEFNNT
        enfante
+E      enfantee
+F      effanent
+R      enfanter
        fanerent
+S      enfantes
+Z      enfantez
AEEFNNZ
        enfantez
        fanerenz
AEEFNOP
+R      profanee
AEEFNOR
        aeronef
+P      profanee
+S      aeronefs
AEEFNOS
+R      aeronefs
AEEFNPR
+O      profanee
AEEFNPU
+I      peaufine
AEEFNQU
+L      flanquee
AEEFNRR
        enferra
        refrena
+D      refendra
+I      enferrai
        freinera
        inferera
        refrenai
+L      renflera
```


```
+M      renferma
+S      enferras
+T      enferrat
        referant
        refrenat
AEEFNRS
+A      safranee
+G      frangees
+I      farinees
        frenaies
+L      enfleras
        falernes
+M      enfermas
+O      aeronefs
+R      enferras
        refrenas
+T      enferras
AEEFNRT
        fenetra
+D      deferant
        federant
+F      afferent
        effarent
+I      enfaiter
        feintera
        fenetrai
        feraient
        fientera
+L      eraflent
+M      enfermat
        fermenta
+N      enfanter
+R      enferrat
        referant
        refrenat
+S      fenetras
+T      enferrat
        fenetrat
+U      enfutera
AEEFNRU
+L      enfleura
+M      enfumera
+T      enfutera
AEEFNRV
+I      enfievra
AEEFNRZ
        fanerez
+I      faneriez
+L      flanerez
AEEFNSS
+L      enflasse
+T      nefastes
+U      faneuses
        faunesse
AEEFNST
        nefaste
+I      enfaites
+L      enfaites
+N      enfantes
+R      fenetras
+S      nefastes
+Y      faseyent
AEEFNSU
        faneuse
+G      fangeuse
+L      falunees
```

flaneuse	
+S faneuses	
faunesse	
AEEFNSY	
+T faseyent	
AEEFNTT	
+I fetaient	
+R fenetrat	
AEEFNTU	
+G enfutage	
+I infatuee	
+R enfutera	
AEEFNTX	
+I antefixe	
AEEFNTY	
+S faseyent	
AEEFNTZ	
+I enfaitez	
+N enfantez	
AEEFOPR	
+N profanee	
AEEFORS	
+N aeronefs	
AEEFORT	
+F etoffera	
AEEFOST	
+G fagotees	
+L foetales	
AEEFOSU	
+B bafouees	
AEEFPPR	
frappee	
+S frappees	
AEEFPPS	
+R frappees	
AEEFPRR	
prefera	
+C prefacer	
+I preferai	
+S preferas	
+T preferat	
+U epaufrer	
AEEFPRS	
+A parafees	
+C prefaces	
+P frappees	
+R preferas	
+U epaufres	
AEEFPRT	
+R preferat	
AEEFPRU	
epaufre	
+E epaufree	
+M parfumee	
+R epaufrer	
+S epaufres	
+Z epaufrez	
AEEFPRZ	
+C prefacez	
+U epaufrez	
AEEFPSU	
+R epaufres	
AEEFPUZ	
+R epaufrez	
AEEFQRU	
+I aquifere	
AEEFQSU	

+D defequas	
AEEFQTU	
+D defequat	
AEEFRRR	
ferrera	
+E referera	
+I ferrerai	
rarefier	
+S ferreras	
AEEFRRS	
referas	
+D deferras	
ferrades	
+G ferrages	
+I rarefies	
referais	
+L ferleras	
+M fermeras	
ferrames	
refermas	
+N enferras	
refrenas	
+P preferas	
+R ferreras	
+S ferrasse	
+T ferrates	
freteras	
+U refusera	
+Y frayeres	
+Z fraserez	
AEEFRRT	
fretera	
referat	
+C refracte	
+D deferrat	
+F affreter	
+I freterai	
referait	
+L frelater	
+M refermat	
+N enferrat	
referant	
refrenat	
+P preferat	
+S ferrates	
freteras	
+T frettera	
+U feutrera	
furetera	
refutera	
+Z farterez	
AEEFRRU	
+I aurifere	
+L eraflure	
fleurera	
refluera	
+P epaufrer	
+S refusera	
+T feutrera	
furetera	
AEEFRRY	
frayere	
+D defrayer	
+F effrayer	
+S frayeres	
+Z frayerez	

AEEFRRZ	
+B bafrerez	
+D farderez	
+I fraierez	
+L raflerez	
+S fraserez	
+T farterez	
+Y frayerez	
AEEFRSS	
fessera	
frasees	
refasse	
+I fesserai	
fraisees	
+L farlasse	
+M fermasse	
+R ferrasse	
+S fesseras	
refasses	
+T fretasse	
AEEFRST	
fartees	
feteras	
+F affretes	
+G fregates	
+I estafier	
feterais	
refaites	
tarifees	
+L ferlates	
frelates	
refletas	
+M fermates	
fretames	
+N fenetras	
+R ferrates	
freteras	
+S fretasse	
+T fretates	
AEEFRSU	
+B bafreuse	
+C farceuse	
surfacee	
+D fraudees	
+F affreuse	
+G gaufrees	
+L feuleras	
+P epaufres	
+R refusera	
AEEFRSY	
faseyer	
frayees	
+A faseyera	
+D defrayes	
+F effrayes	
+R frayeres	
AEEFRSZ	
+R fraserez	
AEEFRTT	
+C facetter	
+G frettage	
+I feterait	
+L refletat	
+N fenetrat	
+R frettera	
+S fretates	

AEEFRTU	
+C facturee	
+F raffutee	
+G feutrage	
furetage	
+N enfutera	
+R feutrera	
furetera	
refutera	
+Z defutera	
AEEFRTZ	
+C cafterez	
+F affretez	
+L frelatez	
+R farterez	
+U fauterez	
AEEFRUV	
+D defaveur	
+I fauverie	
AEEFRUX	
+D federaux	
AEEFRUZ	
+P epaufrez	
+T fauterez	
AEEFRYZ	
+D defrayez	
+F effrayez	
+R frayerez	
AEEFSSS	
+D defasses	
+L felasses	
+M fessames	
+R fesseras	
refasses	
+S fessasse	
+T fessates	
fetasses	
+U fausses	
AEEFSST	
fetasse	
+F staffees	
+N nefastes	
+R fretasse	
+S fessates	
fetasses	
+U fausse	
AEEFSSU	
faussee	
+D defausse	
+I faiseuse	
+L feulasse	
+M fameuses	
+N faneuses	
faunesse	
+S faussees	
+T fausee	
AEEFSSY	
faseyes	
AEEFSTT	
fetates	
+C facettes	
+I attifes	
+L flattees	
+R fretates	
AEEFSTU	
+C cafteuse	
+F affutees	

+L feulates	
sulfatee	
+S faussete	
AEEFSTY	
+N faseyent	
AEEFSYZ	
faseyez	
+I faseyiez	
AEEFTTU	
+V fauvette	
AEEFTTV	
+U fauvette	
AEEFTTZ	
+C facettez	
AEEFTUV	
+T fauvette	
AEEFTUZ	
+R fauterez	
AEEGGHO	
+P geophage	
AEEGGHP	
+O geophage	
AEEGGIL	
+N negligea	
AEEGGIN	
+A engageai	
+L negligea	
+P peignage	
+R gagnerie	
+Z engagiez	
AEEGGIO	
+R egorgeai	
AEEGGIP	
+E piegeage	
+N peignage	
AEEGGIR	
+A agregeai	
+N gagnerie	
+O egorgeai	
+R gregaire	
+S egrisage	
+U egrugeai	
+Z agregiez	
gageriez	
AEEGGIS	
+B gabegies	
+R egrisage	
AEEGGIU	
+R egrugeai	
AEEGGIZ	
+D degagiez	
+N engagiez	
+R agregiez	
gageriez	
AEEGGJU	
+A jaugeage	
AEEGGLN	
+A agnelage	
+I negligea	
+U engluage	
AEEGGLR	
reglage	
+A regalage	
+S reglages	
+U regulage	
AEEGGLS	
+A elagages	

+R reglages	**AEEGGNZ**	gageures	**AEEGHOX**	+S siegeait
AEEGGLT	engagez	+T egrugeat	+N hexagone	+X exigeait
+A galetage	+I engagiez	**AEEGGRV**	**AEEGHPR**	**AEEGIIU**
AEEGGLU	+O gazogene	+A aggravee	+C perchage	+R aiguiere
+N engluage	+R gagnerez	**AEEGGRZ**	+M grapheme	+S aiguisee
+R regulage	regagnez	agregez	**AEEGHRR**	**AEEGIIV**
AEEGGMM	rengagez	gagerez	+B herbager	+L levigeai
gemmage	**AEEGGOP**	+I agregiez	+C recharge	**AEEGIIX**
+S gemmages	+H geophage	gageriez	**AEEGHRS**	exigeai
AEEGGMR	**AEEGGOR**	+N gagnerez	hersage	+R exigerai
+B gamberge	egorgea	regagnez	+B herbages	+S exigeais
AEEGGMS	+B gobergea	rengagez	+C chargees	+T exigeait
+A gageames	+D degorgea	**AEEGGSS**	+S hersages	**AEEGIIZ**
+M gemmages	+F forgeage	+A gageasse	**AEEGHRT**	+F gazeifie
AEEGGNN	+I egorgeai	+R gresages	+I heritage	**AEEGIJL**
+R engrange	+N engorgea	+U gageuses	**AEEGHRU**	+Z galejiez
gangrene	+R egorgera	**AEEGGST**	+C gauchere	**AEEGIJM**
+T engagent	regorgea	+A gageates	**AEEGHRZ**	+U mejugeai
AEEGGNO	+S egorgeas	**AEEGGSU**	+B herbagez	**AEEGIJU**
+B engobage	+T egorgeat	gageuse	+C gacherez	+D dejugeai
+R engorgea	ergotage	+N gagneuse	**AEEGHSS**	+M mejugeai
+Z gazogene	**AEEGGOS**	+R egrugeas	+C sechages	**AEEGIJZ**
AEEGGNP	+R egorgeas	+S gageuses	+R hersages	+L galejiez
+I peignage	**AEEGGOT**	**AEEGGTU**	**AEEGHSU**	**AEEGILL**
AEEGGNR	+R egorgeat	+R egrugeat	+C gacheuse	egaille
engager	ergotage	**AEEGHIR**	**AEEGHTT**	+A allegeai
grenage	**AEEGGOZ**	+T heritage	+C gachette	+E egaillee
regagne	+N gazogene	**AEEGHIT**	**AEEGIIL**	+L illegale
rengage	**AEEGGRR**	+R heritage	+V levigeai	+N galileen
+A engagera	agreger	**AEEGHIU**	**AEEGIIM**	niellage
rengagea	+A agregera	+C aguichee	+N imaginee	+R allergie
+E egrenage	+I gregaire	**AEEGHLN**	+R imagerie	egailler
reengage	+N regagner	+O halogene	**AEEGIIN**	gallerie
regagnee	rengager	**AEEGHLO**	+M imaginee	graillee
rengagee	+O egorgera	+N halogene	+R gainerie	+S egailles
+I gagnerie	+U egrugera	**AEEGHLS**	+T neigeait	legalise
+N engrange	**AEEGGRS**	+C lechages	**AEEGIIP**	+T legalite
gangrene	agreges	**AEEGHMP**	piegeai	teillage
+O engorgea	gresage	+R grapheme	+R piegerai	+Z allegiez
+R regagner	reggaes	**AEEGHMR**	+S piegeais	egaillez
rengager	+A agregeas	+P grapheme	+T piegeait	**AEEGILM**
+S grenages	+B gerbages	**AEEGHMS**	**AEEGIIR**	+P empilage
regagnes	+E agregees	+C mechages	erigeai	**AEEGILN**
rengages	+I egrisage	**AEEGHNN**	+A egaierai	alignee
+T agregent	+L reglages	+S ghaneens	+D redigeai	geniale
gagerent	+N grenages	**AEEGHNO**	+M imagerie	inegale
+Z gagnerez	regagnes	+L halogene	+N gainerie	+D legendai
regagnez	rengages	+X hexagone	+P piegerai	+E inegalee
rengagez	+O egorgeas	**AEEGHNR**	+R erigerai	+F enfilage
AEEGGNS	+S gresages	+C echanger	+S erigeais	+G negligea
engages	+U egrugeas	grenache	siegerai	+L galileen
gagnees	**AEEGGRT**	rechange	+T erigeait	niellage
+A engageas	+A agregeat	**AEEGHNS**	+U aiguiere	+N agneline
+E engagees	+N agregent	+C changees	+X exigerai	+P pelagien
+R grenages	gagerent	echanges	**AEEGIIS**	+R algerien
regagnes	+O egorgeat	+N ghaneens	siegerai	galerien
rengages	ergotage	+R erigeais	+P piegeais	grenelai
+U gagneuse	**AEEGGRU**	siegerai	+R erigeais	lanigere
AEEGGNT	egrugea	**AEEGHNX**	siegerai	regalien
+A engageat	gageure	+O hexagone	+S siegeais	+S alignees
+D degagent	+I egrugeai	**AEEGHNZ**	+T siegeait	ensilage
+N engagent	+L regulage	+C echangez	+U aiguisee	geniales
+R agregent	+R egrugera	**AEEGHOP**	+X exigeais	inegales
gagerent	+S egrugeas	+G geophage	**AEEGIIT**	signalee
AEEGGNU		**AEEGHOU**	+N neigeait	+T gelaient
+L engluage		+C echouage	+P piegeait	gelatine
+S gagneuse		gouachee	+R erigeait	genitale

+V evangile
nivelage
+Z agneliez
AEEGILO
+D delogeai
+R relogeai
AEEGILP
plagiee
+D depilage
depliage
+M empilage
+N pelagien
+S plagiees
AEEGILQ
+U gaelique
AEEGILR
elargie
galerie
gelerai
glairee
regelai
reliage
+A egalerai
+C glacerie
glaciere
+D dereglai
+F legifera
+L allergie
egailler
gallerie
graillee
+N algerien
galerien
grenelai
lanigere
regalien
+O relogeai
+R grelerai
reglerai
+S egaliser
elargies
galeries
gelerais
glairees
regelais
reliages
+T aigrelet
gelerait
regelait
+U leguerai
releguai
+V levigera
+Z regaliez
AEEGILS
egalise
glaisee
+C ciselage
+D degelais
+E egalisee
+L egailles
legalise
+N alignees
ensilage
geniales
inegales
signalee
+P plagiees

+R egaliser
elargies
galeries
gelerais
glairees
regelais
reliages
+S egalises
glaisees
+T egalites
+V levigeas
+Z egalisez
AEEGILT
egalite
+D degelait
delitage
+F filetage
+L legalite
teillage
+N gelaient
gelatine
genitale
+R aigrelet
gelerait
regelait
+S egalites
+V levigeat
AEEGILU
+D deleguai
+Q gaelique
+R leguerai
releguai
+Z elaguiez
AEEGILV
levigea
+I levigeai
+N evangile
nivelage
+R levigera
+S levigeas
+T levigeat
AEEGILZ
egaliez
+J galejiez
+L allegiez
egailliez
+N agneliez
+R regaliez
+S egalisez
+U elaguiez
AEEGIMM
+R gemmerai
immergea
AEEGIMN
+A menageai
+D deminage
+I imaginee
+R geminera
germaine
graminee
+S ensimage
magnesie
+T gaiement
+Z engamiez
menagiez
AEEGIMO
+X exogamie

AEEGIMP
+L empilage
+S pigeames
AEEGIMR
+A emargeai
+C grimacee
+D degermai
+E emergeai
+I imagerie
+M gemmerai
immergea
+N geminera
germaine
graminee
+R emigrera
germerai
+S reagimes
remisage
+T ermitage
+Z emargiez
AEEGIMS
imagees
+C ecimages
+F figeames
+N ensimage
magnesie
+P pigeames
+R reagimes
remisage
AEEGIMT
+N gaiement
+R ermitage
AEEGIMU
+J mejugiez
AEEGIMX
+O exogamie
AEEGIMZ
+N engamiez
menagiez
+R emargiez
AEEGINN
engaine
+E engainee
enneigea
+L agneline
+R argienne
engainer
engrenai
rengaine
+S engaines
enseigna
+T antigene
genaient
gentiane
+V angevine
+Z engainez
AEEGINO
+P epongeai
+R nageoire
AEEGINP
paginee
+D depeigna
+G peignage
+L pelagien
+O epongeai
+R peignera
+S paginees

+T piegeant
AEEGINR
anergie
egraine
egrenai
generai
grainee
neigera
+A agrainee
araignee
enrageai
+B engerbai
+D degainer
degarnie
+E egrainee
reneigea
+F freinage
+G gagnerie
+I gainerie
+M geminera
germaine
graminee
+N argienne
engainer
engrenai
rengaine
+O nageoire
+P peignera
+R egrainer
grenerai
ingerera
regarnie
regnerai
+S anergies
egraines
egrenais
generais
+T geraient
granitee
gratinee
greaient
regentai
+V vengerai
+Y aegyrine
+Z egrainez
AEEGINS
gainees
saignee
+B baignees
+D degaines
+E agenesie
+L alignees
ensilage

geniales
inegales
signalee
+M ensimage
magnesie
+N engaines
enseigna
+P paginees
+R anergies
egraines
egrenais
generais
+S assignee
saignees
+T siegeant
+V envisage
vengeais
AEEGINT
egaient
neigeat
+B begaient
+I neigeait
+L gelaient
gelatine
genitale
+M gaiement
+N antigene
genaient
gentiane
+P piegeant
+R egrenait
erigeant
ganterie
gantiere
generait
geraient
granitee
gratinee
greaient
regentai
+S siegeant
+T atteinte
+V negative
vengeait
+X exigeant
AEEGINV
vengeai
+D vidangee
+E eveinage
+L evangile
nivelage
+N aegevine
+R vengerai
+S envisage
vengeais
+T negative
vengeait
AEEGINX
+D indexage
+T exigeant
AEEGINY
+R aegyrine
AEEGINZ
+C agenciez
encagiez
+D degainez

+G engagiez	+B bigarree	regreais	+T rivetage	+R etirages
+L agneliez	gerberai	+S assieger	+Z gaveriez	gateries
+M engamiez	+C gercerai	graissee	**AEEGIRX**	reagites
menagiez	+D digerera	reagisse	exigera	+T sagittee
+N engainez	garderie	siegeras	+A exagerai	+V estivage
+R egrainez	+G gregaire	+T etirages	+I exigerai	evitages
enragiez	redigera	gateries	+S exigeras	vegetais
gainerez	+I erigerai	reagites	**AEEGIRY**	**AEEGISU**
nagerez	+L grelerai	+V viageres	+A egayerai	+B besaigue
AEEGIOP	reglerai	+X exigeras	+N egyrine	+I aiguisee
+N epongeai	+M emigrera	+Z gazieres	**AEEGIRZ**	+U agueusie
AEEGIOR	germerai	**AEEGIRT**	agreiez	**AEEGISV**
+D derogeai	+N egrainer	erigeat	egariez	+D devisage
+G egorgeai	grenerai	etirage	gaziere	evidages
+L relogeai	ingerera	gaterie	+B abregiez	+L levigeas
+N nageoire	regarnie	+A etagerai	+D deragiez	+N envisage
AEEGIOT	regnerai	+D degreait	+E egaierez	vengeais
+X geotaxie	+P pierrage	redigeat	+G agregiez	+R viageres
AEEGIOX	+S egrisera	tragedie	gageriez	+T estivage
+M exogamie	erigeras	+H heritage	+L regaliez	evitages
+T geotaxie	gererais	+I erigeait	+M emargiez	vegetais
AEEGIPP	greerais	+L aigrelet	+N egrainez	**AEEGISX**
+R agrippee	greserai	gelerait	enragiez	exigeas
AEEGIPQ	regreais	regelait	gainerez	+I exigeais
+U equipage	+T gererait	+M ermitage	nageriez	+R exigeras
AEEGIPR	geriatre	+N egrenait	+P arpegiez	**AEEGISZ**
piegera	greerait	erigeant	+R gareriez	+L egalisez
+A arpegeai	regatier	ganterie	rageriez	+R gazieres
+I piegerai	regreait	gantiere	ragreiez	+S assiegez
+N peignera	retirage	generait	reagirez	**AEEGITT**
+P agrippee	+U aguerrie	geraient	+S gazieres	+A etageait
+R pierrage	+V graviere	granitee	+T agiterez	+N atteigne
+S piegeras	greverai	gratinee	gateriez	+R aigrette
+T etripage	+Z gareriez	greaient	gazetier	+S sagittee
+Z arpegiez	rageriez	regentai	regatiez	+V vegetait
AEEGIPS	ragreiez	+P etripage	+V gaveriez	**AEEGITU**
epiages	reagirez	+R gererait	+Z gazeriez	+B beguetai
piegeas	**AEEGIRS**	geriatre	**AEEGISS**	+F fatiguee
+I piegeais	erigeas	greerait	assiege	**AEEGITV**
+L plagiees	siegera	regatier	siegeas	evitage
+M pigeames	+A egaieras	regreait	+A assiegea	vegetai
+N paginees	+C graciees	retirage	+E assiegee	+L levigeat
+R piegeras	+D degreais	+S etirages	+F figeasse	+N negative
+S pigeasse	redigeas	gateries	+I siegeais	vengeait
+T peagiste	+G egrisage	reagites	+L egalises	+R rivetage
pigeates	+I erigeais	+T aigrette	glaisees	+S estivage
AEEGIPT	siegerai	+V rivetage	+N assignee	evitages
piegeat	+L egaliser	+Z agiterez	saignees	vegetais
+I piegeait	elargies	gateriez	+P pigeasse	+T vegetait
+N piegeant	galeries	gazetier	+R assieger	**AEEGITX**
+R etripage	gelerais	regatiez	graissee	exigeat
+S peagiste	glairees	**AEEGIRU**	reagisse	+I exigeait
pigeates	regelais	+G egrugeai	siegeras	+N exigeant
AEEGIPU	reliages	+I aiguiere	+S assieges	+O geotaxie
+Q equipage	+M reagimes	+L leguerai	+Z assiegez	**AEEGITZ**
AEEGIPZ	remisage	releguai	**AEEGIST**	etagiez
+R arpegiez	+N anergies	+R aguerrie	agitees	+R agiterez
AEEGIQU	egraines	**AEEGIRV**	etiages	gateriez
+L gaelique	egrenais	viagere	gaietes	gazetier
+P equipage	generais	+B verbiage	siegeat	regatiez
AEEGIRR	grainees	+D degrevai	+A etageait	**AEEGIUU**
erigera	+P piegeras	divergea	+F figeates	+S agueusie
gererai	+R egriseras	+L levigera	+I siegeait	**AEEGIUZ**
greerai	erigeras	+N vengerai	+L egalites	+L elaguiez
regreai	gererais	+R graviere	+N siegeant	**AEEGIVZ**
+A agreerai	greerais	greverai	+P peagiste	+R gaveriez
egarerai	greserai	+S viageres	pigeates	

AEEGIYZ
  egayiez
+B begayiez
AEEGIZZ
+D degaziez
+R gazeriez
AEEGJLM
+U jumelage
AEEGJLN
+T galejent
AEEGJLR
  galejera
+A galejera
AEEGJLS
  galejes
AEEGJLT
+N galejent
AEEGJLU
+B jugeable
+M jumelage
AEEGJLV
+A javelage
AEEGJLZ
  galejez
+I galejiez
AEEGJMN
+A mejanage
AEEGJMR
+U mejugera
AEEGJMS
+U jugeames
  mejugeas
AEEGJMT
+U mejugeat
AEEGJMU
  mejugea
+I mejugeai
+L jumelage
+R mejugera
+S jugeames
  mejugeas
+T mejugeat
AEEGJNT
+L galejent
AEEGJPR
+U prejuga
AEEGJPU
+R prejugea
AEEGJRU
+D dejauger
  dejugera
+M mejugera
+P prejuga
+Z jaugerez
AEEGJRZ
+U jaugerez
AEEGJSS
+U jugeasse
AEEGJST
  jetages
+U jugeates
AEEGJSU
  jaugees
+D adjugees
  dejauges
  dejugas
+M jugeames

  mejugeas
+S jugeasse
+T jugeates
AEEGJTU
+D dejugeat
+M mejugeat
+S jugeates
AEEGJUZ
+D dejugez
+R jaugerez
AEEGLLL
+B glabelle
+F flagelle
+I illegale
AEEGLLM
  gamelle
+R margelle
+S gamelles
AEEGLLN
  agnelle
+I galileen
  niellage
+O allogene
  allongee
+S agnelles
+T allegent
AEEGLLO
+B logeable
+F flageole
+N allogene
  allongee
+R glareole
AEEGLLP
+R pellagre
AEEGLLR
  alleger
  allegre
+A allegera
+B reglable
+I allergie
  egailler
  gallerie
  graillee
+M margelle
+O glareole
+P pellagre
+S allegres
+V gravelle
AEEGLLS
  alleges
  legales
+A allegeas
+B gabelles
+C scellage
+E allegees
+I egailles
  legalise
+M gamelles
+N agnelles
+R allegres
+T stellage
+U allegues
+Z gazelles
AEEGLLT
+A allegeat
+I legalite

  teillage
+S stellage
AEEGLLU
  allegue
+E alleguee
+R alleguer
+S allegues
+Z alleguez
AEEGLLV
+R gravelle
AEEGLLZ
  allegez
  gazelle
+I allegiez
  egaillez
+S gazelles
+U alleguez
AEEGLMN
  melange
+A melangea
+E melangee
+R melanger
+S melanges
+Z melangez
AEEGLMO
+D modelage
+S logeames
+T moletage
AEEGLMP
+I empilage
+R remplage
AEEGLMR
+L margelle
+N melanger
+P remplage
+S grelames
  reglames
+U meuglera
AEEGLMS
  gelames
+A egalames
+L gamelles
+N melanges
+O logeames
+R grelames
  reglames
+U leguames
  lugeames
  meulages
AEEGLMZ
+N melangez
AEEGLNN
+I angeline
+O galonnee
AEEGLNO
+H halogene
+L allogene

  allongee
+N allegent
+T entolage
+U louangee
AEEGLNP
+I pelagien
+U epagneul
AEEGLNR
  agneler
  general
  grenela
+E generale
+I algerien
  galerien
  grenelai
  lanigere
  regalien
+M melanger
+S grenelas
+T etrangle
+U engluera
+Y laryngee
+Z glanerez
AEEGLNS
  galenes
  glanees
  langees
  sanglee
+D glandees
  legendas
+E agnelees
+I alignees
  ensilage
  geniales
  inegales
  signalee
+L agnelles
+M melanges
+R grenelas
+S sanglees
+T agnelets
  elegants
+U glaneuse
AEEGLNT
  agnelet
  egalent
  elegant
+D degelant
  legendat
+E elegante
+I gelaient
  gelatine
  genitale
+J galejent
+L allegent
+O entolage
+R etrangle
  grenelat
  regalent
  regelant
+S agnelets
  elegants

+T gantelet
+U elaguent
AEEGLNU
+G engluage
+O louangee
+P epagneul
+R engluera
  granulee
+S glaneuse
+T elaguent
+U engueula
  ungueale
+Y langueye
AEEGLNV
+E enlevage
+I evangile
  nivelage
AEEGLNY
+R laryngee
+U langueye
AEEGLNZ
  agnelez
+I melangez
+M melangez
+R glanerez
  langerez
AEEGLOP
+D lagopede
+T pelotage
AEEGLOR
  relogea
+B robelage
+D delogera
+I relogeai
+L glareole
+R relogera
+S relogeas
+T relogeat
AEEGLOS
+C ecolages
+D delogeas
+M logeames
+R relogeas
+S logeasse
+T logeates
+U soulage
AEEGLOT
+D delogeat
+M moletage
+N entolage
+P pelotage
+R relogeat
+S logeates
AEEGLOU
+C coagulee
+N louangee
+S soulagee
AEEGLPR
+L pellagre
+M remplage
+U pleurage
AEEGLPS
  pelages
+I plagiees
AEEGLPT
+O pelotage

AEEGLPU	+U releguat	+L stellage	+R elagueur	regnames
+A alpaguee	**AEEGLRU**	+N agnelets	gueulera	remanges
+C pucelage	elaguer	elegants	**AEEGLUV**	+T agrement
+N epagneul	larguee	+O logeates	aveugle	emargent
+R pleurage	leguera	+R grelates	+C cuvelage	+Z magnerez
AEEGLQU	relegua	reglates	+E aveuglee	mangerez
+I gaelique	+A elaguera	+S lestages	+R aveugler	remangez
AEEGLRR	+B beuglera	+T galettes	+S aveugles	**AEEGMNS**
grelera	+D degluera	+U leguates	+Z aveuglez	engames
regaler	+F fleurage	**AEEGLSU**	**AEEGLUY**	genames
reglera	+G regulage	elagues	+N langueye	magnees
+A regalera	+I leguerai	galeuse	**AEEGLUZ**	maneges
+E regelera	releguai	gaulees	elaguez	mangees
+I grelerai	+L alleguer	+B blaguees	+I elaguiez	menages
reglerai	+M meuglera	gueables	+L alleguez	mesange
+O relogera	+N engluera	+C eclusage	+R gaulerez	+A amenages
+S greleras	granulee	glaceuse	+V aveuglez	managees
regleras	+P pleurage	+D deleguas	**AEEGLVZ**	menageas
+U regulera	+R regulera	+E elaguees	+U aveuglez	nageames
AEEGLRS	+S larguees	+F fuselage	**AEEGMMM**	+D demanges
galeres	legueras	+L allegues	+E emmenage	+E engames
geleras	releguas	+M leguames	+R engramme	menages
regales	+T releguat	lugeames	**AEEGMMR**	+I ensimage
regalas	+U elagueur	meulages	gemmera	magnesie
+A egaleras	gueulera	+N glaneuse	+I gemmerai	+L melanges
+B alberges	+V aveugler	+O soulagee	immergea	+R grenames
algebres	+Z gaulerez	+R larguees	+N engramme	menagers
+D dereglas	**AEEGLRV**	legueras	+S gemmeras	regnames
+E regalees	+C verglace	releguas	germames	remanges
+G reglages	+E relevage	+S galeuses	**AEEGMMS**	+S mesanges
+I egaliser	+I levigera	leguasse	gammees	+T sagement
elargies	+L gravelle	lugeasse	+G gemmages	segmenta
galeries	+U aveugler	+T leguates	+M gemmames	+U mangeuse
gelerais	**AEEGLRY**	lugeates	+R gemmeras	**AEEGMNT**
glairees	+N laryngee	+V aveugles	germames	+A menageat
regelais	**AEEGLRZ**	**AEEGLSV**	+S gemmasse	+I gaiement
reliages	regalez	levages	+T gemmates	+N engament
+L allegres	+B galberez	velages	**AEEGMMT**	menagent
+M grelames	+C glacerez	+E elevages	+S gemmates	+R agrement
reglames	+E egalerez	+I levigees	**AEEGMNN**	emargent
+N grenelas	+I regaliez	+U aveugles	+T engament	+S sagement
+O relogeas	+N glanerez	**AEEGLSZ**	menagent	segmenta
+R greleras	langerez	+I egalisez	**AEEGMNO**	+U augmente
regleras	+U gaulerez	+L gazelles	+D emondage	mutagene
+S grelasse	**AEEGLSS**	**AEEGLTT**	endogame	**AEEGMNU**
largesse	gelasse	galette	**AEEGMNR**	+F enfumage
reglasse	+A alesages	+A attelage	engamer	+S mangeuse
+T grelates	egalasse	+N gantelet	menager	+T augmente
reglates	galeasse	+S galettes	remange	mutagene
+U larguees	+I egalises	**AEEGLTU**	+A amenager	**AEEGMNZ**
leguees	glaisees	+D deleguat	engamera	engamez
releguas	+N sanglees	delutage	menagera	menagez
AEEGLRT	+O logeasse	+N elaguent	remangea	+A amenagez
regelat	+R grelasse	+R releguat	+D demanger	+D demangez
+A etalager	largesse	+S leguates	gendarme	+I engamiez
ratelage	reglasse	lugeates	+E menagere	menagiez
+D dereglat	+S gelasses	**AEEGLTV**	remangee	+L melangez
+I aigrelet	+T lestages	vegetal	+I geminera	+R magnerez
gelerait	+U galeuses	+E vegetale	germaine	mangerez
regelait	leguasse	+I levigeat	graminee	menangez
+N etrangle	lugeasse	**AEEGLTZ**	+L melanger	**AEEGMOO**
grenelat	**AEEGLST**	+A etalagez	+M engramme	+S aegosome
regalent	gelates	**AEEGLUU**	+R remanger	**AEEGMOP**
regelant	lestage	+D degueula	+S grenames	+D megapode
+O relogeat	+A egalates	+N engueula	menagers	**AEEGMOR**
+S grelates	etalages	ungueale		+B ombragee
reglates	+I egalites			+T megotera

AEEGMOS
+L logeames
+O aegosome
+X exogames

AEEGMOT
+L moletage
+R megotera
+T emottage

AEEGMOU
+B embouage

AEEGMOX
exogame
+I exogamie
+S exogames

AEEGMPR
+H grapheme
+L remplage
+T trempage

AEEGMPS
+E empesage
+I pigeames

AEEGMPT
+A etampage
+R trempage

AEEGMRR
emarger
germera
+A emargera
+E emergera
+I emigrera
germerai
+N remanger
+S germeras
+U maugreer
+Z margerez

AEEGMRS
emarges
gerames
greames
margees
+A agreames
egarames
emargeas
rageames
rameages
+B gerbames
+C cremages
gercames
+D degermas
+E emergeas
emargees
+F fermages
+I reagimes
remisage
+L grelames
reglames
+M gemmeras
germames
+N grenames
menagers
regnames
remanges
+R germeras
+S germasse
gresames
messager
+T germates
metrages
+U margeuse
maugrees
mesurage
remuages
+V grevames

AEEGMRT
metrage
+A emargeat
retamage
+D degermat
+E emergeat
+I ermitage
+N agrement
emargent
+O megotera
+P trempage
+S germates
metrages

AEEGMRU
maugree
remuage
+E maugreee
+J mejugera
+L meuglera
+R maugreer
+S maugrees
maugrees
mesurage
remuages
+Z maugreez

AEEGMRV
+S grevames

AEEGMRY
+A mareyage

AEEGMRZ
emargez
+I emargiez
+N magnerez
mangerez
remangez
+R margerez
+U maugreez

AEEGMSS
message
+M gemmasse
+N mesanges
+R germasse
gresames
messager
+S messages

AEEGMST
gametes
+A etamages
+M gemmates
+N sagement
segmenta
+R germates
metrages

AEEGMSU
+C ecumages
+J jugeames
mejugeas
+L leguames
lugeames
meulages
+N mangeuse
+R margeuse
maugrees
mesurage
remuages

AEEGMSV
+R grevames

AEEGMSX
+O exogames

AEEGMSY
+A egayames

AEEGMTT
+B gambette
+O emottage

AEEGMTU
+J mejugeat
+N augmente
mutagene

AEEGMTY
+A metayage

AEEGMUV
+B embuvage

AEEGMUZ
+R maugreez

AEEGNNO
+L galonnee
+Y ennoyage
+Z gazonnee

AEEGNNP
pennage
+S pennages

AEEGNNR
engrena
garenne
+D engendra
+G engrange
gangrene
+I argienne
engainer
engrenai
rengaine
+R rengrena
+S engrenas
garennes
+T egrenant
engrenat
enragent
generant
nagerent
regnante
+U ennuager

AEEGNNS
enganes
+H ghaneens
+I engaines
+P pennages
+R engrenas
+T genantes

AEEGNNT
genante
+I genaient
gentiane
+M engament
menagent
+R egrenant
engrenat
enragent
generant
nagerent
regnante
+S genantes
+T tangente
+V vengeant

AEEGNNU
ennuage
+A ennuagea
+E ennuagee
+R ennuager
+S ennuages
+Z ennuagez

AEEGNNV
+D vendange
+I angevine
+T vengeant

AEEGNNY
+O ennoyage

AEEGNNZ
+I engainez
+O gazonnee
+U ennuagez

AEEGNOP
epongea
+I epongeai
+R epongera
+S epongeas
+T epongeat

AEEGNOR
orangee
+B engobera
enrobage
+G engorgea
+I nageoire
+P epongera
+S orangees
+U enrouage

AEEGNOS
+P epongeas
+R orangees
+T etageons

AEEGNOT
+L entolage
+P epongeat
+S etageons
+U autogene

AEEGNOU
+L louangee
+R engouera
+T autogene

AEEGNOX
+H hexagone

AEEGNOY
+D denoyage
+N ennoyage

AEEGNOZ
+G gazogene
+N gazonnee

AEEGNPR
epargne
+E epargnee
+I peignera
+O epongera
+R epargner
+S epargnes
+T arpegent
+Z epargnez

AEEGNPS
+D pendages
+I paginees
+N pennages
+O epongeas
+R epargnes

AEEGNPT
+I piegeant
+O epongeat
+R arpegent

AEEGNPU
+L epagneul

AEEGNPZ
+R epargnez

AEEGNRR
enrager
grenera
regnera
+A arrangee
enragera
+D deranger
+E egrenera
generera
regenera
+G regagner
rengager
+I egrainer
grenerai
ingerera
regarnie
regnerai
+M remanger
+N rengrena
+P epargner
+S greneras
regneras
+T argenter
etranger
garerent
ragerent
ragreent
regreant
rentrage
+V engraver
+Z rangerez

AEEGNRS
egrenas
enrages
generas
rangees
+A enrageas
+B engerbas
+C crenages
+D deranges
grenades
+E enragees
+F frangees

+G	grenages		regelant		rengagez	+R	engraves	**AEEGOPR**
	regagnes	+M	agrement	+I	egrainez	+T	ventages	+A areopage
	rengages		emargent		enragiez	**AEEGNSX**		+N eponger a
+I	anergies	+N	egrenant		gainerez	+U	exsangue	+P propagee
	egraines		engrenat		nageriez	**AEEGNSZ**		+T potagere
	egrenais		enragent	+L	glanerez	+R	ganserez	protegea
	generais		generant		langerez	**AEEGNTT**		**AEEGOPS**
	grainees		nagerent	+M	magnerez		etagent	apogees
+L	grenelas		regnante		mangerez	+A	attagene	+N epongeas
+M	grenames	+P	arpegent		remangez		etageant	**AEEGOPT**
	menagers	+R	argenter	+P	epargnez	+I	atteigne	+D depotage
	regnames		etranger	+R	rangerez	+L	gantelet	+L pelotage
	remanges		garerent	+S	ganserez	+N	tangente	+N epongeat
+N	engrenas		ragerent	+T	argentez	+R	gaterent	+R potagere
	garennes		ragreent		ganterez		regatent	protegea
+O	orangees		regreant		gazerent		regentat	**AEEGORR**
+P	epargnes		rentrage	+V	engravez	+V	vegetant	arrogee
+R	greneras	+S	argentes	**AEEGNSS**		+A aerogare
	regneras		etranges		gansees	**AEEGNTU**		+C cogerera
+S	grenasse		gerantes		genasse	+E	eugenate	+D derogera
	regnasse		grenates	+A	nageasse	+F	enfutage	+G egorgera
+T	argentes		regentas	+I	assignee	+L	elaguent	regorgea
	etranges		regnates		saignees	+M	augmente	+L relogera
	gerantes		renegats	+L	sanglees		mutagene	+S arrogees
	grenates	+T	gaterent	+M	mesanges	+O	autogene	+T ergotera
	regentas		regentat	+R	grenasse	+R	negateur	**AEEGORS**
	regnates		regentat		regnasse	**AEEGNTV**		+B abrogees
	renegats	+U	negateur	+S	genasses		vengeat	+D derogeas
+U	narguees	+V	gaverent	+U	nageuses		ventage	+G egorgeas
+V	engraves	+Z	argentez	**AEEGNST**		+I negative	+L relogeas
	vengeras		ganterez		gantees		vengeait	+N orangees
+Z	ganseres		gazerent		geantes	+N	vengeant	+R arrogees
AEEGNRT		**AEEGNRU**			genates	+R	gaverent	+S essorage
	agreent		naguere	+A	nageates	+S	ventages	+U orageuse
	argente		narguee	+I	siegeant	+T	vegetant	**AEEGORT**
	egarent	+C	ecanguer	+L	agnelets	**AEEGNTX**		+D degotera
	egrenat	+L	engluera		elegants	+I	exigeant	derogeat
	etrange		granulee	+M	sagement	**AEEGNTY**		+G egorgeat
	generat	+N	ennuager		segmenta		egayent	ergotage
	gerante	+O	engouera	+N	genantes	+B	begayent	+L relogeat
	regenta	+S	narguees	+O	etageons	**AEEGNTZ**		+M megotera
	renegat	+T	negateur	+R	argentes	+D	degantez	+P potagere
+A	enrageat	+V	envergua		etranges		degazent	protegea
	rageante	+X	generaux		gerantes	+R	argentez	+R ergotera
+B	abregent	**AEEGNRV**			grenates		ganterez	+U autogene
	engerbat		engrave		regentas		gazerent	outragee
+C	centrage		vengera	**AEEGNSU**		**AEEGNUU**		**AEEGORU**
+D	deganter	+E	engravee		nageuse	+L	enguela	+N engouera
	degreant	+I	vengerai	+C	cagneuse		ungueale	+S orageuse
	deragent	+R	engraver		ecangues	+S	nuageuse	+T autogene
+E	argentee	+S	engraves	+F	fangeuse	**AEEGNUV**		outragee
	renegate		vengeras	+G	gagneuse	+C	encuvage	+V ouvragee
+G	agregent	+T	gaverent	+L	glaneuse	+R	envergua	**AEEGORV**
	gagerent	+U	envergua	+M	mangeuse	**AEEGNUX**		+U ouvragee
+I	egrenait	+Z	engravez	+N	ennuages	+R	generaux	**AEEGOSS**
	erigeant	**AEEGNRX**		+R	narguees	+S	exsangue	+L logeasse
	ganterie	+U	generaux	+S	nageuses	**AEEGNUY**		+R essorage
	gantiere	**AEEGNRY**		+U	nuageuse	+L	langueye	**AEEGOST**
	generait	+A	enrayage	+X	exsangue	**AEEGNUZ**		+F fagotees
	geraient	+I	aegyrine	**AEEGNSV**		+C	ecanguez	+L logeates
	granite	+L	laryngee		vengeas	+N	ennuagez	+N etageons
	gratinee	**AEEGNRZ**		+I	envisage	**AEEGNVZ**		**AEEGOSU**
	greaient		enragez		vengeais	+R	engravez	+L soulagee
	regentai		nagerez	**AEEGNSV**		**AEEGOOS**		+R orageuse
+L	etrangle	+D	derangez		vengeas	+M	aegosome	**AEEGOSX**
	grenelat	+G	gagnerez	+I	envisage	**AEEGOPP**		+M exogames
	regalent		regagnez		vengeais	+R	propagee	

AEEGOTT
+M emottage
AEEGOTU
+N autogene
+R autogene
outragee
AEEGOTX
+I geotaxie
AEEGOUV
+R ouvragee
AEEGPPR
egrappe
egrappee
+E egrappee
+I agrippee
+O propagee
+R egrapper
+S egrappes
+Z egrappez
AEEGPPS
+R egrappes
+T steppage
AEEGPPT
+S steppage
AEEGPPZ
+R egrappez
AEEGPQU
+I equipage
AEEGPRR
arpeger
+A arpegera
+E reperage
+I pierrage
+N epargner
+P egrapper
+S asperger
presager
AEEGPRS
arpeges
asperge
presage
+A arpegeas
aspergea
presagea
+C crepages
percages
+E arpegees
aspergee
presagee
+I piegeras
+N epargnes
+P egrappes
+R asperger
presager
+S asperges
presages
pressage
+Z aspergez
presagez
AEEGPRT
+A arpegeat
partagee
retapage
+I etripage
+M trempage
+N arpegent
+O potagere
protegea

AEEGPRU
+J prejugea
+L pleurage
+X expurgea
AEEGPRV
+A repavage
AEEGPRX
+U expurgea
AEEGPRZ
+V greveras
AEEGPSS
pegases
pesages
+I pigeasse
+R asperges
presages
pressage
AEEGPST
+I peagiste
pigeates
+P steppage
+Y gypaetes
AEEGPSY
+T gypaetes
AEEGPSZ
+R aspergez
presagez
AEEGPTY
gypaete
+S gypaetes
AEEGPUX
+R expurgea
AEEGRRR
ragreer
+A ragreera
+D regarder
+E regreera
AEEGRRS
gereras
greeras
gresera
ragrees
regreas
serrage
+A agreeras
egareras
+B gerberas
+C gerceras
+D regardes
+E ragreees
+F ferrages
+I egrisera
erigeras
gererais
greerais
greserai
regreais
+L greleras
regleras
+M germeras
+N greneras
regneras

+O arrogees
+P asperger
presager
+S agresser
greseras
regressa
serrages
+T terrages
+V greveras
AEEGRRT
regater
regreat
terrage
+A regatera
+I gererait
geriatre
greerait
regatier
regreait
retirage
+N argenter
etranger
garerent
ragerent
ragreent
regreant
rentrage
+O ergotera
+S terrages
+T regratte
regretta
AEEGRRU
+C recurage
+G egrugera
+I aguerira
+L regulera
+M maugreer
+Z arguerez
raguerez
AEEGRRV
grevera
+I graviere
greverai
+N engraver
+S greveras
+Z graverez
AEEGRRX
+E exagerer
AEEGRRZ
garerez
ragerez
ragreez
+D garderez
regardez
+E agreerez
+I gareriez
rageriez
ragreiez
reagirez
+M margerez
+N rangerez
+U arguerez
raguerez
+V graverez
AEEGRSS
agresse

gerasse
greasse
+A agreasse
egarasse
rageasse
+B gerbasse
+C gercasse
+D dressage
+E agressee
+G gresages
+H hersages
+I assieger
graissee
reagisse
siegeras
+L grelasse
largesse
reglasse
+M germasse
gresames
messager
+N grenasse
regnasse
+O essorage
+P asperges
presages
pressage
+R agresser
greseras
serrages
+S agresses
gerasses
greasses
greasse
+T agrestes
geasters
gresates
tressage
+U rageuses
ressuage
+V grevasse
servages
+Y grasseye
+Z agressez
AEEGRST
agreste
geaster
gerates
greates
regates
+A agreates
egarates
etageras
rageates
+B gerbates
+C gercates
+E etageres
+F fregates
+I etirages
gateries
reagites
+L grelates
reglates
+M germates
metrages

+N argentes
etranges
gerantes
grenates
regentas
regnates
+R terrages
+S agrestes
geasters
gresates
tressage
+T grattees
stratege
+U targuees
+V grevates
AEEGRSU
arguees
gerseau
rageuse
+B auberges
+C carguees
creusage
+D draguees
gardeuse
graduees
+F gaufrees
+G egrugeas
gageures
+L larguees
legueras
releguas
+M margeuse
maugrees
mesurage
remuages
+N narguees
+O orageuse
+S rageuses
ressuage
+T targuees
+U augurees
+X gerseaux
AEEGRSV
gravees
servage
sevrage
+A ravagees
+D degrevas
+I viageres
+M grevames
+N engraves
vengeras
+R greveras
+S grevasse
servages
sevrages
+T grevates
AEEGRSX
+A exageras
+E exageres
+I exigeras
+U gerseaux
AEEGRSY
+A egayeras
+S grasseye

AEEGRSZ
+I gazieres
+N ganserez
+P aspergez
   presagez
+S agressez

AEEGRTT
   grattee
+C garcette
+F frettage
+I aigrette
+N gaterent
   regatent
   regentat
+R regratte
   regretta
+S grattees
   stratege
+T targette
+U guettera

AEEGRTU
   targuee
+C curetage
+F feutrage
   furetage
+G egrugeat
+L releguat
+N negateur
+O autogere
   outragee
+S targuees
+T guettera

AEEGRTV
+D degrevat
+E vegetera
+I rivetage
+N gaverent
+S grevates

AEEGRTX
+A exagerat

AEEGRTZ
   gaterez
   regatez
+E etagerez
+I agiterez
   gateriez
   gazetier
   regatiez
+N argentez
   ganterez
   gazerent

AEEGRUU
   auguree
+L elagueur
   gueulera
+S augurees

AEEGRUV
+B breuvage
+L aveugler
+N envergua
+O ouvragee
+Z vaguerez

AEEGRUX
+N generaux
+P expurgea
+S gerseaux
+Z gerzeaux

AEEGRUZ
+B baguerez
+J jaugerez
+L gaulerez
+M maugreez
+R arguerez
   raguerez
+V vaguerez
+X gerzeaux

AEEGRVZ
   gaverez
+I gaveriez
+N engravez
+R graverez
+U vaguerez

AEEGRXZ
+E exagerez
+U gerzeaux

AEEGRYZ
   gazerez
+I gazeriez

AEEGSSS
   sagesse
+I assieges
+L gelasses
+M messages
+N genasses
+R agresses
   gerasses
   greasses
   gresasse
+S sagesses
+U gaussees

AEEGSST
+L lestages
+R agrestes
   geasters
   gresates
   tressage
+U gateuses

AEEGSSU
   gaussee
   usagees
+G gageuses
+J jugeuses
+L galeuses
   leguasse
   lugeasse
+N nageuses
+R rageuses
   ressuage
+S gaussees
+T gateuses
+Y essuyage
+Z gazeuses

AEEGSSV
+R grevasse
   servages
   sevrages

AEEGSSX
   sexages

AEEGSSY
+A egayasse
   essayage
+R grasseye
+U essuyage

AEEGSSZ
+I assiegez
+R agressez
+U gazeuses

AEEGSTT
   tagetes
+E etetages
+I sagittee
+L galettes
+R grattees
   stratege
+Z gazettes

AEEGSTU
   gateuse
+B beguetas
+J jugeates
+L leguates
   lugeates
+R targuees
+S gateuses
+V etuvages

AEEGSTV
   vegetas
+I estivage
   evitates
   vegetais
+N ventages
+R grevates
+U etuvages

AEEGSTY
+A egayates
   etayages
+P gypaetes

AEEGSTZ
+T gazettes

AEEGSUU
+I agueusie
+N nuageuse
+R augurees

AEEGSUV
+L aveugles
+T etuvages
+V veuvages

AEEGSUX
+N exsangue
+R gerseaux

AEEGSUY
+S essuyage

AEEGSUZ
   gazeuse
+S gazeuses

AEEGSVV
+U veuvages

AEEGTTT
+R targette

AEEGTTU
+B baguette
   beguetat
+R guettera

AEEGTTV
   vegetat
+I vegetait
+N vegetant

AEEGTTZ
   gazette
+S gazettes

AEEGTUV
   etuvage
+S etuvages
+X vegetaux

AEEGTUX
+V vegetaux

AEEGTVX
+U vegetaux

AEEGUVV
   veuvage
+S veuvages

AEEGUVX
+T vegetaux

AEEGUVZ
+L aveuglez
+R vaguerez

AEEGUXZ
+R gerzeaux

AEEHHNS
+C hanchees

AEEHHRR
+C herchera

AEEHHRU
+C hachuree

AEEHHRZ
+C hacherez

AEEHHTT
+C hachette

AEEHHTU
+C chahutee

AEEHIIR
+T hetairie

AEEHIIT
+R hetairie

AEEHILL
+B habillee
+C achillee

AEEHILM
   hiemale
+S hiemales

AEEHILN
   haleine
   inhalee
+S haleines
   inhalees
   sahelien
+T helaient
+Z anheliez

AEEHILP
   aphelie
+R parhelie
+S aphelies

AEEHILQ
+U heliaque

AEEHILR
   helerai
+B hablerie
+C echalier
   lecherai
+P parhelie
+S helerais
+T helerait
+Z haleriez

AEEHILS
+M hiemales
+N haleines
   inhalees
+P aphelies
+R helerais
+T heliaste

AEEHILT
+B habilete
+N helaient
+R helerait
+S heliaste
+Z haletiez

AEEHILU
+Q heliaque

AEEHILX
+Z exhaliez

AEEHILZ
+D dehaliez
+N anheliez
+R haleriez
+T haletiez
+X exhaliez

AEEHIMN
+C achemine
   machinee

AEEHIMP
+C empechai
+T empathie

AEEHIMR
+C mecherai

AEEHIMS
+B behaisme
   ebahimes
+L hiemales
+T atheisme
   hematies

AEEHIMT
   hematie
+P empathie
+S atheisme
   hematies
+T hematite

AEEHINN
+C enchaine
+T athenien

AEEHINP
+R heparine

AEEHINR
+B enherbai
+C echinera
   enarchie
+D enhardie
+P heparine

AEEHINS
+C chainees
   chenaies
+L haleines
   inhalees
   sahelien
+T asthenie
+U haineuse
+V envahies

AEEHINT
+B thebaine
+L helaient
+N athenien
+S asthenie

AEEHINU
+S haineuse
AEEHINV
    envahie
+C chevaine
    inacheve
+S envahies
AEEHINZ
+L anheliez
AEEHIPP
+T epitaphe
AEEHIPR
+C eparchie
    pecherai
    repechai
+L parhelie
+N heparine
+T therapie
AEEHIPS
+B biphasee
+D diphasee
+L aphelies
AEEHIPT
+M empathie
+P epitaphe
+R therapie
+T hepatite
AEEHIQU
+L heliaque
AEEHIRR
+C charriee
+D diarrhee
+S herserai
+T heritera
AEEHIRS
+C sacherie
    secherai
+L helerais
+R herserai
+T hesitera
    hetaires
    hetraies
AEEHIRT
    hetaire
    hetraie
+C chatiere
+G heritage
+I hesitera
+L helerait
+P therapie
+R heritera
+S hesitera
    hetaires
    hetraies
+Z hateriez
AEEHIRV
+C archivee
    chavirae
    vacherie
+Z haveriez
AEEHIRX
+B exhibera
AEEHIRZ
+B ebahirez
+D adheriez
+L haleriez
+T hateriez

+V haveriez
AEEHISS
AEEHIST
+B ebahites
    habitees
    hebatais
+C chatiees
+L heliaste
+M atheisme
    hematies
+N asthenie
+R hesitera
    hetaires
    hetraies
AEEHISU
+N haineuse
AEEHISV
+D adhesive
+N envahies
AEEHITT
+B hebetait
+M hematite
AEEHITU
+B habituee
AEEHITZ
+C achetiez
+L haletiez
+R hateriez
AEEHIVZ
+C acheviez
+R haveriez
AEEHIXZ
+L exhaliez
AEEHJRS
+C jacheres
AEEHLLM
+C chamelle
AEEHLLP
+C chapelle
AEEHLLR
+C allecher
    archelle
    harcelle
AEEHLLS
+C alleches
AEEHLLZ
+C allechez
AEEHLMR
+T thermale
+U humerale
AEEHLMS
    helames
+C lechames
+I hiemales
AEEHLMT
+R thermale
AEEHLMU
+R humerale
AEEHLNN
+T anhelent
AEEHLNO
+G halogene
+P anophele
AEEHLNP
    phalene

+O anophele
+S phalenes
+T elephant
AEEHLNR
    anheler
+A anhelera
+B halbrene
+T halerent
AEEHLNS
    anheles
+C senechal
+I haleines
    inhalees
    sahelien
+P phalenes
AEEHLNT
+D dehalent
+I helaient
+N anhelent
+P elephant
+R halerent
+T haletent
+X exhalent
AEEHLNX
+T exhalant
AEEHLNZ
    anhelez
+I anheliez
AEEHLOP
+N anophele
AEEHLOT
+C echalote
    talochee
AEEHLPR
    phalere
+I parhelie
+S phaleres
AEEHLPS
+C sphacele
+I aphelies
+N phalenes
+R phaleres
AEEHLPT
+C chapelet
+N elephant
AEEHLQU
+I heliaque
AEEHLRR
+C harceler
    relacher
AEEHLRS
    heleras
+C harceles
    lecheras
+I helerais
+P phaleres
+T halteres

AEEHLRT
    haleter
    haltere
+A haletera
+C halecret
+I helerait
+M thermale
+N halerent
+S halteres

AEEHLRU
+M humerale
AEEHLRV
+C chevaler
AEEHLRX
    exhaler
+A exhalera
AEEHLRZ
    halerez
+C harcelez
    lacherez
    relachez
+I haleriez
AEEHLSS
    helasse
+C lechasse
+S helasses
AEEHLST
    haletes
    helates
+C chelates
    lachetes
    lechates
+I heliaste
+R halteres
+T athletes
AEEHLSU
+B hableuse
+C chauleuse
    lacheuse
AEEHLSV
+C chevales
AEEHLSX
    exhales
+E exhalees
AEEHLTT
    athlete
+C chatelet
+N haletent
+S athletes
AEEHLTV
+C chevalet
AEEHLTX
+N exhalent
AEEHLTZ
    haletez
+I haletiez
AEEHLVZ
+C chevalez
AEEHLXZ
    exhalez
+I exhaliez
AEEHMMN
+C emmanche
AEEHMMO
+T hematome
AEEHMMS
+C mechames
AEEHMMT
+O hematome
AEEHMNO
+D dahomeen
AEEHMNS
+T methanes
AEEHMNT
    methane
+A anatheme

+C mechante
+S methanes
AEEHMOP
+T apotheme
AEEHMOR
+T atherome
AEEHMOS
+C amoches
+T hematose
AEEHMOT
+M hematome
+P apotheme
+R atherome
+S hematose
AEEHMPR
+C camphree
+G grapheme
AEEHMPS
    emphase
+C empechas
    pechames
+S emphases
AEEHMPT
+C empechat
+I empathie
+O apotheme
AEEHMRR
+C remacher
    remarche
AEEHMRS
+C charmees
    mecheras
    remaches
+E meharees
+S hersames
AEEHMRT
+L thermale
+O atherome
AEEHMRU
+C chremeau
    machuree
+L humerale
+X exhumera
AEEHMRX
+U exhumera
AEEHMRZ
+C macherez
    remachez
AEEHMSS
+C mechasse
    sechames
+P emphases
+R hersames
AEEHMST
+C mechates
+I atheisme
    hematies
+N methanes
+O hematose
+U matheuse
AEEHMSU
    heaumes
+C chaumees
+T matheuse
AEEHMTT
+C machette
+I hematite

AEEHMTU	+C entacher	+C cheneaux	**AEEHPSU**	**AEEHRTV**
+S matheuse	etancher	**AEEHOPT**	+T aphteuse	+N haverent
AEEHMUX	rechante	+M apotheme	**AEEHPSZ**	**AEEHRTY**
+R exhumera	tracheen	**AEEHOPX**	+D dephasez	+D hydratee
AEEHNNO	tranchee	+D hexapode	**AEEHPTU**	**AEEHRTZ**
+T oenanthe	+D adherent	**AEEHORR**	+S aphteuse	haterez
AEEHNNR	+L halerent	+B abhorree	**AEEHPTY**	+C rachetez
rhenane	+N anthrene	**AEEHORS**	+C typhacee	tacherez
+S rhenanes	+P panthere	+B rheobase	**AEEHRRS**	+I hateriez
+T anthrene	+S antheres	**AEEHORT**	hersera	+N hanterez
AEEHNNT	+T haterent	+M atherome	+I herserai	**AEEHRUV**
+C enchante	+V haverent	**AEEHORU**	+S herseras	+C chevreau
+I athenien	+Z hanterez	hersera	**AEEHRRT**	+R varheure
+L anhelent	**AEEHNRV**	+B hobereau	+C racheter	**AEEHRUX**
+O oenanthe	+C revanche	+C echouera	+I heritera	exhaure
+R anthrene	+T haverent	**AEEHOST**	+U heurtera	+M exhumera
AEEHNOP	**AEEHNRZ**	+C cahotees	**AEEHRRU**	+S exhaures
+L anophele	+A ahanerez	**AEEHOTT**	+T heurtera	**AEEHRVZ**
AEEHNOT	+C echarnez	+S athetose	+V varheure	haverez
+N oenanthe	+T hanterez	**AEEHPPR**	**AEEHRRV**	+I haveriez
AEEHNOX	**AEEHNSS**	+A paraphee	+C revercha	**AEEHSSS**
+G hexagone	+C aeschnes	+C echapper	+U varheure	+C asseches
AEEHNPR	chasseen	rechappe	**AEEHRRZ**	chassees
phanere	enchasse	+Z happerez	+D harderez	echasses
+C epancher	ensaches	**AEEHPPS**	**AEEHRSS**	sechasse
penchera	+P saphenes	happees	+A harassee	+L helasses
+I heparine	**AEEHNST**	+C echappes	+C assecher	+R hersasse
+S phaneres	ethanes	**AEEHPPT**	rechasse	+U haussees
+T panthere	hantees	+I epitaphe	secheras	**AEEHSST**
AEEHNPS	+C chantees	**AEEHPPZ**	+G hersages	hastees
saphene	echeants	+C echappez	+M hersames	+C sechates
+C epanches	entaches	+R happerez	+R herseras	+R hersates
+L phalenes	etanches	**AEEHPRR**	+S hersasse	+U aethuses
+R phaneres	+E athenees	+C echarper	+T hersates	**AEEHSSU**
+S saphenes	+I asthenie	perchera	+U rehausse	haussee
+T haptenes	+M methanes	prechera	**AEEHRST**	+C chaussee
heptanes	+P haptenes	rechaper	+C chatrees	+R rehausse
phenates	heptanes	**AEEHPRS**	hectares	+S haussees
AEEHNPT	phenates	+C echarpes	rachetes	+T aethuses
haptene	+R antheres	pecheras	trachees	+V haveuses
heptane	+V havenets	rechapes	+D thesarde	+X exhausse
phenate	**AEEHNSU**	repechas	+I hesitera	**AEEHSSV**
+L elephant	+I haineuse	+D dephaser	hetaires	+U haveuses
+R panthere	**AEEHNSV**	ephedras	hetraies	**AEEHSSX**
+S haptenes	+I envahies	+E apherese	+L halteres	+U exhausse
heptanes	+T havenets	+L phaleres	+N antheres	**AEEHSSZ**
phenates	**AEEHNSZ**	+N phaneres	+S hersates	+C assechez
AEEHNPZ	+C ensachez	**AEEHPRT**	+T theatres	**AEEHSTT**
+C epanchez	**AEEHNTT**	+C repechat	**AEEHRSU**	+C chastete
AEEHNQU	+B hebetant	+I therapie	+C rauchees	tachetes
+E haquenee	+C achetent	+N panthere	+S rehausse	+L athletes
AEEHNRR	+L haletent	**AEEHPRZ**	+X exhaures	+O athetose
+C echarner	+R haterent	+C echarpez	**AEEHRSV**	+R theatres
AEEHNRS	**AEEHNTV**	rechapez	+C vacheres	**AEEHSTU**
+B enherbas	havenet	+P happerez	**AEEHRSX**	aethuse
+C archeens	+C achevent	**AEEHPSS**	+U exhaures	+M matheuse
echarnes	+R haverent	+C pechasse	**AEEHRTT**	+P aphteuse
ensacher	+S havenets	+D dephases	theatre	+S aethuses
+N rhenanes	**AEEHNTX**	+M emphases	+C catheter	**AEEHSTV**
+P phaneres	+L exhalent	+N saphenes	tacheter	+N havenets
+T antheres	**AEEHNTZ**	**AEEHPST**	+N haterent	**AEEHSUV**
AEEHNRT	+C entachez	+C pechates	+S theatres	haveuse
anthere	etanchez	+N haptenes	**AEEHRTU**	+S haveuses
+B enherbat	+R hanterez	heptanes	+C acheteur	**AEEHSUX**
	AEEHNUV	phenates	+R heurtera	+R exhaures
	+A haveneau	+U aphteuse		+S exhausse
	AEEHNUX			

AEEHTTT	**AEEIIMR**	+R epierrai	pieterai	**AEEIJNU**
+C tachette	+C ecimerai	+S epiaires	+R etirerai	+D dejeunai
AEEHTTV	+D remediai	epierais	reiterai	+R jeunerai
+C vachette	+F mefierai	paieries	retiaire	rajeunie
AEEHTTZ	ramifiee	+T epierait	+V eviterai	**AEEIJNV**
+C tachetez	+G imagerie	pieterai	**AEEIIRU**	+L javeline
AEEIIKL	+L elimerai	+X epierrai	+F aurifiee	**AEEIJRR**
+M kaliemie	+S emerisai	+Z paieriez	+G aiguiere	+K jerkerai
AEEIIKM	maiserie	**AEEIIPS**	**AEEIIRV**	**AEEIJRS**
maiserie	+T metairie	+G piegeais	+D devierai	+T rejetais
+L kaliemie	+Z aimeriez	+R epiaires	eviderai	+Z jaseriez
AEEIIKN	**AEEIIMS**	epierais	+N envierai	**AEEIJRT**
+S akinesie	+R emerisai	paieries	veinerai	rejetai
AEEIIKS	maiserie	+S epaissie	+T eviterai	+S rejetais
+N akinesie	**AEEIIMT**	**AEEIIPT**	**AEEIIRX**	+T jetterai
AEEIILL	+P empietai	+G piegeait	+G exigerai	rejetait
+C liliacee	+R metairie	+M empietai	+L exilerai	**AEEIJRU**
+V eveillai	+T emiettai	+N epiaient	+P expierai	+M jaumiere
AEEIILM	**AEEIIMZ**	+R epierait	**AEEIIRZ**	mijauree
+F lamifiee	+C emaciiez	pieterai	+B baieriez	+N jeunerai
+K kaliemie	+N anemiiez	+X epitaxie	+C acieriez	rajeunie
+R elimerai	+R aimeriez	**AEEIIPX**	+D aideriez	**AEEIJRZ**
AEEIILN	**AEEIINN**	+D expediai	+L laieriez	+S jaseriez
+C laciniee	+M inanimee	+R expierai	+M aimeriez	**AEEIJST**
+D enlaidie	**AEEIINP**	+T epitaxie	+P paieriez	+C ejectais
+R lainiere	+F panifiee	**AEEIIPZ**	+R raieriez	+D dejetais
lineaire	+P epepinai	+R paieriez	**AEEIISS**	jadeites
+Z alienie	+R peinerai	**AEEIIRR**	+G siegeais	+R rejetais
AEEIILP	pineraie	+C ecrirai	+P epaissie	**AEEIJSU**
+R epilerai	+T epiaient	+D irradiee	**AEEIIST·**	+D judaisee
AEEIILR	**AEEIINR**	+F reifiera	+G siegeait	**AEEIJSZ**
+D delierai	+D denierai	+G erigerai	**AEEIISU**	+R jaseriez
eliderai	+G gainerie	+L reelirai	+G aiguisee	**AEEIJTT**
+M elimerai	+L lainiere	relierai	**AEEIISX**	+C ejectait
+N lainiere	lineaire	+N renierai	+G exigeais	+D dejetait
lineaire	+P peinerai	+P epierrai	**AEEIITT**	+N jetaient
+P epilerai	pineraie	+S serierai	+D attiedie	+R jetterai
+R reelirai	+R renierai	+T etirerai	+M emiettai	rejetait
relierai	+T ereintai	reiterai	**AEEIITV**	**AEEIJVZ**
+T elitaire	+V envierai	retiaire	+R eviterai	+L javeliez
laiterie	veinerai	+Z raieriez	**AEEIITX**	**AEEFIKLM**
laitiere	**AEEIINS**	**AEEIIRS**	+G exigeait	+I kaliemie
+X exilerai	+D deniaise	+C acieries	+P epitaxie	**AEEIKLT**
+Z laieriez	+K akinesie	cerisaie	**AEEIJKR**	+B bakelite
AEEIILS	**AEEIINT**	+D dieserai	+R jerkerai	**AEEIKNR**
+C lalcisee	+G neigeait	+G erigeais	**AEEIJLN**	+T keratine
+D idealise	+P epiaient	siegerai	+V javeline	**AEEIKNS**
+F salifiee	+R ereintai	+M emerisai	**AEEIJLV**	+I akinesie
AEEIILT	**AEEIINV**	maiserie	+N javeline	**AEEIKNT**
+C tiliacee	+R envierai	+P epiaires	+Z javeliez	+R keratine
+D idealite	veinerai	epierais	**AEEIJLZ**	**AEEIKRR**
+R elitaire	**AEEIINZ**	paieries	+G galejiez	+J jerkerai
laiterie	+L alieniez	+R serierai	+V javeliez	**AEEIKRT**
laitiere	+M anemiiez	**AEEIIRT**	**AEEIJMR**	+N keratine
AEEIILV	**AEEIIPP**	+A etaierai	+B jambiere	+T keratine
+G levigeai	+N epepinai	+D editerai	+U jaumiere	**AEEIKTT**
+L eveillai	+R pepierai	reeditai	mijauree	+R keratite
AEEIILX	**AEEIIPR**	+F faitiere	**AEEIJMU**	**AEEILLL**
+R exilerai	epiaire	ratifiee	+G mejugeai	+G illegale
AEEIILZ	epierai	+G erigeait	+R jaumiere	**AEEILLM**
+N alieniez	paierie	+H hetairie	mijauree	emaille
+R laieriez	+C epicerai	+L elitaire	**AEEIJNR**	maillee
AEEIIMN	+G piegerai	laiterie	+D jardinee	+D demaille
+G imaginee	+L epilerai	laitiere	+U jeunerai	demiella
+N inanimee	+N peinerai	+M retiaire	rajeunie	medaille
+Z anemiiez	pineraie	+N ereintai	**AEEIJNT**	+E emaillee
AEEIIMP	+P pepierai	+P epierait	+T jetaient	+M emmiella
+T empietai				

+P empaille	ileales	+S elimames	**AEEILMT**
+R emailler	+B abeilles	emmelais	+D demelait
remaille	baillees	+T emmelait	+M emmelait
+S emailles	isabelle	**AEEILMN**	+N alimente
maillees	+C caillees	laminee	melaient
mesallie	ecailles	+N malienne	+R malterie
+Z emaillez	+F faillees	melanine	materiel
AEEILLN	faseille	+R minerale	melerait
lineale	+G egailles	+S laminees	+S elimates
+G galileen	legalise	seminale	**AEEILMU**
niellage	+M emailles	+T alimente	+B ameublie
+R niellera	maillees	melaient	+R meulerai
+S lineales	mesallie	**AEEILMO**	**AEEILMV**
+T entaille	+N lineales	+R ameliore	+D medieval
tenaille	+P paillees	**AEEILMP**	**AEEILMX**
+V vanillee	+R airelles	+D pelamide	+S exilames
AEEILLO	arillees	+G empilage	**AEEILMZ**
+D oeillade	erailles	+L empilera	+L emaillez
AEEILLP	raillees	+R emperlai	+P empaliez
paillee	ralliees	empilera	+R lameriez
palliee	sellerai	parmelie	**AEEILNN**
+D depaille	+S aisselle	+S epilames	+B biennale
+M empaille	+T taillees	+Z empaliez	+C lancinee
+R pareille	+V eveillas	**AEEILMR**	+D annelide
+S paillees	**AEEILLT**	elimera	+G agneline
palliees	taillee	melerai	+M malienne
+T paillete	+A allaitee	+B remblaie	melanine
pelletai	+D detaille	+I emmlerai	+S salienne
AEEILLR	+G legalite	+L emailler	+T alienent
airelle	teillage	remaille	+Z anneliez
arillee	+N entaille	+N minerale	**AEEILNP**
eraille	tenaille	+O ameliore	pineale
raillee	+P paillete	+P emperlai	+C capeline
ralliee	pelletai	empilera	epincela
+B braillee	+R retaille	parmelie	+G pelagien
liberale	teillera	+S elimeras	+R perineal
rebellai	+S taillees	melerais	+S penalise
+C ecailler	+T letalite	realisme	pineales
+D deraille	+V eveillat	reliames	+T pateline
+E eraillee	**AEEILLU**	+T malterie	pelaient
+G allergie	+V eluviale	materiel	penalite
egailler	**AEEILLV**	melerait	planeite
gallerie	eveilla	+U meulerai	platinee
graillee	+I eveillai	+Z lameriez	**AEEILNR**
+M emailler	+N eveillan	**AEEILMS**	aliener
remaille	+R revaille	+A malaisee	laniere
+N niellera	reveilla	+D deliames	+A alienera
+P pareille	veillera	demelais	+C crenelai
+R erailler	viellera	elidames	+D delainer
+S airelles	+S eveillas	mediales	+F enfilera
arillees	+T eveillat	+H hiemales	enflerai
erailles	+U eluviale	+L emailles	flanerie
raillees	**AEEILLX**	maillees	lanifere
ralliees	+C excellai	mesallie	+G algerien
sellerai	lexicale	+M elimames	galerien
+T retaille	**AEEILLZ**	emmelais	grenelai
teillera	+C ecaillez	+N laminees	lanigere
+V revaille	+G allegiez	seminale	regalien
reveilla	egaillez	+P epilames	+I lainiere
veillera	+M emaillez	+R elimeras	lineaire
viellera	+R aillerez	melerais	+L niellera
+Z aillerez	allierez	realisme	+M minerale
allierez	eraillez	reliames	+P perineal
eraillez	**AEEILMM**	+S elimasse	pralinee
AEEILLS	emmelai	seismale	+S arlesien
aillees	+L emmiella	+T elimates	enlisera
alliees		+X exilames	

ensilera	**AEEILNS**
lanieres	alienes
lesinera	lainees
+T inaltere	+B abeliens
ralentie	baleines
relaient	+C calinees
+V aleviner	linacees
+Z lainerez	selacien
AEEILNS	+D delaines
alienes	+E alienees
lainees	+G alignees
+B abeliens	ensilage
baleines	geniales
+C calinees	inegales
linacees	signalee
selacien	+H haleines
+D delaines	inhalees
+E alienees	sahelien
+G alignees	+L lineales
ensilage	+M laminees
geniales	seminale
inegales	+N salienne
signalee	+P penalise
+H haleines	pineales
inhalees	+R arlesien
sahelien	enlisera
+L lineales	ensilera
+M laminees	lanieres
seminale	lesinera
+N salienne	+S enliasse
+P penalise	salesien
pineales	+T lesaient
+R arlesien	+U laineuse
enlisera	+V alevines
	avelines
	enlevais
	vaseline
	AEEILNT
	+B belaient
	+C celaient
	etincela
	+D delaient
	dentelai
	+F felaient
	+G gelaient
	gelatine
	genitale
	+H helaient
	+L entaille
	tenaille
	+M alimente
	melaient
	+N alienent
	+P pateline
	pelaient
	penalite
	planeite
	platinee
	+R inaltere

```
        ralentie
        relaient
+S  lesaient
+V  enlevait
        eventail
        levaient
        velaient
        venalite
AEEILNU
+B  banlieue
+C  enucleai
        leucanie
+S  laineuse
AEEILNV
        alevine
        aveline
        enlevai
+B  enviable
+D  denivela
+E  alevinee
+G  evangile
        nivelage
+J  javeline
+L  vanillee
+R  aleviner
+S  alevines
        avelines
        enlevais
        vaseline
+T  enlevait
        eventail
        levaient
        velaient
        venalite
+Z  alevinez
AEEILNZ
        alienez
+C  elanciez
        enlaciez
+D  delainez
+G  agneliez
+H  anheliez
+I  alieniez
+N  anneliez
+R  lainerez
+V  alevinez
AEEILOP
+C  alopecie
+R  poelerai
+S  opalisee
AEEILOR
+B  bariolee
+G  relogeai
+M  ameliore
+P  poelerai
+S  soleaire
+T  aerolite
        etiolera
        etoilera
+V  variolee
AEEILOS
+C  coalisee
+P  opalisee
+R  soleaire
+V  ovalisee
AEEILOT
+R  aerolite

        etiolera
        etoilera
AEEILOV
+C  olivacee
        violacee
+R  variolee
+S  ovalisee
AEEILPP
+Z  appeliez
AEEILPR
        epilera
        paliere
        parelie
        pelerai
+D  depilera
        deplaire
        depilera
        pedalier
+F  parfilee
+H  parhelie
+I  epilerai
+L  pareille
+M  emperlai
        empilera
        parmelie
+N  perineal
        pralinee
+O  poelerai
+R  perlerai
        repliera
+S  epileras
        espalier
        palieres
        parelies
        pelerais
        spiralee
+T  pelerait
+V  prelevai
+Z  laperiez
AEEILPS
        epelais
+C  speciale
+D  deplaise
        lapidees
        peliades
        plaidees
        pleiades
+G  plagiees
+H  aphelies
+L  paillees
        palliees
+M  epilames
+N  penalise
        pineales
+O  opalisee
+R  epileras
        espalier
        palieres
        parelies
        pelerais
        spiralee
+S  epilasse
        palissee
+T  epilates
AEEILPT
        epelait
+L  paillete

        pelletai
+N  pateline
        pelaient
        penalite
        planeite
        platinee
+R  pelerait
+S  epilates
AEEILPU
+Z  epauliez
AEEILPV
+R  prelevai
AEEILPX
+B  expiable
AEEILPZ
+C  capeliez
+D  pedaliez
+M  empaliez
+P  appeliez
+R  laperiez
+U  epauliez
AEEILQU
+G  gaelique
+H  heliaque
AEEILRR
        reelira
        reliera
+A  relaiera
+B  brelerai
        liberera
+C  eclairer
+D  delirera
        ladrerie
+F  ferlerai
        refilera
+G  grelerai
        reglerai
+I  reelirai
        relierai
+L  erailler
+P  perlerai
        repliera
+S  liserera
        realiser
        reeliras
        relieras
+T  arteriel
        ratelier
+Z  raleriez
AEEILRS
        leserai
        realise
        relaies
        saliere
+A  aleserai
        realesai
+B  belerais
        blairees
        bleserai
        sabliere
+C  celerais
        ciselera
        eclaires
        escalier
        recelais
+D  delieras

        elideras
        siderale
+E  realisee
+F  aliferes
        felerais
        feralies
        feriales
        flairees
        salifere
+G  egaliser
        elargies
        galeries
        gelerais
        glairees
        regelais
        reliages
+H  helerais
+L  airelles
        arillees
        eraillees
        raillees
        ralliees
        sellerai
+M  elimeras
        melerais
+N  arlesien
        enlisera
        ensilera
        lanieres
        lesinera
+O  soleaire
+P  epileras
        espalier
        palieres
        parelies
        pelerais
        spiralee
+R  liserera
        realiser
        reeliras
        relieras
+S  leserais
        realises
        reliasse
        salieres
+T  altieres
        ateliers
        eristale
        etaliers
        leserait
        lesterai
        realites
        reliates
+U  aurelies
+V  laveries
        leverais
        relevais
        revelais
        velaires
+X  exileras
+Z  realisez
        resaliez
        saleriez

AEEILRT
        altiere
        atelier
        etalier
        realite
+A  etalerai
+B  batelier
        belerait
        etirable
        retablie
+C  celerait
        recelait
+D  delaiter
        delitera
+E  ateliere
+F  felerait
        filetera
        refletai
+G  aigrelet
        gelerait
        regelait
+H  helerait
+I  elitaire
        laiterie
        laitiere
+L  retaille
        teillera
+M  malterie
        materiel
        melerait
+N  inaltere
        ralentie
        relaient
+O  aerolite
        etiolera
        etoilera
+P  pelerait
+R  arterie
        ratelier
+S  altieres
        ateliers
        eristale
        etaliers
        leserait
        lesterai
        realiste
        realites
        reliates
+T  alterite
        laterite
+U  aleurite
        tauliere
+V  leverait
        relative
        relevait
        revelait
        velerait
+Z  alertiez
        aliterez
        alteriez
        rateliez
        relatiez
AEEILRU
        aurelie
+D  eluderai
+F  feulerai
+G  leguerai
```

releguai		relatiez	**AEEILSV**	televisa	+L emmelait
+M meulerai	+V laveriez		elevais	+Z taveliez	+N emmenait
+S aurelies		relaviez	+A avalisee	**AEEILTX**	**AEEIMNN**
+T aleurite		revaliez	+C vesicale	telexai	+I inanimee
tauliere	+X relaxiez		+D devalise	+S exilates	+L malienne
AEEILRV	+Y layeriez		validees	telexais	melanine
laverie		relayiez	+G levigeas	+T telexait	+R armenien
leverai	**AEEILSS**		+L eveillas	+Z exaltiez	+T anemient
relevai		laissee	+N alevines	**AEEILTZ**	menaient
revelai	+B balisees		avelines	etaliez	+V envenima
velaire	+D delaisse		enlevais	+C eclatiez	**AEEIMNO**
velerai		deliasse	vaseline	+D delaitez	+B abominee
+E eleverai		elidasse	+O ovalisee	detaliez	+X anoxemie
+G levigera	+G egalises		+R laveries	+H haletiez	**AEEIMNP**
+L revaille		glaisees	leverais	+R alertiez	+C emancipe
reveilla	+L aisselle		relevais	aliterez	+D pandemie
veillera	+M elimasse		revelais	alteriez	+S peinames
viellera		seismale	velaires	rateliez	+T paiement
+N aleviner	+N enliasse		velerais	relatiez	**AEEIMNQ**
+O variolee		salesien	+S slavisee	+T atteliez	+U anemique
+P prelevai	+P epilasse		+T estivale	+V taveliez	**AEEIMNR**
+S laveries		palissee	televisa	+X exaltiez	anemier
leverais	+R leserais		+U aveulies	**AEEILUV**	maniere
relevais		realises	**AEEILSX**	aveulie	marinee
revelais		reliasse	alexies	+L eluviale	menerai
velaires		salieres	+M exilames	+S aveulies	ranimee
velerais	+S laissees		+R exileras	+Z evaluiez	reanime
+T leverait	+V slavisee		+S exilasse	**AEEILUZ**	remanie
relative	+X exilasse		+T exilates	+G elaguiez	+A amarinee
relevait	**AEEILST**		telexais	+P epauliez	ameneria
revelait		alitees	**AEEILSY**	+V evaluiez	anemiera
velerait		laitees	+D dialysee	**AEEILVZ**	emanerai
+Z laveriez	+B bestiale		**AEEILSZ**	+D delaviez	+C carminee
relaviez		etablies	alesiez	devaliez	emincera
revaliez	+D delaites		+G egalisez	+J javeliez	+D adermine
AEEILRX		delestai	+R realisez	+N aleviniez	deminera
exilera		deliates	resaliez	+R laveriez	mendiera
+I exilerai		detelais	saleriez	relaviez	+E manieree
+S exileras		dilatees	**AEEILTT**	revaliez	reanimee
+Z relaxiez		elidates	ailette	+T taveliez	remaniee
AEEILRY	+G egalites		+D detelait	+U evaluiez	+F enfermai
+Z layeriez	+H heliaste		+L letalite	**AEEILXZ**	+G geminera
relayiez	+L taillees		+R alterite	+H exhaliez	germaine
AEEILRZ	+M elimates		laterite	+R relaxiez	graminee
laierez	+N lesaient		+S ailettes	+T exaltiez	+L minerale
+C calerez	+P epilates		+X telexait	**AEEILYZ**	+M remmenai
eclairez	+R altieres		+Z atteliez	+D delayiez	+N armenien
laceriez		ateliers	**AEEILTU**	+R layeriez	+R marniere
recaliez		eristale	+R aleurite	relayiez	reanimer
+F erafliez		etaliers	tauliere	**AEEIMMN**	remanier
+G regaliez		leserait	+S laiteuse	emmenai	+S manieres
+H haleriez		lesterai	**AEEILTV**	+R remmenai	marinees
+I laieriez		realiste	elevait	+S emmenais	menerais
+L aillerez		realites	+B evitable	+T emmenait	ranimees
allierez		reliates	+G levigeat	**AEEIMMR**	reanimes
erailliez	+T ailettes		+L eveillat	+D emerdai	remanies
+M lameriez	+U laiteuse		+N enlevait	+G gemmerai	reniames
+N laineriez	+V estivale		eventail	immergea	+T aimerent
+P laperiez		televisa	levaient	+R remmenai	menerais
+R raleriez	+X exilates		velaient	**AEEIMMS**	natremie
+S realisez		telexais	venalite	+C acmeisme	+U enumerai
resaliez	**AEEILSU**		+R leverait	ecimames	+X examiner
saleriez		aieules	relative	+F mefiames	+Z animérez
+T alertiez	+N laineuse		relevait	+L elimames	manieriez
aliterez	+R aurelies		revelait	emmelais	rameniez
alteriez	+T laiteuse		velerait	+N emmenais	reanimez
rateliez	+V aveulies		+S estivale	**AEEIMMT**	remaniez

AEEIMNS
aminees
amnesie
anemies
animees
maniees
semaine
+C mecanise
+D demenais
deniames
medianes
+E anemiees
+G ensimage
magnesie
+L lamienes
seminale
+M emmenais
+P peinames
+R manieres
marinees
menerais
ranimees
reanimes
remanies
reniames
+S amnesies
semaines
+T aisement
amenites
etamines
matinees
semaient
staminee
+U amenuise
manieuse
+V enviames
veinames
+X examines
AEEIMNT
amenite
etamine
matinee
+A aimantee
+C cementai
emacient
+D demenait
mediante
+F mefiante
+G gaiement
+L alimente
melaient
+M emmenait
+N anemient
menaient
+P paiement
+R aimerent
menerait
natremie
+S aisement
amenites
etamines
matinees
semaient
staminee
+T tantieme
+Z entamiez
AEEIMNU

+Q anemique
+R enumerai
+S amenuise
manieuse
+V mauveine
AEEIMNV
+N envenima
+S enviames
veinames
+U mauveine
AEEIMNX
examine
+E examinee
+O anoxemie
+R examiner
+S examines
+Z examinez
AEEIMNZ
ameniez
anemiez
emaniez
+C menaciez
+D amendiez
+G engamiez
menagiez
+I anemiiez
+R animerez
manierez
rameniez
reanimez
remaniez
+T entamiez
+X examinez
AEEIMOR
+L ameliore
+R armoriee
+T atermoie
AEEIMOS
+D amodiees
+T atomisee
AEEIMOT
+D diatomee
+R atermoie
+S atomisee
+Z azotemie
AEEIMOX
+N anoxemie
AEEIMOZ
+T azotemie
AEEIMPP
+S pepiames
AEEIMPQ
+U epimaque
AEEIMPR
+L emperlai
empilera
parmelie
+R empierra
empirera
perimera
+T empetrai
temperai
+Z empariez
pameriez
AEEIMPS
empesai

epiames
+C epicames
+G pigeames
+L epilames
+N peinames
+P pepiames
+S empesais
+T empesait
empestai
empietas
pietames
+X expiames
+Y impayees
AEEIMPT
empieta
+H empathie
+I empietai
+N paiement
+R empetrai
temperai
+S empesait
empestai
empietas
pietames
+T empietat
tempetai
+X exemptai
+Z empatiez
etampiez
AEEIMPU
+Q epimaque
AEEIMPX
+S expiames
+T exemptai
AEEIMPY
impayee
+S impayees
AEEIMPZ
+L empaliez
+R empariez
pameriez
+T empatiez
AEEIMQU
+N anemique
+P epimaque
AEEIMRR
amerrie
arrimee
remarie
+C camerier
cremerai
remercia
+D demarier
merderai
+E fermerai
+F fermerai
refermai
+G emigrera
germerai
+N marniere
reanimer
remanier
+O armoriee
+P empierra
empirera
perimera

+R remarier
+S amerries
arrimees
remaries
remisera
+T meritera
metrerai
+U remuerai
+Z armeriez
marierez
rameriez
rearmiez
remariez
+R meritera
metrerai
AEEIMRS
areisme
emerisa
mariees
semerai
matieres
+B embraies
+C ecimeras
ecremais
ecriames
+D admirees
demaries
readmise
remedias
+F mefieras
+G reagimes
remisage
+I emerisai
maiserie
+L elimeras
melerais
realisme
reliames
+N manieres
marinees
menerais
ranimees
reanimes
remanies
reniames
+R amerries
arrimees
remaries
remisera
+S areismes
emerisas
essaimer
massiere
ressemai
semerais
seriames
+T emerisat
estimera
etirames
matieres
semerait
+U marieuse
AEEIMRT
matiere
+A etamerai
+C ecremait
matricee
+D demerita
diametre
meditera

remediat
+G ermitage
+I metairie
+L malterie
materiel
+N aimerent
menerait
natremie
+O atermoie
+P empetrai
temperai
+R meritera
metrerai
+S emerisat
estimera
etirames
matieres
semerait
+T emettrai
+Z materiez
retamiez
AEEIMRU
+B embuerai
+C ecumerai
+D demeurai
+J jaumiere
mijauree
+L meulerai
+N enumerai
+R remuerai
+S marieuse
AEEIMRV
+B embrevai
AEEIMRX
+N examiner
AEEIMRZ
aimerez
+B abimerez
+C cameriez
maceriez
+D dameriez
demariez
+G emargiez
+I aimeriez
+L lameriez
+N animerez
manierez
rameniez
reanimez
remaniez
+P empariez
pameriez
+R armeriez
marierez
rameriez
rearmiez
remariez
+T retamiez
AEEIMSS
essaime
+B sabeisme
+C ecimasse
+D diesames
+F mefiasse
+L elimasse

seismale
+N amnesies
semaines
+P empesais
+R areismes
emerisas
essaimer
massiere
ressemai
semerais
seriames
+S essaimes
+T tamisees
+Z essaimez
AEEIMST
tamisee
+B abetimes
embetais
+C ecimates
+D editames
mediates
+F mefiates
+H atheisme
hematies
+L elimates
+N aisement
amenites
etamines
matinees
semaient
staminee
+O atomisee
+P empesait
empestai
empietas
pietames
+R emerisat
estimera
etirames
matieres
semerait
+S tamisees
+T emettais
emiettas
etatisme
+V evitames
AEEIMSU
+N amenuise
manieuse
+R marieuse
AEEIMSV
+D deviames
evidames
+N enviames
veinames
+T evitames
AEEIMSX
+L exilames
+N examines
+P expiames
AEEIMSY
+P impayees
AEEIMSZ
+S essaimez
AEEIMTT
emietta
+B embetait

+H hematite
+I emiettai
+N tantieme
+P empietat
tempetai
+R emettrai
+S emettais
emiettas
etatisme
+T emettait
emiettat
AEEIMTU
+S evitames
AEEIMTX
+P exemptai
AEEIMTZ
etamiez
+D dematiez
+N entamiez
+O azotemie
+P empatiez
etampiez
+R materiez
retamiez
+U ameutiez
AEEIMUV
+N mauveine
AEEIMUZ
+T ameutiez
AEEIMXZ
+N examinez
AEEINNN
+C ancienne
nanceien
+T antienne
AEEINNO
+C oceanien
+S oasienne
AEEINNP
paienne
+S paiennes
AEEINNR
arienne
enrenai
+B banniere
+C enracine
incarnee
+E aerienne
+F enfarine
+G argienne
engainer
engrenai
rengaine
+M armenien
+S anserine
ariennes
enrenais
rennaise
+T enraient
enrenait
enterina
entraine
etrennai
tannerie
+U aneurine

ennuiera
+V vannerie
AEEINNS
+C encensai
+D adenines
+F feniales
+G engaines
enseigna
+L salienne
+O oasienne
+P paiennes
+R anserine
ariennes
enrenais
rennaise
+T neantise
tannisee
AEEINNT
+A aneantie
+C centaine
+D denantie
endentai
+G antigene
genaient
gentiane
+H athenien
+L alienent
+M anement
menaient
+N antienne
+R enraient
enrenait
enterina
entraine
etrennai
tannerie
+S neantise
tannisee
+T entaient
tenaient
+V venaient
+X annexite
AEEINNU
+R aneurine
ennuiera
+V neuvaine
AEEINNV
+D advienne
+G angevine
+M envenima
+R vannerie
+T venaient
+U neuvaine
AEEINNX
+T annexite
+Z annexiez
AEEINNZ
+G engainez
+L anneliez
+X annexiez
AEEINOP
+G epongeai
+U epanouie
AEEINOR
+D aneroide
denoiera
+G nageoire

+T notariee
+U enouerai
+X anorexie
exonerai
AEEINOS
+D anodisee
+N oasienne
AEEINOT
+R notariee
+U ouatinee
AEEINOU
+P epanouie
+R enouerai
+T ouatinee
+V evanouie
inavouee
AEEINOV
+U evanouie
inavouee
AEEINOX
+M anoxemie
+R anorexie
exonerai
AEEINPP
epepina
+I epepinai
+S epepinas
+T epepinat
AEEINPQ
+U paniquee
AEEINPR
paniere
peinera
+C epincera
+D epinarde
+G peignera
+H heparine
+I peinerai
pineraie
+L perineal
pralinee
+S eprenais
panieres
peineras
penserai
repensai
+T eprenait
panetier
pantiere
penetrai
repaient
+Z paneriez
AEEINPS
+C capesien
pinacees
sapience
+D depensai
+G paginees
+L penalise
pineales
+M peinames
+N paiennes
+P epepinas
+R eprenais
panieres
peineras
penserai

repensai
+S peinasse
+T patinees
peinates
pesaient
+U punaisee
AEEINPT
patinee
+C capetien
epinceta
patience
+G piegeant
+I epiaient
+L pateline
pelaient
penalite
planeite
platinee
+M paiement
+P epepinat
+R eprenait
panetier
pantiere
penetrai
repaient
+S patinees
peinates
pesaient
+T patiente
petaient
+U taupinee
AEEINPU
+B aubepine
+F peaufine
+O epanouie
+Q paniquee
+S punaisee
+T taupinee
AEEINPZ
+D epandiez
+R paneriez
AEEINQT
+U enquetai
taquinee
AEEINQU
+M anemique
+P paniquee
+T enquetai
taquinee
+X axenique
AEEINQX
+U axenique
AEEINRR
reniera
+A enraiera
+B bernerai
+C cernerai
cranerie
crenerai
encrerai
+F enferrai
freinera
inferera
refrenai
+G egrainer
grenerai
ingerera

regarnie
regnerai
+I renierai
+M marniere
reanimer
remanier
+S enserrai
inserera
reinsera
renieras
resinera
serinera
+T enterrai
entrerai
erraient
renaitre
rentraie
ternaire
+U rainuree
+V enivrera
enverrai
+Z rainerez

AEEINRS

aeriens
aneries
anieres
arsenie
enraies
rainees
+C cesarien
recensai
+D denieras
drainees
radinees
+E arsenine
+F farinees
frenaies
+G anergies
egraines
egrenais
generais
grainees
+L arlesien
enlisera
ensilera
lanieres
lesinera
+M manieres
marinees
menerais
ranimees
reanimes
remanies
reniames
+N anserine
ariennes
enrenais
rennaise
+P eprenais
panieres
peineras
penserai
repensai
+R enserrai
inserera
reinsera
renieras
resinera
serinera
+S arsenies
renaisse
reniasse
+T arsenite
artesien
enterais
ereintas
eternisa
ratinees
reniates
retenais
seraient
stearine
tanieres
trainees
+U eurasien
+V enervais
envieras
ravinees
revenais
veineras
venerais

AEEINRT

aterien
enterai
ereinta
ratinee
reaient
taniere
trainee
+A aeraient
+C acierent
centiare
certaine
creaient
creatine
ctenaire
nectaire
+D aiderent
dentaire
deraient
entraide
eteindra
etendrai
+F enfaiter
feintera
fenetrai
feraient
fientera
+G egrenait
erigeant
ganterie
gantiere
generait
geraient
granitee
gratinee
greaient
regentai
+I ereintai
+K keratine
+L inaltere
ralentie
relaient
+M aimerent
menerait
natremie
+N enraient
enrenait
enterina
entraine
etrennai
tannerie
+O notariee
+P eprenait
panetier
pantiere
penetrai
repaient
+R enterrai
entrerai
erraient
renaitre
rentraie
ternaire
+S arsenite
artesien
ateriens
ereintas
eternisa
ratinees
reniates
retenais
seraient
stearine
tanieres
trainees
+T enterait
ereintat
nattiere
nitratee
rainette
retenait
tartinee
teintera
tenterai
+U eternuai
+V enervait
eventrai
invetera
revaient
revenait
venerait

AEEINRU

+C ceraunie
+J jeunerai
rajeunie
+M enumerai
+N aneurine
ennuiera
+O enouerai
+R rainuree
+S eurasien
+T eternuai

AEEINRV

enervai
enviera
ravinee
veinera
venerai
+C evincera
+D devinera
veinarde
+F enfievra
+G vengerai
+I envierai
veinerai
+L aleviner
+N vannerie
+R enivrera
enverrai
+S enervais
envieras
ravinees
revenais
veineras
venerais
+T enervait
eventrai
invetera
revaient
revenait
venerait
+Z avinerez

AEEINRX

+D indexera
+M examiner
+O anorexie
exonerai

AEEINRY

+G aegyrine
+Z enrayiez

AEEINRZ

+C caneriez
careniez
+F faneriez
+G egrainez
enragiez
gainerez
nageriez
+L lainerez
+M animerez
manierez
rameniez
reanimez
remaniez
+P paneriez
+R rainerez
+S aniserez
+V avinerez
+Y enrayiez

AEEINSS

ainesse
anisees
+B bassinee
sesbanie
+C caseines
encaisse
+D deniasse
+G assignee
saignees
+L enliasse
salesien
+M amnesies
semaines
+P peinasse
+R arsenies
renaisse
reniasse
+S ainesses
+T essaient
satinees
tanisees
+U sanieuse
+V enviasse
vanisees
veinasse
vesanies
+Z asseniez

AEEINST

satinee
tanisee
+C cineaste
+D adenites
andesite
deniates
detenais
edentais
etendais
+F enfaites
+G siegeant
+H asthenie
+L lesaient
+M aisement
amenites
etamines
matinees
semaient
staminee
+N neantise
tannisee
+P patinees
peinates
pesaient
+R arsenite
artesien
ateriens
enterais
ereintas
eternisa
ratinees
reniates
retenais
seraient
stearine
tanieres
trainees
+S essaient
satinees
tanisees
+T anisette
entetais
saintete
tetanies
tetanise
+V enviates
eventais
naivetes
veinates
+X anxietes
+Y seyaient

AEEINSU

+C acineuse

+H haineuse	nattiere	+Z zezaient	+U ouaterie	+L appeliez
+L laineuse	nitratee	**AEEINUV**	**AEEIORU**	**AEEIPQR**
+M amenuise	rainette	+M mauveine	+C ecoeurai	+U equipera
manieuse	retenait	+N neuvaine	+N enouerai	**AEEIPQS**
+P punaisee	tartinee	+O evanouie	+T ouaterie	+U apiquees
+R eurasien	teintera	inavouee	**AEEIORV**	**AEEIPQU**
+S sanieuse	tenterai	**AEEINUX**	+D devoiera	apiquee
+X anxieuse	+S anisette	+C inexauce	+L variolee	+G equipage
AEEINSV	entetais	+Q axenique	**AEEIORX**	+M epimaque
avinees	saintete	+S anxieuse	+N anorexie	+N paniquee
vanisee	tetanies	+T extenuai	exonerai	+R equipera
vesanie	tetanise	**AEEINVX**	**AEEIORZ**	+S apiquees
+D devenais	+T atteinte	+T vexaient	+B aboierez	**AEEIPRR**
viandees	entetait	**AEEINVZ**	**AEEIOSS**	epierra
+G envisage	tetaient	+C encaviez	+C associee	raperie
vengeais	+V eventait	+L alevinez	+R oseraies	rapiere
+H envahies	vetaient	+R avinerez	**AEEIOST**	repaire
+L alevines	**AEEINTU**	+S envasiez	+B baisotee	reperai
avelines	+F infatuee	**AEEINXZ**	+M atomisee	+A repaiera
enlevais	+O ouatinee	+M examinez	**AEEIOSZ**	+C creperai
vaseline	+P taupinee	+N annexiez	+L ovalisee	percerai
+M enviames	+Q enquetai	**AEEINYZ**	+P pavoisee	precaire
veinames	taquinee	+R enrayiez	**AEEIOTU**	rapiecer
+R enervais	+R eternuai	**AEEINZZ**	+N ouatinee	+D deparier
enviaras	+X extenuai	+T zezaient	+R ouaterie	deperira
ravinees	**AEEINTV**	**AEEIOPR**	**AEEIOTX**	draperie
revenais	eventai	+C ecoperai	+G geotaxie	+F preferai
veineras	naivete	+D parodiee	**AEEIOTY**	+G pierrage
venerais	+D devaient	+L poelerai	+P apitoyee	+I epierrai
+S enviasse	devenait	+R opererai	**AEEIOTZ**	+L perlerai
vanisees	deviante	reoperai	+M azotemie	repliera
veinasse	+G negative	**AEEIOPS**	**AEEIOUV**	+M empierra
vesanies	vengeait	+C opiacees	+N evanouie	empirera
+T enviates	+L enlevait	+L opalisee	inavouee	perimera
eventais	eventail	+V pavoisee	**AEEIPPR**	+O opererai
naivetes	levaient	**AEEIOPT**	pepiera	reoperai
veinates	velaient	+Y apitoyee	priapee	+R repairer
+Z envasiez	venalite	**AEEIOPU**	+A appairee	+S epierras
AEEINSX	+N venaient	+N epanouie	appariee	raperies
+M examines	+R enervait	**AEEIOPV**	+C appreciee	rapieres
+T anxietes	invetera	+S pavoisee	epicarpe	repaires
+U anxieuse	revaient	**AEEIOPY**	+D piperade	reperais
AEEINSY	revenait	+T apitoyee	+G agrippee	+T epierrat
+T seyaient	venerait	**AEEIORR**	+I pepierai	etripera
AEEINSZ	+S enviates	+B obererai	+S pepieras	preterai
+R aniserez	eventais	+D eroderai	priapees	repaitre
+S asseniez	naivetes	+M armoriee	+T papetier	repartie
+V envasiez	veinates	+P opererai	peripate	reperait
AEEINTT	+T eventait	reoperai	+U paupiere	+U epurerai
entetai	vetaient	+S roseraie	**AEEIPPS**	+X expirera
etaient	+X vexaient	+T toreerai	apepsie	+Z parieriez
tetanie	**AEEINTX**	**AEEIORS**	+M pepiames	parierez
+C tenacite	anxiete	oseraie	+N epepinas	raperiez
+D detenait	+A anatexie	+B aerobies	+R epepieras	repairez
edentait	+C inexacte	+D ardoisee	priapees	repariez
endettai	+F antefixe	aroidees	+S apepsies	**AEEIPRS**
etendait	+G exigeant	+L soleaire	pepiasse	aspiree
+F fetaient	+N annexite	+R roseraie	pepiates	epieras
+G atteigne	+S anxiates	+S oseraies	**AEEIPPT**	esperai
+J jetaient	+U extenuai	**AEEIORT**	+H epitaphe	paresie
+M tantieme	+V vexaient	+B rabiotee	+N epepinat	pariees
+N entaient	**AEEINTY**	+L aerolite	+R papetier	peserai
tenaient	+S seyaient	etiolera	peripate	repaies
+P patiente	**AEEINTZ**	etoilera	+S pepiates	+C epiceras
petaient	+F enfaitez	+M atermoie	**AEEIPPU**	rapieces
+R enterait	+M entamiez	+N notariee	+R paupiere	recepais
ereintat		+R toreerai	**AEEIPPZ**	

+D deparies
   diaprees
+G piegeras
+I epiaires
   epierais
   paieries
+L epileras
   espalier
   palieres
   parelies
   pelerais
   spiralee
+N eprenais
   panieres
   peineras
   penserai
   repensai
+P pepieras
   priapees
+R epierras
   raperies
   rapieres
   repaires
   reperais
+S aspirees
   epissera
   esperais
   pairesse
   paresies
   peserais
   pessaire
   repaisse
+T asperite
   esperait
   peserait
   pesterai
   peterais
   pieteras
   piratees
   repetais
+U epuisera
   parieuse
+X expieras
+Z saperiez
   separiez

AEEIPRT
   peterai
   pietera
   piratee
   repetai
+A epaterai
+C recepait
+D departie
   depetrai
   depitera
   pediatre
+G etripage
+H therapie
+I epierait
   pieterai
+L pelerait
+M empetrai
   temperai
+N eprenait
   panetier
   pantiere
   penetrai
   repaient
+P papetier
   peripate
+R epierrat
   etripera
   preterai
   repaitre
   repartie
   reperait
+S asperite
   esperait
   peserait
   pesterai
   peterais
   pieteras
   piratees
   repetais
+T peterait
   repetait
+U pieutera
   taupiere
+X expatrie
+Z retapiez
   taperiez

AEEIPRU
+C apieceur
   epucerai
   peaucier
+P paupiere
+Q equipera
+R epurerai
+S epuisera
   parieuse
+T pieutera
   taupiere
+V vipereau
+Z apeuriez

AEEIPRV
+L prelevai
+U vipereau
+Z paveriez
   repaviez

AEEIPRX
   expiera
+C excipera
+I excipera
+R expirera
+S expieras
+T expatrie
+Y apyrexie

AEEIPRY
+X apyrexie
+Z payeriez
   repayiez

AEEIPRZ
   paierez
+C capieriez
   rapiecez
+D depariez
   derapiez
+G arpegiez
+I paieriez
+L laperiez
+M empariez
   pameriez
+N paneriez
+R parerez
   parierez
   raperiez
   repairez
   repaviez
+S saperiez
   separiez
+T retapiez
   taperiez
+U apeuriez
+V paveriez
   repaviez
+Y payeriez
   repayiez

AEEIPSS
   asepsie
   epaisse
+A apaises
+B bipassee
+C epicasse
+G pigeasse
+I epaissie
+L epilasse
   palissee
+M empesais
+N peinasse
+P apepsies
   pepiasse
+R aspirees
   epissera
   esperais
   pairesse
   paresies
   peserais
   pessaire
   repaisse
+S asepsies
   epaisses
   epiasses
+T aseptise
   pietasse
   tapissee
+X expiasse

AEEIPST
   epiates
+B baptisee
+C capitees
   epicates
+G peagiste
+L epilates
+M empestai
   empietas
   pietames
+N patinees
   peinates
   pesaient
+P pepiates
+R asperite
   esperait
   peserait
   pesterai
   peterais
   pieteras
   piratees
   repetais
+S aseptise
   pietasse
   tapissee
+T pietates
+X expiates

AEEIPSU
+D adipeuse
+N punaisee
+Q apiquees
+R epuisera
   parieuse

AEEIPSV
+O pavoisee

AEEIPSX
+D expedias
+M expiames
+R expiases
+S expiasse
+T expiates

AEEIPSY
+M impayees

AEEIPSZ
+C espaciez
+R saperiez
   separiez

AEEIPTT
+H hepatite
+M empietat
   tempetai
+N patiente
   petaient
   repetait
+S pietates

AEEIPTU
+D depiaute
+N taupinee
+R pieutera
   taupiere

AEEIPTV
+C captivee

AEEIPTX
+C exceptai
+D expediat
+I exemptai
+M exemptai
+R expatrie
+S expiates

AEEIPTY
+O apitoyee

AEEIPTZ
   epatiez
+M empatiez
   etampiez
+R retapiez
   taperiez

AEEIPUV
+R vipereau

AEEIPUZ
+L epauliez
+R apeuriez

AEEIPVZ
+D depaviez
+R paveriez
   repaviez

AEEIPXY
+R apyrexie

AEEIPYZ
+C capeyiez
+R payeriez
   repayiez

AEEIQRR
+U arequier
   arquerie

AEEIQRS
+U areiques
   resequai

AEEIQRT
+U queterai

AEEIQRU
+C acquiere
+F aquifere
+P aquipera
+R arequier
+S areiques
   resequai

AEEIQST
+U astiquee

AEEIQSU
+P apiquees
+R areiques
   resequai
+T astiquee

AEEIQTT
+U etatique
   etiqueta

AEEIQTU
+C acetique
+N enquetai
   taquinee
+R queterai
+S astiquee
+T etatique
   etiqueta
+U equeutai

AEEIQUU
+T equeutai

AEEIQUX
+N axenique

AEEIRRR
   arriere
   errerai
+B barriere
+C carriere
   recriera
   reecrira
+E arrieree
+F ferrerai
   rarefier
+M remarier
+P repairer
+S arrieres
   errerais
   serrerai
+T errerait
   retirera
   terrerai
+V reverrai

AEEIRRS
   reerais
   seriera

+A aererais	+B arbitree	**AEEIRRV**	+A essaiera	+F estafier
+C creerais	+C creerait	arrivee	+B braisees	feterais
ecrieras	reciter a	raviere	+C cesserai	refaites
recreais	recreait	reverai	ecriasse	tarifees
+D desirera	retercai	+A avererai	+D dieseras	+G etirages
residera	tercerai	+C creverai	+E reessaie	gateries
siderera	tiercera	recevrai	+F fesserai	reagites
+F rarefies	+D deterrai	+D derivera	fraisees	+H hesitera
referais	detirera	devivera	+G assieger	hetaires
+G egrisera	+F freterai	redevrai	graissee	hetraies
erigeras	referait	+G graviere	reagisse	+J rejetais
gererais	+G gererait	greverai	siegeras	+L altieres
greerais	geriatre	+N enivrera	+L leserais	ateliers
greserai	greerait	enverrai	realises	eristale
regreais	regatier	reverrai	reliasse	etaliers
+H herserai	regreait	+R reverrai	salieres	leserait
+I serierai	retirage	+S arrivees	+M areismes	lesterai
+L liserera	+H heritera	ravieres	emerisas	realiste
realiser	+I etirerai	reservai	essaimer	realites
reeliras	reiterai	reverais	massiere	reliates
relieras	retiaire	reversai	ressemai	+M emerisat
+M amerries	+L arteriel	revisera	semerais	estimera
arrimees	ratelier	sevrerai	seriames	etirames
remaries	+M meritera	verserai	+N arsenies	matieres
remisera	metrerai	+T reverait	renaisse	semerait
+N enserrai	+N enterrai	revetira	reniasse	+N arsenite
inserera	entrerai	+Z varierez	+O oseraies	artesien
reinsera	erraient	**AEEIRRX**	+P aspirees	ateriens
renieras	renaitre	+P expirera	epissera	enterais
resinera	rentraie	+T extraire	esperais	ereintas
serinera	ternaire	**AEEIRRY**	pairesse	eternisa
+O roseraie	+O toreerai	+Z rayerez	paresses	ratinees
+P epierras	+P epierrat	**AEEIRRZ**	peserais	reniates
raperies	etripera	raierez	pessaire	retenais
rapieres	preterai	+B zebrerai	repaisse	seraient
repaires	repaitre	+C carierez	+R serieras	stearine
reperais	repartie	+D draierez	+S ressaies	tanieres
+R arrieres	reparait	raderiez	seriasse	trainees
errerais	+R errerait	radierez	+T asteries	+P asperite
serrerai	retirera	+E aereriez	atresies	esperait
+S serieras	terrerai	+F fraierez	etirasse	peserait
+T aretiers	+S aretiers	rarefiez	ratissee	pesterai
etireras	etireras	+G gareriez	seriates	peteras
ratieres	ratieres	rageriez	starisee	pieteras
reiteras	reiteras	ragreiez	+U aussiere	piratees
resterai	resterai	reagirez	essuiera	repetais
stererai	stererai	+I raieriez	+V asservie	+R aretiers
tarieres	tarieres	+L raleriez	ravisees	etireras
terserai	terserai	+M armeriez	vasieres	ratieres
+V arrivees	+T arterite	marieriez	+Z assierez	reiteras
ravieres	atterrie	rameriez	reassiez	resterai
reservai	reiterat	rearmiez	**AEEIRST**	stererai
reverais	retraite	remariez	asterie	tarieres
reversai	+V reverait	+N raineriez	atresie	terserai
revisera	revetira	+P pareriez	+A etaieras	+S asteries
sevrerai	+X extraire	parieriez	+B abritees	atresies
verserai	+Z arretiez	raperiez	rebaties	etirasse
+Z ariserez	rateriez	repariez	+C ecretais	ratissee
raseriez	tareriez	+S ariserez	ecriates	seriates
AEEIRRT	**AEEIRRU**	raseriez	secretai	starisee
aretier	+F aurifere	+T arretiez	sectaire	+T ariettes
etirera	+G aguerrie	rateriez	+D asteride	attirees
ratiere	+M remuerai	tareriez	dateries	etatiser
reerait	+N rainuree	+V varierez	deratise	etirates
reitera	+P epurerai	+Y rayeriez	desertai	saietter
tariere	+Q arequier	**AEEIRSS**	editeras	testerai
+A aererait	equarrie	ressaie	reeditas	teterais

```
traitees            varietes            reiterat        AEEIRTX             revaliez
+U estuaire      +V ravivees            retraite          extraie       +N avinerez
   sauterie      +X vexerais         +S ariettes       +C excitera       +P paveriez
+V averties      +Z aviserez            attirees          excretai          repaviez
   eviteras      AEEIRSX                etatiser          execrait       +R varierez
   revetais      +C excisera            etirates          exercait       +S aviserez
   savetier         execrais            saietter       +P expatrie       +V aviverez
   varietes         exercais            testerai       +R extraire       AEEIRXY
+X existera      +G exigeras            teterais       +S existera       +P apyrexie
   extasier      +L exileras         +T attitree          extasier       AEEIRXZ
   extraies      +P expieras            teterait          extraies          axeriez
AEEIRSU          +T existera         +V revetait       +T extraire       +L relaxiez
+C causerie         extasier         +X extraite       +V vexerait       +T taxeriez
   sauciere         extraies         +Z taxeriez       +Z taxeriez       AEEIRYZ
+D radieuse      +V vexerais            tateriez       AEEIRTY           +B bayeriez
+L aurelies      AEEIRSZ             AEEIRTU           +A etayerai       +D derayiez
+M marieuse      +B baiserez         +C ecriteau       AEEIRTZ           +L layeriez
+N eurasien         baseriez         +D etudiera       +B abetirez       +N enrayiez
+P epuisera         ebrasiez            reetudia          bateriez       +P payeriez
   parieuse      +C caseriez         +L aleurite       +C ecartiez          repayiez
+Q areiques         ecrasiez            tauliere       +D dateriez       +R rayeriez
   resequai         recasiez         +N eternuai       +E etaierez       AEEIRZZ
+S aussiere      +D derasiez         +O ouaterie       +G agiterez          razziee
   essuiera      +G gazieres         +P pieutera          gateriez       +A zezaiera
+T estuaire      +J jaseriez            taupiere          gazetier       +G gazeriez
   sauterie      +L realisez         +Q queterai          regatiez       +S razziees
AEEIRSV             resaliez         +S estuaire       +H hateriez       AEEISSS
   ravise           saleriez            sauterie       +L alertiez          essaies
   variees       +N aniserez         +V etuverai          aliterez       +B baissees
   vasiere       +P saperiez            evertuai          alteriez       +D diesasse
+A avariees         separiez         +Z zieutera          rateliez       +G assieges
   evaserai      +R ariserez         AEEIRTV              relatiez       +L laissees
+C eviscera         raseriez            avertie        +M materiez       +M essaimes
   recevais      +S assierez            evitera           retamiez       +N ainesses
+D deversai         reassiez            variete        +P retapiez       +P asepsies
   devieras      +V aviserez         +B brevetai          taperiez          epaisses
   devisera      +Z razziees         +C creative       +R arretiez          epiasses
   evideras      AEEIRTT                reactive          rateriez       +R ressaies
   redevais         ariette             recevait          tareriez          seriasse
+G viageres         attiree             veracite       +T retatiez       +T assistee
+L laveries         teterai          +D devetira          tateriez       AEEISST
   leverais         traitee             redevait       +U zieutera       +B abetisse
   relavais      +B batterie         +G rivetage       +X taxeriez       +D diesates
   revelais      +C ecretait         +I eviterai       AEEIRUV              editasse
   velaires      +D reeditat         +L leverait       +F fauverie          tiedasse
   velerais      +E eteterai            relative       +P vipereau       +M tamisees
+N enervais      +F feterait            relevait       +T etuverai       +N essaient
   envieras      +G aigrette            revelait          evertuai          satinees
   ravinees      +J jetterai            velerait       AEEIRUZ              tanisees
   revenais         rejetait         +N enervait       +P apeuriez       +P aseptise
   veinaras      +K keratite            eventrai       +T zieutera          pietasse
   venerais      +L alterite            invetera       AEEIRVV              tapissee
+R arrivees         laterite            revaient          ravivee        +R asteries
   ravieres      +M emettrai            revenait       +S ravivees          atresies
   reservai      +N enterait         +R reverait       +Z aviverez          etirasse
   reverais         ereintat            revetira       AEEIRVX              ratissee
   revisera         nattiere         +S averties          vexerai           seriates
   reversai         nitratee            eviteras       +S vexerais          starisee
   sevrerai         rainette            revetais       +T vexerait       +S assistee
   verserai         retenait            savetier       AEEIRVZ           +T assiette
+S asservie         tartinee            varietes          averiez           attisees
   ravisees         teintera         +T revetait       +B baveriez          etatisse
   vasieres         tenterai         +U etuverai       +C caveriez          saiettes
+T averties      +P peterait            evertuai       +G gaveriez          satietes
   eviteras         repetait         +X vexerait       +H haveriez       +U taiseuse
   revetais      +R arterite                           +L laveriez       +V evitasse
   savetier         atterrie                              relaviez
```

+X extasies	teterais	evasive	+L exaltiez	+U surjalee
AEEISSU	traitees	+R ravivees	+R taxeriez	**AEEJLRU**
+F faiseuse	+S assiette	+S evasives	+S extasiez	+C ejaculer
+N sanieuse	attisees	**AEEISVX**	**AEEITYZ**	+S surjalee
+R aussiere	etatises	+R vexerais	etayiez	+V javeleur
essuiera	saiettes	**AEEISVZ**	**AEEITZZ**	**AEEJLRV**
+T taiseuse	satietes	evasiez	+N zezaient	javeler
AEEISSV	+T etatiste	+N envasiez	**AEEIUVZ**	+U javeleur
avisees	+V evitates	+R aviserez	+C evacuiez	**AEEJLST**
+D deviasse	+Z etatisez	**AEEISXZ**	+L evaluiez	+B jetables
evidasse	saiettez	+D desaxiez	**AEEIUXZ**	**AEEJLSU**
+L slavisee	**AEEISTU**	+T extasiez	+C exauciez	+C ejacules
+N enviasse	+B biseaute	**AEEISYZ**	**AEEIVVZ**	+O jalousee
vanisees	+L laiteuse	+F faseyiez	+R aviverez	+R surjalee
veinasse	+Q astiquee	+S asseyiez	**AEEIVXZ**	**AEEJLSV**
vesanies	+R estuaire	essayiez	+C excavier	javeles
+R asservie	sauterie	**AEEISZZ**	**AEEIYZZ**	+E javelees
ravisees	+S taiseuse	zezaies	+Z zezayiez	+L javelles
vasieres	**AEEISTV**	+R razziees	**AEEIZZZ**	**AEEJLUV**
+T evitasse	+C activees	**AEEITTT**	+Y zezayiez	+R javeleur
+V evasiere	+D devetais	etetait	**AEEJKMR**	**AEEJLUZ**
AEEISSX	deviates	+M emettait	+S jerkames	+C ejaculez
+L exilasse	evidates	emiettat	**AEEJKMS**	**AEEJLVZ**
+P expiasse	sedative	+N atteinte	+R jerkames	javelez
+T extasies	+G estivage	entetait	**AEEJKRR**	+I javeliez
AEEISSY	evitages	tetaient	jerkera	**AEEJMNR**
+Z asseyiez	+L estivale	+R attitree	+I jerkerai	+B enjamber
essayiez	televisa	teterait	+S jerkeras	**AEEJMNS**
AEEISSZ	+M evitames	+S etatiste	**AEEJKRS**	+B enjambes
+B beassiez	+N enviates	**AEEITTU**	+M jerkames	+U jeunames
+G assiegez	eventais	+Q etatique	+R jerkeras	**AEEJMNU**
+M essaimez	naivetes	etiqueta	+S jerkasse	+S jeunames
+N asseniez	veinates	**AEEITTV**	+T jerkates	**AEEJMNZ**
+R assierez	+R averties	+D devetait	**AEEJKRT**	+B enjambez
reassiez	eviteras	+G vegetait	+S jerkates	**AEEJMOR**
+Y asseyiez	revetais	+N eventait	**AEEJKSS**	majoree
essayiez	savetier	vetaient	+R jerkasse	+B jamboree
AEEISTT	varietes	+R revetait	**AEEJKST**	+S majorees
aetites	+S evitasse	+S evitates	+R jerkates	**AEEJMOS**
attisee	+T evitates	**AEEITTX**	**AEEJLLS**	+R majorees
etatise	**AEEISTX**	+L telexait	+V javelles	**AEEJMRS**
etetais	extasie	+R extraite	**AEEJLLV**	+K jerkames
saiette	+E extasiee	**AEEITTZ**	javelle	+O majorees
satiete	+L exilates	+B ebattiez	+S javelles	+U majeures
+B abetites	telexais	+L atteliez	**AEEJLMU**	**AEEJMRU**
+D detestai	+N anxietes	+R retatiez	+G jumelage	majeure
editates	+P expiates	tateriez	**AEEJLNN**	+D mudejare
+E etatisee	+R existera	+S etatisez	+O jalonnee	+G mejugera
saiettee	extasier	saiettez	**AEEJLNO**	+I jaumiere
+F attifees	extraies	**AEEITUU**	+N jalonnee	mijauree
+G sagittee	+S extasies	+Q equeutai	+R enjolera	+S majeures
+L ailettes	+Z extasiez	**AEEITUV**	**AEEJLNR**	**AEEJMSS**
+M emettais	**AEEISTY**	+R etuverai	+O enjolera	+T majestes
emiettas	+N seyaient	evertuai	**AEEJLNT**	**AEEJMST**
etatisme	**AEEISTZ**	**AEEITUX**	+G galejent	jetames
+N anisette	+T etatisez	+N extenuai	**AEEJLNV**	majeste
entetais	saiettez	**AEEITUZ**	+A enjavela	+S majestes
saintete	+X extasiez	+M ameutiez	+E enjavele	**AEEJMSU**
tetanies	**AEEISUU**	+R zieutera	+I javeline	+G jugeames
tetanise	+G agueusie	**AEEITVX**	**AEEJLOR**	mejugeas
+P pietates	**AEEISUV**	+N vexaient	+N enjolera	+N jeunames
+R ariettes	+L aveulies	+R vexerait	**AEEJLOS**	+R majeures
attirees	**AEEISUX**	**AEEITVZ**	+C cajolees	**AEEJMTT**
etatiser	+N anxieuse	+L taveliez	+U jalousee	+B jambette
etirates	**AEEISVV**	**AEEITXZ**	**AEEJLOU**	**AEEJMTU**
saietter	avivees	+D detaxiez	+S jalousee	+G mejugeat
testerai			**AEEJLRS**	

AEEJNNO	+R rajoutee	+I jetterai	+R speakers	+L lamelles
+L jalonnee	+S ajoutees	rejetait	**AEEKRRS**	+M mamelles
AEEJNOR	**AEEJPPR**	+N rejetant	+J jerkeras	+R marelles
+L enjolera	+Z japperez	+S jetteras	**AEEKRSS**	+S sellames
+U ajournee	**AEEJPPS**	**AEEJRTU**	+J jerkasse	+U allumees
AEEJNOU	+U jappeuse	+O rajoutee	+P speakers	**AEELLMT**
+R ajournee	**AEEJPPU**	+S rajustee	+U euskeras	+T mallette
AEEJNRS	+S jappeuse	reajuste	**AEEKRST**	**AEELLMU**
+T jaserent	**AEEJPPZ**	**AEEJRTZ**	+J jerkates	allumee
+U jeuneras	+R japperez	+C jacterez	+O keratose	+N manuelle
AEEJNRT	**AEEJPRR**	**AEEJRUV**	**AEEKRSU**	+P paumelle
+D dejanter	+U parjuree	+L javeleur	euskera	+R rallumee
+S jaserent	**AEEJPRS**	**AEEJRUZ**	+S euskeras	+S allumees
+T rejetant	+Z jasperez	+G jaugerez	**AEEKRTT**	**AEELLMZ**
AEEJNRU	**AEEJPRU**	**AEEJSSS**	+C rackette	+B emballez
jeunera	+G prejugea	+T jetasses	+I keratite	+I emaillez
+I jeunerai	+R parjuree	+U jaseuses	**AEEKSSU**	**AEELLNN**
rajeunie	**AEEJPRZ**	**AEEJSST**	+R euskeras	annelle
+O ajournee	+P japperez	jetasse	**AEELLLM**	+C cannelle
+S jeuneras	+S jasperez	+M majestes	lamelle	+S annelles
AEEJNSS	**AEEJPSS**	+S jetasses	+E lamelle	+U annuelle
+U jeunasse	jaspees	+U ajustees	+O malleole	+V vannelle
AEEJNST	**AEEJPSU**	**AEEJSSU**	+S lamelles	**AEELLNO**
+D dejantes	+P jappeuse	jaseuse	**AEELLLN**	+C lanceole
+R jaserent	**AEEJPSZ**	+G jugeasse	+F flanelle	+G allogene
+U jeunasse	+R jasperez	+N jeunasse	+P planelle	allongee
AEEJNSU	**AEEJQTT**	+S jaseuses	**AEELLLO**	**AEELLNP**
+B bejaunes	+U jaquette	+T ajustees	+M malleole	+L planelle
+D dejeunas	**AEEJQTU**	**AEEJSTT**	**AEELLLP**	**AEELLNR**
+M jeunames	+T jaquette	jetates	+A palleale	+I niellera
+R jeuneras	**AEEJRRS**	+R jetteras	+N planelle	+T allerent
+S jeunasse	+K jerkeras	**AEEJSTU**	**AEELLLU**	**AEELLNS**
+T jeunates	+T jarretes	ajustee	+U laquelle	allenes
AEEJNTT	**AEEJRRT**	+G jugeates	**AEELLLS**	+C nacelles
+C ejectant	jarrete	+N jeunates	alleles	+G agnelles
+D dejetant	+E jarretes	+O ajoutees	+B labelles	+I lineales
+I jetaient	+S jarretes	+R rajustee	+M lamelles	+N annelles
+R rejetant	**AEEJRRU**	+S ajustees	**AEELLLU**	**AEELLNT**
+U jaunette	+O rejouera	**AEEJTTU**	+Q laquelle	+G allegent
AEEJNTU	+P parjuree	+N jaunette	**AEELLMM**	+I entaille
+D dejeunat	**AEEJRSS**	+Q jaquette	mamelle	tenaille
+S jeunates	+K jerkasse	**AEEKKPS**	+I emmiella	+R allerent
+T jaunette	**AEEJRST**	+E keepsake	+S mamelles	+V vantelle
AEEJNTZ	rejetas	**AEEKMRS**	**AEELLMN**	**AEELLNU**
+D dejantez	+I rejetais	remakes	+C mancelle	+M manuelle
AEEJORR	+K jerkates	+U manuelle	+U manuelle	+N annuelle
+U rejouera	+N jaserent	+J jerkames	**AEELLMO**	**AEELLNV**
AEEJORS	+R jarretes	**AEEKNNS**	+L malleole	+I vanillee
+M majorees	+T jetteras	+Y kenyanes	**AEELLMP**	+N vannelle
+U ajourees	+U rajustee	**AEEKNNY**	+I empaille	+T vantelle
AEEJORT	reajuste	kenyane	+U paumelle	**AEELLOR**
+U rajoutee	**AEEJRSU**	+S kenyanes	**AEELLMR**	+G glareole
AEEJORU	+B abjurees	**AEEKNRT**	marelle	**AEELLOS**
ajouree	+D adjurees	+I keratine	+B emballer	+U allouees
+D dejouera	+L surjalee	**AEEKNSY**	+I emailler	+V alveoles
+N ajournee	+M majeures	yankees	remaille	**AEELLOU**
+R rejouera	+N jeuneras	+N kenyanes	+S marelles	allouee
+S ajourees	+O ajourees	**AEEKORS**	+U rallumee	+S allouees
+T rajoutee	+T rajustee	+T keratose	**AEELLMS**	**AEELLOV**
AEEJOST	reajuste	**AEEKORT**	+B emballes	alveole
+U ajoutees	**AEEJRSZ**	+S keratose	+C camelles	+E alveole
AEEJOSU	jaserez	**AEEKOST**	+G gamelles	+S alveoles
+L jalousee	+I jaseriez	+R keratose	+I emailles	**AEELLOY**
+R ajourees	+P jaserez	**AEEKPRS**	maillees	+D deloyale
+T ajoutees	**AEEJRTT**	speaker	mesallie	**AEELLPP**
AEEJOTU	jettera	+S speakers		appelle
ajoutee	rejetat	**AEEKPSS**		+R rappelle

+S appelles
AEELLPR
+C carpelle
   parcelle
+E epellera
+G pellagre
+I pareille
+P rappelle
+U pleurale
AEELLPS
+C capelles
   capselle
+I pailliees
   palliees
+P appelles
+T patelles
   pelletas
AEELLPT
   patelle
   pelleta
+I paillete
   pelletai
+S patelles
   pelletas
+T pelletat
AEELLPU
+M paumelle
+R pleurale
AEELLQR
+U querella
AEELLQU
+L laquelle
+R querella
AEELLRR
+C carrelle
+I erailler
AEELLRS
   sellera
+B rebellas
+C sarcelle
   scellera
   sclerale
+G allegres
+I airelles
   arillees
   eraillees
   raillees
   ralliees
   sellerai
+M marelles
+S selleras
+T ratelles
AEELLRT
   ratelle
+A laterale
+B bellatre
   rebellat
+I retaille
   teillera
+N allerent
+S ratelles
+Z tallerez
AEELLRU
+G alleguer
+M rallumee
+P pleurale
+Q querella

AEELLRV
+G gravelle
+I revaille
   reveilla
   veillera
   viellera
AEELLRZ
+B ballerez
+D dallerez
+I aillerez
   allierez
   eraillez
+T tallerez
AEELLSS
+B baselles
   sabelles
+D dessella
+I aisselle
+M sellames
+R selleras
+S sellasse
+T sellates
AEELLST
   letales
+B tabelles
+C catelles
+G stellage
+I taillees
+P patelles
   pelletas
+R ratelles
+S sellates
+T attelles
+U luteales
+V tavelles
AEELLSU
+C calleuse
+G allegues
+M allumees
+O allouees
+T luteales
+V valleuse
AEELLSV
   vallees
+C clavelse
+I eveillas
+J javelles
+O alveoles
+T tavelles
+U valleuse
AEELLSX
+C excellas
AEELLSZ
+G gazelles
AEELLTT
   attelle
+I letalite
+M mallette
+P pelletat
+S attelles
AEELLTU
   luteale
+C actuelle
+S luteales
AEELLTV
   tavelle
+I eveillat

+N vantelle
+S tavelles
AEELLTX
+C excellat
AEELLTZ
+R tallerez
AEELLUV
+I eluviale
+S valleuse
AEELLUZ
+G alleguez
AEELMMN
   malmene
+E malmenee
+F enflamme
+O melanome
   melomane
+R malmener
+S malmenes
+T emmelant
   emmental
+Z malmenez
AEELMMO
+N melanome
   melomane
AEELMMR
+E emmelera
+N malmener
AEELMMS
   emmelas
   melames
+F flammees
+I elimames
   emmelais
+L mamelles
+N malmenes
+U mamelues
   meulames
AEELMMT
   emmelat
+I emmelait
+N emmelant
   emmental
AEELMMU
   mamelue
+S malmeues
   meulames
AEELMMZ
+N malmenez
AEELMNN
+I malienne
   melanine
AEELMNO
+C amoncele
   cameleon
+M melanome
   melomane
+S melanose
AEELMNP
+T empalent
   lapement
AEELMNR
+D aldermen
+G melanger
+I minerale
+M malmener
+T lamenter

   lamerent
   maternel
   ralement
+U numerale
AEELMNS
+A amensale
   melenas
   melaenas
+F enflames
+G melanges
+I laminees
   seminale
+M malmenes
+O melanose
+T lamentes
   manteles
   mentales
   salement
AEELMNT
   lamente
   mantele
   mentale
+A amentale
+C lacement
+D demelant
+E lamentee
   mantelee
+I alimente
   melaient
+M emmelant
   emmental
+P empalent
   lapement
+R lamenter
   lamerent
   maternel
   ralement
+S lamentes
   manteles
   mentales
   salement
+T mantelet
+V lavement
+Z lamentez
AEELMNU
+L manuelle
+R numerale
+V malvenue
AEELMNV
+T lavement
+U malvenue
AEELMNZ
+G melangez
+M malmenez
+T lamentez
AEELMOP
+S poelames
+U ampoulee
AEELMOR
+D modelera
   remodela
+F femorale
+I ameliore
AEELMOS
+G logeames
+N melanose
+P poelames

+U mausolee
AEELMOT
+C camelote
   colmatee
+G moletage
+T matelote
AEELMOU
+P ampoulee
+S mausolee
AEELMPR
   empaler
   emperla
+A empalera
+C remplace
+E peramele
+G remplage
+I emperlai
   empilera
   parmelie
+S emperlas
   perlames
+T emperlat
   emplatre
+Z lamperez
   palmerez
AEELMPS
   empales
   lampees
   palmees
   pelames
+E empalees
   epelames
+I epilames
+O poelames
+R emperlas
   perlames
+T meplates
AEELMPT
   meplate
+N empalent
+R emperlat
   emplatre
+S meplates
+T palmette
AEELMPU
+L paumelle
+O ampoulee
AEELMPY
+D pelamyde
AEELMPZ
   empalez
+I empaliez
+R lamperez
   palmerez
AEELMRR
+C reclamer
+T marteler
AEELMRS
   meleras
+A alarmees
+B brelames
   semblera
+C reclames
+F ferlames
+G grelames
   reglames

+I	elimeras	
	melerais	
	realisme	
	reliames	
+L	marelles	
+P	emperlas	
	perlames	
+T	martelas	
+U	meuleras	

AEELMRT

	martele	
+E	martelee	
+H	thermale	
+I	malterie	
	materiel	
	melerait	
+N	lamenter	
	lamerent	
	maternel	
	ralement	
+P	emperlat	
	emplatre	
+R	marteler	
+S	marteles	
+X	extremal	
+Z	marterez	
	martelez	

AEELMRU

	meulera	
+B	meublera	
	remeubla	
+G	meuglera	
+H	humerale	
+I	meulerai	
+L	rallumee	
+N	numerale	
+S	meuleras	

AEELMRV

+B	emblaver

AEELMRX

+C	exclamer
+T	extremal

AEELMRY

+B	remblaye

AEELMRZ

	lamerez
+B	amblerez
	blamerez
+C	calmerez
	clamerez
	maclerez
	reclamez
+I	lameriez
+P	lamperez
	palmerez
+T	malterez
	martelez

AEELMSS

	lesames
	melasse
+A	alesames
+B	assemblé
	blesames
+I	elimasse
	seismale
+L	sellames
+S	melasses

+T	lestames
+U	meulasse

AEELMST

	maltees
	melates
+A	etalames
+I	elimates
+N	lamentes
	manteles
	mentales
	salement
+P	meplates
+R	marteles
+S	lestames
+U	meulates

AEELMSU

+B	ambleuse
+C	emascule
	maculees
	ulmacees
+D	demusela
	eludames
+F	feulames
+G	leguames
	lugeames
	meulages
+L	allumees
+M	mamelues
	meulames
+O	mausolee
+R	meuleras
+S	meulasse
+T	meulates

AEELMSV

	levames
	velames
+B	emblaves
+E	elevames

AEELMSX

+A	malaxees
+C	exclames
+I	exilames

AEELMTT

+B	mettable
+L	mallette
+N	mantelet
+O	matelote
+P	palmette
+U	amulette

AEELMTU

+S	meulates
+T	amulette

AEELMTV

+N	lavement

AEELMTX

+R	extremal

AEELMTZ

+N	lamentez
+R	malterez
	martelez

AEELMUV

+N	malvenue

AEELMVZ

+B	emblavez

AEELMXZ

+C	exclamez

AEELNNO

+G	galonnee
+J	jalonnee
+T	etalonne
	talonnee

AEELNNP

+A	epannela
+E	epannele

AEELNNR

	anneler
+T	lanterne

AEELNNS

	anneles
+C	canneles
+E	annelees
+I	salienne
+L	annelles
+T	annelets
+U	annulees

AEELNNT

	annelet
+C	elancent
	enlacent
+H	anhelent
+I	alienent
+O	etalonne
	talonnee
+R	lanterne
+S	annelets
+V	enlevant

AEELNNU

	annulee
+L	annuelle
+S	annulees

AEELNNV

+L	vannelle
+T	enlevant

AEELNNZ

	annelez
+I	anneliez

AEELNOP

+H	anophele

AEELNOR

+C	lecanore
	olecrane
+D	leonarde
+J	enjolera
+R	enrolera
+T	entolera
+U	aleurone
+V	envolera

AEELNOS

+M	melanose

AEELNOT

+G	entolage
+N	etalonne
+R	entolera

AEELNOU

+G	louangee
+R	aleurone

AEELNOV

+R	envolera

AEELNPQ

+U	planquee

AEELNPR

	eperlan
+B	prenable

+I	perineal
	pralinee
+S	eperlans
+T	laperent
	paternel
	replante
+Z	planerez

AEELNPS

	penales
	planees
+B	pensable
+H	phalenes
+I	penalise
	pineales
+R	eperlans
+T	planetes
	plantees
+Z	planezes

AEELNPT

	epelant
	planete
	plantee
+C	pentacle
+D	deplante
	pedalent
+H	elephant
+I	pateline
	pelaient
	penalite
+M	empalent
	lapement
+R	laperent
	paternel
	replante
+S	planetes
	plantees
+U	epaulent

AEELNPU

+D	paludeen
+G	epagneul
+Q	planquee
+T	epaulent

AEELNPZ

	planeze
+R	planerez
+S	planezes

AEELNQU

+F	flanquee
+P	planquee

AEELNRR

+B	ebranler
+C	relancer
	renacler
+F	renflera
+O	enrolera
+T	alterner

AEELNRS

	renales
+B	branlees
	ebranles
	ensabler
+C	crenelas
	relances
	renacles

+F	enfleras
	falernes
+G	grenelas
+I	arlesien
	enlisera
	ensilera
	lanieres
	lesinera
+P	eperlans
+T	alternes
	resalent
	salerent
	sternale
+U	neurales
+V	vernales

AEELNRT

	alterne
+A	alaterne
+B	rentable
+C	calerent
	centrale
	crenelat
	lacerent
	recalent
	recelant
+E	alternee
+F	eraflent
+G	etrangle
	grenelat
	regalent
	regalent
+H	halerent
+I	inaltere
	ralentie
	relaient
+L	allerent
+M	lamenter
	lamerent
	maternel
	ralement
+N	lanterne
+O	entolera
+P	laperent
	paternel
	replante
+R	alterner
	ralerent
+S	alternes
	resalent
	salerent
	sternale
+T	alertent
	alterent
	relatent
+V	laverent
	relavent
	relevant
	revalent
	revelant
	ventrale
+X	relaxent
+Y	layerent
	relayent
+Z	alternez

AEELNRU

	neurale
+F	enfleura

+G engluera
  granulee
+M numerale
+O aleurone
+S neurales
AEELNRV
  vernale
+C enclaver
+E enlevera
+I aleviner
+O envolera
+S vernales
+T laverent
  relavent
  relevant
  revalent
  revelant
  ventrale
AEELNRX
+T relaxent
AEELNRY
+G laryngee
+T layerent
  relayent
AEELNRZ
+B ebranlez
+C lancerez
  relancez
  renaclez
+F flanerez
+G glanerez
  langerez
+I lainerez
+P planerez
+T alternez
AEELNSS
+B ensables
+C scalenes
+F enflasse
+G sanglees
+I enliasse
  salesien
AEELNST
  alesent
+B belantes
  tenables
+C latences
+D dentales
  dentelas
+F enflates
+G agnelets
  elegants
+I lesaient
+M lamentes
  manteles
  mentales
  salement
+N annelets
+P planetes
  plantees
+R alternes
  resalent
  salerent
  sternale
+T latentes
AEELNSU
+C canulees

  enucleas
  lanceuse
+F falunees
  flaneuse
+G glaneuse
+I laineuse
+N annulees
+R neurales
AEELNSV
  enlevas
  venales
+C enclaves
  valences
+I alevines
  avelines
  enlevais
  vaseline
+R vernales
AEELNSY
+A analysee
AEELNSZ
+A alezanes
+B ensablez
+P planezes
AEELNTT
  etalent
  latente
+C eclatent
  lancette
+D dentelat
  detalent
  detelant
+G gantelet
+H haletent
+M mantelet
+R alertent
  alterent
  relatent
+S latentes
+X exaltent
  telexant
AEELNTU
+C enucleat
+G elaguent
+P epaulent
+V evaluent
AEELNTV
  elevant
  enlevat
+D delavent
  devalent
+I enlevait
  eventail
  levaient
  velaient
  venalite
+L vantelle
+M lavement
+N enlevant
+R laverent
  relavent
  relevant
  revalent
  revelant
  ventrale
+U evaluent
AEELNTX

+H exhalent
+R relaxent
+T exaltent
  telexant
AEELNTY
+D delayent
+R layerent
  relayent
AEELNTZ
+M lamentez
+R alternez
AEELNUU
+G engueula
  ungueale
AEELNUV
+M malvenue
+T evaluent
AEELNUY
+G langueye
AEELNVZ
+C enclavez
+I alevinez
AEELOPR
  poelera
+B operable
+D leoparde
+I poelerai
+S poeleras
+T peletora
+V varlopee
AEELOPS
  salopee
+C escalope
+I opalisee
+M poelames
+R poeleras
+S poelasse
  salopees
+T poelates
AEELOPT
+B pelobate
+G pelotage
+R peletora
+S poelates
AEELOPU
+M ampoulee
AEELOPV
+R varlopee
AEELORR
+B elaborer
+C recolera
+G relogera
+N enrolera
+T tolerera
+U aureoler
  relouera
+V revolera
AEELORS
  areoles
+B boreales
  elabores
+C racolees
+D desolera
+G relogeas
+I soleare
+P poeleras
+S soleares

+T oestrale
  oleastre
+U aureoles
+Z azeroles
AEELORT
+C ecolatre
+G relogeat
+I aerolite
  etiolera
  etoilera
+N entolera
+P pelotera
+R tolerera
+S oestrale
  oleastre
AEELORU
+B eboulera
  labouree
+C ecoulera
+D aleurode
+E aureolee
+N aleurone
+R aureoler
  relouera
+S aureoles
+V evoluera
+Z aureolez
AEELORV
+I variolee
+N envolera
+P varlopee
+R revolera
+U evoluera
AEELORY
+C caloyere
AEELORZ
  azerole
+B elaborez
+S azeroles
+U aureolez
AEELOSS
  assolee
+G logeasse
+P poelasse
  salopees
+R soleares
+S assolees
+U saoulees
AEELOST
+F foetales
+G logeates
+P poelates
+R oestrale
  oleastre
+U aleoutes
AEELOSU
  saoulee
+B aboulees
+G soulagee
+J jalousee
+L allouees
+M mausolee
+R aureoles
+S saoulees
+T aleoutes
AEELOSV

+C sacoleve
+I ovalisee
+L alveoles
AEELOSZ
+R azeroles
AEELOTT
+C calottee
+M matelote
+U alouette
AEELOTU
  aleoute
+S aleoutes
+T alouette
AEELOUV
+R evoluera
AEELOUZ
+R aureolez
AEELPPR
  appeler
  rappele
+E rappelee
+L rappelle
+R rappeler
+S rappeles
+U peuplera
+Z palperez
  rappelez
AEELPPS
  appeles
  palpees
+E appelees
+L appelles
+R rappeles
AEELPPU
+D depeupla
  peuplade
+R peuplera
  repeupla
AEELPPZ
  appelez
+I appeliez
+R palperez
  rappelez
AEELPQS
+U plaquees
AEELPQU
+N planquee
+S plaquees
AEELPRR
  perlera
  reparle
+C replacer
+I perlerai
  repliera
+P rappeler
+R reparler
+S perleras
  reparles
+T replatre
+U pleurera
+Z parlerez
  reparlez
AEELPRS
  parlees
  peleras

```
        relapse
+C  percales
    replaces
+H  phaleres
+I  epileras
    espalier
    palieres
    parelies
    pelerais
    spiralee
+M  emperlas
    perlames
+N  eperlans
+O  poeleras
+P  rappeles
+R  perleras
    reparles
+S  perlasse
    prelasse
    relapses
+T  alpestre
    palestre
    perlates
    platrees
    salpetre
+U  parleuse
+V  prelevas
    prevales
    vesperal
```

AEELPRT
```
    platree
+D  deplatre
+I  pelerait
+M  emperlat
    emplatre
+N  laperent
    paternel
    replante
+O  pelotera
+R  replatre
+S  alpestre
    palestre
    perlates
    platrees
    salpetre
+U  plateure
+V  prelevat
```

AEELPRU
```
    epauler
+A  epaulera
    lapereau
+D  pedaleur
+G  pleurage
+L  pleurale
+P  peuplera
    repeupla
+R  pleurera
+S  parleuse
+T  plateure
+V  prevalue
```

AEELPRV
```
    preleva
    prevale
+I  prelevai
+O  varlopee
+S  prelevas
    prevales
```


```
        vesperal
+T  prelevat
+U  prevalue
+Z  prevalez
```

AEELPRZ
```
    laperez
+C  placerez
    replacez
+I  laperiez
+M  lamperez
+N  planerez
+P  palperez
+R  parlerez
    reparlez
+V  prevalez
```

AEELPSS
```
    pelasse
    sepales
+C  scalpees
+E  epelasse
+I  epilasse
    palissee
+O  poelasse
    salopees
+R  perlasse
    prelasse
    relapses
+S  pelasses
+T  septales
```

AEELPST
```
    pelates
    petales
    platees
    septale
    tepales
+A  apetales
+C  capelets
+E  epelates
+I  epilates
+L  patelles
    pelletas
+M  meplates
+N  planetes
    plantees
+O  poelates
+R  alpestre
    palestre
    perlates
    platrees
    salpetre
+S  septales
+T  palettes
    peltaste
+U  spatulee
```

AEELPSU
```
    epaules
+C  capsulee
    placeuse
+E  epaulees
+Q  plaquees
+R  parleuse
+T  spatulee
```

AEELPSV
```
+R  prelevas
    prevales
```


```
        vesperal
```

AEELPSZ
```
+N  planezes
```

AEELPTT
```
    palette
+C  placette
+L  pelletat
+M  palmette
+S  palettes
+U  paulette
```

AEELPTU
```
+C  pultacee
+N  epaulent
+R  plateure
+S  spatulee
+T  paulette
```

AEELPTV
```
+R  prelevat
```

AEELPUV
```
+R  prevalue
```

AEELPUZ
```
    epaulez
+I  epauliez
```

AEELPVZ
```
+R  prevalez
```

AEELQRU
```
+B  querable
+C  craquele
+L  querella
+Z  laquerez
```

AEELQRZ
```
+U  laquerez
```

AEELQST
```
+U  talquees
```

AEELQSU
```
    laquees
    queleas
+C  calquees
+P  plaquees
+T  talquees
```

AEELQTU
```
    talque
+C  claquete
+S  talquees
```

AEELQUZ
```
+R  laquerez
```

AEELRRR
```
+C  carreler
+P  reparler
+U  leurrera
```

AEELRRS
```
    resaler
+A  resalera
+B  breleras
+C  carreles
+E  realeser
+F  ferleras
+G  greleras
    regleras
+I  liserera
    realiser
    reeliras
    relieras
+P  perleras
    reparles
```


```
+V  reversal
```

AEELRRT
```
    alerter
    alterer
    rateler
    relater
+A  alertera
    alterera
    relatera
+B  blaterer
+C  carrelet
+F  frelater
+I  arteriel
    ratelier
+M  marteler
+N  alterner
    ralerent
+O  tolerera
+P  replatre
+U  ureteral
    uretrale
```

AEELRRU
```
+C  reculera
    ulcerera
+D  ruderale
+F  eraflure
    fleurera
    refluera
+G  regulera
+O  aureoler
    relouera
+P  pleurera
+R  leurrera
+T  ureteral
    uretrale
+Y  relayeur
```

AEELRRV
```
    relaver
+A  relavera
+E  relevera
    revelera
+O  revolera
+S  reversal
```

AEELRRX
```
    relaxer
+A  relaxera
```

AEELRRY
```
    relayer
+A  relayera
+U  relayeur
```

AEELRRZ
```
    ralerez
+B  rablerez
+C  carrelez
    raclerez
+D  larderez
    lezarder
+P  parlerez
    reparlez
```

AEELRSS
```
    leseras
    resales
+A  aleseras
    realesas
+B  bleseras
```


```
        blessera
        brelasse
+C  reclasse
    sarclees
+D  delasser
    dessaler
+E  realeses
    resalees
+F  ferlasse
+G  grelasse
    largesse
    reglasse
+I  leserais
    realises
    reliasse
    salieres
+L  selleras
+O  soleares
+P  perlasse
    prelasse
    relapses
+T  lesteras
+U  aleseurs
    raleuses
+Z  lasserez
```

AEELRST
```
    alertes
    alteres
    lestera
    rateles
    relates
+A  etaleras
    realesat
+B  blateres
    brelates
+C  rectales
    scelerat
+E  alertees
    alterees
    ratelees
    relates
+F  ferlates
    frelates
    refletas
+G  grelates
    reglates
+H  halteres
+I  altieres
    ateliers
    eristale
    etaliers
    leserait
    lesterai
    realiste
    realites
    reliates
+L  ratelles
+M  marteles
+N  alternes
    resalent
    salerent
    sternale
+O  oestrale
    oleastre
+P  alpestre
    palestre
```

perlates
platrees
salpetre
+S lesteras
AEELRSU
aleseur
laurees
raleuse
+C eclusera
racleuse
+D eluderas
+F feuleras
+G larguees
legueras
releguas
+I aurelies
+J surjalee
+M meuleras
+N neurales
+O aureoles
+P parleuse
+S aleseurs
raleuses
+V revalues
sureleva
+Z saluerez
AEELRSV
larvees
leveras
relaves
relevas
revelas
veleras
+A ravalees
+B balevres
verbales
+C cervelas
+E eleveras
relavees
+I laveries
leverais
relevais
revelais
velaires
velerais
+N vernales
+P prelevas
prevales
vesperal
+R reversal
+U revalues
sureleva
+Z valserez
AEELRSX
relaxes
+E relaxees
+I exileras
AEELRSY
relayes
+C clayeres
+E relayees
AEELRSZ
resalez
salerez
+B blaserez
sablerez
+D lezardes

+E aleserez
realesez
+I realisez
resaliez
saleriez
+O azeroles
+S lasserez
+U saluerez
+V valserez
AEELRTT
atteler
+B brettela
+C raclette
+F refletat
+I alterite
laterite
+N alertent
alterent
+V levretta
+Z latterez
AEELRTU
+A laureate
+B bateleur
bleuatre
tuberale
+C eclateur
+D adultere
delateur
deleatur
delutera
+G releguat
+I aleurite
tauliere
+P plateure
+R ureteral
uretrale
+V tavelure
+X exultera
+Z zelateur
AEELRTV
relevat
revelat
taveler
+C claveter
+I leverait
relative
relevait
revelait
velerait
+N laverent
relavent
relevant
revalent
revelant
ventrale
+P prelevat
+U tavelure
AEELRTX
exalter
+A exaltera
+E telexera
+M extremal
+N relaxent
+U exultera
AEELRTY

+N layerent
relayent
AEELRTZ
alertez
alterez
ratelez
relatez
+B blaterez
tablerez
+C calterez
+E etalerez
+F frelatez
+I alertiez
aliterez
alteriez
rateliez
relatiez
+L tallerez
+M malterez
martelez
+N alternez
+T latterez
+U zelateur
AEELRUU
+G elagueur
gueulera
AEELRUV
evaluer
revalue
+A evaluera
reevalua
+D devaluer
+E reevalue
+G aveugler
+J javeleur
+O evoluera
+P prevalue
+S revalues
sureleva
+T tavelure
AEELRUX
+T exultera
AEELRUY
+R relayeur
AEELRUZ
+D adulerez
+G gaulerez
+O aureolez
+Q laquerez
+S saluerez
+T zelateur
AEELRVZ
laverez
relavez
revalez
+A avalerez
+C claverez
+I laveriez
relaviez
+P prevalez
+S valserez
AEELRXZ
relaxez
relaxiez
AEELRYZ
layerez

relayez
+I layeriez
relayiez
AEELRZZ
+D lezardez
AEELSSS
lassees
lesasse
+A alesasse
+B belasses
blesasse
+C celasses
classees
+D delasses
dessales
+F felasses
+G gelasses
+H helasses
+I laissees
+L sellasse
+M melasses
+O assolees
+P pelasses
+S lesasses
+T altesses
lestasse
+U saleuses
+V levasses
velasses
AEELSST
altesse
lesates
saletes
+A alesates
etalasse
+B blesates
+C celestas
+D delestas
+G lestages
+L sellates
+M lestames
+P septales
+R lesteras
+S altesses
lestasse
+T lestates
+V vestales
AEELSSU
saleuse
saluees
+B sableuse
+C laceuses
+D eludasse
+E aleseuse
+F feulasse
+G galeuses
leguasse
lugeasse
+M meulasse
+O saoulees
+R aleseurs
raleuses
+S saleuses
+V laveuses
valseuse
AEELSSV
levasse

valsees
velasse
+C esclaves
+E elevasse
+I slavisee
+S levasses
velasses
+T vestales
+U laveuses
valseuse
AEELSSX
+I exilasse
AEELSSZ
+D delassez
dessalez
+R lasserez
AEELSTT
atteles
lattees
+A etalates
+B ablettes
batelets
testable
+D delestat
+E attelees
+F flattees
+G galettes
+H athletes
+I ailettes
+L attelles
+N latentes
+P palettes
peltaste
+S lestates
+U aluettes
talutees
+V lavettes
+Y layettes
AEELSTU
+C cauteles
+D eludates
+F feulates
sulfatee
+G leguates
lugeates
+I laiteuse
+L luteales
+M meulates
+O aleoutes
+P spatulee
+Q talquees
+T aluettes
talutees
AEELSTV
levates
taveles
velates
vestale
+C clavetes
+E elevates
tavelees
+I estivale
televisa
+L tavelles
+S vestales
+T lavettes

AEELSTX
exaltes
telexas
+E exaltees
+I exilates
telexais

AEELSTY
+C acetyles
+T layettes

AEELSUV
evalues
laveuse
+D devalues
+E evaluees
+G aveugles
+I aveulies
+L valleuse
+R revalues
sureleva
+S laveuses
valseuse

AEELSUZ
+R saluerez

AEELSVV
valvees

AEELSVZ
+R valserez

AEELTTT
+B tablette

AEELTTU
aluette
talutee
+M amulette
+O alouette
+P paulette
+S paulettes
talutees

AEELTTV
lavette
+C clavette
+R levretta
+S lavettes

AEELTTY
layette
+C clayette
+S layettes

AEELTTZ
attelez
+I atteliez
+R latterez

AEELTUV
+N evaluent
+R tavelure

AEELTUX
+R exultera

AEELTUZ
+R zelateur

AEELTVZ
tavelez
+C clavetez
+I taveliez

AEELTXZ
exaltez
+I exaltiez

AEELUVZ
evaluez
+D devaluez
+G aveuglez
+I evaluiez

AEEMMMS
+G gemmames

AEEMMNN
+T emmenant

AEEMMNO
+L melanome
melomane

AEEMMNR
remmena
+B membrane
+E emmenera
+G engramme
+I remmenai
+L malmener
+S remmenas
+T armement
remmenat

AEEMMNS
emmenas
menames
+A amenames
emanames
+I emmenais
+L malmenes
+R remmenas

AEEMMNT
emmenat
+I emmenait
+L emmelant
emmental
+N emmenant
+R armement
remmenat

AEEMMNZ
+L malmenez

AEEMMOP
+D pommadee

AEEMMOR
+R rememora

AEEMMOS
+S assommee

AEEMMOT
+C ammocete
+H hematome

AEEMMPR
+U empaumer

AEEMMPS
+U empaumes

AEEMMPU
empaume
+E empaumee
+R empaumer
+S empaumes
+Z empaumez

AEEMMPZ
+U empaumez

AEEMMRR
+B remembra
+O rememora
+U emmurera

AEEMMRS
+C cremames
+D emmerdas
merdames
+F fermames
+G gemmeras
germames
+N remmenas
+T metrames

AEEMMRT
+D emmerdat
+E metamere
+N armement
remmenat
+S metrames
+U amertume

AEEMMRU
+B embaumer
+P empaumer
+R emmurera
+S remuames
+T amertume

AEEMMSS
semames
+D mesdames
+G gemmasse
+O assommee

AEEMMST
+A etamames
+G gemmates
+R metrames
+T stemmate

AEEMMSU
+B embaumes
embuames
+C ecumames
+L mamelues
meulames
+P remuames

AEEMMTT
+S stemmate

AEEMMTU
+R amertume

AEEMMUZ
+B embaumez
+P empaumez

AEEMNNO
anemone
+C maconnee
+S anemones
+Y monnayee

AEEMNNP
empanne
+A panameen
+E empannee
+R empanner
+S empannes
+Z empannez

AEEMNNR
+I armenien
+P empanner
+S marennes
+T ramenent
remanent

AEEMNNS
+A anamnese
+D mandeens
+O anemones
+P empannes
+R marennes

AEEMNNT
amenent
emanent
+C menacent
+D amendent
demenant
+G engament
menagent
+I anemient
menaient
+M emmenant
+R ramenent
remanent
+T entament

AEEMNNV
+I envenima

AEEMNNY
+O monnayee

AEEMNNZ
+P empannez

AEEMNOR
ramonee
romanee
+C romancee
+D emondera
+S ramonees
romanees
+U enamoure

AEEMNOS
+D adenomes
+L melanose
+N anemones
+R ramonees
romanees
+U enouames
saumonee

AEEMNOT
+D nematode

AEEMNOU
+R enamoure
+S enouames
saumonee

AEEMNOX
+I anoxemie

AEEMNOY
+N monnayee

AEEMNPR
+N empanner
+T aprement
emparent
pamerent
parement

AEEMNPS
+I peinames
+N empannes
+S pensames
+T empesant
sapement

AEEMNPT
+I paiement
+L empalent
lapement
+R aprement
emparent
pamerent
parement
+S empesant
sapement
+T empatent
etampent
tapement
+V pavement
+Y payement

AEEMNPV
+T pavement

AEEMNPY
+T payement

AEEMNPZ
+N empannez

AEEMNQS
+U manquees

AEEMNQU
manquee
+D quemande
+I anemique
+S manquees

AEEMNRR
ramener
+A ramenera
+D ramender
+F renferma
+G remanger
+I marniere
reanimer
remanier
+S rameners
+T armerent
materner
ramerent
rarement
rearment
rentamer
+U remunera
+Z marnerez

AEEMNRS
marnees
meneras
ramenes
+A ameneras
arameens
emaneens
+B bernames
+C cernames
crenames
encrames
+D meandres
ramendes
+E ramenees
+F enfermas
+G grenames
menagers
regnames
remanges
+I manieres
marinees
menerais
ranimees
reanimes
remanies

reniames
+M remmenas
+N marennes
+O ramonees
romanees
+R rameners
+T entrames
maternes
rentames
+U enumeras
marneuse

AEEMNRT
entamer
materne
rentame
+A entamera
+C camerent
ecremant
macerent
mecreant
+D damerent
+E maternee
rentamee
+F enfermat
fermenta
+G agrement
emargent
+I aimerent
menerait
natremie
+L lamenter
lamerent
maternel
ralement
+M armement
remmenat
+N ramenent
remanent
+P aprement
emparent
pamerent
parement
+R armerent
materner
ramerent
rarement
rearment
rentamer
+S entrames
maternes
rentames
+T materent
retament
+U enumerat
remuante
+Z maternez
rentamez

AEEMNRU
enumera
+F enfumera
+I enumerai
+L numerale
+O enamoure
+R remunera
+S enumeras
marneuse
+T enumerat

remuante

AEEMNRX
+E reexamen
+I examiner

AEEMNRZ
ramenez
+D damnerez
manderez
ramendez
+E amenerez
emanerez
+G magnerez
mangerez
remangez
+I animerez
manierez
rameniez
reanimez
remaniez
+R marnerez
+T maternez
rentamez

AEEMNSS
menasse
+A amenasse
+G mesanges
+I amnesies
semaines
+P pensames
+S menasses

AEEMNST
entames
menates
+A amenates
emanates
+C cementas
mecenats
+E entamees
+G sagement
segmenta
+H methanes
+I aisement
amenites
etamines
matinees
semaient
staminee
+L lamentes
manteles
mentales
salement
+P empesant
sapement
+R entrames
maternes
rentames

+R enumeras
marneuse

AEEMNSV
+I enviames
veinames

AEEMNSX
examens
+I examines

AEEMNSZ
+D mazdeens

AEEMNTT
etament
manette
+B embetant
+C cementat
+D dematent
+I tantieme
+L mantelet
+N entament
+P empatent
etampent
tapement
+R materent
+S manettes
tentames
+T emettant
+U ameutent

AEEMNTU
+C ecumante
+G augmente
mutagene
+R enumerat
remuante
+T ameutent

AEEMNTV
+L lavement
+P pavement

AEEMNTY
+P payement

AEEMNTZ
entamez
+I amentiez
+L lamentez
+R maternez
rentamez

AEEMNUV
+I mauveine
+L malvenue

AEEMNUX
meneaux

AEEMNXZ
+I examinez

AEEMOOS
+G aegosome

AEEMOPR
+C comparee
+S operames
+T ametrope
empotera

AEEMOPS
+C ecopames
+L poelames
+R operames

AEEMOPT
+H apotheme
+R ametrope

empotera

AEEMOPU
+L ampoulee
+Y paumoyee

AEEMOPY
+U paumoyee

AEEMORR
+D moderera
+I armoriee
+M remmora

AEEMORS
+B oberames
+C amorcees
moracees
+D erodames
+J majorees
+N ramonees
romanees
+P operames
+T toreames

AEEMORT
+G megotera
+H atherome
+I atermoie
+P ametrope
empotera
+S toreames
+T emottera
+Y atermoye

AEEMORU
+B emboure
+N enamoure

AEEMORY
+T atermoye

AEEMOSS
+M assommee

AEEMOST
+C escamote
+H hematose
+I atomisee
+R toreames
+T steatome

AEEMOSU
+L mausolee
+N enouames
saumonee

AEEMOSX
+G exogames

AEEMOSY
+D samoyede

AEEMOTT
+G emottage
+L matelote
+R emottera
+S steatome

AEEMOTU
+Z mazoutee

AEEMOTY
+R atermoye

AEEMOTZ
+I azotemie
+U mazoutee

AEEMOUY
+P paumoyee

AEEMOUZ
+T mazoutee

AEEMPPR

empotera
+E epampree
+R epamprer
+S epampres
+Z epamprez

AEEMPPS
+I pepiames
+R epampres

AEEMPPZ

AEEMPQU
+I epimaque

AEEMPRR
emparer
+A emparera
+I empierra
empirera
perimera
+P epamprer
+S parsemer
+T retrempa
trempera
+Z ramperez

AEEMPRS
amperes
asperme
empares
parseme
+C crepames
percames
+E emparees
empesera
+L emperlas
perlames
+O operames
+P epampres
+R parsemer
+S aspermes
empressa
+T empetras
estamper
pretames
temperas
+U epurames
serapeum
+Z parsemez

AEEMPRT
empater
empetra
etamper
tempera
+A empatera
etampera
+D detrempa
+G trempage
+I empetrai
temperai
+L emperlat
emplatre
+N aprement
emparent
pamerent
parement
+O ametrope
empotera

+R retrempa
   trempera
+S empetras
   estamper
   pretames
   temperas
+T attrempe
   empetrat
   temperat
+U etampeur

AEEMPRU
+F parfumee
+M empaumer
+S epurames
   serapeum
+T etampeur
+Z paumerez

AEEMPRV
+Z vamperez

AEEMPRZ
   emparez
   pamerez
+C camperez
+I empariez
   pamerize
+L lamperez
   palmerez
+P epamprez
+R ramperez
+S parsemez
+U paumerez
+V vamperez

AEEMPSS
   empesas
   pesames
+H emphases
+I empesais
+N pensames
+R aspermes
   empressa
   parsemes
+T empestas
   estampes
   pestames

AEEMPST
   empates
   empesat
   empesta
   estampe
   etampes
   petames
+A epatames
+B baptemes
+E empatees
   estampee
   etampees
+I empesait
   empestai
   empietas
   pietames
+L meplates
+N empesant
   sapement
+R empetras
   estamper
   pretames
   temperas
+S empestas
   estampes
   pestames
+T empestat
   tempetas
+U amputees
+X exemptas
+Z estampez

AEEMPSU
   paumees
+C campeuse
   epucames
+M empaumes
+R epurames
   serapeum
+T amputees

AEEMPSV
   vampees

AEEMPSX
+I expiames
+T exemptas

AEEMPSY
+I impayees

AEEMPSZ
+R parsemez
+T estampez

AEEMPTT
   tempeta
+I empietat
   tempetai
+L palmette
+N empatent
   etampent
   tapement
+R attrempe
   empetrat
   temperat
+S empestat
   tempetas
+T tempetat
+X exemptat

AEEMPTU
   amputee
+R etampeur
+S amputees

AEEMPTV
+N pavement

AEEMPTX
   exempta
+I exemptai
+S exemptas
+T exemptat

AEEMPTY
+N payement

AEEMPTZ
   empatez
+I empatiez
   etampiez
+S estampez

AEEMPUY
+O paumoyee

AEEMPUZ
+M empaumez
+R paumerez

AEEMPVZ
+R vamperez

AEEMQRR
+U remarque

AEEMQRS
+U marquees

AEEMQRT
+U marquete

AEEMQRU
   marquee
+B embarque
   embraque
+D demarque
+R remarque
+S marquees
+T marquete

AEEMQSS
+U masquees

AEEMQST
+U quetames

AEEMQSU
   masquee
+D demasque
   desquame
+N manquees
+R marquees
+S masquees
+T quetames

AEEMQTT
+U maquette

AEEMQTU
+R marquete
+S quetames
+T maquette

AEEMRRR
   rearmer
+A rearmera
+B embarrer
   rembarre
+D demarrer
+I remarier
+Z marrerez

AEEMRRS
   errames
   marrees
   rearmes
+A amarrees
+B embarres
   embraser
   marbrees
+C cremeras
+D demarres
   desarmer
   merderas
+E rearmees
+F fermeras
   ferrames
   refermas
+G germeras
+I amerries
   arrimees
   remaries
   remisera
+N rameners
+P parsemer
+S serrames
+T metreras
   terrames
+U mesurera
   remueras
   resumera

AEEMRRT
   metrera
   retamer
+A retamera
+F refermat
+I meritera
   metrerai
+L marteler
+N armerent
   materner
   ramerent
   rarement
   rearment
   rentamer
+P retrempa
   trempera
+S metreras
   terrames
+T remettra
   tremater
+U retameur

AEEMRRU
   remuera
+G maugreer
+I remuerai
+M emmurera
+N remunera
+Q remarque
+S mesurera
   remueras
   resumera
+T rameuter
   retameur
+Y mareyeur
+Z amurerez

AEEMRRY
+B embrayer
+U mareyeur

AEEMRRZ
   armerez
   ramerez
   rearmez
+B ambrerez
   bramerez
   embarrez
+C cramerez
+D demarrez
+G margerez
+I armeriez
   marierez
   rameriez
   rearmiez
   remariez
+N marnerez
+P ramperez
+R marrerez
+T tramerez
+U amurerez

AEEMRSS
   ressema
   semeras
+A ramassee
+B embrases
   embrasse
+C cremasse
+D desarmes
   medersas
   merdasse
+F fermasse
+G germasse
   gresames
   messager
+H hersames
+I areismes
   emerisas
   essaimer
   massiere
   ressemai
   semerais
   seriames
+P aspermes
   empressa
   parsemes
+R serrames
+S ressemas
+T metrasse
   ressemat
   restames
   steamers
   tersames
+U rameuses
   remuasse
+V sevrames
   versames
+Z masserez

AEEMRST
   retames
   steamer
   tramees
+A etameras
+C cremates
+D merdates
   readmets
+E retamees
+F fermates
   fretames
+G germates
   metrages
+I emerisat
   estimera
   etirames
   matieres
   semerait
+L marteles
+M metrames
+N entrames
   maternes
   rentames
+O toreames
+P empetras
   estamper
   pretames
   temperas
+R metreras
   terrames
+S masseter
   metrasse

ressemat
restames
steamers
sterames
tersames
+T emettras
metrates
ramettes
tremates
+U etameurs
rameutes
remuases
+Y metayers
AEEMRSU
amurees
rameuse
+B embueras
+C ecumeras
macreuse
+D demeuras
medusera
+G margeure
maugrees
mesurage
remuages
+I marieuse
+J majeures
+L meuleras
+M remuames
+N enumeras
marneuse
+P epurames
serapeum
+Q marquees
+R mesurera
remueras
resumera
+S rameuses
remuasse
+T etameurs
rameutes
remuates
+U saumeure
+Z amuserez
AEEMRSV
revames
+A averames
+B embrevas
+C crevames
+G grevames
+S sevrames
versames
AEEMRSY
+B embrayes
+T metayers
AEEMRSZ
+B embrasez
zebrames
+D desarmez
+P parsemez
+S masserez
+U amuserez
AEEMRTT
emettra
ramette
tremate
+B ambrette

embattre
+D admettre
demettra
+I emettrai
+N materent
retament
+O emottera
+P attrempe
empetrat
temperat
+R remettra
tremater
+S emettras
metrates
ramettes
tremates
+Z trematez
AEEMRTU
ameuter
etameur
rameute
+A ameutera
matereau
+D demeurat
+E rameutee
+M amertume
+N enumerat
remuante
+P etampeur
+Q marquete
+R rameuter
retameur
+S etameurs
rameutes
remuates
+Z rameutez
AEEMRTV
+B embrevat
AEEMRTX
+L extremal
AEEMRTY
metayer
+C myrtacee
+E metayere
+O atermoye
+S metayers
AEEMRTZ
materez
retamez
+E etamerez
+I materiez
retamiez
+L malterez
martelez
+N maternez
rentamez
+R tramerez
+T trematez
+U rameutez
AEEMRUU
+S saumuree
AEEMRUX
+H exhumera
AEEMRUY
+R mareyeur
AEEMRUZ
+G maugreez

+P paumerez
+R amurerez
+S amuserez
+T rameutez
AEEMRVZ
+P vamperez
AEEMRYZ
+B embrayez
AEEMSSS
massees
semasse
sesames
+A amassees
+C cessames
+F fessames
+G messages
+I essaimes
+L melasses
+N menasses
+S semasses
+U assumes
masseuse
AEEMSST
semates
+A etamasse
+I tamisees
+J majestes
+L lestames
+P empestas
estampes
pestames
metrasse
+R masseter
metrasse
restames
steamers
sterames
tersames
+T massette
testames
AEEMSSU
amusees
assumee
+B embuasse
+C ecumasse
musacees
+D dameuses
+F fameuses
+L meulasse
+Q masquees
+R rameuses
remuasse
+S assumees
masseuse
+U amuseuse
AEEMSSV
+A evasames
+R sevrames
versames
AEEMSSZ
+I essaimez
+R masserez
AEEMSTT
tetames
+A etamates
+B embattes

+D admettes
+E etatames
+I emettais
emiettas
etatisme
+M stemmate
+N manettes
tentames
+O steatome
+P empestat
tempetas
+R emettras
metrates
ramettes
tremates
+S massette
testames
+U amusette
+Z mazettes
AEEMSTU
ameutes
+B embuates
+C ecumates
+E ameutees
+H matheuse
+L meulates
+P amputees
+Q quetames
+R etameurs
rameutes
remuates
+T amusette
+V amusette
AEEMSTV
+I evitames
+U etuvames
AEEMSTX
+P exemptas
AEEMSTY
+A etayames
+R metayers
AEEMSTZ
+P estampez
+T mazettes
AEEMSUU
+R saumuree
+S amuseuse
AEEMSUV
+T etuvames
AEEMSUZ
+R amuserez
AEEMSVX
vexames
AEEMTTT
+I emettait
emiettat
+N emettant
AEEMTTU
+B embattue
+L amulette
+N ameutent
+Q maquette
+S amusette
AEEMTTX
+P exemptat
AEEMTTZ

mazette
+B embattez
+D admettez
+R trematez
+S mazettes
AEEMTUV
+S etuvames
AEEMTUZ
ameutez
+I ameutiez
+O mazoutee
+R rameutez
AEENNNO
anonnee
+C annoncee
canonnee
+S anonnees
AEENNNP
+T pantenne
AEENNNR
+T enrenant
AEENNNS
+O anonnes
+T antennes
AEENNNT
antenne
+I antienne
+P pantenne
+R enrenant
+S antennes
+X annexent
AEENNNX
+T annexent
AEENNOP
+R eperonna
AEENNOR
+B reabonne
+C arconnee
enoncera
+P eperonna
+T etonnera
+Y rayonnee
AEENNOS
+B abonnees
+D adonnees
+I oasienne
+M anemones
+N anonnees
+T annotees
+V savonnee
AEENNOT
annotee
+H oenanthe
+L etalonne
talonnee
+R etonnera
+S annotees
AEENNOV
+S savonnee
AEENNOY
+G ennoyage
+M monnayee
+R rayonnee
AEENNOZ
+G gazonnee
AEENNPP
+R apprenne

AEENNPR	enterina	**AEENNSU**	+F profanee	+U enouasse
+D depanner	entraine	+C nuancees	+G epongera	**AEENOST**
+M empanner	etrennai	+G ennuages	+N eperonna	+C acetones
+O eperonna	tannerie	+L annulees	+T operante	+G etageons
+P apprenne	+L lanterne	+R surannee	**AEENOPS**	+N annotees
+T eprenant	+M ramenent	+V vanneuse	+G epongeas	+P antepose
panerent	remanent	**AEENNSV**	+S panossee	+U enouates
prenante	+N enrenant	vannees	+T antepose	**AEENOSU**
AEENNPS	+O etonnera	+O savonnee	**AEENOPT**	+M enouames
+D depannes	+P eprenant	+T envasent	+G epongeat	saumonee
+G pennages	panerent	+U vanneuse	+R operante	+R enoueras
+I paiennes	prenante	**AEENNSX**	+S antepose	+S enouasse
+M empannes	+S etrennas	annexes	**AEENOPU**	+T enouates
+T pantenes	+T entrante	+E annexees	+I epanouie	**AEENOSV**
pensante	etrennat	**AEENNSY**	**AEENORR**	+N savonnee
pentanes	retenant	+K kenyanes	+B enrobera	**AEENOSX**
AEENNPT	+V enervant	+R aryennes	+C ecornera	+R exoneras
pantene	revenant	**AEENNTT**	+L enrolera	**AEENOSY**
pentane	venerant	tenante	+S aererons	+C cyanosee
+D epandent	+Y enrayent	+B bannette	+T aereront	**AEENOTU**
pendante	+Z tannerez	+D detenant	+U enrouera	+G autogene
+N pantenne	**AEENNRU**	edentant	renouera	+I ouatinee
+R eprenant	+G ennuager	endentat	+V renovera	+S enouates
panerent	+I aneurine	etendant	**AEENORS**	+Y noyautee
prenante	ennuiera	+G tangente	+F aeronefs	**AEENOTX**
+S pantenes	+S surannee	+I entaient	+G orangees	+R exonera
pensante	**AEENNRV**	tenaient	+M ramonees	**AEENOTY**
pentanes	+I vannerie	+M entament	romanees	+U noyautee
AEENNPZ	+R verranne	+R entrante	+R aererons	**AEENOTZ**
+D depannez	+T enervant	etrennat	+U enoueras	+B benzoate
+M empannez	revenant	retenant	+X exoneras	**AEENOUV**
AEENNRR	venerant	+S tenantes	**AEENORT**	+I evanouie
+E enrenera	+Z vannerez	+T entetant	+C carotene	inavouee
+G rengrena	**AEENNRX**	tentante	racontee	**AEENOUY**
+V verranne	annexer	+V eventant	+D denotera	+T noyautee
AEENNRS	+A annexera	**AEENNTV**	detonera	**AEENPPR**
enrenas	**AEENNRY**	+A avenante	+I notariee	+D appendre
+D andrenes	aryenne	+C encavent	+L entolera	+N apprenne
+G engrenas	+O rayonne	+D devenant	+N etonnera	+Z apprenez
garennes	+S aryennes	+G vengeant	+P operante	napperez
+H rhenanes	+T enrayent	+I venaient	+R aereront	**AEENPPS**
+I anserine	**AEENNRZ**	+L enlevant	+X exonerat	nappees
ariennes	+A nazareen	+R enervant	**AEENORU**	+D appendes
enrenais	+C cannerez	revenant	enouera	+I epepinas
rennaise	+T tannerez	venerant	+D denouera	**AEENPPT**
+M marennes	+V vannerez	+S envasent	+G engouera	+I epepinat
+T etrennas	**AEENNSS**	+T eventant	+I enouerai	**AEENPPU**
+U surannee	+C encensas	**AEENNTX**	+J ajournee	+D appendue
+Y aryennes	+T assenent	+I annexite	+L aleurone	**AEENPPZ**
AEENNRT	**AEENNST**	+N annexent	+M enamoure	+D appendez
enrenat	tannees	**AEENNTY**	+R enrouera	+R apprenez
etrenna	+C encensat	+R enrayent	renouera	napperez
+B banneret	+D endentas	**AEENNTZ**	+S enoueras	**AEENPQT**
+C canerent	+F enfantes	+F enfantez	**AEENORV**	+U petanque
carenent	+G genantes	+R tannerez	+L envolera	**AEENPQU**
+D entendra	+I neantise	**AEENNUV**	+R renovera	+I paniquee
+F enfanter	tannisee	+I neuvaine	**AEENORX**	+L planquee
fanerent	+L annelets	+S vanneuse	exonera	+T petanque
+G egrenant	+N antennes	**AEENNUZ**	+I anorexie	**AEENPRR**
engrenat	+O annotees	+G ennuagez	exonerai	+D eprendra
enragent	+P pantenes	**AEENNVZ**	+S exoneras	repandre
generant	pensante	+R vannerez	+T exonerat	+G epargner
nagerent	pentanes	**AEENNXZ**	**AEENORY**	+T arpenter
regnante	+R etrennas	annexez	+D aerodyne	parerent
+H anthrene	+S assenent	+I annexiez	+N rayonnee	raperent
+I enraient	+T tenantes	**AEENOPR**	**AEENOSS**	reparent
enrenait	+V envasent	+D operande	+P panossee	reperant

trepaner
AEENPRS
pensera
persane
repensa
+D repandes
+G epargnes
+H phaneres
+I eprenais
panieres
peineras
penserai
repensai
+L eperlans
+S penseras
persanes
repensas
+T arpentes
esperant
parentes
paternes
penetras
presenta
repensat
saperent
separent
serpenta
trepanes
+Z panserez
AEENPRT
arpente
parente
paterne
penetra
trepane
+C caperent
percante
recepant
+D deparent
derapant
perdante
+E arpentee
trepanee
+G arpegent
+H panthere
+I eprenait
panetier
pantiere
penetrai
repaient
+L laperent
paternel
replante
+M aprement
emparent
pamerent
parement
+N eprenant
panerent
prenante
+O operante
+R arpenter
parerent
raperent
reparent
reperant
trepaner

+S arpentes
esperant
parentes
paternes
penetras
presenta
repensat
saperent
separent
serpenta
trepanes
+T patenter
penetrat
repetant
retapent
taperent
+U apeurent
+V paverent
repavent
+Y payerent
prytanee
repayent
+Z arpentez
trepanez
AEENPRU
+D epandeur
repandue
+T apeurent
+V parvenue
AEENPRV
+T paverent
repavent
+U parvenue
+Z parvenez
AEENPRY
+T payerent
prytanee
repayent
AEENPRZ
panerez
+D epandrez
repandez
+G epargnez
+I paneriez
+L planerez
+P apprenez
napperez
+S panserez
+T arpentez
trepanez
+V parvenez
AEENPSS
pansees
+D depensas
+H saphenes
+I peinasse
+M pensames
+O panossee
+R penseras
persanes
repensas
+S pensasse
+T pensates
pesantes
+X expanses
AEENPST
nepetas

patenes
penates
pesante
+A anapeste
+C espacent
+D depensat
pedantes
+H haptenes
heptanes
phenates
+I patinees
peinates
pesaient
+L planetes
plantees
+M empesant
sapement
+N pantenes
pensante
+O antepose
+R arpentes
esperant
parentes
paternes
penetras
presenta
repensat
saperent
separent
serpenta
trepanes
+S pensates
pesantes
+T patentes

petantes
septante
+Z patentez
AEENPTU
+I taupinee
+L epaulent
+Q petanque
+R apeurent
AEENPTV
+D depavent
+M pavement
+R paverent
repavent
AEENPTY
+C capeyent
+M payement
+R payerent
prytanee
repayent
AEENPTZ
+R arpentez
trepanez
+T patentez
AEENPUV
+R parvenue
AEENPVZ
+R parvenez
AEENQRR
+U enquerra
AEENQRS
+U enarques
AEENQRT
+U quaterne
AEENQRU
enarque
+A arnaquee
+C encaquer
+R enquerra
+S enarques
+T quaterne
+U enquera
AEENQST
+U enquetas
AEENQSU
+C encaques
+M manquees
+R enarques
+T enquetas
AEENQTT
+U enquetat
AEENQTU
enqueta
+B banquete
+I enquetai
taquinee
+P petanque
+R quaterne
+S enarques
+T enquetat
AEENQUU
+R enquuera
AEENQUX
+I axenique
AEENQUZ
+C encaquez
AEENRRR
+T rentrera

+V renverra
+Z narrerez
AEENRRS
enserra
narrees
+B berneras
+C caserner
cerneras
creneras
encreras
errances
sancerre
serancer
+D renardes
+F enferras
refrenas
+G greneras
regneras
+I enserrai
inserera
reinsera
renieras
resinera
serinera
+M rameners
+O aererons
+S enserras
+T enserrat
enterras
entreras
errantes
raserent
+V enversas
renversa
AEENRRT
entera
entrera
errante
+C centrera
encarter
recreant
+D raderent
retendra
+E aereront
+F enferrat
referant
refrenat
+G argenter
etranger
garerent
ragerent
ragreent
regreant
rentrage
+I enterrai
entrerai
erraient
renaitre
rentraie
ternaire
+L alterner
ralerent
+M armerent
materner
ramerent
rarement
rearment

rentamer
+O aereront
+P arpenter
parerent
raperent
reparent
reperant
trepaner
+R rentrera
+S enserrat
enterras
entreras
errantes
raserent
+T arretent
entartre
enterrat
raterent
tarerent
+V entraver
reverant
+Y rayerent
rentraye

AEENRRU
+D endurera
renauder
+I rainuree
+M remunera
+O enrouera
renouera
+Q enquerra
+Y enrayure

AEENRRV
enverra
+D revendra
+E enervera
venerera
+G engraver
+I enivrera
enverrai
+N verranne
+O renovera
+R renverra
renversa
+T entraver
reverant
+Z rayerent

AEENRRY
enrayer
+A enrayera
+T rayerent
rentraye
+U enrayure

AEENRRZ
+C ancrerez
cranerez
nacrerez
+G rangerez
+I rainerez
+M marnerez
+R narrerez
+V navrerez

AEENRSS
assener
+A assenera
+B bernasse
bressane
+C casernes
cernasse
crenasse
encrasse
recensas
serances
+G grenasse
regnasse
+I arsenies
renaisse
reniasse
+P penseras
persanes
repensas
+R enserras
+T entasser
entrasse
reassent

AEENRST
enteras
+B absenter
baserent
basterne
bernates
ebrasent
+C ancetres
caserent
cernates
crantees
crenates
ecrasent
encartes
encastre
encrates
recasent
recensat
+D ardentes
derasent
etendras
+F fenetras
+G argentes
etranges
gerantes
grenates
regentas
regnates
renegats
+H antheres
+I arsenite
artesien
ateriens
enterais
ereintas
eternisa
ratinees
reniates
retenais
seraient
stearine
tanieres
trainees
+J jaserent
+L alternes
resalent
salerent
sternale
+M entrames
maternes
rentames
+N etrennas
+P arpentes
esperant
parentes
paternes
penetras
presenta
repensat
saperent
separent
serpenta
trepanes
+R enserrat
enterras
entreras
errantes
raserent
+S entasser
entrasse
reassent
+T entrates
restante
tenteras
+U eternuas
senateur
+V entraves
eventras
servante
tavernes
veterans

AEENRSU
+B rubanees
+C craneuse
+D renaudes
+G narguees
+I eurasien
+J jeuneras
+L neurales
+M enumeras
marneuse
+N surannee
+O enoueras
+Q enarques
+T eternuas
senateur
+Z azureens
saunerez

AEENRSV
enervas
envaser
navreras
veneras
+A envasera
+C cavernes
+G engraves
vengeras
+I enervais
envieras
ravinees
revenais
veineras
venerais
+L vernales
+R enverras
renversa
+T entraves
eventras
servante
veterans
+X nevraxes

AEENRSX
+O exoneras
+V nevraxes

AEENRSY
enrayes
+E enrayees
+N aryennes

AEENRSZ
+C casernez
serancez
+D danserez
+G ganserez
+I aniserez
+P panserez
+U azureens
saunerez

AEENRTT
tentera
+B baterent
+C ecartent
ecratent
entracte
+D attendre
daterent
+E entetera
+F fenetrat
+G gaterent
regatent
regentat
+H haterent
+I enterait
ereintat
nattiere
nitratee
rainette
retenait
tartinee
teintera
tenterai
+J rejetant
+L alertent
alterent
relatent
+M materent
retament
+N entrante
etrennat
retenant
+P patenter
penetrat
repetant
retapent
taperent
+R arretent
entartre
enterrat
raterent
tarerent
+S entrates
restante
tenteras
+T attenter
retatent
taterent
+U attenuer
eternuat
+V eventrat
revetant
+X externat
taxerent
+Z natterez

AEENRTU
eternua
+B entubera
+C centaure
+D denature
truandee
+F enfutera
+G negateur
+I eternuai
+M enumerat
remuante
+P apeurent
+Q quaterne
+S eternuas
senateur
+T attenuer
eternuat
+V aventure

AEENRTV
averent
enervat
entrave
eventra
taverne
venerat
ventera
veteran
+B baverent
+C caverent
crevante
recevant
+D redevant
+E entravee
eventera
+G gaverent
+H haverent
+I eventrai
invetera
revaient
revenait
venerait
+L laverent
relavent
relevant
+N enervant
revenant
venerant
+P paverent
repavent
+R entraver
reverant
+S entraves

eventras
servante
tavernes
veterans
+T eventrat
revetant
+U aventure
+Z entravez
vanterez
AEENRTX
axerent
+C excentra
execrant
exercant
+L relaxent
+O exonerat
+T externat
taxerent
AEENRTY
+B bayerent
+D derayent
+L layerent
relayent
+N enrayent
+P payerent
prytanee
repayent
+R rayerent
rentraye
AEENRTZ
+C encartez
tancerez
+G argentez
ganterez
gazerent
+H hanterez
+L alternez
+M maternez
rentamez
+N tannerez
+P arpentez
trepanez
+T natterez
+V entravez
vanterez
AEENRUU
+Q enuquera
AEENRUV
+C encuvera
+G envergua
+P parvenue
+T aventure
AEENRUX
+C cerneaux
creneaux
+G generaux
AEENRUY
+C cyanuree
+R enrayure
AEENRUZ
azureen
+D renaudez
+S azureens
saunerez
AEENRVX
nevraxe
+S nevraxes

AEENRVZ
+G engravez
+I avinerez
+N vannerez
+P parvenez
+R navrerez
+T entravez
vanterez
AEENRYZ
enrayez
+I enrayiez
AEENSSS
anesses
assenes
+E assenees
+G genasses
+I ainesses
+M menasses
+P pensasse
+T entasses
+V vanesses
AEENSST
entasse
seantes
+A satanees
+B absentes
beassent
+C cessante
secantes
+E entassee
+F nefastes
+I essaient
satinees
tanisees
+N assenent
+P pensates
pesantes
+R entasser
entrasse
reassent
+S entasses
+T tentasse
+Y asseyent
essayent
saynetes
seyantes
+Z entassez
AEENSSU
nausees
+D danseuse
+F faneuses
faunesse
+G nageuses
+I sanieuse
+J jeunasse
+O enouasse
AEENSSV
envases
vanesse
+E envasees
+I enviasse
vanisees
veinasse
vesanies
+S vanesses
AEENSSX
+P expanses

AEENSSY
+T asseyent
essayent
saynetes
seyantes
AEENSSZ
assenez
+I asseniez
+T entassez
AEENSTT
entates
entetas
nattees
+C canettes
+D attendes
endettas
+I anisette
entetais
saintete
tetanies
tetanise
+L latentes
+M manettes
tentames
+N tenantes
+P patentes
petantes
septante
+R entrates
restante
tenteras
+S tentasse
+T attentes
tentates
+U attenues
+V navettes
AEENSTU
+B abstenue
+C cutanees
+J jeunates
+O enouates
+Q enquetas
+R eternuas
senateur
+T attenues
+X extenuas
AEENSTV
evasent
eventas
vantees
+G ventages
+H havenets
+I enviates
eventais
naivetes
veinates
+N envasent
+R entraves
eventras
servante
tavernes
veterans
+T navettes
+X vexantes
AEENSTX
texanes
+D desaxent

+I anxietes
+U extenuas
+V vexantes
AEENSTY
saynete
seyante
+D asyndete
+F faseyent
+I seyaient
+S asseyent
essayent
saynetes
seyantes
AEENSTZ
+B absentez
abstenez
+S assentez
AEENSUU
+G nuageuse
+X nauseeux
AEENSUV
avenues
+D advenues
+N vanneuse
AEENSUX
+G exsangue
+I anxieuse
+T extenuas
+U nauseeux
AEENSUZ
+R azureens
AEENSVX
+R nevraxes
+T vexantes
AEENSVZ
envasez
+I envasiez
AEENTTT
attente
entetat
etatent
+B ebattent
+D endettat
+I atteinte
entetait
tetaient
+M emettant
+N entetant
tentante
+R attenter
retatent
taterent
+S attentes
tentates
+Z attentez
AEENTTU
attenue
+D attendue
+E attenuee
+J jaunette
+M ameutent
+Q enquetat
+R attenuer
eternuat
+S attenues
+X extenuat

+Z attenuez
AEENTTV
eventat
navette
+D devetant
vendetta
+G vegetant
+I eventait
vetaient
+N eventant
+R eventrat
revetant
+S navettes
AEENTTX
+D detaxent
+L exaltent
telexant
+R externat
taxerent
+U extenuat
AEENTTY
etayent
AEENTTZ
+D attendez
+P patentez
+R natterez
+T attentez
+U attenuez
AEENTUV
+C evacuent
+L evaluent
+R aventure
AEENTUX
extenua
+C exaucent
+I extenuai
+S extenuas
+T extenuat
AEENTUY
+O noyautee
AEENTUZ
+T attenuez
AEENTVX
vexante
+C excavent
+I vexaient
+S vexantes
AEENTVZ
+R entravez
vanterez
AEENTYZ
+Z zezayent
AEENTZZ
+I zezaient
+Y zezayent
AEENUUX
+S nauseeux
AEENYZZ
+T zezayent
AEEOOPP
+C apocopee
AEEOPPR
+G propagee
+T apportee
AEEOPPS
apposee
+S apposees

AEEOPPT
+R apportee
AEEOPRR
 operera
 reopera
+I opererai
 reoperai
+R perorera
+S opereras
 reoperas
 reposera
+T reoperat
+V evaporer
AEEOPRS
 tapotee
+C ecoperas
+D deposera
+L poeleras
+M operames
+R opereras
 reoperas
 reposera
+S operasse
+T operates
 protease
+U epousera
+V evapores
+X exposera
AEEOPRT
+D depotera
+G potagere
 protegea
+L pelotera
+M ametrope
 empotera
+N operante
+P apportee
+R reoperat
+S operates
 protease
AEEOPRU
+S epousera
AEEOPRV
 evapore
+E evaporee
+L varlopee
+R evaporer
+S evapores
+Z evaporez
AEEOPRX
+S exposera
AEEOPRZ
+V evaporez
AEEOPSS
+C ecopasse
+L poelasse
 salopees
+N panossee
+P apposees
+R operasse
+T apostees
 potassee
AEEOPST
 apostee
+C ecopates
+D adoptees
+L poelates
+N antepose

+R operates
 protease
+S apostees
 potassee
+T tapotees
AEEOPSU
+R epousera
AEEOPSV
+I pavoisee
+R evapores
AEEOPSX
+R exposera
AEEOPTT
 tapotee
+S tapotees
AEEOPTY
+I apitoyee
AEEOPUY
+M paumoyee
AEEOPVZ
+R evaporez
AEEOQRU
+V evoquera
AEEOQRV
+U evoquera
AEEOQUV
+R evoquera
AEEORRR
+D redorera
+P perorera
AEEORRS
 arrosee
+B arborees
 obereras
+D eroderas
+G arrogees
+I roseraie
+N aererons
+P opereras
 reoperas
 reposera
+S arrosees
 essorera
+T toreeras
AEEORRT
 toreera
+C acrotere
+G ergotera
+I toreerai
+L tolerera
+N aereront
+P reoperat
AEEORRU
+B ebrouera
 rabrouee
+C ecrouera
+J rejouera
+L aureoler
 relouera
+N enrouera
 renouera
+V oeuvrera
AEEORRV
+D devorera
+L revolera

+N renovera
+P evaporer
+S apostees
+T revotera
+U oeuvrera
AEEORRZ
+D adorerez
AEEORSS
+B oberasse
+C ecossera
 rosacees
+D erodasse
+G essorage
+I oseraies
+L soleares
+P operasse
+R arrosees
 essorera
+T toreasse
AEEORST
+B boratees
 oberates
 rabotees
+C rotacees
+D erodates
 torsadee
+K keratose
+L oestrale
 oleastre
+M toreames
+P operates
 protease
+R toreasse
+S toreasse
+T tarotees
 toreates
+V avortees
AEEORSU
+C ecoeuras
 secouera
+G orageuse
+J ajourees
+L aureoles
+N enoueras
+P epousera
+V savouree
AEEORSV
+P evapores
+T avortees
+U savouree
AEEORSX
+N exoneras
+P exposera
AEEORSZ
+L azeroles
AEEORTT
 tarotee
+C carotte
+M emottera
+S tarotees
 toreates
AEEORTU
+B eboutera
 rabotuee
+C ecoeurat
 ecoutera
 reecouta
+G autogere

 outragee
+I ouaterie
+J rajoutee
+Z ouaterez
AEEORTV
 avortee
+S avortees
AEEORTX
+N exonerat
AEEORTY
+M atermoye
AEEORTZ
+U ouaterez
AEEORUV
+D devouera
+G ouvragee
+L evoluera
+Q evoquera
+S savouree
+Z avouerez
AEEORUZ
+L aureolez
+T ouaterez
+V avouerez
AEEORVZ
+P evaporez
+U avouerez
AEEOSSS
+D adossees
+L assolees
AEEOSST
+B sabotees
+P apostees
 potassee
+R toreasse
+T steatose
AEEOSSU
+L saoulees
+N enouasse
AEEOSTT
+H athetose
+M steatome
+P tapotees
+R tarotees
 toreates
+S steatose
+U tatouees
AEEOSTU
 aoutees
 ouatees
+B aboutees
+J ajoutees
+L aleoutes
+N enouates
+T tatouees
AEEOSTV
+R avortees
AEEOSTZ
 azotees
AEEOSUV
 avouees
+D desavoue
+R savouree
AEEOSUY
+B aboyeuse

AEEOTTU
 tatouee
+L alouette
+S tatouees
AEEOTTV
+C avocette
AEEOTUY
+N noyautee
AEEOTUZ
+M mazoutee
+R ouaterez
AEEOUVZ
+R avouerez
AEEPPRR
 prepare
+E preparee
+G egrapper
+L rappeler
+M epamprer
+R preparer
+S prepares
+T appreter
 perpetra
+Z preparez
AEEPPRS
+F frappees
+G egrappes
+I pepieras
 priapees
+L rappeles
+M epampres
+R prepares
+T appretes
AEEPPRT
 apprete
+E appretee
+I papetier
 peripate
+O apportee
+R appreter
 perpetra
+S appretes
+U perpetua
+Z appretez
AEEPPRU
+I paupiere
+L peuplera
 repeupla
+T perpetua
AEEPPRZ
+G egrappez
+H happerez
+J japperez
+L palperez
 rappelez
+M epamprez
+N apprenez
 napperez
+R preparez
+T appretez
AEEPPSS
 papesse
+I apepsies
 pepiasse
+O apposees
+S papesses

AEEPPST
+A appatees
+G steppage
+I pepiates
+R appretes
AEEPPSU
+J jappeuse
+Y appuyees
AEEPPSY
+U appuyees
AEEPPTU
+R perpetua
AEEPPTZ
+R appretez
AEEPPUY
   appuyee
+S appuyees
AEEPQRS
+U eparques
   parquees
AEEPQRT
+U parquete
AEEPQRU
   eparque
   parquee
+I equipera
+S eparques
   parquees
+T parquete
AEEPQSS
+U sapeques
AEEPQST
+U pasteque
AEEPQSU
   sapeque
+C pacquees
+I apiquees
+L plaquees
+R eparques
   parquees
+S sapeques
+T pasteque
AEEPQTU
+N petanque
+R parquete
+S pasteque
AEEPRRR
   reparer
+A reparera
+D reperdra
+E reperera
+I repairer
+L reparler
+O reporera
+P preparer
+T parterre
AEEPRRS
   pareres
   repares
   reperas
   separer
+A separera
+C creperas
   perceras
+D paredres
+E esperera
   reparees
+F preferas
+G asperger
   presager
+I epierras
   raperies
   rapieres
   repaires
   reperais
   reparies
+L perleras
+M parsemer
+O opereras
   reoperas
   reposera
+P prepares
+S paresser
   pressera
   repasser
+T preteras
   repartes
+U epureras
   reparues
+V preserva
AEEPRRT
   pretera
   reparte
   reperat
   retaper
+A retapera
+E repetera
+F preferat
+I epierrat
   etripera
   preterai
   repaitre
   repartie
   reperait
+L replatre
+M retrempa
   trempera
+N arpenter
   parerent
   raperent
   reparent
   reperant
+O reoperat
+P appreter
   perpetra
+R parterre
+S preteras
   repartes
+U aperture
+Z repartez
AEEPRRU
   apeurer
   epurera
   reparue
+A apeurera
+C recupera
+D depurera
   perdreau
+F epaufrer
+I epurerai
+J parjuree
+L pleurera
+S epureras
   reparues
+T aperture
+Z apurerez
AEEPRRV
   repaver
+A repavera
+C percevra
+D depraver
+O evaporer
+S preserva
AEEPRRX
+I expirera
AEEPRRY
   repayer
+A repayera
AEEPRRZ
   parerez
   raperez
   reparez
+D draperez
+I pairerez
   parierez
   raperiez
   repairez
   repariez
+L parlerez
   reparlez
+M ramperez
+P preparez
+T repartez
+U apurerez
AEEPRSS
   eparses
   esperas
   paresse
   peseras
   repasse
   separes
+C crepasse
   escarpes
   percasse
   rescapes
+D depasser
   saperdes
+E repassee
   separees
+G asperges
   presages
   pressage
+I aspirees
   epissera
   esperais
   pairesse
   paresies
   peserais
   pessaire
   repaisse
+K speakers
+L perlasse
   prelasse
   relapses
+M aspermes
   empressa
   parsemes
+N penseras
   persanes
   repensas
+O operasse
+R paresser
   pressera
   repasser
+S paresses
   repasses
+T pesteras
   pretasse
   trepasse
+U epurasse
   rapeuses
+Z paressez
   passerez
   repassez
AEEPRST
   apretes
   apteres
   arpetes
   esperat
   pateres
   pestera
   peteras
   repetas
   retapes
+A epateras
+C crepates
   esparcet
   percates
   respecta
+D departes
   depetras
+E retapees
+I asperite
   esperait
   peserait
   pesterai
   peterais
   pieteras
   piratees
   repetais
+L alpestre
   palestre
   perlates
   platrees
   salpetre
+M empetras
   estamper
   pretames
   temperas
+N arpentes
   esperant
   parentes
   paternes
   penetras
   presenta
   repensat
   saperent
   separent
   serpenta
   trepanes
+O operates
   protease
+P appretes
+R preteras
   repartes
+S pesteras
   pretasse
   trepasse
+T pretates
+U epurates
   paturees
+Z trapezes
AEEPRSU
   apeures
   apurees
   rapeuse
+B beaupres
+C apercues
   epuceras
+D persuade
+E apeurees
+F epaufres
+I epuisera
   parieuse
+L parleuse
+M epurames
   serapeum
+O epousera
+Q eparques
   parquees
+R epureras
   reparues
+S epurasse
   rapeuses
+T epurates
   paturees
+Y surpayee
AEEPRSV
   repaves
+D depraves
+E repavees
+L prelevas
   prevales
   vesperal
+O evapores
+R preserva
AEEPRSX
+A exaspera
+E exaspere
+I expieras
+O exposera
AEEPRSY
   repayes
+D depayser
+E repayees
+U surpayee
AEEPRSZ
   saperez
   separez
+G aspergez
+I saperiez
   separiez
+J jasperez
+M parsemez
+N panserez
+S paressez
   passerez
   repassez
+T trapezes
AEEPRTT
   repetat
+A attrapee
+C carpette

+D depetrat
+I peterait
   repetait
+M attrempe
   empetrat
   temperat
+N patenter
   penetrat
   repetant
   retapent
   taperent
+S pretates
+X pretexta
AEEPRTU
   paturee
+C capturee
+D deputera
+E epeautre
+I pieutera
   taupiere
+L plateure
+M etampeur
+N apeurent
+P perpetua
+Q parquete
+R aperture
+S epurates
   paturees
+V pauvrete
AEEPRTV
+L prelevat
+N paverent
   repavent
+U pauvrete
AEEPRTX
+I expatrie
+T pretexta
AEEPRTY
+N payerent
   prytanee
   repayent
AEEPRTZ
   retapez
   taperez
   trapeze
+C capterez
+D departez
+E epaterez
+I retapiez
   taperiez
+N arpentez
   trepanez
+P appretez
+R repartez
+S trapezes
AEEPRUV
+I vipereau
+L prevalue
+N parvenue
+T pauvrete
AEEPRUX
+G expurgea
AEEPRUY
+S surpayee
AEEPRUZ
   apeurez
+F epaufrez

+I apeuriez
+M paumerez
+R apurerez
AEEPRVZ
   paverez
   repavez
+D depravez
+I paveriez
   repaviez
+L prevalez
+M vamperez
+N parvenez
+O evaporez
AEEPRXY
+I apyrexie
AEEPRYZ
   payerez
   repayez
+I payeriez
   repayiez
AEEPSSS
   passees
   pesasse
+D depasses
+I asepsies
   epaisses
+L pelasses
+N pensasse
+P papesses
+R paresses
   repasses
+S pesasses
+T pestasse
   petasses
AEEPSST
   pesates
   pesetas
   petases
   petasse
+A epatasse
+I aseptise
   pietasse
   tapissee
+L septales
+M empestas
   estampes
   pestames
+N pensates
   pesantes
+O apostees
   potassee
+R pesteras
   prestase
   trepasse
+S pestasse
   petasses
+T pestates
+U pateuses
   tapeuses
AEEPSSU
+C epucasse
+Q sapeques
+R epurasse
   rapeuses
+T pateuses
   tapeuses

+Y payeuses
AEEPSSX
+I expiasse
+N expanses
AEEPSSY
+D depayses
+U payeuses
AEEPSSZ
+D depassez
+R paressez
   passerez
   repassez
AEEPSTT
   pattees
   petates
+A epatates
+I pietates
+L palettes
   peltaste
+M empestat
   tempetas
+N patentes
   petantes
   septante
+O tapotees
+R pretates
+S pestates
+T tapettes
AEEPSTU
   pateuse
   tapeuse
   taupees
+C epucates
+H aphteuse
+L spatulee
+M amputees
+Q pasteque
+R epurates
   paturees
+S pateuses
   tapeuses
AEEPSTX
+C exceptas
+I expiates
+M exemptas
AEEPSTY
+G gypaetes
AEEPSTZ
+M estampez
+R trapezes
AEEPSUY
   payeuse
+P appuyees
+R surpayee
+S payeuses
AEEPSYZ
+D depaysez
AEEPTTT
   tapette
+M tempetat
+S tapettes
AEEPTTU
+L paulette
AEEPTTX
+C exceptat
+M exemptat
+R pretexta

AEEPTTZ
+N patentez
AEEPTUV
+R pauvrete
AEEQRRR
+U requerra
AEEQRRS
+U resquera
AEEQRRT
+U etarquer
AEEQRRU
+I arequier
   equarrie
+M remarque
+N enquerra
+R requerra
+S esquarre
+T etarquer
+Z arqueter
AEEQRRZ
+U arquerez
   requerra
AEEQRSS
+U resequas
AEEQRST
+U etarques
   queteras
   resequat
   traquees
AEEQRSU
   arquees
   raquees
   resequa
+B braquees
+C craquees
+I areiques
   resequai
+M marquees
+N enarques
+P eparques
+R esquarre
+S resequas
+T etarquez
   traquees
+V vaquerez
AEEQRSX
+U exarques
AEEQRSZ
+U saquerez
AEEQRTT
+U raquette
AEEQRTU
   etarque
   quetera
   traquee
+C caqueter
   craquete
+D detraque
+E etarquee

+I queterai
+M marquete
+N quaterne
+P parquete
+R etarquer
+S etarques
   quartees
   queteras
   resequat
   traquees
+T raquette
+U equateur
   queutera
+Z etarquez
   taquerez
AEEQRTZ
+U etarquez
   taquerez
AEEQRUU
+D eduquera
   reeduqua
+N enuquera
+T equateur
   queutera
AEEQRUV
+O evoquera
+Z vaquerez
AEEQRUX
   exarque
+S exarques
AEEQRUZ
+C acquerez
   caquerez
+L laquerez
+R arquerez
   raquerez
+S saquerez
+T etarquez
   taquerez
+V vaquerez
AEEQRVZ
+U vaquerez
AEEQSST
+U quetasse
AEEQSSU
+C casquees
   sacquees
+M masquees
+P sapeques
+R resequas
+T quetasse
+U aqueuses
AEEQSTT
+U quetates
AEEQSTU
   taquees
+I astiquee
+L talquees
+M quetames
+N enquetas
+P pasteque
+R etarques
   quartees
   queteras
   resequat

```
       traquees      +T atterrer     +C crateres     +Z saurerez       atterrie
+S quetasse        AEERRRU            retercas     AEERRSV            reiterat
+T quetates       +B beurrera        retraces        reserva          retraite
   squattee       +C recurera        terceras        reveras       +M remettra
+U equeutas       +L leurrera     +D deterras        reversa          tremater
+Z azteques       +Q requerra        retardes        sevrera       +N arretent
AEEQSTZ           AEERRRV         +E arretees        versera          entartre
+U azteques          reverra      +F ferrates     +A avereras         enterrat
AEEQSUU           +E reverera     +G terrages     +C creveras         raterent
   aqueuse        +I reverrai     +I aretiers        recevras         tarerent
+S aqueuses       +N renverra        etireras     +D redevras      +R atterrer
+T equeutas       +S reverras        ratieres     +G greveras      +S atterres
AEEQSUX           AEERRRZ            reiteras     +I arrivees         sarrette
+R exarques       +B barrerez        resterai        ravieres         tartrees
AEEQSUZ           +C carrerez        stererai        reservai         terrates
+R saquerez       +M marrerez        tarieres        reversai      +Z atterrez
+T azteques       +N narrerez        terserai        revisera      AEERRTU
AEEQTTU           AEERRSS         +J jarretes        sevrerai         raturee
+A attaquee          errasse      +M metreras        verserai         terreau
+C caquette       +C caresser        terrames     +L reversal      +A aerateur
+I etatique          escarres     +N enserrat     +N enverras      +B rebutera
   etiqueta       +D adresser        enterras        renversa      +C createur
+J jaquette          desserra        entreras     +P preserva         creature
+M maquette          dressera        errantes     +R reverras         ecarteur
+N enquetat          redressa        raserent     +S reservas         eructera
+R raquette       +F ferrasse     +O toreeras        revasser      +F feutrera
+S quetates       +G agresser     +P preteras        reversas         furetera
   squattee          greseras        repartes        sevreras         refutera
+U equeutat          regressa     +R terreras        verseras      +H heurtera
AEEQTUU              serrages     +S essarter     +T reservat      +L ureteral
   equeuta        +H herseras        resteras        reversat         uretrale
+I equeutai       +I serieras        serrates        traverse      +M rameuter
+R equateur       +M serrames        stereras        veratres         retameur
   queutera       +N enserras        terrasse     AEERRSY          +P aperture
+S equeutas       +O arrosees        terseras        rayeres       +Q etarquer
+T equeutat          essorera        tressera     +F frayeres      +S raturees
AEEQTUZ           +P paresser     +T atterres     +S ressayer         restaure
   azteque           pressera        sarrette     +T retrayes      +X terreaux
+C caquetez          repasser        tartrees     AEERRSZ          AEERRTV
+R etarquez       +R resserra        terrates        raserez          reverat
   taquerez          serreras     +U raturees     +A araserez         veratre
+S azteques       +S errasses        restaure     +B braserez      +D verdatre
AEEQUVZ              serrasse     +V reservat        sabrerez      +I reverait
+R vaquerez       +T essarter        reversat        zebreras         revetira
AEERRRS              resteras        traverse     +C sacrerez      +N entraver
   erreras           serrates        veratres     +F fraserez         reverant
   serrera           steras       +Y retrayes     +I ariserez      +O revotera
+F ferreras          terrasse     AEERRSU            raseriez      +S reservat
+I arrieres          terseras     +B barreuse     +U saurerez         reversat
   errerais          tressera     +C creusera     AEERRTT             traverse
   serrerai       +U rassuree        ecraseur        atterre          veratres
+S resserra          reassure        recauser        retater       AEERRTX
   serreras          ressuera        recreusa        tartree       +D extrader
+T terreras       +V reservas        recusera     +A retatera      +I extraire
+V reverras          revasser     +F refusera     +B barrette      +U terreaux
AEERRRT              reversas     +M mesurera        rebattre      AEERRTY
   arreter           sevreras        remueras     +C retercat         retraye
   terrera           verseras        resumera        retracte      +E retrayee
+A arretera       +Y ressayer     +P epureras        traceret      +N rayerent
+C retracer       AEERRST            reparues     +D detartre         rentraye
+D retarder          arretes      +Q esquarre        deterrat      +S retrayes
+I errerait          artetes      +S rassuree     +E atterree      AEERRTZ
   retirera          errates         reassure     +F frettera         arretez
   terrerai          raretes         ressuera     +G regratte         raterez
+N rentrera          restera      +T raturees        regretta         tarerez
+P parterre          sterera         restaure     +I arterite      +C retracez
+S terreras          tersera
```

```
    tracerez      +T  essartes    +U  austeres    +T  sweaters    +N  entrates
+D  retardez          restasse        ressaute    AEERSSY             restante
    tarderez          sterasse        saturees        essayer         tenteras
+F  farterez          tersasse    +V  sevrates        rasseye     +O  tarotees
+I  arretiez      +U  assurees        versates        ressaye         toreates
    rateriez          raseuses    +W  sweaters    +A  essayera    +P  pretates
    tarierez      +V  revasses    +Z  essartez        reessaya    +R  atterres
+M  tramerez      +Y  rasseyes        tasserez    +E  reessaye        sarrette
+P  repartez          ressayes    AEERSSU             ressayee        tartrees
+T  tarterez      +Z  sasserez        assuree     +G  grasseye        terrates
AEERRUV           AEERSST             raseuse     +R  ressayer    +S  rasettes
+B  abreuver          essarte         saurees     +S  rasseyes        restates
    ebavurer      +C  castrees    +C  recauses    +U  essayeur        stateres
+H  varheure          cerastes    +G  rageuses    +Z  rasseyez        sterates
+O  oeuvrera          secretas        ressuage        ressayez        tersates
AEERRUX               tercasse    +H  rehausse    AEERSSZ             testeras
+T  terreaux          secretas    +I  aussiere    +B  zebrasse    +T  attester
AEERRUY               tercasse        remuasse    +C  caressez    AEERSTU
+D  derayure      +D  desastre    +K  euskeras        casserez        austere
+L  relayeur          desertas    +L  aleseurs    +D  adressez        saturee
+M  mareyeur          estrades        raleuses    +G  agressez        uraetes
+N  enrayure      +E  essartee    +M  rameuses    +I  assierez    +C  cauteres
AEERRUZ               esterase        remuasse        reassiez        rutacees
+G  arguerez      +F  fretasse        rapeuses    +L  lasserez        secateur
    raguerez      +G  agrestes    +P  epurasse    +M  masserez        traceuse
+M  amurerez          geasters        rapeuses    +P  paressez    +G  targuees
+P  apurerez          gresates    +Q  resequas        passerez    +I  estuaire
+Q  arquerez          tressage    +R  rassuree        repassez        sauterie
    raquerez      +H  hersates        reassure    +S  sasserez    +J  rajustee
+S  saurerez      +I  asteries        ressuera    +T  essartez        reajuste
+Z  azurerez          atresies    +S  assurees        tasserez    +M  etameurs
AEERRVZ               etirasse        raseuses    +V  revassez        rameutes
+B  braverez          ratissee    +T  austeres    +Y  rasseyez        remuates
+E  avererez          seriates        ressaute        ressayez    +N  eternuas
+G  graverez          starisee        saturees    AEERSTT             senateur
+I  varierez      +L  lesteras    +V  evasures        rasette     +P  epurates
+N  navrerez      +M  masseter    +Y  essayeur        retates         paturees
AEERRYZ               metrasse    AEERSSV             statere     +Q  etarques
    rayerez           ressemat        averses         testera         quartees
+D  drayerez          restames        revasse         teteras         queteras
+F  frayerez          steamers    +A  averasse    +A  stearate        resequat
+I  rayeriez          sterames        evaseras    +B  rebattes        traquees
AEERRZZ               tersames    +C  crevasse    +C  secretat    +R  raturees
+U  azurerez      +N  entasser    +D  adverses        tercates        restaure
AEERSSS               entrasse        deversas    +D  desertat    +S  austeres
    reasses           reassent    +G  grevasse        tetrades        ressaute
+A  aerasses      +O  toreasse        servages    +E  eteteras        saturees
+B  brassees      +P  pesteras        sevrages        retatees    +V  etuveras
+C  caresses          pretasse    +I  asservie    +F  fretates        evertuas
    cesseras          trepasse        ravisees    +G  grattees        vautrees
    creasses      +R  essarter        vasieres        stratege    +X  surtaxee
+D  adresses          resteras    +M  sevrames    +H  theatres    +Y  trayeuse
+F  fesseras          serrates        versames    +I  ariettes    +Z  sauterez
    refasses          stereras    +R  reservas        attirees    AEERSTV
+G  agresses          terrasse        revasser        etatiser        etraves
    gerasses          terseras        reversas        etirates        revates
    greasses          tressera        sevreras        saietter        travees
    gresasse      +S  essartes        verseras        testerai    +A  averates
+H  hersasse          restasse    +S  revasses        teterais    +B  brevetas
+I  ressaies          sterasse        sevrasse        traitees    +C  crevates
    seriasse          tersasse        versasse    +J  jetteras    +D  devaster
+M  ressemas      +T  rasettes    +T  sevrates        traitees        deversat
+P  paresses          restates        versates    +M  emettras    +G  grevates
    repasses          stateres    +U  evasures        metrates    +I  averties
+R  errasses          sterates        vareuses        ramettes        eviteras
    serrasse          tersates    +Z  revassez        tremates        revetais
+S  ressasse          testeras    AEERSSW                             savetier
```

```
    varietes        +S essayeur      +B ebattrez      +Q vaquerez      +X vexasses
+N entraves        +T trayeuse         rebattez      +S sauverez     AEESSSX
   eventras        AEERSUZ           +I retatiez      AEERUXZ         +V vexasses
   servante           azurees           tateriez      +G gerzeaux     AEESSSY
   tavernes        +B abuserez       +L latterez      AEERUZZ            asseyes
   veterans        +C causerez       +M trematez      +R azurerez        essayes
+O avortees           recausez       +N natterez      AEERVVZ         +E essayes
+R reservat           saucerez       +R atterrez      +I avivera      +R rasseyes
   reversat        +L saluerez       AEERTUU          AEERXYZ            ressayes
   traverse        +M amuserez       +Q equateur      +T extrayez     AEESSSZ
   veratres        +N azureens          queutera      AEERYZZ         +R sasserez
+S sevrates           saunerez       AEERTUV             zezayer      AEESSTT
   versates        +Q saquerez          etuvera      +A zezayera         assette
+U etuveras        +R saurerez          evertua      AEESSSS            tetasse
   evertuas        +T sauterez          vautree         sassees      +C cassette
   vautrees        +V sauverez       +I etuverai      +B bassesse     +D detestas
AEERSTW            AEERSVV              evertual      +C cessasse     +E etetasse
   sweater         +I ravivees       +L tavelure      +F fessasse     +I assiette
+S sweaters        AEERSVX           +N aventure      +G sagesses        attisees
AEERSTX               vexeras        +P pauvrete      +L lesasses        etatises
+C excretas        +I vexerais       +S etuveras      +M semasses        saiettes
+D adextres        +N nevraxes          evertuas      +P pesasses        satietes
   extrades        AEERSVZ              vautrees      +R ressasse     +L lestates
+I existera        +E evaserez       +T evertuat      +U sasseuse     +M massette
   extasier        +I aviserez       +X vexateur      AEESSST            testames
   extraies        +L valserez       AEERTUX             tassees      +N tentasse
+U surtaxee        +S revassez       +C exacteur      +B asbestes     +O steatose
AEERSTY            +U sauverez       +L exultera         betasses     +P pestates
+A etayeras        AEERSYZ           +R terreaux         sebastes     +R rasettes
+M metayers        +S rasseyez       +S surtaxee      +C cessates        restates
+R retrayes           ressayez       +T treteaux      +F fessates        stateres
+U trayeuse        AEERSZZ           +V vexateur         fetasses        sterates
AEERSTZ            +I razziees       AEERTUY          +I assistee        tersates
+B zebrates        AEERTTT           +S trayeuse      +J jetasses        terseras
+P trapezes        +G targette       AEERTUZ          +L altesses      +S assettes
+S essartez        +I attitree       +F fauterez         lestasse        testasse
   tasserez           teterait       +I zieutera      +N entasses        tetasses
+U sauterez        +N attenter       +L zelateur      +P pestasse      +T attestes
AEERSUU               retatent       +M rameutez         petasses        tassette
+G augurees           taterent       +O ouaterez      +R essartes        testates
+M saumuree        +S attester       +Q etarquez         restasse     AEESSTU
AEERSUV            AEERTTU              taquerez         sterasse        sautees
   evasure            treteau        +S sauterez         tersasse     +F faussete
   vareuse         +B rebattue       AEERTVX          +T assettes      +G gateuses
+B abreuves        +G guettera       +I vexerait         testasse     +H aethuses
   ebavures        +N attenuer       +U vexateur         tetasses     +I taiseuse
+L revalues           eternuat       AEERTVZ          AEESSSU         +J ajustees
   sureleva        +Q raquette       +N entravez      +F faussees     +P pateuses
+O savouree        +V evertuat          vanterez      +G gaussees        tapeuses
+S evasures        +X treteaux       AEERTXY          +H haussees      +Q quetasse
   vareuses        AEERTTV           +Z extrayez      +J jaseuses      +R austeres
+T etuveras        +B brevetat       AEERTXZ          +L saleuses         ressaute
   evertuas        +I revetait          taxerez       +M assumees        saturees
   vautrees        +L levretta       +D extradez         masseuse     +U sauteuse
+Z sauverez        +N eventrat       +I taxeriez      +R assurees      +V etuvasse
AEERSUX               revetant       +Y extrayez         raseuses        sauvetes
   reseaux         +U evertuat       AEERTYZ          +S sasseuse     AEESSTV
+C excusera        AEERTTX           +E etayerez      +V vaseuses      +A evasates
+D exsudera        +C excretat       +X extrayez      AEESSSV         +D devastes
   serdeaux        +I extraite       AEERUVX          +A evasasse      +I evitates
+G gerseaux        +N externat       +C cerveaux      +L levasses      +L vestales
+H exhaures           taxerent       +T vexateur         velasses     +R sevrates
+Q exarques        +P pretexta       AEERUVZ          +N vanesses         versates
+T surtaxee        +U treteaux       +B abreuvez      +R revasses      +U etuvasse
AEERSUY            AEERTTZ              ebavurez         sevrasse        sauvetes
+C crayeuse           retatez        +G vaguerez         versasse
+P surpayee           taterez        +O avouerez      +U vaseuses
```

AEESSTW
+R sweaters

AEESSTX
   extases
+I extasies

AEESSTY
+A etayasse
+N asseyent
   essayent
   saynetes
   seyantes

AEESSTZ
+N entassez
+R essartez
   tasserez

AEESSUU
+C causeuse
+M amuseuse
+Q aqueuses
+T sauteuse

AEESSUV
   sauvees
   vaseuse
+B baveuses
+H haveuses
+L laveuses
   valseuse
+R evasures
   vareuses
+S vaseuses
+T etuvasse
   sauvetes

AEESSUX
   asexues
+E asexuees
+H exhausse

AEESSUY
+G essuyage
+P payeuses
+R essayeur

AEESSUZ
+G gazeuses

AEESSVV
+I evasives

AEESSVX
   vexasse
+S vexasses

AEESSVZ
+R revassez

AEESSYZ
   asseyez
   essayez
+I asseyiez
   essayiez
+R rasseyez
   ressayez

AEESTTT
   atteste
   tetates
+D detestat
+E attestee
   etetates
+I etatiste
+N attentes
   tentates
+P tapettes
+R attester
+S attestes
   tassette
   testates
+Z attestez

AEESTTU
+B aubettes
   batteuse
   ebattues
+C causette
+L aluettes
   talutees
+M amusette
+N attenues
+O tatouees
+Q quetates
   squattee
+V etuvates
   sauvette

AEESTTV
+B bavettes
+I evitates
+L lavettes
+N navettes
+U etuvates
   sauvette

AEESTTW
+D dewattes

AEESTTY
+A etayates
+L layettes

AEESTTZ
+C cazettes
+G gazettes
+I etatisez
   saiettez
+M mazettes
+T attestez

AEESTUU
+Q equeutas
+S sauteuse

AEESTUV
   sauvete
+G etuvages
+M etuvames
+R etuveras
   evertuas
   vautrees
+S etuvasse
   sauvetes
+T etuvates
   sauvette

AEESTUX
+C executas
+N extenuas
+R surtaxee

AEESTUY
+R trayeuse

AEESTUZ
+Q azteques
+R sauterez

AEESTVX
   vexates
+N vexantes

AEESTVZ
+D devastez

AEESTXZ
+I extasiez

AEESUUX
+N nauseeux

AEESUVV
+G veuvages

AEESUVX
+D desaveux

AEESUVZ
+R sauverez

AEESYZZ
   zezayes

AEETTTZ
+N attentez
+S attestez

AEETTUU
+Q equeutat
+Y tuyautee

AEETTUV
+F fauvette
+R evertuat
+S etuvates
   sauvette

AEETTUX
   teteaux
+C executat
+N extenuat
+R treteaux

AEETTUY
+U tuyautee

AEETTUZ
+N attenuez

AEETUUY
+T tuyautee

AEETUVX
+G vegetaux
+R vexateur

AEETXYZ
+R extrayez

AEETYZZ
+N zezayent

AEEYZZZ
   zezayez
+I zezayiez

AEFFFIT
+C affectif

AEFFGGR
+E greffage

AEFFGIL
   afflige
+A affilage
   affligea
+E affligee
   effilage
+R affliger
+S affliges
+Z affligez

AEFFGIN
+A affinage

AEFFGIR
   agriffe
   greffai
+A gafferai
+D griffade
+E agriffee
+L affliger
+R agriffer
   griffera
+S agriffes
   greffais
+T greffait

AEFFGIS
+B biffages
+L affliges
+R agriffes
   greffais

AEFFGIT
+R greffait

AEFFGIZ
   gaffiez
+L affligez
+R agriffez

AEFFGLR
+I affliger

AEFFGLS
+I affliges

AEFFGLU
+B bufflage

AEFFGLZ
+I affligez
+Z affligez

AEFFGMS
+A gaffames

AEFFGNR
+E effrange

AEFFGNT
   gaffent
+R greffant

AEFFGOR
+C coffrage

AEFFGOU
+A affouage

AEFFGRR
+E greffera
   regreffa
+I agriffer

AEFFGRS
   greffas
+A gafferas
+I agriffes
   greffais
+U suffrage

AEFFGRT
   greffat
+I greffait
+N greffant

AEFFGRU
   gaffeur
+S gaffeurs
   suffrage

AEFFGRZ
+E gafferez
+I agriffez

AEFFGSS
+A gaffasse

AEFFGST
+A gaffates

AEFFGSU
+E gaffeuse
+R gaffeurs
   suffrage

AEFFGTU
+A affutage

AEFFHIR
+C afficher

AEFFHIS
+C affiches

AEFFHIZ
+C affichez

AEFFHRU
+C chauffer

AEFFHSU
+C chauffes

AEFFHUZ
+C chauffez

AEFFIIL
   affilie
   effilai
+E affiliee
+R affilier
+S affilies
   effilais
+T effilait
+Z affiliez

AEFFIIN
+T affinite
+Z affiniez

AEFFIIP
+Z piaffiez

AEFFIIR
+B bifferai
   rebiffai
+D differai
+L affilier
+T effritai

AEFFIIS
+L affilies
   effilais
   falsifie

AEFFIIT
+L effilait
+N affinite
+R effritai

AEFFIIZ
+L affiliez
+N affiniez
+P piaffiez

AEFFILN
+T affilent
   effilant

AEFFILO
+R affriole
+Z affoliez

AEFFILR
   affiler
+A affilera
+E effilera
+G affliger
+I affilier
+O affriole
+S sifflera
+U faufiler

AEFFILS
   affiles
   effilas
+E affilees
+G affliges
+I affilies
   effilais

falsifie
+R sifflera
+U faufiles
AEFFILT
effilat
+I effilait
+N affilent
effilant
AEFFILU
faufile
+A efaufila
+E efaufile
faufilee
+R faufiler
+S faufiles
+Z affluiez
faufilez
AEFFILX
+A affixale
AEFFILZ
affilez
+A affaliez
+G affligez
+I affiliez
+O affoliez
+U affluiez
faufilez
AEFFIMN
+E effemina
AEFFIMP
+R empiffra
AEFFIMR
affermi
affirme
+A affermai
+D diffamer
+E affermie
affirmee
+P empiffra
+R affermir
affirmer
raffermi
+S affermis
affirmes
+T affermit
+Z affirmez
AEFFIMS
+B biffames
+D diffames
+R affermis
affirmes
AEFFIMT
+R affermit
AEFFIMZ
+A affamiez
+D diffamez
+R affirmez
AEFFINN
+T affinent
AEFFINO
+S offensai
AEFFINP
+T piaffent
AEFFINR
affiner
raffine
+A affinera

+E raffinee
+R raffiner
+S raffines
+U affineur
+Z raffinez
AEFFINS
affines
+A effanais
+E effanies
+O offensai
+R raffines
AEFFINT
+A effanait
+I affinite
+L affilent
effilant
+N affinent
+P piaffent
AEFFINU
+R affineur
AEFFINZ
affinez
+E effaniez
+I affiniez
+R raffinez
AEFFIOR
+C coiffera
efforcai
recoiffa
+L affriole
+R forfaire
AEFFIOS
+N offensai
+S assoiffe
+T etoffais
AEFFIOT
etoffai
+S etoffais
+T etoffait
+U etouffai
AEFFIOU
+T etouffai
AEFFIOZ
+L affoliez
AEFFIPR
piaffer
+A piaffera
+M empiffra
AEFFIPS
piaffes
AEFFIPT
+N piaffent
AEFFIPZ
piaffez
+I piaffiez
AEFFIRR
+A affairer
+G agriffer
griffera
+M affermir
affirmer
raffermi
+N raffiner
+O forfaire
AEFFIRS
+A affaires
effarais

+B bifferas
rebiffas
+D differas
+E effraies
+G agriffes
greffais
+L sifflera
+M affermis
affirmes
+N raffines
+T effritas
+U suiffera
AEFFIRT
effrita
+A affretai
effarait
+B rebiffat
+D differat
+G greffait
+I effritai
+M affermit
+S effritas
+T effritat
+U affruite
AEFFIRU
+L faufiler
+N affineur
+S suiffera
+T affruite
AEFFIRY
+A effrayai
AEFFIRZ
+A affairez
+E effariez
+G agriffez
+M affirmez
+N raffinez
AEFFISS
+A affaisse
+B biffasse
+O assoiffe
AEFFIST
+B biffates
+O etoffais
+R effritas
+Z staffiez
AEFFISU
+L faufiles
+R suiffera
AEFFISX
affixes
+E affixees
AEFFISZ
+T staffiez
AEFFITT
+O etoffait
+R effritat
AEFFITU
+O etouffai
+R affruite
+Z affutiez
AEFFITZ
+S staffiez
+U affutiez
AEFFIUZ
+L affluiez
faufilez

+T affutiez
AEFFLNO
+T affolent
AEFFLNT
+A affalent
+I affilent
effilant
+O affolent
+U affluent
AEFFLNU
+T affluent
AEFFLOR
affoler
raffole
+A affolera
+I affriole
+R raffoler
+S raffoles
+Z raffolez
AEFFLOS
affoles
+E affoles
+R raffoles
AEFFLOT
+N affolent
AEFFLOU
+E auloffee
AEFFLOZ
affolez
+I affoliez
+R raffolez
AEFFLRR
+O raffoler
AEFFLRS
+I sifflera
+O raffoles
+U farfelus
AEFFLRU
affluer
farfelu
+A affleura
affluera
+B affubler
bluffera
+E affleure
effleura
farfelue
+I faufiler
+S farfelus
AEFFLRZ
+O raffolez
AEFFLSU
afflues
+B affubles
+I faufiles
+R farfelus
AEFFLTU
+N affluent
AEFFLUZ
affluez
+B affubler
+I affluiez
faufilez
+A affamant
AEFFMNT
AEFFMPR

+I empiffra
AEFFMRR
+E affermer
+I affermir
affirmer
raffermi
AEFFMRS
+A affermas
+E affermes
+I affermis
affirmes
AEFFMRT
+A affermat
+I affermit
AEFFMRU
+A affameur
AEFFMRZ
+E affermez
+I affirmez
AEFFNNO
+S effanons
AEFFNNS
+O effanons
AEFFNNT
+A affanant
+E effanent
+I affinent
AEFFNOR
+D effondra
offrande
+S effarons
+T affronte
AEFFNOS
offensa
+C effacons
+I offensai
+N effanons
+R effarons
+S offensas
+T offensat
AEFFNOT
+L affolent
+R affronte
+S offensat
+T etoffant
AEFFNPT
+I piaffent
AEFFNRR
+I raffiner
AEFFNRS
+A fanfares
+I raffines
+O effarons
AEFFNRT
+A affarent
+E afferent
+G greffant
+O affronte
AEFFNRU
+I affineur
AEFFNRZ
+I raffiner
AEFFNSS
+O offensas
AEFFNST
+O offensat

+T staffent
AEFFNTT
+O etoffant
+S staffent
+U affutent
AEFFNTU
+L affluent
+T affutent
AEFFOPR
+U pouffera
AEFFOPU
+R pouffera
AEFFORR
+C coffrera
+I forfaire
+L raffoler
AEFFORS
+C efforcas
+L raffoles
+N effarons
AEFFORT
+C efforcat
+E etoffera
+N affronte
AEFFORU
+B bouffera
+P pouffera
AEFFORZ
+L raffolez
AEFFOSS
+I assoiffe
+N offensas
AEFFOST
etoffas
+I etoffais
+N offensat
+U etouffas
AEFFOSU
+T etouffas
AEFFOTT
etoffat
+I etoffait
+N etoffant
+U etouffat
AEFFOTU
etouffa
+I etoffai
+S etouffas
+T etouffat
AEFFPRU
+O pouffera
AEFFRRT
+E affreter
+U raffuter
truffera
AEFFRRU
+T raffuter
truffera
AEFFRRY
+E effrayer
AEFFRST
staffer
+A affretas
staffera
+E affretes
+I effritas
+U raffutes

staffeur
AEFFRSU
+E affreuse
+G gaffeurs
suffrage
+I suiffera
+L farfelus
+T raffutes
staffeur
AEFFRSY
+A effrayas
+E effrayes
AEFFRTT
+A affretat
+I effritat
AEFFRTU
affuter
raffute
+A affutera
+E raffutee
+I affruite
+R raffuter
truffera
+S raffutes
staffeur
+U affuteur
+Z raffutez
AEFFRTY
+A effrayat
AEFFRTZ
+E affretez
+U raffutez
AEFFRUU
+T affuteur
AEFFRUX
affreux
AEFFRUZ
+T raffutez
AEFFRYZ
+E effrayez
AEFFSST
staffes
+E staffees
AEFFSTT
+A taffetas
+N staffent
AEFFSTU
affutes
+E affutees
+O etouffas
+R raffutes
staffeur
AEFFSTZ
staffez
+I staffiez
AEFFTTU
+N affutent
+O etouffat
AEFFTUU
tuffeau
+R affuteur
+X tuffeaux
AEFFTUX
+U tuffeaux
AEFFTUZ
affutez
+I affutiez

+R raffutez
AEFFUUX
+T tuffeaux
AEFGGLN
+O gonflage
AEFGGLO
+N gonflage
AEFGGNO
+L gonflage
AEFGGOR
+E forgeage
AEFGGOT
+A fagotage
AEFGGRU
+A gaufrage
AEFGHIS
+C fichages
AEFGHLL
+A fellagha
AEFGHNS
+A afghanes
AEFGIII
+L gelifiai
AEFGIIL
gelifia
+I gelifiai
+N aiglefin
infligea
+R giflerai
+S gelifias
+T gelifiat
AEFGIIM
+N magnifie
AEFGIIN
+L aiglefin
infligea
+M magnifie
+R aigrefin
+S feignais
+T feignait
AEFGIIR
figerai
+L giflerai
+N aigrefin
+S figerais
+T figerait
gatifier
+U refugiai
AEFGIIS
figeais
+L gelifias
+N feignais
+R figerais
+T fastigie
gatifies
AEFGIIT
figeait
gatifie
+L gelifiat
+N feignait
+R figerait
gatifier
gratifie
+S fastigie
gatifies
+Z gatifiez

AEFGIIU
+R refugiai
AEFGIIZ
+A gazeifia
+E gazeifie
+T gatifiez
AEFGILM
+S giflames
AEFGILN
+E enfilage
+I aiglefin
infligea
AEFGILR
fragile
giflera
+E legifera
+F affliger
+I giflerai
+M giflames
+R fragiles
+S giflasse
gifleras
+T giflates
AEFGILT
+E filetage
+I gifliat
+R filtrage
+S giflates
AEFGILZ
+F affligez
AEFGIMN
+I magnifie
+U fumagine
AEFGIMS
+E figeames
+L giflames
AEFGIMU
+N fumagine
AEFGINN
+R frangine
+T feignant
AEFGINR
+A farinage
frangeai
+E freinage
+I aigrefin
+L fringale
+N frangine
+Z frangiez
AEFGINS
finages
+I feignais
+T negatifs
AEFGINT
figeant
negatif
+I feignait
+N feignant

+S negatifs
AEFGINU
+M fumagine
AEFGINZ
+R frangiez
AEFGIOR
forgeai
+R forgerai
+S forgeais
+T fagotier
forgeait
+U fougerai
AEFGIOS
+R forgeais
+U fougeais
AEFGIOT
+R fagotier
forgeait
+U fougeait
+Z fagotiez
AEFGIOU
fougeai
+R fougerai
+S fougeais
+T fougeait
AEFGIOZ
+T fagotiez
AEFGIPS
+U apifuges
AEFGIPU
apifuge
+S apifuges
AEFGIRR
+F agriffer
griffera
+O forgerai
+U figurera
gaufrier
AEFGIRS
figeras
girafes
+A fraisage
+F agriffes
greffais
+I figeras
+L fragiles
gifleras
+O forgeais
+S agressif
+T ergatifs
+U refugias
AEFGIRT
ergatif
+F greffait
+I figerait
gatifier
gratifie
+L filtrage
+O fagotier
forgeait
+S ergatifs
+T frittage
+U fatiguer
refugiat
AEFGIRU
refugia
+A girafeau

+D defigura	+A fellagas	**AEFGMRS**	**AEFGORR**	gaufrer	
+I refugiai	**AEFGLMS**	+E fermages	forgera	+A gaufrera	
+O fougerai	+I giflames	+O formages	+I forgerai	+I figurera	
+R figurera	**AEFGLNO**	**AEFGMRT**	+M fromager	gaufrier	
gaufrier	+D degonfla	+N fragment	+S forgeras	+O fourrage	
+S refugias	+G gonflage	**AEFGMSU**	+U fourrage	+U gaufreur	
+T fatiguer	+R flagorne	fumages	**AEFGORS**	gaufrure	
refugiat	gonflera	+U fuguames	forages	**AEFGRSS**	
+U fuguerai	regonfla	**AEFGMUU**	forgeas	+I agressif	
+Z gaufriez	**AEFGLNR**	+S fuguames	+C forcages	**AEFGRST**	
AEFGIRZ	+I fringale	**AEFGNNO**	+I forgeais	+A fartages	
+A agrafiez	+O flagorne	+T fontange	+M formages	+E fregates	
+F agriffez	gonflera	**AEFGNNR**	fromages	+I ergatifs	
+N frangiez	regonfla	+I frangine	+R forgeras	+O fortages	
+U gaufriez	**AEFGLNS**	+T frangent	+T fortages	+U gerfauts	
AEFGISS	+A alfanges	**AEFGNNT**	+U fougeras	**AEFGRSU**	
+E figeasse	**AEFGLOR**	+I feignant	soufrage	fargues	
+L giflasse	+N flagorne	+O fontange	**AEFGORT**	+E gaufrees	
+R agressif	gonflera	+R frangent	fagoter	+F gaffeurs	
AEFGIST	regonfla	**AEFGNOR**	forgeat	suffrage	
+A faitages	**AEFGLOS**	+L flagorne	fortage	+I refugias	
+E figeates	+C flocages	gonflera	+A fagotera	+L frugales	
+I fastigie	+U foulages	regonfla	+I fagotier	+O fougeras	
gatifies	**AEFGLOT**	+T forgeant	forgeait	soufrage	
+L giflates	+T flottage	**AEFGNOS**	+N forgeant	+T gerfauts	
+N negatifs	**AEFGLOU**	+C foncages	+S fortages	+U fugueras	
+R ergatifs	foulage	**AEFGNOT**	+T frottage	**AEFGRTT**	
+U fatigues	+S foulages	+N fontange	**AEFGORU**	+E frettage	
fustigea	**AEFGLRS**	+R forgeant	fougera	+I frittage	
AEFGISU	+I fragiles	+T fagotent	+I fougerai	+O frottage	
+O fougeais	gifleras	+U fougeant	+R fourrage	**AEFGRTU**	
+P apifuges	+U frugales	**AEFGNOU**	+S fougeras	gerfaut	
+R refugias	**AEFGLRT**	+T fougeant	soufrage	+E feutrage	
+T fatigues	+I filtrage	**AEFGNRR**	**AEFGOSS**	furetage	
fustigea	**AEFGLRU**	franger	+U fougasse	+I fatiguer	
AEFGISX	frugale	+A frangera	**AEFGOST**	refugiat	
fixages	+E fleurage	**AEFGNRS**	fagotes	+N gaufrent	
AEFGITT	+S frugales	franges	+E fagotees	+S gerfauts	
+R frittage	**AEFGLSS**	+A frangeas	+R fortages	**AEFGRUU**	
AEFGITU	+I giflasse	+E frangees	**AEFGOSU**	fuguera	
fatigue	**AEFGLST**	**AEFGNRT**	fagoues	+I fuguerai	
+C fugacite	+I giflates	+A agrafent	fouages	+R gaufreur	
+E fatiguee	**AEFGLSU**	frangeat	+I fougeais	gaufrure	
+O fougeait	fluages	+F greffant	+L foulages	+S fugueras	
+R fatiguer	+E fuselage	+M fragment	+R fougeras	**AEFGRUZ**	
refugiat	+O foulages	+N frangent	soufrage	gaufrez	
+S fatigues	+R frugales	+O forgeant	+S fougasse	+I gaufriez	
fustigea	**AEFGLTT**	+U gaufrent	**AEFGOTT**	**AEFGSSU**	
+Z fatiguez	+O flottage	**AEFGNRU**	+L flottage	+O fougasse	
AEFGITZ	**AEFGMNR**	+A naufrage	+N fagotent	+U fuguasse	
+I gatifiez	+T fragment	+T gaufrent	+R frottage	**AEFGSTU**	
+O fagotiez	**AEFGMNT**	**AEFGNRZ**	**AEFGOTU**	+I fatigues	
+U fatiguez	+R fragment	frangez	fougeat	fustigea	
AEFGIUU	**AEFGMNU**	+I frangiez	+I fougeait	+R gerfauts	
+R fuguerai	+E enfumage	**AEFGNST**	+N fougeant	+U fuguates	
AEFGIUZ	+I fumagine	+I negatifs	**AEFGOTZ**	**AEFGSUU**	
+R gaufriez	**AEFGMOR**	**AEFGNSU**	fagotez	+M fuguames	
+T fatiguez	formage	+E fangeuse	+I fagotiez	+R fugueras	
AEFGKLO	fromage	**AEFGNTT**	**AEFGPPR**	+S fuguasse	
+C flockage	+R fromager	+O fagotent	+A frappage	+T fuguates	
AEFGLLL	+S formages	**AEFGNTU**	**AEFGPSU**	**AEFGTUU**	
+A flagella	fromages	+E enfutage	+I apifuges	+S fuguates	
+E flagelle	**AEFGMOS**	+O fougeant	**AEFGRRS**	**AEFGTUZ**	
AEFGLLO	+R formages	+R gaufrent	+E ferrages	+I fatiguez	
+A flageola	**AEFGMRR**	**AEFGNUX**	+O forgeras	**AEFHIIR**	
+E flageole	+O fromager	fangeux	**AEFGRRU**	+C ficherai	
AEFGLLS					

AEFHIKL
khalife
+S khalifes
AEFHIKS
+L khalifes
AEFHILR
+C flechira
AEFHILS
+C flechais
+K khalifes
AEFHILT
+C flechait
AEFHIMS
+C fichames
AEFHINR
+C franchie
AEFHINT
+C fichante
AEFHIRS
+C ficheras
fraiches
AEFHISS
+C fichasse
+D adhesifs
AEFHIST
+C fichates
AEFHIUZ
+C fauchiez
AEFHKLS
+I khalifes
AEFHLLS
fellahs
AEFHLNR
+C flancher
AEFHLNS
+C flanches
AEFHLNT
+C flanchet
flechant
AEFHLNZ
+C flanchez
AEFHLSS
flashes
AEFHLSU
+C faluches
AEFHLUX
+C flacheux
AEFHNOT
+C fantoche
AEFHNRS
+C franches
AEFHNTU
+C fauchent
AEFHORU
+C farouche
AEFHRUU
+C faucheur
AEFHSTU
+C fauchets
AEFHUUX
+C faucheux
AEFIIIL
+G gelifiai
+N lenifiai
AEFIIIN
+L lenifiai
AEFIIIR
reifiai
+S reifiais
+T reifiait
+V verifiai
AEFIIIS
+D deifiais
edifiais
+R reifiais
AEFIIIT
+B betifiai
+D deifiait
edifiait
+R reifiait
AEFIIIV
+R verifiai
AEFIIKO
+C cokefiai
AEFIILL
faillie
filiale
+C filicale
+D defailli
+S faillies
filiales
+T faillite
+U feuillai
+Z failliez
AEFIILM
lamifie
+E lamifiee
+P amplifie
+R familier
+S lamifies
AEFIILN
enfilai
lenifia
+G aiglefin
infligea
+I lenifiai
+P planifie
+R renfilai
reniflai
+S enfilais
lenifias
+T enfilait
filaient
finalite
lenifiat
AEFIILO
+D defoliai
+R foliaire
+X exfoliai
AEFIILP
+M amplifie
+N planifie
AEFIILQ
+U liquefia
qualifie
AEFIILR
filaire
filerai
refilai
+C clarifie
+F affilier
+G giflerai
+M familier
filmerai
+N renfilai
reniflai
+O foliaire
+S filaires
filerais
refilais
salifier
+T filerait
lifterai
refilait
trefilai
+Z flairiez
AEFIILS
salifie
+C ficelais
+D fidelisa
+E salifiee
+F affilies
effilais
falsifie
+G gelifias
+L faillies
filiales
+M lamifies
+N enfilais
lenifias
+R filaires
filerais
refilais
salifier
+S salifies
+T filetais
+Z salifiez
AEFIILT
filetai
+C facilite
felicita
ficelait
+D defilait
+F effilait
+G gelifiat
+L faillite
+N enfilait
filaient
finalite
lenifiat
+R filerait
lifterai
refilait
trefilai
+S filetais
+T filetait
AEFIILU
+L feuillai
+Q liquefia
qualifie
AEFIILX
+O exfoliai
AEFIILZ
+F affiliez
+L failliez
+R flairiez
+S salifiez
AEFIIMN
infamie
+G magnifie
+S feminisa
infamies
AEFIIMP
+L amplifie
AEFIIMR
ramifie
+E mefierai
ramifiee
+L familier
filmerai
+R fremirai
frimaire
frimerai
ramifier
+S ramifies
+Z ramifiez
AEFIIMS
mefiais
+L lamifies
+N feminisa
infamies
+R ramifies
AEFIIMT
mefiait
+U tumefiai
AEFIIMU
+T tumefiai
AEFIIMZ
+R ramifiez
AEFIINO
+D infeodai
AEFIINP
panifie
+E panifiee
+L planifie
+R panifier
+S panifies
+Z panifiez
AEFIINR
freinai
inferai
rifaine
+D definira
feindrai
+G aigrefin
+L renfilai
reniflai
+P panifier
+S freinais
inferais
rifaines
+T freinait
inferait
AEFIINS
+D densifia
+G feignais
+L enfilais
lenifias
+M feminisa
infamies
+P panifies
+R freinais
inferais
rifaines
+T feintais
fientais
infestai
AEFIINT
feintai
fiaient
fientai
+A enfaitai
+B bienfait
+C infectai
+D deifiant
edifiant
+F affinite
+G feignait
+L enfilait
filaient
finalite
lenifiat
+R freinait
inferait
reifiant
+S feintais
fientais
infestai
+T feintait
fientait
+X fixaient
AEFIINU
+R enfurai
reunifia
unifiera
AEFIINX
+T fixaient
AEFIINZ
+C fianciez
+F affiniez
+P panifiez
+R fariniez
AEFIIOP
+C opacifie
AEFIIOR
+L foliaire
+R foirerai
AEFIIOX
+L exfoliai
AEFIIPR
+C pacifier
+D defripai
+N panifier
+R friperai
+T aperitif
+X prefixai
AEFIIPS
+C pacifies
specifia
+N panifies
AEFIIPT
+R aperitif
petrifia
AEFIIPX
+R prefixai
AEFIIPZ
+C pacifiez

+F piaffiez
+N panifiez
AEFIIQU
+L liquefia
    qualifie
AEFIIRR .
+A fraierai
    rarefiai
+E reifiera
+M fremirai
    frimaire
    frimerai
    ramifier
+O foirerai
+P friperai
+S fraisier
    friserai
+T ratifier
    terrifia
+U aurifier
AEFIIRS
    fierais
    reifias
+C ficaires
    sacrifie
    scarifie
+D defrisai
+G figerais
+I reifiais
+L filaires
    filerais
    refilais
    salifier
+M ramifies
+N freinais
    inferais
    rifaines
+R fraisier
    friserai
+T ratifies
+U aurifies
+V verifias
    versifia
+X fixerais
+Z fraisiez
AEFIIRT
    fierait
    ratifie
    reifiat
+C artifice
    certifia
    rectifia
+E faitiere
    ratifiee
+F effritai
+G figerait
    gatifier
    gratifie
+I reifiait
+L filerait
    lifterai
    refilait
    trefilai
+N freinait
    inferait
    reifiant
+P aperitif

    petrifia
+R ratifier
    terrifia
+T iteratif
+V verifiat
+X fixerait
+Z ratifiez
    tarifiez
AEFIIRU
    aurifie
+B rubefiai
+E aurifiee
+G refugiai
+N enfuirai
    reunifia
    unifiera
+R aurifier
+S aurifies
+Z aurifiez
AEFIIRV
    verifia
+I verifiai
+S verifias
    versifia
+T verifiat
AEFIIRX
    fixerai
+P prefixai
+S fixerais
+T fixerait
AEFIIRZ
+L flairiez
+M ramifiez
+N fariniez
+S fraisiez
+T ratifiez
+U aurifiez
AEFIISS
+L salifies
+Z fiassiez
AEFIIST
+B betifias
+G fastigie
    gatifies
+L filetais
+N feintais
    fjentais
    infestai
+R ratifies
AEFIISU
+R aurifies
AEFIISV
+R verifias
    versifia
AEFIISX
+R fixerais
AEFIISZ
    faisiez
+L salifiez
+R fraisiez
+S fiassiez
AEFIITT
+B betifiat
+L filetait
+N feintait

    fientait
+R iteratif
+Z attifiez
AEFIITU
+M tumefiai
AEFIITV
+R verifiat
+X fixative
AEFIITX
+N fixaient
+R fixerait
+V fixative
AEFIITZ
+G gatifiez
+R ratifiez
    tarifiez
+T attifiez
AEFIIUZ
+R aurifiez
AEFIIVX
+T fixative
AEFIKKN
+A kafkaien
AEFIKLS
+H khalifes
AEFIKOS
+C cokefias
AEFIKOT
+C cokefiat
AEFILLM
    famille
+S familles
AEFILLN
+D fendilla
+T faillent
AEFILLO
+T fellatio
+U fouaille
AEFILLR
    failler
+A faillera
+T fretilla
AEFILLS
    failles
+A faseilla
+E faillees
+I faillies
    filiales
+M familles
+U feuillas
AEFILLT
+I faillite
+N faillent
+O fellatio
+R fretilla
+U feuillat
    futaille
AEFILLU
    feuilla
+C faucille
+I feuillai
+O fouaille
+S feuillas
+T feuillat
    futaille
+V fluviale

AEFILLV
+U fluviale
AEFILLZ
    faillez
+I failliez
AEFILMM
+S filmames
AEFILMN
+S flamines
+T filament
AEFILMO
+B flamboie
+R aliforme
    emorfila
AEFILMP
+I amplifie
AEFILMR
    fermail
    filmera
+A malfaire
+I familier
    filmerai
+O aliforme
    emorfila
+S filmeras
AEFILMS
    filames
+G giflames
+I lamifies
+L familles
+M filmames
+N flamines
+R filmeras
+S filmasse
+T filmates
    liftames
AEFILMT
+N filament
+S filmates
    liftames
AEFILMZ
+B flambiez
AEFILNN
+R infernal
+T enfilant
AEFILNO
+T lofaient
AEFILNP
+I planifie
AEFILNR
    renfila
    renflai
    renifla
+A flanerai
+D filandre
+E enfilera
    enferai
    flanerie
    lanifere
+G fringale
+I renfilai
    renifla
+N infernal
+S renfilas
    renflais
    reniflas

+T flairent
    refilant
    renfilat
    reniflat
+U influera
AEFILNS
    enfilas
    enflais
    finales
+I enfilais
    lenifias
+M flamines
+R renfilas
    renflais
    reniflas
+T filantes
+V flavines
AEFILNT
    enfilat
    enflait
    filante
+C ficelant
+D defilant
+E felaient
+F affilent
    effilant
+I enfilait
    filaient
+L faillent
+M filament
+N enfilant
+O lofaient
+R flairent
    refilant
    renfilat
    renflait
    reniflat
+S filantes
+T filetant
AEFILNU
+R influera
+Z faluniez
AEFILNV
    flavine
+S flavines
AEFILNZ
+U faluniez
AEFILOP
+R palefroi
AEFILOR
    loferai
+B faribole
+D deflorai
+F affriole
+I foliaire
+M aliforme
    emorfila
+P palefroi
+R frolerai
+S loferais
    solfiera
+T loferait
+U flouerai

foulerai
refoulai
AEFILOS
+C focalise
   foliaces
+D defolias
+R loferais
   solfiera
+X exfolias
AEFILOT
+B batifole
+D defoliat
+L fellatio
+N lofaient
+R loferait
+X exfoliat
AEFILOU
+D defoulai
+L fouaille
+R flouerai
   foulerai
   refoulai
AEFILOX
   exfolia
+I exfoliai
+S exfolias
+T exfoliat
AEFILOZ
+F affoliez
AEFILPP
+R flippera
AEFILPR
   parfile
+E parfilee
+O palefroi
+P flippera
+R parfiler
+S parfiles
   persifla
+X prefixal
+Z parfilez
AEFILPS
   flapies
+R parfiles
   persifla
AEFILPX
+R prefixal
AEFILPZ
+R parfilez
AEFILQU
+I liquefia
   qualifie
AEFILRR
   flairer
+A flairera
   raflerai
+E ferlerai
   refilera
+O frolerai
+P parfiler
+T filtrera
   fletrira
   flirtera
+U fleurira
AEFILRS
   ferlais
   fileras

   flaires
   refilas
+A eraflais
+B fabliers
   friables
+E aliferes
   felerais
   feralies
   feriales
   flairees
   salifere
+F sifflera
+G fragiles
   gifleras
+I filaires
   filerais
   refilais
   salifier
+M filmeras
+N renfilas
   renflais
   reniflas
+O loferais
   solfiera
+P parfiles
   persifla
+T lifteras
   relatifs
   trefilas
+U fleurais
   refluais
AEFILRT
   ferlait
   liftera
   refilat
   relatif
   trefila
+A alfatier
   eraflait
   relatai
+E felerait
   filetera
   refletai
+G filtrage
+I filerait
   lifterai
   refilait
   trefilai
+L fretilla
+N flairent
   refilant
   renflait
   reniflat
+O loferait
+R filtrera
   fletrira
   flirtera
+S lifteras
   relatifs
   trefilas
+T trefilat
+U filateur
   filature
   fleurait
   refluait
AEFILRU

   fleurai
   refluai
+E feulerai
+F faufiler
+N influera
+O flouerai
   foulerai
   refoulai
+R fleurira
+S fleurais
   refluais
+T filateur
   filature
   fleurait
   refluait
AEFILRX
+P prefixal
AEFILRZ
   flairez
   rafliez
+E erafliez
+I flairiez
+P parfilez
AEFILSS
   filasse
+A falaises
+C fiscales
+G giflasse
+I salifies
+M filmasse
+S filasses
+T liftasse
+U fuselais
AEFILST
   filates
   filetas
+G giflates
+I filetais
+M filmates
   liftames
+N filantes
+R lifteras
   relatifs
   trefilas
+S liftasse
+T liftates
+U fuselait
+V festival
AEFILSU
   feulais
   fuselai
+C feculais
+F faufiles
+L feuillas
+R fleurais
   refluais
+S fuselais
+T fuselait
AEFILSV
+N flavines
+T festival
AEFILSX
+O exfolias
AEFILSZ
+I salifiez
AEFILTT
   filetat

+A fatalite
+I filetait
+N filetant
+R trefilat
+S liftates
+Z flattiez
AEFILTU
   feulait
+C feculait
+L feuillat
   futaille
+R filateur
   filature
   fleurait
   refluait
+S fuselait
+U fauteuil
AEFILTV
+S festival
AEFILTX
+O exfoliat
AEFILTZ
+T flattiez
AEFILUU
+T fauteuil
AEFILUV
+L fluviale
AEFILUZ
+B fabuliez
+F affluiez
   faufilez
+N faluniez
AEFIMMR
+S frimames
AEFIMMS
+E mefiames
+L filmames
+R frimames
AEFIMMT
+A matefaim
AEFIMNO
+T fomentai
AEFIMNR
+E enfermai
AEFIMNS
   famines
   infames
+I feminisa
   infamies
+L flamines
+T mefiants
+U enfumais
AEFIMNT
   mefiant
+E mefiante
+L filament
+O fomentai
+S mefiants
+U enfumait
   fumaient
AEFIMNU
   enfumai
+G fumagine
+S enfumais
+T enfumait
   fumaient
AEFIMOR

+D deformai
+L aliforme
   emorfila
+R formerai
   reformai
+S foirames
+T formiate
AEFIMOS
+R foirames
AEFIMOT
+N fomentai
+R formiate
AEFIMPR
+F empiffra
+S fripames
AEFIMPS
+R fripames
AEFIMRR
   fremira
   frimera
+E fermerai
   refermai
+F affermir
   affirmer
   raffermi
+I fremirai
   frimaire
   ramifier
+O formerai
   reformai
+S fremiras
   frimeras
AEFIMRS
   fermais
+C farcimes
+D sefardim
+E mefieras
+F affermis
   affirmes
+I ramifies
+L filmeras
+M frimames
+O foirames
+P fripames
+R fremiras
   frimeras
+S frimasse
   frimeras
+T frimames
+U fumerais
AEFIMRT
   fermait
+F affermit
+O formiate
+S frimates
+U fumerait
AEFIMRU
   fumerai
+S fumerais
+T fumerait
AEFIMRZ
+F affirmez
+I ramifiez
AEFIMSS
+C fascisme
+E mefiasse

+L filmasse	+R farinent	+D feindras	+I fariniez	+R tarifent
+R frimasse	freinant	fendrais	**AEFINSS**	+S infestat
frisames	inferant	friandes	finasse	+T attentif
AEFIMST	+S infantes	+E farinees	+A faisanes	+U enfutait
mefaits	+T feintant	frenaies	+C fascines	**AEFINTU**
+E mefiates	fientant	+F raffines	+R finasser	enfutai
+L filmates	**AEFINNZ**	+I freinais	+S finasses	futaine
liftames	fanzine	inferais	+T fiassent	infatue
+N mefiants	+C financez	rifaines	infestas	+E infatuee
+R frimates	+S fanzines	+L renfilas	+Z finassez	+M enfumait
+U tumefias	**AEFINOR**	renflais	**AEFINST**	fumaient
AEFIMSU	foraine	reniflas	feintas	+S enfutais
+N enfumais	+C conferai	+O foraines	fientas	fusaient
+R fumerais	confiera	+R refrains	infesta	futaines
+T tumefias	foncerai	+S finasser	+A anatifes	infatues
+V fauvisme	+D fonderai	+T fraisent	enfaitas	+T enfutait
AEFIMSV	+S foraines	frisante	fanatise	+Y enfuyait
+U fauvisme	+T foraient	+U enfuiras	+C infectas	fuyaient
AEFIMSX	+U enfouira	infusera	+D defiants	**AEFINTV**
fixames	fouinera	**AEFINRT**	+E enfaites	+D adventif
AEFIMTT	**AEFINOS**	fraient	+G negatifs	**AEFINTX**
+U tumefiat	+D infeodas	freinat	+I feintais	+E antefixe
AEFIMTU	+F offensai	inferat	fientais	+I fixaient
tumefia	+N fenaison	+A fanerait	infestai	**AEFINTY**
+I tumefiai	+R foraines	+C francite	+L filantes	+U enfuyait
+N enfumait	**AEFINOT**	+D fendrait	+M mefiants	fuyaient
fumaient	+D infeodat	+E enfaiter	+N infantes	**AEFINTZ**
+R fumerait	+L lofaient	feintera	+R fraisent	+E enfaitez
+S tumefias	+M fomentai	fenetrai	frisante	**AEFINUU**
+T tumefiat	+N fontaine	feraient	+S fiassent	+Q faunique
AEFIMUV	+R foraient	fientera	infestas	**AEFINUV**
+S fauvisme	**AEFINOU**	+I freinait	+T infestat	+A avifaune
AEFINNN	+R enfouira	inferat	+U enfutais	**AEFINUX**
+T enfantin	fouinera	reifiant	fusaient	+R farineux
AEFINNO	**AEFINPR**	+L flairent	futaines	**AEFINUY**
+C enfoncai	+I panifier	refilant	infatues	+S enfuyais
+S fenaison	**AEFINPS**	renfilat	**AEFINSU**	+T enfuyait
+T fontaine	+I panifies	renflait	+D finaudes	fuyaient
AEFINNR	+X expansif	reniflat	+M enfumais	**AEFINUZ**
+A enfarina	**AEFINPT**	+N farinent	+R enfuiras	+L faluniez
+B fibranne	+F piaffent	freinant	infusera	**AEFIOPR**
+C financer	**AEFINPU**	inferant	+T enfutais	+L palefroi
francien	+A peaufina	+O foraient	fusaient	+R perforai
+E enfarine	+E peaufine	+S fraisent	futaines	proferai
+G frangine	**AEFINPX**	frisante	infatues	**AEFIORR**
+L infernal	+S expansif	+T tarifent	+Y enfuyais	foirera
+T farinent	**AEFINPZ**	**AEFINRU**	**AEFINSV**	forerai
freinant	+I panifiez	enfuira	+L flavines	orfraie
inferant	**AEFINQU**	+F affineur	**AEFINSX**	+C forcerai
AEFINNS	+U faunique	+I enfuirai	+P expansif	+F forfaire
fenians	**AEFINRR**	reunifia	**AEFINSY**	+G forgerai
+C finances	fariner	+L influera	+U enfuyais	+I frolerai
+E fenianes	refrain	+O enfouira	**AEFINSZ**	+L frolerai
+O fenaison	+A farinera	fouinera	+C fascinez	+M formerai
+T infantes	+E enferrai	+S enfuiras	+N fanzines	reformai
+Z fanzines	freinera	infusera	+S finassez	+P perforai
AEFINNT	inferera	+X farineux	**AEFINTT**	proferai
infante	refrenai	**AEFINRV**	feintat	+S foireras
+A enfantai	+F raffiner	+E enfievra	fientat	foreras
faineant	+S refrains	**AEFINRX**	+A enfaitat	orfraies
fanaient	**AEFINRS**	+U farineux	+C infectat	+T forerait
+C fiancent	farines	**AEFINRZ**	+E fetaient	torrefia
+F affinent	freinas	farinez	+I feintait	**AEFIORS**
+G feignant	inferas	+E faneriez	fientait	+G forgeais
+L enfilant	+A fanerais	+F raffinez	+L filetant	+L loferais
+N enfantin	+C fasciner	+G frangiez	+N feintant	solfiera
+O fontaine	francise		fientant	

+M foirames
+N foraines
+R foireras
   foreras
   orfraies
+S foirasse
+T foirates
+V favorise
AEFIORT
+G fagotier
   forgeait
+L loferait
+M formiate
+N foraient
+R forerai
   torrefia
+S foirates
+V favorite
AEFIORU
+G fougerai
+L flouerai
   foulerai
   refoulai
+N enfouira
   fouinera
AEFIORV
+C vocifera
+S favorise
+T favorite
AEFIOSS
+F assoiffe
+R foirasse
AEFIOST
+F etoffais
+R foirates
+U foutaise
+Y festoyai
AEFIOSU
+G fougeais
+T foutaise
AEFIOSV
+R favorise
AEFIOSX
+L exfolias
AEFIOSY
+T festoyai
AEFIOTT
+F etoffait
+U fouettai
AEFIOTU
+F etouffai
+G fougeait
+S foutaise
+T fouettai
AEFIOTV
+R favorite
AEFIOTX
+L exfoliat
AEFIOTY
+S festoyai
+Z fayotiez
AEFIOTZ
+G fagotiez
+Y fayotiez
AEFIOUZ
+B bafouiez
AEFIOYZ

+T fayotiez
AEFIPPR
+L flippera
+Z frappiez
AEFIPPZ
+R frappiez
AEFIPRR
   fripera
+A parfaire
+E preferai
+I friperai
+L parfiler
+O perforai
   proferai
+S friperas
AEFIPRS
+D defripas
+L parfiles
   persifla
+M fripames
+R friperas
+S fripasse
+T fripates
+X prefixas
AEFIPRT
+A parfaite
+D defripat
+I aperitif
   petrifia
+S fripates
+U putrefia
+X prefixat
AEFIPRU
+A epaufrai
+T putrefia
AEFIPRX
   prefixa
+I prefixai
+L prefixal
+S prefixas
+T prefixat
AEFIPRZ
+A parafiez
+L parfilez
+P frappiez
AEFIPSS
+R fripasse
AEFIPST
+R fripates
+U stupefia
AEFIPSU
+G apifuges
+T stupefia
AEFIPSX
+N expansif
+R prefixas
AEFIPTU
+R putrefia
+S stupefia
AEFIPTX
+R prefixat
AEFIQRT
+U trafique
AEFIQRU
+B fabrique
+E aquifere
+T trafique

AEFIQSS
+U fiasques
AEFIQSU
   fiasque
+S fiasques
AEFIQTU
+R trafique
AEFIQUU
+N faunique
AEFIRRR
+E ferrerai
   rarefier
AEFIRRS
   ferrais
   fraiser
   frisera
+A fraieras
   fraisera
   fraserai
   rarefias
+D fardiers
+E rarefies
   referai
+I fraisier
   friserai
+M fremiras
   frimeras
+N refrains
+O foireras
   forerais
   orfraies
+P friperas
+S friseras
+T fratries
+U fraiseur
   fraisure
   surfaire
AEFIRRT
   ferrait
   fratrie
   tarifer
+A farterai
   rarefiat
   tarifera
+E freterai
   referait
+I ratifier
   terrifia
+L filtrera
   fletrira
   flirtera
+O forerait
   torrefia
+S fratries
+T frittera
AEFIRRU
+E aurifere
+G figurera
   gaufrier
+I aurifier
+L fleurira
+S fraiseur
   fraisure
   surfaire
   surferai
AEFIRRY
+I aurifies

+A frayerai
AEFIRRZ
+C farcirez
+E fraierez
   rarefiez
AEFIRSS
+C farcisse
   fasciser
+D defrisas
   sefardis
+E fesserai
   fraisees
+G agressif
+M frimasse
   frisames
+N finasser
+O foirasse
+P fripasse
+R friseras
+S frisasse
+T frisates
+U faiseurs
   fuserais
   refusais
AEFIRST
   fretais
   refaits
   tarifes
+A fatrasie
+C creatifs
   farcites
   reactifs
+D defrisat
+E estafier
   feterais
   refaites
   tarifees
+F effritas
+G ergatifs
+I ratifies
+L lifteras
   relatifs
   trefilas
+M frimates
+N fraisent
   frisante
+O foirates
+P fripates
+R fratries
+S frisates
+T frettais
+U feutrais
   furetais
   fuserait
   refusait
AEFIRSU
   faiseur
   fuserai
   refusai
+B rubefias
+F suiffera
+G refugias
+I aurifies

+L fleurais
   refluais
+M fumerais
+N enfuiras
   infusera
+R fraiseur
   fraisure
   surfaire
   surferai
+S faiseurs
   fuserais
   refusais
   surfaite
AEFIRSV
+I verifias
   versifia
+O favorise
AEFIRSX
   fixeras
+I fixerais
+P prefixas
AEFIRSZ
   fraisez
   frasiez
+I fraisiez
AEFIRTT
   attifer
   fretait
   frettai
+A attifera
+E feterait
+F effritat
+G frittage
+I iteratif
+L trefilat
+N tarifent
+R frittera
+S frettais
+T frettait
+U furetait
   refutait
AEFIRTU
   feutrai
   furetai
   refutai
+A fauterai
+B rubefiat
+C fautrice
+D defruita
+F affruite
+G fatiguer
   refugiat
+L filateur
   filature
   fleurait
   refluait
+M fumerait
+P putrefia
+Q trafique
+S feutrais
   furetais

fuserait	fassiez	**AEFITTZ**	+B flambent	**AEFLNOS**
refusait	+C fascisez	attifez	+I filament	+R eraflons
refutais	+I fiassiez	+I attifiez	**AEFLMOR**	forlanes
surfaite	+N finassez	+L flattiez	femoral	**AEFLNOT**
+T feutrait	+U faussiez	**AEFITUU**	+E femorale	+F affolent
furetait	**AEFISTT**	+L fauteuil	+I aliforme	+I lofaient
refutait	attifes	**AEFITUV**	emorfila	+R frontale
+X fixateur	+E attifees	fautive	+S frolames	+U foulante
AEFIRTV	+L liftates	+S fautives	+U maroufle	**AEFLNOU**
+I verifiat	+N infestat	**AEFITUX**	**AEFLMOS**	+R renfloua
+O favorite	+R frettais	+C factieux	lofames	+T foulante
AEFIRTX	+U fatuites	+R fixateur	+R frolames	**AEFLNQR**
+I fixerait	statufie	**AEFITUY**	+U flouames	+U flanquer
+P prefixat	**AEFISTU**	+N enfuyait	foulames	**AEFLNQS**
+U fixateur	futaies	fuyaient	**AEFLMOU**	+U flanques
AEFIRTZ	+G fatigues	**AEFITUZ**	+C camoufle	**AEFLNQU**
fartiez	fustigea	fautiez	+R maroufle	+E flanque
tarifez	+L fuselait	+F affutiez	+S flouames	+R flanquer
+I ratifiez	+M tumefias	+G fatiguez	foulames	+S flanques
tarifiez	+N enfutais	**AEFITVX**	**AEFLMOY**	+Z flanquez
AEFIRUU	fusaient	+I fixative	+B flamboye	**AEFLNQZ**
+G fuguerai	futaines	**AEFITYZ**	**AEFLMRS**	+U flanquez
AEFIRUV	infatues	+O fayotiez	+A raflames	**AEFLNRR**
+E fauverie	+O foutaise	**AEFLLLN**	+E ferlames	+E renflera
AEFIRUX	+P stupefia	+E flanelle	+I filmeras	+O ronflera
feriaux	+R feutrais	**AEFLLMS**	+O frolames	**AEFLNRS**
+N farineux	furetais	+I familles	**AEFLMRU**	renflas
+T fixateur	fuserait	**AEFLLNT**	+B flambeur	+A flaneras
AEFIRUZ	refusait	+I faillent	+O maroufle	+D flandres
+D fraudiez	refutais	**AEFLLOR**	**AEFLMSS**	+E enfleras
+G gaufriez	surfaite	florale	+I filmasse	falernes
+I aurifiez	+T fatuites	floreal	**AEFLMST**	+I renfilas
AEFIRYZ	statufie	+S florales	+I filmates	renflais
frayiez	+V fautives	**AEFLLOS**	liftames	reniflas
AEFISSS	**AEFISTV**	+R florales	**AEFLMSU**	+O eraflons
fessais	+L festival	**AEFLLOT**	+B fumables	forlanes
fiasses	+U fautives	+I fellatio	+E feulames	+U flaneurs
+C fascises	**AEFISTX**	**AEFLLOU**	+O flouames	**AEFLNRT**
+L filasses	fixates	+I fouaille	foulames	ferlant
+N finasses	**AEFISTY**	**AEFLLRS**	**AEFLNNO**	raflent
+R frisasse	+A faseyait	+O florales	+P plafonne	renflat
+X fixasses	+O festoyai	**AEFLLRT**	**AEFLNNP**	+A eraflant
AEFISST	**AEFISTZ**	+I fretilla	+O plafonne	+E eraflent
fessait	+F staffiez	**AEFLLSU**	**AEFLNNR**	+I flairent
fiestas	**AEFISUV**	+I feuillas	+I infernal	refilant
+C fasciste	+M fauvisme	**AEFLLTU**	+T renflant	renfilat
+D sedatifs	+T fautives	+I feuillat	**AEFLNNT**	renflait
+L liftasse	**AEFISUY**	futaille	enflant	reniflat
+N fiassent	+N enfuyais	**AEFLLUV**	flanent	+N renflant
infestas	**AEFISUZ**	+I fluviale	+I enflant	+O frontale
+R frisates	+S faussiez	**AEFLMMN**	+R renflant	+U refluant
AEFISSU	**AEFISYZ**	+A enflamma	+U falunent	**AEFLNRU**
+E faiseuse	+E faseyiez	+E enflamme	**AEFLNNU**	faluner
+L fuselais	**AEFITTT**	**AEFLMMR**	+T falunent	flaneur
+Q fiasques	+N attentif	+D flemmard	**AEFLNOP**	+A falunera
+R faiseurs	attifent	**AEFLMMS**	+N plafonne	+E enfleura
fuserais	+R frettait	+A malfames	**AEFLNOR**	+I influera
refusais	**AEFITTU**	+E flammees	forlane	+O renfloua
+Z faussiez	fatuite	+I filmames	+C forlance	+Q flanquer
AEFISSV	+M tumefiat	**AEFLMNO**	+G flagorne	+S flaneurs
evasifs	+N enfutait	+C flamenco	gonflera	+T fleurant
AEFISSX	+O fouettai	**AEFLMNS**	regonfla	refluant
fixasse	+R feutrait	+A flanames	+R ronflera	**AEFLNRZ**
+S fixasses	furetait	+E enflames	+S eraflons	+E flanerez
AEFISSY	refutait	+I flamines	forlanes	
+A faseyais	+S fatuites	**AEFLMNT**	+T frontale	
AEFISSZ	statufie		+U renfloua	

AEFLNSS
+A flanasse
+E enflasse
AEFLNST
  fletans
+A flanates
+E enflates
+I filantes
+U fuselant
AEFLNSU
  falunes
+E falunees
  flaneuse
+Q flanques
+R flaneurs
+T fuselant
AEFLNSV
+I flavines
AEFLNTT
+I filetant
+T flattent
AEFLNTU
  feulant
+B fabulent
+C feculant
+F affluent
+N falunent
+O foulante
+R fleurant
  refluant
+S fuselant
AEFLNUZ
  falunez
+I faluniez
+Q flanquez
AEFLOPR
+I palefroi
AEFLOQR
+U floquera
AEFLOQU
+R floquera
AEFLORR
  frolera
+F raffoler
+I frolerai
+N ronflera
+S froleras
+T folatrer
AEFLORS
  loferas
+D defloras
+F raffoles
+I loferais
  solfiera
+L florales
+M frolames
+N eraflons
  forlanes
+R froleras
+S frolasse
+T folatres
  frolates
+U farlouse
  floueras
  fouleras
  refoulas
AEFLORT

  folatre
+D deflorat
+I loferait
+N frontale
+R folatrer
+S folatres
  frolates
+T flottera
+U foutrale
  refoulat
AEFLORU
  flouera
  foulera
  refoula
+D falourde
+I flouerai
  foulerai
  refoulai
+M maroufle
+N renfloua
+Q floquera
+S farlouse
  floueras
  fouleras
  refoulas
+T foutrale
  refoulat
AEFLORZ
+F raffolez
+T folatrez
AEFLOSS
  lofasse
+R frolasse
+S lofasses
+U flouasse
  foulasse
AEFLOST
  falotes
  lofates
+E foetales
+R folatres
  frolates
+U flouates
  foulates
AEFLOSU
+D defoulas
+G foulages
+M flouames
  foulames
+R farlouse
  floueras
  fouleras
  refoulas
+S flouasse
  foulasse
+T flouates
  foulates
AEFLOSX
+I exfolias
AEFLOTT
+G flottage
+R flottera
AEFLOTU
+D defoulat
+N foulante
+R foutrale

  refoulat
+S flouates
  foulates
AEFLOTX
+I exfoliat
AEFLOTZ
+R folatrez
AEFLPPR
+I flippera
AEFLPRR
+I parfiler
AEFLPRS
+I parfiles
  persifla
AEFLPRX
+I prefixal
AEFLPRZ
+I parfilez
AEFLQRU
+N flanquer
+O floquera
AEFLQSS
+U flasques
AEFLQSU
  flaques
  flasque
+N flanques
+S flasques
AEFLQUZ
+N flanquez
AEFLRRS
+A rafleras
+E ferleras
+O froleras
AEFLRRT
+E frelater
+I filtrera
  fletrira
  flirtera
+O folatrer
AEFLRRU
+E eraflure
  fleurera
  refluera
+I fleurira
AEFLRRZ
+E raflerez
AEFLRSS
+A raflasse
+E ferlasse
+O frolasse
AEFLRST
+A frelatas
  raflates
+E ferlates
  frelates
  refletas
+I lifteras
  relatifs
  trefilas
+O folatres
  frolates
+U sulfater
AEFLRSU

+F farfelus
+G frugales
+I fleurais
+N flaneurs
+O farlouse
  floueras
  fouleras
  refoulas
+T sulfater
AEFLRTT
  flatter
+A flattera
  frelatat
+E refletat
+I trefilat
+O flottera
+U flatteur
AEFLRTU
  fleurat
  refluat
+I filateur
  filature
  fleurait
  refluait
+N fleurant
  refluant
+O foutrale
  refoulat
+S sulfater
+T flatteur
AEFLRTZ
+E frelatez
+O folatrez
AEFLSSS
+E felasses
+I filasses
+O lofasses
AEFLSST
+I liftasse
+U sulfates
AEFLSSU
  fuselas
+E feulasse
+I fuselais
+O flouasse
  foulasse
+Q flasques
+T sulfates
AEFLSTT
  flattes
+E flattees
+I liftases
AEFLSTU
  fuselat
  sulfate
+C factuels
  facultes
+E feulates
  sulfatee
+I fuselait
+N fuselant
+O flouates
  foulates
+R sulfater
+S sulfates
+Z sulfatez

AEFLSTV
+I festival
AEFLSTZ
+U sulfatez
AEFLSUZ
+T sulfatez
AEFLTTT
+N flattent
AEFLTTU
+R flatteur
AEFLTTZ
+I flattiez
AEFLTUU
+I fauteuil
AEFLTUZ
+S sulfatez
AEFLUUX
+B fabuleux
AEFMMOR
+S formames
AEFMMOS
+R formames
AEFMMRS
+E fermames
+I frimames
+O formames
AEFMMSU
  fumames
AEFMNNT
+U enfumant
AEFMNNU
+T enfumant
AEFMNOS
+C foncames
+D fondames
+T fantomes
  fomentas
AEFMNOT
  fantome
  fomenta
+I fomentai
+S fantomes
  fomentes
+T fomentat
AEFMNRR
+E renferma
AEFMNRS
+E enfermas
AEFMNRT
  fermant
+E enfermat
  fermenta
+G fragment
AEFMNRU
+E enfumera
AEFMNST
+A fantasme
+I mefiants
+O fantomes
  fomentas
+U fumantes
AEFMNSU
  enfumas
+I enfumais
+T fumantes

AEFMNTT	**AEFMPRU**	+I fauvisme	+T enfutant	+D fondates
+O fomentat	parfume	**AEFMTTU**	+Y enfuyant	+F offensat
AEFMNTU	+E parfumee	+I tumefiat	**AEFNNTY**	+M fantomes
enfumat	+R parfumer	**AEFNNNT**	+U enfuyant	fomentas
fumante	+S parfumes	+I enfantin	**AEFNNTZ**	+N festonna
+I enfumait	+Z parfumez	**AEFNNOP**	+E enfantez	+R astronef
fumaient	**AEFMPRZ**	+L plafonne	**AEFNNUY**	**AEFNOSU**
+N enfumant	+U parfumez	**AEFNNOR**	+T enfuyant	+R ensoufra
+S fumantes	**AEFMPSU**	+C faconner	**AEFNOPR**	**AEFNOSY**
AEFMOPR	+R parfumes	renfonca	profane	+S faseyons
+R preforma	**AEFMPUZ**	+D fredonna	+D parfonde	**AEFNOTT**
AEFMORR	+R parfumez	+S fanerons	+E profanee	+F etoffant
formera	**AEFMRRS**	+T faneront	+R profaner	+G fagotent
reforma	+E fermeras	+U enfourna	+S profanes	+M fomentat
+G fromager	ferrames	**AEFNNOS**	+Z profanez	+Y fayotent
+I formerai	refermas	+C enfoncas	**AEFNOPS**	**AEFNOTU**
reformai	+I fremiras	faconnes	+R profanes	+B bafouent
+P preforma	frimeras	+F effanons	**AEFNOPZ**	+G fougeant
+S formeras	+O formeras	+I fenaison	+R profanez	+L foulante
reformas	reformas	+R fanerons	**AEFNORR**	+R fronteau
+T reformat	**AEFMRRT**	+T festonna	+C froncera	**AEFNOTY**
AEFMORS	+E refermat	**AEFNNOT**	renforca	+T fayotent
forames	+O reformat	+C enfoncat	+D frondera	**AEFNOUU**
+C forcames	**AEFMRRU**	+D fondante	refondra	+R fourneau
+D deformas	+P parfumer	+G fontange	+L ronflera	**AEFNPPR**
+G formages	**AEFMRSS**	+I fontaine	+P profaner	+T frappent
fromages	+A frasames	+R faneront	**AEFNORS**	**AEFNPPT**
+I foirames	+E fermasse	+S festonna	+C conferas	+R frappent
+L frolames	+I frimasse	**AEFNNOU**	fonceras	**AEFNPRR**
+M formames	frisames	+R enfourna	+D fonderas	+O profaner
+R formeras	+O formasse	**AEFNNOZ**	+E aeronefs	**AEFNPRS**
reformas	**AEFMRST**	+C faconnez	+F effarons	+O profanes
+S formasse	+A fartames	**AEFNNRS**	+I foraines	**AEFNPRT**
+T formates	+E fermates	+O fanerons	+L eraflons	+A parafent
AEFMORT	fretames	+U furannes	forlanes	+P frappent
+D deformat	+I frimates	**AEFNNRT**	+N fanerons	**AEFNPRZ**
+I formiate	+O formates	+E enfanter	+P profanes	+O profanez
+R reformat	**AEFMRSU**	fanerent	+T astronef	**AEFNPSX**
+S formates	fumeras	+G frangent	+U ensoufra	+I expansif
+U mouftera	+I fumerais	+I farinent	**AEFNORT**	**AEFNQRS**
AEFMORU	+P parfumes	freinant	+C conferat	+U franques
+L maroufle	**AEFMRSY**	inferant	+F affronte	**AEFNQRU**
+T mouftera	+A frayames	+L renflant	+G forgeant	franque
+X femoraux	**AEFMRTU**	+O faneront	+I foraient	+L flanquer
AEFMORX	+I fumerait	**AEFNNRU**	+L frontale	+S franques
+U femoraux	+O mouftera	furane	+N faneront	**AEFNQSU**
AEFMOSS	**AEFMRUX**	+O enfourna	+S astronef	+L flanques
+R formasse	fermaux	+S furannes	+U fronteau	+R franques
AEFMOST	+O femoraux	**AEFNNST**	**AEFNORU**	**AEFNQUU**
+N fantomes	**AEFMRUZ**	enfants	+D defourna	+I faunique
fomentas	+P parfumez	+A enfantas	+I enfouira	**AEFNQUZ**
+R formates	**AEFMSSS**	+D fendants	fouinera	+L flanquez
AEFMOSU	+E fessames	+E enfantes	+L renfloua	**AEFNRRS**
+L flouames	**AEFMSSU**	+I infantes	+N enfourna	+E enferras
foulames	fumasse	+O festonna	+S ensoufra	refrenas
AEFMOTT	fusames	**AEFNNSU**	+T fronteau	+I refrains
+N fomentat	+E fameuses	+R furannes	+U fourneau	**AEFNRRT**
AEFMOTU	+S fumasses	**AEFNNSZ**	**AEFNORZ**	ferrant
+R mouftera	**AEFMSTU**	+I fanzines	+P profanez	+E enferrat
AEFMOUX	fumates	**AEFNNTT**	**AEFNOSS**	referant
+R femoraux	+A fautames	+A enfantat	+C confessa	refrenat
AEFMPRR	+I tumefias	+I feintant	foncasse	**AEFNRSS**
+O preforma	+N fumantes	fientant	+D fondasse	+A safranes
+U parfumer	**AEFMSUU**	+U enfutant	+F offensas	+I finasser
AEFMPRS	+G fuguames	**AEFNNTU**	+Y faseyons	**AEFNRST**
+I fripames	**AEFMSUV**	+L falunent	**AEFNOST**	frasent
+U parfumes		+M enfumant	+C foncates	+E fenetras

+I fraisent
 frisante
+O astronef
+U refusant
AEFNRSU
 faneurs
 fanures
+I enfuiras
 infusera
+L flaneurs
+N furannes
+O ensoufra
+Q franques
+T refusant
AEFNRTT
 fartent
 fretant
+E fenetrat
+I tarifent
+T frettant
+U feutrant
 furetant
 refutant
AEFNRTU
+D fraudent
+E enfutera
+G gaufrent
+L fleurant
 refluant
+O fronteau
+S refusant
+T feutrant
 furetant
 refutant
AEFNRTY
 frayent
AEFNRUU
+O fourneau
AEFNRUX
+I farineux
AEFNSST
+A fanasses
+I finasses
AEFNSST
 fassent
 fessant
+E nefastes
+I fiassent
 infestas
+U faussent
 fusantes
AEFNSSU
+E faneuses
 faunesse
+T faussent
 fusantes
AEFNSSY
+O faseyons
AEFNSSZ
+I finassez
AEFNSTT
+F staffent
+I infestat
AEFNSTU
 enfutas
 fusante
+I enfutais

 fusaient
 futaines
 infatues
+L fuselant
+M fumantes
+R refusant
+S faussent
 fusantes
+Y fuyantes
AEFNSTY
+A faseyant
+E faseyent
+U fuyantes
AEFNSUY
+I enfuyais
+T fuyantes
AEFNTTT
+I attentif
 attifent
+L flattent
+R frettant
AEFNTTU
 enfutat
 fautent
+F affutent
+I enfutait
+N enfutant
+R furetant
 refutant
AEFNTTY
+O fayotent
AEFNTUY
 fuyante
+I enfuyait
 fuyaient
+N enfuyant
+S fuyantes
AEFOPRR
 perfora
 profera
+I perforai
 proferai
+M preforma
+N profaner
+S perforas
 proferas
+T perforat
 proferat
AEFOPRS
+N profanes
+R perforas
 proferas
+S professa
AEFOPRT
+R perforat
 proferat
AEFOPRU
+F pouffera
AEFOPRZ
+N profanez
AEFOPSS
+R professa
AEFOPST
+C postface
AEFOQRU
+D defroqua

+L floquera
AEFORRR
+U fourrera
AEFORRS
+C forceras
+G forgeras
+I foireras
 forerais
 orfraies
+L froleras
+M formeras
 reformas
+P perforas
 proferas
+U soufrera
AEFORRT
+I forerait
 torrefia
+L folatrer
+M reformat
+P perforat
 proferat
+T frottera
AEFORRU
+G fourrage
+R fourrera
+S soufrera
+U fourreau
AEFORSS
 forasse
+C forcasse
+L frolasse
+M formasse
+P professa
+S forasses
AEFORST
 forates
+C forcates
+G fortates
+I foirates
+L folatres
 frolates
+M formates
+N astronef
+W software
AEFORSU
+B esbroufa
+G fougeras
 soufrage
+L farlouse
 floueras
 fouleras
+N ensoufra
+R soufrera
AEFORSW
+I favorise
+T software
AEFORTT
+G frottage
+L flottera
+R frottera
+B beaufort

+L foutrale
+M mouftera
+N fronteau
AEFORTV
+I favorite
AEFORTW
+S software
AEFORTY
+A fayotera
AEFORTZ
+L folatrez
AEFORUU
+N fourneau
+R fourreau
AEFORUX
+M femoraux
AEFOSSS
+L lofasses
+R forasses
AEFOSST
+Y festoyas
AEFOSSU
+G fougasse
+L flouasse
 foulasse
AEFOSSY
+N faseyons
+T festoyas
AEFOSTT
+U fouettas
+Y festoyat
AEFOSTU
+F etouffas
+L foutaise
+L flouates
 foulates
+T fouettas
AEFOSTW
+R software
AEFOSTY
 fayotes
 festoya
+I festoyai
+S festoyas
+T festoyat
AEFOTTT
+U fouettat
AEFOTTU
 fouetta
+F etouffat
+I fouettai
+S fouettas
+T fouettat
AEFOTTY
+N fayotent
+S festoyat
AEFOTUX
 foetaux
AEFOTYZ
 fayotez
+I fayotiez
AEFPPRR
 frapper
+A frappera
+U frappeur

AEFPPRS
 frappes
+E frappees
AEFPPRT
+N frappent
AEFPPRU
+R frappeur
AEFPPRZ
 frappez
+I frappiez
AEFPRRS
+E preferas
+I friperas
+O perforas
 proferas
AEFPRRT
+E preferat
+O perforat
 proferat
AEFPRSS
+A epaufras
+E epaufres
+M parfumes
AEFPRSX
+I prefixas
AEFPRTU
+A epaufrat
+I putrefia
AEFPRTX
+I prefixat
AEFPRUZ
+E epaufrez
+M parfumez
AEFPSTU
+I stupefia
AEFQRSS
+U frasques
AEFQRSU
 frasque
+N franques
+S frasques
AEFQRTU
+I trafique
AEFQSSU
+I fiasques
+L flasques
+R frasques
AEFRRRS
+E ferreras
AEFRRRU
+O fourrera
AEFRRSS
+A fraseras
+E ferrasse
+I friseras
+U surferas

AEFRRST
+A farteras
+E ferrates
freteras
+I fratries
AEFRRSU
surfera
+B bafreurs
+C farceurs
surfacer
+E refusera
+I fraiseur
fraisure
surfaire
surferai
+O soufrera
+S surferas
+Y frayeurs
AEFRRSY
+A frayeras
+E frayeres
+U frayeurs
AEFRRSZ
+E fraserez
AEFRRTT
+E frettera
+I frittera
+O frottera
AEFRRTU
+C facturer
fracture
+E feutrera
furetera
refutera
+F raffuter
truffera
AEFRRTZ
+E farterez
AEFRRUU
+D fraudeur
+G gaufreur
gaufrure
+O fourreau
AEFRRUY
frayeur
+S frayeurs
AEFRRYZ
+E frayerez
AEFRSSS
+A frasasse
+E fesseras
refasses
+I frisasse
+O forasses
+U surfasse
AEFRSST
+A fartasse
frasates
+E fretasse
+I frisates
AEFRSSU
fausser
fuseras
refusas
+A faussera
+C surfaces
+I faiseurs

fuserais
refusais
+Q frasques
+R surferas
+S surfasse
AEFRSSY
+A frayasse
AEFRSTT
frettas
+A fartates
+E fretates
+I frettais
+U tartufes
AEFRSTU
feutras
furetas
refusat
refutas
+A fauteras
+B fauberts
+C cafteurs
facteurs
factures
+F raffutes
staffeur
+G gerfauts
+I feutrais
furetais
fuserait
refusait
refutais
surfaite
+L sulfater
+N refusant
+T tartufes
+U fauteurs
AEFRSTW
+O software
AEFRSTY
+A frayates
AEFRSUU
+G fugueras
+T fauteurs
AEFRSUV
faveurs
AEFRSUY
+R frayeurs
AEFRSUZ
+C surfacez
AEFRTTT
frettat
+I frettait
+N frettant
AEFRTTU
feutrat
furetat
refutat
tartufe
+I feutrait
furetait
refutait
+L flatteur
+N feutrant
furetant
refutant
+S tartufes
AEFRTUU

fauteur
+F affuteur
+S fauteurs
AEFRTUX
+I fixateur
AEFRTUZ
+C facturez
+E fauterez
+F raffutez
AEFSSSS
+E fessasse
+U fusasses
AEFSSST
+E fessates
fetasses
+U faussets
AEFSSSU
fausses
+E faussees
+M fumasses
+R surfasse
+S fusasses
+T faussets
AEFSSSX
+I fixasses
AEFSSTU
fausset
fusates
+A fautasse
+E faussete
+L sulfates
+N faussent
fusantes
+S faussets
AEFSSTY
+O festoyas
AEFSSUU
+G fuguasse
AEFSSUZ
faussez
+I faussiez
AEFSTTU
+A fautates
+I fautuites
statufie
+O fouettas
+R tartufes
AEFSTTY
+O festoyat
AEFSTUU
+G fuguates
+R fauteurs
+X fastueux
AEFSTUV
+I fautives
AEFSTUX
+U fastueux
AEFSTUY
+N fuyantes
AEFSTUZ
+L sulfatez
AEFSUUX
fuseaux
+T fauteux
AEFTTTU
+O fouettat

AEFTTUV
+E fauvette
AEFTUUX
tufeaux
+F tuffeaux
+S fastueux
AEGGGNS
+A gagnages
AEGGHOP
+E geophage
AEGGIIN
+S geignais
+T geignait
AEGGIIS
+N geignais
AEGGIIT
+N geignait
AEGGILL
+R grillage
AEGGILN
lignage
+E negligea
+S lignages
AEGGILO
+R rigolage
+T ligotage
AEGGILR
+L grillage
+O rigolage
AEGGILS
+N lignages
+S glissage
AEGGILT
+O ligotage
AEGGIMR
grimage
+S grimages
AEGGIMS
+R grimages
AEGGINN
+T geignant
AEGGINO
+A anagogie
AEGGINP
+E peignage
AEGGINR
+A gagnerai
grainage
regagnai
+D geignard
+E gagnerie
+R grignera
+U guignera
AEGGINS
+I geignais
+L lignages
+Z zingages
AEGGINT
+I geignait
+N geignant
+U gunitage
AEGGINU
+D guindage
+R guignera
+T gunitage
AEGGINZ
gagniez

zingage
+E engagiez
+S zingages
AEGGIOR
gorgeai
+E egorgeai
+L rigolage
+R gorgeais
+S gorgeais
+T gigotera
gorgeait
AEGGIOS
+R gorgeais
AEGGIOT
+A agiotage
+L ligotage
+R gigotera
gorgeait
AEGGIPP
+R grippage
AEGGIPR
+P grippage
AEGGIPS
+U guipages
AEGGIPU
guipage
+S guipages
AEGGIRR
+E gregaire
+N grignera
+O gorgerai
+U garrigue
grugerai
AEGGIRS
+A gagerais
+E egrisage
+M grimages
+O gorgeais
+U grugeais
suggerai
+V givrages
AEGGIRT
+A gagerait
+O gigotera
gorgeait
+U grugeait
AEGGIRU
grugeai
+E egrugeai
+N guignera
+R garrigue
grugerai
+S grugeais
suggerai
+T grugeait
AEGGIRV
givrage
+A vairage
+S givrages
AEGGIRZ
+E agregiez
gageriez
+L glissage
+T gagistes
AEGGIST
gagiste

+S gagistes
AEGGISU
+D guidages
+P guipages
+R grugeais
    suggerai
AEGGISV
+R givrages
AEGGISZ
+N zingages
AEGGITU
+N gunitage
+R grugeait
AEGGIUZ
+Z zigzague
AEGGIZZ
+U zigzague
AEGGLLR
+I grillage
AEGGLNO
+F gonflage
AEGGLNS
+A glanages
    langages
+I lignages
AEGGLNU
+E engluage
AEGGLOR
+I rigolage
AEGGLOT
+I ligotage
AEGGLRS
+A largages
+E reglages
AEGGLRU
+E regulage
AEGGLSS
+I glissage
AEGGLSU
+A gaulages
AEGGMMO
    gommage
+S gommages
AEGGMMS
+E gemmages
+O gommages
AEGGMNS
+A gagnames
AEGGMOS
+M gommages
AEGGMRS
+I grimages
AEGGNNR
+A gangrena
+E engrange
    gangrene
AEGGNNT
    gagnent
+A gagnante
+E engagent
+I geignant
AEGGNOR
    rognage
+E engorgea
+R grognera
+S gagerons
    rognages

+T gageront
    gorgeant
AEGGNOS
    gageons
+R gagerons
    rognages
AEGGNOT
+R gageront
    gorgeant
AEGGNOZ
+E gazogene
AEGGNRR
+E regagner
    rengager
+I grignera
+O grognera
AEGGNRS
    granges
+A gagneras
    regagnas
+E grenages
    regagnes
+O gagerons
    rognages
+T gangster
+U gagneurs
AEGGNRT
+A regagnat
+E agregent
    gagerent
+O gageront
    gorgeant
+S gangster
+U grugeant
AEGGNRU
    gagneur
+I guignera
+S gagneurs
+T grugeant
AEGGNRZ
+E gagnerez
    regagnez
    rengagez
AEGGNSS
+A gagnasse
AEGGNST
+A gagnates
    tangages
+R gangster
AEGGNSU
    gangues
+E gagneuse
+R gagneurs
AEGGNSZ
+I zingages
AEGGNTU
+I gunitage
+R grugeant
AEGGOPR
+U groupage
AEGGOPU
+R groupage
AEGGORR
    gorgera
+E egorgera
    regorgea

+I gorgerai
+N grognera
+S gorgeras
AEGGORS
    gorgeas
+E egorgeas
+I gorgeais
+N gagerons
    rognages
+R gorgeras
+T gargotes
AEGGORT
    gargote
    gorgeat
+E egorgeat
    ergotage
+I gigotera
    gorgeait
+N gageront
    gorgeant
+S gargotes
AEGGORU
+P groupage
AEGGOST
+R gargotes
AEGGPPR
+I grippage
AEGGPRU
+O groupage
+Y pygargue
AEGGPRY
+U pygargue
AEGGPSS
+Y gypsages
AEGGPSU
+I guipages
AEGGPSY
+S gypsages
AEGGPUY
+R pygargue
AEGGRRS
+O gorgeras
+U grugeras
AEGGRRU
    grugera
+E egrugera
+I garrigue
    grugerai
+S grugeras
AEGGRRV
+A aggraver
AEGGRSS
+E gresages
+U suggeras
AEGGRST
+A agregats
+N gangster
+O gargotes
+U suggerat
AEGGRSU
    gageurs
    grugeas
    suggera
+B grabuges
+E egrugeas
    gageures

+I grugeais
    suggerai
+N gagneurs
+R grugeras
+S suggeras
+T suggerat
AEGGRSV
+A aggraves
+I givrages
AEGGRTT
+A grattage
AEGGRTU
    grugeat
+E egrugeat
+I grugeait
+N grugeant
+S suggerat
AEGGRUY
+P pygargue
AEGGRVZ
+A aggravez
AEGGSST
+I gagistes
AEGGSSU
+E gageuses
+R suggeras
AEGGSSY
+P gypsages
AEGGSTU
+R suggerat
AEGGUZZ
+I zigzague
AEGHILN
+R narghile
AEGHILR
+N narghile
+T litharge
AEGHILS
+U huilages
AEGHILT
+R litharge
AEGHILU
    huilage
+S huilages
AEGHINN
+C inchange
AEGHINP
+S sphaigne
AEGHINR
+C chagrine
    rechigna
+L narghile
AEGHINS
+C chinages
+P sphaigne
AEGHINZ
+C changiez
AEGHIOP
+C piochage
AEGHIPR
    graphie
+A agraphie
+S graphies
+T graphite
AEGHIPS
+N sphaigne
+R graphies

AEGHIPT
+R graphite
AEGHIRS
+P graphies
AEGHIRT
+E heritage
+L litharge
+P graphite
AEGHIRU
+C aguicher
AEGHIRZ
+C chargiez
AEGHISS
    geishas
AEGHISU
+C aguiches
    gauchies
AEGHIUZ
+C aguichez
AEGHKNS
    khagnes
AEGHKNU
+X khagneux
AEGHKNX
+U khagneux
AEGHKUX
+N khagneux
AEGHLNO
+E halogene
AEGHLNP
+A phalange
AEGHLNR
+I narghile
AEGHLNY
+C lynchage
AEGHLOR
+C chlorage
AEGHLOS
+C galoches
AEGHLOU
+C goulache
AEGHLPS
+Y aglyphes
AEGHLPY
    aglyphe
+S aglyphes
AEGHLRT
+I litharge
AEGHLST
+W thalwegs
AEGHLSU
+C schlague
+I huilages
AEGHLSW
+T thalwegs
AEGHLSY
+P aglyphes
AEGHLTW
    thalweg
+S thalwegs
AEGHMMO
    hommage
+S hommages
AEGHMMS
+O hommages

AEGHMOR
+C chromage
AEGHMOS
+C chomages
+M hommages
AEGHMOU
+C mouchage
AEGHMPR
+E grapheme
AEGHMSU
humages
AEGHNNS
+E ghaneens
AEGHNNT
+C changent
AEGHNOR
+C charogne
+R hongrera
AEGHNOX
+E hexagone
AEGHNPR
+Y pharynge
phrygane
AEGHNPS
+I sphaigne
AEGHNPY
+R pharynge
phrygane
AEGHNRR
+O hongrera
AEGHNRS
harengs
hargnes
+U nuraghes
AEGHNRT
+C chargent
AEGHNRU
nuraghe
+A harangue
+C changeur
+S nuraghes
+X hargneux
AEGHNRX
+U hargneux
AEGHNRY
+P pharynge
phrygane
AEGHNST
+A agnathes
AEGHNSU
+R nuraghes
AEGHNUX
+K khagneux
+R hargneux
AEGHORR
+N hongrera
AEGHORS
+C rochages
AEGHORU
+C gouacher
+D hourdage
AEGHORV
+C gavroche
AEGHOSU
+C gouaches
AEGHOUZ
+C gouachez

AEGHPRS
+C graphes
+I graphies
AEGHPRT
+I graphite
AEGHPRY
+N pharynge
phrygane
AEGHPSY
+L aglyphes
AEGHRRU
+C chargeur
AEGHRSS
+E hersages
AEGHRSU
+C gacheurs
gauchers
+N nuraghes
AEGHRUX
+N hargneux
AEGHSTW
+L thalwegs
AEGIIIL
+F gelifiai
AEGIIIN
+N ingeniai
AEGIIIR
+D dirigeai
AEGIILL
+A egaillai
+U aiguille
AEGIILM
+O limogeai
+T legitima
AEGIILN
+C galicien
+F aiglefin
infligea
+O eloignai
+P epinglai
+R lignerai
+U elinguai
+Z aligniez
AEGIILO
+B obligeai
+M limogeai
+N eloignai
+V voligeai
AEGIILP
+N epinglai
+Z plagiiez
AEGIILR
+B biglerai
+C giclerai
+F giflerai
+N lignerai
+U liguerai
+V grivelai
+Z glairiez
AEGIILS
+A egalisai
+D galidies
+F gelifias
+T agilites
+Z glaisiez
AEGIILT
agilite

+D algidite
digitale
+F gelifiat
+M legitima
+S agilites
AEGIILU
+L aiguille
+N elinguai
+R liguerai
AEGIILV
+E levigeai
+O voligeai
+R grivelai
AEGIILZ
+N aligniez
+P plagiiez
+R glairiez
+S glaisiez
AEGIIMN
geminai
imagine
+C magicien
+E imaginee
+F magnifie
+R imaginer
migraine
+S geminais
imagines
+T geminait
+Z imaginez
AEGIIMO
+L limogeai
+S isogamie
AEGIIMR
emigrai
gemirai
imagier
maigrie
megirai
+A amaigrie
+B regimbai
+D demaigri
+E imagerie
+N imaginer
migraine
+R grimerai
migrerai
+S aigrimes
emigrais
gemirais
imagiers
maigries
megirais

+S megissai
AEGIIMT
+L legitima
+N geminait
+R emigrait
gemirait
megirait
AEGIIMZ
+N imaginez
AEGIINN
ingenia
+A engainai
+I ingeniai
+R nigerian
+S ingenias
+T ingeniat
+V invagine
AEGIINO
+C negociai
+L eloignai
AEGIINP
peignai
+L epinglai
+S peignais
+T peignait
+Z paginiez
AEGIINR
gainier
ingerai
+A egrainai
gainerai
+D denigrai
geindrai
+E gainerie
+F aigrefin
+L lignerai
+M imaginer
migraine
+N nigerian
+S gainiers
ingerais
resignai
signerai
singerai
+T ingerait
integrai
interagi
+V vinaigre
+Z grainiez
AEGIINS
singeai
+B esbignai
+C ceignais
+D designai
+F feignais
+G geignais
+M geminais
+N ingenias
+P peignais
+R gainiers
ingerais
resignai
signerai
singerai
+S singeais
+T gisaient

singeait
teignais
AEGIINT
+C ceignait
+E neigeait
+F feignait
+G geignait
+M geminait
+N ingeniat
+P peignait
+R ingerait
integrai
interagi
+S gisaient
singeait
teignais
+T gitaient
teignait
+V vaginite
AEGIINU
+D endiguai
+L elinguai
AEGIINV
+N invagine
+R vinaigre
+T vaginite
AEGIINZ
gainiez
+B baigniez
+D daigniez
+L aligniez
+M imaginez
+P paginiez
+R grainiez
+S saigniez
AEGIIOS
+D degoisai
+M isogamie
AEGIIOV
+L voligeai
AEGIIPR
pigerai
+E piegerai
+S pigerais
+T pigerait
+U guiperai
AEGIIPS
pigeais
+E piegeais
+N peignais
+R pigerais
AEGIIPT
pigeait
+E piegeait
+N peignait
+R pigerait
AEGIIPU
+R guiperai
AEGIIPZ
+L plagiiez
+N paginiez
AEGIIRR
regirai
+A reagirai
+D dirigera
+E erigerai

+M grimerai	**AEGIIRV**	+A galejais	+S gaspille	+S villages
migrerai	+D degivrai	+A galejait	**AEGILLQ**	**AEGILLX**
+S griserai	+L grivelai	**AEGIJLZ**	+U gallique	+U illegaux
regirais	+N vinaigre	+E galejiez	**AEGILLR**	**AEGILLZ**
+T regirait	+R givrerai	+E mejugeai	graille	+E allegiez
+U guerirai	+Z vagiriez	**AEGIJNO**	+D grillade	egaillez
+V givrerai	**AEGIIRX**	+D adjoigne	+E allergie	+R grillez
+Z aigrirez	+E exigerai	**AEGIJNU**	egailler	**AEGILMM**
AEGIIRS	**AEGIIRZ**	+U enjuguai	gallerie	gemmail
aigries	agiriez	**AEGIJRS**	graillee	**AEGILMN**
egrisai	+C graciiez	+U jugerais	+G grillage	maligne
+C grecisai	+L glairiez	**AEGIJRT**	+R grailler	+A laminage
+D degrisai	+N grainiez	+U jugerait	grillera	+O limonage
digerais	+R aigrirez	**AEGIJRU**	+S grailles	+R germinal
dirigeas	+V vagiriez	jugerai	+U guerilla	malingre
+E erigeais	**AEGIISS**	+A jaugerai	+V vrillage	manglier
siegerai	+E siegeais	+S jugerais	+Z graillez	+S lignames
+F figerais	+M megissai	+T jugerait	**AEGILLS**	malignes
+M aigrimes	+N singeais	**AEGIJSU**	gliales	+T ligament
emigrais	+R aigrisse	jugeais	sillage	**AEGILMO**
gemirais	egrisais	+A jaugeais	+A alliages	limogea
imagiers	+U aiguises	+R jugerais	egaillas	+I limogeai
maigries	+Z agissiez	**AEGIJTU**	+B billages	+N limonage
megirais	**AEGIIST**	jugeait	+E egailles	+R limogera
+N gainiers	+E siegeait	+A jaugeait	legalisa	+S limogeas
ingerais	+F fastigie	+R jugerait	legalise	+T limogeat
resignai	gatifies	**AEGIJUU**	+M millages	**AEGILMP**
signerai	+L agilites	+N enjuguai	smillage	+E empilage
singerai	+N gisaient	**AEGIJUZ**	+O egosilla	+S glapimes
+P pigerais	singeait	jaugiez	galloise	**AEGILMR**
+R griserai	teignais	+D adjugiez	+P gaspille	+N germinal
regirais	+R aigrites	**AEGIKLN**	pillages	malingre
+S aigrisse	egrisait	linkage	+R grailles	manglier
egrisais	giterais	+S linkages	gresilla	+O limogera
+T aigrites	**AEGIISU**	**AEGIKLS**	+S sillages	+U grumelai
egrisait	aiguise	+N linkages	+T gaillets	**AEGILMS**
giterais	+D deguisai	**AEGIKNS**	tillages	limages
+U aiguiser	+E aiguisee	+L linkages	+U glaieuls	+B biglames
AEGIIRT	+R aiguiser	**AEGILLL**	+V villages	+C giclames
giterai	+S aiguises	illegal	**AEGILLT**	+F giflames
+A agiterai	+Z aiguisez	+E illegale	gaillet	+L millages
+D digerait	**AEGIISX**	**AEGILLM**	tillage	smillage
dirigeat	+E exigeais	millage	+A egaillat	+N lignames
+E erigeait	**AEGIISZ**	+A maillage	taillage	malignes
+F figerait	+L glaisiez	+B gambille	+E legalite	+O limogeas
gatifier	+N saigniez	+S millages	teillage	+P glapimes
gratifie	+S agissiez	smillage	+S gaillets	+T glatimes
+M emigrait	+U aiguisez	**AEGILLN**	tillages	+U liguames
gemirait	**AEGIITT**	+E galileen	**AEGILLU**	meuglais
megirait	+A attigeai	niellage	glaieul	+Y myalgies
+N ingerait	+N gitaient	+U anguille	+A alleguai	**AEGILMT**
integrai	teignait	gaullien	+I aiguille	+I legitima
interagi	+R giterait	linguale	+N anguille	+N ligament
+P pigerait	+Z attigiez	**AEGILLO**	gaullien	+O limogeat
+R regirait	**AEGIITV**	+C colligea	linguale	+S glatimes
+S aigrites	+N vaginite	+D godaille	+O gouaille	+U meuglait
egrisait	**AEGIITX**	+S egosilla	+Q gallique	**AEGILMU**
giterais	+E exigeait	galloise	+R guerilla	meuglai
+T giterait	**AEGIITZ**	+U gouaille	+S glaieuls	+C mucilage
AEGIIRU	agitiez	laguiole	+X illegaux	+R grumelai
+D guiderai	+F gatifiez	ouillage	**AEGILLV**	+S liguames
+E aiguiere	+T attigiez	**AEGILLP**	village	meuglais
+F refugiai	**AEGIIUZ**	pillage	+R vrillage	+T meuglait
+L liguerai	+S aiguisez	+A pagaille		**AEGILMY**
+P guiperai	**AEGIIVZ**	paillage		myalgie
+R guerirai	+R vagiriez			+S myalgies
+S aiguiser	**AEGIJLS**			

AEGILNN
+E agneline
+O aiglonne
+T alignent
AEGILNO
eloigna
longeai
+A analogie
+B englobai
+C congelai
+I eloignai
+M limonage
+N aiglonne
+P plongeai
+R longerai
regional
+S egalions
eloignas
longeais
+T eloignat
legation
longeait
+Z gazoline
AEGILNP
epingla
plaigne
+E pelagien
+I epinglai
+O plongeai
+S epinglas
plaignes
+T epinglat
plagient
+Z plaignez
AEGILNR
aligner
lignera
+A alignera
glanerai
langerai
+C cinglera
clearing
clignera
+D dragline
+E algerien
galerien
grenelai
lanigere
regalien
+F fringale
+H narghile
+I lignerai
+M germinal
malingre
manglier
+O longerai
regional
+S ligneras
sanglier
signaler
+T glairent
integral
triangle
+U granulie
narguile
ralingue
+Y yearling
AEGILNS
algines
alignes
leasing
signale
+A agnelais
anglaise
lainages
langeais
+B bengalis
+E alignees
ensilage
geniales
inegales
signalee
+G lignages
+K linkages
+M lignames
malignes
+O egalions
eloignas
longeais
+P epinglas
plaignes
+R ligneras
sanglier
signaler
+S leasings
lignasse
signales
+T antigels
glaisent
lignates
+U elinguas
engluais
languies
+Z sangliez
signalez
AEGILNT
antigel
genital
+A agnelait
alginate
langeait
+B tangible
+E gelaient
gelatine
genitale
+M ligament
+N alignent
+O eloignat
legation
longeait
+P epinglat
plagient
+R glairent
integral
triangle
+S antigels
glaisent
lignates
+U elinguat
engluait
AEGILNU
elingua
engluai
languie
+A alanguie
+I elinguai
+L anguille
gaullien
linguale
+R granulie
narguile
ralingue
+S elinguas
engluais
languies
+T elinguat
engluait
AEGILNV
+A vaginale
+E evangile
nivelage
AEGILNY
+R yearling
AEGILNZ
alignez
glaniez
langiez
+D glandiez
+E agneliez
+I aligniez
+O gazoline
+P plaignez
+S sangliez
signalez
AEGILOO
+P apologie
AEGILOP
+N plongeai
+O apologie
+T pilotage
+U epilogua
+Z galopiez
AEGILOQ
+U alogique
AEGILOR
logerai
+B obligera
+C agricole
+D rigolade
+E relogeai
+G rigolage
+M limogera
+N longerai
regional
+R rigolera
+S algerois
gloserai
logerais
+T gratiole
ligotera
logerait
+V virolage
voligera
AEGILOS
logeais
+B obligeas
+L egosilla
galloise
+M limogeas
+N egalions
eloignas
longeais
+R algerois
gloserai
logerais
+T aligotes
galiotes
ilotages
otalgies
silotage
toilages
+U gauloise
+V ogivales
voilages
voligeas
AEGILOT
aligote
galiote
ilotage
logeait
otalgie
toilage
+B obligeat
+G ligotage
+M limogeat
+N eloignat
legation
longeait
+P pilotage
+R gratiole
ligotera
logerait
+S aligotes
galiotes
ilotages
otalgies
silotage
toilages
+V voligeat
voltigea
AEGILOU
+D dialogue
+L gouaille
laguiole
ouillage
+P epilogua
+Q alogique
+S gauloise
AEGILOV
ogivale
voilage
voligea
+I voligeai
+R virolage
voligera
+S ogivales
voilages
voligeas
+T voligeat
voltigea
AEGILOX
+C coxalgie
AEGILOZ
+N gazoline
+P galopiez
AEGILPP
+R grippale
AEGILPR
plagier
+A plagiera
+P grippale
+Z glapirez
AEGILPS
pilages
plagies
pliages
+E plagiees
+L gaspille
pillages
+M glapimes
+N epinglas
plaignes
+S glapisse
plissage
+T glapites
plagiste
AEGILPT
+N epinglat
plagient
+O pilotage
+S glapites
plagiste
AEGILPU
+O epilogua
AEGILPZ
plagiez
+I plagiiez
+N plaignez
+O galopiez
+R glapirez
AEGILQS
+U algiques
AEGILQU
algique
+E gaelique
+L gallique
+O alogique
+S algiques
AEGILRR
elargir
glairer
+A elargira
glairera
+E grelerai
reglerai
+L grailler
grillera
+O rigolera
AEGILRS
agriles
argiles
elargis
glaires
glaiser
grelais
reglais
+A glaisera
regalais
+B bigleras
+C gicleras
glaciers
graciles
+E egaliser
elargies
galeries

gelerais
glairees
regelais
reliages
+F fragiles
gifleras
+L grailles
gresilla
+N ligneras
sanglier
signaler
+O algerois
gloserai
logerais
+S glissera
+U ligueras
lugerais
regulais
surgelai
+V grivelat
AEGILRT
elargit
grelait
reglait
+A regalait
+E aigrelet
gelerait
regelait
+F filtrage
+H litharge
+N glairent
integral
triangle
+O gratiole
ligotera
logerait
+U ligature
lugerait
regulait
+V grivelat
+Z glatirez
AEGILRU
liguera
lugerai
regulai
+A gaulerai
+E leguerai
releguai
+I liguerai
+L guerilla
+M grumelai
+N granulie
narguile
ralingue
+S ligueras
lugerais
regulais
surgelai
+T ligature
lugerait
regulait
+V vulgaire
+X argileux
glaireux
+Z larguiez
AEGILRV
grivela

+E levigera
+I grivelai
+L vrillage
+O virolage
voligera
+S grivelas
+T grivelat
+U vulgaire
AEGILRX
+U argileux
glaireux
AEGILRY
+N yearling
AEGILRZ
glairez
+E regaliez
+I glairiez
+L graillez
+P glapirez
+T glatirez
+U larguiez
AEGILSS
glaises
ligases
lisages
lissage
+A egalisas
+B biglasse
+C giclasse
+D glissade
+E egalises
glaisees
+F giflasse
+G glissage
+L sillages
+N leasings
lignasse
signales
+P glapisse
plissage
+R glissera
+S lissages
+T glatisse
listages
+U liguasse
AEGILST
listage
+A egalisat
laitages
+B biglates
+C giclates
+E egalites
giflates
+I agilites
+L gaillets
tillages
+M glatimes
+N antigels
glaisent
lignates
+O aligotes
galiotes
ilotages
otalgies
silotage
toilages
+P glapites

plagiste
+S glatisse
listages
+T glatites
+U liguates
AEGILSU
leguais
lugeais
+A elaguais
+B beuglais
+D degluais
+H huilages
+L glaieuls
+M liguames
meuglais
+N elinguas
engluais
languies
+O gauloise
+Q algiques
+R ligueras
lugerais
regulais
surgelai
+S liguasse
+T liguates
+U gueulais
+X glaiseux
AEGILSV
glaives
+C clivages
+E levigeas
+L villages
+O ogivales
voilages
voligeas
+R grivelas
AEGILSX
+A galaxies
+U glaiseux
AEGILSY
+M myalgies
AEGILSZ
glaisez
+E egalisez
+I glaisiez
+N sangliez
signalez
AEGILTT
+S glatites
AEGILTU
leguait
lugeait
+A elaguait
+B beuglait
+D degluait
+M meuglait
+N enlingua
engluait
+R ligature
lugerait
regulait
+S liguates
+U gueulait
AEGILTV
+E levigeat
+O voligeat

voltigea
+R grivelat
AEGILTZ
+R glatirez
AEGILUU
gueulai
+S gueulais
+T gueulait
AEGILUV
+A aveuglai
+R vulgaire
AEGILUX
+L illegaux
+R argileux
glaireux
+S glaiseux
AEGILUZ
gauliez
+B blaguiez
+E elaguiez
+R larguiez
AEGIMMO
+D degommai
+R gommerai
AEGIMMR
+D digramme
+E gemmerai
immergea
+O gommerai
+S grimames
migrames
AEGIMMS
gemmais
+R grimames
migrames
AEGIMMT
gemmait
+T geminant
AEGIMNO
angiome
+L limonage
+P empoigna
+R morigena
+S agonimes
angiomes
+T temoigna
AEGIMNP
+O empoigna
+R impregna
+T pigmenta
AEGIMNR
germain
+A magnerai
mangerai
marinage
+D mignarde
+E geminera
germaine
graminee
+I imaginer
migraine
+L germinal
malingre
manglier
+O morigena
+P impregna

+S garnimes
germains
+T emigrant
migrante
+U geranium
manguier
meringua
ramingue
AEGIMNS
gamines
geminas
ignames
minages
+A engamais
gainames
magasine
mangeais
+B ingambes
+E ensimage
magnesie
+I geminais
imagines
+L lignames
malignes
+O agonimes
angiomes
+R garnimes
germains
+S signames
AEGIMNT
geminat
+A engamait
mangeait
+E gaiement
+I geminait
+L ligament
+N geminant
+O temoigna
+P pigmenta
+R emigrant
migrante
+U minutage
AEGIMNU
+F fumagine
+R geranium
manguier
meringua
ramingue
+T minutage
AEGIMNZ
magniez
+A magazine
managiez
+E engamiez
menagiez
+I imaginez
AEGIMOP
+A apogamie
+N empoigna
AEGIMOR
moirage
+L gommerai
+M gommerai
+N morigena
+S moirages

AEGIMOS
  isogame
+I isogamie
+L limogeas
+N agonimes
  angiomes
+R moirages
+S isogames
+T megotais
AEGIMOT
  megotai
+L limogeat
+N temoigna
+S megotais
+T megotait
AEGIMOX
+E exogamie
AEGIMPR
  primage
+N impregna
+R grimpera
+S primages
AEGIMPS
+E pigeames
+L glapimes
+R primages
+U guipames
AEGIMPT
+N pigmenta
AEGIMPU
+S guipames
AEGIMQS
+U magiques
AEGIMQU
  magique
+S magiques
AEGIMRR
  grimera
  migrera
+A arrimage
  margerai
+C grimacer
+E emigrera
  germerai
+I grimerai
  migrerai
+P grimpera
+S grimeras
  migreras
+U maigreur
AEGIMRS
  emigras
  gemiras
  germais
  maigres
  megiras
  mirages
+A margeais
  mariages
+B regimbas
+C grimaces
+E reagimes
  remisage
+G grimages
+I aigrimes
  emigrais
  gemirais

  imagiers
  maigries
  megirais
+M grimames
  migrames
+N garnimes
  germains
+O moirages
+P primages
+R grimeras
  migreras
+S grimasse
  grisames
  migrasse
+T grimates
  magister
  migrates
  ragtimes
+U guisarme
+V givrames
  gravimes
AEGIMRT
  emigrat
  germait
  ragtime
+A margeait
+B regimbat
+E ermitage
+I emigrait
  gemirait
  megirait
+N emigrant
  migrante
+S grimates
  magister
  migrates
  ragtimes
AEGIMRU
+A maugreai
+L grumelai
+N geranium
  manguier
  meringua
  ramingue
+R maigreur
+S guisarme
AEGIMRV
+S givrames
  gravimes
AEGIMRZ
  margiez
+A ramagiez
+C grimacez
+E emargiez
AEGIMSS
  megissa
+I megissai
+N signames
+O isogames
+R grimasse
  grisames
  migrasse
+S megisses
+T gatismes
  megissat
AEGIMST

  gatisme
  gitames
  mitages
+A agitames
  tamisage
+L glatimes
+O megotais
+R grimates
  magister
  migrates
  ragtimes
+S gatismes
  megissat
+T stigmate
AEGIMSU
+B ambigues
  gambusie
+D guidames
+L liguames
  meuglais
+P guipames
+Q magiques
+R guisarme
AEGIMSV
  vagimes
+R givrames
  gravimes
AEGIMSX
  mixages
AEGIMSY
+L myalgies
AEGIMTT
+O megotait
+S stigmate
AEGIMTU
+B bitumage
+L meuglait
+N minutage
AEGIMUU
+V guimauve
AEGIMUV
+U guimauve
AEGINNO
+C engoncai
+L aiglonne
+P pigeonna
+T negation
AEGINNP
+O pigeonna
+T paginent
  peignant
AEGINNR
  engrain
+A rengaina
+D grenadin
+E argienne
  engainer
  engrenai
  rengaine
+F frangine
+I nigerian
+S engrains
+T argentin
  grainent
  ingerant
AEGINNS
  angines

+A engainas
+E engaines
  enseigna
+I ingenias
+R engrains
+T saignent
  singeant
+U guanines
  sanguine
+V angevins
AEGINNT
  gainent
+A engainat
+B baignent
+C ceignant
+D daignent
+E antigene
  genaient
+F feignant
+G geignant
+I ingeniat
+L alignent
+M geminant
+O negation
+P paginent
  peignant
+R argentin
  grainent
  ingerant
+S saignent
  singeant
+T teignant
AEGINNU
  guanine
+S guanines
  sanguine
+X angineux
AEGINNV
+E angevine
+I invagine
+S angevins
AEGINNX
+U angineux
AEGINNZ
+E engainez
AEGINOP
+C copinage
+E epongeai
+L plongeai
+M empoigna
+N pigeonna
+T pointage
AEGINOR
  rongeai
+B eborgnai
+C cognerai
  congreai
+D argonide
+E nageoire
+L longerai
  regional
+M morigena
+R ignorera
  rognerai
  rongerai

+S agoniser
  agreions
  egarions
  organise
  rongeais
  soignera
  songerai
+T organite
  rongeait
+Z agonirez
AEGINOS
  agnosie
  agonies
  agonise
  songeai
+B begonias
  besognai
  engobais
+C negocias
+D diagnose
  ganoides
+L egalions
  eloignas
  longeais
+M agonimes
  angiomes
+R agoniser
  agreions
  egarions
  organise
  rongeais
  soignera
  songerai
+S agnosies
  agonises
  agonisse
  angoisse
  songeais
+T agoniste
  agonites
  etagions
  gantoise
  songeait
+U engouais
  sagouine
+Y egayions
+Z agonisez
AEGINOT
+B engobait
  gobaient
+C negociat
+D godaient
+L eloignat
  legation
  longeait
+M temoigna
+N negation
+P pointage
+R organite
  rongeait
+S agoniste
  agonites
  etagions
  gantoise
  songeait
+U engouait

AEGINOU
engouai
+S engouais
sagouine
+T engouait
AEGINOX
+Y oxygenai
AEGINOY
+S egayions
+X oxygenai
AEGINOZ
+L gazoline
+R agonirez
+S agonisez
AEGINPR
paginer
+A epargnai
paginera
+E peignera
+M impregna
+T trepigna
+U repugnai
AEGINPS
pagines
peignas
+A paganise
+C pincages
+D pignades
+E paginees
+H sphaigne
+I peignais
+L epinglas
plaignes
AEGINPT
peignat
pigeant
+A pagaient
patinage
+E piegeant
+I peignait
+L epinglat
plagient
+M pigmenta
+N paginent
peignant
+O pointage
+R trepigna
AEGINPU
+R repugnai
AEGINPZ
paginez
+I paginiez
+L plaignez
AEGINRR
grainer
regarni
+A agrainer
agrarien
arganier
grainera
rangerai
+C grincera
+D degarnir
ringarde
+E egrainer
grenerai
ingerera

regarnie
regnerai
+G grignera
+O ignorera
rognerai
rongerai
+R regarnir
+S regarnis
+T gratiner
regarnit
+Z garnirez
AEGINRS
argiens
engrais
garnies
graines
grenais
ignares
ingeras
regains
regnais
resigna
saigner
seringa
signera
singera
+A agraines
angaries
egrainas
gaineras
ganserai
nagerais
rangeais
saignera
+C craignes
rincages
+D degarnis
denigras
gardiens
geindras
grandies
+E anergies
egraines
egrenais
generais
grainees
+I gainiers
ingerais
resignai
signerai
singerai
+L ligneras
sanglier
signaler
+M garnimes
germains
+N engrains
+O agoniser
agreions
egarions
organise
rongeais
soignera
songerai
+R regarnis
+S assigner
garnisse

resignas
seringas
signeras
singeras
+T egrisant
gantiers
garnites
granites
gratines
grisante
ingrates
integras
resignat
seringat
transige
+U insurgea
seringua
AEGINRT
agirent
gantier
granite
gratine
grenait
ingerat
ingrate
integra
regnait
+A argentai
egrainat
ganterai
garaient
garantie
nagerait
rangeait
ratinage
trainage
+C cintrage
+D degarnit
denigrat
digerant
gradient
+E egrenait
erigeant
ganterie
gantiere
generait
geraient
granitee
gratinee
greaient
regentai
+I ingerait
integrai
interagi
+L glairent
integral
triangle
+M emigrant
migrante
+N argentin
grainent
+O organite
rongeait
+P trepigna
+R gratiner

regarnit
+S egrisant
gantiers
garnites
granites
gratines
grisante
ingrates
integras
resignat
seringat
transige
+T integrat
+U gunitera
+V givrante
+Z gratinez
AEGINRU
+B baigneur
burinage
+D guindera
+G guignera
+L granulie
narguile
+M geranium
manguier
meringua
ramingue
+P repugnai
+S insurgea
seringua
+T gunitera
+U inaugure
+V naviguer
+Z narguiez
zinguera
AEGINRV
+A engravai
varaigne
+D vidanger
+E vengerai
+I vinaigre
+T givrante
vagirent
+U naviguer
AEGINRY
+E aegyrine
+L yearling
AEGINRZ
grainez
rangiez
+A agrainez
+C craignez
+E egrainez
enragiez
gainerez
nageriez
+F frangiez
+I grainiez
+O agonirez
+R garnirez
+T gratinez
+U narguiez
zinguera
AEGINSS
assigne

sagines
saignes
singeas
+A gainasse
+B esbignas
+D designas
+E assignee
saignees
+I singeais
+L leasings
lignasse
signales
+M signames
+O agnosies
agonises
agonisse
angoisse
songeais
+R assigner
garnisse
resignas
seringas
signeras
singeras
+S assignes
signasse
+T agissent
gisantes
signates
tignasse
tsiganes
+U usinages
+Z assignez
AEGINST
gatines
gisante
gitanes
singeat
tsigane
+A gainates
satinage
tanisage
+B esbignat
+D designat
+E siegeant
+F negatifs
+I gisaient
singeait
teignais
+L antigels
glaisent
lignates
+N saignent
singeant
+O agoniste
agonites
etagions
gantoise
songeait
+R egrisant
gantiers
garnites
granites
gratines
grisante
ingrates
integras

resignat
seringat
transige
+S agissent
gisantes
signates
tignasse
tsiganes
+Z stagniez
tziganes
AEGINSU
iguanes
usinage
+D endiguas
nigaudes
+L elinguas
engluais
languies
+N guanines
sanguine
+O engouais
+R insurgea
seringua
+S usinages
+V navigues
AEGINSV
vinages
+D vidanges
+E envisage
vengeais
+N angevins
+U navigues
AEGINSY
+O egayions
AEGINSZ
gansiez
saignez
+C zincages
+G zingages
+I saigniez
+L sangliez
signalez
+O agonisez
+S assignez
+T stagniez
tziganes
AEGINTT
agitent
+A gataient
+E atteigne
+I gitaient
teignait
+N teignant
+R integrat
+T attigent
AEGINTU
+D endiguat
+G gunitage
+L elinguat
engluait
+M minutage
+O engouait
+R gunitera
+X genitaux
+Z tanguiez
AEGINTV

+A gavaient
+E negative
vengeait
+I vaginite
+R givrante
vagirent
AEGINTX
+E exigeant
+U genitaux
AEGINTZ
gantiez
tzigane
+A gazaient
+R gratinez
+S stagniez
tziganes
+U tanguiez
AEGINUU
+D guindeau
+J enjuguai
+R inaugure
AEGINUV
navigue
vigneau
+R naviguer
+S navigues
+X vigneaux
+Z naviguez
AEGINUX
geniaux
inegaux
+N angineux
+T genitaux
+V vigneaux
AEGINUZ
+R narguiez
zinguera
+T tanguiez
+V naviguez
AEGINVX
+U vigneaux
AEGINVZ
+D vidangez
+U naviguez
AEGINXY
+O oxygenai
AEGIOOP
+L apologie
AEGIOPR
+S pragoise
+T parigote
AEGIOPS
+C copiages
+R pragoise
AEGIOPT
+C picotage
+L pilotage
+N pointage
+R parigote
AEGIOPU
+L epilogua
AEGIOPZ
+L galopiez
AEGIOQR
+U orgiaque
AEGIOQU
+L alogique

+R orgiaque
AEGIORR
+A arrogeai
+C corrigea
+D drageoir
+F forgerai
+G gorgerai
+L rigolera
+N ignorera
rognerai
+U gourerai
+V revigora
+Z arrogiez
AEGIORS
+B goberais
+C cogerais
+D goderais
+F forgeais
+G gorgeais
+L algerois
gloserai
logerais
+M moirages
+N agoniser
agreions
egarions
organise
rongeais
soignera
songerai
+P pragoise
+T agriotes
ergotais
AEGIORT
agriote
ergotai
+B goberait
+C cogerait
cogitera
+D doigtera
goderait
+F fagotier
forgeait
+G gigotera
gorgeait
+L gratiole
ligotera
logerait
+N organite
rongerait
+P parigote
+S agriotes
ergotais
+T ergotait
+U autogire
gouterai
AEGIORU
+B bougerai
+F fougerai
+Q orgiaque
+R gourerai
+T autogire
gouterai
+V voguerai
AEGIORV

+L virolage
voligera
+R revigora
+T ravigote
+U voguerai
+Y goyavier
AEGIORY
+V goyavier
AEGIORZ
+B abrogiez
+N agonirez
+R arrogiez
AEGIOSS
+B boisages
+D degoisas
+M isogames
+N agnosies
agonisse
angoisse
songeais
AEGIOST
+D degoisat
degotais
+L aligotes
galiotes
ilotages
otalgies
silotage
toilages
+M megotais
+N agoniste
agonites
etagions
gantoise
songeait
+R agriotes
ergotais
AEGIOSU
+B bougeais
+F fougeais
+L gauloise
+N engouais
sagouine
AEGIOSV
+L ogivales
voilages
voligeas
AEGIOSY
+N egayions
AEGIOSZ
+N agonisez
AEGIOTT
+D degotait
+M megotait
+R ergotait
+U egouttai
AEGIOTU
+B bougeait
+D degoutai
+F fougeait
+N engouait
+R autogire
gouterai
+T egouttai
AEGIOTV

+L voligeat
voltigea
+R ravigote
AEGIOTX
+E geotaxie
AEGIOTZ
+F fagotiez
AEGIOUV
+D godiveau
+R voguerai
AEGIOVY
+A voyageai
+R goyavier
+Z voyagiez
AEGIOVZ
+Y voyagiez
AEGIOXY
+N oxygenai
AEGIOYZ
+V voyagiez
AEGIPPR
agrippe
+A egrappai
+E agrippee
+G grippage
+L grippale
+R agripper
grippera
+S agrippes
+Z agrippez
AEGIPPS
+R agrippes
AEGIPPZ
+R agrippez
AEGIPQS
+U piquages
AEGIPQU
+A apiquage
+E equipage
+S piquages
AEGIPRR
+E pierrage
+M grimpera
+P agripper
grippera
+U purgerai
AEGIPRS
pigeras
ripages
+A pairages
pariages
+E piegeras
+H graphies
+I pigerais
+M primages
+O pragoise
+P agrippes
+T stripage
+U guiperas
purgeais
AEGIPRT
+A piratage
+E etripage
+H graphite
+I pigerait
+N trepigna

+O parigote
+S stripage
+U purgeait
AEGIPRU
  guipera
  purgeai
+I guiperai
+N repugnai
+R purgerai
+S guiperas
  purgeais
+T purgeait
AEGIPRZ
+E arpegiez
+L glapirez
+P agrippez
AEGIPSS
+E pigeasse
+L glapisse
  plissage
+T pistages
+U guipasse
  puisages
AEGIPST
  pistage
+E peagiste
  pigeates
+L glapites
  plagiste
+R stripage
+S pistages
+U guipates
AEGIPSU
  puisage
+F apifuges
+G guipages
+M guipames
+Q piquages
+R guiperas
  purgeais
+S guipasse
  puisages
+T guipates
AEGIPTU
+R purgeait
+S guipates
AEGIPYZ
+A pagayiez
AEGIQRT
+U tragique
AEGIQRU
+C grecquai
+D quadrige
+O orgiaque
+T tragique
AEGIQSU
+L algiques
+M magiques
+P piquages
AEGIQTU
+R tragique
AEGIRRR
+B bigarrer
+N regarnir
+U aguerrir
AEGIRRS
  grisera

  regiras
+A agraires
  garerais
  ragerais
  ragreais
  reagiras
+B bigarres
+E egrisera
  erigeras
  gererais
  greerais
  greserai
  regreais
+I griserai
  regirais
+M grimeras
  migreras
+N regarnis
+S graisser
  griseras
+T grisatre
  registra
+U aguerris
  aigreurs
  gueriras
  givreras
  graviers
AEGIRRT
+A garerait
  ragerait
  ragreait
+E gererait
  geriatre
  greerait
  regatier
  regreait
  retirage
+I regirait
+N gratiner
  regarnit
+S grisatre
  registra
+U aguerrit
  urgerait
AEGIRRU
  aguerri
  aigreur
  guerira
+A arguerai
  raguerai
+B briguera
+E aguerrie
+F figurera
  gaufrier
+G garrigue
  grugerai
+I guerirai
+M maigreur
+O gourerai
+P purgerai
+R aguerrir
+S aguerris
  aigreurs
  gueriras
+T aguerrit
  urgerait

AEGIRRV
  givrera
  gravier
+A arrivage
  gravera
+E graviere
  greverai
+I givrerai
+O revigora
+S givreras
  graviers
+T graviter
+Z gravirez
AEGIRRZ
+B bigarrez
+E gareriez
  ragreiez
  reagirez
+I aigrirez
+N garnirez
+O arrogiez
+V gravirez
AEGIRSS
  egrisais
  graisse
  gresais
  segrais
+A agressai
+C grecisas
+D degrisas
+E assieger
  graisse
  reagisse
  siegeras
+F agressif
+I aigrisse
  egrisais
+L glissera
+M grimasse
  grisames
  migrasse
+N assigner
  garnisse
  resignas
  seringas
  signeras
  singeras
+R graisser
  griseras
+S graisses
  grisasse
+T grisates
+U sarigues
+V givrasse
  gravisse
+Z graissez
AEGIRST
  egrisat
  giteras
  gresait
  tirages
  triages
+A agiteras
  gaterais
  regatais
+C grecisat

+D degrisat
+E etirages
  gateries
  reagites
+F ergatifs
+I aigrites
  egrisait
  giterais
+M grimates
  magister
  migrates
  ragtimes
+N egrisant
  gantiers
  garnites
  granites
  gratines
  grisante
  ingrates
  integras
  resignat
  seringat
  transige
+O agriotes
  ergotais
+P stripage
+R grisatre
  registra
+S grisates
+T gastrite
  titrages
+U arguties
  guitares
  targuies
+V givrates
  gravites
  vitrages
AEGIRSU
  auriges
  sarigue
+B baguiers
+D guideras
+F refugias
+G grugeais
  suggerai
+I aiguiser
+J jugerais
+L ligueras
  lugerais
  regulais
  surgelai
+M guisarme
+N insurgea
  seringua
+P guiperas
  purgeais
+R aguerris
  aigreurs
  gueriras
+S sarigues
+T arguties
  guitares
  targuies
+U suraigue
AEGIRSV
  gravies
  grevais

  rivages
+A gaverais
+B vibrages
+D degivras
  gravides
+E viageres
+G givrages
+L grivelas
+M givrames
  gravimes
+R givreras
  graviers
+S givrasse
  gravisse
+T givrates
  gravites
  vitrages
AEGIRSX
+E exigeras
AEGIRSZ
  gaziers
+A gazerais
+E gazieres
+S graissez
AEGIRTT
  attiger
  titrage
+A attigera
  gaterait
  regatait
+E aigrette
+F frittage
+I giterait
+N integrat
+O ergotait
+S gastrite
  titrages
+U gratuite
+Z grattiez
AEGIRTU
  argutie
  guitare
  targuie
  urgeait
+B bruitage
+F fatiguer
  refugiat
+G grugeait
+J jugerait
+L ligature
  lugerait
  regulait
+N gunitera
+O autogire
  gouterai
+P purgeait
+Q tragique
+R aguerrit
  urgerait
+S arguties
  guitares
  targuies
+T gratuite
+Z targuiez

AEGIRTV
gravite
grevait
vitrage
+A gaverait
+D degivrat
+E rivetage
+L grivelat
+N givrante
vagirent
+O ravigote
+R graviter
+S givrates
gravites
vitrages
+Z gravitez
AEGIRTZ
+A gazerait
+E agiterez
gateriez
gazetier
regatiez
+L glatirez
+N gratinez
+T grattiez
+U targuiez
+V gravitez
AEGIRUU
+F fuguerai
+N inaugure
+S suraigue
+Z auguriez
AEGIRUV
+A vaguerai
+C cuivrage
+D divaguer
+L vulgaire
+N naviguer
+O voguerai
AEGIRUX
+C gracieux
+L argileux
glaireux
AEGIRUZ
arguiez
raguiez
+C carguiez
+D draguiez
graduiez
+F gaufriez
+L larguiez
+N narguiez
zinguera
+T targuiez
+U auguriez
AEGIRVV
+A ravivage
AEGIRVY
+O goyavier
AEGIRVZ
graviez
vagirez
+A ravagiez
+E gaveriez
+I vagiriez
+R gravirez
+T gravitez

AEGIRZZ
+E gazeriez
AEGISSS
agisses
+A assagies
+E assieges
+L lissages
+M megissas
+N assignes
signasse
+R graisses
grisasse
+T gitasses
tissages
+V vagisses
vissages
AEGISST
gitasse
tissage
+A agitasse
+G gagistes
+L glatisse
listages
+M gatismes
megissat
+N agissent
gisantes
signates
tignasse
tsiganes
+P pistages
+R grisates
+S gitasses
tissages
+T sagittes
AEGISSU
seguias
+C cuissage
+D deguisas
guidasse
+I aiguises
+L liguasse
+N usinages
+P guipasse
puisages
+R sarigues
+Z gaussiez
AEGISSV
vagisse
visages
vissage
+R givrasse
gravisse
+S vagisses
vissages
+Z vagissez
AEGISSZ
agissez
+E assiegez
+I agissiez
+N assignez
+R graissez
+U gaussiez
+V vagissez
AEGISTT
attiges
gitates

sagitte
+A agitates
attigeas
+E sagittee
+L glatites
+M stigmate
+R gastrite
titrages
+S sagittes
+U guettais
AEGISTU
+D deguisat
degustai
guidates
+F fatigues
+L liguates
+P guipates
+R arguties
guitares
targuies
+T guettais
AEGISTV
vagites
+E estivage
evitates
vegetais
+R givrates
gravites
vitrages
AEGISTZ
+N stagniez
tziganes
AEGISUU
+B subaigue
+E agueusie
+L gueulais
+R suraigue
AEGISUV
+D divagues
+N navigues
AEGISUX
+L glaiseux
AEGISUZ
+I aiguisez
+S gaussiez
AEGISVV
+A avivages
AEGISVZ
+S vagissez
AEGITTT
+A attigeat
+N attigent
+U guettait
AEGITTU
guettai
+O egouttai
+R gratuite
+S guettais
+T guettait
AEGITTV
+E vegetait
AEGITTZ
attigez
+I attigiez
+R grattiez
AEGITUU

+L gueulait
AEGITUX
+N genitaux
AEGITUZ
+B bizutage
+F fatiguez
+N tanguiez
+R targuiez
AEGITVZ
+R gravitez
AEGIUUV
+M guimauve
AEGIUUX
+D guideaux
AEGIUUZ
+R auguriez
AEGIUVX
+N vigneaux
AEGIUVZ
vaguiez
+D divaguez
+N naviguez
AEGIUZZ
+G zigzague
AEGIVYZ
+O voyagiez
AEGJLMU
+E jumelage
AEGJLNO
+R jonglera
+S galejons
AEGJLNR
+O jonglera
AEGJLNS
+O galejons
AEGJLNT
+A galejant
+E galejent
AEGJLOR
+N jonglera
AEGJLOS
+N galejons
AEGJLRU
+U jugulera
AEGJLSU
jugales
AEGJLUU
+R jugulera
AEGJMRU
+E mejugera
AEGJMSU
+E jugeames
mejugeas
AEGJMTU
+E mejugeat
AEGJNNO
+R jargonne
AEGJNNR
+O jargonne
AEGJNOR
+L jonglera
+N jargonne
AEGJNOS
+L galejons
+U jaugeons
AEGJNOU
+S jaugeons

AEGJNSU
+O jaugeons
+U enjuguas
AEGJNTU
jaugent
jugeant
+A jaugeant
+D adjugent
+U enjuguat
AEGJNUU
enjugua
+I enjuguai
+S enjuguas
+T enjuguat
AEGJOSU
+N jaugeons
AEGJPRU
+E prejugea
AEGJRSU
jugeras
+A jaugeras
+I jugerais
+U jaugeurs
AEGJRTU
+I jugerait
AEGJRUU
jaugeur
+L jugulera
+S jaugeurs
AEGJRUZ
+E jaugerez
AEGJSSU
+E jugeasse
AEGJSTU
+A ajustage
+E jugeates
AEGJSUU
+N enjuguas
+R jaugeurs
AEGJTUU
+N enjuguat
AEGKLNS
+I linkages
AEGKNUX
+H khagneux
AEGKOST
+C stockage
AEGLLMR
+E margelle
AEGLLMS
+E gamelles
+I millages
smillage
AEGLLMU
+A allumage
AEGLLNO
allonge
+A allongea
+E allogene
allongee
+R allonger
rallonge
+S allonges
+Z allongez
AEGLLNR
+O allonger

rallonge
AEGLLNS
+E agnelles
+O allonges
AEGLLNT
+E allegent
AEGLLNU
+I anguille
gaullien
linguale
AEGLLNZ
+O allongez
AEGLLOR
allegro
+E glareole
+N allonger
rallonge
+S allegros
AEGLLOS
+B globales
+C collages
+I egosilla
galloise
+N allonges
+R allegros
AEGLLOT
+T glottale
AEGLLOU
+I gouaille
laguiole
ouillage
AEGLLOZ
+N allongez
AEGLLPR
+E pellagre
AEGLLPS
+A plagales
+I gaspille
pillages
AEGLLQU
+I gallique
AEGLLRR
+I grailler
grillera
AEGLLRS
+E allegres
+I grailles
gresilla
+O allegros
AEGLLRU
+E alleguer
+I guerilla
AEGLLRV
+E gravelle
+I vrillage
AEGLLRZ
+I graillez
AEGLLSS
+I sillages
AEGLLST
+A tallages
+E stellage
+I gaillets
tillages
AEGLLSU
+A alleguas
+E allegues

+I glaieuls
AEGLLSV
+I villages
AEGLLSZ
+E gazelles
AEGLLTT
+O glottale
AEGLLTU
+A alleguat
AEGLLUX
+I illegaux
AEGLLUZ
+E alleguez
AEGLMMO
+R grommela
AEGLMMR
+O grommela
AEGLMNO
+I limonage
AEGLMNR
+E melanger
+I germinal
malingre
manglier
AEGLMNS
mangles
+A gamelans
glanames
+E melanges
+I lignames
malignes
AEGLMNT
+I ligament
+U meuglant
AEGLMNU
+T meuglant
AEGLMNZ
+E melangez
AEGLMOP
+B plombage
+Y polygame
AEGLMOR
+I limogera
+M grommela
AEGLMOS
+E logeames
+I limogeas
+S glosames
+U moulages
AEGLMOT
+E moletage
+I limogeat
AEGLMOU
moulage
+C glaucome
+S moulages
AEGLMOY
+P polygame
AEGLMPR
+E remplage
AEGLMPS
+I glapimes
+U plumages
AEGLMPU
plumage
+S plumages
AEGLMPY

+O polygame
AEGLMRS
+E grelames
reglames
+U grumelas
AEGLMRT
+U grumelat
AEGLMRU
grumela
+E meuglera
+I grumelai
+S grumelas
+T grumelat
AEGLMSS
+O glosames
AEGLMST
+A maltages
+I glatimes
AEGLMSU
meuglas
+A gaulames
+E leguames
lugeames
meulages
+I liguames
meuglais
+O moulages
+P plumages
+R grumelas
AEGLMSY
mygales
+I myalgies
AEGLMTU
meuglat
+I meuglat
+N meuglant
+R grumelat
AEGLNNO
galonne
longane
+E galonnee
+I aiglonne
+R galonner
+S agnelons
galonnes
langeons
longanes
+T longeant
+Z galonnez
AEGLNNR
+O galonner
AEGLNNS
+O agnelons
galonnes
langeons
longanes
+T sanglent
AEGLNNT
glanent
langent
+A agnelant
langeant
+D glandent
+I alignent
+O longeant
+S sanglent
+U engluant

AEGLNNU
+T engluant
AEGLNNZ
+O galonnez
AEGLNOO
+C colonage
AEGLNOP
plongea
+I plongeai
+R plongera
+S espagnol
plongeas
+T galopent
plongeat
AEGLNOR
longera
+F flagorne
gonflera
regonfla
+I longerai
regional
+J jonglera
+L allonger
rallonge
+N galonner
+P plongera
+R lorgnera
+S longeras
regalons
+U louanger
AEGLNOS
egalons
longeas
losange
+B bagnoles
englobas
+C clonages
congelas
+D goelands
+I egalions
eloignas
longeais
+J galejons
+L allonges
+N agnelons
galonnes
langeons
longanes
+P espagnol
plongeas
+R longeras
regalons
+S losanges
+T angelots
sanglote
+U elaguons
louanges
AEGLNOT
angelot
logeant
longeat
+B englobat
+C congelat
+E entolage
+I eloignat
legation
longeait

+N longeant
+P galopent
plongeat
+S angelots
sanglote
AEGLNOU
louange
+A analogue
louangea
+B boulange
+E louangee
+R louanger
+S elaguons
louanges
AEGLNOZ
+I gazoline
+L allongez
+N galonnez
+U louangez
AEGLNPR
+A palangre
+O plongera
AEGLNPS
+A planages
+I epinglas
plaignes
+O espagnol
plongeas
AEGLNPT
+I epinglat
plagient
+O galopent
plongeat
AEGLNPU
+E epagneul
AEGLNPZ
+I plaignez
AEGLNRR
+O lorgnera
+U granuler
AEGLNRS
langres
sangler
+A glaneras
langeras
sanglera
+E grenelas
+I ligneras
sanglier
signaler
+O longeras
regalons
+U glaneurs
glanures
granules
+Y larynges
AEGLNRT
grelant
reglant
+A etrangla
regalant
+E grenelat
regalent
regelant
+I glairent

integral
triangle
+U larguent
regulant
AEGLNRU
glaneur
glanure
granule
+D glandeur
+E engluera
granulee
+I granulie
narguile
ralingue
+O louanger
+R granuler
+S glaneurs
glanures
granules
+T larguent
regulant
+U langueur
+Z granulez
AEGLNRY
larynge
+E laryngee
+I yearling
+S larynges
AEGLNRZ
+E glanerez
langerez
+U granulez
AEGLNSS
sangles
+A glanasse
+E sanglees
+I leasings
lignasse
signales
+O losanges
AEGLNST
anglets
+A galantes
glanates
+E agnelets
elegants
+I antigels
glaisent
lignates
+N sanglent
+O angelots
sanglote
+U gluantes
AEGLNSU
angelus
engluas
gnaules
lagunes
langues
+E glaneuse
+I elinguas
engluais
languies
+O elaguons
louanges
+R glaneurs
glanures

granules
+T gluantes
AEGLNSY
+R larynges
AEGLNSZ
sanglez
+I sangliez
signalez
AEGLNTT
+E gantelet
AEGLNTU
engluat
gaulent
gluante
leguant
lugeant
+A elaguant
+B beuglant
blaguent
+D degluant
+E elaguent
+I elinguat
engluait
+M meuglant
+N engluant
+R larguent
regulant
+S gluantes
+U gueulant
AEGLNUU
ungueal
+E engueula
ungueale
+R langueur
+T gueulant
+X anguleux
AEGLNUX
+U anguleux
AEGLNUY
+A langueya
+E langueye
AEGLNUZ
+O louangez
+R granulez
AEGLOOP
+I apologie
+U apologue
AEGLOPP
+U populage
AEGLOPR
galoper
pergola
+A galopera
+N plongera
+S pergolas
+U galopeur
AEGLOPS
galopes
+N espagnol
plongeas
+R pergolas
+U loupages
AEGLOPT
+E pelotage
+I pilotage

+N galopent
AEGLOPU
+C couplage
+I epilogua
+O apologue
+P populage
+R galopeur
+S loupages
AEGLOPY
+M polygame
AEGLOPZ
galopez
+I galopiez
AEGLOQU
+I alogique
AEGLORR
+E relogera
+I rigolera
+N lorgnera
AEGLORS
glosera
logeras
rolages
+E relogeas
+I algerois
gloserai
logerais
+L allegros
+N longeras
regalons
+P pergolas
+S gloseras
+U roulages
soulager
AEGLORT
+E relogeat
+I gratiole
ligotera
logerait
+T grelotta
AEGLORU
roulage
+C coaguler
+N louanger
+P galopeur
+S roulages
soulager
AEGLORV
+I virolage
voligera
AEGLOSS
+E logeasse
+M glosames
+N losanges
+R gloseras
+S glosasse
+T glosates
+U soulages
AEGLOST
+E logeates
+I aligotes
galiotes
ilotages
otalgies
silotage

toilages
+N angelots
sanglote
+S glosates
+V voltages
AEGLOSU
louages
soulage
+A soulagea
+B belougas
gabelous
+C cagoules
clouages
coagules
coulages
+E soulague
+F foulages
+I gauloise
+M moulages
+N elaguons
louanges
+P loupages
+R roulages
soulager
+S soulages
+Z soulagez
AEGLOSV
volages
+I ogivales
voilages
voligeas
+T voltages
AEGLOSZ
gazoles
+U soulagez
AEGLOTT
+F flottage
+L glottale
+R grelotta
AEGLOTU
+B galoubet
+C cloutage
AEGLOTV
voltage
+I voligeat
voltigea
+S voltages
AEGLOUZ
+C coagulez
+N louangez
+S soulagez
AEGLPPR
+I grippale
AEGLPPU
+O populage
AEGLPQU
+A plaquage
AEGLPRS
+O pergolas
AEGLPRT
+A platrage
AEGLPRU
+A alpaguer
+E pleurage
+O galopeur
AEGLPRZ
+I glapirez

AEGLPSS
+I glapisse
plissage
AEGLPST
+I glapites
plagiste
AEGLPSU
+A alpagues
+M plumages
+O loupages
AEGLPSY
+H aglyphes
AEGLPUZ
+A alpaguez
AEGLQSU
+A laquages
+I algiques
+U glauques
AEGLQUU
glauque
+S glauques
AEGLRRS
+A realgars
+E greleras
regleras
+U largeurs
AEGLRRU
largeur
larguer
+A larguera
+E regulera
+N granuler
+S largeurs
+U largueur
AEGLRSS
+E grelasse
largesse
reglasse
+I glissera
+O gloseras
+U surgelas
AEGLRST
largets
tergals
+E grelates
reglates
+U lustrage
surgelat
AEGLRSU
galures
largues
lugeras
regulas
surgela
+A gauleras
+B brulages
bulgares
+C glaceurs
glacures
+D graduels
+E larguees
legueras
releguas
+F frugales
+I ligueras
lugerais
regulais

	surgelai	+I liguasse	+M gommames
+M grumelas	+O soulages	+R gommeras
+N glaneurs	+R surgelas	+S gommasse
	glanures	**AEGLSTT**	+T gommates
	granules	+A lattages	**AEGMMOT**
+O roulages	+E galettes	+D degommat
	soulager	+I glatites	+S gommates
+R largeurs	**AEGLSTU**	**AEGMMRS**
+S surgelas	+A gaulates		grammes
+T lustrage	+B blutages	+A gammares
	surgelat	+E leguates	+E gemmeras
AEGLRSV		lugeates		germames
	verglas	+I liguates	+I grimames
+I grivelas	+N gluantes		migrames
AEGLRSY	+R lustrage	+O gommeras
+N larynges		surgelat	**AEGMMSS**
AEGLRTT	**AEGLSTV**		smegmas
+O grelotta	+O voltages	+E gemmasse
AEGLRTU	**AEGLSTW**	+O gommasse
	regulat		talwegs	**AEGMMST**
+E releguat	+H thalwegs	+E gemmates
+I ligature	**AEGLSUU**	+O gommates
	lugerait		gueulas	**AEGMMUX**
	regulait	+I gueulais		gemmaux
+M grumelat	+Q glauques	**AEGMNNO**
+N larguent	**AEGLSUV**	+S engamons
	regulant	+A aveuglas	
+S lustrage	+E aveugles	+T magneton
	surgelat	**AEGLSUX**		montagne
AEGLRTV	+I glaiseux	**AEGMNNS**
+I grivelat	**AEGLSUZ**	+O engamons
AEGLRTZ	+O soulagez		mangeons
+I glatirez	**AEGLTUU**	**AEGMNNT**
AEGLRUU		gueulat	+I garnimes
+A augurale	+I gueulait		magnent
+B blagueur	+N gueulant		mangent
+D gueulard	**AEGLTUV**	+A engamant
+E elagueur	+A aveuglat		managent
	gueulera	**AEGLUUX**		mangeant
+J jugulera	+N anguleux	+E engament
+N langueur	**AEGLUVZ**		menagent
+R largueur	+E aveuglez	+I geminant
AEGLRUV	**AEGMMMO**	+O magneton
+E aveugler	+S gommames		montagne
+I vulgaire	**AEGMMMS**	**AEGMNOO**
AEGLRUX	+E gemmames	+M monogame
+I argileux	+O gommames	+R agronome
	glaireux	**AEGMMNO**	**AEGMNOP**
AEGLRUZ	+O monogame	+C compagne
	larguez	**AEGMMNR**	+I empoigna
+E gaulerez	+E engramme	**AEGMNOR**
+I larguiez	**AEGMMNS**		marengo
+N granulez	+A magnames		megaron
AEGLSSS	**AEGMMNT**	+A ramonage
+E gelasses		gemmant	+I morigena
+I lissages	**AEGMMOO**	+O agronome
+O glosasse	+N monogame	+S marengos
AEGLSST	**AEGMMOR**		margeons
+E lestages		gommera		megarons
+I glatisse	+I gommerai		rognames
	listages	+L grommela	+V mangrove
+O glosates	+S gommeras	**AEGMNOS**
AEGLSSU	**AEGMMOS**	+C cognames
+A gaulasse	+D degommas	+I agonimes
+E galeuses		dommages	+N engamons
	leguasse	+G gommames		mangeons
	lugeasse	+H hommages	+R marengos

	margeons	+E mesanges
	megarons	+I signames
	rognames	+Y gymnases
+T magnetos	**AEGMNST**
	montages	+A gantames
AEGMNOT		magentas
	magneto		magnates
	montage	+E sagement
+I temoigna		segmenta
+N magneton	+O magnetos
	montagne		montages
+S magnetos	+U augments
	montages	+Y gymnaste
+T megotant		syntagme
AEGMNOV	**AEGMNSU**
+R mangrove		mangues
AEGMNPR	+E mangeuse
+I impregna	+R mangeurs
AEGMNPT	+T augments
+I pigmenta	**AEGMNSY**
AEGMNRR		gymnase
+E remanger	+S gymnases
AEGMNRS	+T gymnaste
	mangers		syntagme
+A magneras	+Z zygnemas
	managers	**AEGMNSZ**
	mangeras	+Y zygnemas
	marnages	**AEGMNTT**
+E grenames	+O megotant
	menagers	**AEGMNTU**
	regnames		augment
	remanges	+A augmenta
+I garnimes	+E augmente
	germains		mutagene
+O marengos	+I minutage
	margeons	+L meuglant
	megarons	+R argument
	rognames	+S augments
+U mangeurs	**AEGMNTY**
AEGMNRT	+S gymnaste
	germant		syntagme
	margent	**AEGMNYZ**
+A margeant		zygnema
	ramagent	+S zygnemas
+E agrement	**AEGMOOR**
	emargent	+N agronome
+F fragment	**AEGMOOS**
+I emigrant	+E aegosome
	migrante	**AEGMOPP**
+U argument		pompage
AEGMNRU	+S pompages
	mangeur	**AEGMOPS**
+I geranium	+P pompages
	manguier	**AEGMOPT**
	meringua	+C comptage
	ramingue	+D domptage
+S mangeurs	**AEGMOPY**
+T argument	+L polygame
AEGMNRV	**AEGMORR**
+O mangrove	+B ombrager
AEGMNRZ	+F fromager
+E magnerez	+T margoter
	mangerez	**AEGMORS**
	remangez		orgasme
AEGMNSS	+B embargos
+A gansames		ombrages
	magnasse	+F formages

	fromages	+E	trempage	+A	magyares		gasconne		rangeant
+I	moirages	**AEGMPSU**		**AEGMRTT**		+L	agnelons	+E	egrenant
+M	gommeras	+I	guipames	+O	margotte		galonnes		engrenat
+N	marengos	+L	plumages	**AEGMRTU**			langeons		enragent
	margeons	**AEGMQRU**		+A	ageratum		longanes		generant
	megarons	+A	marquage		maugreat	+M	engamons		nagerent
	rognames	**AEGMQSU**		+L	grumelat		mangeons		regnante
+S	orgasmes	+A	masquage	+N	argument	+R	nagerons	+F	frangent
+T	margotes	+I	magiques	**AEGMRTZ**			rangeons	+I	argentin
+U	gourames	**AEGMRRS**		+O	margotez	+T	estagnon		grainent
AEGMORT		+A	margeras	**AEGMRUU**			negatons		ingerant
	margote	+E	germeras		grumeau		songeant	+O	nageront
+E	megotera	+I	grimeras	+X	grumeaux		tonnages		rongeant
+R	margoter		migreras	**AEGMRUX**		+Z	gazonnes	+P	pregnant
+S	margotes	+U	margeurs	+U	grumeaux	**AEGNNOT**		+S	regnants
+T	margotte	**AEGMRRT**		**AEGMRUZ**			negaton	+U	narguent
+Z	margotez	+O	margoter	+E	maugreez		tonnage	**AEGNNRU**
AEGMORU		**AEGMRRU**		**AEGMSSS**		+B	engobant	+E	ennuager
+S	gourames		margeur	+A	massages	+C	engoncat	+T	narguent
AEGMORV		+E	maugreer	+E	messages	+F	fontange	**AEGNNRZ**
+N	mangrove	+I	maigreur	+I	megissas	+I	negation	+O	gazonner
AEGMORZ		+S	margeurs	**AEGMSST**		+L	longeant	**AEGNNST**
+B	ombragez	**AEGMRRV**		+I	gatismes	+M	magneton		gansent
+T	margotez	+A	margrave		megissat		montagne		genants
AEGMOSS		**AEGMRRZ**		**AEGMSSU**		+R	nageront	+A	tannages
+I	isogames	+E	margerez	+O	moussage		rongeant	+E	genantes
+L	glosames	**AEGMRSS**		**AEGMSSY**		+S	estagnon	+I	saignent
+M	gommasse	+E	germasse	+N	gymnases		negatons		singeant
+R	orgasmes		gresames	**AEGMSTT**			songeant	+L	sanglent
+U	moussage		messager	+I	stigmate		tonnages	+O	estagnon
AEGMOST		+I	grimasse	**AEGMSTU**		+U	engouant		negatons
	megotas		grisames		mutages	+W	wagonnet		songeant
+I	megotais		migrasse	+N	augments	**AEGNNOU**			tonnages
+M	gommates	+O	orgasmes	+O	goutames	+T	engouant	+R	regnants
+N	magnetos	**AEGMRST**		**AEGMSTY**		**AEGNNOW**		+T	stagnent
	montages		magrets	+N	gymnaste	+T	wagonne		tangents
+R	margotes	+A	tramages		syntagme	**AEGNNOY**		**AEGNNSU**
+U	goutames	+E	germates	**AEGMSUU**		+E	ennoyage	+E	ennuages
AEGMOSU			metrages	+F	fuguames	**AEGNNOZ**		+I	guanines
+L	moulages	+I	grimates	**AEGMSUV**			gazonne		sanguine
+R	gourames		magister	+A	vaguames	+E	gazonne	**AEGNNSV**
+S	moussage		migrates	+O	voguames	+L	galonnez	+A	vannages
+T	goutames		ragtimes	**AEGMSUZ**		+R	gazonner	+I	angevins
+V	voguames	+O	margotes		zeugmas	+S	gazonnes	**AEGNNSZ**
AEGMOSV		**AEGMRSU**		**AEGMSYZ**		+Z	gazonnez	+O	gazonnes
+U	voguames		agrumes	+N	zygnemas	**AEGNNPR**		**AEGNNTT**
AEGMOSX			murages	**AEGMUUV**		+T	pregnant		gantent
+E	exogames	+A	arguames	+I	guimauve	**AEGNNPS**			tangent
AEGMOTT			maugreas	**AEGMUUX**		+E	pennages	+E	tangente
	megotat		raguames	+R	grumeaux	**AEGNNPT**		+I	teignant
+E	emottage	+E	margeuse	**AEGNNOP**		+I	paginent	+S	stagnent
+I	megotait		maugreas	+I	pigeonna		peignant		tangents
+N	megotant		mesurage	**AEGNNOR**		+R	pregnant	+U	narguent
+R	margotte		remuages	+C	garconne	**AEGNNRR**		**AEGNNTU**
AEGMOTU		+I	guisarme		rencogna	+E	rengrena	+L	engluant
+S	goutames	+L	grumelas	+D	dragonne	**AEGNNRS**		+O	engouant
AEGMOTZ		+N	mangeurs	+J	jargonne	+E	engrenas	+R	narguent
+R	margotez	+O	gourames	+L	galonner		garennes	+T	tanguent
AEGMOUV		+R	margeurs	+S	nagerons	+I	engrains	**AEGNNTV**
+S	voguames	**AEGMRSV**			rangeons	+O	nagerons	+E	vengeant
AEGMPPS		+A	gravames	+T	nageront		rangeons	**AEGNNTW**
+O	pompages	+E	grevames		rongeant	+T	regnants	+O	wagonnet
AEGMPRR		+I	givrames	+Z	gazonner	**AEGNNRT**		**AEGNNUX**
+I	grimpera		gravimes	**AEGNNOS**			grenant	+I	angineux
AEGMPRS		**AEGMRSW**			nageons		rangent	**AEGNNUZ**
+I	primages	+A	wargames	+C	agencons		regnant	+E	ennuagez
AEGMPRT		**AEGMRSY**			engoncas	+A	argentan		

AEGNNZZ
+O gazonnez
AEGNOOR
+M agronome
AEGNOPR
  gaperon
+E epongera
+L plongera
+S gaperons
  sporange
AEGNOPS
+C poncages
+E epongeas
+L espagnol
  plongeas
+R gaperons
  sporange
+T pontages
AEGNOPT
  pontage
+E epongeat
+I pointage
+L galopent
  plongeat
+S pontages
AEGNORR
  oranger
  rognera
  rongera
+D grondera
+G grognera
+H hongrera
+I ignorera
  rognerai
  rongerai
+L lorgnera
+S garerons
  orangers
  ragerons
  ragreons
  rogneras
  rongeras
+T arrogent
  gareront
  grateron
  rageront
AEGNORS
  agreons
  egarons
  onagres
  oranges
  organes
  rageons
  rongeas
  songera
+B bornages
  eborgnas
+C cogneras
  congreas
  cornages
+D drageons
+E orangees
+G gagerons
  rognages
+I agoniser
  agreions
  egarions

  organise
  rongeais
  soignera
  songerai
+L longeras
  regalons
+M marengos
  margeons
  megarons
  rognames
+N nagerons
  rangeons
+P gaperons
  sporange
+R garerons
  orangers
  ragerons
  rogneras
  rongeras
+S engrossa
  rognasse
  songeras
+T estragon
  gaterons
  regatons
  rognates
+U augerons
+V gaverons
+Z gazerons
AEGNORT
  rongeat
+A orangeat
  eborgnat
+B abrogent
+C cogerant
  congreat
+F forgeant
+G gageront
  gorgeant
+I organite
  rongeait
+N nageront
  rongeant
+R arrogent
  gareront
  grateron
  rageront
+S estragon
  gaterons
  regatons
  rognates
+T ergotant
  gateront
+U gourante
  tournage
+V gaveront
+Z gazeront
AEGNORU
  augeron
+A organeau
+C gourance
+E engouera
+L louanger
+S augerons
+T gourante
  tournage

+V gouverna
AEGNORV
+M mangrove
+S gaverons
+T gaveront
+U gouverna
AEGNORZ
+B bronzage
+I agonirez
+N gazonner
+S gazerons
+T gazeront
AEGNOSS
  songeas
+B besognas
+C cognasse
+D sondages
+I agnosies
  agonises
  agonisee
  angoisse
  songeais
+L losanges
+R engrossa
  rognasse
  songeras
AEGNOST
  songeat
+B besognat
+C cognates
  contages
+D tondages
+E etageons
+I agoniste
  agonites
  etagions
  gantoise
  songeait
+L angelots
+M magnetos
  montages
+N estagnon
  negatons
  songeant
  tonnages
+P pontages
+R estragon
  gaterons
  regatons
  rognates
AEGNOSU
  engouas
  nouages
+I engouais
  sagouine
+J jaugeons
+L elaguons
  louanges
+R augerons
AEGNOSV
+R gaverons
AEGNOSX
  axonges
+Y oxygenas
AEGNOSY
  egayons

+B begayons
+C congayes
+I egayions
+X oxygenas
AEGNOSZ
  zonages
+D degazons
+I agonisez
+N gazonnes
+R gazerons
AEGNOTT
+C cagnotte
+D degotant
+F fagotent
+M megatont
+R ergotant
  gateront
AEGNOTU
  engouat
+B bougeant
+E autogene
+F fougeant
+I engouait
+N engouant
+R gourante
  tournage
AEGNOTV
+R gaveront
+Y voyagent
AEGNOTW
+N wagonnet
AEGNOTX
+Y oxygenat
AEGNOTY
+V voyagent
+X oxygenat
AEGNOTZ
+R gazeront
AEGNOUV
+R gouverna
AEGNOUZ
+L louangez
AEGNOVY
+T voyagent
AEGNOXY
  oxygena
+I oxygenai
+S oxygenas
+T oxygenat
AEGNOZZ
+N gazonnez
AEGNPPS
+A nappages
AEGNPRR
+E epargner
AEGNPRS
+A epargnas
+E epargnes
+O gaperons
  sporange
+T trepangs
+U repugnas
AEGNPRT
  trepang
+A epargnat
+E arpegent
+I trepigna

+N pregnant
+S trepangs
+U purgeant
  repugnat
AEGNPRU
  repugna
+I repugnai
+S repugnas
+T purgeant
  repugnat
AEGNPRY
+H pharynge
  phrygane
AEGNPRZ
+E epargnez
AEGNPSS
+A pansages
AEGNPST
+O pontages
+R trepangs
AEGNPSU
+C pugnaces
+R repugnas
AEGNPTU
+R purgeant
  repugnat
AEGNPTY
+A pagayent
AEGNRRR
+A arranger
+I regarnir
AEGNRRS
  rangers
+A arranges
  rangeras
+E greneras
  regneras
+I regarnis
+O garerons
  orangers
  ragerons
  ragreons
  rogneras
  rongeras
+U surnager
AEGNRRT
+A ragreant
+E argenter
  etranger
  garerent
  ragerent
  ragreent
  rentrage
+I gratiner
  regarnit
+O arrogent
  gareront
  grateron
  rageront
AEGNRRU
  narguer
+A narguera
+D grandeur
+L granuler
+S surnager

AEGNRRV	seringua	ganterez	+M gymnaste	**AEGOPPR**
+E engraver	+L glaneurs	gazerent	syntagme	+A propagea
AEGNRRZ	glanures	+I gratinez	**AEGNSTZ**	+E propagee
+A arrangez	granules	+O gazeront	stagnez	+R propager
+E rangerez	+M mangeurs	**AEGNRUU**	+I stagniez	+S propages
+I garnirez	+O augerons	+I inaugure	tziganes	+Z propagez
AEGNRSS	+P repugnas	+L langueur	**AEGNSUU**	**AEGOPPS**
+A ganseras	+R surnager	+S saugrenu	+E nuageuse	+M pompages
+E grenasse	+S surnages	+T augurent	+J enjuguas	+R propages
regnasse	+U saugrenu	**AEGNRUV**	+R saugrenu	**AEGOPPT**
+I assigner	+Z surnagez	+A varangue	**AEGNSUV**	+A papotage
garnisse	**AEGNRSV**	+E envergua	+I navigues	+S stoppage
resignas	+A engravas	+I naviguer	**AEGNSUX**	**AEGOPPU**
seringas	+E engraves	+O gouverna	+E exsangue	+L populage
signeras	vengeras	**AEGNRUX**	**AEGNSUZ**	**AEGOPPZ**
singeras	+O gaverons	+E generaux	+R surnagez	+R propagez
+O engrossa	**AEGNRSY**	+H hargneux	**AEGNSXY**	**AEGOPRR**
rognasse	+L larynges	**AEGNRUZ**	+O oxygenas	+O prorogea
songeras	**AEGNRSZ**	narguez	**AEGNSYZ**	+P propager
+U surnages	+E ganserez	+I narguiez	+M zygnemas	+U groupera
AEGNRST	+O gazerons	zinguera	**AEGNTTT**	regroupa
argents	+U surnagez	+L granulez	+I attigent	**AEGOPRS**
gerants	**AEGNRTT**	**AEGNRVZ**	+R grattent	+D podagres
grenats	+A argentat	+E engravez	+U guettant	+I pragoise
gresant	regatant	**AEGNSSS**	**AEGNTTU**	+L pergolas
stagner	+E gaterent	+A gansasse	+N tanguent	+N gaperons
+A argentas	regatent	+E genasses	+R targuent	sporange
ganteras	regentat	+I assignes	+T taguent	+P propages
garantes	+I integrat	signasse	**AEGNTTV**	+T portages
rageants	+O ergotant	+U sangsues	+E vegetant	potagers
stagnera	gateront	**AEGNSST**	**AEGNTUU**	**AEGOPRT**
+D grandets	+T grattent	stagnes	+J enjuguat	portage
+E argentes	+U targuent	+A gansates	+L gueulant	potager
etranges	**AEGNRTU**	gantasse	+R augurent	+E potagere
gerantes	arguent	+I agissent	**AEGNTUV**	protegea
grenates	raguent	gisantes	vaguent	+I parigote
regentas	tanguer	signates	**AEGNTUX**	+S portages
regnates	urgeant	tignasse	+I genitaux	potagers
renegats	+A tanguera	tsiganes	**AEGNTUZ**	**AEGOPRU**
+G gangster	+C carguent	+U gaussent	tanguez	+D degroupa
+I egrisant	+D draguent	**AEGNSSU**	+I tanguiez	poudrage
gantiers	graduent	sangsue	**AEGNTVY**	+G groupage
garnites	+E negateur	+A saunages	+O voyagent	+L galopeur
granites	+F gaufrent	+E nageuses	**AEGNTXY**	+R regroupa
gratines	+G grugeant	+I usinages	+O oxygenat	**AEGOPRZ**
grisante	+I gunitera	+R surnages	**AEGNUUU**	+P propagez
ingrates	+L larguent	+S sangsues	+X ungueaux	**AEGOPSS**
integras	regulant	+T gaussent	**AEGNUUX**	+C copsages
resignat	+M argument	**AEGNSSY**	nuageux	+T postages
seringat	+N narguent	+M gymnases	+L anguleux	+U poussage
transige	+O gourante	**AEGNSST**	+U ungueaux	**AEGOPST**
+N regnants	tournage	+I assignez	**AEGNUVX**	pageots
+O estragon	+P purgeant	**AEGNSTT**	+I vigneaux	postage
gaterons	repugnat	+A gantates	**AEGNUVZ**	potages
regatons	+T targuent	nattages	+I naviguez	+N pontages
rognates	+U augurent	+N stagnent	**AEGOOPR**	+P stoppage
+P trepangs	**AEGNRTV**	tangents	+R prorogea	+R portages
AEGNRSU	gravent	**AEGNSTU**	**AEGOOPU**	potagers
nageurs	grevant	tangues	+L apologue	+S postages
nargues	+A engravat	tunages	**AEGOORR**	**AEGOPSU**
surnage	ravagent	+L gluantes	+P prorogea	gouapes
+A surnagea	+E gaverent	+M augments	**AEGOORU**	+C coupages
+B bugranes	+I givrante	+S gaussent	+Y rougeoya	+L loupages
+E narguees	vagirent	**AEGNSTV**	**AEGOORY**	+S poussage
+G gagneurs	+O gaveront	+E ventages	+U rougeoya	
+H nuraghes	**AEGNRTZ**	**AEGNSTY**	**AEGOOUY**	
+I insurgea	+E argentez		+R rougeoya	

AEGOQRU
+I orgiaque
AEGORRR
arroger
+A arrogera
AEGORRS
arroges
+A arrogeas
arrosage
+E arrogees
+F forgeras
+G gorgeras
+N garerons
orangers
ragerons
ragreons
rogneras
rongeras
+U goureras
+Y argyrose
AEGORRT
+A arrogeat
+E ergotera
+M margoter
+N arrogent
gareront
grateron
rageront
+T garrotte
+U outrager
rouergat
AEGORRU
gourera
+B bourrage
+D droguera
+F fourrage
+I gourerai
+P groupera
regroupa
+S goureras
+T outrager
rouergat
+V ouvrager
+Y guerroya
AEGORRV
+I revigora
+U ouvrager
AEGORRY
+S argyrose
+U guerroya
AEGORRZ
arrogez
+I arrogiez
AEGORSS
rosages
+B brossage
+C corsages
+E essorage
+L gloseras
+M orgasmes
+N engrossa
rognasse
songeras
+U gourasse
AEGORST
ergotas
orgeats

ragotes
+C escargot
+D tordages
+F fortages
+G gargotes
+I agriotes
ergotais
+M margotes
+N estragon
gaterons
regatons
rognates
+P portages
potagers
+U gourates
gouteras
outrages
routages
soutrage
touaregs
AEGORSU
rouages
+B bougeras
subrogea
+C carouges
courages
+E orageuse
+F fougeras
soufrage
+L roulages
soulager
+M gourames
+N augerons
+R goureras
+S gourasse
+T gourates
gouteras
outrages
routages
soutrage
touaregs
+V ouvrages
vogueras
AEGORSV
+N gaverons
+U ouvrages
vogueras
AEGORSY
+B broyages
+R argyrose
AEGORSZ
+N gazerons
AEGORTT
ergotat
+F frottage
+I ergotait
+L grelotta
+M margotte
+N ergotant
gateront
+R garrotte
+U gouttera
AEGORTU
goutera
outrage
routage
touareg

+A outragea
+B broutage
+C courtage
+E autogere
outragee
+I autogire
gouterai
+N gourante
tournage
+R outrager
rouergat
+S gourates
gouteras
outrages
routages
soutrage
touaregs
+T gouttera
+Z outragez
AEGORTV
+I ravigote
+N gaveront
AEGORTZ
+M margotez
+N gazeront
+U outragez
AEGORUU
+D rougeaud
AEGORUV
ouvrage
vogura
+A ouvragea
+E ouvragee
+I voguerai
+N gouverna
+R ouvrager
+S ouvrages
vogueras
+Y voyageur
+Z ouvragez
AEGORUX
orageux
AEGORUY
+O rougeoya
+R guerroya
+V voyageur
AEGORUZ
+T outragez
+V ouvragez
AEGORVY
voyager
+A voyagera
+I goyavier
+U voyageur
AEGORVZ
+U ouvragez
AEGOSSS
+B bossages
gobasses
+D godasses
+L glosasse
AEGOSST
+L glosates
+P postages
+U goutasse
AEGOSSU
+D soudages

+F fougasse
+L soulages
+M moussage
+P poussage
+R gourasse
+T goutasse
+V voguasse
AEGOSSV
+U voguasse
AEGOSTT
+C cottages
+D degottas
goutates
+U egouttas
goutates
+V gavottes
AEGOSTU
touages
+D degoutas
+M goutames
+R gourates
outrages
routages
soutrage
touaregs
+S goutasse
+T egouttas
goutates
+V voguates
AEGOSTV
+L voltages
+T gavottes
+U voguates
AEGOSUV
+M voguames
+R ouvrages
vogueras
+S voguasse
+T voguates
AEGOSUZ
+L soulagez
AEGOSVY
goyaves
voyages
AEGOSXY
+N oxygenas
AEGOTTI
+D degottat
+U egouttat
AEGOTTU
egoutta
+A tatouage
+D degoutat
degoutta
+I egouttai
+R gouttera
+S egouttas
goutates
+T egouttat
AEGOTTV
gavotte
+S gavottes
AEGOTUV
+S voguates
AEGOTUZ
+R outragez

AEGOTVY
+A voyageat
+N voyagent
AEGOTXY
+N oxygenat
AEGOUVY
+R voyageur
AEGOUVZ
+R ouvragez
AEGOVYZ
voyagez
+I voyagiez
AEGPPRR
+E egrapper
+I agripper
grippera
+O propager
AEGPPRS
grappes
+A egrappas
+E egrappes
+I agrippes
+O propages
AEGPPRT
+A egrappat
AEGPPRZ
+E egrappez
+I agrippez
+O propagez
AEGPPST
+E steppage
+O stoppage
AEGPQSU
+I piquages
AEGPRRS
+E asperger
presager
+U purgeras
AEGPRRT
+A partager
AEGPRRU
purgera
+I purgerai
+O groupera
regroupa
+S purgeras
AEGPRSS
+A passager
+E asperges
presages
pressage
AEGPRST
+A partages
+I stripage
+N trepangs
+O portages
potagers
AEGPRSU
pagures
purgeas
+D guepards
+I guiperas
+N repugnas
+R purgeras
AEGPRSY
+A paysager

AEGPRSZ
+E aspergez
  presagez
AEGPRTU
  purgeat
+A patauger
  paturage
  tapageur
+I purgeait
+N purgeant
  repugnat
AEGPRTZ
+A partagez
AEGPRUX
+E expurgea
AEGPRUY
+A pagayeur
+G pygargue
AEGPSSS
+A passages
AEGPSST
+I pistages
+O postages
AEGPSSU
+I guipasse
  puisages
+O poussage
AEGPSTU
+A paysages
+G gypsages
AEGPSTU
+A patauges
+I guipates
AEGPSTY
+E gypaetes
AEGPTUZ
+A pataugez
AEGQRSU
+C grecquas
AEGQRTU
+A quartage
+C grecquat
+I tragique
+U truquage
AEGQRUU
+T truquage
AEGQSUU
+L glauques
AEGQTUU
+R truquage
AEGRRRU
+I aguerrir
AEGRRSS
+E agresser
  greseras
  regressa
  serrages
+I graisser
  griseras
AEGRRST
+D dragster
+E terrages
+I grisatre
  registra
AEGRRSU
  rageurs
+A argueras

  ragueras
+B garbures
+D gardeurs
+G grugeras
+I aguerris
  aigreurs
  gueriras
+L largeurs
+M margeurs
+N surnager
+O goureras
+P purgeras
+V graveurs
  gravures
AEGRRSV
+A graveras
+E greveras
+I givreras
  graviers
+U graveurs
  gravures
AEGRRSY
+O argyrose
AEGRRTT
  gratter
+A grattera
  regratta
+E regratte
  regretta
+O garrotte
AEGRRTU
  targuer
+A raturage
  targuera
+I aguerrit
+O outrager
  rouergat
AEGRRTV
+I graviter
AEGRRUU
  augurer
+A augurera
+D dragueur
+F gaufreur
  gaufrure
+L largueur
AEGRRUV
  graveur
  gravure
+A ravageur
+B burgrave
+O ouvrager
+S graveurs
  gravures
AEGRRUY
+O guerroya
AEGRRUZ
+E arguerez
  raguerez
AEGRRVZ
+E graverez
+I gravirez
AEGRSSS
  grasses
+A agressas
  garasses

  sargasse
+E agresses
  gerasses
  greasses
  gresasse
+I graisses
  grisasse
+T grassets
AEGRSST
  grasset
+A agressat
+E agrestes
  geasters
  gresates
  tressage
+I grisates
+S grassets
AEGRSSU
  gausser
  usagers
+A arguasse
  gaussera
  raguasse
  saurages
+C sucrages
+E rageuses
  ressuage
+G suggeras
+I sarigues
+L surgelas
+N surnages
+O gourasse
AEGRSSV
+A gravasse
+E grevasse
  servages
  sevrages
+I givrasse
  gravisse
AEGRSSY
+A grasseya
+E grasseye
AEGRSSZ
+E agressez
+I graissez
AEGRSTT
  grattes
+E grattees
  stratege
+I gastrite
  titrages
AEGRSTU
  targues
+A arguates
  raguates
+C trucages
+E targuees
+F gerfauts
+G suggerat
+I arguties
  guitares
  targuies
+L lustrage
  surgelat
+O gourates
  gouteras
  outrages

  routages
  soutrage
  touaregs
AEGRSTV
+A gravates
+E grevates
+I givrates
  gravites
  vitrages
AEGRSUU
  augures
+E augurees
+F fugueras
+I suraigue
+J jaugeurs
+N saugrenu
AEGRSUV
+A vagueras
+O ouvrages
  vogueras
+R graveurs
  gravures
AEGRSUX
+E gerseaux
AEGRSUZ
+A azurages
+N surnagez
AEGRTTT
+E targette
AEGRTTU
+E guettera
+I gratuite
+N targuent
+O gouttera
AEGRTTZ
  grattez
+I grattiez
AEGRTUU
+N augurent
+Q truquage
AEGRTUZ
  targuez
+I targuiez
+O outragez
AEGRTVZ
+I gravitez
AEGRUUX
+M grumeaux
AEGRUUZ
  augurez
+I auguriez
AEGRUVY
+O voyageur
AEGRUVZ
+E vaguerez
+O ouvragez
AEGRUXZ
+E gerzeaux
AEGSSSS
+E sagesses
AEGSSST
+A gatasses
+I gitasses
  tissages
+R grassets
AEGSSSU

  gausses
+E gaussees
+N sangsues
AEGSSSV
+A gavasses
+I vagisses
  vissages
AEGSSSZ
+A gazasses
AEGSSTT
+I sagittes
AEGSSTU
+C stucages
+D degustas
+E gateuses
+N gaussent
+O goutasse
+U augustes
AEGSSUU
+F fuguasse
+T augustes
AEGSSUV
+A sauvages
  vaguasse
+O voguasse
AEGSSUY
+E essuyage
AEGSSUZ
  gaussez
+E gazeuses
+I gaussiez
AEGSSVZ
+I vagissez
AEGSTTU
  guettas
+B buttages
+D degustat
+I guettais
+O egouttas
  goutates
AEGSTTV
+O gavottes
AEGSTTZ
+E gazettes
AEGSTUU
  auguste
+F fuguates
+S augustes
AEGSTUV
+A vaguates
+E etuvages
+O voguates
AEGSUVV
+E veuvages
AEGTTTU
  guettat
+I guettait
+N guettant
+O egouttat
AEGTUVX
+E vegetaux
AEGUUUX
+N ungueaux
AEHHINZ
+C hanchiez
AEHHIOR
+C hocherai

AEHHIRS
+C herchais
  herschai
AEHHIRT
+C herchait
AEHHIRU
+C hucherai
AEHHMOS
+C hochames
AEHHMSU
+C huchames
AEHHNNT
+C hanchent
AEHHNRT
+C herchant
AEHHORS
+C hocheras
AEHHOSS
+C hochasse
AEHHOST
+C hochates
AEHHRRU
+C hachurer
AEHHRSS
+C herschas
AEHHRST
+C herschat
AEHHRSU
+C hacheurs
  hachures
  hucheras
AEHHRTU
+C chahuter
AEHHRUZ
+C hachurez
AEHHSSU
+C hachasse
AEHHSTU
+C chahutes
  huchates
AEHHTUZ
+C chahutez
AEHIILM
+C alchimie
AEHIILN
+B inhabile
+N annihile
+Z inhaliez
AEHIILR
  hilaire
+C licherai
+S hilaires
+T hilarite
+U huilerai
AEHIILS
+R hilaires
+T lithiase
+W swahilie
AEHIILT
+B habilite
+R hilarite
+S lithiase
AEHIILU
+R huilerai
AEHIILW
+S swahilie
AEHIILZ

+C chialiez
+N inhaliez
AEHIIMN
+C cheminai
+T thiamine
AEHIIMP
+B amphibie
AEHIIMS
+C chemisai
AEHIIMT
+N thiamine
AEHIINN
  hesitai
+L annihile
+R hennirai
AEHIINP
+D aphidien
AEHIINR
+B hibernai
  inhibera
+C chainier
  chinerai
  nicherai
+N hennirai
+V hivernai
AEHIINS
+C echinais
+T haitiens
AEHIINT
  haitien
+B inhabite
+C chiaient
  echinait
  entichai
+M thiamine
+S haitiens
+T tahitien
+U huitaine
AEHIINU
+T huitaine
AEHIINV
+R hivernai
AEHIINW
+A hawaiien
AEHIINZ
+C chainiez
+L inhaliez
AEHIIOR
+C choierai
AEHIIPR
+C chiperai
AEHIIRR
+C cherirai
AEHIIRS
+C chaisier
  chierais
+L hilaires
+S herissai
  hisserai
+T heritais
AEHIIRT
  heritai
+C chierait
+E hetairie
+L hilarite
+S heritais
+T heritait
AEHIIRU

+L huilerai
AEHIIRV
+N hivernai
AEHIIRZ
  hairiez
AEHIISS
+R herissai
  hisserai
+T hesitais
+Z haissiez
AEHIIST
  hesitai
+L lithiase
+N hivernai
+R heritais
+S hesitais
+T hesitait
AEHIISW
+L swahilie
AEHIISX
+B exhibais
AEHIISZ
+S haissiez
AEHIITT
+N tahitien
+R heritait
+S hesitait
AEHIITU
+N huitaine
AEHIITX
+B exhibait
AEHIITZ
+B habitiez
+C chatiiez
AEHIJNO
+C jonchaie
AEHIJNT
+C jacinthe
AEHIJRU
+C jucherai
AEHIKLS
+F khalifes
AEHIKLV
+D khedival
AEHIKNS
+D skinhead
AEHIKSS
  sakiehs
AEHIKTV
+D khedivat
AEHILLN
+P phalline
AEHILLP
+N phalline
AEHILLR
  hallier
+B habiller
  rhabille
+S halliers
AEHILLS
+B habilles
+R halliers
AEHILLV
+C chevilla
AEHILLZ
+B habillez
AEHILMS

+C lichames
+E hiemales
+U huilames
AEHILMU
+S huilames
AEHILNN
+I annihile
+T inhalent
AEHILNP
+L phalline
AEHILNR
  inhaler
+A inhalera
+B hibernal
+G narghile
+V hivernal
AEHILNS
  inhales
+A anhelais
+E haleines
  inhalees
  sahelien
+Y hyalines
AEHILNT
+A anhelait
  halaient
+C chialent
+E helaient
+N inhalent
+Z zenithal
AEHILNV
+C chevalin
+R hivernal
AEHILNY
  hyaline
+S hyalines
AEHILNZ
  inhalez
AEHILOP
+D haploide
AEHILOS
+U souaheli
AEHILOT
+Z thiazole
AEHILOU
+S souaheli
AEHILOY
+D hyaloide
AEHILOZ
+T thiazole
AEHILPR
+C archipel
+E parhelie
AEHILPS
+E aphelies
+Y physalie
AEHILPU
+C epluchai
  peluchai
AEHILPY
+S physalie
AEHILRR

+U hurlerai
AEHILRS
  hilares
+A halerais
+C licheras
+E helerais
+I hilaires
+L halliers
+U huileras
AEHILRT
+A halerait
+E helerait
+G litharge
+I hilarite
AEHILRU
  huilera
+C chialeur
+R hurlerai
+S huileras
AEHILRV
+N hivernal
AEHILRZ
+E haleriez
AEHILSS
+C lichasse
+U huilasse
AEHILST
  halites
+A haletais
  hiatales
+C halictes
  lichates
+E heliaste
+I lithiase
+U huilates
+Y hyalites
AEHILSU
+D deshuila
+G huilages
+M huilames
+O souaheli
+R huileras
+S huilasse
+T huilates
AEHILSW
+I swahilie
AEHILSX
+A exhalais
AEHILSY
+C achylies
+N hyalines
+P physalie
+T hyalites
AEHILTT
+A haletait
AEHILTU
+B habituel
+S huilates
AEHILTX
+A exhalait
AEHILTY
  hyalite
+S hyalites
AEHILTZ
+E haletiez
+N zenithal

```
+O thiazole          +U ahurimes              hennira              hiverna              hantiez
AEHILUV                 humerais         +I hennirai          +A envahira          +C chantiez
+C vehicula          AEHIMRT             +S henniras          +C vacherin          +L zenithal
AEHILUZ              +S trahimes         AEHINNS              +I hivernai          AEHINUV
+C chauliez          +U humerait         +R henniras          +L hivernal          +C chauvine
AEHILXZ              +Y arythmie         AEHINNT              +S hivernas          AEHINUX
+E exhaliez          AEHIMRU             +C chainent          +T hivernat             haineux
AEHIMMS                 humerai             echinant          AEHINRY              AEHINUY
+C machisme          +N enrhumai         +E athenien          +U hainuyer          +R hainuyer
+D mahdisme             inhumera         +L inhalent          AEHINSS              AEHIOPP
AEHIMNO              +R rhumerai         AEHINOP              +C chinasse          +C echoppai
+R harmonie          +S ahurimes            aphonie              nichasse          AEHIOPR
AEHIMNR                 humerais         +S aphonies          +M shamisen          +C choperai
+B brahmine          +T humerait         AEHINOR              +T haissent             piochera
+C machiner          AEHIMRY             +M harmonie             hantises             pocherai
+O harmonie          +T arythmie         +T thonaire          AEHINST              +T atrophie
+U enrhumai          AEHIMRZ             AEHINOS                 hantise           AEHIOPS
   inhumera          +C charmiez         +D adhesion          +B absinthe          +N aphonies
AEHIMNS                 marchiez         +P aphonies             thebains          AEHIOPT
+C chemines          AEHIMSS             AEHINOT              +C chiantes          +R atrophie
   chinames          +C chemisas         +R thonaire             chinates          AEHIOQT
   machines             chiasmes         +U houaient             entichas          +U hoquetai
   nichames          +N shamisen         AEHINOU                 nichates          AEHIOQU
+S shamisen          +P saphisme         +T houaient          +E asthenie          +T hoquetai
+T anthemis          +S hissames         AEHINPR              +I haitiens          AEHIORR
+U humaines          +Z smashiez         +E heparine          +M anthemis             horaire
   humanise          AEHIMST             +S seraphin          +S haissent          +C charroie
AEHIMNT              +C chemisat         AEHINPS                 hantises             rocherai
+C cheminat             tachisme            phanies           +T hesitant          +S horaires
+I thiamine          +D mahdiste         +C penchais             theatins          AEHIORS
+S anthemis          +E atheisme         +D daphnies          AEHINSU              +C choieras
+U humaient             hematies         +G sphaigne          +E haineuse          +R horaires
AEHIMNU              +N anthemis         +O aphonies          +M humaines          +T theorisa
   humaine           +R trahimes         +R seraphin             humanise          +U houerais
+R enrhumai          AEHIMSU             AEHINPT              AEHINSV              AEHIORT
   inhumera          +L huilames         +C penchait             envahis           +C chariote
+S humaines          +N humaines         AEHINPU                 vahines              coherita
   humanise             humanise         +D dauphine          +E envahies          +N thonaire
+T humaient          +R ahurimes         AEHINRR              +R hivernas          +P atrophie
   humanite             humerais         +C charnier          AEHINSY              +S theorisa
AEHIMNZ              +X exhumais         +D enhardir          +L hyalines          +U houerais
+C machinez          AEHIMSX             AEHINRS              AEHINTT              AEHIORU
AEHIMOP              +U exhumais         +A saharien             theatin              houerai
+C empochai          AEHIMSZ             +B hibernas          +A hataient          +B bihoreau
AEHIMOR              +S smashiez         +C archines          +B habitent          +S houerais
+C chomerai          AEHIMTT                chineras          +C chatient          +T houerait
   machoire          +E hematite            nicheras             entichat          AEHIORX
+N harmonie          AEHIMTU             +D enhardis          +I tahitien          +T exhortai
AEHIMOS              +C humectai         +N henniras          +R heritant          AEHIOSS
+C chamoise          +N humaient         +P seraphin          +S hesitant          +U houssaie
AEHIMOZ                 humanite         +V hivernas             theatins          AEHIOST
+C amochiez          +R humerait         AEHINRT              +U huitante          +B isobathe
AEHIMPR              +X exhumait            hairent           AEHINTU              +C chatoies
+C rechampi          AEHIMTX             +A hanterai             huaient           +R theorisa
AEHIMPS              +U exhumait         +B hibernat          +A hautaine          +U souhaite
+C chipames          AEHIMTZ             +C chantier          +I huitaine          AEHIOSU
+D phasmide          +C chaumiez         +D enhardit          +M humaient          +C echouais
+S saphisme          AEHIMUX             +O thonaire             humanite          +L souaheli
AEHIMPT                 exhumai          +T heritant          +O houaient          +R houerais
+E empathie            hiemaux          +V hivernat          +T huitante          +S houssaie
AEHIMRR              +S exhumais         AEHINRU              AEHINTV              +T souhaite
+U rhumerai          +T exhumait         +C chaineur             envahit           AEHIOTU
AEHIMRS              AEHIMUZ             +M enrhumai          +A havaient          +C echouait
   meharis           +C chaumiez            inhumera          +R hivernat          +N houaient
+C charisme          AEHINNO             +Y hainuyer          AEHINTX              +Q hoquetai
+T trahimes          +C chanoine         AEHINRV              +B exhibant          +R houerait
                     AEHINNR                envahir           AEHINTZ
```

+S souhaite
AEHIOTX
+R exhortai
AEHIOTZ
+C cahotiez
+L thiazole
AEHIPPR
+A happerai
AEHIPPT
+E epitaphe
  happiez
AEHIPPZ
+P phasique
AEHIPQS
+U phasique
  saphique
AEHIPQU
+S phasique
  saphique
AEHIPRR
+T phratrie
AEHIPRS
  harpies
  sharpie
+C charpies
  chiperas
  perchais
  prechais
+G graphies
+N seraphin
+S sharpies
+T harpiste
  triphase
+Z phrasiez
AEHIPRT
+C chapitre
  perchait
  prechait
+E therapie
+G graphite
+O atrophie
+R phratrie
+S harpiste
  triphase
AEHIPRZ
+S phrasiez
AEHIPSS
+A aphasies
+B biphases
+C chipasse
+D diphases
+M saphisme
+R sharpies
AEHIPST
+A apathies
+C chipates
  pastiche
  pistache
  scaphite
+R harpiste
  triphase
AEHIPSU
+Q phasique
  saphique
AEHIPSX
+Y asphyxie
AEHIPSY
+D diaphyse

+L physalie
+X asphyxie
AEHIPSZ
+R phrasiez
AEHIPTT
+E hepatite
AEHIPXY
+S asphyxie
AEHIQRU
+C chiquera
AEHIQSU
+P phasique
  saphique
AEHIQTU
+O hoquetai
AEHIRRR
+C charrier
AEHIRRS
+C charries
  cheriras
+E herserai
+O horaires
AEHIRRT
+C trichera
+E heritera
+P phratrie
+T arthrite
+Z trahirez
AEHIRRU
+C rucherai
+L hurlerai
+M rhumerai
+Z ahurirez
AEHIRRV
+C archiver
  chavirer
AEHIRRY
+D hydraire
AEHIRRZ
+C charriez
+T trahirez
+U ahurirez
AEHIRSS
  herissa
  hersais
  hissera
+I herissai
  hisserai
+P sharpies
+S herissas
  hisseras
+T herissat
  trahisse
+U ahurisse
  haussier
AEHIRST
  hatiers
  heritas
  hersait
  trahies
+A haterais
+C charites
  chistera
  cithares
+E hesitera
  hetaires
  hetraies

+I heritais
+M trahimes
+O theorisa
+P harpiste
  triphase
+S herissat
+T trahites
+U ahurites
  heurtais
AEHIRSU
  ahuries
  huerais
+L huileras
+M ahurimes
  humerais
+O houerais
+S ahurisse
  haussier
+T heurtais
AEHIRSV
+A haverais
  havraise
+C archives
  chavires
+N hivernas
AEHIRSZ
+P phrasiez
AEHIRTT
  heritat
+A haterait
  hatteria
+I heritait
+N heritant
+R arthrite
+S trahites
+U heurtait
AEHIRTU
  heurtai
  huerait
+B habituer
+C rechutai
+M humerait
+O houerait
+S ahurites
  heurtais
+T heurtait
AEHIRTV
+A haverait
+N hivernat
AEHIRTX
+O exhortai
AEHIRTY
+M arythmie
AEHIRTZ
+C chatriez
+E hateriez
+R trahirez
AEHIRUY
+N hainuyer
AEHIRUZ
+C rauchiez
+R ahurirez
AEHIRVZ
+C archivez

  chavirez
+E haveriez
AEHISSS
  haisses
+C chassies
  chiasses
+M hissames
+R herissas
  hisseras
+S hissasse
+T hissates
AEHISST
  hesitas
+I hesitais
+N haissent
  hantises
+R herissat
  trahisse
+S hissates
AEHISSU
+L huilasse
+O houssaie
+R ahurisse
  haussier
+Z haussiez
  huassiez
AEHISSZ
  haissez
+C chassiez
+I hississe
+M smashiez
+U haussiez
  huassiez
AEHISTT
  hesitat
+C tachiste
+I hesitait
+N hesitant
  theatins
+R trahites
AEHISTU
+B habitues
+L huilates
+O souhaite
+R ahurites
  heurtais
AEHISTV
  hatives
AEHISTY
+D thyiades
+L hyalites
AEHISUX
+M exhumais
AEHISUZ
+S haussiez
  huassiez
AEHISXY
+P asphyxie
AEHITTU
+N huitante
+R heurtait
AEHITUV
+A hativeau
AEHITUX
+M exhumait
AEHITUZ
+B habituez

AEHJMSU
+C juchames
AEHJNOR
+C jonchera
AEHJRSU
+C jucheras
AEHJSSU
+C juchasse
AEHJSTU
+C juchates
AEHKMNS
+Z makhzens
AEHKMNZ
  makhzen
+S makhzens
AEHKMSZ
+N makhzens
AEHKNSZ
+M makhzens
AEHKNUX
+G khagneux
AEHKRSS
  shakers
AEHLLNO
+D hollande
AEHLLNP
+I phalline
AEHLLPY
+D phyllade
AEHLLRS
+I halliers
AEHLLRU
+U hululera
AEHLLST
  thalles
+T talleths
AEHLLTT
  talleth
+S talleths
AEHLLUU
+R hululera
AEHLMNO
+T methanol
AEHLMNP
+Y nymphale
AEHLMNT
+O methanol
AEHLMNY
+P nymphale
AEHLMOR
+U humorale
AEHLMOT
+N methanol
AEHLMOU
+R humorale
AEHLMPP
+T pamphlet
AEHLMPT
+P pamphlet
AEHLMPY
+N nymphale
AEHLMRS
+U hurlames
  malheurs
AEHLMRT
  thermal
+E thermale

AEHLMRU	**AEHLNST**	+U hurlasse	+I harmonie	**AEHMOOR**
humeral	+D shetland	**AEHLRST**	**AEHMNOS**	+B rehoboam
malheur	+O haletons	thalers	+C hamecons	**AEHMOPR**
+E humerale	**AEHLNSX**	+E halteres	+N mahonnes	amorphe
+O humorale	+O exhalons	+U hurlates	**AEHMNOT**	+C rempocha
+S hurlames	**AEHLNSY**	**AEHLRSU**	+C amochent	+S amorphes
malheurs	+I hyalines	haleurs	manchote	amphores
AEHLMSU	**AEHLNTT**	**AEHLRUU**	+L methanol	**AEHMOPS**
+I huilames	+A haletant	+B hableurs	+X xanthome	+C chopames
+R halumes	+E haletent	+C chaleurs	**AEHMNOU**	empochas
malheurs	**AEHLNTU**	lacheurs	+C manouche	pochames
AEHLNNO	+C chaulent	+I huileras	**AEHMNOX**	+R amorphes
+S anhelons	+R hurlante	+M hurlames	+T xanthome	amphores
AEHLNNS	**AEHLNTX**	malheurs	**AEHMNOY**	**AEHMOPT**
+O anhelons	+A exhalant	+R hurleras	+P hypomane	+C empochat
AEHLNNT	+E exhalent	+S hurlasse	**AEHMNPR**	+E apotheme
+A anhelant	**AEHLNTZ**	+T hurlates	+C perchman	+Y myopathe
lanthane	+I zenithal	**AEHLRTT**	**AEHMNPS**	**AEHMOPY**
+E anhelent	**AEHLOPS**	+A theatral	+Y nympheas	+N hypomane
+I inhalent	+D pholades	**AEHLRTU**	**AEHMNRY**	+T myopathe
AEHLNOP	**AEHLOPU**	+N hurlante	nymphea	**AEHMORR**
+E anophele	+C chaloupe	+S hurlates	+L nymphale	+C chromera
AEHLNOR	**AEHLORS**	**AEHLRUU**	+O hypomane	**AEHMORS**
+S halerons	+C choleras	+L hululera	+S nympheas	+C chomeras
+T haleront	chorales	**AEHLRUY**	**AEHMNRU**	rochames
AEHLNOS	+N halerons	+D hydraule	+U enrhumas	+P amorphes
+C chalones	**AEHLORT**	**AEHLSSS**	**AEHMNRT**	amphores
+D dehalons	+C chlorate	+A halasses	+C charment	**AEHMORT**
+N anhelons	talocher	+E helasses	marchent	+C chromate
+R halerons	+N haleront	**AEHLSSU**	+U enrhumat	trachome
+T haletons	**AEHLORU**	+I hurlasse	**AEHMNRU**	+E atherome
+X exhalons	+C louchera	+R hurlasse	enrhuma	**AEHMORU**
AEHLNOT	+M humorale	**AEHLSTT**	+I enrhumai	+C mouchera
+M methanol	**AEHLOST**	taleths	inhumera	+L humorale
+R haleront	+C taloches	+E athletes	+S enrhumas	**AEHMOSS**
+S haletons	+N haletons	+L talleths	+T enrhumat	+C chomasse
AEHLNOX	**AEHLOSU**	**AEHLSTU**	**AEHMNSS**	+M hommasse
+S exhalons	+I souaheli	+I huilates	+U enrhumas	**AEHMOST**
AEHLNPR	**AEHLOSX**	+R hurlates	**AEHMNST**	+C chomates
+C plancher	+N exhalons	**AEHLSTW**	+I shamisen	+E hematose
+S shrapnel	**AEHLOTZ**	+G thalwegs	+T smashent	**AEHMOSU**
AEHLNPS	+C talochez	**AEHLSTY**	**AEHMNST**	houames
+C planches	+I thiazole	+I hyalites	hetmans	**AEHMOSY**
+E phalenes	**AEHLPPT**	**AEHMMMS**	+A hantames	+C choyames
+R shrapnel	+M pamphlet	+C chomames	+C mechants	**AEHMOTT**
AEHLNPT	**AEHLPRS**	+G hommages	+E methanes	+C chamotte
+E elephant	+E phaleres	+S hommasse	+I anthemis	**AEHMOTU**
AEHLNPY	+N shrapnel	**AEHMMOT**	+S smashent	+C moucheta
+M nymphale	**AEHLPST**	+E hematome	**AEHMNSU**	**AEHMOTX**
AEHLNPZ	+A asphalte	**AEHMMRS**	+I humaines	+N xanthome
+C planchez	**AEHLPSU**	+U rhumames	humanise	**AEHMOTY**
AEHLNRS	+C epluchas	**AEHMMRU**	+R enrhumas	+P myopathe
+C charnels	paluches	+S rhumames	**AEHMNSY**	**AEHMPPS**
+O halerons	peluchas	**AEHMMSS**	+P nympheas	+A happames
+P shrapnel	**AEHLPSY**	+O hommasse	**AEHMNSZ**	**AEHMPPT**
AEHLNRT	+G aglyphes	**AEHMMSU**	+K makhzens	+L pamphlet
+E halerent	+I physalie	humames	**AEHMNTU**	**AEHMPRS**
+O haleront	**AEHLPTU**	+R rhumames	+C chaument	+C camphres
+U hurlante	+C epluchat	**AEHMNNO**	+I humaient	+O amorphes
AEHLNRU	peluchat	mahonne	humanite	amphores
+T hurlante	**AEHLRRS**	+C machonne	+R enrhumat	**AEHMPSS**
AEHLNRV	+U hurleras	+S mahonnes	+X exhumant	phasmes
+I hivernal	**AEHLRRU**	**AEHMNNS**	**AEHMNTX**	**AEHMPSS**
AEHLNRW	hurlera	+O mahonnes	+O xanthome	+E emphases
+D landwehr	+I hurlerai	**AEHMNOP**	+U exhumant	+I saphisme
AEHLNRY	+S hurleras	+Y hypomane	**AEHMNTY**	**AEHMPSY**
+C lynchera	**AEHLRSS**	**AEHMNOR**	+C yachtmen	+N nympheas
		+C romanche	**AEHMNUX**	
			+T exhumant	

AEHMPTY
+O myopathe
AEHMRRS
+U rhumeras
AEHMRRT
+Y rythmera
AEHMRRU
rhumera
+C charmeur
machurer
marcheur
+I rhumerai
+S rhumeras
AEHMRRY
+T rythmera
AEHMRSS
smasher
+A smashera
+E hersames
+T hamsters
+U rhumasse
AEHMRST
hamster
+A marathes
+I trahimes
+S hamsters
+U rhumates
AEHMRSU
humeras
+C machures
ruchames
+I ahurimes
humerais
+L hurlames
malheurs
+M rhumames
+N enrhumas
+R rhumeras
+S rhumasse
+T rhumates
AEHMRTU
+I humerait
+N enrhumat
+S rhumates
+X thermaux
AEHMRTX
+U thermaux
AEHMRTY
+I arythmie
+R rythmera
AEHMRUU
+X humeraux
AEHMRUX
+E exhumera
+T thermaux
+U humeraux
AEHMRUZ
+C machurez
AEHMSSS
smashes
+I hissames
+U humasses
AEHMSST
asthmes
+N smashent
+R hamsters
AEHMSSU
humasse
+R rhumasse
+S humasses
AEHMSSZ
smashez
+I smashiez
AEHMSTU
humates
+C chutames
humectas
+E matheuse
+R rhumates
AEHMSTY
+C ecthymas
AEHMSUX
exhumas
+I exhumais
AEHMTTU
+C humectat
AEHMTUX
exhumat
matheux
+I exhumait
+N exhumant
+R thermaux
AEHMUUX
+R humeraux
AEHNNNO
+T hanneton
AEHNNNT
+O hanneton
AEHNNOP
+C chaponne
+R harponne
+T pantheon
AEHNNOR
+P harponne
AEHNNOS
+C echanson
+L anhelons
+M mahonnes
AEHNNOT
+E oenanthe
+N hanneton
+P pantheon
AEHNNPR
+O harponne
+U nenuphar
AEHNNPT
+C penchant
+O pantheon
AEHNNPU
+R nenuphar
AEHNNRS
rhenans
+E rhenanes
+I henniras
AEHNNRT
+E anthrene
AEHNNRU
+P nenuphar
AEHNNTT
hantent
+C chantent
AEHNOOR
+R honorera
AEHNOPR
+A anaphore
+C chaperon
+N harponne
AEHNOPS
aphones
+I aphonies
+T phaetons
AEHNOPT
phaeton
+N pantheon
+S phaetons
AEHNOPY
+M hypomane
AEHNORR
+G hongrera
+O honorera
AEHNORS
+D adherons
+L halerons
+T haterons
+V haverons
AEHNORT
+C archonte
tacheron
+I thonaire
+L haleront
+S hateront
+T hateront
+V haveront
AEHNORV
+G nuraghes
+S haverons
+T haveront
AEHNOST
+C achetons
+L haletons
+P phaetons
+R haterons
AEHNOSV
+C achevons
+R haverons
AEHNOSX
+L exhalons
AEHNOTT
+C cahotent
+R hateront
AEHNOTU
+C echouant
+I houaient
AEHNOTV
+R haveront
AEHNOTX
+M xanthome
AEHNPPT
happent
AEHNPRS
+E phaneres
+I seraphin
+L shrapnel
+T phrasent
AEHNPRT
+C perchant
prechant
+E panthere
+S phrasent
AEHNPRU
+N nenuphar
AEHNPRY
+G pharynge
phrygane
AEHNPSS
+E saphenes
AEHNPST
naphtes
+E haptenes
heptanes
phenates
+O phaetons
+R phrasent
AEHNPSY
+M nympheas
AEHNRRS
+C ranchers
AEHNRRT
+C trancher
AEHNRST
hersant
thenars
+A hanteras
+C antheres
+E antheres
+O haterons
+P phrasent
+U shuntera
AEHNRSU
+C charnues
+G nuraghes
+M enrhumas
+T shuntera
AEHNRSV
+C chanvres
+I hivernas
+O haverons
AEHNRSY
+D anhydres
AEHNRTT
+C chatrent
tranchet
+E haterent
+I heritant
+O hateront
+U heurtant
AEHNRTU
+C chanteur
rauchent
+L hurlante
+M enrhumat
+S shuntera
+T heurtant
AEHNRTV
+E haverent
+I hivernat
+O haveront
AEHNRTX
narthex
AEHNRTZ
+C tranchez
+E hanterez
AEHNRUX
+G hargneux
AEHNRUY
+I hainuyer
AEHNSST
+A hantasse
+C chassent
+I haissent
hantises
+M smashent
+U haussent
AEHNSSU
+T haussent
huassent
AEHNSTT
+A hantates
+I hesitant
theatins
AEHNSTU
+R shuntera
+S haussent
huassent
AEHNSTV
+E havenets
AEHNTTU
+I huitante
+R heurtant
AEHNTUX
+M exhumant
AEHOORR
+N honorera
AEHOORS
+T shootera
AEHOORT
+S shootera
AEHOOST
+R shootera
AEHOPPR
+C achopper
approche
+S prophase
AEHOPPS
+C achoppes
echoppas
+R prophase
+Y apophyse
AEHOPPT
+C achoppat
AEHOPPY
+S apophyse
AEHOPPZ
+C achoppez
AEHOPRR
+C reprocha
AEHOPRS
+C choperas
pocheras
+D rhapsode
+M amorphes
amphores
+P prophase
+T ephorats
AEHOPRT
ephorat
+I atrophie
+S ephorats
AEHOPSS
+C chopasse
pochasse
AEHOPST
+C chopates
patoches

pochates
potaches
+N phaetons
+R ephorats
AEHOPSY
+P apophyse
AEHOPTY
+M myopathe
AEHOQRU
+C choquera
AEHOQST
+U hoquetas
AEHOQSU
+T hoquetas
AEHOQTT
+U hoquetat
AEHOQTU
hoqueta
+I hoquetai
+S hoquetas
+T hoquetat
AEHORRR
+B abhorrer
AEHORRS
+B abhorres
+C arroches
rocheras
+I horaires
+T arthrose
AEHORRT
+C torchera
+S arthrose
AEHORRU
+D hourdera
AEHORRY
+C charroye
AEHORRZ
+B abhorrez
AEHORSS
+C rochasse
+U houssera
AEHORST
+C rochates
+I theorisa
+N haterons
+O shootera
+P ephorats
+R arthrose
+T rheostat
+X exhortas
AEHORSU
houeras
+I houerais
+S houssera
AEHORSV
+N haverons
AEHORSX
+T exhortas
AEHORTT
+N hateront
+S rheostat
+X exhortat
AEHORTU
+C retoucha
toucherea
+I houerait
AEHORTV

+C chevrota
+N haveront
exhorta
+I exhortai
+S exhortas
+T exhortat
AEHORTY
+C chatoyer
AEHOSSS
+U houasses
AEHOSSU
houasse
+C essoucha
+I houssaie
+R houssera
+S houasses
AEHOSSY
+C choyasse
AEHOSTT
+E athetose
+R rheostat
AEHOSTU
houates
+C soutache
+I souhaite
+Q hoquetas
AEHOSTX
+R exhortas
AEHOSTY
+C choyates
AEHOSUU
+X houseaux
AEHOSUX
+U houseaux
AEHOTTU
+Q hoquetat
AEHOTTX
+R exhortat
AEHOTUU
+C toucheau
AEHOTUX
+C cahoteux
AEHOTYZ
+C chatoyez
AEHOUUX
+S houseaux
AEHPPRR
+A parapher
AEHPPRS
+A happeras
paraphes
AEHPPRZ
+A paraphez
+E happerez
AEHPPSS
+A happasse
+C schappes
AEHPPST
+A happates
AEHPPSY
+O apophyse
AEHPQSU
+I phasique
saphique
AEHPRRS

phraser
+A phrasera
+U phraseur
AEHPRRT
+I phratrie
AEHPRRU
+S phraseur
AEHPRSS
phrases
+I sharpies
AEHPRST
+C parchets
+I harpiste
triphase
+N phrasent
+O ephorats
+R phraseur
AEHPRSZ
phrasez
+I phrasiez
AEHPSST
spathes
AEHPSTU
+E aphteuse
AEHPSXY
+I asphyxie
AEHPTUX
aphteux
AEHQSTU
haquets
AEHQSUU
+O hoquetas
AEHQSUU
+C quechuas
AEHQTTU
+O hoquetat
AEHRRSS
+A harasser
+E herseras
AEHRRST
+C charters
+O arthrose
AEHRRSU
+C charrues
rucheras
+L hurleras
+M rhumeras
+P phraseur
AEHRRTT
+I arthrite
AEHRRTU
+E heurtera
AEHRRTY
+D hydrater
+M rythmera
AEHRRTZ
+I trahirez
AEHRRUU
+C raucheur
AEHRRUV
+E varheure
AEHRRUZ
+I ahurirez
AEHRSSS
+A harasses
+E hersasse
+I herissas

hisseras
AEHRSST
+D thesards
+E hersates
+I herissat
trahisse
+M hamsters
AEHRSSU
hausser
+A haussera
rehaussa
+C chasseur
chausser
ruchasse
+D hussarde
+E rehausse
+I ahurisse
haussier
+L hurlasse
+M rhumasse
+O houssera
AEHRSSZ
+A harassez
AEHRSTT
+E theatres
+I trahites
+O rheostat
AEHRSTU
herauts
heurtas
huertas
rehauts
+B hauberts
+C chuteras
rechutas
ruchates
+I ahurites
heurtais
+L hurlates
+M rhumates
+N shuntera
+U hauteurs
AEHRSTX
+O exhortas
AEHRSTY
+D hydrates
AEHRSUU
+T hauteurs
AEHRSUV
haveurs
AEHRSUX
+E exhaures
AEHRTTU
heurtat
+C rechutat
+I heurtait
+N heurtant
+O exhortat
AEHRTTY
+C trachyte
AEHRTUU
hauteur
+C autruche
+S hauteurs
AEHRTUX
+M thermaux

AEHRTYZ
+D hydratez
AEHRUUX
+M humeraux
AEHSSSS
+I hissasse
AEHSSST
+A hatasses
+I hissatus
AEHSSSU
hausses
huasses
+C chausses
+E haussees
+M humasses
+O houasses
AEHSSSV
+A havasses
AEHSSTU
hausses
+C chutasse
+E aethuses
+N haussent
huassent
AEHSSUV
+E haveuses
AEHSSUX
+A exhaussa
+E exhausse
AEHSSUZ
haussez
+C chaussez
+I haussiez
huassiez
AEHSTTU
+C chutates
AEHSTUU
+R hauteurs
AEHSUUX
+O houseaux
AEIIILM
+N eliminai
+R miliaire
AEIIILN
+F lenifiai
+M eliminai
+T initiale
AEIIILR
+B biliaire
+C ciliaire
+M miliaire
+S resiliai
AEIIILS
+R resiliai
AEIIILT
+N initiale
AEIIIMN
+L eliminai
AEIIIMR
+L miliaire
+T imiterai
AEIIIMT
+R imiterai
AEIIINN
+G ingeniai
AEIIINP
+T pietinai

AEIIINR
+T initiera
AEIIINT
+L initiale
+P pietinai
+R initiera
AEIIIPT
+N pietinai
AEIIIRR
+S iriserai
AEIIIRS
+F reifiais
+L resiliai
+R iriserai
AEIIIRT
+D tiedirai
+F reifiait
+M imiterai
+N initiera
AEIIIRV
+C vicierai
+F verifiai
AEIIISZ
+B biaisiez
AEIIJLL
jaillie
+R rejailli
+S jaillies
AEIIJLR
+L rejailli
AEIIJLS
+L jaillies
AEIIJMN
+S jainisme
AEIIJMS
+N jainisme
AEIIJNO
+T ejointai
AEIIJNS
+M jainisme
AEIIJNT
+C injectai
+O ejointai
AEIIJOT
+N ejointai
AEIIJRS
+S jersiais
AEIIJSS
+R jersiais
AEIIKLM
+E kaliemie
AEIIKLN
+C nickelai
AEIIKNR
irakien
+S irakiens
AEIIKNS
+E akinesie
+R irakiens
+T kainites
skaient
AEIIKNT
kainite
+S kainites
skaient
AEIIKRS
skierai

+N irakiens
+S skierais
+T skierait
AEIIKRT
+S skierait
AEIIKSS
+R skierais
AEIIKST
+N kainites
skaient
+R skierait
AEIILLL
liliale
+B libellai
+M limaille
+S liliales
AEIILLM
+A emaillai
+L limaille
+N liminale
+R rimaille
+Z mailliez
AEIILLN
niellai
+M liminale
+P pinaille
+S niellais
+T intaille
niellait
AEIILLP
piaille
+N pinaille
+R piailler
pillerai
ripaille
+S piailles
+T petillai
+Z pailliez
palliiez
piailliez
AEIILLR
+A aillerai
alliaire
allierai
eraillai
+B billerai
+C cillerai
criaille
+J rejailli
+M rimaille
+P piailler
pillerai
ripaille
+T etrillai
tillerai
tiraille
+Z railliez
ralliiez
AEIILLS
saillie
+C cisaille
+F faillies
filiales
+J jaillies
+L liliales
+N niellais
+P piailles

+S saillies
+T teillais
+V veillais
AEIILLT
teillai
+B labilite
+F faillite
+N intaille
niellait
+P petillai
+R etrillai
tillerai
tiraille
+S teillais
+T teillait
+V veillait
vetillai
+Z tailliez
AEIILLU
+F feuillai
+G aiguille
AEIILLV
veillai
viellai
+E eveillai
+S eveillai
viellais
+T veillait
vetillai
viellait
AEIILLZ
ailliez
alliiez
+B bailliez
+C cailliez
+F failliez
+M mailliez
+P pailliez
palliiez
piailliez
+R railliez
ralliiez
+T tailliez
AEIILMM
+N minimale
AEIILMN
elimina
+I eliminai
+L liminale
+M minimale
+S eliminas
+T eliminat
limaient
+Z laminiez
AEIILMO
+G limogeai
AEIILMP
empilai
+F amplifie
+R emplirai
imperial
rempilai
+S empilais
+T empilait
AEIILMR

limerai
+B blemirai
limbaire
+E elimerai
+F familier
filmerai
+I miliaire
+L rimaille
+P emplirai
imperial
rempilai
+S limerais
+T limerait
limitera
militera
AEIILMS
elimais
+C laicisme
+F lamifies
+N eliminas
+P empilais
+R limerais
+S assimile
islamise
AEIILMT
elimait
+B imitable
+D delimita
+G legitima
+N eliminat
limaient
+P empilait
+R limerait
limitera
militera
AEIILMU
+Z miauliez
AEIILMV
+S avilimes
AEIILMZ
+L mailliez
+N laminiez
+U miauliez
AEIILNN
aniline
+H annihile
+S anilines
AEIILNO
+G eloignai
+T entoilai
AEIILNP
+F planifie
+G epinglai
+L pinaille
+T pilaient
pliaient
+Z lapiniez
AEIILNR
lainier
linaire
+A lainerai
+D enlaidir
+E lainiere
lineaire
+F renfilai
reniflai

+G lignerai
+S lainiers
linaires
salinier
+T liraient
AEIILNS
enlisai
ensilai
lesinai
+A alienais
+C lacinies
+D enlaidis
+F enfilais
lenifias
+L niellais
+M eliminas
+N anilines
+R lainiers
linaires
salinier
+S enlisais
ensilais
lesinais
+T enlisait
ensilait
italiens
latinise
lesinait
lisaient
litanies
salinite
+V nivelais
vilaines
+Z aziliens
AEIILNT
italien
liaient
litanie
+A alienait
+B bilaient
+D enlaidit
+F enfilait
filaient
finalite
lenifiat
+I initiale
+L intaille
niellait
+M eliminat
+O entoilai
+P pilaient
pliaient
+R liraient
+S enlisait
ensilait
italiens
latinise
lesinait
lisaient
litanies
salinite
+T latinite
litaient
+V nivelait
ventilai

AEIILNU
+G elinguai
AEIILNV
nivelai
vilaine
+A alevinai
+C vicinale
+D invalide
+S nivelais
vilaines
+T nivelait
ventilai
AEIILNZ
azilien
lainiez
+C caliniez
+E alieniez
+G aligniez
+H inhaliez
+M laminiez
+P lapiniez
+S aziliens
AEIILOP
+R ploierai
poilerai
AEIILOR
+D iodlerai
+F foliaire
+P ploierai
poilerai
+S isolerai
+U ioulerai
+V violerai
voilerai
AEIILOS
oiselai
+R isolerai
+S oiselais
+T etiolais
etoilais
oiselait
+V olivaies
AEIILOT
etiolai
etoilai
+N entoilai
+S etiolais
etoilais
oiselait
+T etiolait
etoilait
+V violetai
AEIILOU
+R ioulerai
AEIILOV
olivaie
+D devoilai
+G voligeai
+R violerai
voilerai
+S olivaies
+T violetai
AEIILOX
+F exfoliai
AEIILPR
pilaire
pilerai

plierai
repliai
+E epilerai
+L piailler
pillerai
ripaille
+M emplirai
imperial
rempilai
+O ploierai
poilerai
+S pilaires
pilerais
plierais
repliais
+T pilerait
plierait
repliait
+Z paliriez
plairiez
AEIILPS
epilais
+B paisible
+C eclipsai
+D depilais
depliais
+L piailles
+M empilais
+R pilaires
pilerais
plierais
repliais
+Z plaisiez
AEIILPT
epilait
+D depilait
depliait
+L petillai
+M empilait
+N pilaient
pliaient
+R pilerait
plierait
repliait
AEIILPU
+Z piauliez
AEIILPZ
+D lapidiez
plaidiez
+G plagiiez
+L pailliez
palliiez
piailliez
+N lapiniez
+R paliriez
plairiez
+S plaisiez
+U piauliez
AEIILQS
+U iliaques
liasique
AEIILQT
+U italique
AEIILQU
iliaque
+F liquefia
qualifie

+S iliaques
+T italique
AEIILRR
relirai
+B libraire
+E reelirai
relierai
+S relirais
+T relirait
+U reluirai
ruilerai
+V livrerai
AEIILRS
ailiers
alisier
elirais
lierais
liserai
reliais
resilia
+A asilaire
laierais
realisai
+B balisier
bilerais
irisable
liberais
+C laiciser
+D delirais
+F filaires
filerais
refilais
salifier
+H hilaires
+I resiliai
+M limerais
+N lainiers
linaires
salinier
+O isolerai
+P pilaires
pilerais
plierais
repliais
+R relirais
+S alisiers
liserais
lisserai
resilias
+T laitiers
liserait
listerai
literais
relisait
resiliat
+V rivalise
virelais
+Z saliriez
AEIILRT
elirait
laitier
lierait
literai
reliait
+A aliterai

laierait
+B bilerait
liberait
+C licitera
+D delirait
+E elitaire
laiterie
laitiere
+F filerait
lifterai
refilait
trefilai
+H hilarite
+L etrillai
tillerai
tiraille
+M limerait
limitera
militera
+N liraient
+P pilerait
repliait
+R relirait
+S laitiers
liserait
listerai
literais
relisait
resiliat
+T literait
+V rivalite
triviale
AEIILRU
+B bleuirai
+D diluerai
+G liguerai
+H huilerai
+O ioulerai
+R reluirai
ruilerai
AEIILRV
virelai
+C cliverai
+D delivrai
+G grivelai
+O violerai
voilerai
+R livrerai
+S rivalise
virelais
+T rivalite
triviale
+Z avilirez
AEIILRX
+E exilerai
AEIILRZ
+B blairiez
+E laieriez
+F flairiez
+G glairiez
+L railliez
ralliiez
+P paliriez
+S saliriez
+V avilirez

AEIILSS
elisais
+A asialies
+C ciselais
eclissai
laicises
+F salifies
+L saillies
+M assimile
islamise
+N enlisais
ensilais
lesinais
+O oiselais
+R alisiers
liserais
lisserai
relisais
resilias
+V avilisse
+Z laissiez
liassiez
AEIILST
elisait
+B tibiales
+C ciselait
laiciste
laicites
silicate
+D delitais
+F filetais
+G agilites
+H lithiase
+L teillais
+N enlisait
ensilait
italiens
latinise
lesinait
lisaient
litanies
salinite
+O etiolais
etoilais
oiselait
+R laitiers
liserait
listerai
literais
relisait
resiliat
+V avilites
AEIILSU
+B bisaieul
+Q iliaques
liasique
AEIILSV
avilies
+L veillais
viellais
+M avilimes
+N nivelais
vilaines
+O olivaies
+R rivalise
virelais

+S avilisse
   lessivai
+T avilites
+Z saliviez
AEIILSW
+H swahilie
AEIILSX
   exilais
AEIILSZ
+B balisiez
+C laicisez
+F salifiez
+G glaisiez
+N aziliens
+P plaisiez
+R saliriez
+S laissiez
   liassiez
+V saliviez
AEIILTT
+D delitait
+F filetait
+L teillait
+N latinite
   litaient
+O etiolait
   etoilait
+R literait
+V vitalite
AEIILTU
+Q italique
AEIILTV
+C calvitie
+D validite
+L veillait
   vetillai
   viellait
+N nivelait
   ventilai
+O violetai
+R rivalite
   triviale
+S avilites
+T vitalite
AEIILTX
   exilait
AEIILTZ
   alitiez
+D dilatiez
+L tailliez
AEIILUZ
+M miauliez
+P piauliez
AEIILVZ
+D validiez
+R avilirez
+S saliviez
AEIIMMN
+L minimale
+S animisme
   mainmise
+T mimaient
AEIIMMQ
+U amimique
AEIIMMR
   mimerai
+S mimerais

+T maritime
   mimerait
AEIIMMS
   amimies
+N animisme
   mainmise
+R mimerais
+T imitames
+X maximise
AEIIMMT
+D immediat
+N mimaient
+R maritime
   mimerait
+S imitames
AEIIMMU
+Q amimique
AEIIMMX
+S maximise
AEIIMNN
   inanime
+E inanimee
+R arminien
+S inanimes
   insemina
+T maintien
   minaient
AEIIMNO
+B bioamine
AEIIMNP
+T pimentai
AEIIMNR
   minerai
+A animerai
   manierai
   reanimai
   remaniai
+B nimberai
+G imaginer
   migraine
+N arminien
+R marinier
+S minerais
+T intimera
   mentirai
   minerait
   miraient
   rimaient
   terminai
+Z mariniez
   ranimiez
AEIIMNS
   misaine

   mainmise
+N inanimes
   insemina
+R minerais
+S misaines
+T amnistie
   animiste
   misaient
   mitaines
+U menuisai
+X ximenias
AEIIMNT
   mitaine
+A aimaient
   anemiait
+C cimentai
   emincait
+D deminait
   mendiait
+G geminait
+H thiamine
+L eliminat
   limaient
+M mimaient
+N maintien
   minaient
+P pimentai
+R intimera
   mentirai
   minerait
   miraient
   rimaient
   terminai
+S amnistie
   animiste
   misaient
   mitaines
+T antimite
   mitaient
+V vitamine
+X mixaient
+Z matiniez
AEIIMNU
+S menuisai
AEIIMNV
+T vitamine
AEIIMNX
   ximenia
+A examinai
+C mexicain
+S ximenias
+T mixaient
AEIIMNZ
   animiez
   maniiez
+E anemiiez
+G imaginez
+L laminiez
+R mariniez
   ranimiez
+T matiniez
AEIIMOP
+X apomixie
AEIIMOR
+R moirerai
+S moiserai
AEIIMOS

+G isogamie
+R moiserai
+S siamoise
AEIIMOT
+B emboitai
AEIIMOX
+P apomixie
AEIIMOZ
+D amodiiez
AEIIMPR
   empirai
   impaire
   perimai
+D deprimai
+L emplirai
   imperial
   rempliai
+R primaire
   primerai
   reprimai
+S empirais
   impaires
   meprisai
   perimais
+T empirait
   imparite
   impartie
   perimait
   primatie
+X exprimai
AEIIMPS
+L empilais
+R empirais
   impaires
   meprisai
   perimais
AEIIMPT
+E empietai
+L empilait
+N pimentai
+R empirait
   imparite
   impartie
   perimait
   primatie
AEIIMPV
+D impavide
AEIIMPX
+O apomixie
+R exprimai
AEIIMQU
+B iambique
+M amimique
AEIIMRR
   mirerai
   rimerai
+A marierai
   remariai
+B brimerai
+F frimerai
   frimaire
   ramifier
+G grimerai
   migrerai
+N marinier
+O moirerai

+P primaire
   primerai
   reprimai
+S mirerais
   rimerais
+T mirerait
   trimerai
+Z arrimiez
AEIIMRS
   mairies
   miserai
   remisai
+A aimerais
+C escrimai
+D medirais
   raidimes
+E emerisai
   maiserie
+F ramifies
+G aigrimes
   emigrais
   gemirais
   imagiers
   maigries
   megirais
+L limerais
+M mimerais
+N minerais
+O moiserai
+P empirais
   impaires
   meprisai
   perimais
+R mirerais
   rimerais
+S irisames
   miserais
   remisais
+T imiteras
   maitrise
   meritais
   miserait
   miterais
   remisait
+X mixerais
AEIIMRT
   imitera
   meritai
   miterai
+A aimerait
+D medirait
+E metairie
+G emigrait
   gemirait
   megirait
+I imiterai
+L limerait
   limitera
   militera
+M maritime
   mirerait
+N intimera
   mentirai
   minerait
   miraient
   rimaient

terminai	miterais	+B binaient	+R aspirine	binerais
+P empirait	remisait	+D dinaient	parisien	+C icariens
imparite	+S estimais	+G ingeniat	+S sinapise	incisera
impartie	imitasse	+M maintien	+T pianiste	ricaines
perimait	metissai	+R internai	pietinas	+D dinerais
primatie	+T estimait	+S inanites	**AEIINPT**	draisine
+R mirerait	imitates	insanite	peinait	+F freinais
rimerait	+Z tamisiez	+T intentai	pietina	inferais
trimerai	**AEIIMSU**	+V inventai	+C anticipe	rifaines
+S imiteras	+N menusai	vinaient	epincait	+G gainiers
maitrise	**AEIIMSV**	**AEIINNV**	+E epiaient	ingerais
meritais	+C civaisme	+G invagine	+G peignait	resignai
miserait	viciames	+R innervai	+I pietinai	signerai
miterais	+L avilimes	+T inventai	+L pilaient	singerai
remisait	+S sivaisme	vinaient	pliaient	+K irakiens
+T meritait	**AEIIMSX**	**AEIINOP**	+M pimentai	+L lainiers
miterait	+M maximise	+R opinerai	+O epointai	linaires
+X mixerait	+N ximenias	+S epiaison	+P pipaient	salinier
+Z matiriez	+R mixerais	+T epointai	+R pietrain	+M minerais
AEIIMRU	**AEIIMSZ**	**AEIINOR**	pinterai	+N iraniens
+Z amuriez	+T tamisiez	noierai	priaient	+O ionisera
AEIIMRX	**AEIIMTT**	+P opinerai	ripaient	noierais
mixerai	+D meditait	+S ionisera	+S pianiste	+P aspirine
+P exprimai	+E emiettai	noierais	pietinas	parisien
+S mixerais	+N antimite	+T noierait	+T pietinat	+Q iraqiens
+T mixerait	mitaient	orientai	+Z patiniez	+S inserais
AEIIMRZ	+R meritait	**AEIINOS**	tapiniez	raisines
mariiez	miterait	+P epiaison	**AEIINPZ**	resinais
+D admiriez	+S estimait	+R ionisera	+F panifiez	serinais
+E aimeriez	imitates	noierais	+G paginiez	sinisera
+F ramifiez	**AEIIMTU**	+V avoisine	+L lapiniez	+T inserait
+N mariniez	+F tumefiai	**AEIINOT**	+T patiniez	resinait
ranimiez	**AEIIMTV**	+D ideation	tapiniez	sentirai
+R arrimiez	+N vitamine	iodaient	**AEIINQR**	serinait
+T matiriez	**AEIIMTX**	+J ejointai	iraqien	+U usinerai
+U amuriez	+N mixaient	+L entoilai	+S iraqiens	+V enivrais
AEIIMSS	+R mixerait	+P epointai	+U quinaire	inversai
+A essaimai	**AEIIMTZ**	+R noierait	**AEIINQS**	vinerais
+C cimaises	+N matiniez	orientai	+R iraqiens	**AEIINRT**
+D medisais	+R matiriez	**AEIINOV**	**AEIINQT**	iraient
+G megissai	+S tamisiez	+S avoisine	+U inquieta	nierait
+L assimile	**AEIIMUZ**	**AEIINPP**	**AEIINQU**	reniait
islamise	+L miauliez	+E epepinai	+R quinaire	+B benirait
+N misaines	+R amuriez	+R nipperai	+T inquieta	binerait
+O siamoise	**AEIINNR**	+T pipaient	**AEIINRR**	inabrite
+R irisames	iranien	**AEIINPR**	+A rainerai	+C ciraient
miserais	+C incinera	+C pincerai	+C rincerai	criaient
remisais	racinien	+D peindrai	+E renierai	incitera
+S saisimes	+G nigerian	+E peinerai	+M marinier	+D dinerait
+T estimais	+H hennirai	pineraie	+T riraient	diraient
imitasse	+M arminien	+F panifier	ternirai	ridaient
metissai	+S iraniens	+O opinerai	+U reunirai	teindrai
+V sivaisme	+T internai	+P nipperai	ruinerai	tiendrai
AEIIMST	+V innervai	+S aspirine	urinaire	+E ereintai
amities	**AEIINNS**	parisien	urinerai	+F freinait
estimai	asinien	+T pietrain	+V riverain	inferait
+D medisait	+G ingenias	pinterai	vernirai	reifiant
meditais	+L anilines	priaient	**AEIINRS**	+G ingerait
+M imitames	+M inanimes	ripaient	inserai	integrai
+N amnistie	insemina	**AEIINPS**	nierais	interagi
animiste	+R iraniens	peinais	raisine	+I initiera
misaient	+S asiniens	+A inapaise	reniais	+L liraient
mitaines	+T inanites	+C epincais	resinai	+M intimera
+R imiteras	insanite	+F panifies	serinai	mentirai
maitrise	**AEIINNT**	+G peignais	+A aniserai	minerait
meritais	inanite	+O epiaison	+B benirais	miraient
miserait	niaient		binaires	

rimaient
terminai
+N internai
+O noierait
orientai
+P pietrain
pinterai
priaient
ripaient
+R riraient
ternirai
+S inserait
resinait
sentirai
serinait
+T tinterai
tiraient
triaient
+U unitaire
+V enivrait
invitera
reinvita
rivaient
vinerait
viraient
+Z naitriez
ratiniez
trainiez

AEIINRU
+D endurai
+F enfuirai
reunifia
unifiera
+Q quinaire
+R reunirai
ruinerai
urinaire
urinerai
+S usinerai
+T unitaire

AEIINRV
enivrai
vinerai
+A avinerai
+C ecrivain
+D renvidai
viendrai
+E enverrai
veinerai
+G vinaigre
+H hivernai
+N innervai
+R riverain
vernirai
+S enivrais
inversai
vinerais
+T enivrait
invitera
reinvita
rivaient
vinerait
viraient
+Z raviniez

AEIINRZ
rainiez
+C ricaniez

+D drainiez
radiniez
+F fariniez
+G grainiez
+M mariniez
ranimiez
+T naitriez
ratiniez
trainiez
+V raviniez

AEIINSS
niaises
saisine
+A assainie
+D dessinai
+G singeais
+L enlisais
ensilais
lesinais
+M misaines
+N asiniens
+P sinapise
+R inserais
raisines
resinais
serinais
sinisera
+S saisines
+Z naissiez
niassiez

AEIINST
+A tanaisie
+B biaisent
bisaient
+C actinies
canities
sciaient
+D destinai
disaient
+F feintais
fientais
infestai
+G gisaient
singeait
teignais
+H haitiens
+K kainites
skiaient
+L enlisait
ensilait
italiens
latinise
lesinait
lisaient
litanies
salinite
+M amnistie
animiste
misaient
mitaines
+N inanites
insanite
+P pianiste
pietinas
+R inserait
resinait
sentirai

serinait
+T teintais
+V visaient
+Z satiniez
tanisiez

AEIINSU
+M menuisai
+R usinerai

AEIINSV
enviais
veinais
+C evincais
+D devinais
+L nivelais
vilaines
+O avoisine
+R inversai
vinerais
+T visaient

AEIINSX
+D indexais
+M ximenias

AEIINSZ
anisiez
+D dizaines
+G saigniez
+L aziliens
+S naissiez
niassiez
+T satiniez
+Z zizanies

AEIINTT
teintai
+B tibetain
+C citaient
+F feintait
fientait
+G gitaient
teignait
+H tahitien
+L latinite
litaient
+M antimite
mitaient
+N intentai
+P pietinat
+R tinterai
tiraient
triaient
+S teintais
+T teintait
+V nativite

AEIINTU
+H huitaine
+Q inquieta
+R unitaire

AEIINTV
enviait
veinait
+C evincait
inactive
vaticine
+D devinait
vidaient
+G vaginite

+L nivelait
+M vitamine
+N inventai
vinaient
+R enivrait
invitera
reinvita
rivaient
vinerait
viraient
+S visaient
+T nativite
+V vivaient

AEIINTX
+D indexait
+F fixaient
+M mixaient

AEIINTZ
+M matiniez
+P patiniez
tapiniez
+R naitriez
ratiniez
trainiez
+S satiniez

AEIINVV
+T vivaient

AEIINVZ
aviniez
+D viandiez
+R raviniez

AEIINZZ
zizanie
+S zizanies

AEIIOPR
+C copierai
recopiai
+L ploierai
poilerai
+N opinerai
+T topiairei

AEIIOPS
+N epiaison
+T apitoies
poetisai

AEIIOPT
apitoie
+N epointai
+R topiaire
+S apitoies
poetisai

AEIIOPX
+M apomixie

AEIIORR
+B broierai
+F foirerai
+M moirerai

AEIIORS
+B boiserai
obeirais
reboisai
+D ioderais
+L isolerai
+M moiserai
+N ionisera

noierais
+T erotisai
toiserai
+Z zairoise

AEIIORT
+B boiterai
obeirait
+D ioderait
+N noierait
orientai
+P topiaire
+S erotisai
toiserai

AEIIORU
+L ioulerai

AEIIORV
+B obvierai
+L violerai
voilerai

AEIIORX
+C excoriai

AEIIORZ
+S zairoise

AEIIOSS
+L oiselais
+M siamoise
+X aixoises

AEIIOST
+L etiolais
etoilais
oiselait
+P apitoies
poetisai
+R erotisai
toiserai

AEIIOSV
+L olivaies
+N avoisine

AEIIOSX
aixoise
+S aixoises

AEIIOSZ
+R zairoise

AEIIOTT
+L etiolait
etoilait

AEIIOTV
+L violetai

AEIIPPR
piperai
+E pepierai
+N nipperai
+S piperais
+T piperait

AEIIPPS
pepiais
+R piperais

AEIIPPT
pepiait
+N nipaient
+R piperait

AEIIPQR
+U piquerai
repiquai

AEIIPQS
+U equipais

AEIIPQT
+U equipait
   piquetai
AEIIPQU
   equipai
+D depiquai
+R piquerai
   repiquai
+S equipais
+T equipait
   piquetai
+Z apiquez
AEIIPQZ
+U apiquiez
AEIIPRR
   perirai
   prairie
   prierai
   riperai
+A parierai
   repairai
+C crepirai
+D predirai
+E epierrai
+F friperai
+M primaire
   primerai
   reprimai
+S perirais
   prairies
   prierais
   priserai
   reprisai
   respirai
   riperais
+T perirait
   petrirai
   prierait
   riperait
+U ripuaire
+V priverai
AEIIPRS
   pairies
+A paierais
+C precisai
+D presidai
+E epiaires
   epieras
   paieries
+G pigeras
+L pilaires
   pilerais
   plierais
   repliais
+M empirais
   impaires
   meprisai
   perimais
+N aspirine
   parisien
+P piperais
+R perirais
   prairies
   prierais
   priserai
   reprisai
   respirai

   riperais
+S epaissir
+T etripais
   pisterai
+U puiserai
   uperisai
+X expirais
+Z aspiriez
AEIIPRT
   etripai
+A paierait
+B bipartie
+C crepitai
+D rapidite
   trepidai
+E epierait
   pieterai
+F aperitif
   petrifia
+G pigerait
+L pilerait
   plierait
   repliait
+M empirait
   imparite
   impartie
   perimait
   primatie
+N pietrain
   pinterai
   priaient
   ripaient
+O topiaire
+P piperait
+R perirait
   petrirai
   prierait
   riperait
+S etripais
   pisterai
+T etripait
+X expirait
+Z paitriez
   patiriez
   piratiez
   tapiriez
AEIIPRU
+D repudiai
+G guiperai
+Q piquerai
   repiquai
+R ripuaire
+S puiserai
   uperisai
AEIIPRV
+R priverai
+U viperiau
+V vivipare
AEIIPRX
   expirai
+E expierai
+F prefixai
+M exprimai
+S expirais

+T expirait
   extirpai
AEIIPRZ
   pariiez
+D diapriez
+E paieriez
+L paliriez
   plairiez
+S aspiriez
+T paitriez
   patiriez
   piratiez
   tapiriez
+Z pizzeria
AEIIPSS
   epaissi
   epissai
+E epaissie
+N sinapise
+R epaissir
   pisserai
+S epaissis
   epissais
+T epaissit
   epissait
+U epuisais
+Z paissiez
AEIIPST
   pietais
+D depistai
   depitais
   sapidite
+N pianiste
   pietinas
+O apitoies
   poetisai
+R etripais
   pisterai
+S epaissit
+U epuisais
   pieutais
AEIIPSU
   epuisai
+Q equipais
+R puiserai
   uperisai
+S epuisais
+T epuisait
   pieutais
AEIIPSX
   expiais
+C excipais
+R expirais
AEIIPSZ
+A apaisiez
+L plaisiez
+R aspiriez
+S paissiez
AEIIPTT
   pietait
+D depitait
+N pietinat
+R etripait
+U pieutait
AEIIPTU
   pieutai

+Q equipait
   extirpai
+S epuisait
   piquetai
+T pieutait
AEIIPTX
   expiait
+C excipait
+E epitaxie
+R expirait
   extirpai
AEIIPTZ
+N patiniez
   tapiniez
+R paitriez
   patiriez
   piratiez
   tapiriez
AEIIPUV
+R viperiau
AEIIPUZ
+L piauliez
+Q apiquiez
AEIIPVV
+R vivipare
AEIIPZZ
+R pizzeria
AEIIQRS
+N iraqiens
AEIIQRT
+U tiquerai
AEIIQRU
+B rebiquai
+C icaquier
+N quinaire
+P piquerai
   repiquai
+T tiquerai
AEIIQSS
+U isiaques
AEIIQSU
   isiaque
+L iliaques
   liasique
+P equipais
+S isiaques
+V esquivai
AEIIQSV
+U esquivai
AEIIQTU
+L italique
+N inquieta
+P equipait
   piquetai
+R tiquerai
+V viatique
AEIIQTV
+U viatique
AEIIQUV
+S esquivai
+T viatique
AEIIQUZ
+P apiquiez
AEIIRRR
+C recrirai
+D irradier
+T irritera

AEIIRRS
+A ariserai
+B briserai
+C cirerais
   crierais
   ecrirais
   recriais
+D irradies
   redirais
   riderais
+E serierai
+F fraisier
+G griserai
   regirais
+I iriserai
+L relirais
+M mirerais
+P perirais
   prairies
   prierais
   priserai
   reprisai
   respirai
   riperais
+S iriseras
+T sertirai
   strierai
   tirerais
   trierais
+V riverais
   servirai
   virerais
+Z arrisiez
AEIIRRT
   retirai
   tirerai
   trierai
+A raierait
+C cirerait
   crierait
   ecrirait
   recriait
+D redirait
+E etirerai
   reiterai
   retiaire
+F ratifier
   terrifia
+G regirait
+L relirait
+M mirerait
   rimerait
   trimerai
+N riraient
   ternirai
+P perirait
   petrirai
   prierait
   riperait
+R irritera
+S retirais

sertirai
strierai
tirerais
trierais
+T retirait
tirerait
titrerai
trierait
+V riverait
trevirai
virerait
vitrerai
+W rewritai
+Z taririez
trairiez

AEIIRRU
+C recuirai
+D reduirai
+F aurifier
+G guerirai
+L reluirai
ruilerai
+N reunirai
ruinerai
urinaire
urinerai
+P ripuaire

AEIIRRV
riverai
virerai
+A varierai
+B vibrerai
+D driverai
verdirai
+G givrerai
+L livrerai
+N riverain
vernirai
+P priverai
+S riverais
servirai
virerais
+T riverait
trevirai
virerait
vitrerai
+V revivrai
+Z arririez
raviriez

AEIIRRW
+T rewritai

AEIIRRZ
rairiez
+D irradiez
raidirez
+E raieriez
+G aigrirez
+M arrimiez
+S arrisiez
+T taririez
trairiez
+V arriviez
raviriez

AEIIRSS
seriais
+A assierai
+B baissier
biserais
bisserai
+C caissier
scierais
sicaires
+D desirais
raidisse
redisais
residais
siderais
+G aigrisse
egrisais
+H herissai
hisserai
+J jersiais
+K skierais
+L alisiers
liserais
lisserai
relisais
resilias
+M irisames
miserais
remisais
+N inserais
raisines
resinais
serinais
sinisera
+P epaissir
pisserai
+R iriseras
+S irisasse
ressaisi
+T irisates
resistai
retissai
tisserai
+V revisais
revissai
sevirais
viserais
+Z saisirez

AEIIRST
etirais
seriait
sierait
+B biserait
+C citerais
recitais
scierait
tiercais
+D aridites
desirait
detirais
distraie
raidites
redisait
residait
siderait
tiediras
+F ratifies
+G aigrites
egrisait
giterais
+H heritais
+K skierait
+L laitiers
liserait
listerai
literais
relisait
resiliat
+M imiteras
maitrise
meritais
miserait
miterais
remisait
+N inserait
resinait
sentirai
serinait
+O erotisai
toiserai
+P etripais
pisterai
+R retirais
sertirai
strierai
tirerais
trierais
+S irisates
resistai
retissai
tisserai
+U situerai
+V revisait
rivetais
sevirait
vetirais
viserait
visitera

AEIIRSU
+D seduirai
+F aurifies
+G aiguiser
+N usinerai
+P puiserai
+T situerai

AEIIRSV
ivraies
revisai
sevirai
viserai
+A aviaires
aviserai
+C ecrivais
vicaires
vicieras
+D derivais
devirais
divisera
viderais
+F verifias
versifia
+L rivalise
virelais
+N enivrais
inversai
vinerais
+R riverais
servirai
virerais
+S revisais
revissai
sevirais
viserais
visserai
+T revisait
rivetais
sevirait
vetirais
viserait
visitera
+V revivais
visitera
+Z ravisiez

AEIIRSX
+F fixerais
+M mixerais
+P expirais

AEIIRSZ
arisiez
+B braisiez
+F fraisiez
+L saliriez
+O zairoise
+P aspiriez
+R arrisiez
+S saisirez
+V ravisiez

AEIIRTT
etirait
+C citerait
recitait
tiercait
+D attiedir
detirait
+F iteratif
+G giterait
+H heritait
+L literait
+M meritait
miterait
+N tinterai
tiraient
triaient
+P etripait
+R retirait
tirerait
titrerai
trierait
+V vetirait
+Z attiriez
traitiez

AEIIRTU
+B ebruitai
+C cuiterai
+N unitaire
+Q quiterai
+S situerai

AEIIRTV
rivetai
vetirai
+C ecrivait
+D derivait
devirait
viderait
+E eviterai
+F verifiat
+L rivalite
triviale
+N enivrait
invitera
reinvita
rivaient
vinerait
viraient
+R riverait
trevirai
virerait
vitrerai
+S revisait
rivetais
sevirait
viserait
visitera
+T vetirait
+V revivait

AEIIRTW
+R rewritai

AEIIRTX
+F fixerait
+M mixerait
+P expirait
extirpai

AEIIRTZ
tairiez
+B abritiez
batiriez
+F ratifiez
+M matiriez
+N naitriez
ratiniez
trainiez
+P paitriez
patiriez
piratiez
tapiriez
+R taririez
trairiez
+T attiriez
traitiez

AEIIRUV
+P viperiau

AEIIRUZ
+F aurifiez
+M amuiriez

AEIIRVV
+A aviverai
+P vivipare
+R revivrai
+S revivais
+T revivait
+Z raviriez

AEIIRVZ
variiez
+A avariiez
+G vagiriez
+L avilirez
+N raviniez
+R arriviez

```
        raviriez
+S ravisiez
+V raviviez
AEIIRZZ
+P pizzeria
+Z razziiez
AEIISSS
        saisies
+D dessaisi
+M saisimes
+N saisines
+P epaissis
        epissais
+R irisasse
        ressaisi
+S saisisse
+T saisites
AEIISST
+D desistai
+H hesitais
+M estimais
        imitasse
        metissai
+P epaissit
        epissait
+R irisates
        resistai
        retissai
        tisserai
+S saisites
+X existais
AEIISSU
+C ecuissai
+G aiguises
+P epuisais
+Q isiaques
AEIISSV
+C viciasse
+D devisais
        devissai
+L avilisse
        lessivai
+M sivaisme
+R revisais
        revissai
        sevirais
        viserais
        visserai
AEIISSX
+C excisais
+O aixoises
+T existais
AEIISSZ
+B baissiez
+F fiassiez
+G agissiez
+H haissiez
+L laissiez
        liassiez
+N naissiez
        niassiez
+P paissiez
+R saisirez
AEIISTT
+A etatisai
        saiettai
+D attiedis

+H hesitait
+M estimait
        imitates
+N teintais
+X existait
+Z attisiez
AEIISTU
+D etudiais
+P epuisait
        pieutais
+R situerai
+Z zieutais
AEIISTV
        evitais
+C viciates
+D avidites
        devisait
+L avilites
+N visaient
+R revisait
        rivetais
        sevirait
        vetirais
        viserait
        visitera
AEIISTX
        existai
+A extasiai
+C excisait
        excitais
+S existais
+T existait
AEIISTZ
        taisiez
+M tamisiez
+N satiniez
        tanisiez
+T attisiez
+U zieutais
AEIISUV
+Q esquivai
AEIISUZ
+G aiguisez
+T zieutais
AEIISVV
+R revivais
AEIISVZ
        avisiez
+L saliviez
+R ravisiez
AEIISZZ
+N zizanies
AEIITTT
+D attiedit
+N teintait
AEIITTU
+D etudiait
+P pieutait
+Z zieutait
AEIITTV
        evitait
+C activite
+L vitalite
+N nativite
+R rivetait
        vetirait
AEIITTX

+C excitait
+S existait
AEIITTZ
+F attiefiez
+G attigiez
+R attiriez
        traitiez
+S attisiez
+U zieutint
AEIITUV
+D auditive
+Q viatique
AEIITUZ
        zieutai
+S zieutais
+T zieutait
AEIITVV
+C vivacite
+N vivaient
+R revivait
AEIITVX
+F fixative
AEIITVZ
+C activiez
AEIIVVZ
        aviviez
+R raviviez
AEIIZZZ
+R razziiez
AEIJKRR
+E jerkerai
AEIJKRS
        jerkais
AEIJKRT
        jerkait
AEIJLLR
+I rejailli
AEIJLLS
+I jaillies
AEIJLMS
+U jumelais
AEIJLMT
+U jumelait
AEIJLMU
        jumelai
+S jumelais
+T jumelait
AEIJLNO
        enjolai
+S enjolais
+T enjolait
+V enjoliva
AEIJLNS
+O enjolais
AEIJLNT
+O enjolait
AEIJLNV
+E javeline
+O enjoliva
AEIJLOR
+B jabloire
+D jodlerai
AEIJLOS
+N enjolais
+U jalousie
+V joviales
AEIJLOT

+N enjolait
+S existait
AEIJLOU
+S jalousie
AEIJLOV
        joviale
+N enjoliva
+S joviales
AEIJLOZ
+C cajoliez
AEIJLRU
+B jubilera
AEIJLSU
+M jumelais
+O jalousie
AEIJLSV
+A javelais
+O joviales
AEIJLTU
+M jumelait
AEIJLTV
+A javelait
AEIJLVZ
+E javeliez
AEIJMNN
+B benjamin
AEIJMNS
+I jainisme
+U jaunimes
AEIJMNU
+S jaunimes
AEIJMOR
+T majorite
        mijotera
AEIJMOT
+R majorite
        mijotera
AEIJMOZ
+R majoriez
AEIJMRS
+B jambiers
AEIJMRT
+O majorite
        mijotera
AEIJMRU
+E jaumiere
        mijauree
AEIJMRZ
+O majoriez
AEIJMSU
+D judaisme
+L jumelais
+N jaunimes
AEIJMTU
+L jumelait
AEIJNOS
+L enjolais
+T ejointas
AEIJNOT
        ejointa
+D adjointe
+I ejointai
+L enjolait
+S enjolais
+T ejointat
+U jouaient
AEIJNOU

+T jouaient
AEIJNOV
+L enjoliva
AEIJNPR
+S jaspiner
AEIJNPS
        jaspine
+R jaspiner
+S jaspines
+Z jaspinez
AEIJNPZ
+S jaspinez
AEIJNRR
+C jerrican
+D jardiner
+U rajeunir
AEIJNRS
+D jardines
+P jaspiner
+U rajeunis
AEIJNRT
+D jardinet
+U juraient
        rajeunit
AEIJNRU
        rajeuni
+E jeunerai
        rajeunie
+R rajeunir
+S rajeunis
+T juraient
        rajeunit
+Z jaunirez
AEIJNRV
        janvier
AEIJNRZ
+D jardinez
+U jaunirez
AEIJNSS
+P jaspines
+U jaunisse
AEIJNST
+A jasaient
+C injectas
+O ejointas
+U jaunites
AEIJNSU
        jaunies
        jeunais
+M jaunimes
+R rajeunis
+S jaunisse
+T jaunites
AEIJNSZ
+P jaspinez
AEIJNTT
+C injectat
+E jetaient
+O ejointat
+U jutaient
AEIJNTU
        jeunait
+O jouaient
+R juraient
        rajeunit
+S jaunites
```

+T jutaient
AEIJNUU
+G enjuguai
AEIJNUZ
+R jaunirez
AEIJOPR
+T projetai
AEIJOPT
+R projetai
AEIJORR
+U rejouira
AEIJORS
+U jouerais
rejouais
AEIJORT
+M majorite
mijotera
+P projetai
+U jouerait
jouterai
rejouait
AEIJORU
jouerai
rejouai
+R rejouira
+S jouerais
rejouais
+T jouerait
jouterai
rejouait
+Z ajouriez
AEIJORZ
+M majoriez
+U ajouriez
AEIJOST
+N ejointas
AEIJOSU
+D dejouais
+L jalousie
+R jouerais
rejouais
AEIJOSV
+L joviales
AEIJOTT
+N ejointat
AEIJOTU
+D dejouait
+N jouaient
+R jouerait
jouterai
rejouait
+Z ajoutiez
AEIJOTZ
+B jabotiez
+U ajoutiez
AEIJOUZ
+R ajouriez
+T ajoutiez
AEIJPPR
+A japperai
AEIJPPZ
jappiez
AEIJPRS
+A jasperai
+N jaspiner
AEIJPRT
+O projetai

AEIJPSS
+N jaspines
AEIJPSZ
jaspiez
+N jaspinez
AEIJQRS
+U jaquiers
AEIJQRU
jaquier
+C jacquier
+S jaquiers
AEIJQSU
+R jaquiers
AEIJQUU
+D judaique
AEIJRRS
+U jurerais
AEIJRRT
+U jurerait
AEIJRRU
jurerai
+N rajeunir
+O rejouira
+S jurerais
+T jurerait
AEIJRSS
+A jaserais
+I jersiais
AEIJRST
+A jaserait
+E rejetais
+U juterais
surjetai
AEIJRSU
+D judaiser
+G jugerais
+N rajeunis
+O jouerais
rejouais
+Q jaquiers
+R jurerais
+T juterais
surjetai
AEIJRSZ
+E jaseriez
AEIJRTT
+E jetterai
rejetait
+U juterait
AEIJRTU
juterai
+G jugerait
+N juraient
rajeunit
+O jouerait
jouterai
rejouait
+R jurerait
+S juterais
surjetai
+T juterait
AEIJRUZ
+B abjuriez
+D adjuriez
+N jaunirez
+O ajouriez
AEIJSST

ajistes
+C jacistes
AEIJSSU
+A jussiaea
+D judaises
+N jaunisse
AEIJSTU
+N jaunites
+R juterais
surjetai
+Z ajustiez
AEIJSTZ
+U ajustiez
AEIJSUZ
+D judaisez
+T ajustiez
AEIJTTU
+N jutaient
+R juterait
AEIJTUZ
+O ajoutiez
+S ajustiez
AEIKKMZ
+A kamikaze
AEIKKOP
+R kapokier
AEIKKOR
+P kapokier
AEIKKPR
+O kapokier
AEIKLMN
malinke
+S malinkes
AEIKLMS
+N malinkes
AEIKLNS
+C nickelas
+G linkages
+M malinkes
AEIKLNT
+C nickelat
AEIKLOR
+T kolatier
AEIKLOT
+R kolatier
AEIKLRT
+O kolatier
AEIKLSS
+B skiables
+T lakistes
AEIKLST
lakiste
+S lakistes
AEIKMNS
+L malinkes
+T kantisme
AEIKMNT
+S kantisme
AEIKMSS
skiames
+T saktisme
AEIKMST
+N kantisme
+S saktisme
AEIKNNS
+T kantiens
AEIKNNT

kantien
+S kantiens
AEIKNPP
+D kidnappe
AEIKNRS
+I irakiens
AEIKNRT
+E keratine
AEIKNSS
kinases
AEIKNST
kentias
+B beatniks
+I kainites
skiaient
+M kantisme
+N kantiens
+T tankiste
+Y enkystai
AEIKNSY
+T enkystai
AEIKNTT
+S tankiste
AEIKNTY
+S enkystai
AEIKOPR
+K kapokier
AEIKORT
+L kolatier
AEIKRRS
kerrias
AEIKRSS
kaisers
skieras
+I skierais
AEIKRST
karites
+I skierait
AEIKRTT
+E keratite
AEIKSSS
skiasse
+S skiasses
AEIKSST
skiates
+L lakistes
+M saktisme
AEIKSTT
+N tankiste
AEIKSTY
+N enkystai
AEILLLM
+I limaille
AEILLLO
+V volaille
AEILLLS
+B libellas
+I liliales
AEILLLT
+B libellat
AEILLLU
+A alleluia
AEILLLV
+C calville
+O volaille
AEILLMM
+E emmiella

AEILLMN
manille
+I liminale
+S manilles
+T maillent
mantille
AEILLMO
amollie
+P malpolie
+R mariolle
ramollie
+S amollies
AEILLMP
+A empailla
+E empaille
+O malpolie
+P pampille
+S pillames
AEILLMQ
+U maquille
AEILLMR
mailler
+A maillera
remailla
+E emailler
remaille
+I rimaille
+O mariolle
ramollie
+S ramilles
smillera
+U maillure
muraille
+V vermilla
AEILLMS
mailles
+A aillames
alliames
emaillas
mesallia
+B billames
+C cillames
+E emailles
maillees
mesallie
+F familles
+G millages
smillage
+N manilles
+O amollies
+P pillames
+R ramilles
smillera
+T maillets
miellats
tillames
+X maxilles
AEILLMT
maillet
miellat
+A emaillat
+N maillent
mantille
+S maillets
miellats
tillames

AEILLMU
+Q maquille
+R maillure
   muraille
+Z allumiez
AEILLMV
+R vermilla
AEILLMX
   maxille
+S maxilles
AEILLMZ
   maillez
+E emaillez
+I mailliez
+U alumiez
AEILLNN
+O lanoline
+T niellant
AEILLNO
+C encollai
+N lanoline
AEILLNP
+D pendilla
+H phalline
+I pinaille
+T paillent
   pallient
AEILLNR
+E niellera
+S nasiller
+T raillent
   rallient
AEILLNS
   nasille
   niellas
+E lineales
+I niellais
+M manilles
+R nasiller
+S nasilles
+T installe
   saillent
+V vanilles
+Z nasillez
AEILLNT
   aillent
   allient
   niellat
+A allaient
   entailla
   tenailla
+B baillent
+C caillent
+E entaille
   tenaille
+F faillent
+I intaille
   niellait
+M maillent
   mantille
+N niellant
+P paillent
   pallient
+R raillent
   rallient
+S installe
   saillent

+T taillent
   teillant
+V vaillent
   veillant
   viellant
AEILLNU
+G anguille
   gaullien
   linguale
AEILLNV
   vanille
+E vanillee
+S vanilles
+T vaillent
   veillant
   viellant
AEILLNZ
+S nasillez
AEILLOP
+M malpolie
+T paillote
+U epouilla
AEILLOR
+C collerai
   recollai
   rocaille
+D rodaille
+M mariolle
   ramollie
+U ouillera
AEILLOS
+B isolable
+C localise
+G egosilla
   galloise
+M amollies
+U ouailles
AEILLOT
+C colletai
   localite
   teocalli
+F fellatio
+P paillote
+V volatile
AEILLOU
+F fouaille
+G gouaille
   laguiole
   ouillage
+P epouilla
+R ouillera
+S ouailles
+Z allouiez
AEILLOV
+L volaille
+T volatile
AEILLOZ
+U allouiez
AEILLPP
   papille
+M pampille
+S papilles
AEILLPR
   pailler
   pallier
   pillera
+A paillera

   palliera
+D pillarde
+E pareille
+I piailler
   pillerai
   ripaille
+S paillers
   pilleras
AEILLPS
   pailles
   pallies
+B pliables
+E paillees
   palliees
+G gaspille
+I piailles
+M pillames
+P papilles
+R paillers
   pilleras
+S pillasse
+T paillets
   pastille
   petilias
   pillates
AEILLPT
   paillet
   petilla
+A pailleta
+E paillete
   pelletai
+I petillai
+N paillent
   pallient
+O paillote
+S paillets
   pastille
   petillas
   pillates
+T petillat
AEILLPU
+O epouilla
+V pluviale
+X pailleux
AEILLPV
+U pluviale
AEILLPX
+U pailleux
AEILLPZ
   paillez
   palliez
+I pailliez
   palliiez
   piaillez
AEILLQU
+B bequilla
+G gallique
+M maquille
AEILLRR
   railler
   rallier
+A raillera
   ralliera
+B brailler
   brillera
+C crailler

+E erailler
+G grailler
   grillera
+T trillera
+U railleur
+V vrillera
AEILLRS
   arilles
   railles
   rallies
+A ailleras
   allieras
   eraillas
   saillera
+B billeras
   brailles
   bresilla
+C cilleras
   crailles
+D drailles
   rallides
+E airelles
   arillees
   erailles
   raillees
   ralliees
   sellerai
+G grailles
   gresilla
+H halliers
+M ramilles
   smillera
+N nasiller
+P paillers
   pilleras
+T etrillas
   tilleras
   trailles
+U ailleurs
AEILLRT
   etrilla
   tailler
   tillera
   traille
+A allaiter
   eraillat
   retailla
   taillera
+B barillet
+E retaille
   teillera
+F fretilla
+I etrillai
   tillerai
   tiraille
+N raillent
   rallient
+R trillera
+S etrilles
   tilleras
   trailles
+T etrillat
   litteral
+U tailleur
AEILLRU
+B bailleur

   bullaire
+G guerilla
+M maillure
   muraille
+O ouillera
+R railleur
+S ailleurs
+T tailleur
+U ululerai
AEILLRV
+B livrable
+C vaciller
+E revaille
   reveilla
   veillera
   viellera
+G vrillage
+M vermilla
+R vrillera
AEILLRZ
   raillez
   ralliez
+B braillez
+C craillez
+E aillerez
   allierez
   eraillez
+G graillez
+I railliez
   railliiez
AEILLSS
   sellais
+A aillasse
   alliasse
   assaille
+B billasse
+C cillasse
   scellais
+D dessilla
+E aisselle
+G sillages
+I saillies
+N nasilles
+P pillasse
+T tillasse
AEILLST
   sellait
   tailles
   teillas
+A aillates
   allaites
   alliates
+B bastille
   billates
+C cillates
   scellait
+E taillees
+G gaillets
   tillages
+I teillais
+M maillets
   miellats
   tillames
+N installe
   saillent
+P paillets
   pastille

petillas
pillates
+R etrillas
tilleras
trailles
+S tillasse
+T tillates
+U sautille
+V vetillas
AEILLSU
+F feuillas
+G glaieuls
+O ouailles
+R ailleurs
+T sautille
+V allusive
AEILLSV
vailles
veillas
vieillas
+C vacilles
+E eveillas
+G villages
+I veillais
vieillais
+N vanilles
+T vetillas
+U allusive
AEILLSX
+M maxilles
AEILLSY
+C salicyle
+D dyslalie
AEILLSZ
+N nasillez
AEILLTT
teillat
+E letalite
+I teillait
+N taillent
teillant
+P petillat
+R etrillat
litteral
+S tillates
+V vetillat
AEILLTU
+F feuillat
futaille
+R tailleur
+S sautille
AEILLTV
veillat
vetilla
vieillat
+E eveillat
+I veillait
vetillai
vieillait
+N vaillent
veillant
vieillant
+O volatile
+S vetillas
+T vetillat
AEILLTZ
taillez

talliez
+A allaitez
+I tailliez
AEILLUU
+R ululerai
AEILLUV
eluvial
+E eluviale
+F fluviale
+P pluviale
+S allusive
AEILLUX
+G illegaux
+P pailleux
AEILLUZ
+M allumiez
+O allouiez
AEILLVZ
+C vacillez
AEILMMN
+A malmenai
+I minimale
AEILMMO
+P pommelai
+R immolera
immorale
memorial
AEILMMP
+O pommelai
+U emplumai
AEILMMR
+O immolera
immorale
memorial
AEILMMS
limames
+A lamaisme
+C calmimes
+E elimames
emmelais
+F filmames
AEILMMT
+E emmelait
AEILMMU
+B immuable
+C immacule
+P emplumai
AEILMMX
+A maximale
AEILMNN
+E malienne
melanine
+O nemalion
nominale
+T laminent
+U enlumina
manuelin
AEILMNO
moniale
+A anomalie
+C calomnie
+D limonade
mondiale
+G limonage
+N nemalion
nominale
+S moniales

AEILMNP
+S planisme
+T empilant
implante
+U manipule
AEILMNR
laminer
mineral
+A laminera
+B lambiner
+E minerale
+G germinal
malingre
manglier
+T terminal
+U lamineur
+V minerval
AEILMNS
lamines
maliens
malines
seminal
+A animales
lainames
malsaine
+B lambines
+C manicles
meniscal
+D limandes
+E laminees
seminale
+F flamines
+G lignames
malignes
+I eliminas
+K malinkes
+L manilles
+O moniales
+P planisme
+T aliments
+U alumines
alunimes
AEILMNT
aliment
elimant
+A alimenta
lamaient
lamentai
matinale
+E alimente
melaient
+F filament
+G ligament
+I eliminat
limaient
+L maillent
mantille
+N laminent
+P empilant
implante
+R terminal
+S aliments
smaltine
+U miaulent

AEILMNU
alumine
+B albumine
+N enlumina
manuelin
+O malouine
+P manipule
+R lamineur
+S alumines
+T miaulent
+X lamineux
AEILMNV
+R minerval
AEILMNX
+U lamineux
AEILMNZ
laminez
+B lambinez
+I laminiez
AEILMOP
+L malpolie
+M pommelai
+R lamproie
+S poilames
+T optimale
+Y employai
AEILMOR
larmoie
mariole
molaire
+A ameliora
+B lombaire
+C morcelai
+D demolira
+E ameliore
+F aliforme
emorfila
+G limogera
+L mariolle
ramollie
+M immolera
immorale
memorial
+P lamproie
+S larmoies
marioles
molaires
moralise

AEILMOS
+B abolimes
bemolisa
+C camisole
+D iodlames
modelais
modelisa
+G limogeas
+L amollies
+N moniales
+P poilames
+R larmoies
marioles
molaires
moralise

+S isolames
+T latomies
molestai
moletais
+U ioulames
+V violames
voilames
AEILMOT
moletai
+D modalite
modelait
+G limogeat
+P optimale
+R molarite
moralite
+S latomies
molestai
moletais
+T moletait
AEILMOU
+D demoulai
+N malouine
+R moulerai
+S ioulames
AEILMOV
+B amovible
+S violames
voilames
AEILMOY
+D amyloide
+P employai
AEILMPP
+L pampille
AEILMPR
emplira
lempira
palmier
rempila
+A lamperai
palmaire
palmerai
+E emperlai
emplira
parmelie
+I emplirai
imperial
rempilai
+O lamproie
+R remplira
+S empliras
lempiras
palmiers
remplias
rempilas
+T rempilat
+U plumerai
AEILMPS
empilas
palimes
pilames
pliames
+A empalais
+D plasmide
+E epilames
+G glapimes
+I empilais
+L pillames
+N planisme

+O poilames
+R empliras
   lempiras
   palmiers
   rempilas
+T lampiste
   palmiste
AEILMPT
   empilat
+A empalait
+I empilait
+N empilant
   implante
+O optimale
+R rempilat
+S lampiste
   palmiste
AEILMPU
+D deplumai
   impalude
+M emplumai
+N manipule
+R plumerai
AEILMPY
+O employai
AEILMPZ
   lampiez
   palmiez
+E empaliez
AEILMQS
+U maliques
AEILMQU
   malique
+L maquille
+S maliques
+Y amylique
AEILMQY
+U amylique
AEILMRR
   larmier
+P remplira
+S larmiers
AEILMRS
   lamiers
   limeras
+A amariles
   amirales
   lamerais
   malaires
   mariales
+B blemiras
   remblais
+C carlisme
   miracles
+E elimeras
   melerais
   realisme
   reliames
+F filmeras
+I limerais
+L ramilles
   smillera
+O larmoies
   marioles
   molaires
   moralise
+P empliras

   lempiras
   palmiers
   rempilas
+R larmiers
+T mitrales
+U ruilames
   simulera
   ulmaires
+V livrames
AEILMRT
   mitrale
   tremail
+A lamerait
   malterai
   maritale
   martelai
   martiale
+B tremblai
   trimbale
+E malterie
   materiel
   melerait
+I limerait
   limitera
   militera
+N terminal
+O molarite
   moralite
+P rempilat
+S mitrales
   tremails
+T trimetal
+U mutilera
AEILMRU
   miauler
   ulmaire
+A miaulera
+B ameublir
+C miracule
+E meulerai
+G grumelai
+L maillure
   muraille
+N lamineur
+O moulerai
+P plumerai
+S ruilames
   simulera
   ulmaires
+T mutilera
+U miauleur
+V velarium
AEILMRV
+L vermilla
+N minerval
+S livrames
+U velarium
AEILMRZ
+A alarmiez
+C calmirez
+E lameriez
AEILMSS
   limasse
   salimes
   seismal
   sismale

+A malaises
+B semblais
+C calmisse
+E elimasse
   seismale
+F filmasse
+I assimile
   islamise
+O isolames
+S limasses
   lissames
   sismales
+T listames
+U muselais
+X laxismes
AEILMST
   limates
   litames
+A alitames
   lamaiste
   maltaise
+B semblait
   timbales
+C calmites
+E elimates
   liftames
+F filmates
+G glatimes
+L maillets
   miellats
   tillames
+N aliments
   smaltine
+O latomies
   molestai
   moletais
+P lampiste
   palmiste
+R mitrales
   tremails
+S listames
+U muselait
AEILMSU
   meulais
   miaules
   muselai
+B ameublis
   meublais
   simbleau
+C musicale
+D diluames
   dualisme
+G liguames
   meuglais
+H huilames
+J jumelais
+N alumines
   alunimes
+O ioulames
+Q maliques
+R ruilames
   simulera
   ulmaires
+S muselais
+T muselait
AEILMSV

+A malavise
+C clivames
+I avilimes
+O violames
   voilames
+R livrames
+S slavisme
AEILMSX
   laxisme
+E exilames
+L maxilles
+S laxismes
AEILMSY
+G myalgies
AEILMSZ
+C clamsiez
AEILMTT
+O moletait
+R trimetal
AEILMTU
   meulait
+B ameublit
   meublait
+G meuglait
+J jumelat
+N miaulent
+R mutilera
+S muselait
AEILMTZ
   maltiez
AEILMUU
+R miauleur
AEILMUV
+R velarium
AEILMUX
+N lamineux
AEILMUY
+Q amylique
AEILMUZ
   miaulez
+C maculiez
+I miauliez
+L allumiez
AEILMXZ
+A malaxiez
AEILNNO
+G aiglonne
+L lanoline
+M nemalion
   nominale
+S alienons
+T laitonne
AEILNNP
+T lapinent
AEILNNR
+C lanciner
+F infernal
+T triennal
AEILNNS
+A alanines
   annelais
+C lancines
+E salienne
+I anilines
+O alienons
+T enlisant
   ensilant

   lesinant
AEILNNT
   lainent
+A alienant
   annalite
   annelait
+C calinent
+E alienent
+F enfilant
+G alignent
+H inhalent
+L niellant
+M laminent
+O laitonne
+P lapinent
+R triennal
+S enlisant
   ensilant
   lesinant
+V levantin
   nivelant
AEILNNU
+M enlumina
   manuelin
+Z annuliez
AEILNNV
+C vicennal
+T levantin
   nivelant
AEILNNZ
+C lancinez
+E anneliez
+U annuliez
AEILNOP
   opaline
+G plongeai
+P panoplie
+S opalines
+T antilope
   poilante
+U poulaine
AEILNOR
   aileron
   enrolai
+C clonerai
   enclorai
+D laideron
   ordinale
+G longerai
   regional
+R lorraine
+S ailerons
   enrolais
   insolera
   laierons
   nolisera
+T enrolait
   laieront
   laiteron
   oriental
   relation
   rentoila
+U enroulai
   ouralien
AEILNOS
   alenois
+B anoblies

+C ancolies
ecalions
onciales
+G egalions
eloignas
longeais
+J enjolais
+M moniales
+N alienons
+P opalines
+R ailerons
enrolais
insolera
laierons
nolisera
+S alesions
+T entoilas
entolais
etalions
isolante
laotiens
oiselant
+V envolais

AEILNOT
entoila
entolai
laotien
+B lobaient
+D delation
+F lofaient
+G eloignat
legation
longeait
+I entoilai
+J enjolait
+N laitonne
+P antilope
poilante
+R enrolait
laieront
laiteron
oriental
relation
rentoila
+S entoilat
entolais
etalions
isolante
laotiens
oiselant
+T entoilat
etiolant
etoilant
tonalite
+U louaient
+V envolait
lovaient
violenta
volaient

AEILNOU
+C enclouai
lionceau
+M malouine
+P poulaine
+R enroulai
ouralien

+T louaient

AEILNOV
envolai
+J enjoliva
+S envolais
+T envolait
lovaient
violenta
volaient

AEILNOZ
+G gazoline

AEILNPP
+O panoplie
+R prealpin

AEILNPR
lapiner
praline
+A lapinera
planaire
planerai
+D plaindre
+E perineal
pralinee
+P prealpin
+R praliner
+S pralines
+T palirent
platiner
prelatin
repliant
+Z pralinez

AEILNPS
alpines
lapines
plaines
spinale
+A aplanies
nepalais
penalisa
+C calepins
pelicans
pinacles
+E penalise
pineales
+G epinglas
plaignes
+M planisme
+O opalines
+R pralines
+S spinales
+T patelins
plaintes
plaisent
planiste
platines
pliantes
+U pauliens

AEILNPT
epilant
patelin
plainte
platine
pliante
+A lapaient
palatine
patelina
+D depilant

depliant
lapident
plaident
+E pateline
pelaient
penalite
planeite
platinee
+G epinglat
plagient
+I pilaient
pliaient
+L paillent
pallient
+M empilant
implante
+N lapinent
+O antilope
poilante
+R palirent
platiner
prelatin
repliant
+S patelins
plaintes
plaisent
planiste
platines
pliantes
+U nuptiale
piaulent
+Y ptyaline
+Z plantiez
platinez

AEILNPU
paulien
+C panicule
+D paludine
pendulai
+M manipule
+O poulaine
+S pauliens
+T nuptiale
piaulent
+V pleuvina

AEILNPV
+U pleuvina

AEILNPY
+T ptyaline

AEILNPZ
lapinez
planiez
+G plaignez
+I lapiniez
+R pralinez
+T plantiez
platinez

AEILNQR
+U arlequin

AEILNQU
+C clanique
+R arlequin

AEILNRR
+O lorraine
+P praliner
+T ralentir

AEILNRS

+A laineras
+C carlines
clarines
lanciers
+D landiers
+E arlesien
enlisera
ensilera
lanieres
lesinera
+F renfilas
renflais
reniflas
+G ligneras
sanglier
signaler
+I lainiers
linaires
salinier
+L nasiller
+O ailerons
enrolais
insolera
laierons
nolisera
+P pralines
+T latrines
liserant
ralentis
relisant
salirent
+U laineurs
lunaires
salirent
ulnaires
+V silvaner

AEILNRT
ralenti
reliant
+A alternai
latanier
ralaient
+B blairent
liberant
+D delirant
+E inaltere
ralentie
relaient
+F flairent
refilant
renfilat
renflait
reniflat
+G glairent
integral
triangle
+I liraient
+L raillent
rallient
+M terminal
+N triennal
+O enrolait
laieront
laiteron
oriental
relation
rentoila
+P palirent

platiner
prelatin
repliant
+R ralentir
+S latrines
liserant
ralentis
relisant
salirent
+T ralentit
+U lutinera

AEILNRU
laineur
lunaire
ulnaire
+F influera
+G granulie
narguile
ralingue
+M lamineur
+O enroulai
ouralien
+Q arlequin
+S laineurs
lunaires
ulnaires
+T lutinera
+Z alunirez

AEILNRV
+E aleviner
+H hivernal
+M minerval
+S silvaner

AEILNRY
+G yearling

AEILNRZ
+B branliez
+E lainerez
+P pralinez
+U alunirez

AEILNSS
enlisas
ensilas
lesinas
saliens
salines
silanes
+A enliassa
lainasse
nasalise
+C sanicles
+E enliasse
salesien
+G leasings
lignasse
signales
+I enlisais
ensilais
lesinais
+L nasilles
+O alesions
+P spinales
+T laissent
liassent
+U alunisse
sinusale

AEILNST	+G elinguas	+G elinguat	+R alunirez	poilante
elisant	engluais	engluait	**AEILNVV**	+R pelotari
enlisat	languies	+M miaulent	+U univalve	pilotera
ensilat	+M alumines	+O louaient	**AEILNVZ**	polarite
latines	alunimes	+P nuptiale	+E alevinez	+S pelotais
lesinat	+P pauliens	piaulent	**AEILOOP**	poilates
liantes	+R laineurs	+R lutinera	+G apologie	+T pelotait
+A ailantes	lunaires	+S alunites	**AEILOOV**	+X exploita
analites	ulnaires	luisante	+D ovoidale	**AEILOPU**
lainates	+S alunisse	nautiles	**AEILOPP**	+G epilogua
nasalite	sinusale	+T lutaient	+N panoplie	+L epouilla
salaient	+T alunites	+X linteaux	**AEILOPR**	+N poulaine
+B balisent	luisante	luxaient	ploiera	+R louperai
instable	nautiles	**AEILNTV**	poilera	**AEILOPX**
+C ciselant	**AEILNSV**	nivelat	polaire	+R explorai
+E lesaient	alevins	ventail	+C picolera	+S explosai
+F filantes	alvines	ventila	+D deplorai	+T exploita
+G antigels	levains	+A alevinat	depolira	**AEILOPY**
glaisent	nivales	lavaient	+E poelerai	+D deployai
lignates	nivelas	valaient	+F palefroi	+M employai
+I enlisait	valines	+B bivalent	+I ploierai	**AEILOPZ**
ensilait	velanis	+D divalent	poilerai	+G galopiez
italiens	+A alevinas	validENT	+M lamproie	+S opalisez
latinise	vaselina	+E enlevait	+R parolier	salopiez
lesinait	+E alevines	eventail	repolira	**AEILOQT**
lisaient	avelines	levaient	+S opaliser	+U aliquote
litanies	enlevais	velaient	ploieras	**AEILOQU**
salinite	vaseline	+I nivelait	poileras	+C aquicole
+L installe	+F flavines	ventilai	polaires	+G alogique
saillent	+I nivelais	+L vaillent	polarise	+T aliquote
+M aliments	vilaines	veillant	spoliera	+X oxalique
smaltine	+L vanilles	+N levantin	+T pelotari	**AEILOQX**
+N enlisant	+O envolais	nivelant	pilotera	+U oxalique
ensilant	+R silvaner	+O envolait	polarite	**AEILORR**
lesinant	+T salivent	lovaient	+U louperai	+B barioler
+O entoilas	ventilas	violenta	+X explorai	+C carriole
entolais	**AEILNSY**	volaient	**AEILOPS**	correlai
etalions	+H hyalines	+S salivent	opalise	+D lardoire
isolante	**AEILNSZ**	ventilas	paloise	+F frolerai
laotiens	+G sangliez	+T ventilat	poelais	+G rigolera
oiselant	signalez	**AEILNTX**	+C apicoles	+N lorraine
+P patelins	+I aziliens	exilant	+E opalisee	+P parolier
plaintes	+L nasillez	+U linteaux	+M poilames	repolira
plaisent	**AEILNTT**	luxaient	+N opalines	+U lourerai
planiste	alitent	**AEILNTY**	+R opaliser	ourlerai
platines	+A natalite	+A layaient	ploieras	roulerai
pliantes	+D delitant	+P ptyaline	poileras	+V revaloir
+R latrines	dilatent	**AEILNTZ**	polaires	virolera
liserant	+F filetant	+H zenithal	polarise	**AEILORS**
ralentis	+I latinite	+P plantiez	spoliera	alesoir
relisant	litaient	platinez	+S opalises	isolera
salirent	+L taillent	**AEILNUV**	paloises	solaire
+S laissent	teillant	+C navicule	poilasse	+B barioles
liassent	+O entoilat	+P pleuvina	+T pelotais	lobaires
+U alunites	entolait	+V univalve	poilates	loberais
luisante	etiolant	**AEILNUX**	+X explosai	+C calories
nautiles	etoilant	laineux	+Z opalisez	coaliser
+V salivent	tonalite	lineaux	salopiez	recolais
ventilas	+R ralentit	+M lamineux	**AEILOPT**	scolaire
AEILNSU	+U lutaient	+T linteaux	pelotai	+D iodleras
alunies	+V ventilat	luxaient	poelait	ordalies
niaules	**AEILNTU**	**AEILNUZ**	+C capitole	solderai
+A aulnaies	alunite	+C canuliez	peclotai	+E soleaire
+B inusable	linteau	+F faluniez	+G pilotage	+F loferais
nebulisa	nautile	+N annuliez	+L paillote	solfiera
+C sanicule	+C culaient		+M optimale	+G algerois
+E laineuse	inactuel		+N antilope	gloserai

logerais
+I isolerai
+M larmoies
marioles
molaires
moralise
+N ailerons
enrolais
insolera
laierons
nolisera
+P opaliser
ploieras
poileras
polaires
polarise
spoliera
+S alesoirs
isolears
solaires
+T tolerais
+U iouleras
louerais
relouais
soulerai
+V loverais
ovaliser
revolais
valorise
varioles
violeras
voileras
voleras

AEILORT
tolerai
+B loberait
oblitera
orbitale
+C eclorait
recolait
recoltai
+D idolatre
+E aerolite
etiolera
etoilera
+F loferait
+G gratiole
ligotera
logerait
+K kolatier
+M molarite
moralite
+N enrolait
laieront
laiteron
oriental
relation
rentoila
+P pelotari
pilotera
polarite
+S tolerais
+T tolerait
+U louerait
relouait
+V loverait
olivatre

revolait
revoltai
traviole
violatre
volerait
voltaire
volterai

AEILORU
ioulera
louerai
relouai
+A aureolai
+B boulerai
eblouira
oubliera
+C clouerai
coulerai
ecroulai
oculaire
reclouai
+D alourdie
deroulai
+F flouerai
foulerai
refoulai
+I ioulerai
+L ouillera
+M moulerai
+N enroulai
ouralien
+P louperai
+R lourerai
ourlerai
roulerai
+S iouleras
louerais
relouais
soulerai
+T louerait
relouait
+V louverai
ovulaire

AEILORV
loverai
revoila
revolai
variole
violera
voilera
volerai
+A avaloire
+C violacer
+D devaloir
+E variolee
+G virolage
voligera
+I violerai
voilerai
+R revaloir
virolera
+S loverais
ovaliser
revolais
varioles
violeras
voileras

volerais
+T loverait
olivatre
revolait
revoltai
traviole
violatre
volerait
voltaire
volterai
+U louverai
ovulaire

AEILORX
+P explorai

AEILORZ
+B abolirez
bariolez
+C racoliez

AEILOSS
oiselas
+B abolisse
baloises
bosselai
+C coalises
sociales
+D desolais
dessolai
iodlasse
+I oiselais
+M isolames
+N alesions
+P opalises
paloises
poilasse
+R alesoirs
isoleras
solaires
+S isolasse
+T isolates
+U ioulasse
+V ovalises
violasse
voilasse
+Z assoliez

AEILOST
etiolas
etoilas
oiselat
+B abolites
+C teocalis
+D desolait
diastole
iodlates
+G aligotes
galiotes
ilotages
otalgies
silotage
toilages
+I etiolais
etoilais
oiselait
+M latomies
molestai
moletais
+N entoilas

entolais
etalions
isolante
laotiens
oiselant
+P pelotais
poilates
+R tolerais
+S isolates
+T totalise
+U ioulates
+V violates
violetas
voilates
voletais

AEILOSU
+B aboulies
boulaies
eboulais
+C ecoulais
+G gauloise
+H souaheli
+J jalousie
+L ouailles
+M ioulames
+R ioulears
louerais
relouais
soulerai
+S ioulasse
+T ioulates
+V evoluais
soliveau
soulevai
+Z saouliez

AEILOSV
ovalise
+C avicoles
olivaces
violaces
vocalise
+D devoilas
+E ovalisee
+G ogivales
voilages
voligeas
+I olivaies
+J joviales
+M violames
voilames
+N envolais
+R loverais
ovaliser
revolais
valorise
varioles
violeras
voileras
+S ovalises
violasse
voilasse
+T violates
violetas
voilates
voletais
+U evoluais

soliveau
soulevai
+Z ovalisez

AEILOSX
+C saxicole
+D oxalides
+F exfolias
+P explosai

AEILOSZ
+C coalisez
+P opalisez
salopiez
+S assoliez
+U saouliez
+V ovalisez

AEILOTT
etiolat
etoilat
+B bottelai
+D dotalite
+I etiolait
etoilait
+M moletait
+N entoilat
entolait
etiolant
etoilant
tonalite
+P pelotait
+R tolerait
+S totalise
+T toiletta
totalite
+V violetat
voletait

AEILOTU
+B eboulait
+C ecoulait
+N louaient
+Q aliquote
+R louerait
relouait
+S ioulates
+V evoluait
louvetai
veloutai

AEILOTV
violeta
voletai
+B oblative
+C locative
+D devoilat
+G voligeat
voltigea
+I violetai
+L violatile
+N envolait
lovaient
violenta
volaient
+R loverait
olivatre
revolait
revoltai
traviole
violatre
volerait

voltaire
volterai
+S violates
violetas
voilates
voletais
+T violetat
voletait
+U evoluait
louvetai
veloutai
AEILOTX
+F exfoliat
+P exploita
AEILOTZ
+H thiazole
AEILOUV
evoluai
+R louverai
ovulaire
+S evoluais
soliveau
soulevai
+T evoluait
louvetai
veloutai
AEILOUX
+Q oxalique
AEILOUZ
+B abouliez
+L allouiez
+S saouliez
AEILOVV
+R volvaire
AEILOVZ
+C violacez
+S ovalisez
AEILPPQ
+U applique
AEILPPR
+A appareil
palperai
rappelai
+F flippera
+G grippale
+N prealpin
+T palpiter
+U pulpaire
AEILPPS
+A appelais
+L papilles
+T palpites
+U peuplais
suppleai
AEILPPT
palpite
+A appelait
+R palpiter
+S palpites
+U peuplait
+Z palpitez
AEILPPU
peuplai
+D depulpai
+Q applique
+R pulpaire
+S peuplais

suppleai
+T peuplait
AEILPPZ
palpiez
+C clappiez
+E appeliez
+T palpitez
AEILPQR
+U repliqua
AEILPQU
+P applique
+R repliqua
+X expliqua
+Z plaquiez
AEILPQX
+U expliqua
AEILPQZ
+U plaquiez
AEILPRR
+A parlerai
reparlai
+E perlerai
repliera
+F parfiler
+M remplira
+N praliner
+O parolier
repolira
+T platrier
triplera
AEILPRS
pairles
paliers
pareils
perlais
pileras
plieras
replias
spirale
+A laperais
+C clapiers
picarels
placiers
spiracle
+E epileras
espalier
palieres
parelies
pelerais
spiralee
+F parfiles
persifla
+I pilaires
pilerais
plierais
repliais
+L paillers
pilleras
+M empliras
lempiras
palmiers
rempilas
+N pralines
+O opaliser
ploieras
poileras
polaires

polarise
spoliera
+S palisser
plissera
replissa
spirales
+T partiels
pilastre
tripales
AEILPRT
partiel
perlait
repliat
tripale
+A laperait
parietal
partiale
raplatie
+C triplace
+E pelerait
+I pilerait
plierait
repliait
+M rempilat
+N palirent
platiner
prelatin
repliant
+O pelotari
pilotera
polarite
+P palpiter
+R platrier
triplera
+S partiels
pilastre
tripales
+U pleurait
+Z platriez
AEILPRU
paliure
parulie
piauler
pleurai
+A piaulera
+B publiera
+D epidural
paludier
plaideur
preludai
+M plumerai
+O louperai
+P pulpaire
+Q repliqua
+S paliures
parulies
pleurais
pulserai
+T pleurait
AEILPRV
+E prelevai
AEILPRX
+F prefixal

+O explorai
+S palisser
plissera
replissa
spirales
+T partiels
pilastre
tripales
AEILPRZ
palirez
parliez
plairez
+E laperiez
+F parfilez
+G glapirez
+I paliriez
plairiez
+N pralinez
+T platriez
AEILPSS
lipases
palisse
pilasse
plaises
plaisse
+A aplasies
+B passible
+C eclipsas
+D deplissa
+E epilasse
palissee
+G glapisse
plissage
+L pillasse
+N spinales
+O opalises
paloises
poilasse
+R palisser
plissera
replissa
spirales
+S palisses
pilasses
+T alpistes
plasties
+Z palissez
AEILPST
alpiste
palites
pilates
plastie
pliates
+A aplaties
spatiale
+C eclipsat
+E epilates
+G glapites
plagiste
+L paillets
pastille
petillas
pillates
+M lampiste
palmiste
+N patelins
plaintes
plaisent
planiste
platines
pliantes
+O pelotais
poilates

+P palpites
+R partiels
pilastre
tripales
+S alpistes
plasties
+U pauliste
AEILPSU
piaules
+A epaulais
+C speculai
+N pauliens
+P peuplais
suppleai
+R paliures
parulies
pleurais
pulserai
+T pauliste
+X expulsai
AEILPSX
+O explosai
+U expulsai
AEILPSY
+H physalie
AEILPSZ
plaisez
+C scalpiez
+I plaisiez
+O opalisez
salopiez
+S palissez
AEILPTT
+L petillat
+O pelotait
AEILPTU
+A epaulait
+C capitule
+N nuptiale
piaulent
+P peuplait
+R pleurait
+S pauliste
+V pleuvait
AEILPTV
+U pleuvait
AEILPTX
+O exploita
AEILPTY
+N ptyaline
AEILPTZ
+N plantinez
platinez
+P palpitez
+R platriez
AEILPUV
+L pluviale
+N pleuvina
+T pleuvait
AEILPUX
+D duplexai
+L pailleux
+Q expliqua
+S expulsai
AEILPUZ
piaulez
+E epauliez

```
+I piauliez          salarier            resalais            relisait        +V revulsai
+Q plaquiez      +E liserera             salaires            resiliat        +X luxerais
AEILQRT              realiser            salaries        +L etrillas         AEILRSV
+U quartile          reeliras            salerais            tilleras            rivales
   reliquat          relieras        +B sabliers             trailles            saliver
AEILQRU          *I relirais         +C clarisse         +M mitrales             virales
+A laquerai      +M larmiers             clissera            tremails        +A avaliser
+N arlequin      +U lauriers         +E leserais         +N latrines             laverais
+P repliqua          leurrais            realises            liserant            relavais
+T quartile          reluiras            reliasse            ralentis            revalais
   reliquat          ruileras            salieres        .   relisant            salivera
+U reluquai      +V livreras         +G glissera             salirent            valserai
AEILQSS          AEILRRU             +I alisiers         +O toleras          +C claviers
+U saliques          laurier             liserais        +P partiels             cliveras
AEILQST          +A ralerait             lisserai            pilastre            visceral
+U qualites      +B retablir             relisais            tripales        +D delivras
   tequilas      +E arteriel             resilias        +S listeras         +E laveries
AEILQSU              ratelier        +O alesoirs         +T talites              leverais
   laiques       +F filtrera             isoleras        +U luterais             relevais
   salique           fletrira            solaires            ruilates            revelais
+C quiscale          flirtera        +P palisser             tauliers            velaires
+G algiques      +I relirait             plissera        +V levirats             velerais
+I iliaques      +L trillera             replissa            livrates        +G grivelas
   liasique      +N ralentir             spirales        +Y stylerai         +I rivalise
+M maliques      +P platrier         +S lisseras         AEILRSU                 virelais
+S saliques          triplera        +T listeras         +A saluerai         +M livrames
+T qualites      +U leurrait         +U laiusser         +B baliseur         +N silvaner
   tequilas          rutilera            ruilasse            bleuiras        +O loverais
+U auliques      AEILRRU                 ruissela        +C culerais             ovaliser
AEILQTU              laurier         +V livrasse             curiales            revolais
   qualite           leurrai             slaviser            reculais            valorise
   tequila           reluira         AEILRST                 ulcerais            varioles
+A altaique          ruilera             altiers         +D dilueras             violeras
+B baltique      +B brulerai             liserat             laideurs            voileras
+C cliqueta          rebrulai            listera         +E aurelies             volerais
   lactique      +F fleurira             literas         +F fleurais         +R livreras
+I italique      +H hurlerai         +A alertais             refluais        +S livrasse
+O aliquote      +I reluirai             aliteras        +G ligueras             slaviser
+R quartile          ruilerai            alteras             lugerais        +T levirats
   reliquat      +L railleur             ratelais            regulais            livrates
+S qualites      +O lourerai             realisat            surgelai        +U revulsai
   tequilas          ourlerai            relatais        +H huileras         AEILRSX
+Z talquiez          roulerai            resalait        +L ailleurs         +A relaxais
AEILQTZ          +S lauriers             salerait        +M ruilames         +D rixdales
+U talquiez          leurrais        +B retablis             simulera        +E exileras
AEILQUU              reluiras            tabliers            ulmaires        +U luxerais
   aulique           ruileras            tribales        +N laineurs         AEILRSY
+R reluquai      +T leurrait         +C articles             lunaires        +A layerais
+S auliques          rutilera            carliste            ulnaires            relayais
+V equivalu      AEILRRV                 clairets        +O iouleras         +D dialyser
AEILQUV              livrera             recitals            loueras         +T stylerai
+U equivalu      +A larvaire         +E altieres             relouais        AEILRSZ
AEILQUX          +I livrerai             ateliers            soulerai            salirez
+O oxalique      +L vrillera             eristale        +P paliures         +A salariez
+P expliqua      +O revaloir             etaliers            parulies        +C sarcliez
AEILQUY              virolera            leserait            pleurais        +E realisez
+M amylique      +S livreras             lesterai            pulserai            resaliez
AEILQUZ          AEILRRZ                 realiste        +R lauriers             saleriez
   laquiez       +E raleriez             realites            leurrais        +I saliriez
+C calquiez      AEILRSS                 reliates            reluiras        AEILRTT
   claquiez          laisser         +F lifteras             ruileras            talite
+P plaquiez          liseras             relatifs        +S laiusser         +A alertait
+T talquiez          lissera             trefilas            ruilasse            alterait
AEILRRS              serails         +I laitiers             ruissela            latterai
   reliras           serials             liserait        +T luterais             ratelait
+A laraires      +A laissera             listerai            ruilates            relatait
   ralerais          lasserai            literais            tauliers        +B blettira
                     realisas
```

retablit
+E alterite
laterite
+F trefilat
+I literait
+L etrillat
litteral
+M trimetal
+N ralentit
+O tolerait
+S talitres
+U luterait
lutterai
AEILRTU
luterai
taulier
+B bluterai
+C articule
culerait
reculait
ulcerait
urticale
+E aleurite
tauliere
+F filateur
filature
fleurait
refluait
+G ligature
lugerait
regulait
+L tailleur
+M mutilera
+N lutinera
+O louerait
relouait
+P pleurait
+Q quartile
reliquat
+R leurrait
rutilera
+S luterais
ruilates
tauliers
+T luterait
lutterai
+X luxerait
+Z lazurite
AEILRTV
levirat
+A laverait
relavait
revalait
+C vertical
+D delivrat
+E leverait
relative
relevait
revelait
velerait
+G grivelat
+I rivalite
triviale
+O loverait
olivatre
revolait
revoltai

traviole
violatre
volerait
voltaire
volterai
+S levirats
livrates
AEILRTX
+A relaxait
+U luxerait
AEILRTY
+A layerait
relayait
+S stylerai
AEILRTZ
+E alertiez
aliterez
alteriez
rateliez
relatiez
+G glatirez
+P platriez
+U lazurite
AEILRUU
+C auricule
+L ululerai
+M miauleur
+Q reluquai
+V uvulaire
AEILRUV
aveulir
+A aveulira
+G vulgaire
+M velarium
+O louverai
ovulaire
+S revulsai
+U uvulaire
+V vulvaire
AEILRUX
luxerai
+B liberaux
+C exclurai
+G argileux
glaireux
+S luxerais
+T luxerait
AEILRUZ
+G larguiez
+N alunirez
+T lazurite
AEILRVV
+A valvaire
+O volvaire
+U vulvaire
AEILRVZ
+A ravaliez
+E laveriez
relaviez
+I avilirez
AEILRWZ
+C crawliez
AEILRXZ
+E relaxiez
AEILRYZ
+E layeriez

relayiez
AEILSSS
laisses
liasses
liasses
+B bilasses
blessais
+C eclissas
+E laissees
+F filasses
+G lissages
+M limasses
lissames
sismales
+O isolasse
+P palisses
pilasses
pliasses
+R lisseras
+S lissasse
+T lissates
listasse
litasses
+U laiusses
+V lessivas
+Z salissez
AEILSST
altises
lestais
litasse
salites
+A alitasse
+B balistes
blessait
+C eclissat
+F liftasse
+G glatisse
listages
+K lakistes
+L tillasse
+M listames
+N laissent
liassent
+O isolates
+P alpistes
plasties
+R listeras
+S lissates
listasse
litasses
+T altistes
listates
+V lessivat
+X laxistes
AEILSSU
laiusse
+A saulaies
+B basileus
+C eclusais
+D diluasse
+F fuselais
+G liguasse
+H huilasse
+M muselais

+N alunisse
sinusale
+O ioulasse
+Q saliques
+R laiusser
salisse
ruilasse
ruissela
+S laiusses
+Z laiussez
AEILSSV
lessiva
salives
slavise
valises
+A avalises
+C clivasse
lascives
+E slaviese
+I avilisse
lessivai
+M slavisme
+O ovalises
violasse
voilasse
+R livrasse
slaviser
+S lessivas
slaviste
+T lessivat
slaviste
+Z slavisez
AEILSSX
+E exilasse
+M laxismes
+T laxistes
AEILSSY
+D dialyses
AEILSSZ
laissez
lassiez
+C classiez
+I laissiez
liassiez
+O assoliez
+P palissez
+S salissez
+U laiussez
+V slavisez
AEILSTT
altiste
lestait
litates
+A alitates
attelais
+C tactiles
+E ailettes
+F liftates
+G glatites
+L tillasse
+O totalise
+R talitres
+S altistes
listastes
AEILSTU
laitues
listeau
+C alucites

eclusait
+D delutais
diluates
dualiste
dualites
+E laiteuse
+F fuselait
+G liguates
+H huilates
+L sautille
+M muselait
+N alunites
luisante
nautiles
+O ioulates
+P pauliste
+Q qualites
+R luterais
ruilates
tauliers
+X exultais
listeaux
AEILSTV
estival
vitales
+A tavelais
+C claviste
clivates
+E estivale
televisa
+F festival
+I avilites
+L vetillas
+N salivent
ventilas
+O violates
violetas
voilates
voletais
+R levirats
livrates
+S lessivat
slaviste
+Y vilayets
AEILSTX
laxiste
laxites
+A exaltais
+E exilates
+S laxistes
+U exultais
listeaux
AEILSTY
+H hyalites
+R stylerai
+V vilayets
AEILSUU
+G gueulais
+Q auliques
AEILSUV
aveulis
+A evaluais
+C cuvelais
+E aveulies
+L allusive

romanise
+T aimeront
maronite
monterai
remontai
romanite
+U aumonier
roumaine
+Z ramoniez

AEIMNOS

anomies
anosmie
+B abomines
+C emacions
semoncai
+D domaines
emondais
nomadise
+G agonimes
angiomes
+L moniales
+N amenions
anemions
emanions
monnaies
onanisme
+P opinames
+R aimerons
moraines
romaines
romanise
+S anosmies
+T amniotes
etamions
monetisa

AEIMNOT

amniote
+A anatomie
+D amodient
demontai
emondait
+F fomentai
+G temoigna
+M ammonite
+P ptomaine
+R aimeront
maronite
monterai
remontai
romanite
+S amniotes
etamions
monetisa
+Y myatonie
+Z monazite

AEIMNOU

moineau
+L malouine
+R aumonier
roumaine
+X moineaux

AEIMNOX

+E anoxemie
+U moineaux

AEIMNOY

+T myatonie

AEIMNOZ

+B abominez
+R ramoniez
+T monazite

AEIMNPP

+S nippames
+T pimpante

AEIMNPR

+G impregna
+O promenai
+T empirant
perimant

AEIMNPS

+C pincames
+E peinames
+L planisme
+O opinames
+P nippames
+T pimentas
pintames

AEIMNPT

pimenta
+A pamaient
+E paiement
+G pigmenta
+I pimentai
+L empilant
implante
+O ptomaine
+P pimpante
+R empirant
perimant
+S pimentas
pintames
+T pimentat
+U empuanti

AEIMNPU

+L manipule
+T empuanti

AEIMNQR

+U ramequin

AEIMNQS

+U maniques
naquimes

AEIMNQT

+U mantique

AEIMNQU

manique
+A maniaque
+E anemique
+R ramequin
+S maniques
naquimes
+T mantique
+Z manquiez

AEIMNQZ

+U manquiez

AEIMNRR

mariner
merrain
ranimer
+A amariner
marinera
marnerai
marraine
ranimera
+E marniere
reanimer
remanier
+I marinier
+O minorera
+S merrains
+T arriment
+U ruminera

AEIMNRS

marines
mineras
ranimes
+A amarines
animeras
manieras
rainames
ramenais
reanimas
remanias
+B birmanes
nimberas
+C carmines
rancimes
rincames
+E manieres
marinees
menerais
ranimees
reanimes
remanies
reniames
+G garnimes
germains
+I minerais
+O aimerons
moraines
romaines
romanise
+R merrains
+T martiens
mentiras
minarets
remisant
terminas
+U manieurs
numerisa
ruinames
surmenai
uranisme
urinames
+X marxiens

AEIMNRT

marient
martien
matiner
mentira
minaret
termina
+A aimanter
armaient
maternai
matinera
ramaient
ramenait
reanimat
remaniat
rentamai
+B braiment
+C mercanti
+D admirent
+E aimerent
menerait
natremie
+G emigrant
migrante
+I intimera
mentirai
minerait
miraient
rimaient
terminai
+L terminal
+N marinent
raniment
+O aimeront
maronite
monterai
remontai
romanite
+P empirant
perimant
+R arriment
+S martiens
mentiras
minarets
remisant
terminas
+T martinet
matirent
meritant
terminat
+U amuirent
minutera
muraient
mutinera
+V vraiment

AEIMNRU

manieur
+D demunira
minauder
+E enumerai
+G geranium
manguier
meringua
ramingue
+H enrhumai
inhumera
+L lamineur
+O aumonier
roumaine
+Q ramequin
+R ruminera
+S manieurs
numerisa
ruinames
surmenai
uranisme
urinames
+T amuirent
minutera
muraient
mutinera
+X mineraux

AEIMNRV

+L minerval
+T vraiment

AEIMNRX

marxien
+E examiner
+S marxiens
+U mineraux

AEIMNRZ

marinez
marniez
ranimez
+A amarinez
+E animerez
manierez
rameniez
reanimez
remaniez
+I mariniez
ranimiez
+O ramoniez

AEIMNSS

minasse
+A animasse
anisames
maniasse
+B nimbasse
+E amnesies
semaines
+G signames
+H shamisen
+I misaines
+N nanismes
+O anosmies
+S minasses
+T mantisse
stamines
+U menuisas
usinames
+Z nazismes

AEIMNST

maintes
matines
mentais
minates
stamine
+A aimantes
amanites
amiantes
animates
entamais
mainates
maniates
+B nimbates
+C cimentas
+D medisant
+E aisement
amenites
etamines
matinees
semaient
staminee
+F mefiants
+H anthemis
+I amnistie
animiste
misaient
mitaines
+K kantisme
+L aliments

smaltine		mentait	
+N	mannites	+A entamait	
	nantimes	mataient	
+O	amniotes	+B batiment	
	etamines	+C cimentat	
	monetisa	+D meditant	
+P	pimentas	+E tantieme	
	pintames	+I antimite	
+R	martiens	mitaient	
	mentiras	+N matinent	
	minarets	+P pimentat	
	remisant	+R martinet	
	terminas	matirent	
+S	mantisse	meritant	
	stamines	terminat	
+T	estimant	+S estimant	
	tamisent	tamisent	
	tintames	tintames	
+U	menuisat	+U mutaient	
	musaient	**AEIMNTU**	
	nautisme	+F enfumait	
AEIMNSU		fumaient	
	menuisa	+G minutage	
+A	amenuisa	+H humaient	
+D	minaudes	humanite	
+E	amenuise	+L miaulent	
	manieuse	+N maintenu	
+F	enfumais	+P empuanti	
+H	humains	+Q mantique	
	humanise	+R amuirent	
+I	menuisai	minutera	
+J	jaunimes	muraient	
+L	alumines	mutinera	
	alunimes	+S menuisat	
+N	unanimes	musaient	
+Q	maniques	nautisme	
	naquimes	+T mutaient	
+R	manieurs	**AEIMNTV**	
	numerisa	+I vitamine	
	ruinames	+R vraiment	
	surmenai	**AEIMNTX**	
	uranisme	+A examinat	
	urinames	+I mixaient	
+S	menuisas	**AEIMNTY**	
	usinames	+D dynamite	
+T	menuisat	+O myatonie	
	musaient	**AEIMNTZ**	
	nautisme	matinez	
+X	seminaux	+A aimantez	
AEIMNSV		+E entamiez	
	vinames	+I matiniez	
+A	avinames	+O monazite	
+E	enviames	**AEIMNUV**	
	veinames	+E mauveine	
AEIMNSX		**AEIMNUX**	
+A	examinas	+L lamineux	
+E	examines	+O moineaux	
+I	ximenias	+R mineraux	
+R	marxiens	+S seminaux	
+U	seminaux	**AEIMNUZ**	
AEIMNSY		+D minaudez	
+D	dynamise	+Q manquiez	
AEIMNSZ		**AEIMNXZ**	
	nazisme	+E examinez	
+B	zambiens	**AEIMOPN**	
+S	nazismes	+N opiomane	
AEIMNTT			

AEIMOPP		ormaies	+J majoriez
+R pomperai		+D moderais	+N ramoniez
AEIMOPR		+F foirames	+R armoriez
emporia		+G moirages	**AEIMOSS**
+L lamproie		+I moiserai	+B biomasse
+M pommerai		+L larmoies	boisames
+N promenai		marioles	embossai
+P pomperai		molaires	+G isogames
+S imposera		moralise	+I siamoise
reimposa		+M memorisa	+L isolames
+T emportai		moirames	+M maoismes
rempotai		sommaire	moisames
AEIMOPS		sommerai	+N anosmies
+C copiames		+N aimerons	+P empoissa
+L poilames		moraines	+R armoises
+N opinames		romaines	moirasse
+R imposera		romanise	moiseras
reimposa		+P imposera	+S moisasse
+S empoissa		reimposa	+T amitoses
+T empotais		+R armoires	atomises
estompai		armories	maoistes
+U paumoies		moireras	matoises
AEIMOPT		+S armoises	moisates
empotai		moirasse	mosaiste
+L optimale		moiseras	somatise
+N ptomaine		+T amorties	taoismes
+R emportai		atomiser	toisames
rempotai		moirates	+U emoussai
+S empotais		mortaise	**AEIMOST**
estompai		**AEIMORT**	amitose
+T empotait		amortie	atomise
AEIMOPU		+B remboita	maoiste
paumoie		retombai	matoise
+S paumoies		tomberai	taoisme
AEIMOPX		+D mediator	+B boitames
+I apomixie		moderait	emboitas
AEIMOPY		+E atermoie	moabites
+L employai		+F formiate	+D mastoide
AEIMOQR		+J majorite	+E atomisee
+U moquerai		mijotera	+G megotais
AEIMOQS		+L molarite	+L latomies
+U mosaique		moralite	molestai
AEIMOQT		+N aimeront	moletais
+U atomique		maronite	+M atomisme
AEIMOQU		monterai	+N amniotes
+R moquerai		remontai	etamions
+S mosaique		romanite	monetisa
+T atomique		+P emportai	+P empotais
AEIMORR		rempotai	estompai
armoire		+S amorties	+R amorties
armorie		atomiser	atomiser
moirera		moirates	moirates
+B ombrerai		mortaise	mortaise
+E armoriee		+T motterai	+S amitoses
+F formerai		omettrai	atomises
reformai		+V motivera	maoistes
+I moirerai		**AEIMORU**	matoises
+N minorera		+L moulerai	moisates
+R armorier		+N aumonier	mosaiste
+S armoires		roumaine	somatise
armories		+Q moquerai	taoismes
moireras		+V emouvrai	toisames
+Z armoriez		**AEIMORV**	+T atomiste
AEIMORS		+T motivera	emottais
armoise		+U emouvrai	omettais
maories		**AEIMORZ**	+Z atomisez
moisera		+C amorciez	

AEIMOSU	+S piquames	impartie	palmiste	tiquames
+B embouais	**AEIMPRR**	perimait	perimait	**AEIMQSU**
+C acousmie	primera	primatie	pintames	+C acquimes
+L ioulames	reprima	+L rempilat	+N pimentas	+G magiques
+P paumoies	+A ramperai	+N empirant	+O empotais	+L maliques
+Q mosaique	+E empierra	perimant	estompai	+N maniques
+S emoussai	empierra	+O emportai	+R meprisat	+O mosaique
+V emouvais	perimera	rempotai	partimes	+P piquames
AEIMOSV	+G grimpera	+R reprimat	primates	+R marisque
+B obviames	+I primaire	+S meprisat	trempais	marquise
+L violames	primerai	partimes	+S pistames	+S massique
voilames	reprimai	primates	**AEIMPSU**	+T mastique
+U emouvais	+L remplira	+T trempait	+G guipames	tiquames
AEIMOSX	+S primeras	+U imputera	+O paumoies	+U esquimau
axiomes	reprimas	permutai	+Q piquames	+Z masquiez
AEIMOSZ	+T reprimat	primaute	+R presumai	**AEIMQSZ**
+T atomisez	**AEIMPRS**	+X exprimat	+S puisames	+U masquiez
AEIMOTT	empiras	**AEIMPRU**	**AEIMPSV**	**AEIMQTU**
emottai	meprisa	+A paumerai	+R privames	+N mantique
+B emboitat	perimas	+L plumerai	vampires	+O atomique
+G megotait	priames	+S presumai	**AEIMPSX**	+S mastique
+L moletait	ripames	+T permutai	+E expiames	tiquames
+P empotait	+A emparais	primaute	+R exprimas	**AEIMQUU**
+R motterai	pamerais	**AEIMPRV**	**AEIMPSY**	+S esquimau
omettrai	pariames	vampire	impayes	**AEIMQUY**
+S atomiste	parsemai	+A vamperai	+E impayees	+L amylique
emottais	+D deprimas	+S privames	**AEIMPTT**	**AEIMQUZ**
omettais	+F fripames	vampires	+A empatait	+N manquiez
+T emottait	+G primages	**AEIMPRX**	etampait	+R marquiez
omettait	+I empirais	exprima	+E empietat	+S masquiez
AEIMOTU	impaires	+I exprimai	tempetai	**AEIMRRR**
+B embouait	meprisai	+S exprimas	+N pimentat	amerrir
+Q atomique	perimais	+T exprimat	+O empotait	arrimer
+V emouvait	+L empliras	**AEIMPRY**	+R trempait	+A amerrira
AEIMOTV	lempiras	+D pyramide	**AEIMPTU**	arrimera
+R motivera	palmiers	**AEIMPRZ**	+N empuanti	marrerai
+U emouvait	rampilas	rampiez	+R imputera	+B marbrier
AEIMOTY	+M primames	+E empariez	permutai	+E remarier
+N myatonie	+O imposera	pameriez	primaute	+O armorier
AEIMOTZ	reimposa	**AEIMPSS**	+Z amputiez	+U armurier
+B mozabite	+P apprimes	impasse	**AEIMPTX**	arrimeur
+E azotemie	+R primeras	+E empesais	+E exemptai	**AEIMRRS**
+N monazite	reprimas	+H saphisme	+R exprimat	amerris
+S atomisez	+S meprisas	+O empoissa	**AEIMPTZ**	arrimes
AEIMOUV	parsisme	+P papismes	+E empatiez	marries
+R emouvrai	primasse	+R meprisas	etampiez	mireras
+S emouvais	prisames	parsisme	+U amputiez	ramiers
+T emouvait	+T meprisat	primasse	**AEIMPUZ**	rimeras
AEIMOUX	partimes	prisames	paumiez	simarre
+N moineaux	primates	+S impasses	+T amputiez	+A armerais
AEIMPPR	trempais	pissames	**AEIMPVZ**	marieras
+A epamprai	+U presumai	+T pistames	vampiez	ramerais
+O pomperai	+V privames	+U puisames	**AEIMQRS**	rearmais
+S apprimes	vampires	**AEIMPST**	+U marisque	+B barrimes
AEIMPPS	+X exprimas	patimes	marquise	brimeras
papisme	**AEIMPRT**	tapimes	**AEIMQRU**	+D madriers
pipames	empirat	+A empatais	+C cramique	+E amerries
+E pepiames	perimat	estampai	+N ramequin	arrimees
+N nippames	primate	etampais	+O moquerai	remaries
+R apprimes	trempai	+B baptisme	+S marisque	remisera
+S papismes	+A emparait	+E empesait	marquise	+F fremiras
AEIMPPT	pamerait	empestai	+Z marquiez	frimeras
+N pimpante	+D deprimat	empietas	**AEIMQRZ**	+G grimeras
AEIMPQS	+E empetrai	pietames	+U marquiez	migreras
+U piquames	temperai	+L lampiste	**AEIMQSS**	+I mirerais
AEIMPQU	+I empirait		+U massique	
+E epimaque	imparite		**AEIMQST**	
			+U mastique	

rimerais
+L larmiers
+N merrains
+O armoires
armories
moireras
+P primeras
reprimas
+S simarres
+T trimeras
+U marieurs
murerais

AEIMRRT
amerrit
trimera
+A armerait
ramerait
rearmait
remariat
tramerai
+B timbrera
+C matricer
+E meritera
metrerai
+I mirerait
rimerait
trimerai
+N arriment
+P reprimat
+S trimeras
+U murerait

AEIMRRZ
arrimez
marriez
+A amarriez
+B marbriez
+E armeriez
marierez
rameriez
rearmiez
remariez
+I arrimiez
+O armoriez

AEIMRSS
massier
mirasse
miseras
remisas
rimasse
+A arisames
mariasse
masserai
+B brimasse

brisames
+C escrimas
racismes
+E areismes
emerisas
essaimer
massiere
ressemai
semerais
seriames
+F frimasse
frisames
+G grimasse
grisames
migrasse
+I irisames
miserais
remisais
+O armoises
moirasse
moiseras
+P meprisas
parsimes
primasse
prisames
+R simarres
+S massiers
mirasses
rassimes
rimasses
+T maristes
striames
trimasse
tsarisme
+U mesurais
muserais
resumais
sursemai

AEIMRST
emirats
maitres
mariste
meritas
metrais
mirates
miteras
remisat
rimates
tamiers
tamiser
tarimes
tirames
triames
+A maestria
mariates
materais
retamais
tamisera
+B brimates
+C escrimat
matrices
+E emerisat
estimera
etirames
matieres
semerait
+F frimates

+G grimates
magister
migrates
ragtimes
+H trahimes
+I imiteras
maitrise
meritais
miserait
miteras
remisait
+L mitrales
tremails
+M marmites
trimames
+N martiens
mentiras
minarets
remisant
terminas
+O amorties
atomiser
moirates
mortaise
+P meprisat
partimes
primates
trempais
+R trimeras
+S maristes
striames
trimasse
tsarisme
+T mettrais
titrames
trimates
+U mauriste
mesurait
muserait
muterais
resumait
tamiseur
+V vitrames
+X marxise

AEIMRSU
aeriums
maieurs
mesurai
muerais
muserai
remuais
resumai
+A amuserai
+B baumiers
+E marieuse
+F fumerais
+G guisarme
+H ahurimes
+L ruilames
simulera
ulmaires
+M emmurais
+N manieurs
numerisa
ruinames
surmenai

uranisme
urinames
+P presumai
+Q marisque
marquise
+R marieurs
murerais
+S mesurais
muserais
resumais
sursemai
tamiseur

AEIMRSV
ravimes
rivames
virames
+A variames
+B vibrames
+D drivames
+G givrames
gravimes
+L livrames
+P privames
vampires
+T vitrames

AEIMRSX
mixeras
+I mixerais
+M marxisme
+N marxiens
+P exprimas
+T marxiste

AEIMRSY
rimayes
+D mydriase
myriades

AEIMRTT
meritat
metrait
mettrai
+A materait
retamait
trematai
+E emettrai
+I meritait
miterait
+L trimetal
+N martinet
matirent
meritant
terminat
+O motteria
omettrai
+P trempait
+S mettrais
titrames
trimates
+T mettrait
+U maturite
meurtiat
muterait

AEIMRTU

muerait
muterai
remuait
+A amiraute
materiau
rameutai
+B bitumera
+F fumerait
+H humerait
+L mutilera
+M emmurait
immature
+N amuirent
minutera
muraient
mutinera
+P imputera
permutai
primaute
+R murerait
+S mauriste
mesurait
muserait
muterais
resumait
tamiseur
+T maturite
meurtiat
muterait

AEIMRTV
+N vraiment
+O motivera
+S vitrames

AEIMRTX
+I mixerait
+P exprimat
+S marxiste

AEIMRTY
+H arythmie

AEIMRTZ
matirez
tramiez
+A amatirez
+C matricez
+E materiez
retamiez
+I matiriez

AEIMRUU
+L miauleur

AEIMRUV
+L velarium
+O emouvrai

AEIMRUX
+N mineraux

AEIMRUZ
amuirez
amuriez
+D maudirez
+I amuiriez
+Q marquiez

AEIMSSS
assimes
essaims
misasse
+A aimasses
essaimas
+B bissames

+D admisses	+U autismes	+N estimant	mettait	emanions
sadismes	situames	tamisent	+B embattit	monnaies
+E essaimes	+Z matissez	tintames	+E emettait	onanisme
+G megissas	**AEIMSSU**	+O atomiste	emiettat	+P espionna
+H hissames	amuisse	emottais	+O omettais	saponine
+I saisimes	+C caesiums	omettais	omettait	+R raisonne
+L limasses	+D maudisse	+R mettrais	+R mettrait	resonnai
lissames	medusais	titrames	**AEIMTTU**	sonnerai
sismales	+L muselais	trimates	+A ameutait	+S senonais
+M mimasses	+N menuisas	+S mastites	+F tumefiat	+T etonnais
+N minasses	usinames	metissat	+N mutaient	sonatine
+O moisasse	+O emoussai	statisme	+R maturite	+V venaison
+P impasses	+P puisames	**AEIMSTU**	meurtiat	**AEINNOT**
pissames	+Q massique	amuites	muterait	etonnai
+R massiers	+R mesurais	autisme	**AEIMTUV**	+B betonnai
mirasses	muserais	+A ameutais	+O emouvait	+C actionne
rassimes	resumais	+C cuitames	**AEIMTUX**	enoncait
rimasses	sursemai	+D demutais	+B bimetaux	+D detonnai
+S misasses	+S amuisses	maudites	+H exhumait	+F fontaine
+T matisses	+T autismes	medusait	**AEIMTUZ**	+G negation
metissas	situames	+F tumefias	+E ameutiez	+L laitonne
mitasses	+X seismaux	+L muselait	+P amputiez	+N entonnai
tissames	+Z assumiez	+N menuisat	**AEIMUUV**	tenonnai
+U amuisses	muassiez	musaient	+G guimauve	+R ornaient
+V massives	**AEIMSSV**	nautisme	**AEINNNO**	rationne
vissames	massive	+Q mastique	+T entonnai	tonnerai
+X mixasses	visames	tiquames	tenonnai	+S etonnais
AEIMSST	+A avisames	+R mauriste	+X annexion	sonatine
estimas	+I sivaisme	mesurait	+Z anonniez	+T etonnait
matisse	+L slavisme	muserait	**AEINNNT**	notaient
metissa	+S massives	muterais	+E antienne	+U nouaient
misates	vissames	resumait	+F enfantin	+V novaient
mitasse	**AEIMSSX**	tamiseur	+O entonnai	+Y noyaient
tamises	mixasse	+S autismes	tenonnai	+Z annotiez
+A amatisse	+L laxismes	situames	**AEINNNX**	**AEINNOU**
essaimat	+S mixasses	**AEIMSTV**	+O annexion	+D audonien
+E tamisees	+U seismaux	+A atavisme	**AEINNNZ**	+T nouaient
+G gatismes	**AEIMSSY**	+E evitames	+O anonniez	**AEINNOV**
megissat	myiases	+R vitrames	**AEINNOP**	+R innovera
+I estimais	+C cymaises	**AEIMSTX**	+G pigeonna	+S venaison
imitasse	**AEIMSSZ**	mixates	+S espionna	+T novaient
metissai	massiez	+R marxiste	saponine	**AEINNOX**
+K saktisme	+A amassiez	**AEIMSTZ**	**AEINNOR**	+N annexion
+L listames	+E essaimez	tamisez	+B baronnie	**AEINNOY**
+N mantisse	+H smashiez	+B mzabites	rabonnie	+T noyaient
stamines	+N nazismes	+I tamisiez	+C encornai	**AEINNOZ**
+O amitoses	+T matissez	+O atomises	renoncai	+B abonniez
atomises	+U amuissez	+S matissez	+D donnerai	+D adonniez
maoistes	assumiez	**AEIMSUU**	inondera	+N anonniez
matoises	muassiez	+Q esquimau	redonnai	+T annotiez
moisates	**AEIMSTT**	**AEIMSUV**	+S raisonne	**AEINNPS**
mosaiste	estimat	+A mauvaise	resonnai	+E paiennes
somatise	mastite	+F fauvisme	sonnerai	+O espionna
taoismes	matites	+O emouvais	+T ornaient	saponine
toisames	mettais	**AEIMSUX**	rationne	**AEINNPT**
+P pistames	mitates	+H exhumais	tonnerai	+A panaient
+R maristes	+A amatites	+N seminaux	+V innovera	+C epincant
striames	+B battimes	+S seismaux	**AEINNOS**	+G paginent
trimasse	embattis	**AEIMSUZ**	+B abonnies	peignant
tsarisme	+C tactisme	amusiez	+C canonise	+L lapinent
+S matisses	+E emettais	+S amuissez	enoncais	+T patinent
metissas	emiettas	assumiez	+D anodines	tapinent
mitasses	etatisme	muassiez	+E oasienne	**AEINNQT**
tissames	+G stigmate	**AEIMSVV**	+F fenaison	+U tannique
+T mastites	+I estimait	+A avivames	+L alienons	**AEINNQU**
metissat	imitates	**AEIMTTT**	+M amenions	+T tannique
statisme			anemions	

AEINNRR
+C incarner

AEINNRS
  narines
  rennais
+C craniens
  incarnes
+E anserine
  ariennes
  errenais
  rennaise
+G engrains
+H henniras
+I iraniens
+O raisonne
  resonnai
  sonnerai
+T entrains
  inserant
  internas
  resinant
  serinant
  tanniser
+V innervas
  vanniers

AEINNRT
  entrain
  interna
  rainent
  reniant
+A aneantir
  entraina
  tannerai
+C ricanent
+D denantir
  drainent
  radinent
+E enraient
  enrenait
  enterina
  entraine
  etrennai
  tannerie
+F farinent
  freinant
  inferant
+G argentin
  grainent
  ingerant
+I internai
+L triennal
+M marinent
  raniment
+O ornaient
  rationne
  tonnerai
+S entrains
  inserant
  internas
  resinant
  serinant
  tanniser
+T internat
  ratinent
  tarentin
  trainent
+V enivrant

  innervat
  ravinent
+Y tyrannie
+Z nantirez

AEINNRU
+A annuaire
+C nuancier
+E aneurine
  ennuiera

AEINNRV
  innerva
  vannier
+A vannerai
+E vannerie
+I innervai
+O innovera
+S innervas
  vanniers
+T enivrant
  innervat
  ravinent

AEINNRY
+T tyrannie

AEINNRZ
+B bannirez
+C incarnez
+T nantirez

AEINNSS
  insanes
+B bannisse
+C cannisse
+I asiniens
+M nanismes
+O senonais
+T naissent
  nantisse
  niassent
  tannisses

AEINNST
  anisent
  nanties
  tannise
+A aneantis
  antenais
  nantaise
  neantisa
+B bannites
+C cannites
  instance
+D denantis
+E neantise
  tannisee
+F infantes
+G saignent
  singeant
+I inanites
  insanite
+K kantiens
+L enlisant
  ensilant
  lesinant
+M mannites
  nantimes
+O etonnais
  sonatine
+R entrains
  inserant

  internas
  resinant
  serinant
  tanniser
+S naissent
  nantisse
  niassent
  tannises
+T instante
  intentas
  nantites
  satinent
  tanisent
  tantines
+U anruites
+V inventas
+Z tannisez

AEINNSU
+C nuisance
+G guanines
  sanguine
+M unanimes
+T annuites
+Y ennuyais

AEINNSV
+G angevins
+O venaison
+R innervas
  vanniers
+T inventas

AEINNSX
+A annexais

AEINNSY
+R tyrannie
+U ennuyais

AEINNSZ
+F fanzines
+T tannisez

AEINNTT
  intenta
  tantine
+A aneantit
+D denantit
+E entaient
  tenaient
+F feintant
  fientant
+G teignant
+I intentai
+M matinent
+O etonnait
  notaient
+P patient
  tapinent
+R internat
  ratinent
  tarentin
  trainent
+S instante
  intentas
  nantites
  satinent
  tanisent
  tantines
+T intentat
  tantinet
  teintant
+V inventat

  internas
  resinant
  serinant
  tanniser
+M maintenu
+O nouaient
+Q tannique
+S annuites
+Y ennuyait

AEINNTV
  avinent
  enviant
  inventa
  veinant
+C evincant
+D devinant
  viandent
+E venaient
+I inventai
  vinaient
+L levantin
  nivelant
+O novaient
+R enivrant
  innervat
  ravinent
+S inventas
+T inventat

AEINNTX
+A annexait
+D indexant
+E annexite

AEINNTY
+O noyaient

AEINNUY
+R tyrannie
+U ennuyait

AEINNTZ
  tanniez
+O annotiez
+R nantirez
+S tannisez

AEINNUV
+E neuvaine

AEINNUX
+B biennaux
+G angineux

AEINNUY
  ennuyai
+S ennuyais
+T ennuyait

AEINNUZ
+C nuanciez
+L annuliez

AEINNVZ
  vanniez

AEINNXZ
+E annexiez

AEINOOP
+M opiomane

AEINOOR
+D ondoiera
+T roneotai

AEINOOT
+R roneotai

AEINOPP
+L panoplie
+T appointe

AEINOPR
  opinera

+C copinera
  pioncera
  poncerai
  procaine
  raiponce
+D ponderai
+I opinerai
+M promenai
+R pronerai
+S opineras
  paierons
+T atropine
  paieront
  pianoter
  pointera
  ponterai
  potinera
+U epanouir

AEINOPS
+C capeions
+H aphonies
+I epiaison
+L opalines
+M opinames
+N espionna
  saponine
+R opineras
  paierons
+S opinasse
+T epations
  epointas
  opinates
  pantoise
  pianotes
  posaient
  saponite
+U epanouis

AEINOPT
  epointa
  pianote
+D antipode
  depointa
  dopaient
+G pointage
+I epointai
+L antilope
  poilante
+M ptomaine
+P appointe
+R atropine
  paieront
  pianoter
  pointera
  ponterai
  potinera
+S epations
  epointas
  opinates
  pantoise
  pianotes
  posaient
  saponite
+T epointat
  optaient
  topaient
+U epanouit
  pointeau

+Z pianotez
AEINOPU
   epanoui
+E epanouie
+L poulaine
+R epanouir
+S epanouis
+T epanouit
   pointeau
AEINOPZ
+T pianotez
AEINOQT
+U atonique
   equation
AEINOQU
+C acoquine
+D anodique
+T atonique
   equation
AEINORR
   ornerai
+B bornerai
+C cornerai
   racornie
+D arrondie
+G ignorera
   rognerai
   rongerai
+L lorraine
+M minorera
+P pronerai
+S orneras
   raierons
+T noiratre
   ornerai
   raieront
   tronerai
+Y enrayoir
AEINORS
   aerions
   noieras
+B baierons
   boraines
   enrobais
   snoberai
+C acierons
   aconiers
   ecornais
   necrosai
   scenario
+D aiderons
   anodiser
   deraison
   sardoine
+F foraines
+G agoniser
   agreions
   egarions
   organise
   rongeais
   soignera
   songerai
+I ionisera
   noierais
+L ailerons
   enrolais

   insolera
   laierons
   nolisera
+M aimerons
   moraines
   romaines
   romanise
+N raisonne
   resonnai
   sonnerai
+P opineras
   paierons
+R ornerais
   raierons
+T notaires
   notaries
   orientas
   senorita
   tenorisa
+U enrouais
   nouerais
   ouarines
   renouais
+V averions
   aversion
   noverais
   ovariens
   renovais
   veraison
+X axerions
AEINORT
   notaire
   notarie
   noterai
   orienta
+A aeration
+B baieront
   enrobait
   robaient
+C canotier
   conterai
   creation
   ecornait
   ocraient
   reaction
+D aideront
   detronai
   doraient
   rodaient
+E notariee
+F foraient
+G organite
   rongeait
+H thonaire
+I noierait
   orientai
+L enrolait
   laieron
   laiteron
   oriental
   relation
   rentoila
+M aimeront
   maronite
   monterai
   remontai

   romanite
+N ornaient
   rationne
   tonnerai
+O roneotai
+P atropine
   paieront
   pianoter
   pointera
   ponterai
   potinera
+R noiratre
   ornerait
   raieront
+S notaires
   notaries
   noterais
   orientas
   senorita
   tenorisa
+T noterait
   orientat
   rotaient
+U enrouait
   entourai
   nouerait
   ouatiner
   renouait
   rouaient
+V noverait
   orvietan
AEINORU
   enrouai
   nouerai
   ouarine
   renouai
+C couinera
+D douanier
   noiraude
+E enouerai
+F enfouira
   fouinera
+L enroulai
   ouralien
+M aumonier
   roumaine
+P epanouir
+S enrouais
   nouerais
   ouarines
   renouais
   rouaient
+V evanouir
AEINORV
   noverai
   ovarien
   renovai
+C conviera
+N innovera
+S averions

   aversion
   noverais
   ovariens
   renovais
   veraison
+R notaires
   notaries
   noterais
   orientas
   senorita
   tenorisa
+S asientos
+U evanouir
+Y renvoyai
AEINORX
+E anorexie
   exonerai
+S axerions
AEINORY
+R enrayoir
+V renvoyai
AEINORZ
+G agonirez
+M ramoniez
AEINOSS
   oasiens
+D anodises
   danoises
   endossai
+G agnosies
   agonises
   agonise
   angoisse
   songeais
+L alesions
+M anosmies
+N senonais
+P opinasse
+T asientos
   assoient
+V evasions
AEINOST
   asiento
   atonies
   osaient
+B obtenais
+D denotais
   detonais
   dosaient
   sedation
+G agoniste
   agonites
   etagions
   gantoise
   songeait
+J ejointas
+L entoilas
   entolais
   etalions
   isolante
   laotiens
   oiselant
+M amniotes
   etamions
   monetisa
+N etonnais
   sonatine
+P epations
   epointas
   opinates
   pantoise

   pianotes
   posaient
   saponite
+R notaires
   notaries
   noterais
   orientas
   senorita
   tenorisa
+S asientos
   assoient
+U aoutiens
   ouatines
+X soixante
+Y etayions
AEINOSU
   enouais
+D denouais
   saoudien
   soudaine
+G engouais
   sagouine
+P epanouis
+R enrouais
   nouerais
   ouarines
   renouais
+T aoutiens
   ouatines
+V evanouis
   inavoues
AEINOSV
   avoines
   evasion
+B obvenais
+D evadions
   vandoise
+I avoisine
+L envolais
+N venaison
+R averions
   aversion
   noverais
   ovariens
   renovais
   veraison
+S evasions
+U evanouis
   inavoues
+Y envoyais
AEINOSX
   anoxies
+R axerions
+T soixante
AEINOSY
+D denoyais
+G egayions
+T etayions
+V envoyais
AEINOSZ
+D anodisez
+G agonisez
AEINOTT
   otaient
+B obtenait
+C actinote
   cotaient

+D antidote
denotait
detonait
dotaient
+J ejointat
+L entoilat
entolait
etiolant
etoilant
tonalite
+N etonnait
notaient
+P epointat
optaient
topaient
+R noterait
orientat
rotaient
+U touaient
+V votaient
+Y nettoyai

AEINOTU
aoutien
enouait
ouatine
+D denouait
douaient
+E eouatine
+G engouait
+H houaient
+J jouaient
+L louaient
+N nouaient
+P epanouit
pointeau
+Q atonique
equation
+R enrouait
entourai
nouerait
ouatiner
renouait
rouaient
+S aoutiens
ouatines
+T touaient
+V envoutai
evanouit
vouaient
+Z ouatinez

AEINOTV
+B obvenait
+L envolait
lovaient
violenta
volaient
+N novaient
+R noverait
orvietan
renovait
+T votaient
+U envoutai
evanouit
vouaient
+X vexation
+Y envoyait
voyaient

AEINOTX
+B boxaient
+C exaction
+S soixante
+V vexation

AEINOTY
+D denoyait
+M myatonie
+N noyaient
+S etayions
+T nettoyai
+V envoyait
voyaient

AEINOTZ
+C canotiez
+M monazite
+N annotiez
+P pianotez
+U ouatinez

AEINOUV
evanoui
inavoue
+E evanouie
inavouee
+R evanouir
+S evanouis
inavoues
+T envoutai
evanouit
vouaient

AEINOUX
+M moineaux

AEINOUZ
+D douzaine
+T ouatinez

AEINOVX
+T vexation

AEINOVY
envoyai
+R renvoyai
+S envoyais
+T envoyait
voyaient

AEINOXY
+G oxygenai

AEINPPR
nippera
+A napperai
+I nipperai
+L prealpin
+S nipperas
+T apprenti

AEINPPS
+A papaines
+D appendis
+E epepinas
+M nippames
+R nipperas
+S nippasse
+T appentis
nippates

AEINPPT
pepiant
+A antipape
+D appendit
+I pipaient
+M pimpante
+O appointe
+R apprenti
+S appentis
nippates
+U appuient

AEINPPU
+T appuient

AEINPPZ
nappiez

AEINPQR
+U paniquer

AEINPQS
+U paniques

AEINPQT
+U apiquent
equipant
piquante

AEINPQU
panique
+E paniquee
+R paniquer
+S paniques
+T apiquent
equipant
piquante
+Z paniquez

AEINPQZ
+U paniquez

AEINPRR
+A parraine
+D prendrai
+L praliner
+O pronerai
+V parvenir

AEINPRS
paniers
prenais
rapines
+A panerais
panserai
+C caprines
carpiens
escarpin
pinceras
+D epinards
peinards
peindras
pendrais
repandis
+E eprenais
panieres
peineras
penserai
repensai
+H seraphin
+I aspirine
parisien
+J jaspiner
+L pralines
+O opineras
paierons
+P nipperas
+T aspirent
pinastre
pinteras
+U punaiser
unipares
+V eparvins
parviens

AEINPRT
parient
patiner
pintera
prenait
tapiner
+A arpentai
panerait
paraient
patinera
rapaient
tapinera
trepanai
+D diaprent
pendrait
repandit
+E eprenait
panetier
pantiere
penetrai
repaient
+G trepigna
+I pietrain
pinterai
priaient
ripaient
+L palirent
platiner
prelatin
repliant
+M empirant
perimant
+O atropine
paieront
pianoter
pointera
ponterai
potinera
+P apprenti
+S aspirent
pinastre
pinteras
+T etripant
patirent
piratent
tapirent
+U patineur
+V parvient
+X expirant

AEINPRU
unipare
+C inapercu
+G repugnai
+O epanouir
+Q paniquer
+S punaiser
unipares
+T patineur

AEINPRV
eparvin
+R parvenir
+S eparvins
parviens
+T parvient

AEINPRX
+T expirant

AEINPRZ
+E paneriez
+L pralinez

AEINPSS
pensais
pinasse
pisanes
+A sapines
+C capsiens
pincasse
+D dispensa
+E peinasse
+I sinapise
+J jaspines
+L spinales
+O opinasse
+P nippasse
+S pinasses
+T epissant
paissent
pintasse
+U punaises

AEINPST
inaptes
patines
pensait
septain
tapines
+A apaiset
sapaient
+C inspecta
pincates
pitances
+D pintades
+E pintadees
peinates
pesaient
+I pianiste
pietinas
+L patelins
plaintes
plaisent
planiste
platines
pliantes
+M pimentas
pintames
+O epations
epointas
opinates
pantoise
pianotes
posaient
saponite
+P appentis
nippates
+R aspirent
pinastre
pinteras
+S epissant
paissent
pintasse
septains
+T patients

pintates	+T pieutant	taquines	inserera	rubanier
spitante	**AEINPTV**	+U enuquais	reinsera	+C ricaneur
+U epuisant	+A pavaient	+V vainques	renieras	+D indurera
petunias	+R parvient	**AEINQSV**	resinera	+E rainuree
AEINPSU	**AEINPTX**	+U vainques	serinera	+I reunirai
punaise	expiant	**AEINQTT**	+F refrains	ruinerai
+E punaisee	+C excipant	+U equitant	+G regarnis	urinaire
+L pauliens	+R expirant	quantite	+M merrains	urinerai
+O epanouis	**AEINPTY**	**AEINQTU**	+O ornerais	+J rajeunir
+Q paniques	+A payaient	antique	raierons	+M ruminera
+R punaiser	+L ptyaline	taquine	+T arrisent	+R rainurer
unipares	+T typaient	+C cantique	rentrais	+S rainures
+S punaises	**AEINPTZ**	+E enquetai	terniras	reuniras
+T epuisant	patinez	taquinee	terrains	ruineras
petunias	tapinez	+I inquieta	+U rainures	surinera
+Z punaisez	+I patiniez	+M mantique	reuniras	urineras
AEINPSV	tapiniez	+N tannique	ruineras	+T traineur
+R eparvins	+L plantiez	+O atonique	surinera	+V nervurai
parviens	platinez	equation	urineras	+Z rainurez
AEINPSX	+O pianotez	+P apiquent	+V verniras	**AEINRRV**
+F expansif	equipant	**AEINRRT**	raviner
AEINPSZ	piquante	ratiner	vernira
pansiez	+R renaquit	rentrai	+A navrerai
+J jaspinez	taquiner	ternira	ravinera
+U punaisez	+S antiques	terrain	+E enivrera
AEINPTT	esquinta	trainer	enverrai
patient	naquites	+A ratinera	+I riverain
pietant	taquines	renaitra	vernirai
+A patentai	+T equitant	trainera	+P parvenir
patienta	quantite	+C cintrera	+S verniras
tapaient	+U enuquait	recriant	+T arrivent
+D depitant	nautique	+D rendrait	ravirent
+E patiente	+Z taquinez	+E enterrai	+U nervurai
petaient	**AEINQTZ**	entrerai	**AEINRRY**
+I pietinat	+U taquinez	erraient	+O enrayoir
+M pimentat	**AEINQUU**	renaitre	**AEINRRZ**
+N patinent	enuquai	rentraie	narriez
tapinent	+D quinaude	ternaire	+C rancirez
+O epointat	+F faunique	+G gratiner	+E rainerez
optaient	+R uranique	regarnit	+G garnirez
topaient	+S enuquais	+I riraient	+U rainurez
+R etripant	+T enuquait	ternirai	**AEINRSS**
patirent	nautique	+L ralentir	arsines
piratent	**AEINQUV**	+M arriment	inseras
tapirent	vainque	+O noiratre	resinas
+S patients	+S vainques	ornerait	serinas
pintates	+Z vainquez	raieront	+A aniseras
spitante	**AEINQSS**	tronerai	rainasse
+U pieutant	+U naquisse	+S arrisent	+B bassiner
+Y typaient	nasiques	rentrais	+C arsenics
AEINPTU	**AEINQST**	**AEINQUZ**	terniras	narcisse
petunia	+U antiques	+B banquier	terrains	rancisse
puaient	esquinta	+M manquiez	+T nitrater	rincasse
+D dupaient	naquites	+P paniquez	rentrait	sarcines
+E taupinee	taquines	+T taquinez	retirant	+D sardines
+L nuptiale	**AEINQSU**	+V vainquez	tarirent	+E arseniis
piaulent	nasique	**AEINQVZ**	tartiner	renaisse
+M empuanti	+B banquise	+U vainquez	tarirent	reniasse
+O epanouit	basquine	**AEINRRR**	+U traineur	+F finasser
pointeau	+M maniques	+A narrerai	+V arrivent	+G assigner
+P appuient	naquimes	+G regarnir	ravirent	garnisse
+Q apiquent	+P paniques	+U rainurer	**AEINRRU**	resignas
equipant	+R renaquis	**AEINRRS**	rainure	seringas
piquante	+S naquisse	+A raineras	reunira	signeras
+R patineur	nasiques	+C carniers	ruinera	singeras
+S epuisant	+T antiques	rinceras	urinera	+I inserais
petunias	esquinta	+D rendrais	+B bruinera	raisines
	naquites	+E enserrai	burinera	

resinais
serinais
sinisera
+T assirent
astreins
sentiras
tarsiens
transies
tsarines
+U ruinasse
sauniers
sauriens
urinasse
usineras
+V inversas
vernissa
+Y assyrien
AEINRST
arisent
entrais
inserat
ratines
resinat
riantes
satiner
sentira
seriant
serinat
taniser
tarsien
traines
transie
tsarine
+A artisane
rainates
rasaient
satinera
tanisera
+B abstenir
braisent
brisante
+C centrais
certains
craintes
criantes
rancites
rincates
+D desirant
redisant
residant
siderant
teindras
tendrais
tiendras
+E arsenite
artesien
ateriens
enterais
ereintas
eternisa
ratinees
reniates
retenais
seraient
stearine
tanieres
trainees

+F fraisent
frisante
+G egrisant
gantiers
garnites
granites
gratines
grisante
ingrates
resignat
seringat
transige
+I inserait
resinait
sentirai
serinait
+L latrines
liserant
ralentis
relisant
salirent
+M martiens
mentiras
minarets
remisant
terminas
+N entrains
inserant
internas
resinant
serinant
tanniser
+O notaires
notaries
noterais
orientas
senorita
tenorisa
+P aspirent
pinastre
pinteras
+R arrisent
rentrais
terniras
terrains
+S assirent
astreins
sentiras
tarsiens
transies
tsarines
+T astreint
entraits
nattiers
nitrates
tartines
tinteras
transite
+U insature
instaure
ruinates
rusaient
satineur
saturnie
suintera
taurines

uranites
urinates
+V inversat
ravisent
revisant
+Z tzarines
AEINRSU
anuries
saunier
saurien
uranies
usinera
+A saunerai
+B urbaines
urbanise
+C censurai
+D desunira
enduiras
endurais
+E eurasien
+F enfuiras
infusera
+G insurgea
seringua
+I usinerai
+J rajeunis
+L laineurs
lunaires
ulnaires
+M maniuers
numerisa
ruinames
surmenai
uranisme
urinames
+O enrouais
nouerais
ouarines
renouais
+P punaiser
unipares
+Q renaquis
+R rainures
reuniras
ruineras
surinera
urineras
+S ruinasse
sauniers
sauriens
urinasse
usineras
+T insature
instaure
ruinates
rusaient
satineur
saturnie
suintera
taurines
uranides
urinates
+V ensuivra
vauriens
+Z suzerain
AEINRSV
avenirs

enivras
inversa
navires
ravines
vineras
+A avineras
+D renvidas
veinards
vendrais
viendras
+E enervais
envieras
ravinees
revenais
veineras
venerais
+H hivernas
+I enivrais
inversai
vinerais
+L silvaner
+N innervas
vanniers
+O averions
aversion
noverais
ovariens
renovais
veraison
+P eparvins
parviens
+R verniras
+S inversas
vernissa
+T inversat
ravisent
revisant
+U ensuivra
vauriens
AEINRSX
+M marxiens
+O axerions
AEINRSY
+A enrayais
+S assyrien
AEINRSZ
+E aniserez
+T tzarines
+U suzerain
AEINRTT
entrait
etirant
nattier
nitrate
tartine
tintera
traient
+A natterai
rataient
ratatine
taraient
+B abritent
batirent
+C centrait
recitant
tiercant
+D attendri

detirant
tendrait
ereintat
nattiere
nitratee
rainette
retenait
tartinee
teintera
tenterai
+F tarifent
+G integrat
+H heritant
+I tinterai
tiraient
triaient
+L ralentit
+M martinet
matirent
meritant
terminat
+N internat
ratinent
tarentin
trainent
+O noterait
orientat
rotaient
+P etripant
patirent
piratent
tapirent
+R nitrater
rentrait
retirant
tarirent
tartiner
+S astreint
entraits
nattiers
nitrates
tartines
tinteras
transite
+T attirent
traitent
+V rivetant
+Z nitratez
tartinez
AEINRTU
ruaient
taurine
uranite
+A auraient
traineau
+B butanier
butinera
urbanite
+C ceintura
curaient
+D duraient
endurait
+E eternuai
+G gunitera
+I unitaire
+J juraient

rajeunit	ravisent	niasses	+U usinates	+M estimant
+L lutinera	revisant	+A anisasse	**AEINSSU**	tamisent
+M amuirent	+T rivetant	assenais	+E sanieuse	tintames
minutera	+V ravivent	+B bassines	+G usinages	+N instante
muraient	revivant	binasses	+J jaunisse	intentas
mutinera	**AEINRTX**	+C canisses	+L alunisse	nantites
+O enrouait	+P expirant	+D dessinas	sinusale	satinent
entourai	**AEINRTY**	dinasses	+M menuisas	tanisent
nouerai	+A enrayait	+E ainesses	usinames	tantines
ouatiner	rayaient	+F finasses	+P punaises	+P patients
renouait	+B barytine	+G assignes	+Q naquisse	pintates
rouaient	+N tyrannie	signasse	nasiques	spitante
+P patineur	**AEINRTZ**	+I saisines	+R ruinasse	+R astreint
+Q renaquit	naitrez	+M minasses	sauniers	entraits
taquiner	ratinez	+P pinasses	sauriens	nattiers
+R traineur	trainez	+U usinasse	urinasse	nitrates
+S insature	tzarine	+V vinasses	usineras	tartines
instaure	+C crantiez	**AEINSST**	+S usinasse	tinteras
ruinates	+G gratinez	nasties	+T usinates	transite
rusaient	+I naitriez	saintes	**AEINSSV**	+S tintasse
satineur	ratiniez	satines	vanises	+T atteints
saturnie	trainiez	sentais	vinasse	attisent
suintera	+N nantirez	tanises	+A avinasse	intestat
taurines	+S tzarines	tisanes	envisais	tintates
uranites	+T nitratez	+A anisates	+E enviasse	+V estivant
urinates	tartinez	assenait	vanisees	+X existant
AEINRTV	+Z razzient	entassai	veinasse	**AEINSTU**
enivrat	**AEINRUU**	+B abstiens	+O evasions	suaient
varient	+G inaugure	baissent	+R inversas	uniates
+A avarient	+Q uranique	bassinet	vernissa	usaient
entravai	**AEINRUV**	+C cassetin	+S vinasses	+B entubais
vanterai	vaurien	castines	**AEINSSY**	+C cuisante
variante	+G naviguer	+D dessinat	+B abyssine	sucaient
+B abrivent	+O evanouir	destinas	+R assyrien	+F enfutais
vibrante	+R nervurai	+E essaient	**AEINSSZ**	fusaient
+C ecrivant	+S ensuivra	satinees	naissez	futaines
navicert	vauriens	tanisees	+B bassinez	infatues
+D derivant	**AEINRUX**	+F fiassent	+E asseniez	+J jaunites
devirant	+C rinceaux	infestas	+F finassez	+L alunites
renvidat	+F farineux	+G agissent	+G assignez	luisante
vendrait	+M minereaux	gisantes	+I naissiez	nautiles
+E enervait	**AEINRUY**	signates	niassiez	+M menuisat
eventrai	+H hainuyer	tignasse	+M nazismes	musaient
invetera	**AEINRUZ**	tsiganes	**AEINSTT**	nautisme
revaient	+G narguiez	+H haissent	atteints	+N annuites
revenait	zinguera	hantises	sentait	+O aoutiens
venerait	+J jaunirez	+L laissent	taisent	ouatines
+G givrante	+L alunirez	liassent	teintas	+P epuisant
vagirent	+R rainurez	+M mantisse	tentais	petunias
+H hivernat	+S suzerain	stamines	titanes	+Q antiques
+I enivrait	**AEINRVV**	+N naissent	+A tetanisa	esquinta
invitera	+T ravivent	nantisse	+B abstient	naquites
reinvita	revivant	niassent	+C intactes	taquines
rivaient	**AEINRVY**	tannises	+D attendis	+R insature
vinerait	+O renvoyai	+O asientos	destinat	instaure
viraient	**AEINRVZ**	assoient	distante	ruinates
+M vraiment	navriez	+P epissant	+E anisette	rusaient
+N enivrant	ravinez	paissent	entetais	satineur
innervat	+C vaincrez	pintasse	saintete	saturnie
ravinent	+E avinerez	septains	tetanies	suintera
+O noverait	+I raviniez	+R assirent	tetanise	taurines
orvietan	**AEINRYZ**	astreins	+F infestat	uranites
renovait	+E enrayiez	sentiras	+H hesitant	urinates
+P parvient	**AEINRZZ**	tarsiens	theatins	+S usinates
+R arrivent	+T razzient	transies	+I teintais	+V suivante
ravirent	**AEINSSS**	tsarines	+K tankiste	**AEINSTV**
+S inversat	naisses	+T tintasse		avisent

```
   natives
   vanites
   vinates
+A avinates
   envasait
   savaient
+C vesicant
+D deviants
   devisant
+E enviates
   eventais
   naivetes
   veinates
+I visaient
+L salivent
   ventilas
+N inventas
+R inversat
   ravisent
   revisant
+T estivant
+U suivante
+V vivantes
AEINSTX
+C excisant
   inexacts
+E anxietes
+O soixante
+T existant
AEINSTY
+D dynastie
+E seyaient
+K enkystai
+O etayions
AEINSTZ
   satinez
   tanisez
+C zincates
+G stagniez
   tziganes
+I satiniez
   tanisiez
+N tannisez
+R tzarines
AEINSUU
+Q enuquais
AEINSUV
+C encuvais
   vaincues
+G navigues
+O evanouis
   inavoues
+Q vainques
+R ensuivra
   vauriens
+T suivante
AEINSUX
   auxines
   sanieux
   uniaxes
+E anxieuse
+M seminaux
AEINSUY
+F enfuyais
+N ennuyais
AEINSUZ
   sauniez
```


```
+P punaisez
+R suzerain
AEINSVV
+T vivantes
AEINSVY
+O envoyais
AEINSVZ
+E envasiez
AEINSZZ
+I zizanies
AEINTTT
   atteint
   teintat
+A attentai
   tataient
+D attendit
+E atteinte
   entetait
   tetaient
+F attentif
   attifent
+G attigent
+I teintait
+N intentat
   tantinet
   teintant
+R attirent
   traitent
+S attisent
   intestat
   tintates
AEINTTU
   tuaient
+A attenuai
+B butaient
   entubait
   tubaient
+D etudiant
+F enfutait
+H huitante
+J jutaient
+L lutaient
+M mutaient
+O touaient
+P pieutant
+Q equitant
   quantite
+U autunite
+Z zieutant
AEINTTV
   evitant
   ventait
+C activent
+E eventait
   vetaient
+I nativite
+L ventilat
+N inventat
+O votaient
+R rivetant
+S estivant
AEINTTX
+A taxaient
+C excitant
+S existant
```


```
AEINTTY
+O nettoyai
+P typaient
AEINTTZ
   nattiez
+R nitratez
   tartinez
+U zieutant
AEINTUU
+Q enuquait
   nautique
+T autunite
AEINTUV
+B buvaient
+C cuvaient
   encuvait
+O envoutai
   evanouit
   vouaient
+S suivante
+X vaniteux
AEINTUX
+E extenuai
+G genitaux
+L linteaux
   luxaient
+V vaniteux
AEINTUY
+F enfuyait
   fuyaient
+N ennuyait
AEINTUZ
+G tanguiez
+O ouatinez
+Q taquinez
+T zieutant
AEINTVV
   avivent
   vivante
+I vivaient
+R ravivent
   revivant
+S vivantes
AEINTVX
+E vexaient
+O vexation
+U vaniteux
AEINTVY
+O envoyait
   voyaient
AEINTVZ
   vantiez
AEINTZZ
+E zezaient
+R razzient
AEINUVV
+L univalve
AEINUVX
   niveaux
+G vigneaux
+T vaniteux
AEINUVZ
+G naviguez
+Q vainquez
AEINUXX
   anxieux
AEIOOPR
```


```
+C cooperai
AEIOORR
+T oratoire
AEIOORT
+N roneotai
+R oratoire
AEIOPPR
+M pomperai
+S preposai
AEIOPPS
+R preposai
+Z apposiez
AEIOPPT
+N appointe
+Z papotiez
AEIOPPZ
+S apposiez
+T papotiez
AEIOPQR
+U poquerai
AEIOPQU
+R poquerai
AEIOPRR
   perorai
+C picorera
   procreai
+D parodier
+E opererai
   reoperai
+F perforai
   proferai
+L parolier
   repolira
+N pronerai
+S perorais
+T perorait
   porterai
   reportai
+V prevoira
AEIOPRS
   apories
   operais
   poserai
   reposai
+C apercois
   copaiers
   copieras
   recopias
+D doperais
   parodies
   podaires
   rapsodie
+G pragoise
+L opaliser
   ploieras
   poileras
   polaires
   polarise
   spoliera
+M imposera
   reimposa
+N opineras
   paierons
+P preposai
+R perorais
```


```
+S paroisse
   passoire
   poissera
   poserais
   reposais
+T estropia
   opterais
   patoiser
   poserait
   posterai
   reposait
   sapotier
   toperais
+U parousie
   souperai
+V ovipares
   pavoiser
   vaporise
AEIOPRT
   operait
   opterai
   toperai
+C apercoit
   picotera
   recopiat
+D deportai
   doperait
   parotide
+G parigote
+H atrophie
+I topiaire
+J projetai
+L pelotari
   pilotera
   polarite
+M emportai
   rempotai
+N atropine
   paieront
   pianoter
   pointera
   ponterai
   potinera
+R perorait
   porterai
   reportai
+S estropia
   opterais
   patoiser
   poserait
   posterai
   reposait
   sapotier
   toperais
+T opterait
   patriote
   toperait
+V pivotera
+X exportai
+Y apitoyer
AEIOPRU
   oripeau
   poireau
+C couperai
   recoupai
+L louperai
+N epanouir
```

+Q poquerai
+S parousie
   souperai
+V eprouvai
+X oripeaux
   poireaux
AEIOPRV
   ovipare
+A evaporai
+D poivrade
+R poivrera
   prevoira
+S ovipares
   pavoiser
. vaporise
+T pivotera
+U eprouvai
AEIOPRX
+L explorai
+T exportai
+U oripeaux
   poireaux
AEIOPRY
+T apitoyer
AEIOPRZ
+D parodiez
AEIOPSS
+C copiasse
+D adiposes
   deposais
   possedai
+L opalises
   paloises
   poilasse
+M empoissa
+N opinasse
+R paroisse
   passoire
   poissera
   poserais
   reposais
+T patoises
   poetisas
+U assoupie
   epousais
+V pavoises
+X exposais
AEIOPST
   patoise
   poetisa
+C copiates
   opacites
+D deposait
   depotais
+I apitoies
   poetisai
+L pelotais
   poilates
+M empotais
   estompai
+N epations
   epointas
   opinates
   pantoise
   pianotes
   posaient

   saponite
+R estropia
   opterais
   patoiser
   poserait
   posterai
   reposait
   sapotier
   toperais
+S patoises
+T poetisat
+U autopsie
   epousait
+Y apitoyes
+Z apostiez
   patoisez
AEIOPSU
+M paumoies
+N epanouis
+R parousie
   souperai
+S assoupie
   epousais
   soupesai
+T autopsie
   epousait
AEIOPSV
   pavoise
+E pavoisee
+R ovipares
   pavoiser
   vaporise
+S pavoises
+Z pavoisez
AEIOPSX
   exposai
+L explosai
+S exposais
+T exposait
AEIOPSY
+T apitoyes
AEIOPSZ
+L opalisez
   salopiez
+P apposiez
+T apostiez
   patoisez
+V pavoisez
AEIOPTT
+D depotait
+L pelotait
+M empotait
+N epointat
   optaient
   topaient
+R opterait
   patriote
   toperait
+S poetisat
+Z tapotiez
AEIOPTU
+N epanouit
   pointeau
+S autopsie

   epousait
AEIOPTV
+D adoptive
+R pivotera
AEIOPTX
+L exploita
+R exportai
+S exposait
AEIOPTY
   apitoye
+E apitoyee
+R apitoyer
+S apitoyes
+Z apitoyez
AEIOPTZ
+C capotiez
+D adoptiez
+N pianotez
+P papotiez
+S apostiez
   patoisez
+T tapotiez
+Y apitoyez
AEIOPUV
+R eprouvai
AEIOPUX
+R oripeaux
   poireaux
AEIOPVZ
+S pavoisez
AEIOPYZ
+T apitoyez
AEIOQRR
+U roquerai
AEIOQRT
+U aortique
   toquerai
AEIOQRU
+G orgiaque
+M moquerai
+P poquerai
+R roquerai
+T aortique
+V revoquai
AEIOQRV
+U revoquai
AEIOQSS
+U sequoias
AEIOQST
+U estoquai
AEIOQSU
   sequoia
+M mosaique
+S sequoias
+T estoquai
+V evoquais
+Z azoiques
AEIOQSV
+U evoquais
AEIOQSZ
+U azoiques
AEIOQTU
+H hoquetai
+L aliquote
+M atomique
+N atonique

   equation
+R aortique
   toquerai
+S estoquai
+V evoquait
+Z azotique
AEIOQTV
+U evoquait
AEIOQTZ
+U azotique
AEIOQUV
   evoquai
+R revoquai
+S evoquais
+T evoquait
AEIOQUX
+L oxalique
AEIOQUZ
   azoique
+D zodiaque
+S azoiques
+T azotique
AEIORRR
+M armorier
+T arretoir
AEIORRS
   rosaire
+B broieras
   resorbai
   roberais
+C carroies
   corsaire
   corserai
   croisera
   ocrerais
+D desarroi
   dorerais
   redorais
   roderais
+E roseraie
+F foireras
   forerais
   orfraies
+H horaires
+M armoires
   armories
   moireras
+N orneras
   raierons
+P perorais
+S rasseoir
   rosaires
   rosserai
   sarroise
+T roterais
   sirotera
+U rouerais
+Z arrosiez
AEIORRT
   roterai
+A aratoire
+B biarrote
   rabioter
   roberait
+C ocrerait
+D dorerait
   redorait

   roderait
+E toreerai
+F forerait
   torrefia
+N noiratre
   ornerait
   raieront
   tronerai
+O oratoire
+P perorait
   porterai
   reportai
+R arretoir
+S roterais
   sirotera
+T roterait
+U outrerai
   rouerait
   routerai
   trouerai
AEIORRU
   rouerai
+B ebourrai
+C ecrouira
+D rudoiera
+G gourerai
+J rejouira
+L lourerai
   ourlerai
   roulerai
+Q roquerai
+S rouerais
+T outrerai
   rouerait
   routerai
   trouerai
+V ouvrerai
   rouvraie
AEIORRV
+G revigora
+L revaloir
   virolera
+P poivrera
   prevoira
+U ouvrerai
   rouvraie
AEIORRY
+D drayoire
+N enrayoir
AEIORRZ
+B arboriez
+G arrogiez
+M armoriez
+S arrosiez
AEIORSS
   asseoir
   essorai
   oserais
   rassoie
+B boiseras
   bosserai
   isobares
   reboisas
+C associer
   cosserai
+D ardoises
   doserais

+E oseraies
+F foirasse
+L alesoirs
   isoleras
   solaires
+M armoises
   moirasse
   moiseras
+P paroisse
   passoire
   poissera
   poserais
   reposais
+R rasseoir
   rosaires
   rosserai
   sarroise
+S essorais
   rassoies
+T aoristes
   assortie
   erotisas
   essorait
   toiseras
   tosserai
+U ossuaire
+V varoises
+Z assoirez

AEIORST
   aoriste
   erotisa
   oserait
   otaries
   oterais
   toisera
   toreais
+B baisoter
   boiteras
   rabiotes
   reboisat
   sabotier
+C cairotes
   corsetai
   coterais
   cotisera
   escortai
+D adroites
   doserait
   doterais
+F foirates
+G agriotes
   ergotais
+H theorisa
+I erotisai
   toiserai
+L tolerais
+M amorties
   atomiser
   moirates
   mortaise
+N notaires
   notaries
   noterais
   orientas
   senorita
   tenorisa
+P estropia

   opterais
   patoiser
   poserait
   posterai
   reposait
   sapotier
   toperais
+R roterais
+S aoristes
   assortie
   erotisas
   essorait
   toiseras
   tosserai
+T aortites
   erotisat
+U autorise
   touerais
+V ovarites
   revotais
   voterais

AEIORSU
+B ebrouais
+C ecrouais
   souderai
+H houerais
+J iouerais
   rejouais
+L iouleras
   louerais
   relouais
   soulerai
+N enrouais
   nouerais
   ouarines
   renouais
+P parousie
   souperai
+R rouerais
+S ossuaire
+T autorise
   touerais
+V oeuvrais
   vouerais

AEIORSV
   ovaires
   varoise
+B observai
   obvieras
+D avodires
   devorais
+F favorise
+L loverais
   ovaliser
   revolais
   valorise
   varioles
   violeras
   voileras
   volerais
+N averions
   aversion
   noverais

   ovariens
   renovais
   veraison
+P ovipares
   pavoiser
   vaporise
+S varoises
+T ovarites
   revotais
   voterais
+U oeuvrais
   vouerais
+Y revoyais

AEIORSX
+B boxerais
+C excorias
   exorcisa
+N axerions

AEIORSY
+V revoyais

AEIORSZ
+I zairoise
+R arrosiez
+S assoirez

AEIORTT
   aortite
   oterait
   toreait
+B botterai
   taborite
+C atrocite
   coterait
+D doterait
+G ergotait
+L tolerait
+M motterai
   ommettrai
+N noterait
   orientat
   rotaient
+P opterait
   patriote
   toperait
+R roterait
+S aortites
   erotisat
+U autorite
   touerait
   tutoiera
+V revotait
   rotative
   voterait

AEIORTU
   touerai
+A ouaterai
+B bouterai
   ebrouait
+C couterai
   ecourtai
   ecrouait
   ecroutai
+D derouait
   detourai
   douerait
   douterai
   redoutai
+E ouaterie

+G autogire
   gouterai
+H houerait
+J jouerait
   jouterai
   rejouait
+L louerait
   relouait
+N enrouait
   entourai
   nouerait
   ouatiner
   renouait
   rouaient
+Q aortique
   toquerai
+R outrerai
   rouerait
   routerai
   trouerai
+S autorise
   touerais
+T autorite
   touerait
   tutoiera
+V oeuvrait
   vouerait
   vouterai
+Z azoturie

AEIORTV
   ovarite
   revotai
   voterai
+B abortive
+C octavier
   voracite
+D devorait
+F favorite
+G ravigote
+L loverait
   olivatre
   revolait
   revoltai
   traviole
   violatre
   volerait
   voltaire
   volterai
+M motivera
+N noverait
   orvietan
   renovait
+P pivotera
+S ovarites
   revotais
   voterais
+T revotait
   rotative
   voterait
+U oeuvrait
   vouerait
   vouterai
+V vivotera
+Y revoyait
+Z avortiez

AEIORTX
+B boxerait

+C excoriat
+H exhortai
+P exportai

AEIORTY
+P apitoyer
+V revoyait

AEIORTZ
+B rabiotez
   rabotiez
+D radotiez
+U azoturie
+V avortiez

AEIORUV
   oeuvrai
   vouerai
+A avouerai
+C couverai
+G voguerai
+L louverai
   ovulaire
+M emouvrai
+N evanouir
+P eprouvai
+Q revoquai
+R ouvrerai
   rouvraie
+S oeuvrais
   vouerais
+T oeuvrait
   vouerai
   vouterai

AEIORUX
+P oripeaux
   poireaux

AEIORUZ
+J ajouriez
+T azoturie

AEIORVV
+L volvaire
+T vivotera

AEIORVY
+D verdoyai
+G goyavier
+N renvoyai
+S revoyais
+T revoyait

AEIORVZ
+T avortiez

AEIORXY
+D oxyderai

AEIOSSS
   assoies
+B boisasse
+C associes
   ecossais
+D desossai
   iodasses
+L isolasse
+M moisasse
+R essorais
   rassoies
+T toisasse
+Z osassiez

AEIOSST
+B baisotes
   boisates
   boitasse

+C ecossait
+L isolates
+M amitoses
  atomises
  maoistes
  matoises
  moisates
  mosaiste
  somatise
  taoismes
  toisames
+N asientos
  assoient
+P patoises
  poetisas
+R aoristes
  assortie
  erotisas
  essorait
  toiseras
  tosserai
+S toisasse
+T taoistes
  toisates
+Z otassiez

AEIOSSU
+B auboises
  boisseau
+C secouais
+D audoises
+H houssaie
+L ioulasse
+M emoussai
+P assoupie
  epousais
  soupesai
+Q sequoias
+R ossuaire
+V assouvie

AEIOSSV
+B obviases
+L ovalises
  violasse
  voilasse
+N evasions
+P pavoises
+R varoises
+U assouvie

AEIOSSX
+I aixoises
+P exposais

AEIOSSY
+Z assoyiez

AEIOSSZ
+C associez
  coassiez
+D adossiez
+L assoliez
+R assoirez
+S osassiez
+T otassiez
+Y assoyiez

AEIOSTT
  taoiste
+B boitates
+C asticote
+L totalise
+M atomiste
  emottais
  omettais
+P poetisat
+R aortites
  erotisat
+S taoistes
  toisates
+Z azotites

AEIOSTU
+B eboutais
+C ecoutais
  secouait
+D saoudite
+F foutaise
+H souhaite
+L ioulates
+N aoutiens
  ouatines
+P autopsie
  epousait
+Q estoquai
+R autorise
  touerais

AEIOSTV
+B obviates
+C octavies
+L violates
  violetas
  voilates
  voletais
+R ovarites
  revotais
  voterais

AEIOSTX
+C coexista
+N soixante
+P exposait

AEIOSTY
+F festoyai
+N etayions
+P apitoyes

AEIOSTZ
+B baisotez
  sabotiez
+M atomisez
+P apostiez
  patoisez
+S otassiez
+T azotites

AEIOSUV
+D devouais
  vaudoise
+L evoluais
  soliveau
  soulevai
+M emouvais
+N evanouis
  inavoues
+Q evoquais
+R oeuvrais
  vouerais

AEIOSUX
  oiseaux

AEIOSUZ
+L saouliez

+Q azoiques

AEIOSVY
+D devoyais
+N envoyais
+R revoyais

AEIOSVZ
+L ovalisez
+P pavoisez

AEIOSYZ
+S assoyiez

AEIOTTT
+L toiletta
  totalite
+M emottait
  omettait

AEIOTTU
+B eboutait
+C ecoutait
+F fouettai
+G egouttai
+N touaient
+R autorite
  touerait
  tutoiera
+Z tatouiez

AEIOTTV
+L violetat
  voletait
+N votaient
+R revotait
  rotative
  voterait

AEIOTTY
+N nettoyai

AEIOTTZ
  azotite
+P tapotiez
+S azotites
+U tatouiez

AEIOTUV
+D devouait
+L evoluait
  louvetai
  veloutai
+M emouvait
+N envoutai
  evanouit
  vouaient
+Q evoquait
+R oeuvrait
  vouerait
  vouterai

AEIOTUZ
  ouatiez
+B aboutiez
+J ajoutiez
+N ouatinez
+R azoturie
+T tatouiez

AEIOTVV
+R vivotera

AEIOTVX
+N vexation

AEIOTVY
+D devoyait
+N envoyait
  voyaient
+R revoyait

AEIOTVZ
+C octaviez
+R avortiez

AEIOTYZ
+F fayotiez
+P apitoyez

AEIOUVZ
  avouiez

AEIOVYZ
+G voyagiez

AEIPPPR
+U pupipare

AEIPPPU
+R pupipare

AEIPPQU
+L applique

AEIPPRR
+A appairer
  apparier
  preparai
  rapparie
+G agripper
  grippera
+S rapprise
  reappris
+T reapprit

AEIPPRS
  apprise
  papiers
  piperas
+A appaires
  apparies
+E apperias
  priapees
+G agrippes
+I piperais
+M apprimes
+N nipperas
+O preposai
+R rapprise
  reappris
+S apprises
  apprisse
+T apprites

AEIPPRT
+A appretai
+E papetier
  peripate
+I piperait
+L palpiter
+N apprenti
+R reapprit
+S apprites

AEIPPRU
+A appuiera
+E paupiere
+L pulpaire
+P pupipare

AEIPPRZ
+A appairez
  appariez
+F frappiez
+G agrippez

AEIPPSS
  pipasse
+E apepsies
  pepiasse
+M papismes
+N nippasse
+R apprises
  apprisse
+S pipasses
+T papistes

AEIPPST
  papiste
  pipates
+E pepiates
+L palpites
+N appentis
  nippates
+R apprites
+S papistes
+T appetits

AEIPPSU
  appuies
+L peuplais
  suppleai

AEIPPSZ
+O apposiez

AEIPPTT
  appetit
+S appetits

AEIPPTU
+L peuplait
+N appuient

AEIPPTZ
+A appatiez
+L palpitez
+O papotiez

AEIPPUX
  pipeaux

AEIPPUY
+Z appuyiez

AEIPPUZ
+Y appuyiez

AEIPPYZ
+U appuyiez

AEIPQRR
+U parquier

AEIPQRS
+U piqueras
  repiquas

AEIPQRT
+U pratique
  repiquat

AEIPQRU
  apiquer
  piquera
  repiqua
+A apiquera
+D prediqua
+E equipera
+I piquerai
  repiquai
+L repliqua
+O poquerai
+R parquier
+S piqueras
  repiquas
+T pratique
  repiquat

+Z parquiez
AEIPQRZ
+U parquiez
AEIPQSS
+U piquasse
AEIPQST
+U piquates
piquetas
AEIPQSU
apiques
equipas
+D depiquas
+E apiquees
+G piquages
+H phasique
saphique
+I equipais
+M piquames
+N paniques
+R piqueras
repiquas
+S piquasse
+T piquates
piquetas
AEIPQTT
+U piquetat
AEIPQTU
equipat
piqueta
+D depiquat
+I equipait
piquetai
+N apiquent
equipant
piquante
+R pratique
repiquat
+S piquates
piquetas
+T piquetat
+Y atypique
AEIPQTY
+U atypique
AEIPQUX
+L expliqua
AEIPQUY
+T atypique
AEIPQUZ
apiquez
+C pacquiez
+I apiquiez
+L plaquiez
+N paniquez
+R parquiez
AEIPRRR
+E repairer
+T repartir
+U parurier
AEIPRRS
aspirer
periras
praires
prieras
prisera
reprisa
respira
riperas

+A aspirera
parerais
parieras
raperais
repairas
reparais
+C capriers
crepiras
crispera
+D drapiers
perdrais
prediras
+E epierras
raperies
rapieres
repaires
reperais
+F friperas
+I perirais
prairies
prierais
priserai
reprisai
respirai
riperais
+M primeras
reprimas
+O perorais
+P rapprise
reappris
+S priseras
reprisas
respiras
+T petriras
repartis
reprisat
respirat
+U parieurs
presurai
+V priveras
AEIPRRT
petrira
pirater
+A paraitre
parerait
piratera
rapatrie
raperait
repairat
repaitra
reparait
+D departir
perdrait
+E epierrat
etripera
preterai
repaitre
repartie
reperait
+H phratrie
+I perirait
petrirai
prierait
riperait
+L platrier
triplera

+M reprimat
+O perorait
porterai
reportai
+P reapprit
+R repartir
+S petriras
repartis
reprisat
respirat
+T repartit
+Z partirez
AEIPRRU
parieur
+A apurerai
+D diaprure
perdurai
+E epurerai
+G purgerai
+I ripuaire
+Q parquier
+R parurier
+S parieurs
presurai
AEIPRRV
privera
+B pervibra
+I priverai
+N parvenir
+O poivrera
prevoira
+S priveras
AEIPRRX
+E expirera
AEIPRRZ
+E pareriez
parierez
rapieriez
repairez
repariez
+T partirez
AEIPRSS
aspires
parsies
pissera
pressai
priasse
ripasse
+A paraisse
paressai
pariasse
passerai
repassai
saperas
separais
+B bipasser
+C precisas
+D dispersa
presidas
sparides
+E aspirees
epissera
esperais
pairesse
paresies
peserais
pessaire

repaisse
+F fripasse
+H sharpies
+I epaissir
pisserai
+L palisser
plissera
replissa
spirales
+M meprisas
parsisme
primasse
prisames
+O paroisse
passoire
poissera
poserais
reposais
+P apprises
apprisse
+R priseras
reprisas
respiras
+S pisseras
pressais
priasses
prisasse
ripasses
+T partisse
persista
piastres
pisteras
pressait
prisates
tapisser

trepidas
+E asperite
esperait
peserait
pesterai
peterais
pieteras
piratees
repetais
+F fripates
+G stripage
+H harpiste
triphase
+I etripais
pisterai
+L partiels
pilastre
tripales
+M meprisat
partimes
primates
trempais
+N aspirent
pinastre
pinteras
+O estropia
opterais
patoiser
poserait
posterai
reposait
sapotier
toperais
+P apprites
+R petriras
repartis
reprisat
respirat
+S partisse
persista
piastres
pisteras
pressait
prisates
tapisser
+T partites
+U psautier
sapiteur
uperisat
+V privates
+X extirpas
+Y typerais

AEIPRST
etripas
parites
parties
patries
piastre
pirates
pistera
pretais
priates
ripates
+A parasite
pariates
rapiates
retapais
saperait
satrapie
separait
taperais
+B baptiser
+C crepitas
pactiser
patrices
picrates
precisat
teraspic
+D departis
presidat

AEIPRSU
epurais
puerais
puisera
surpaie
uperisa
+A apeurais
+D depurais
disparue
duperais
repudias
+E epuisera
parieuse
+G guiperas
purgeais

+I	puiserai	+N	etripant		piratez		pestais	+B	bipassez
	uperisai		patirent		tapirez		tapisse	+I	paissiez
+L	paliures		piratent	+E	retapiez	+A	aseptisa	+L	palissez
	parulies		tapirent		taperiez	+B	baptises	+T	patissez
	pleurais	+O	opterait	+I	paitriez	+C	pactises		tapissez
	pulserai		patriote		patiriez	+D	depistas	+U	puassiez

AEIPSTT

+M	presumai		toperait		piratiez	+E	aseptise		patites
+N	punaiser	+R	repartit		tapiriez		pietasse		pestait
	unipares	+S	partites	+L	platirez		tapisse		tapites
+O	parousie	+X	extirpat	+R	partirez	+G	pistages	+A	apatites
	souperai	+Y	typerair	+U	paturiez	+I	epaissit	+B	baptiste
+Q	piqueras						epissait	+D	depistat

AEIPRTU · **AEIPRUV**

	repiquas		epurait	+E	vipereau	+L	alpistes	+E	pietates
+R	parieurs		puerait	+I	viperiau		plasties	+N	patients
	presurai	+A	apeurait	+O	eprouvai	+M	pistames		pintates
+S	puiseras	+C	percutai	+T	vitupera	+N	epissant		spitante
	surpaies	+D	depurait				paissent	+O	poetisat
	uperisas		duperait	**AEIPRUX**			pintasse	+P	appetits
+T	psautier		repudiat	+O	oripeaux	+O	patoises	+R	partites
	sapiteur	+E	pieutera		poireaux		poetisas	+S	pistates
	uperisat		taupiere			+P	papistes		

AEIPSRV · **AEIPRUZ** · **AEIPSTU**

	preavis	+F	putrefia	+E	apeuriez	+R	partisse		epuisat
+A	paverais	+G	purgeait	+Q	parquiez		persista		pieutas
	repavais	+L	pleurait	+T	paturiez		piastres	+D	deputais
+M	privames	+M	imputera				pisteras	+F	stupefia
	vampires		permutai	**AEIPRVV**			pressait	+G	guipates
+N	eparvins		primaute	+I	vivipare		prisates	+I	epuisait
	parviens	+N	patineur				tapisser		pieutais
+O	ovipares	+Q	pratique	**AEIPRVZ**		+S	patisses	+L	pauliste
	pavoiser		repiquat	+E	paveriez		pissates	+N	epuisant
	vaporise	+S	psautier		repaviez		pistasse		petunias
+R	priveras		sapiteur				tapisses	+O	autopsie
+S	privasse		uperisat	**AEIPRXY**		+T	pistates		epousait
+T	privates	+V	vitupera	+E	apyrexie	+U	puisates	+O	piquates
		+Z	paturiez			+Z	patissez		piquetas

AEIPRSX · **AEIPRTV** · **AEIPRYZ** · **AEIPSSS** · **AEIPSTV**

	expiras	+A	paverait	+E	payeriez		epissas		tapisser
	praxies		repavait		repayiez	**AEIPSSU**		+R	psautier
+A	apraxies	+C	captiver				epuisas		sapiteur
+E	expieras	+N	parvient	**AEIPRZZ**		+A	paisseau	+S	puisates
+F	prefixas	+O	pivotera	+I	pizzeria	+C	auspices		
+I	expiras	+S	privates			+G	guipasse	**AEIPSTV**	
+M	exprimas	+U	vitupera	**AEIPSSS**			puisages	+C	captives
+T	extirpas				epissas	+I	epuisais	+R	privates

AEIPRSY · **AEIPRTX**

			expirat	+B	bipasses	+M	puisames	**AEIPSTX**	
+A	payerais		extirpa	+E	asepsies	+N	punaises	+E	expiates
	repayais	+A	expatria		epaisses	+O	assoupie	+O	exposait
+T	typerais	+E	expatrie		epiasses		epousais	+R	extirpas
AEIPRSZ		+F	prefixat	+I	epaissis		soupesai	**AEIPSTY**	
	aspirez	+I	expirait		epissais	+Q	piquasse	+O	apitoyes
+E	saperiez		extirpai	+L	palisses	+R	puiseras	+R	typerais
	separiez	+M	exprimat		pilasses		surpaies	**AEIPSTZ**	
+H	phrasiez	+N	expirant		pliasses		uperisas	+B	baptisez
+I	aspiriez	+O	exportai	+M	impasses	+S	puisasse	+C	pactisez

AEIPRTT

	etripat	+S	extirpas		pissames	+T	puisates	+O	apostiez
	partite	+T	extirpat	+N	pinasses	+Z	puassiez		patoisez
	pretait	**AEIPRTY**		+P	pipasses	**AEIPSSV**		+S	patissez
+A	retapait		typerai	+R	pisseras		passive		tapissez
	taperait	+A	payerait		pressais	+O	pavoises	**AEIPSUX**	
+C	crepitat		repayait		priasses	+R	privasse	+C	spacieux
+D	departit	+O	apitoyer		prisasse	+S	passives		speciaux
	trepidat	+S	typerais		ripasses	**AEIPSSX**		+L	expulsai
+E	peterait	+T	typerait	+S	pissasse	+E	expiasse	**AEIPSUZ**	
	repetait	**AEIPRTZ**		+T	patisses	+O	exposais	+N	punaisez
+I	etripait		paitrez		pissates	**AEIPSSZ**		+S	puassiez
+M	trempait		partiez		pistasse		paissez	**AEIPSVZ**	
			patirez	+U	puisasse		passiez	+O	pavoisez
				+V	passives				

AEIPSST

	epissat
	patisse

```
AEIPSXY            +U astiquer        AEIQRUY            AEIQSTV               traquiez
+H asphyxie            tiqueras       +S syriaque        +U esquivat        +S astiquez
AEIPTTU            AEIQRSU            AEIQRUZ            AEIQSTZ            AEIQUUV
    pieutat        +A saquerai            arquiez        +U astiquez        +L equivalu
+D aptitude        +B bisquera            raquiez        AEIQSUU            +T equivaut
    deputait           rabiques       +B braquiez        +D eduquais        +X equivaux
+I pieutait            rebiquas       +C craquiez        +L auliques        AEIQUUX
+N pieutant        +C acquiers        +M marquiez        +M esquimau        +V equivaux
+Q piquetat        +D dariques        +P parquiez        +N enuquais        AEIQUVX
+V putative        +E areiques        +T quartiez        +R auriques        +U equivaux
AEIPTTV                resequai           traquiez       +T quetais         AEIQUVZ
+U putative        +J jaquiers        AEIQSSS            AEIQSUV                vaquiez
AEIPTTX            +M marisque        +U esquissa            esquiva        +N vainquez
+R extirpat            marquise       AEIQSST            +I esquivai        AEIRRRS
AEIPTTY            +N renaquis        +U astiques        +N vainques            arriser
+N typaient        +P piqueras            tiquasse       +O evoquais        +A arrisera
+R typerait            repiquas       AEIQSSU            +S esquivas        +C carriers
AEIPTTZ            +R equarris        +B basiques        +T esquivat            recriras
+O tapotiez            risquera       +C acquisse        AEIQSUY            +E arrieres
AEIPTUV            +S quassier            acquisse       +R syriaque            errerais
+L pleuvait        +T astiquer        +D dissequa        AEIQSUZ                serrerai
+R vitupera            tiqueras           sadiques           saquiez        AEIRRRT
+T putative        +Y syriaque        +F fiasques        +C casquiez        +B arbitrer
AEIPTUX            AEIQRSY            +I isiaques        +M masquiez        +E errerait
+C capiteux        +U syriaque        +L saliques        +O azoiques            retirera
    captieux       AEIQRTT            +M massique        +T astiquez            terrerai
AEIPTUY            +U quittera        +N naquisse        AEIQTTU            +I irritera
+Q atypique        AEIQRTU                nasiques           attique        +O arretoir
AEIPTUZ                tiquera        +O sequoias            quetait        +P repartir
+M amputiez        +A etarquai        +P piquasse        +C acquitte        +T atterrir
+R paturiez            taquerai       +R quassier            tactique       AEIRRRU
AEIPTVZ            +B briqueta        +S esquissa        +E etatique        +G aguerrir
+C captivez            rebiquat       +T astiques            etiqueta       +M armurier
AEIPTYZ            +C acquiert            tiquasse       +N equitant            arrimeur
+O apitoyez            arctique       +V esquivas            quantite       +N rainurer
AEIPUYZ            +E queterai        AEIQSSV            +P piquetat        +P parurier
+P appuyiez        +F trafique        +U esquivas        +R quittera        +Q parurier
AEIQRRR            +G tragique        AEIQSTT            +S attiques        AEIRRRV
+U equarrir        +I tiquerai        +U attiques            statique           arriver
AEIQRRS            +L quartile            statique           tiquates       +A arrivera
+U equarris            reliquat           tiquates       +U queutait        +E reverrai
    risquera       +N renaquit        AEIQSTU            AEIQTUU            AEIRRRZ
AEIQRRT                taquiner           astique            queutai        +B barrirez
+U equarrit        +O aortique            quetais        +D eduquait        AEIRRSS
    quartier           toquerai       +C acquites        +E equeutai            arrises
AEIQRRU            +P pratique        +E astiquee        +N ennuquait           serrais
    equarri            repiquat       +L qualites            nautique           sierras
+A arquerai        +R equarrit            tequilas       +S queutais        +A ariseras
    raquerai           quartier       +M mastique        +T queutait            raserais
+B barrique        +S astiquer            tiquames       +V equivaut            rassiera
    briquera           tiqueras       +N antiques        AEIQTUV            +B barrisse
+C acquerir        +T quittera            esquinta       +A atavique            brasiers
+E arequier        +Z quartiez            naquites       +I viatique            briseras
    equarrie           traquiez           taquines       +O evoquait        +C crassier
+O roquerai        AEIQRTZ            +O estoquai        +S esquivat            crissera
+P parquier        +U quartiez        +P piquates        +U equivaut        +E serieras
+R arquerit            traquiez           piquetas       AEIQTUX            +F friseras
+S equarris        AEIQRUU            +R astiquer        +A ataxique        +G graisser
    risquera           aurique            tiqueras       AEIQTUY            +I iriseras
+T equarrit        +L reluquai        +S astiques        +P atypique        +M simarres
    quartier       +N uranique            tiquasse       AEIQTUZ            +O rasseoir
+V vraquier        +S auriques        +T attiques            taquiez            rosaires
AEIQRRV            AEIQRUV                statique       +L talquiez            rosserai
+U vraquier        +A vaquerai            tiquates       +N taquinez            sarroise
AEIQRSS            +O revoquai        +U queutais        +O azotique        +P priseras
+U quassier        +R vraquier        +V esquivat        +R quartiez            reprisas
AEIQRST                               +Z astiquez
```

respiras	vitreras	virerais	bruitera	+C cuivrera
+T ratisser	+W rewritas	+L livreras	retribua	+N nervurai
sertiras	**AEIRRSU**	+N verniras	+C curerait	+O ouvrerai
stariser	ruerais	+P priveras	recrutai	rouvraie
strieras	ruserai	+S asservir	recurait	+Q vraquier
tarsiers	+A saurerai	serviras	+D detruira	**AEIRRUZ**
trissera	+B beurrais	+T treviras	durerait	+A azurerai
+U reussira	+C curerais	vitreras	traduire	+H ahurirez
ruserais	recuiras	+V resivras	+G aguerrit	+N rainurez
+V asservir	recurais	**AEIRRSW**	urgerait	+T raturiez
serviras	sucrerai	+T rewritas	+J jurerait	**AEIRRVV**
AEIRRST	+D durerais	**AEIRRSY**	+L leurrait	raviver
ratiers	raideurs	+A rayerais	rutilera	revivra
retiras	reduiras	**AEIRRSZ**	+M murerait	+A ravivera
serrait	+F fraiseur	arrisez	+N traineur	+I revivrai
sertira	fraisure	+B bizarres	+O outrerai	+S revivras
striera	surfaire	+E ariserez	rouerait	**AEIRRVZ**
tarsier	surferai	raseriez	routerai	arrivez
terrais	+G aguerris	+I arrisiez	trouerai	ravirez
tireras	aigreurs	+O arrosiez	+Q equarrit	+E varierez
trieras	gueriras	**AEIRRTT**	quartier	+G gravirez
+A arretais	+J jurerais	atterri	+S ruserait	+I arriviez
raserait	+L lauriers	attirer	+T traiteur	raviriez
raterais	leurrais	retirat	+Z raturiez	**AEIRRYZ**
tarerais	reluiras	retrait	**AEIRRTV**	+E rayeriez
+B arbitres	ruileras	terrait	avertir	**AEIRRZZ**
barrites	+M marieurs	titrera	trevira	razzier
+C cartiers	murerais	traiter	verrait	+A razziera
+E aretiers	+N rainures	traitre	vitrera	**AEIRSSS**
etireras	reuniras	+A arretait	+A avertira	rassise
ratieres	ruineras	atterrai	+E reverait	sarisse
reiteras	surinera	attirera	revetira	+A arisasse
resterai	urineras	raterait	+G graviter	assieras
stererai	+O rouerais	retraita	+I riverait	rassasie
tarieres	+P parieurs	tarerait	trevirai	sasserai
terserai	presurai	traitera	virerait	+B bisseras
+F fratries	+Q equarris	+E arterite	vitrerai	brisasse
+G grisatre	risquera	atterrie	+N arrivent	+C cassiers
registra	+S reussira	reiterat	ravirent	cirasses
+I retirais	ruserais	retraite	+S treviras	criasses
sertirai	+T ruserait	+F frittera	vitreras	+D dressais
strierai	+U usuraire	+H arthrite	+T trevirat	rassieds
tirerais	**AEIRRSV**	+I retirait	**AEIRRTW**	ridasses
trierais	arrives	tirerait	rewrita	+E ressaies
+M trimeras	raviers	titrerai	+I rewritai	seriasse
+N arrisent	raviser	trierait	+S rewritas	+F frisasse
rentrais	riveras	+N nitrater	+T rewritat	+G graisses
terniras	servira	rentrait	**AEIRRTX**	grisasse
terrains	verrais	retirant	+A extraira	+H herissas
+O roterais	vireras	tarirent	+E extraire	hisseras
sirotera	+A ravisera	tartiner	**AEIRRTY**	+I irisasse
+P petriras	varieras	+O roterait	+A rayerait	ressaisi
repartis	+B vibreras	+P repartit	**AEIRRTZ**	+L lisseras
reprisat	+D driveras	+R atterrir	tarirez	+M massiers
respirat	verdiras	+S atterris	trairez	mirasses
+S ratisser	+E arrivees	retraits	+B arbitrez	rassimes
sertiras	ravieres	titreras	+E arretiez	rimasses
stariser	reservai	traitres	rateriez	+O essorais
strieras	reverais	+T atterrit	tareriez	rassoies
tarsiers	reversai	attitrer	+H trahirez	+P pisseras
trissera	revisera	+U traiteur	+I taririez	pressais
+T atterris	sevrerai	+V trevirat	trairiez	priasses
retraits	verserai	+W rewritat	+P partirez	prisasse
titreras	+G givreras	**AEIRRTU**	+U raturiez	ripasses
traitres	graviers	ruerait	**AEIRRUU**	+S rassises
+U ruserait	+I riverais	+B beurrait	+S usuraire	rassisse
+V treviras	servirai	biturera	**AEIRRUV**	sarisses

+T assister
rassites
ratisses
resistas
retissas
starises
stressai
striasse
tarisses
tirasses
tisseras
tressais
triasses
+U ressuais
+V asservis
ravisses
revissas
rivasses
virasses
visseras

AEIRSST
ratisse
resista
restais
retissa
satires
staries
starise
sterais
tarisse
tersais
tirasse
tissera
tressai
triasse
+A arisates
essartai
tasserai
+B brisates
+C caristes
racistes
+D disserta
dressait
+E asteries
atresies
etirasse
ratissee
seriates
starisee
+F frisates
+G grisates
+H herissat
trahisse
+I irisates
resistai
retissai
tisserai
+L listeras
+M maristes
striames
trimasse
tsarisme
+N assirent
astreins
sentiras
tarsiens
transies

tsarines
+O aoristes
assortie
erotisas
essorait
toiseras
tosserai
+P partisse
persista
piastres
pisteras
pressait
prisates
tapisser
+R ratisser
sertiras
stariser
strieras
tarsiers
trissera
+S assister
rassites
ratisses
resistas
retissas
starises
stressai
striasse
tarisses
tirasses
tisseras
tressais
triasses
+T artistes
resistat
retissat
stariets
striates
titrasse
tressait
tsariste
+U ressuait
situeras
+V asservit
revissat
vitrasse
+Z ratissez
starisez
tarissez

+H ahurisse
haussier
+L laiusser
ruilasse
ruissela
+M mesurais
muserais
resumais
sursemai
+N ruinasse
sauniers
sauriens
urinasse
usineras
+O ossuaire
+P puiseras
surpaies
uperisas
+Q quassier
+R reussira
ruserais
+S ressuais
+T ressuait
situeras
+U ruisseau
+Z assuriez
ruassiez

AEIRSSV
asservi
ravises
ravisse
revisas
revissa
rivasse
servais
seviras
sevrais
versais
virasse
viseras
vissera
+A aviseras
revassai
variasse
+B vibrasse
+D drivasse
+E asservie
ravisees
vasiees
+G givrasse
gravisse
+I revisais
revissai
sevirais
viserais
visserai
+L livrasse
+N inversas
vernissa
+O varoises
+P privasse
+R asservir
serviras
+S asservis
ravisses
revissas

rivasses
virasses
visseras
+T asservit
revissat
vitrasse
+Z ravissez

AEIRSSY
+A ressayai
+N assyrien

AEIRSSZ
+B brassiez
+E assierez
reassiez
+G graissez
+I saisirez
+O assoirez
+T ratissez
starisez
tarissez
+U assuriez
ruassiez
+V ravissez

AEIRSTT
artiste
attires
attiser
ratites
restait
sterait
tarites
tersait
tirates
traites
triates
+A attisera
retatais
taterais
+B rebattis
+C citrates
+D dattiers
+E ariettes
attirees
etatiser
etirates
saietter
testerai
teterais
traitees
+F frettais
+G gastrite
titrages
+H trahites
+L talitres
+M mettrais
titrames
trimates
+N astreint
entraits
nattiers
nitrates
tartines
tinteras
transite
+O aortites
erotisat
+P partites

+R atterris
retraits
titreras
traitres
+S artistes
resistat
retissat
stariets
striates
titrasse
tressait
tsariste
+T attitres
attriste
titrates
+U restitua
+V travesti
vitrates
+X extraits

AEIRSTU
situera
suerait
tuerais
userait
+A sauterai
+B abruties
buterais
ebruitas
rebutais
tubaires
tuberais
+C creusait
cuiteras
curetais
eructais
raucites
recusait
sucerait
suricate
+D traduise
+E estuaire
sauterie
+F feutrais
furetais
fuserait
refusait
refutais
surfaite
+G arguties
guitares
targuies
+H ahurites
heurtais
+I situerai
+J juterais
surjetai
+L luterais
ruilates
tauliers
+M mauriste
mesurait
muserait
muterais
resumait
tamiseur
+N insature
instaure

ruinates
rusaient
satineur
saturnie
suintera
taurines
uranites
urinates
+O autorise
touerais
+P psautier
sapiteur
uperisat
+Q astiquer
tiqueras
+R ruserait
+S ressuait
situeras
+T restitua
+Z azuries
saturiez
AEIRSTV
avertis
ravites
revisat
rivates
rivetas
servait
sevrait
versais
vetiras
virates
+A variates
+B vibrates
+D drivates
tardives
+E averties
eviteras
revetais
savetier
varietes
+G givrates
gravites
vitrages
+I revisait
rivetais
sevirait
vetirais
viserait
visitera
+L levirats
livrates
+M vitrames
+N inversat
ravisent
revisant
+O ovarites
revotais
voterais
+P privates
+R treviras
vitreras
+S asservit
revissat
vitrasse
+T travesti
vitrates

AEIRSTW
+R rewritas
AEIRSTX
extrais
+A taxerais
+E existera
extasier
extraies
+M marxiste
+P extirpas
+T extraits
AEIRSTY
+B sybarite
+L stylerai
+P typerais
AEIRSTZ
+C castriez
+N tzarines
+S ratissez
starisez
tarissez
+U azurites
saturiez
AEIRSUU
+G suraigue
+Q auriques
+R usuraire
+S ruisseau
AEIRSUV
+A sauverai
+C cuverais
+L revulsai
+N ensuivra
vauriens
+O oeuvrais
vouerais
AEIRSUX
+C scarieux
+D sideraux
+L luxerais
AEIRSUY
+Q syriaque
AEIRSUZ
sauriez
+N suzerain
+S assuriez
ruassiez
+T azurites
saturiez
AEIRSVV
ravives
+A aviveras
+E ravivees
+I revivais
+R revivras
AEIRSVX
+E vexerais
AEIRSVY
+O revoyais
AEIRSVZ
ravisez
+E aviserez
+I ravisiez
+S ravissez
AEIRSZZ
razzies
+E razziees

AEIRTTT
attitre
+A retatait
taterait
+B rebattit
+E attitree
teterait
+F frettait
+M mettrait
+N attirent
traitent
+R atterrit
attitrer
+S attitres
attriste
titrates
+Z attitres
AEIRTTU
tuerait
+B attribue
buterait
butterai
ebruitait
rebutait
titubera
tuberait
+C curetait
eructait
+D traduite
+F feutrait
furetait
refutait
+G gratuite
+H heurtait
+J juterait
+L luterait
lutterai
+M maturite
meurtiat
muterait
+O autorite
touerait
tutoiera
+Q quittera
+R traiteur
+S restitua
+U tuterai
AEIRTTV
avertit
rivetat
+C tractive
+E revetait
+I rivetait
vetirait
+N rivetant
+O revotait
rotative
voterait
+R trevirat
+S travesti
vitrates
AEIRTTW
+R rewritat
AEIRTTX
extrait
+A taxerait
+E extraite

+P extirpat
+S extraits
AEIRTTY
+P typerait
AEIRTTZ
attirez
traitez
+B battriez
+C tractiez
+E retatiez
tateriez
+G grattiez
+I attiriez
traitiez
+N nitratez
tartinez
+T attitrez
AEIRTUU
+D auditeur
+T tuterai
AEIRTUV
+A aviateur
+C activeur
curative
cuverait
+D durative
+E etuverai
evertuai
+O oeuvrait
vouerait
vouterai
+P vitupera
+Z vautriez
AEIRTUX
+D extrudai
+F fixateur
+L luxerait
AEIRTUZ
azurite
+B bizutera
+E zieutera
+G targuiez
+L lazurite
+O azoturie
+P paturiez
+Q quartiez
traquiez
+R raturiez
+S azurites
saturiez
+V vautriez
AEIRTVV
+I revivait
+N ravivent
revivant
+O vivotera
AEIRTVX
+E vexerait
AEIRTVY
+O revoyait
AEIRTVZ
+G gravitez
+O avortiez
+U vautriez
AEIRTXZ
+E taxeriez
AEIRTYZ

trayiez
AEIRTZZ
+N razzient
AEIRUUV
+L uvulaire
AEIRUUZ
+G auguriez
AEIRUVV
+L vulvaire
AEIRUVZ
+D vaudriez
+T vautriez
AEIRUZZ
azuriez
AEIRVVZ
+E aviverez
+I raviviez
AEIRZZZ
razziez
+I razziiez
AEISSSS
assises
assisse
+B bisasses
+C sciasses
+H hissasse
+I saisisse
+K skiasses
+L lissasse
salisses
+M misasses
+P pissasse
+R rassises
rassisse
+S assisses
+T assistes
tissasse
+V visasses
vissasse
AEISSST
assiste
assites
+A astasies
+B bassiste
batisses
bissates
+C citasses
+D desistas
+E assistee
+G gitasses
tissages
+H hissasse
+I saisites
+L lissates
listasse
litasses
+M matisses
metissas
mitasses
tissames
+O toisasse
+P patisses
pissates
pistasse

```
        tapisses      +O  osassiez      +R  asservit    AEISSXZ                   taiseux
+R  assister          +T  assistez          revissat    +A  axassiez         +B  bauxites
    rassites          +U  suassiez          vitrasse    AEISSYZ                   bestiaux
    ratisses          AEISSTT           +S  vissates    +E  asseyiez         +C  excusait
    resistas              attises       +T  statives    +O  assoyiez         +D  exsudait
    retissas              testais       +U  suavites    AEISTTT              +L  exultais
    starises          +A  etatisas      AEISSTX             testait              listeaux
    stressai              saiettas          existas     +A  attestai         +V  estivaux
    striasse          +B  batisses      +A  extasias        etatisat         AEISTUY
    tarisses              battisse      +E  extasies        saiettat         +S  essuyait
    tirasses          +C  statices      +I  existais    +B  battites         AEISTUZ
    tisseras          +D  desistat      +L  laxistes    +E  etatiste             sautiez
    tressais          +E  assiette      AEISSTY         +N  atteints         +I  zieutas
    triasses              attisees      +A  asseyait        attisent         +J  ajustiez
+S  assistes              etatises          essayait        intestat         +Q  astiquez
    tissasse              saiettes      +U  essuyait        tintates         +R  azurites
+T  tissates              satietes      AEISSTZ         +R  attitres             saturiez
+U  situasse          +G  sagittes          tassiez         attriste         +S  tuassiez
+V  vissates          +L  altistes      +B  batissez        titrates         +T  statuiez
+Z  assistez              listates      +M  matissez    AEISTTU              AEISTVV
AEISSSU               +M  mastites      +O  otassiez        autiste          +A  avivates
+A  saussaie              metissat      +P  patissez    +C  cuitates         +N  vivantes
+C  ecuissas              statisme          tapissez    +D  destitua         AEISTVX
    saucisse          +N  tintasse      +R  ratissez    +F  fatuites         +U  estivaux
+D  assidues          +O  taoistes          starisez        statufie         AEISTVY
+L  laiusses              toisates          tarissez    +G  guettais         +L  vilayets
+M  amuisses          +P  pistates      +S  assistez    +Q  attiques         AEISTXZ
+N  usinasse          +R  artistes      +U  tuassiez        statique         +E  extasiez
+P  puisasse              resistat      AEISSUU             tiquates         AEISUVX
+Q  esquissa              retissat      +C  cuisseau    +R  restitua         +C  vesicaux
+R  ressuais              stariets      +R  ruisseau    +S  autistes         +T  estivaux
+T  situasse              striates      AEISSUV             situates         AEISUVZ
+Y  essuyais              titrasse      +A  vaisseau    +Z  statuiez             sauviez
+Z  suassiez              tressait      +B  abusives    AEISTTV              AEISYZZ
    usassiez              tsariste      +O  assouvie        stative          +A  zezayais
AEISSSV               +S  tissates      +Q  esquivas    +E  evitates         AEITTTU
    visasse           +U  autistes      +T  suavites    +N  estivant         +D  attitude
+A  avisasse              situates      AEISSUX         +R  travesti         +G  guettait
+D  devissas          +V  statives      +C  excusais        vitrates         AEITTTZ
    vidasses          AEISSTU           +D  exsudais    +S  statives         +R  attitrez
+G  vagisses          +C  casuiste      +M  seismaux    AEISTTX              AEITTUU
    vissages              cuitasse      AEISSUY             existat          +N  autunite
+L  lessivas              ecuissat          essuyai     +A  extasiat         +Q  queutait
    slavises          +E  taiseuse      +S  essuyais    +I  existait         +R  tuteurai
+M  massives          +M  autismes      +T  essuyait    +N  existant         AEITTUV
    vissames              situames      AEISSUZ         +R  extraits             etuvait
+N  vinasses          +N  usinates      +F  faussiez    AEISTTZ              +D  duvetait
+P  passives          +P  puisates      +G  gaussiez        attisez          +P  putative
+R  asservis          +Q  astiques      +H  haussiez    +E  etatisez         AEITTUX
    ravisses              tiquasse          huassiez        saiettez         +L  exultait
    revissas          +R  ressuait      +L  laiussez    +I  attisiez         AEITTUZ
    rivasses              situeras      +M  amuissez    +O  azotites             zieutat
    virasses          +S  situasse          assumiez    +U  statuiez         +I  zieutait
    visseras              situates          muassiez    AEISTUU              +N  zieutant
+S  visasses          +T  autistes      +P  puassiez    +Q  queutais         +O  tatouiez
    vissasse          +V  suavites      +R  assuriez    AEISTUV              +S  statuiez
+T  vissates          +Y  essuyait          ruassiez        etuvais          AEITUUV
AEISSSX               +Z  tuassiez      +S  suassiez        suavite          +Q  equivaut
+F  fixasses          AEISSTV               usassiez    +C  vacuites         AEITUUX
+M  mixasses              visates       +T  tuassiez    +D  duvetais         +L  tuileaux
AEISSSY               +A  avisates      AEISSVV         +F  fautives         AEITUVX
+A  asseyais          +C  cavistes      +A  avivasse    +N  suivante         +N  vaniteux
    essayais          +D  devissat      AEISSVZ         +Q  esquivat         +S  estivaux
+U  essuyais          +E  evitasse      +G  vagissez    +S  suavites         AEITUVZ
AEISSSZ               +L  lessivat      +L  slavisez    +X  estivaux         +R  vautriez
    sassiez               slaviste      +R  ravissez    AEISTUX
+L  salissez
```

AEITYZZ
+A zezayait
AEIUUVX
+L eluviaux
+Q equivaux
AEIYZZZ
+E zezayiez
AEJKMRS
+E jerkames
AEJKNRT
jerkant
AEJKRRS
+E jerkeras
AEJKRSS
+E jerkasse
AEJKRST
+E jerkates
AEJLLSV
+E javelles
AEJLMNT
+U jumelant
AEJLMNU
+T jumelant
AEJLMOS
+D jodlames
AEJLMSU
jumelas
+I jumelais
AEJLMTU
jumelat
+I jumelait
+N jumelant
AEJLNNO
jalonne
+E jalonnee
+R jalonner
+S jalonnes
+T enjolant
+Z jalonnez
AEJLNNR
+O jalonner
AEJLNNS
+O jalonnes
AEJLNNT
+O enjolant
AEJLNNZ
+O jalonnez
AEJLNOR
+E enjolera
+G jonglera
+N jalonner
AEJLNOS
enjolas
+G galejons
+I enjolais
+N jalonnes
+V javelons
AEJLNOT
enjolat
+C cajolent
+I enjolait
+N enjolant
AEJLNOV
+I enjoliva
+S javelons
AEJLNOZ
+N jalonnez

AEJLNSV
+O javelons
AEJLNTU
AEJLNTV
+A javelant
AEJLORS
+D jodleras
+U jalouser
AEJLORU
+C cajoleur
+S jalouser
AEJLOSS
+D jodlasse
+U jalouses
AEJLOST
+D jodlates
+V javelots
AEJLOSU
jalouse
+B jouables
+E jalousee
+I jalousie
+R jalouser
+S jalouses
+Z azulejos
jalousez
AEJLOSV
+I joviales
+N javelons
+T javelots
AEJLOSZ
+U azulejos
jalousez
AEJLOTV
javelot
+S javelots
AEJLOUZ
azulejo
+S azulejos
jalousez
AEJLRSU
+E surjalee
+O jalouser
AEJLRUU
+G jugulera
AEJLRUV
+E javeleur
AEJLSSU
+O jalouses
AEJLSTV
+O javelots
AEJLSUZ
+O azulejos
jalousez
AEJMNOR
+T majorent
AEJMNOT
+R majorent
AEJMNRT
+O majorent
AEJMNSU
+E jeunames
+I jaunimes
AEJMNTU
+L jumelant
AEJMNZZ

jazzmen
AEJMOOR
+B jeroboam
AEJMORR
majorer
+A majorera
AEJMORS
majores
+E majorees
AEJMORT
+I majorite
mijotera
+N majorent
AEJMORZ
majorez
+I majoriez
AEJMOSS
+B jamboses
AEJMOST
+U joutames
AEJMOSU
jouames
+T joutames
AEJMOTU
+S joutames
AEJMPPS
+A jappames
AEJMPSS
+A jaspames
AEJMRSU
jurames
majeurs
+D mudejars
+E majeures
AEJMSST
+E majestes
AEJMSTU
jutames
+O joutames
AEJMUUX
jumeaux
AEJNNOR
+G jargonne
+L jalonner
AEJNNOS
+L jalonnes
AEJNNOT
+L enjolant
AEJNNOZ
+L jalonnez
AEJNNTU
jeunant
AEJNORR
+U ajourner
AEJNORS
+S jaserons
+T jaseront
+U ajourns
sejourna
AEJNORT
+M majorent
+S jaseront
+U ajourent
rejouant
AEJNORU
ajourne
+D journade

+E ajournee
+R ajourner
+S ajournes
sejourna
+T ajourent
rejouant
+Z ajourner
AEJNORZ
+U ajournez
AEJNOSS
+R jaserons
AEJNOST
+I ejointas
+R jaseront
AEJNOSU
+G jaugeons
+R ajournes
sejourna
AEJNOSV
+L javelons
AEJNOTT
+B jabotent
+I ejointat
+U ajoutent
AEJNOTU
+D dejouant
+I jouaient
+R ajourent
rejouant
+T ajoutent
AEJNOUZ
+R ajournez
AEJNPPT
jappent
AEJNPRS
+I jaspiner
AEJNPSS
+I jaspines
AEJNPST
jaspent
AEJNPSZ
+I jaspinez
AEJNRRU
+I rajeunir
+O ajourner
AEJNRSS
+O jaserons
AEJNRST
+E jaserent
+O jaseront
AEJNRSU
+D jurandes
+E jeuneras
+I rajeunis
+O ajournes
sejourna
AEJNRTT
+E rejetant
AEJNRTU
+A jaunatre
+B abjurent
+D adjurent
+I juraient
rajeunit
+O ajourner
rejouant
AEJNRUZ

+I jaunirez
+O ajournez
AEJNSSU
+E jeunasse
+I jaunisse
AEJNSTT
+U ajustent
AEJNSTU
jaunets
+E jeunates
+I jaunites
+T ajustent
+V juvenats
AEJNSTV
+U juvenats
AEJNSUU
+G enjuguas
AEJNSUV
+T juvenats
AEJNTTU
+E jaunette
+I jutaient
+O ajoutent
+S ajustent
AEJNTUU
+G enjuguat
AEJNTUV
juvenat
+S juvenats
AEJOPRS
+T projetas
AEJOPRT
projeta
+I projetai
+S projetas
+T projetat
AEJOPST
+R projetas
AEJOPTT
+R projetat
AEJORRT
+U ajouter
AEJORRU
ajourer
+A ajourera
+E rejouera
+I rejouira
+N ajourner
+T rajouter
AEJORSS
jarosse
+N jaserons
+S jarosses
+U jarousse
AEJORST
+N jaseront
+P projetas
+U jouteras
rajoutes
AEJORSU
ajoures
ajoueras
rejouas
+E ajourees
+I jouerais
rejouais
+L jalouser

+N ajournes	**AEJOTUX**	+E jarretes	+O rajoutez	+N klaxonne
sejourna	+R jouxtera	+U rajuster	+S rajustez	**AEKLNOY**
+S jarousse	**AEJOTUZ**	**AEJRRSU**	**AEJSSSS**	+S ankylose
+T jouteras	ajoutez	jureras	+A jasasses	**AEKLNSY**
rajoutes	+I ajoutiez	+I jurerais	**AEJSSST**	+O ankylose
AEJORSY	+R rajoutez	+P parjures	+E jetasses	**AEKLORT**
+B bajoyers	**AEJPPRS**	+T rajuster	+U jutasses	+I kolatier
AEJORTT	+A japperas	**AEJRRTU**	**AEJSSSU**	**AEKLOSY**
+P projetat	+U jappeurs	+I jurerait	+E jaseuses	+N ankylose
AEJORTU	**AEJPPRU**	+O rajouter	+O jouasses	**AEKLSST**
ajouter	jappeur	+S rajuster	+R jurasses	+I lakistes
joutera	+S jappeurs	**AEJRRUZ**	+T jutasses	**AEKMMOU**
rajoute	**AEJPPRZ**	+P parjurez	**AEJSSTU**	+L mamelouk
rejouat	+E japperez	**AEJRSSS**	ajustes	**AEKMNOO**
+A ajoutera	**AEJPPSS**	+O jarosses	jutasse	+K kakemono
+E rajoutee	+A jappasse	+U jurasses	+E ajustees	**AEKMNST**
+I jouerait	**AEJPPST**	**AEJRSST**	+O joutasse	+I kantisme
jouterai	+A jappates	+U rajustes	+R rajustes	**AEKMNSZ**
rejouait	**AEJPPSU**	surjetas	surjetas	+H makhzens
+N ajourent	+E jappeuse	**AEJRSSU**	+S jutasses	**AEKMSST**
rejouant	+R jappeurs	jaseurs	**AEJSTTU**	+I saktisme
+R rajouter	**AEJPRRR**	jurasse	jutates	**AEKNNOX**
+S jouteras	+U parjurer	+O jarousse	+N ajustent	+L klaxonne
rajoutes	**AEJPRRS**	+O joutates	+O joutates	**AEKNNST**
+X jouxtera	+U parjures	+S jurasses	+R surjetat	+I kantiens
+Z rajoutez	**AEJPRRU**	+T rajustes	**AEJSTUU**	**AEKNNSY**
AEJORTX	parjure	surjetas	+R ajusteur	kenyans
+U jouxtera	+E parjuree	**AEJRSTT**	**AEJSTUV**	+E kenyanes
AEJORTZ	+R parjurer	trajets	+N juvenats	**AEKNOSY**
+U rajoutez	+S parjures	+E jetteras	**AEJSTUZ**	+L ankylose
AEJORUX	+Z parjurez	+U surjetat	ajustez	**AEKNRST**
+T jouxtera	**AEJPRRZ**	**AEJRSTU**	+I ajustiez	+I tankers
AEJORUZ	+U parjurez	ajuster	+R rajustez	**AEKNSST**
ajourez	**AEJPRSS**	jurates	**AEKKLMO**	+Y enkystas
+I ajouriez	+A jasperas	juteras	+U kalmouke	**AEKNSSY**
+N ajournez	+U jaspures	rajuste	**AEKKLMU**	+T enkystas
+T rajoutez	**AEJPRST**	surjeta	+O kalmouke	**AEKNSTT**
AEJOSSS	+O projetas	+A ajustera	**AEKKLOU**	+I tankiste
+R jarosses	**AEJPRSU**	reajusta	+M kalmouke	+Y enkystat
+U jouasses	jaspure	+B jubartes	**AEKKMNO**	**AEKNSTY**
AEJOSST	+P jappeurs	+E rajustee	+O kakemono	enkysta
+U joutasse	+R parjures	reajuste	**AEKKMOO**	+I enkystai
AEJOSSU	+S jaspures	+I juterais	+N kakemono	+S enkystas
jouasse	**AEJPRSZ**	surjetai	**AEKKMOU**	+T enkystat
+L jalouses	+E jasperez	+O jouteras	+L kalmouke	**AEKNTTY**
+R jarousse	**AEJPRTT**	rajoutes	**AEKKNOO**	+S enkystat
+S jouasses	+O projetat	+R rajuster	+M kakemono	**AEKORSS**
+T joutasse	**AEJPRUZ**	+S rajustes	**AEKKOPR**	arkoses
AEJOSTT	+R parjurez	surjetas	+I kapokier	**AEKORST**
+U joutates	**AEJPSSS**	+T surjetat	**AEKKOST**	+C stockera
AEJOSTU	+A jaspasse	+U ajusteur	+A kakatoes	+E keratose
ajoutes	**AEJPSST**	+Z rajustez	**AEKLMMO**	**AEKOSSU**
jouates	+A jaspates	**AEJRSTZ**	+U mamelouk	oukases
+E ajoutees	**AEJPSSU**	+U rajustez	**AEKLMMU**	**AEKPRSS**
+M joutames	+R jaspures	**AEJRSUU**	+O mamelouk	+E speakers
+R jouteras	**AEJPSTU**	+G jaugeurs	**AEKLMNS**	**AEKQRSU**
rajoutes	+C cajeputs	+T ajusteur	+I malinkes	quakers
+S joutasse	**AEJQRSU**	**AEJRSUZ**	**AEKLMOU**	**AEKRSSU**
+T joutases	+I jaquiers	+T rajustez	+K kalmouke	+A eskuaras
AEJOSTV	**AEJQSTU**	**AEJRTTU**	+M mamelouk	+E euskeras
+L javelots	+C jacquets	+I juterait	**AEKLNNO**	**AEKSSSS**
AEJOSUZ	**AEJQTTU**	+S surjetat	+X klaxonne	+I skiasses
+L azulejos	+E jaquette	**AEJRTUU**	**AEKLNNX**	**AEKSSTY**
jalousez	**AEJRRRU**	+S ajusteur	+O klaxonne	+N enkystas
AEJOTTU	+P parjurer	**AEJRTUX**	**AEKLNOS**	**AEKSTTY**
+N ajoutent	**AEJRRST**	+O jouxtera	+Y ankylose	+N enkystat
+S joutates	jarrets	**AEJRTUZ**	**AEKLNOX**	

AELLLMO	**AELLMRU**	**AELLNOO**	oleolat	pilleras
+E malleole	allumer	+C neolocal	+S oleolats	+U plurales
AELLLMS	+A allumera	**AELLNOR**	**AELLOPR**	**AELLPRU**
+E lamelles	+E rallumee	+G allonger	+U polluera	pleural
AELLLNP	+I maillure	rallonge	**AELLOPS**	plurale
+E planelle	muraille	**AELLNOS**	+O paleosol	+E pleurale
AELLLOV	+R rallumer	+C encollas	**AELLOPT**	+O polluera
+I volaille	+S rallumes	+G allonges	+I paillote	+S plurales
AELLLQU	+U allumeur	+M mosellan	**AELLOPU**	**AELLPSS**
+E laquelle	+Z rallumez	**AELLNOT**	+D depollua	+C scalpels
AELLLSY	**AELLMRV**	+C collante	+I epouilla	+I pillasse
allyles	+I vermilla	encollat	+R polluera	**AELLPST**
AELLMMS	**AELLMRZ**	+U allouent	**AELLORS**	+E patelles
+E mamelles	+U rallumez	**AELLNOU**	+C colleras	pelletas
AELLMNO	**AELLMSS**	+T allouent	recollas	+I paillets
+S mosellan	+E sellames	**AELLNOV**	+F florales	pastille
AELLMNS	+O mollasse	+N vallonne	+G allegros	petilias
+I manilles	slalomes	**AELLNOW**	+M marolles	pillates
+O mosellan	**AELLMST**	+N wallonne	slalomer	**AELLPSU**
AELLMNT	+A tallames	**AELLNOZ**	**AELLORT**	+R plurales
+I maillent	+I maillets	+G allongez	+C recollat	**AELLPTT**
mantille	miellats	**AELLNPT**	**AELLORU**	+E pelletat
+U allument	tillames	+I paillent	allouer	+I petillat
AELLMNU	+O metallos	pallient	+A allouera	**AELLPTU**
+E manuelle	**AELLMSU**	+U plantule	+I ouillera	+N plantule
+T allument	allumes	**AELLNPU**	+P polluera	**AELLPUV**
AELLMOP	+E allumees	+T plantule	**AELLOSS**	+I pluviale
+I malpolie	+R rallumes	**AELLNRS**	+C collasse	**AELLPUX**
AELLMOR	+U ululames	+I nasiller	+M mollasse	+A palleaux
+I mariolle	**AELLMSW**	**AELLNRT**	slalomes	+I pailleux
ramollie	+X maxwells	+E allerent	**AELLOST**	**AELLQRU**
+S marolles	**AELLMSX**	+I raillent	+B ballotes	+E querella
slalomer	+W maxwells	raillent	+C collates	**AELLRRT**
AELLMOS	**AELLMSZ**	**AELLNRU**	colletas	+I trillera
slalome	+O slalomez	+D nullarde	+M metallos	**AELLRRU**
+C calomels	**AELLMTT**	**AELLNSS**	+O oleolats	+I railleur
collames	+E mallette	+I nasilles	**AELLOSU**	+M rallumer
+I amollies	**AELLMTU**	**AELLNST**	alloues	**AELLRRV**
+N mosellan	+N allument	sellant	+B louables	+I vrillera
+R marolles	**AELLMUU**	+A allantes	+E allouees	**AELLRSS**
slalomer	+R allumeur	+C scellant	+I ouailles	+E selleras
+S mollasse	+S ululames	+I installe	**AELLOSV**	**AELLRST**
slalomes	**AELLMUZ**	saillent	+B solvable	+A talleras
+T metallos	allumez	**AELLNSV**	+E alveoles	+E ratelles
+Z slalomez	+I allumiez	+I vanilles	**AELLOSY**	+I etrillas
AELLMOT	+R rallumez	**AELLNSZ**	loyales	tilleras
metallo	**AELLMWX**	+I nasillez	+C alcoyles	trailles
+S metallos	maxwell	**AELLNTT**	**AELLOSZ**	+U lustrale
AELLMOZ	+S maxwells	tallent	+M slalomez	**AELLRSU**
+S slalomez	**AELLNNO**	+I taillent	**AELLOTT**	allures
AELLMPP	+B ballonne	teillant	+B ballotte	+D dalleurs
+I pampille	+I lanoline	**AELLNTU**	+C colletat	+I ailleurs
AELLMPS	+V vallonne	+M allument	+G glottale	+M rallumes
+I pillames	+W wallonne	+O allouent	**AELLOTU**	+P plurales
AELLMPU	**AELLNNS**	+P plantule	+N allouent	+T lustrale
+E paumelle	+E annelles	**AELLNTV**	**AELLOTV**	+U ululeras
AELLMQU	**AELLNNT**	+E vantelle	+I volatile	**AELLRSY**
+I maquille	+I niellant	+I vaillent	**AELLOUZ**	rallyes
AELLMRR	**AELLNNU**	veillant	allouez	**AELLRTT**
+U rallumer	+E annuelle	veillant	+I allouiez	+I etrillat
AELLMRS	**AELLNNV**	**AELLOOP**	**AELLPPR**	litteral
+E marelles	+E vannelle	+S paleosol	+E rappelle	**AELLRTU**
+I ramilles	+O vallonne	**AELLOOS**	**AELLPPS**	+I tailleur
smillera	**AELLNNW**	+C alcooles	+E appelles	+S lustrale
+O marolles	+O wallonne	+P paleosol	+I papilles	**AELLRTZ**
slalomer		+T oleolats	**AELLPRS**	+E tallerez
+U rallumes		**AELLOOT**	+I paillers	

AELLRUU
  ululera
+H hululera
+I ululerai
+M allumeur
+S ululeras
AELLRUZ
+M rallumez
AELLSSS
+A allasses
+E sellasse
AELLSST
  stalles
+A tallasse
+E sellates
+I tillasse
AELLSSU
+U ululasse
AELLSSY
+B syllabes
AELLSTT
+A tallates
+E attelles
+H talleths
+I tillates
AELLSTU
+E luteales
+I sautille
+R lustrale
+U ululates
AELLSTV
+E tavelles
+I vetillas
AELLSUU
+M ululames
+R ululeras
+S ululasse
+T ululates
AELLSUV
+E valleuse
+I allusive
+V valvules
AELLSVV
+U valvules
AELLSWX
+M maxwells
AELLTTV
+I vetillat
AELLTUU
+S ululates
AELLUVV
  valvule
+S valvules
AELMMNO
  mamelon
+E melanome
  melomane
+S mamelons
AELMMNR
+E malmener
AELMMNS
+A malmenas
+E malmenes
+O mamelons
AELMMNT
+A malmenat
+E emmelant

  emmental
AELMMNZ
+E malmenez
AELMMOP
  pommela
+I pommelai
+S pommelas
+T pommelat
AELMMOR
+G grommela
+I immolera
  immorale
  memorial
AELMMOS
+B sommable
+N mamelons
+P pommelas
+U moulames
AELMMOT
+P pommelat
AELMMOU
+K mamelouk
+S moulames
AELMMPR
+U rempluma
AELMMPS
+A lampames
+O pommelas
+U emplumas
  plumames
AELMMPT
+O pommelat
+U emplumat
AELMMPU
  empluma
+I emplumai
+R rempluma
+S emplumas
  plumames
+T emplumat
AELMMRU
+P rempluma
AELMMST
+A maltames
AELMMSU
  mamelus
+E mamelues
  meulames
+O moulames
+P emplumas
AELMMTU
+P emplumat
AELMNNO
+D maldonne
+I nemalion
  nominale
AELMNNT
+I laminent
AELMNNU
+I enlumina
  manuelin
AELMNOP
  palemon
+S empalons
  palemons

AELMNOR
  normale
+A anormale
+D mandorle
+S lamerons
  normales
+T lameront
AELMNOS
+A anomales
+C clonames
+E melanose
+I moniales
+L mosellan
+M mamelons
+P empalons
  palemons
+R lamerons
  normales
+T lamentos
  telamons
AELMNOT
  lamento
  telamon
+D modelant
+H methanol
+R lameront
+S lamentos
  telamons
+T moletant
+U moulante
AELMNOU
+I malouine
+T moulante
AELMNPS
+A planames
+I planisme
+O empalons
  palemons
AELMNPT
  lampent
  palment
+A empalant
  lampante
+E empalent
  lapement
+I empilant
  implante
AELMNPU
+I manipule
AELMNPY
+H nymphale
AELMNRS
  merlans
+O lamerons
  normales
AELMNRT
+A alarment
+E lamenter
  lamerent
  maternel
  ralement
+I terminal
+O lameront
AELMNRU
  numeral
+A lamaneur
+E numerale

+I lamineur
+A anormale
+I minerval
AELMNST
+A lamentas
  malseant
+B semblant
+C clamsent
+E lamentes
  manteles
  mentales
  salement
+I aliments
  smaltine
+O lamentos
  telamons
+U muselant
AELMNSU
  manuels
+B albumens
+I alumines
  alunimes
+T muselant
+V malvenus
AELMNSV
+U malvenus
AELMNTT
  maltent
+A lamentat
+E mantelet
+O moletant
AELMNTU
  meulant
+B meublant
+C maculent
+G meuglant
+I miaulent
+J jumelant
+L allument
+O moulante
+S muselant
AELMNTV
+E lavement
AELMNTX
+A malaxent
AELMNTZ
+E lamentez
AELMNUV
  malvenu
+E malvenue
+S malvenus
AELMNUX
+I lamineux
AELMOOP
+T omoplate
AELMOOT
+P omoplate
AELMOPR
+B plombera
+C proclame
+I lamproie
+T temporal
+Y remploya
AELMOPS
+B palombes
+D plasmode
+E poelames

+I poilames
+M pommelas
+N empalons
  palemons
+U ampoules
  loupames
+Y employas
  ployames
AELMOPT
+C completa
+I optimale
+M pommelat
+O omoplate
+R temporal
+Y employat
AELMOPU
  ampoule
+E ampoulee
+S ampoules
  loupames
AELMOPX
+C complexa
AELMOPY
  employa
+B amblyope
+G polygame
+I employai
+R remploya
+S employas
  ployames
+T employat
AELMORR
+Y larmoyer
AELMORS
  amerlos
  morales
+A amorales
+C morcelas
+F frolames
+I larmoies
  marioles
  molaires
  moralise
+L marolles
  salomer
+N lamerons
  normales
+U lourames
  mouleras
  ourlames
  roulames
AELMORT
+A armatole
+C colmater
  morcelat
+I molarite
  moralite
+N lameront
+P temporal
+U malotrue
  tumorale
+Z merzlota
AELMORU
  moulera
+D modulera
+F maroufle
+H humorale

+I moulerai
+S lourames
   mouleras
   ourlames
   roulames
+T malotrue
   tumorale
+V vermoula
AELMORV
+U vermoula
AELMORY
   larmoye
+P remploya
+R larmoyer
+Z larmoyez
AELMORZ
+T merzlota
+Y larmoyez
AELMOSS
   molasse
   samoles
+D soldames
+G glosames
+I isolames
+L mollasse
   slalomes
+S molasses
+T maltoses
   molestas
+U moulasse
   soulames
+Y amyloses
AELMOST
   maltose
   molesta
   moletas
+B tombales
+C camelots
   colmates
   comtales
+I latomies
   molestai
   moletais
+L metallos
+N lamentos
   telamons
+S maltoses
   molestas
+T maltoses
   matelots
   molestat
+U moulates
+V voltames
AELMOSU
   louames
   oulemas
+B boulames
   maboules
+C clouames
   coulames
+D demoulas
+E mausolee
+F flouames
   foulames
+G moulages
+I ioulames
+M moulames

+P ampoules
   loupames
+R loumares
   mouleras
   ourlames
   roulames
+S moulasse
   soulames
+T moulates
+V louvames
AELMOSV
   lovames
   volames
+D moldaves
+I violames
   voilames
+T voltames
+U louvames
AELMOSY
   amylose
+P employas
   ployames
+S amyloses
AELMOSZ
+L slalomez
AELMOTT
   maltote
   matelot
   moletat
+E matelote
+I moletait
+N moletant
+S maltotes
   matelots
   molestat
AELMOTU
+D demoulat
+N moulante
+R malotrue
   tumorale
+S moulates
AELMOTV
+S voltames
AELMOTY
+P employat
AELMOTZ
+C colmatez
+R merzlota
AELMOUV
+R vermoula
+S louvames
AELMOYZ
+R larmoyez
AELMPPS
+A palpames
AELMPPT
+H pamphlet
AELMPRR
+I remplira
AELMPRS
   palmers
+A lamperas
   palmares
   palmares
   parlames
+E emperlas
   perlames

+I empliras
   lempiras
   palmiers
   rempilas
+U ampleurs
   palmures
   plumeras
+Y lampyres
AELMPRT
+E emperlat
+I rempilat
+O temporal
AELMPRU
   ampleur
   palmure
   plumera
+I plumerai
+M rempluma
+S ampleurs
   palmures
   plumeras
AELMPRV
   lampyre
+O remploya
+S lampyres
AELMPRZ
+E lamperez
   palmerez
AELMPSS
+A lampasse
   palmasse
+U plumasse
AELMPST
   meplats
+A lampates
   palmates
+E emplates
+I lampiste
   lampiste
   palmiste
+U plumates
AELMPSU
+D deplumas
+G plumages
+M emplumas
   plumames
+O ampoules
   loupames
+R ampleurs
   palmures
   plumeras
+S plumasse
+T plumates
AELMPSY
+O employas
   ployames
+R lampyres
AELMPTT
+E palmette
+D deplumat
+M emplumat
+S plumates
AELMPTY
+O employat

AELMPUU
   plumeau
+X plumeaux
AELMPUX
+U plumeaux
AELMQSU
+A laquames
+I maliques
+U squamule
AELMQUU
+S squamule
AELMQUY
+I amylique
AELMRRS
+I larmiers
AELMRRT
+E marteler
AELMRRU
+L rallumer
AELMRRY
+O larmoyer
AELMRST
+A malteras
   marteles
+B trembals
+E marteles
+I mitrales
   tremails
+U mulatres
AELMRSU
   malures
   murales
+B ambleurs
   brulames
+C clameurs
   musclera
+D mulardes
+E meuleras
+G grumelas
+H hurlames
   malheurs
+I ruilames
   simulera
+L rallumes
+O lourames
   mouleras
   ourlames
   roulames
+P ampleurs
   palmures
   plumeras
+S plumasse
+T mulatres
AELMRSV
+I livrames
AELMRSY
+P lampyres
AELMRTT
+A martelat
+B tremblat
+I trimetal
AELMRTU
   mulatre
+G grumelat
+I mutilera
+O malotrue
   tumorale

+S mulatres
AELMRTX
+E extremal
AELMRTZ
+E malterez
   martelez
+O merzlota
AELMRUU
+C cumulera
+I miauleur
+L allumeur
AELMRUV
+I velarium
+O vermoula
AELMRUX
+A malaxeur
AELMRUZ
+L rallumez
AELMRYZ
+O larmoyez
AELMSSS
+A lamasses
   lassames
+E melasses
+I limasses
   lissames
+O molasses
AELMSST
+A maltasses
   maltasse
+E lestames
+I listames
+O maltoses
   molestas
+Y stylames
AELMSSU
   muselas
+A saluames
+E meulasse
+I muselais
+O moulasse
   soulames
+P plumasse
   pulsames
AELMSSV
+A valsames
+I slavisme
AELMSSX
+I laxismes
AELMSSY
+A amylases
+O amyloses
+T stylames
AELMSTT
+A lattames
   maltates
+O maltotes
   matelots
   molestat
+U luttames
AELMSTU
   lutames
   muletas
   muselat
+B blutames
   mutables

+C calumets	+I laitonne	+N napoleon	insolera	roulante	
+E meulates	+J enjolant	**AELNOOR**	laierons	**AELNORV**	
+I muselait	+R enrolant	+C coronale	nolisera	+E envolera	
+N muselant	talonner	**AELNOPP**	+M lamerons	+S laverons	
+O moulates	+S talonnes	+I panoplie	normales	relavons	
+P plumates	+T entolant	+S appelons	+P laperons	revalons	
+R mulatres	+V envolant	**AELNOPR**	palerons	+T laveront	
+T luttames	+Z talonnez	paleron	+R ralerons	revolant	
AELMSTV	**AELNNOV**	+B planorbe	+S resalons	**AELNORX**	
+O voltames	+L vallonne	+D ponderal	salerons	+S relaxons	
AELMSTY	+T envolant	+G plongera	+T alertons	**AELNORY**	
+S stylames	**AELNNOW**	+S laperons	alterons	+S layerons	
AELMSUU	+L wallonne	palerons	ratelons	relayons	
+L ululames	**AELNNOX**	+T laperont	relatons	+T layeront	
+Q squamule	+K klaxonne	**AELNOPS**	saleront	**AELNOSS**	
AELMSUV	**AELNNOY**	lapones	+U enroulas	alesons	
valumes	+C clayonne	+C capelons	+V laverons	+C clonasse	
+N malvenus	**AELNNOZ**	+D pedalons	relavons	+G losanges	
+O louvames	+G galonnez	+G espagnol	revalons	+I alesions	
AELMSUX	+J jalonnez	plongeas	+X relaxons	+R resalons	
luxames	+T talonnez	+I opalines	+Y layerons	salerons	
AELMSWX	**AELNNPT**	+M empalons	relayons	+T assolent	
+L maxwells	planent	palemons	**AELNORT**	+U soulanes	
AELMTTU	+A planante	+P appelons	enrolat	**AELNOST**	
+E amulette	+I lapinent	+R laperons	+C caleront	entolas	
+S luttames	+T plantent	palerons	laceront	etalons	
AELMUUX	**AELNNRT**	+T polentas	racolent	tonales	
+P plumeaux	+A lanterna	salopent	recolant	+A atonales	
AELNNOO	+B branlent	+U epaulons	+E entolera	+B notables	
+S annelons	+E lanterne	**AELNOPT**	+F frontale	+C clonates	
AELNNNS	+F renflant	poelant	+H haleront	eclatons	
+O annelons	+I triennal	polenta	+I enrolait	eclosant	
AELNNNT	+O enrolant	+G galopent	laierons	+D desolant	
+A annelant	talonner	plongeat	laiteron	detalons	
+U annulent	**AELNNRU**	+I antilope	oriental	+G angelots	
AELNNNU	annuler	poilante	relation	sanglote	
+T annulent	+A annulera	+R laperont	rentoila	+H haletons	
AELNNOO	**AELNNST**	+S polentas	+M lameront	+I entoilas	
+P napoleon	+E annelets	salopent	+N enrolant	entolais	
AELNNOP	+G sanglent	+T pelotant	talonner	etalions	
+F plafonne	+I enlisant	**AELNOPU**	+P laperont	isolante	
+O napoleon	ensilant	+I poulaine	+R raleront	laotiens	
AELNNOR	lesinant	+S epaulons	+S alertons	oiselant	
+G galonner	+O talonnes	**AELNOQU**	alterons	+M lamentos	
+J jalonner	**AELNNSU**	+C caquelon	ratelons	telamons	
+T enrolant	annuels	**AELNORR**	relatons	+N talonnes	
talonner	annules	+E enrolera	saleront	+P polentas	
AELNNOS	+E annulees	+F ronflera	+T tolerant	salopent	
+B blasonne	**AELNNTT**	+G lorgnera	+U alentour	+R alertons	
+C elancons	+O entolant	+I lorraine	enroulat	alterons	
enlacons	+P plantent	+S ralerons	relouant	ratelons	
+G agnelons	**AELNNTU**	+T raleront	roulante	relatons	
galonnes	+C canulent	**AELNORS**	+V laveront	saleront	
langeons	+F falunent	enrolas	revolant	+S assolent	
longanes	+G engluant	+C calerons	+Y layeront	+T attelons	
+H anhelons	+N annulent	cloneras	**AELNORU**	+U saoulent	
+I alienons	**AELNNTV**	encloras	enroula	soulante	
+J jalonnes	+E enlevant	lacerons	+D ondulera	+V tavelons	
+N annelons	+I levantin	recalons	+E aleurone	volantes	
+T talonnes	nivelant	+D leonards	+F renfloua	+X exaltons	
AELNNOT	+O envolant	+F eraflons	+G louanger	**AELNOSU**	
talonne	**AELNNTZ**	forlanes	+I enroulai	soulane	
+A etalonna	+O talonnez	+G longeras	ouralien	+C enclouas	
neonatal	**AELNNUZ**	+S regalons	+S enroulas	+G elaguons	
+E etalonne	annulez	+H halerons	+T alentour	louanges	
talonnee	+I annuliez	+I ailerons	enroulat	+P epaulons	
+G longeant	**AELNOOP**	enrolais	relouant		

+R enroulas
+S soulanes
+T saoulent
soulante
+V evaluons
AELNOSV
envolas
+C esclavon
+D delavons
devalons
+I envolais
+J javelons
+R laverons
relavons
revalons
+T tavelons
volantes
+U evaluons
AELNOSX
+H exhalons
+R relaxons
+T exaltons
AELNOSY
+D delayons
synodale
+K ankylose
+R layerons
relayons
AELNOSZ
zonales
AELNOTT
entolat
+I entoilat
entoilat
etiolant
etoilant
tonalite
+M moletant
+N entolant
+P pelotant
+R tolerant
+S attelons
+V voletant
AELNOTU
+B aboulent
eboulant
+C coulante
ecoulant
enclouat
+F foulante
+I louaient
+L allouent
+M moulante
+R alentour
enroulat
relouant
roulante
+S saoulent
soulante
+V evoluant
AELNOTV
envolat
volante
+I envolait
lovaient
violenta
volaient

+N envolant
+R laveront
revolant
+S tavelons
volantes
+T voletant
+U evoluant
AELNOTX
+S exaltons
AELNOTY
+R layeront
AELNOTZ
+N talonnez
AELNOUV
+S evaluons
+T evoluant
AELNOUZ
+G louangez
AELNPPR
+I prealpin
AELNPPS
+O appelons
AELNPPT
palpent
+A appelant
+C clappent
+U peuplant
AELNPPU
+T peuplant
AELNPQR
+U planquer
AELNPQS
+U planques
AELNPQT
+U plaquent
AELNPQU
planque
+A palanque
+E planquee
+R planquer
+S planques
+T plaquent
+Z planquez
AELNPQZ
+U planquez
AELNPRR
+I praliner
AELNPRS
+A planeras
+E eperlans
+H shrapnel
+I pralines
+O laperons
palerons
+U planeurs
AELNPRT
parlent
perlant
planter
+A parental
parlante
plantera
prenatal
replanta
+E laperent
paternel
replante

+I palirent
platiner
prelatin
repliant
+O laperont
+T platrent
+U planteur
pleurant
AELNPRU
planeur
+Q planquer
+S planeurs
+T planteur
pleurant
AELNPRZ
+E planerez
+I pralinez
AELNPSS
+A planasse
+I spinales
AELNPST
plantes
+A planates
+C scalpent
+E planetes
plantees
+I patelins
plaisent
plaintes
planiste
platines
pliantes
+O polentas
salopent
+Y penaltys
AELNPSU
+D pendulas
+I pauliens
+O epaulons
+Q planques
+R planeurs
AELNPSV
+A panslave
AELNPSY
+T penaltys
AELNPSZ
+E planezes
AELNPTT
+N plantent
+O pelotant
+R platrent
+U petulant
AELNPTU
+A epaulant
+C centupla
+D pendulat
+E epaulent
+I nuptiale
piaulent
+L plantule
+P peuplant
+Q plaquent
+R planteur
pleurant
+T petulant
+V pleuvant

AELNPTV
+U pleuvant
AELNPTY
penalty
+I ptyaline
+S penaltys
AELNPTZ
plantez
+I plantiez
platinez
AELNPUV
+I pleuvina
+T pleuvant
AELNPUZ
+Q planquez
AELNQRU
+F flanquer
+I arlequin
+P planquer
AELNQSU
+F flanques
+P planques
AELNQTT
+U talquent
AELNQTU
laquent
+C calquent
claquent
+P plaquent
+T talquent
AELNQUZ
+F flanquez
+P planquez
AELNRRS
+O ralerons
AELNRRT
+E alterner
ralerent
+I ralentir
+O raleront
+U leurrant
AELNRRU
+G granuler
+T leurrant
AELNRSS
+O resalons
salerons
AELNRST
sternal
+A alternas
resalant
+C sarclent
+E alternes
resalent
salerent
sternale
+I latrines
liserant
ralentis
relisant
salirent
+O alertons
alterons
ratelons
relatons
saleront
+U naturels

AELNRSU
+C lanceurs
lucarnes
+E neurales
+F flaneurs
+G glaneurs
glanures
granules
+I laineurs
lunaires
ulnaires
+O enroulas
+P planeurs
+T naturels
+U neurulas
+Y uranyles
AELNRSV
verlans
+E vernales
+I silvaner
+O laverons
relavons
revalons
AELNRSX
+O relaxons
AELNRSY
+A analyser
+G larynges
+O layerons
relayons
+U uranyles
AELNRTT
+A alertant
alterant
alternat
ratelant
relatant
+E alertent
alterent
relatent
+I ralentit
+O tolerant
+P platrent
AELNRTU
naturel
+B brulante
+C reculant
ulcerant
+F fleurant
refluant
+G larguent
regulant
+H hurlante
+I lutinera
+O alentour
enroulat
relouant
roulante
+P planteur
pleurant
+R leurrant
+S naturels
+V valurent
AELNRTV
ventral
+A ravalent
relavant

revalant	+M muselant	+L paleosol	+X explorat	**AELOPSV**
+E laverent	+O saoulent	**AELOOPT**	**AELOPRU**	+R varlopes
relavent	soulante	+M omoplate	+C copulera	**AELOPSX**
relevant	+R naturels	**AELOOPU**	couplera	explosa
revalent	+S sultanes	+G apologue	+D palourde	+I explosai
revelant	**AELNSTV**	**AELOORR**	poularde	+R exploras
ventrale	levants	+C colorera	+G galopeur	+S explosas
+O laveront	valsent	**AELOORS**	+I louperai	+T explosat
revolant	+I salivent	aerosol	+L polluera	**AELOPSY**
+U valurent	ventilas	+S aerosols	+S louperas	+D deployas
AELNRTW	+O tavelons	**AELOORT**	**AELOPRV**	+M employas
+C crawlent	volantes	+Z zoolatre	varlope	ployames
AELNRTX	**AELNSTX**	**AELOORZ**	+E varlopee	+S ployasse
+A relaxant	+O exaltons	+T zoolatre	+R varloper	+T ployates
+E relaxent	**AELNSTY**	**AELOOSS**	+S varlopes	**AELOPSZ**
AELNRTY	+A analyste	+R aerosols	+T prevotal	salopez
+A relayant	+P penaltys	**AELOOST**	+Z varlopez	+I opalisez
+E layerent	**AELNSUU**	+L oleolats	**AELOPRX**	salopiez
relayent	+R neurulas	**AELOOTZ**	explora	**AELOPTT**
+O layeront	**AELNSUV**	+R zoolatre	+I explorai	paletot
AELNRTZ	+M malvenus	**AELOPPS**	+S exploras	palotte
+E alternez	+O evaluons	+N appelons	+T explorat	pelotat
AELNRUU	**AELNSUY**	**AELOPPU**	**AELOPRY**	+C peclotat
neurula	+R uranyles	+C populace	+M remploya	+I pelotait
+G langueur	**AELNSYZ**	+G populage	**AELOPRZ**	+N pelotant
+S neurulas	+A analysez	**AELOPRR**	+V varlopez	+S paletots
AELNRUV	**AELNTTT**	+I parolier	**AELOPSS**	palottes
+T valurent	lattent	repolira	salopes	**AELOPTU**
AELNRUY	+A attelant	+V varloper	+E poelasse	+S loupates
uranyle	+F flattent	**AELOPRS**	salopees	+V pleuvota
+S uranyles	**AELNTTU**	paroles	+I opalises	**AELOPTV**
AELNRUZ	+D delutant	saloper	paloises	+R prevotal
+G granulez	+I lutaient	+A salopera	poilasse	+U pleuvota
+I alunirez	+P petulant	+D deploras	+T postales	**AELOPTX**
AELNSST	+Q talquent	leopards	+U loupasse	+I exploita
lassent	+X exultant	polardes	+X explosas	+R explorat
+A lassante	**AELNTTV**	+E poeleras	+Y ployasse	+S explosat
+B blessant	+A tavelant	+G pergolas	**AELOPST**	**AELOPTY**
+C classent	+I ventilat	+I opaliser	pelotas	+D deployat
+I laissent	+O voletant	ploieras	postale	+M employat
liassent	**AELNTTX**	poileras	+B potables	+S ployates
+O assolent	+A exaltant	polaires	+C clapotes	**AELOPTZ**
+U sultanes	+E exaltent	polarise	pactoles	+C clapotez
AELNSSU	telexant	spoliera	peclotas	**AELOPUV**
+I alunisse	+U exultant	+N laperons	+D platodes	+T pleuvota
sinusale	**AELNTUU**	palerons	+E poelates	**AELOPVZ**
+O soulanes	+G gueulant	+T parlotes	+I pelotais	+R varlopez
+T sultanes	**AELNTUV**	portales	poilates	**AELOQRU**
AELNSSY	+A evaluant	+U louperas	+N polentas	+B bloquera
+A analyses	+C cuvelant	+V varlopes	salopent	+C cloquera
AELNSTT	+E evaluent	+X exploras	+R parlotes	+F floquera
latents	+O evoluant	**AELOPRT**	portales	**AELOQSU**
lestant	+P pleuvant	parlote	+S postales	+C cloaques
talents	+R valurent	portale	+T paletots	loquaces
+A atlantes	**AELNTUX**	+B portable	palottes	+V slovaque
tantales	+C excluant	+C clapoter	+U loupates	**AELOQSV**
+E latentes	+I linteaux	pectoral	+X explosat	+U slovaque
+O attelons	luxaient	+D deplorat	+Y ployates	**AELOQTU**
AELNSTU	+T exultant	+E pelotera	**AELOPSU**	+I aliquote
saluent	**AELNUUX**	+I pelotari	+G loupages	**AELOQUV**
sultane	+C lacuneux	pilotera	+M ampoules	+S slovaque
+C eclusant	+G anguleux	polarite	loupames	**AELOQUX**
+F fuselant	**AELNUVV**	+M temporal	+N epaulons	+I oxalique
+G gluantes	+I univalve	+N laperont	+R louperas	**AELORRS**
+I alunites	**AELOOPR**	+S parlotes	+S loupasse	+C correlas
luisante	+C acropole	portales	+T loupates	+F froleras
nautiles	**AELOOPS**	+V prevotal		+N ralerons

+T rostrale
+U loureras
  ourleras
  rouleras
AELORRT
+C correlat
  rectoral
+E tolerera
+F folatrer
+N raleront
+S rostrale
AELORRU
  lourera
  ourlera
  roulera
+A aurorale
+B labourer
+C croulera
  racoleur
+D lourdera
+E aureoler
  relouera
+I lourerai
  ourlerai
  roulerai
+S loureras
  ourleras
  rouleras
AELORRV
+E revolera
+I revaloir
  virolera
+P varloper
AELORRY
+M larmoyer
AELORSS
  assoler
+A assolera
+C scaroles
  sclerosa
+D dorsales
  solderas
+E soleares
+F frolasse
+G gloseras
+I alesoirs
  isoleras
  solaires
+N resalons
  salerons
+O aerosols
+U lourasse
  ourlasse
  roulasse
  souleras
AELORST
  oestral
  toleras
+B sortable
+C crotales
  recoltas
  scrotale
+D tolardes
+E oestrale
  oleastre
+F folatres
  frolates

+I tolerais
+N alertons
  alterons
  ratelons
  relatons
  saleront
+P parlotes
  portales
+R rostrale
+U lourates
  ourlates
  roulates
+V revoltas
  travelos
  volteras
AELORSU
  loueras
  relouas
  saouler
  soulera
+A aureolas
  saoulera
+B blousera
  bouleras
  laboures
  rouables
+C cloueras
  couleras
  ecroulas
  reclouas
+D deroulas
  roulades
  soularde
  sudorale
+E aureoles
+F farlouse
  floueras
  fouleras
  refoulas
+G roulages
  soulager
+I iouleras
  louerais
  relouais
  soulerai
+J jalouser
+M lourames
  mouleras
  ourlames
  roulames
+N enroulas
+P louperas
+R loureras
  ourleras
  rouleras
+S lourasse
  ourlasse
  roulasse
  souleras
+T lourates
  ourlates
  roulates
+V louveras

+I loverais
  ovaliser
  revolais
  valorise
  varioles
  violeras
  voileras
  volerais
+N laverons
  relavons
  revalons
+P varlopes
+T revoltas
  travelos
  volteras
AELORSX
+N relaxons
+P exploras
AELORSY
  royales
+C caloyers
+N layerons
  relayons
AELORSZ
+E azeroles
AELORTT
  tolerat
+C calotter
  lectorat
  recoltat
+F flottera
+G grelotta
+I tolerait
+N tolerant
+V revoltat
AELORTU
  relouat
+A aureolat
+B traboule
+C cloutera
  ecroulat
+D deroulat
+F foutrale
+I louerait
+M malotrue
  tumorale
+N alentour
  enroulat
  roulante
+S lourates
  ourlates
  roulates
AELORTV
  revolat
  revolta
  travelo
  voltera
+I loverait
  olivatre
  revolait
  revoltai
  traviole

  violatre
  volerait
  voltaire
  volterai
+N revolant
+P prevotal
+S revoltas
  volteras
+T revoltat
AELORTX
+P explorat
AELORTY
+N layeront
AELORTZ
+F folatrez
+M merzlota
+O zoolatre
AELORUU
  rouleau
+X rouleaux
AELORUV
  louvera
+B ouvrable
+E evoluera
+I louverai
+M vermoula
+S louveras
AELORUX
+U rouleaux
AELORUZ
+B labourez
+E aureolez
AELORVV
+I volvaire
AELORVZ
+P varlopez
AELORYZ
+M larmoyez
AELOSSS
  assoles
+B bosselas
  lobasses
+D dessolas
  soldasse
+E assolees
+F lofasses
+G glosasse
+I isolasse
+M molasses
+U louasses
  soulasse
+V lovasses
  volasses
AELOSST
+B bosselat
+C costales
  lactoses
  scatoles
+D dessolat
  soldates
+G glosates
+I isolates
+M maltoses
  molestas

+N assolent
+P postales
+U soulates
+V solvates
  voltasse
AELOSSU
  louasse
  saoules
+B absolues
  boulasse
+C clouasse
  coulasse
+D dessolua
+E saoulees
+F flouasse
+G soulages
+I ioulasse
+J jalouses
+M moulasse
  soulames
+N soulanes
+P loupasse
+R lourasse
  ourlasse
  roulasse
  souleras
+S louasses
  soulasse
+T soulates
+V louvasse
  soulevas
AELOSSV
  lovasse
  volasse
+B absolves
+I ovalises
  violasse
  voilasse
+S lovasses
  volasses
  voltasse
+U louvasse
  soulevas
AELOSSX
+P explosas
AELOSSY
+M amyloses
+P ployasse
AELOSSZ
  assolez
+I assoliez
AELOSTT
  totales
+B bottelas
+C alcotest
  calottes
+I totalise
+M maltotes
  matelots
  molestat
+N attelons
+P paletots
  palottes
+V voltates

AELOSTU
louates
+A alouates
+B boulates
+C clouates
   coulates
   coutelas
+E aleoutes
+F flouates
   foulates
+I ioulates
+M moulates
+N saoulent
   soulante
+P loupates
+R lourates
   ourlates
   roulates
+S soulates
+V louvates
   louvetas
   soulevat
   veloutas
+Y autolyse
   loyautes

AELOSTV
lovates
solvate
volates
voletas
+B bavolets
+G voltages
+I violates
   violetas
   voilates
   voletais
+J javelots
+M voltames
+N tavelons
   volantes
+R revoltas
   travelos
   volteras
+S solvates
   voltasse
+T voltates
+U louvates
   louvetas
   soulevat
   veloutas

AELOSTX
+A oxalates
+N exaltons
+P explosat

AELOSTY
+C acolytes
+P ployates
+U autolyse
   loyautes
+Z azotyles

AELOSTZ
+Y azotyles

AELOSUD
+D soulaude

AELOSUV
evoluas
souleva

+C vacuoles
+I evoluais
   soliveau
   soulevai
+M louvames
+N evaluons
+Q slovaque
+R louveras
+S louvasse
   soulevas
+T louvates
   louvetas
   soulevat
   veloutas

AELOSUX
+C closeaux

AELOSUY
+T autolyse
   loyautes

AELOSUZ
saoulez
+G soulagez
+I saouliez
+J azulejos
   jalousez

AELOSVZ
+B absolvez
+I ovalisez

AELOSYZ
+T azotyles

AELOTTT
+B bottelat
+I toiletta
   totalite

AELOTTU
+E alouette
+V louvetat
   veloutat

AELOTTV
voletat
+I violetat
   voletait
+N voletant
+R revoltat
+S voltates
+U louvetat
   veloutat

AELOTTZ
+C calottez

AELOTUV
evoluat
louveta
louvouta
+I evoluait
   louvetai
   veloutai
+N evoluant
+P pleuvota
+S louvates
   louvetas
   soulevat
   veloutas
+T louvetat
   veloutat

AELOTUY
loyaute
+S autolyse

loyautes

AELOTYZ
azotyle
+S azotyles

AELOUUX
+B bouleaux
+R rouleaux

AELOUXY
+D deloyaux

AELPPQU
+I applique

AELPPRR
+E rappeler

AELPPRS
rappels
+A palperas
   rappelas
+E rappeles
+U palpeurs

AELPPRT
+A rappelat
+I palpiter

AELPPRU
palpeur
+E peuplera
   repeupla
+I pulpaire
+S palpeurs

AELPPRZ
+E palperez
   rappelez

AELPPSS
+A palpasse
+U suppleas

AELPPST
+A palpates
+I palpites
+U septupla
   suppleat

AELPPSU
papules
peuplas
supplea
+D depulpas
+I peuplais
   suppleai
+R palpeurs
+S suppleas
+T septupla
   suppleat

AELPPTU
peuplat
+D depulpat
+I peuplait
+N peuplant
+S septupla
   suppleat

AELPPTZ
+I palpitez

AELPPUU
+X papuleux

AELPPUX
+U papuleux

AELPQRU
plaquer
+A plaquera
+I repliqua

+N planquer
+U plaqueur

AELPQSU
plaques
+E plaquees
+N planques

AELPQTU
+N plaquent

AELPQUU
+R plaqueur

AELPQUX
+I expliqua

AELPQUZ
plaquez
+I plaquiez
+N planquez

AELPRRR
+E reparler

AELPRRS
parlers
+A parleras
   reparlas
+E perleras
   reparles
+T prelarts
+U parleurs

AELPRRT
platrer
prelart
+A platrera
   reparlat
   replatra
+E replatre
+I platrier
   triplera
+S prelarts

AELPRRU
parleur
+D pleurard
+E pleurera
+S parleurs

AELPRRV
+O varloper

AELPRRZ
+E parlerez
   reparlez

AELPRSS
+A parlasse
   prelassa
+E perlasse
   prelasse
   relapses
+I palisser
   plissera
   replissa
   spirales
+T spalters
+U pulseras

AELPRST
platres
prelats
replats
spalter
+A palastre
   palatres
   parlates
   salpetra

+C spectral
+E alpestre
   palestre
   perlates
   platrees
   salpetre
+I partiels
   pilastre
   tripales
+O parlotes
   portales
+R prelarts
+S spalters
+U palustre

AELPRSU
paleurs
pleuras
pulsera
+C capsuler
   crapules
   placeurs
   placures
   surplace
+D preludas
+E parleuse
+I paliures
   parulies
   pleurais
   pulserai
+L plurales
+M ampleurs
   palmures
   plumeras
+N planeurs
+O louperas
+P palpeurs
+R parleurs
+S pulseras
+T palustre
+V prevalus

AELPRSV
+E prelevas
   prevales
   vesperal
+O varlopes
+U prevalus

AELPRSX
+O exploras

AELPRSY
pyrales
+A paralyse
+M lampyres

AELPRTT
+N platrent

AELPRTU
pleurat
+D preludat
+E plateure
+I pleurait
+N planteur
   pleurant
+S palustre
+V prevalut
+X platreux

AELPRTV
+E prelevat
+O prevotal

+U prevalut	pultaces	+T reluquat	rouleras	+E lasserez
AELPRTX	speculat	**AELQRUZ**	+P parleurs	**AELRSTT**
+O explorat	tapeculs	+E laquerez	+T lustrera	+A latteras
+U platreux	+E spatulee	**AELQSSU**	**AELRRSV**	+I talitres
AELPRTZ	+I pauliste	squales	+E reversal	+U lutteras
platrez	+M plumates	+A laquasse	+I livreras	resultat
+I platriez	+O loupates	+F flasques	**AELRRTU**	**AELRSTU**
AELPRUU	+P septupla	+I saliques	leurrat	luteras
+Q plaqueur	suppleat	**AELQSTU**	uretral	resulta
+X pleuraux	+R palustre	talques	+B rebrulat	+A australe
AELPRUV	+S pulsates	+A laquates	+E ureteral	laureats
pleuvra	spatules	+E talquees	uretrale	+B balustre
prevalu	+X expulsat	+I qualites	+I leurrait	bluteras
+E prevalue	**AELPSTX**	tequilas	rutilera	brulates
+S prevalus	+O explosat	+Z quetzals	+N leurrant	brutales
+T prevalut	+U sextupla	**AELQSTZ**	+S lustrera	+C claustre
AELPRUX	**AELPSTY**	+U quetzals	**AELRRUU**	lacustre
+T platreux	+N penaltys	**AELQSUU**	+G larguer	+D delustra
+U pleuraux	+O ployates	+G glauques	**AELRRUV**	+F sulfater
AELPRVZ	**AELPSUV**	+I auliques	+A ravaleur	+G lustrage
+E prevalez	+R prevalus	+M squamule	**AELRRUW**	surgelat
+O varlopez	**AELPSUX**	+R laqueurs	+C crawleur	+H hurlates
AELPSSS	expulsa	reluquas	**AELRRUY**	+I luterais
+A lapasses	+D duplexas	+X auxquels	+E relayeur	ruilates
+E pelasses	+I expulsai	**AELQSUV**	**AELRSSS**	tauliers
+I palisses	+S expulsas	+A valaques	+A lasseras	+L lustrale
pilasses	+T sextupla	+O slovaque	ralasses	+M mulatres
pliasses	**AELPSUZ**	**AELQSUX**	+I lisseras	+N naturels
+U pulsasse	+C capsulez	+U auxquels	**AELRSST**	+O lourates
AELPSST	**AELPTTU**	**AELQSUZ**	+A astrales	ourlates
pastels	+E paulette	+T quetzals	+E lesteras	roulates
plastes	+N petulant	**AELQTTU**	+I listeras	+P palustre
+E septales	**AELPTUV**	+N talquent	+P spalters	+R lustrera
+I alpistes	+I pleuvait	**AELQTUU**	+Y styleras	+T lutteras
plasties	+N pleuvant	+R reluquat	**AELRSSU**	resultat
+O postales	+O pleuvota	**AELQTUZ**	saleurs	+U suturale
+R spalters	+R prevalut	quetzal	salures	+V levrauts
+U pulsates	**AELPTUX**	talquez	surales	revulsat
spatules	+A plateaux	+I talquiez	+A salueras	**AELRSTV**
AELPSSU	+D duplexat	+S quetzals	+B brulasse	varlets
+C capsules	+R platreux	**AELQUUV**	sableurs	+A lavarets
speculas	+S expulsat	+I equivalu	salubres	+I levirats
+M plumasse	sextupla	**AELQUUX**	+C classeur	livrates
pulsames	**AELPUUX**	+S auxquels	+E aleseurs	+O revoltas
+O loupasse	+M plumeaux	**AELRRRU**	raleuses	travelos
+P suppleas	+P papuleux	+E leurrera	+G surgelas	volteras
+R pulseras	+R pleuraux	**AELRRST**	+H hurlasse	+U levrauts
+S pulsasse	**AELQRSU**	+O rostrale	+I laiusser	revulsat
+T pulsates	+A laqueras	+P prelarts	ruilasse	**AELRSTY**
spatules	+U laqueurs	+U lustrera	ruissela	stylera
+X expulsas	reluquas	**AELRRSU**	+O lourasse	+I stylerai
AELPSSX	**AELQRTU**	leurras	ourlasse	+S styleras
+O explosas	talquer	raleurs	roulasse	**AELRSTZ**
+U expulsas	+A talquera	rurales	souleras	+A lazarets
AELPSSY	+I quartile	+B bruleras	+P pulseras	**AELRSUU**
+O ployasse	reliquat	rebrulas	+V revulsas	+L ululeras
AELPSSZ	+U reluquat	+C crurales	**AELRSSV**	+N neurulas
+I palissez	**AELQRUU**	racleurs	servals	+Q laqueurs
AELPSTT	laqueur	raclures	+A valseras	reluquas
+E palettes	reluqua	+G largeurs	+I livrasse	+T suturale
peltaste	+I reluquai	+H hurleras	slaviser	**AELRSUV**
+O paletots	+P plaqueur	+I lauriers	+U revulsas	laveurs
palottes	+S laqueurs	leurrais	valseurs	lavures
AELPSTU	reluquas	reluiras	**AELRSSY**	revalus
spatule		ruileras	+T styleras	revulsa
+C capulets		+O loureras	**AELRSSZ**	valeurs
peculats		ourleras		valseur

+A avaleurs
+E revalues
   sureleva
+I revulsai
+O louveras
+P prevalus
+S revulsas
   valseurs
+T levrauts
   revulsat
AELRSUX
   luxeras
+C excluras
   scleraux
+I luxerais
AELRSUY
+N uranyles
AELRSUZ
+E saluerez
AELRSVZ
+E valserez
AELRTTU
   luttera
+F flatteur
+I luterait
   lutterai
+S lutteras
   resultat
AELRTTV
+E levretta
+O revolta
AELRTTZ
+E latterez
AELRTUU
+Q reluquat
+S suturale
AELRTUV
   levraut
   revalut
+E tavelure
+N valurent
+P prevalut
+S levrauts
   revulsat
AELRTUX
+A lateraux
+E exultera
+I luxerait
+P platreux
AELRTUZ
+E zelateur
+I lazurite
AELRUUV
+I uvulaire
AELRUUX
+O rouleaux
+P pleuraux
AELRUVV
+I vulvaire
AELRUZZ
+A zarzuela
AELSSSS
+A lassasse
   salasses
+E lesasses
+I lissasse
   salisses

AELSSST
+A lassates
+E altesses
   lestasse
+I lissates
   listasse
   litasses
+U lutasses
+Y stylasse
AELSSSU
+A saluasse
+C culasses
+E saleuses
+I laiusses
+O louasses
   soulasse
+P pulsasse
+T lutasses
+V valusses
+X luxasses
AELSSSV
+A lavasses
   valsasse
   vassales
+E levasses
   velasses
+I lessivas
   slavises
+O lovasses
   volasses
+U valusses
AELSSSX
+U luxasses
AELSSSY
   alysses
+A layasses
+T stylasse
AELSSSZ
+I salissez
AELSSTT
+A lattasse
+E lestates
+I altistes
   listates
+U luttasse
+Y stylates
AELSSTU
   lutasse
+A saluates
+B blutasse
+F sulfates
+N sultanes
+O soulates
+P pulsates
   spatules
+S lutasses
+T luttasse
AELSSTV
+A valsates
+E vestales
+I lessivat
   slaviste
+O solvates
   voltasse
AELSSTX
+I laxistes
AELSSTY

+M stylames
+R styleras
+S stylasse
+T stylates
AELSSUU
+L ululasse
AELSSUV
   valusse
+E laveuses
+O louvasse
   soulevas
+R revulsas
   valseurs
+S valusses
AELSSUX
   luxasse
+P expulsas
+S luxasses
AELSSUZ
+I laiussez
AELSSVZ
+I slavisez
AELSTTT
+A lattates
+U luttates
AELSTTU
   lutates
   talutes
+B blutates
+E aluettes
   talutees
+M luttames
+R lutteras
   resultat
+S luttasse
+T luttates
AELSTTV
+E lavettes
+O voltates
AELSTTY
+E layettes
+S stylates
AELSTUU
+C ausculte
+L ululates
+R suturale
AELSTUV
   valutes
+O louvates
   louvetas
   soulevat
   veloutas
+R levrauts
   revulsat
AELSTUX
   exultas
   luxates
+I exultais
   listeaux
+P expulsat
   sextupla
AELSTUY
+O autolyse
   loyautes
AELSTUZ
+F sulfatez

+Q quetzals
AELSTVY
+I vilayets
AELSTYZ
+O azotyles
AELSUUX
+Q auxquels
AELSUVV
+L valvules
AELTTTU
+S luttates
AELTTUV
+O louvetat
   veloutat
AELTTUX
   exultat
+I exultait
+N exultant
AELTUUX
   luteaux
+I tuileaux
AELUUVX
+I eluviaux
AEMMMNO
+S nommames
AEMMMNS
+O nommasse
AEMMMOP
+S pommames
AEMMMOS
+G gommames
+N nommames
+P pommames
AEMMMPS
+O pommames
AEMMMSS
+O sommames
AEMMMST
+I mammites
AEMMNNO
+R marmonne
AEMMNNR
+O marmonne
AEMMNNT
+E emmenant
+I immanent
AEMMNOO
+G monogame
AEMMNOP
+R prenomma
AEMMNOR
   nommera
   renomma
+I nommerai
   renommai
+N marmonne
+P prenomma
+S nommeras
   renommas
+T renommat
AEMMNOS
+D denomma
   mondames
+L mamelons
+M nommames
+R nommeras

   renommas
+S nommasse
+T montames
   nommates
AEMMNOT
+C commenta
+D denommat
+I ammonite
+R renommat
+S montames
   nommates
AEMMNPR
+O prenomma
AEMMNRS
+A marnames
+E remmenas
+O nommeras
   renommas
AEMMNRT
+E armement
   remmenat
+O renommat
+U emmurant
AEMMNRU
+T emmurant
AEMMNSS
+O nommasse
AEMMNST
+O montames
   nommates
AEMMNTU
+R emmurant
AEMMOPP
+S pompames
AEMMOPR
   pommera
+D pommader
+I pommerai
+N prenomma
+S pommeras
AEMMOPS
+D pommades
+L pommelas
+M pommames
+P pompames
+R pommeras
AEMMOPT
+L pommelat
+S pommates
AEMMOPU
   pommeau
+X pommeaux
AEMMOPX
+U pommeaux
AEMMOPZ
+D pommadez
AEMMOQS
+U moquames
AEMMOQU
+S moquames
AEMMORR
+E rememora
AEMMORS
   sommera
+B ombrames

+C commeras
+F formames
+G gommeras
+I memorisa
   moirames
   sommaire
   sommerai
+N nommeras
   renommas
+P pommeras
+S assomme
   sommeras

AEMMORT
+A matamore
+C commerat
+N renommat
+T marmotte

AEMMORU
+C commuera

AEMMOSS
   assomme
+E assommee
+G gommasse
+H hommasse
+I maoismes
   moisames
+M sommames
+N nommasse
+P pommasse
+R assommer
   sommeras
+S assommes
   sommasse
+T sommates
+Z sommamez

AEMMOST
+B tombames
+G gommates
+I atomisme
+N montames
   nommates
+P pommates
+S sommates
+T mottames

AEMMOSU
+L moulames
+Q moquames

AEMMOSZ
+S assommez

AEMMOTT
+R marmotte
+S mottames

AEMMOUX
+P pommeaux

AEMMPPS
+O pompames

AEMMPRS
+A rampames
+I primames
+O commeras

AEMMPRU
+E empaumer
+L rempluma

AEMMPSS
+O pommasse

AEMMPST
+O pommates

AEMMPSU
+A empaumas
   paumames
+E empaumes
+L emplumas
   plumames

AEMMPSV
+A vampames

AEMMPTU
+A empaumat
+L emplumat

AEMMPUX
+O pommeaux

AEMMPUZ
+E empaumez

AEMMQSU
+O moquames

AEMMRRS
+A marrames

AEMMRRU
+E emmurera

AEMMRSS
+A marasmes
+O assommer
   sommeras

AEMMRST
+A tramames
+E metrames
+I marmites
   trimames

AEMMRSU
   emmuras
   murames
+A amurames
+B embrumas
+E remuames
+H rhumames
+I emmurais

AEMMRSX
+I marxisme

AEMMRTT
+O marmotte

AEMMRTU
   emmurat
+B embrumat
+E amertume
+I emmurait
   immature
+N emmurant

AEMMSSS
+A massames
+I mimasses
+O assommes
   sommasse

AEMMSST
+O sommates

AEMMSSU
   musames
+A amusames

AEMMSSZ
+O assommez

AEMMSTT
+E stemmate
+O mottames

AEMMSTU
   mutames

AEMNNOP

+T tamponne

AEMNNOR
   maronne
+C maconner
+D normande
+M marmonne
+R maronner
   marronne
+S maronnes
   ramonnes
   sermonna
+T ramonent
+Y monnayer
+Z maronnez

AEMNNOS
   amenons
   emanons
   mannose
+C maconnes
   menacons
+D amendons
   donnames
+E anemones
+G engamons
   mangeons
+H mahonies
+I amenions
   anemions
   emanions
   monnaies
   onanisme
+R maronnes
   ramenons
   sermonna
+S mannoses
   sonnames
+T entamons
   manetons
   matonnes
   tonnames
+Y anonymes
   monnayes

AEMNNOT
   maneton
+D emondant
+G magneton
   montagne
+P tamponne
+R ramonent
+S entamons
   manetons
   matonnes
   tonnames
+T montante
+Y antonyme

AEMNNOZ
+C maconnez

+R maronnez
+Y monnayez

AEMNNPR
+E empanner

AEMNNPS
+A empannas
+E empannes

AEMNNPT
+A empannat
+O tamponne

AEMNNPZ
+E empannez

AEMNNQT
+U manquent

AEMNNQU
+T manquent

AEMNNRR
+O maronner
   marronne

AEMNNRS
+E marennes
+O maronnes
   ramenons
   sermonna

AEMNNRT
   marnent
+A ramenant
+E ramenent
   remanent
+I marinent
   raniment
+O ramonent

AEMNNRY
+O monnayer

AEMNNRZ
+O maronnez

AEMNNSS
+I nanismes
+O mannoses
   sonnames

AEMNNST
+A tannames
+I mannites
   nantimes
+O entamons
   manetons
   matonnes
   tonnames

AEMNNSU
+I unanimes

AEMNNSV
+A vannames

AEMNNSY
+O anonymes
   monnayes

AEMNNTT
   mentant
+A entamant
+E entament
+I matinent
+O montante

AEMNNTU
+F enfumant
+I maintenu
+Q manquent

AEMNNTY
+O antonyme

AEMNNYZ
+O monnayez

AEMNOOP
+I opiomane
+U epoumona

AEMNOOR
+G agronome

AEMNOOT
+C economat
+T ottomane
+U autonome

AEMNOOU
+P epoumona
+T autonome

AEMNOPR
   promena
+I promenai
+M prenomma
+R preroman
+S emparons
   pamerons
   promenas
   pronames
+T pameront
   promenat
+Y paronyme
   pyromane

AEMNOPS
+C compensa
   poncames
+I opinames
+L empalons
   palemons
+R emparons
   pamerons
   promenas
   pronames
+T empatons
   etampons
   pontames

AEMNOPT
+I ptomaine
+N tamponne
+R pameront
   promenat
+S empatons
   etampons
   pontames
+T empotant

AEMNOPU
+O epoumona

AEMNOPY
+H hypomane
+R paronyme
   pyromane

AEMNOQR
+U monarque

AEMNOQS
+U manoques

AEMNOQU
   manoque
+R monarque
+S manoques

AEMNORR
   ramoner
+A ramonera
+C romancer

+I minorera
+N maronner
   marronne
+P preroman
+S armerons
   ramerons
   rearmons
+T armeront
   montrera
   rameront
   remontra
+U ramoneur
AEMNORS
   ornames
   ramones
   romanes
+B bornames
+C camerons
   cornames
   macerons
   romances
+D damerons
   mandores
   monderas
   romandes
+E ramonees
   romanees
+G marengos
   margeons
   megarons
   rognames
+I aimerons
   moraines
   romaines
   romanise
+L lamerons
   normales
+M nommeras
   renommas
+N maronnes
   ramenons
   sermonna
+P emparons
   pamerons
   promenas
   pronames
+R armerons
   ramerons
   rearmons
+T materons
   matrones
   monteras
   remontas
   retamons
   tronames
AEMNORT
   matrone
   montera
   remonta
+C amorcent
   cameront
+D dameront
   demontra
   dormante
   moderant
   mordante
+I aimeront

   maronite
   monterai
   remontai
   romanite
+J majorent
+L lameront
+M renommat
+N ramonent
+P pameront
   promenat
+R armeront
   montrera
   rameront
   remontra
+S materons
   matrones
   monteras
   remontas
   retamons
+T materont
   remontat
+U mourante
   numerota
AEMNORU
+A enamoura
+E enamoure
+I aumonier
   roumaine
+Q monarque
+R ramoneur
+T mourante
   numerota
AEMNORV
+G mangrove
AEMNORY
+C acronyme
+N monnayer
+P paronyme
   pyromane
+Y yeomanry
AEMNORZ
   ramonez
+C romancez
+I ramoniez
+N maronnez
AEMNOSS
   mosanes
+A samoanes
+B snobames
+C semoncas
+D mondasse
   sondames
+I anosmies
+M nommasse
+N nommases
   sonnames
+T montasse
+U saumones
AEMNOST
   etamons
   notames
+C contames
   semoncat
+D dematons
   demontas
   mondates

+F fantomes
   fomentas
+G magnetos
   montages
+I amniotes
   etamions
   monetisa
+L lamentos
   telamons
+M montames
   nommates
+N entamons
   manetons
   matonnes
   tonnames
+P empatons
   etampons
   pontames
+R materons
   matrones
   monteras
   remontas
   retamons
   tronames
+S montasse
+T montates
+U ameutons
   automnes
AEMNOSU
   aumones
   nouames
   saumone
+E enouames
   saumone
+Q manoques
+S saumons
+T ameutons
   automnes
AEMNOSV
   novames
AEMNOSY
   noyames
   yeomans
+N anonymes
   monnayes
AEMNOSZ
+A amazones
AEMNOTT
+B tombante
+D demontat
+F fomentat
+G megotant
+L moletant
+N montante
+O ottomane
+P empotant
+R materont
+S montates
+T emottant
   omettant
AEMNOTU
+B embouant
+L moulante
+O autonome
+R mourante

   numerota
+S ameutons
   automnes
+V emouvant
   mouvante
+Y autonyme
AEMNOTV
+U emouvant
   mouvante
AEMNOTX
+H xanthome
AEMNOTY
+I myatonie
+N antonyme
+U autonyme
AEMNOTZ
+I monazite
AEMNOUV
+C mouvance
+T emouvant
   mouvante
AEMNOUX
+C monceaux
+I moineaux
AEMNOUY
+T autonyme
AEMNOYY
+R yeomanry
AEMNOYZ
+N monnayez
AEMNPPS
+A nappames
+I nippames
AEMNPPT
+I pimpante
AEMNPRR
+O preroman
AEMNPRS
+A parmesan
+O emparons
   pamerons
   promenas
   pronames
+U superman
AEMNPRT
   rampent
+A emparant
   rampante
+E aprement
   emparent
   pamerent
   parement
+I empirant
   perimant
+O pameront
   promenat
+T trempant
+U emprunta
AEMNPRU
+S superman
+T emprunta
AEMNPRY
+O paronyme
   pyromane
AEMNPSS
+A pansames
+E pensames

AEMNPST
+E empesant
   sapement
+I pimentas
   pintames
+O empatons
   etampons
   pontames
AEMNPSU
+R superman
AEMNPSY
+H nympheas
AEMNPTT
+A empatant
   etampant
+E empatent
   etampent
   tapement
+I pimentat
+O empotant
+R trempant
+U amputent
AEMNPTU
   paument
+I empuanti
+R emprunta
+T amputent
AEMNPTV
   vampent
+E pavement
AEMNPTY
+E payement
AEMNQRT
+U marquent
AEMNQRU
   manquer
+A manquera
+I ramequin
+O monarque
+T marquent
AEMNQST
+U masquent
AEMNQSU
   manques
+E manquees
+I maniques
   naquimes
+O manaques
+T masquent
AEMNQTU
+I mantique
+N manquent
+R masquent
+S masquent
AEMNQUZ
   manquez
+I manquiez
AEMNRRS
+A marneras
   marranes
   narrames
+E rameners
+I merrains
+O armerons
   ramerons
   rearmons

AEMNRRT
marrent
+A amarrent
marrante
rearmant
+B marbrent
+E armerent
materner
ramerent
rarement
rearment
rentamer
+I arriment
+O armeront
montrera
rameront
remontra
AEMNRRU
+E remunera
+I ruminera
+O ramoneur
AEMNRRZ
+E marnerez
AEMNRSS
+A marnasse
+T sarments
+U surmenas
AEMNRST
sarment
+A marnates
maternas
rentamas
+C cremants
+E entrames
maternes
rentames
+I martiens
mentiras
minarets
remisant
terminas
+O materons
matrones
monteras
remontas
retamons
tronames
+S sarments
+T transmet
+U mesurant
remuants
resumant
surmenat
transmue
AEMNRSU
surmena
+E enumeras
marneuse
+G mangeurs
+H enrhumas
+I manieurs
numerisa
ruinames
surmenai
uranisme
urinames
+P superman

+S surmenas
+T mesurant
remuants
resumant
surmenat
transmue
AEMNRSV
+A navrames
AEMNRSX
+I marxiens
AEMNRTT
metrant
+A maternat
rentamat
+E materent
retament
+I martinet
matirent
meritant
terminat
+O materont
remontat
+P trempant
+S transmet
AEMNRTU
amurent
remuant
+E enumerat
remuante
+G argument
+H enrhumat
+I amuirent
minutera
muraient
mutinera
+M emmurant
+O mourante
numerota
+P emprunta
+Q marquent
+S mesurant
remuants
resumant
surmenat
transmue
AEMNRTV
+I vraiment
AEMNRTZ
+E maternez
rentamez
AEMNRUU
+C manucure
+X numeraux
AEMNRUX
marneux
+I mineraux
+U numeraux
AEMNRYY
+O yeomanry
AEMNSSS
+E menasses
+I minasses
AEMNSST
massent
+A amassent

+H smashent
+I mantisse
stamines
+O montasse
+R sarments
+U assument
muassent
AEMNSSU
+A saunames
+I menuisas
usinames
+O saumones
+R surmenas
+T assument
muassent
AEMNSSY
+G gymnases
AEMNSSZ
+I nazismes
AEMNSTT
+A nattames
+E manettes
tentames
+I estimant
tamisent
tintames
+O montates
+R transmet
+U mutantes
AEMNSTU
amusent
+A amusante
+C ecumants
+D medusant
+F fumantes
+G augments
+I menuisat
musaient
nautisme
+L muselant
+O ameutons
automnes
+Q masquent
+R mesurant
remuants
resumant
surmenat
transmue
+S assument
muassent
+T mutantes
AEMNSTV
+A vantames
AEMNSTY
+G gymnaste
syntagme
AEMNSUV
+L malvenus
AEMNSUX
+A amensaux
+I seminaux
AEMNSYZ
+G zygnemas
AEMNTTT
mettant
+E emettant
+O emottant

omettant
AEMNTTU
mutante
+A ameutant
+E ameutent
+I mutaient
+P amputent
+S mutantes
AEMNTTW
wattmen
AEMNTUV
+O emouvant
mouvante
AEMNTUX
mentaux
+A manteaux
+H exhumant
AEMNTUY
+O autonyme
AEMNUUX
+R numeraux
AEMOOPT
+L omoplate
AEMOOPU
+N epoumona
AEMOORT
+D moderato
AEMOOSS
+T maestoso
AEMOOST
+S maestoso
+U autosome
AEMOOSU
+T autosome
AEMOOTT
+N ottomane
AEMOOTU
+N autonome
+S autosome
AEMOPPR
pampero
pompera
+I pomperai
+S pamperos
pomperas
AEMOPPS
+G pompages
+M pompames
+R pamperos
pomperas
+S pompasse
+T pompates
AEMOPPT
+S pompates
AEMOPQS
+U poquames
AEMOPQU
+S poquames
AEMOPRR
+C comparer
+F preforma
+N preroman
+T remporta
trompera
AEMOPRS
+C compares
comparse

+E operames
+H amorphes
amphores
+I imposera
reimposa
+M pommeras
+N emparons
pamerons
promenas
+P pamperos
pomperas
+T emportas
portames
rempotas
AEMOPRT
emporta
rempota
+C comptera
+D detrompa
domptera
+E ametrope
empotera
+I emportai
rempotai
+L temporal
+N pameront
promenat
+R remporta
trompera
+S emportas
portames
rempotas
+T emportat
rempotat
trompeta
AEMOPRU
+Y paumoyer
AEMOPRY
+L remploya
+N paronyme
pyromane
+U paumoyer
AEMOPRZ
+C comparez
AEMOPSS
posames
+C compasse
+I empoissa
+M pommasse
+P pompasse
+T estompas
postames
+U soupames
AEMOPST
empotas
estompa
optames
topames
+C acomptes
escompta
+I empotais
estompai
+M pommates
+N empatons
etampons

pontames
+P pompates
+R emportas
portames
rempotas
+S estompas
postames
+T estompat
AEMOPSU
+C coupames
+I paumoies
+L ampoules
loupames
+Q poquames
+S soupames
+Y paumoyes
AEMOPSY
+L employas
ployames
+U paumoyes
AEMOPTT
empotat
+I empotait
+N empotant
+R emportat
rempotat
trompeta
+S estompat
AEMOPTY
+H myopathe
+L employat
AEMOPUX
+M pommeaux
AEMOPUY
paumoye
+E paumoyee
+R paumoyer
+S paumoyes
+Z paumoyez
AEMOPUZ
+Y paumoyez
AEMOPYZ
+U paumoyez
AEMOQRR
+U remorqua
AEMOQRS
+U moqueras
roquames
AEMOQRU
moquera
+C coquemar
+I moquerai
+N monarque
+R remorqua
+S moqueras
roquames
AEMOQSS
+U moquasse
AEMOQST
+U moquates
toquames
AEMOQSU
+I mosaique
+M moquames
+N manoques
+P poquames
+R moqueras

roquames
+S moquasse
+T moquates
toquames
AEMOQTT
+U moquetta
AEMOQTU
+I atomique
+S moquates
toquames
+T moquetta
AEMOQUU
+B embouqua
AEMORRR
+I armorier
AEMORRS
remoras
+B ombreras
sombrera
+F formeras
reformas
+I armoires
armories
moireras
+N armerons
ramerons
rearmons
AEMORRT
+F reformat
+G margoter
+N armeront
montrera
rameront
remontra
+P remporta
trompera
AEMORRU
+B embourra
+C macroure
+N ramoneur
+Q remorqua
AEMORRY
+L larmoyer
AEMORRZ
+I armoriez
AEMORSS
morasse
+B ombrasse
+C corsames
sarcomes
+F formasse
+G orgasmes
+I armoises
moirasse
moiseras
+M assommer
sommeras
+S morasses
rossames
+T maestros
+U moussera

retombas
tomberas
+E toreames
+F formates
+G margotes
+I amorties
atomiser
moirates
mortaise
+N materons
matrones
monteras
remontas
retamons
tronames
+P emportas
rempotas
+S maestros
+T marottes
motteras
omettras
+U maroutes
outrames
routames
trouames
AEMORSU
rouames
+A amaurose
+G gourames
+L lourames
mouleras
ourlames
roulames
+Q moqueras
roquames
+S moussera
+T maroutes
outrames
routames
trouames
+V emouvras
ouvrames
+Y royaumes
AEMORSV
moraves
+U emouvras
ouvrames
AEMORSY
+B broyames
+U royaumes
AEMORTT
marotte
mottera
omettra
+B retombat
+C marcotte
+E emottera
+G margotte
+I motterai
omettrai
+M marmotte
+N materont
remontat
+P emportat
rempotat
trompeta

+S marottes
motteras
omettras
AEMORTU
maroute
+D moutarde
+F mouftera
+L malotrue
tumorale
+N mourante
numerota
+S maroutes
outrames
routames
trouames
+Z mazouter
AEMORTV
+I motivera
AEMORTY
+A atermoya
+E atermoye
AEMORTZ
+G margotez
+L merzlota
+U mazouter
AEMORUU
+X amoureux
AEMORUV
emouvra
+I emouvrai
+L vermoula
+S emouvras
ouvrames
AEMORUX
ormeaux
+C morceaux
+F femoraux
+U amoureux
AEMORUY
royaume
+P paumoyer
+S royaumes
AEMORUZ
+T mazouter
AEMORYY
+N yeomanry
AEMORYZ
+L larmoyez
AEMOSSS
+B bossames
embossas
+C cossames
+I moisasse
+L molasses
+M assommes
sommasse
+R morasses
rossames
+T tossames
+U emoussas
maousses
AEMOSST
+B embossat
tombasse
+C estomacs
+I amitoses
atomises

maoistes
matoises
moisates
mosaiste
somatise
taoismes
toisames
+L maltoses
molestas
+M sommates
+N montasse
+O maestoso
+P estompas
postames
+R maestros
+S tossames
+T mottasse
+U emoussat
AEMOSSU
emoussa
maousse
+D soudames
+G moussage
+I emoussai
+L moulasse
soulames
+N saumones
+P soupames
+Q moquasse
+R moussera
+S emoussas
maousses
+T emoussat
AEMOSSY
+L amyloses
AEMOSSZ
+M assommez
AEMOSTT
emottas
stomate
tomates
+B bottames
etambots
tombates
+C mascotte
+E steatome
+I atomiste
emottais
omettais
+L maltotes
matelots
+M mottames
+N montates
+P estompat
+R marottes
motteras
omettras
+S mottasse
stomates
+T mottates
AEMOSTU
touames
+A ouatames
+B boutames
+C coutames

+D doutames
+G goutames
+J joutames
+L moulates
+N ameutons
    automnes
+O autosome
+Q moquates
    toquates
+R maroutes
    outrames
    routames
    trouames
+S emoussat
+V voutames
+Z mazoutes

AEMOSTV
    votames
+L voltames
+U voutames

AEMOSTZ
+I atomisez
+U mazoutes

AEMOSUV
    vouames
+A avouames
+C couvames
    vacuomes
+G voguames
+I emouvais
+L louvames
+R emouvras
    ouvrames
+T voutames

AEMOSUY
+P paumoyes
+R royaumes

AEMOSUZ
+T mazoutes

AEMOSXY
+D oxydames

AEMOTTT
    emottat
+I emottait
    omettait
+N emottant
    omettant
+S mottates

AEMOTTU
+A automate
+Q moquetta

AEMOTUV
+I emouvait
+N emouvant
    mouvante
+S voutames

AEMOTUX
+B tombeaux
+C comateux

AEMOTUY
+N autonyme

AEMOTUZ
    mazoute
+E mazoutee
+R mazouter
+S mazoutes
+Z mazoutez

AEMOTZZ
+U mazoutez

AEMOUUX
+R amoureux

AEMOUYZ
+P paumoyez

AEMOUZZ
+T mazoutez

AEMPPPR
+E epamprer

AEMPPRS
    pampres
+A epampras
+E epampres
+I apprimes
+O pomperas

AEMPPRT
+A epamprat

AEMPPRZ
+E epamprez

AEMPPSS
+I papismes
+O pompasse

AEMPPST
+O pompates

AEMPQSU
+I piquames
+O poquames

AEMPRRS
+A ramperas
+E parsemer
+I primeras
    reprimas
+T remparts

AEMPRRT
    rempart
+E retrempa
    trempera
+I reprimat
+O remporta
    trompera
+S remparts

AEMPRRU
+F parfumer

AEMPRRZ
+E ramperez

AEMPRSS
+A parsemas
    rampasse
+E aspermes
    empressa
    parsemes
+I meprisas
    parsisme
    primasse
    prisames
+U presumas

AEMPRST
    trempas
+A parsemat
    rampates
+E empetras
    estamper
    pretames
    temperas
+I meprisat
    partimes
    primates
    trempais
+O emportas
    portames
    rempotas
+R remparts
+U permutas
    presumat

AEMPRSU
    parumes
    presuma
+A apurames
    paumeras
+C campeurs
+E epurames
    serapeum
+F parfumes
+I spumerai
+L ampleurs
    palmures
    plumeras
+N superman
+S presumas
+T permutas
    presumat

AEMPRSV
+A vamperas
+I privames
    vampires

AEMPRSX
+I exprimas

AEMPRSY
+L lampyres

AEMPRSZ
+E parsemez

AEMPRTT
    trempat
+A attrempa
+E attrempe
    empetrat
    temperat
+I trempait
+N trempant
+O emportat
    rempotat
    trompeta
+U permutat

AEMPRTU
    amputer
    permuta
+A amputera
+E etampeur
+I imputera
    permutai
    primaute
+N emprunta
+S permutas
    presumat
+T permutat

AEMPRTX
+I exprimat

AEMPRUX
+A rampeaux

AEMPRUY
+O paumoyer

AEMPRUZ
+E paumerez

AEMPRVZ
+E vamperez

AEMPSSS
    spasmes
+A pamasses
    passames
+I impasses
    pissames

AEMPSST
+A estampas
+E empestas
    estampes
    pestames
+I pistames
+O estompas
    postames

AEMPSSU
    psaumes
+A paumasse
+I puisames
+L plumasse
    pulsames
+O soupames
+R presumas

AEMPSSV
+A vampasse

AEMPSTT
+A estampat
+E empestat
    tempetas
+O estompat

AEMPSTU
    amputes
+A paumates
+E amputees
+L plumates
+R permutas
    presumat

AEMPSTV
+A vampates

AEMPSTX
+E exemptas

AEMPSTY
    typames

AEMPSTZ
+E estampez

AEMPSUY
+O paumoyes

AEMPTTT
+E tempetat

AEMPTTU
+N amputent
+R permutat

AEMPTTX
+E exemptat

AEMPTUZ
+I amputiez

AEMPUUX
+L plumeaux

AEMPUYZ
+O paumoyez

AEMQRRU
    marquer
+A marquera
    remarqua
+E remarque
+O remorqua
+U marqueur

AEMQRSU
    marques
    masquer
+A arquames
    marasque
    masquera
    raquames
+E marquees
+I marisque
    marquise
+O moqueras
    roquames

AEMQRTU
+A marqueta
    matraque
+E marquete
+N marquent

AEMQRUU
+R marqueur

AEMQRUZ
    marquez
+I marquiez

AEMQSSU
    masques
    squames
+A saquames
+E masquees
+I massique
+O moquasse

AEMQSTU
+A squamate
    taquames
+E quetames
+I mastique
    tiquames
+N masquent
+O moquates
    toquames

AEMQSUU
+B embusqua
+I esquimau
+L squamule
+X squameux

AEMQSUV
+A vaquames

AEMQSUX
+U squameux

AEMQSUZ
    masquez
+I masquiez

AEMQTTU
+E maquette
+O moquetta

AEMQUUX
+S squameux

AEMRRRS
+A marreras

AEMRRRU
+B marbrure
+I armurier
    arrimeur

AEMRRRZ
+E marrerez

AEMRRSS
+A marrasse
   ramasser
+E serrames
+I simarres

AEMRRST
   martres
+A maratres
   marrates
   trameras
+E metreras
   terrames
+I trimeras
+P remparts
+U erratums
+Y martyres

AEMRRSU
   armures
   mureras
   rameurs
   ramures
+A amureras
+B marrubes
+D madrures
   musarder
+E mesurera
   remueras
   resumera
+G margeurs
+H rhumeras
+I marieurs
   murerais
+T erratums
+U saumurer

AEMRRSY
+T martyres

AEMRRTT
+E remettra
   tremater

AEMRRTU
   erratum
+A armateur
   armature
+E remateur
   retameur
+I murerait
+S erratums

AEMRRTY
   martyre
+H rythmera
+S martyres

AEMRRTZ
+E tramerez

AEMRRUU
+Q marqueur
+S saumurer

AEMRRUY
+E mareyeur

AEMRRUZ
+E amurerez

AEMRSSS
+A armasses
   masseras
   ramasses
+E ressemas
+I massiers
   mirasses

   rassimes
   rimasses
+O morasses
   rossames
+U masseurs
   murasses
   sursemas

AEMRSST
+A tramasse
+E masseter
   metrasse
   ressemat
   restames
   steamers
   sterames
   tersames
+H hamsters
+I maristes
   striames
   trimasse
   tsarisme
+N sarments
+O maestros
+U sursemat

AEMRSSU
   assumer
   masseur
   masures
   mausers
   mesuras
   murasse
   museras
   resumas
   rusames
   sursema
+A amurasse
   amuseras
   assumera
   saurames
+B brumasse
+C sucrames
+D musardes
+E rameuses
   remuasse
+H rhumasse
+I mesurais
   muserais
   resumais
   sursemai
+N surmenas
+O moussera
+P presumas
+S masseurs
   murasses
   sursemas
+T sursemat
+U amuseurs
   saumures

AEMRSSV
+E sevrames
   versames

AEMRSSZ
+A ramassez
+E masserez

AEMRSTT
   mettras
+A tramates

   trematas
+E emettras
   metrates
   ramettes
   tremates
+I mettrais
   titrames
   trimates
+N transmet
+O marottes
   motteras
   omettras

AEMRSTU
   matures
   mesurat
   murates
   muteras
   resumat
+A amateurs
   amurates
   rameutas
   saumatre
+B masturbe
+E etameurs
   rameutes
   remuates
+H rhumates
+I mauriste
   mesurait
   muserait
   muterais
   resumait
   tamiseur
+L mulatres
+N mesurant
   remuants
   resumant
   surmenat
   transmue
+O maroutes
   outrames
   routames
   trouames
+P permutas
   presumat
+R erratums
+S sursemat

AEMRSTV
+I vitrames

AEMRSTX
+I marxiste

AEMRSTY
+E metayers
+R martyres

AEMRSUU
   amuseur
   saumure
+E saumuree
+R saumurer
+S amuseurs
   saumures
+Z saumurez

AEMRSUV
+O emouvras
   ouvrames

AEMRSUY
   mayeurs

+O royaumes

AEMRSUZ
+A azurames
+D musardez
+E amuserez
+U saumurez

AEMRTTT
+A trematat
+I mettrait

AEMRTTU
+A rameutat
+I maturite
   meurtiat
   muterait
+P permutat
+U mutateur

AEMRTTZ
+E trematez

AEMRTUU
   trumeau
+T mutateur
+X trumeaux

AEMRTUX
+A marteaux
+H thermaux
+U trumeaux

AEMRTUZ
+E rameutez
+O mazouter

AEMRUUX
+G grumeaux
+H humeraux
+N numeraux
+O amoureux
+T trumeaux

AEMRUUZ
+S saumurez

AEMSSSS
+A massasse
   sassames
+E semasses
+I misasses
+U musasses

AEMSSST
+A massates
   matasses
   tassames
+I matisses
   metissas
   mitasses
   tissames
+O tossames
+U mutasses

AEMSSSU
   assumes
   massues
   muasses
   musasse
+A amusasse
+E assumees
   masseuse
+F fumasses
+H humasses
+I amuisses
+O emoussat
   maousses
+R masseurs

   murasses
   sursemas
+S musasses
+T mutasses

AEMSSSV
+I massives
   vissames

AEMSSSX
+I mixasses

AEMSSTT
+E massette
   testames
+I mastites
   metissat
   statisme
+O mottasse
   stomates

AEMSSTU
   musates
   mutasse
+A amusates
   sautames
+I autismes
   situames
+N assument
   muassent
+O emoussat
+R sursemat
+S mutasses

AEMSSTY
+L stylames

AEMSSTZ
+I matissez

AEMSSUU
+E amuseuse
+R amuseurs
   saumures

AEMSSUV
+A sauvames

AEMSSUX
+I seismaux

AEMSSUZ
   assumez
+I amuissez
   assumiez
   muassiez

AEMSSYZ
   zymases

AEMSTTT
+O mottates

AEMSTTU
   mutates
+B buttames
   embattus
+E amusette
+L luttames
+N mutantes

AEMSTTZ
+E mazettes

AEMSTUV
+E etuvames
+O voutames

AEMSTUZ
+O mazoutes

AEMSUUX
   museaux
+Q squameux

AEMSUUZ
+R saumurez
AEMTTUU
+R mutateur
AEMTUUX
+R trumeaux
AEMTUZZ
+O mazoutez
AENNNNO
+T anonnent
AENNNNT
+O anonnent
AENNNOP
+T panneton
AENNNOR
  anonner
+A anonnera
+C annoncer
  canonner
  ranconne
AENNNOS
  annones
  anonnes
+C annonces
  canonnes
+E anonnees
+L annelons
+T entonnas
  sonnante
  tenonnas
+X annexons
AENNNOT
  entonna
  nonante
  tenonna
+B abonnent
  banneton
+C cantonne
  enoncant
+D adonnent
+H hanneton
+I entonnai
  tenonnai
+N anonnent
+P panneton
+S entonnas
  sonnante
  tenonnas
+T annotent
  entonnat
  etonnant
  tenonnat
  tonnante
AENNNOX
+I annexion
+S annexons
AENNNOZ
  anonnez
+C annoncez
  canonnez
AENNNPT
+E pantenne
+O panneton
AENNNRT
+E enrenant
AENNNST
+E antennes
+O entonnas
  sonnante
  tenonnas
AENNNSX
+O annexons
AENNNTT
  tannent
+A tannante
+O annotent
  entonnat
  etonnant
  tenonnat
  tonnante
AENNNTU
+C nuancent
+L annulent
+Y ennuyant
AENNNTV
  vannent
AENNNTX
+A annexant
+E annexent
AENNNTY
+U ennuyant
AENNNUY
+T ennuyant
AENNOOP
+L napoleon
AENNOOT
+D anodonte
AENNOPP
+R napperon
AENNOPR
+D pardonne
+E eperonna
+H harponne
+P napperon
+S panerons
+T paneront
  patronne
AENNOPS
  paonnes
+C caponnes
+D epandons
+I espionna
  saponine
+R panerons
+T panetons
  spontane
AENNOPT
  paneton
+H pantheon
+M tamponne
+N panneton
+R paneront
  patronne
+S panetons
  spontane
AENNORR
+C arconner
+M maronne
  marronne
+Y rayonner
AENNORS
  resonna
  sonnera
+B baronnes
+C arconnes
  canerons
  carenons
  encornas
  renoncas
+D donneras
  redonnas
+F fanerons
+G nagerons
  rangeons
+I raisonne
  resonnai
  sonnerai
+M maronnes
  ramonens
  sermonna
+P panerons
+S resonnas
  sonneras
+T resonant
  resonnat
  tonneras
+U rouannes
+V savonner
+Y enrayons
  rayonnes
AENNORT
  annoter
  tonnera
+A annotera
+B enrobant
+C caneront
  cartonne
  ecornant
  encornat
  renoncat
+D redonnat
+E etonnera
+F faneront
+G nageront
  rongeant
+I ornaient
  rationne
  tonnerai
+L enrolant
  talonner
+M ramonent
+P paneront
  patronne
+S resonant
  resonnat
  tonneras
+T tatonner
+U enrouant
  renouant
+V renovant
AENNORU
  rouanne
+F enfourna
+S rouannes
+T enrouant
  renouant
AENNORV
+I innovera
+S savonner
+T renovant
AENNORY
  rayonne
+C crayonne
+E rayonnee
+M monnayer
+R rayonner
+S enrayons
  rayonnes
+Z rayonnez
AENNORZ
+C arconnez
+G gazonner
+M maronnez
+Y rayonnez
AENNOSS
+D donnasse
+I senonais
+M mannoses
  sonnasse
+R resonnas
  sonnasse
+S assenons
  sonnasse
+T sonnates
  tonnasse
+V envasons
  savonnes
+X saxonnes
AENNOST
  annotes
+A etonnas
+B betonnas
+C canetons
  etancons
+D detonnas
  donnates
+E annotees
+F festonna
+G estagnon
  negatons
  songeant
  tonnages
+I etonnais
  sonatine
+L talonnes
+M entamons
  manetons
  matonnes
  tonnames
+N entonnas
  sonnante
  tenonnas
+P panetons
  spontane
+R resonant
  resonnat
  tonneras
+S sonnates
  tonnasse
+T tatonnes
  tonnates
AENNOSU
+R rouannes
AENNOSV
  savonne
+C encavons
+E savonnee
+I venaison
+R savonner
+S envasons
  savonnes
+Z savonnez
AENNOSX
  saxonne
+N annexons
+S saxonnes
AENNOSY
+M anonymes
  monnayes
+R enrayons
  rayonnes
AENNOSZ
+C canzones
+G gazonnes
+V savonnez
AENNOTT
  etonnat
  tatonne
+B batonnet
  betonnat
  obtenant
+C canotent
  contenta
+D denotant
  detonant
  detonnat
+I etonnait
  notaient
+L entolant
+M montante
+N annotent
  entonnat
  etonnant
  tenonnat
  tonnante
+R tatonner
+S tatonnes
  tonnates
+Z tatonnez
AENNOTU
  enouant
  tonneau
+D denouant
+G engouant
+I nouaient
+R enrouant
  renouant
+X tonneaux
AENNOTV
+B obvenant
+C covenant
+I novaient
+L envolant
+R renovant
+Y envoyant
AENNOTW
+G wagonnet
AENNOTX
+U tonneaux
AENNOTY
+D denoyant
+I noyaient
+M antonyme
+V envoyant

AENNOTZ	+U enuquant	**AENNRTU**	tanisent	+A vanneaux
annotez	**AENNQUU**	tanneur	tantines	**AENOOPU**
+I annotiez	+T enuquant	+B brunante	+O tatonnes	+M epoumona
+L talonnez	**AENNRRT**	+D endurant	tonnates	**AENOORR**
+T tatonnez	narrent	+G narguent	+R entrants	+H honorera
AENNOUX	+T rentrant	+O enrouant	+T tentants	**AENOORS**
+T tonneaux	**AENNRRV**	renouant	**AENNSTU**	+T roneotas
AENNOVY	+E verranne	+S tanneurs	saunent	**AENOORT**
+T envoyant	**AENNRRY**	**AENNRTV**	+I annuites	roneota
AENNOVZ	+O rayonner	navrent	+R tanneurs	+D odorante
+S savonnez	**AENNRSS**	+A navrante	+X stanneux	+I roneotai
AENNOYZ	+C scanners	+E enervant	**AENNSTV**	+S roneotas
+M monnayez	+O resonnas	revenant	+A avenants	+T roneotat
+R rayonnez	sonneras	venerant	envasant	**AENOOST**
AENNOZZ	+U surannes	+I enivrant	vannates	+C taconeos
+G gazonnez	**AENNRST**	innervat	+E envasent	+D odonates
AENNPPR	+A tanneras	ravinent	+I inventas	+R roneotas
+E apprenne	+E etrennas	+O renovant	**AENNSTX**	**AENOOTT**
+O napperon	+G regnants	**AENNRTY**	+U stanneux	+M ottomane
AENNPPT	+I entrains	+A enrayant	**AENNSTZ**	+R roneotat
nappent	inserant	+E enrayent	+I tannisez	**AENOOTU**
AENNPRS	internas	+I tyrannie	**AENNSUV**	+M autonome
+O panerons	resinant	**AENNRTZ**	+E vanneuse	**AENOPPR**
+T prenants	serinant	+E tannerez	+R vanneurs	panorpe
+Y pyrannes	tanniser	+I nantirez	vannures	propane
AENNPRT	+O resonant	**AENNRUV**	**AENNSUX**	+N napperon
prenant	resonnat	vanneur	+T stanneux	+S panorpes
+E eprenant	tonneras	vannure	**AENNSUY**	+T apponter
panerent	+P prenants	+S vanneurs	ennuyas	**AENOPPS**
prenante	+T entrants	vannures	+I ennuyais	+L appelons
+G pregnant	+U tanneurs	**AENNRVZ**	**AENNSVZ**	+R panorpes
+O paneront	**AENNRSU**	+E vannerez	+O savonnez	propanes
patronne	suranne	**AENNRYZ**	**AENNTTT**	+T appones
+S prenants	+C rancunes	+O rayonnez	nattent	apposent
AENNPRU	+E surannee	**AENNSSS**	tentant	**AENOPPT**
+H nenuphar	+F furannes	+O assenons	+A attenant	appone
AENNPRY	+O rouannes	sonnasse	+E entetant	+I appointe
pyranne	+S surannes	**AENNSST**	tentante	+R apponter
+S pyrannes	+T tanneurs	+A assenant	+I intentat	+S appones
AENNPSS	+V vanneurs	tannasse	tantinet	+T papotent
+T pensants	**AENNRSV**	+E assenent	teintant	+Z appotent
AENNPST	+A vanneras	+I naissent	+S tentants	**AENOPPZ**
pansent	+I innervas	nantisse	**AENNTTU**	+T appontez
pensant	vanniers	niassent	+B entubant	**AENOPRR**
+D pendants	+O savonner	tannises	+F enfutant	pronera
+E pantenes	+U vanneurs	+O sonnates	+G tanguent	+D repondra
pensante	**AENNRSY**	tonnasse	**AENNTTV**	+F profaner
pentanes	+E aryennes	+P pensans	vantent	+I pronerai
+O panetons	+O enrayons	**AENNSSU**	+E eventant	+M preroman
spontane	rayonnes	+R surannes	+I inventat	+S parerons
+R prenants	+P pyrannes	**AENNSSV**	**AENNTTZ**	proneras
+S pensants	**AENNRTT**	+A vannasse	+O tatonnez	raperons
AENNPSY	entrant	+O envasons	**AENNTUU**	reparons
+A paysanne	+C centrant	savonnes	+Q enuquant	+T pareront
+R pyrannes	crantent	**AENNSSX**	**AENNTUV**	perorant
AENNPTT	+E entrante	+O saxonnes	+C encuvant	raperont
+I patinent	etrennat	**AENNSTT**	**AENNTUY**	**AENOPRS**
tapinent	retenant	sentant	ennuyat	+C caperons
+L plantent	+I internat	tenants	+F enfuyant	ponceras
AENNPTV	ratinent	+A tannates	+I ennuyait	+D deparons
+A pavanent	tarentin	+E tenantes	+N ennuyant	derapons
AENNPUX	trainent	+G stagnent	**AENNTVY**	pandores
+A panneaux	+O tatonner	tangents	+O envoyant	ponderas
AENNQTU	+R rentrant	+I instante	**AENNUVX**	+F profanes
+B banquent	+S entrants	intentas		+G gaperons
+I tannique		nantites		
+M manquent		satinent		

	sporange	+D	ponderat	+S	payerons		pontames	+I	epointat
+I	opineras	+E	operante		repayons	+N	panetons		optaient
	paieras	+I	atropine	**AENOPRZ**			spontane	+L	pelotant
+L	laperons		paieront	+F	profanez	+P	appontes	+M	empotant
	palerons		pianoter	**AENOPSS**			apposent	+P	papotent
+M	emparons		pointera		panosse	+R	operants	+R	portante
	pamerons		ponterai	+C	espacons		ponteras		taperont
	promenas		potinera		poncasse		pronates	+S	apostent
	pronames	+L	laperont	+D	espadons		reposant		pontates
+N	panerons	+M	pameront	+I	opinasse		retapons	+T	potentat
+P	panorpes		promenat	+R	panosser		saperons		tapotent
	propanes	+N	paneront		pronasse		taperons	**AENOPTU**	
+R	parerons		patronne		saperons	+S	pontasse	+C	coupante
	proneras	+P	apponter		separons	+T	apostent	+I	epanouit
	raperons	+R	pareront	+S	panosses		pontates	+S	epousant
	reparons		perorant	+T	pontasse	+U	epousant	**AENOPTV**	
+S	panosser		raperont	+Z	panossez	+X	exposant	+R	paveront
	pronasse	+S	operants	**AENOPST**		**AENOPSU**		**AENOPTX**	
	saperons		ponteras		epatons	+I	epanouis	+S	exposant
	separons		pronates	+C	poncates	+L	epaulons	**AENOPTY**	
+T	operants		reposant	+D	deposant	+R	apeurons	+R	payeront
	ponteras		retapons		dopantes	+T	epousant	**AENOPTZ**	
	pronates		saperont	+E	antepose	**AENOPSV**		+I	pianotez
	reposant		taperons	+G	pontages	+D	depavons	+P	appontez
	retapons	+T	portante	+H	phaetons	+R	paverons	**AENOPUX**	
	saperons		taperont	+I	epations	**AENOPSX**		+C	ponceaux
	taperons	+V	paveront		epointas	+T	exposant		
+U	apeurons	+Y	payeront		opinates	**AENOPSY**			
+V	paverons	**AENOPRU**			pantoise	+C	capeyons		
	repavons	+I	epanouir		pianotes	+R	payerons		
+Y	payerons	+S	apeurons		posaient		repayons		
	repayons	**AENOPRV**			saponite	**AENOPSZ**			
AENOPRT		+S	paverons	+L	polentas	+S	panossez		
	operant		repavons		salopent	**AENOPTT**			
	pontera	+T	paveront	+M	empatons	+C	capotent		
+B	probante	**AENOPRY**			etampons	+D	adoptent		
+C	caperont	+M	paronyme				depotant		
	portance		pyromane						

Achevé d'imprimer sur les presses de **Scorpion**,
à Verviers, pour le compte des nouvelles éditions **Marabout**.
D. novembre 1982/0099/188
ISBN 2-501-00329-2